À PROPOS DE L'AUTEURE

Penelope Leach est chercheuse en psychologie spécialisée dans le développement de l'enfant et un défenseur passionné au service des enfants et des parents. Elle est présidente de l'Association nationale pour la protection de l'enfant, membre de Home-Start, ancien membre et actuelle conseillère pour la recherche de la Société nationale pour la prévention de la maltraitance des enfants et membre fondateur du comité anglais de l'Association internationale pour la santé mentale de l'enfant.

Elle est titulaire d'un doctorat d'État en psychologie et docteur *honoris causa* en pédagogie. Elle est membre de la Société anglaise de psychologie et membre honoraire du département Enfance & Santé mentale de la famille à la Leopold Muller University du Royal Free and University College Hospital Medical School à Londres, où elle est actuellement codirectrice du plus important programme britannique de recherche sur les effets des différents modes de garde sur le développement de l'enfant au cours des cinq premières années.

Elle a écrit entre autres : *Babyhood : Stage by stage, from birth to age two : How your baby develops physically, emotionally, mentally* ; *Parents A to Z* ; *Children first : What society must do – and is not doing – for children today* ; *Les six premiers mois : comprendre votre bébé*. Cette première édition québécoise du classique *Your Baby and Child* – best-seller mondial depuis vingt ans et premier prix dans la catégorie vulgarisation médicale décerné par la British Medical Association – a été écrite pour de nouveaux styles de famille dans une société en perpétuelle évolution. L'équilibre entre travail et vie de famille, entre hommes et femmes, entre mères, pères et autres proches, et entre les besoins des différents enfants est à repenser sans cesse. Pour être utile dans notre monde actuel, un livre sur l'éducation de l'enfant doit prendre en considération les conséquences pratiques de ces nouvelles réalités.

Votre enfant

de 0 à 5 ans

Penelope Leach

Adaptation québécoise : Kim Ostiguy

Photographies de Jenny Matthews

Un livre Dorling Kindersley
www.dk.com

SOURCE DES PHOTOGRAPHIES
(g = gauche, d = droite, h = haut, c = centre, b = bas, a = au-dessus, e = en dessous)
Anthea Sievking : 30, 47cg, 155, Sally et Richard Greenhill, Kaye Mayers : 47hg Camilla
Jessel : 13, 27, 35, 139, 400 Eddie Lawrence : 41h, 46cg, Gerald Leach : 148, 326
Oxford Scientific Films, Derek Broomhall : 22, Vickers PLC : 41e
Tony Sheffield photographie : 73hg
Autres photographies : Antonia Deutsch
Jouets prêtés par Joe Jack Foster

MATÉRIEL PHOTO
Anne Sherman BDS Dental Practice, Londres
Clissold Park One O'Clock Club, Londres
Fortune Park Day Nursey, Londres
Pembury House Centre for Childhood, Londres
Royal Free Hospital, Londres

Pour l'édition originale

Première édition sous le titre *Baby and Child* par Michael Joseph, 1977
Publiée par Penguin Books, 1979
Seconde édition par Michael Joseph, 1988
Publiée par Penguin Books, 1989
Troisième édition sous le titre *Your Baby and Child* par Penguin Books, 1997
Cette édition est publiée par Dorling Kindersley Limited, 2003

Pour l'édition française

Copyright © Pearson Pratique, Paris, 2005
Pearson Pratique est une marque de Pearson Education France
TRADUCTION : Delphine Valentin

Pour l'édition française au Canada

Copyright © ERPI, 2006

Kim Ostiguy détient un baccalauréat et une maîtrise en sciences infirmières de l'Université
de Montréal. Elle a pratiqué comme infirmière pendant plusieurs années à l'hôpital Sainte-
Justine et elle est maintenant enseignante de soins infirmiers au cégep du Vieux Montréal.

5757, RUE CYPIHOT
SAINT-LAURENT (QUÉBEC)
H4S 1R3

www.erpi.com/documentaire

Dépôt légal - Bibliothèque et Archives nationales du Québec, 2006
Dépôt légal - Bibliothèque et Archives Canada, 2006

ISBN 2-7613-2096-4
K 20964

Imprimé en Chine
Édition vendue exclusivement au Canada

Aux enfants qui étaient le futur d'hier
et qui sont devenus le présent d'aujourd'hui

Voici la première édition québécoise du livre. Je voudrais remercier tous ceux qui y apparaissent (spécialement Cassie, Rory et leurs amis) ainsi que leurs parents, grands-parents et proches, et tous les enfants et les adultes dont nous avons pris des photos que nous n'avons finalement pas utilisées. Nous n'avons jamais eu recours à des modèles, et je remercie tout particulièrement Jenny Matthews pour la sensibilité de ses clichés.

Je voudrais aussi remercier l'équipe graphique – en particulier Sally Small-wood et Hilary Krag – pour être parvenue à renouveler la mise en page en faisant en sorte que les mots et les images fonctionnent si bien ensemble.

Mais c'est surtout grâce à Caroline Greene, éditrice, que nous avons pu réaliser ce projet vaste et complexe. Je la remercie pour l'intérêt enrichissant qu'elle a porté au sujet de ce livre ainsi que pour son savoir-faire, et je la remercie aussi du plaisir que j'ai eu à travailler avec elle.

Penelope Leach

SOMMAIRE

BÉBÉ GRANDIT

LE PETIT ENFANT

LE JEUNE ENFANT

INTRODUCTION

VOTRE ENFANT DE 0 À 5 ANS est écrit du point de vue des bébés et des enfants – pour autant que nous puissions les comprendre – car, quelles que soient l'évolution de la société et les nouvelles exigences toujours plus pesantes imposées aux parents, ce point de vue reste relativement stable, vital, et pourtant il est souvent négligé.

Ce livre suit les enfants et leur quotidien de la naissance jusqu'à l'entrée à l'école primaire. Il s'intéresse aux différentes étapes qu'ils ont à franchir, au raisonnement dont ils sont capables et aux émotions fortes qui vont les traverser. Les bébés et les petits enfants vivent dans l'instant, minute après minute, heure après heure, jour après jour, et ce sont ces petites unités de temps qui intéressent les adultes qui prennent soin d'eux. Mais tout ce que fait un enfant pendant cette période reflète ce qu'il (ou elle) est, a été et sera. Si vous savez – vous ou la personne qui prend soin de votre enfant de façon régulière (par exemple une sœur) – le comprendre et reconnaître sa place sur le parcours qui fera de lui un adulte, il n'en paraîtra que plus intéressant. Plus on lui accorde d'intérêt, plus il sait capter l'attention de tous les adultes qui comptent à ses yeux; et plus il reçoit d'attention bienveillante, plus il est content d'y répondre de façon à vous faire plaisir.

Prendre en compte le point de vue du bébé ne signifie donc pas négliger celui des parents car les deux sont étroitement liés. Lorsque vous parvenez à rendre votre enfant heureux, le temps passé avec lui est encore plus agréable, et plus vous êtes heureuse en sa compagnie, plus lui aussi est content. S'il lui arrive d'être triste – et cela arrivera forcément –, vous vous sentez triste aussi. Votre bébé a une influence sur vous de la même façon que vous en avez une sur lui. Si vous avez passé des années à apprendre à séparer nettement votre vie professionnelle de votre vie personnelle, vous allez être étonnée de découvrir qu'il est pratiquement impossible de conserver la moindre distance entre votre vie d'adulte et les problèmes de votre bébé. C'est parce que vous êtes profondément liés, pour le meilleur et pour le pire, que ce livre vous suggère de laisser votre bébé guider vos actions plutôt que de suivre à la lettre ce qui y est écrit.

Élever un enfant «selon» ce livre – par quelque règle, idée prédéterminée ou instruction extérieure que ce soit – peut fonctionner si les règles que vous choisissez de suivre sont celles qui conviennent à votre bébé. Mais le moindre décalage peut être source de problème. Prenons l'exemple simple et *a priori* évident de la façon «correcte» de laver un nouveau-né. Le bain quotidien recommandé habituellement va remplir de joie certains bébés qui ajouteront leur propre plaisir à la satisfaction des parents d'avoir un bébé tout propre. Mais d'autres proclameront avec force voix la peur que provoquent à la fois l'eau et la sensation de nudité. Les cris de panique de votre bébé feront trembler vos mains et noueront votre estomac. Vous êtes en train de faire ce que le livre recommande, mais pas ce dont votre bébé a besoin. Si vous l'écoutez lui, l'acteur principal de la scène – et la seule raison, après tout, pour laquelle vous avez lu ce livre –, vous remettrez le bain à une autre fois et utiliserez juste une débarbouillette. Et vous vous sentirez tous les deux beaucoup mieux!

Ce genre d'attention concentrée de façon sensible sur la vraie vie de l'enfant, comme une personne en devenir, est l'essence même de l'amour. Aimer de cette façon est le meilleur investissement que vous pouvez faire. Vous serez immédiatement payée en retour et pour longtemps. Ce bébé est un tout nouvel être humain et vous êtes son créateur et fondateur par l'affection que vous lui offrez – qu'il y ait ou non lien génétique. Lorsque vous l'observez et l'écoutez, pensez à toujours vous ajuster à ses besoins. Vous êtes en train de poser les fondations d'un nouveau membre de votre propre communauté et d'une amitié qui pourrait durer toujours. C'est la personne que vous connaîtrez le mieux au monde. Nul autre ne vous aimera autant que votre bébé en ces premières années, si vous le lui permettez. Vous entrez dans une relation exceptionnelle et qui peut être exceptionnellement enrichissante.

Aimer un bébé ou un enfant est une histoire circulaire, une sorte de système de réactions en chaîne. Plus vous donnez, plus vous recevez, et plus vous recevez, plus vous avez envie de donner… Cela commence dès les premières heures. Vous bavardez avec votre bébé en le berçant et, un jour, vous vous apercevez qu'il écoute. Vous lui parlez donc un peu plus. Et comme vous parlez plus, il écoute plus et pleure moins. Un jour magique, il fait la connexion entre le son perçu et votre visage et, miracle, il vous sourit. Moins de pleurs et plus de sourires vous prédisposent à lui offrir encore plus de ces douces paroles qui semblent tant le charmer. Vous avez ainsi créé un cercle merveilleux où chacun donne du plaisir à l'autre.

Et cela va continuer ainsi. Votre bébé tente de vous accompagner partout en rampant. Si cette détermination à vous suivre vous stresse et vous pousse plutôt à le laisser derrière, chaque trajet insignifiant vers la porte d'entrée ou la machine à laver finira par une crise de larmes de sa part et un mélange d'irritation et de culpabilité pour vous. Mais si vous comprenez ce qu'il ressent, si vous ralentissez gentiment votre allure et l'aidez à aller là où vous allez, il vous le rendra par le charme de sa mine heureuse et transformera votre travail quotidien en un jeu pour vous deux. Plus tard encore, votre enfant sera sans cesse en train de vous raconter quelque chose. Si vous n'écoutez que d'une oreille et répondez à moitié, la conversation deviendra vite ennuyeuse aussi bien pour vous que pour lui. Mais si vous l'écoutez et lui répondez vraiment, il sera plus attentif au sens de ses paroles. Et c'est ainsi que vous communiquerez de mieux en mieux.

Ce livre est donc totalement orienté vers vous – parent ou autre personne en charge de l'enfant – et l'enfant en tant qu'unité d'échange mutuel de plaisir. Ce qui est agréable à l'un l'est à l'autre. Votre plaisir génère le sien, et plus vous partagerez de joie ensemble, moins il y aura de temps et de place libres pour la peine et les problèmes.

J'ai écrit ce livre ainsi parce que l'expérience vécue avec les enfants des nombreuses familles qui m'ont fait partager leurs relations dans le cadre de mon travail ainsi que mes relations avec mes propres enfants et petits-enfants me rappellent sans cesse que le plaisir est *la* raison d'avoir des enfants mais que le plaisir est aussi terriblement fragile face aux pressions et au stress de la vie. Nous commençons juste à revoir l'idée traditionnelle qui veut que chaque couple stable souhaite un enfant. Mais alors que nous admettons cela, nous sommes encore loin de reconnaître les implications financières et émotionnelles fortes du choix d'être parents. Être responsable de la sécurité, de la santé et du bien-être d'un enfant a toujours été synonyme d'anxiété et de travail, mais les nouvelles tensions de la vie moderne, ajoutées à une culpabilité écrasante, menacent de faire contrepoids voire d'écraser la joie de beaucoup à élever un enfant. Il y a l'angoisse de passer plus de temps à gagner de l'argent (pour subvenir aux besoins de l'enfant) qu'à être avec lui, la culpabilité d'être trop ou pas assez souvent à la maison ou au travail, de donner trop ou pas assez d'attention à ses enfants, à son conjoint, à son accomplissement personnel… Tout est compliqué car élever un enfant est compliqué, à la maison ou au bureau.

Pour des millions de parents, l'argent et le travail sont trop rares pour faire l'objet d'un choix. Mais même parmi les couples unis et relativement privilégiés, de nombreuses femmes se sentent coupables d'apprécier une vie à la maison avec un enfant parce qu'elles sont censées gagner de l'argent et avoir une situation – si ce n'est dans l'immédiat, au moins pour plus tard en cas de séparation ; d'autres au contraire se sentent coupables de favoriser leur travail plutôt que leur maison alors que leurs enfants ont besoin d'elles ; d'autres encore, ayant trouvé un bon compromis entre leur carrière et leur travail de mère, se sentent coupables à l'idée de ne rien faire complètement. Les pères s'en sortent rarement mieux. Pour chaque machiste qui se comporte encore comme si élever des enfants − même les siens − était toujours l'affaire des femmes, il y a un homme qui souhaite prendre une part égale dans la vie et l'éducation de son enfant, mais qui doit se battre contre de vieux préjugés pour trouver sa place et tout mener de front.

Qui et où que vous soyez, avoir un enfant change tout ; pour la plupart, cela signifie faire des compromis, et pour beaucoup, il reste de nouveaux modes de vie, de nouvelles façons d'être parents à explorer. Si vous avez trouvé un rythme qui fonctionne plutôt bien, je vous en supplie, essayez de ne pas perdre un temps précieux à vous culpabiliser de n'être pas de «parfaits parents». Cela n'existe pas. Vous ne sauriez sans doute pas vous-même décrire de tels parents et je n'essayerai même pas car ce n'est qu'un mythe. Les enfants n'ont pas besoin de surhommes. Le vôtre n'a besoin que de vous, des parents juste comme il faut, qu'il considère comme parfaits parce que ce sont les siens et qu'il les aime.

La culpabilité est le sentiment le plus destructeur. Elle pousse à se lamenter sur le passé, sans agir sur le présent ou le futur. L'un des premiers objectifs de ce livre est de vous aider à trouver le courage d'éliminer la culpabilité inutile. Il y a des moyens positifs d'agir qui seront bien plus bénéfiques à votre enfant que votre remords ! Quoi que vous fassiez, si vous écoutez votre enfant et vos propres sentiments, vous trouverez toujours des solutions pour arranger les situations les plus problématiques. Si votre tout jeune bébé pleure dès qu'il est posé dans son berceau, juger votre maladresse ou son tempérament ne vous mènera nulle part. Arrêtez-vous. Écoutez-le. Observez l'état dans lequel ses cris vous ont mise. Il n'y a là aucun plaisir. Quand est-il content ? Porté, blotti contre vous ? Alors, installez-le là. Cela ne vous arrange pas vraiment à cet instant mais vous conviendra toujours mieux que ses pleurs incessants. Et c'est seulement lorsque la paix sera revenue que vous aurez une chance de trouver une autre solution. Votre enfant de trois ans panique lorsque vous éteignez sa lumière ? Écoutez-le. Écoutez vos propres sentiments. Tant qu'il a peur, il ne peut y avoir ni repos pour lui ni calme pour vous. Allumez à nouveau la lumière, et tout le monde est content ! Cela n'a aucune importance qu'il

soit «censé» ne pas avoir peur dans le noir. Le problème pour le moment, c'est qu'il est effrayé.

Élever un enfant de cette façon souple et réfléchie demande du temps, des efforts et un engagement qui sera récompensé à long terme. N'est-ce pas le cas de toute création importante? Élever un enfant est l'activité la plus créative, la plus intéressante et la plus sous-évaluée que vous allez entreprendre; d'ailleurs, toutes vos compétences professionnelles et expériences personnelles vont se nourrir de votre travail de parent alors qu'aucune ne saurait vous y préparer. Ne croyez pas que vos compétences de chef d'entreprise vous seront d'une grande utilité pour faire tourner votre vie de famille ou que, puisque vous veillez chaque jour sur une classe de vingt petits élèves, prendre soin d'un seul à la maison sera facile. Eh oui, 50 cm et 3 kilos de nourrisson peuvent, et vont même certainement, anéantir deux adultes (ou plus) intelligents, compétents et organisés!

Chaque créateur est aussi un artisan qui doit apprendre à se servir de ses outils. Élever un enfant, c'est apprendre un métier. Si vous vous efforcez – et insistez pour que tout votre entourage en fasse autant – de glisser du plaisir dans tous vos rapports avec votre bébé, vous allez vous apercevoir que s'il y a rarement une bonne et une mauvaise façon de faire les choses, il y a toujours des moyens de tirer le meilleur de votre bonheur familial. Des moyens plus ou moins faciles et plus ou moins efficaces. J'ai consacré une large part de ce livre à vous aider à trouver ce qui fonctionnera le mieux pour vous, que le problème soit de changer la couche d'un nourrisson de deux semaines qui déteste se sentir nu, ou d'un enfant de deux ans qui déteste rester immobile. Ou de savoir gérer votre propre détresse à l'idée de laisser votre enfant de trois mois ou le désespoir de l'enfant de trois ans qui doit vous quitter. Ou encore de trouver les jeux, les soins et l'éducation les plus appropriés à chaque âge… Ne faites surtout pas l'erreur de penser que tous ces petits soucis sont insignifiants et ne méritent pas votre attention – et ne laissez aucun proche sous-entendre cela. La vie quotidienne avec un bébé ou un petit enfant est faite de centaines de minutes de détails. Plus ces minutes s'écouleront dans le calme, plus les cheveux seront lavés facilement, l'assiette finie et les transitions simples entre l'éveil et le sommeil, la compagnie et la solitude, la balançoire et la maison… et plus vous aurez de temps et de disponibilité émotionnelle pour profiter de lui – et de vous aussi. Les détails, même domestiques, sont donc importants. Il y a des dizaines de façons différentes d'organiser le changement de couche de votre enfant, mais puisque cela arrivera de cinq à dix fois par jour, vous serez bien obligée d'être organisée – et ce qui convient le mieux à votre maison et à votre bébé est ce qui vous convient le mieux. Il y a mille façons de ranger les jouets, mais ça vaut la peine de trouver celle qui vous rendra la vie plus facile, qui vous permettra de conserver une pièce à peu près rangée tout en laissant les jouets à la portée de l'enfant.

Ce livre n'établit aucune règle car il n'en existe pas. Il ne vous dira pas ce qu'il faut faire car je ne peux savoir ce que vous devez faire. Mais il vous offre un ensemble varié et attrayant de petits « trucs » – qui, à une autre époque, vous auraient été transmis par vos grands-mères –, combiné aux connaissances encore plus variées et plus attrayantes acquises grâce à la recherche scientifique sur le développement de l'enfant. J'espère qu'il vous sera utile. J'espère qu'il vous aidera à prendre plaisir à découvrir le petit être qu'est votre bébé, à prendre soin de lui et à traverser les différentes étapes qui feront de lui un enfant. Si cet ouvrage contribue à rendre votre enfant heureux et donc à vous rendre heureuse vous-même, s'il peut vous aider à vous délecter l'un de l'autre, il aura atteint son but.

Le bébé pour lequel vous allez lire cet ouvrage n'est peut-être pas votre premier. Le deuxième enfant est censé être plus « facile » mais il est possible que les premiers mois vous paraissent au contraire difficiles, surtout lorsque le premier enfant a pris une bonne partie de votre temps et de votre énergie au cours des années précédentes. S'il a eu autant besoin de vous, comment ce petit dernier pourrait se contenter de moins ? Et comment supporter l'idée que tout ce que vous allez lui donner soit pris au plus grand ? Vous savez qu'il vous faut aider votre enfant à accepter ce nouveau bébé, mais avant même que celui-ci soit arrivé, vous allez peut-être lui en vouloir à la place de votre aîné : lui, vous le connaissez et l'adorez, et ce bébé à venir n'est encore qu'un étranger. Après la naissance, cependant, ne soyez pas surprise de l'excès inverse de vos sentiments. Pour ce nouveau-né, vous allez retrouver vos instincts protecteurs au point d'être parfois injuste avec le plus grand – et de vous en vouloir beaucoup !

S'occuper de bébés et d'enfants est la démonstration de la loi de Parkinson inversée : temps et énergie semblent s'étendre pour répondre à leurs demandes. Vous allez faire aussi bien pour ce nouveau bébé que pour votre premier et cela, sans déposséder qui que ce soit. Ce qui ne signifie pas que le deuxième bébé est plus « facile » mais simplement que la situation dans son ensemble est bien différente.

Le premier enfant a la tâche peu enviable de changer des adultes en parents ! Avec lui, vous avez découvert la pratique, le métier de parent. Vous avez dû apprendre à changer une couche

minutieusement remplie sans être obligée de changer tous vos vêtements ensuite ; vous avez appris à téléphoner d'une main en nourrissant au sein ou au biberon de l'autre ; et vous avez dû prendre conscience de la largeur des portes afin de ne plus avoir peur de lui cogner la tête au chambranle… Même si le nouveau venu semble incroyablement petit et fragile à côté de votre aîné, vous savez quand même déjà tout ça. Comme pour le vélo, la technique ne s'oublie pas…

En réalité, vos journées vont être encore plus pleines à présent, et vos chances de petites siestes encore plus minces. Mais cela ne signifie pas forcément que vous allez vous sentir plus fatiguée. Votre premier bébé vous a occupée chaque instant car même lorsqu'il dormait, vous restiez autour, au cas où… À présent, vous êtes plus aguerrie. Vous savez que votre bébé criera s'il a besoin de quelque chose et, loin de vous hâter pour rien, vous allez saisir chaque instant disponible pour profiter de votre aîné.

En demandant votre attention tout entière, votre premier bébé réclamait une présence bien légitime mais vous confrontait aussi aux réalités de votre nouveau rôle : il vous a appris à ne pas imaginer que vous alliez pouvoir bouquiner pendant ses périodes d'éveil ou à n'inviter chez vous que les personnes qui venaient pour le voir… Votre présence suffit à convaincre ce deuxième bébé que vous êtes là pour vous occuper de vos enfants (il lui faudra peut-être réclamer des tête-à-tête à sa grande sœur) et, que vous soyez là ou non, il lui sera facile de s'amuser puisqu'elle est là, cette grande sœur. Vous n'auriez pas pu laisser votre premier bébé seul sur sa chaise haute une seule minute, mais ce petit nouveau n'y trouve aucun inconvénient : il est tout occupé à observer sa sœur faisant de la peinture avec son yogourt ! Vous promeniez toujours celle-ci après sa sieste de l'après-midi, lui se débrouillera plus tôt tout seul dans le bac à sable, ou fera sa vie avec les affaires de sa sœur ! Rester à la maison un après-midi (par exemple parce que sa sœur est malade) ne lui posera pas de problème. Pour votre aînée chérie, être la plus grande plutôt que l'unique enfant sera peut-être dur quelque temps, mais avant même de trouver plaisir à jouer avec son petit frère, elle va adorer vous avoir à nouveau à la maison grâce à lui. Et un jour, sans doute, c'est être avec lui qu'elle adorera.

Qu'en est-il si vous avez eu des jumeaux, ou plus ? Les jumeaux partagent l'utérus, les parents et presque toutes les étapes importantes de l'enfance, des anniversaires à la première rentrée des classes. Ni eux, ni personne, ne risquent d'oublier le fait qu'ils sont jumeaux et la différence que cela fait avec un nouveau-né arrivé seul. Vous n'avez donc pas besoin d'en rajouter. C'est leur individualité qui est en danger, et vous devez vous assurer qu'elle ne se perde pas dans leur dualisme. Il vous faudra peut-être faire un réel effort pour considérer chacun d'eux en tant qu'individu plutôt que pair, ou trio. N'oubliez pas qu'être juste, ce n'est pas les traiter exactement de la même façon, mais faire autant d'efforts pour comprendre les besoins de chacun. Vous allez peut-être aussi rencontrer des difficultés avec les autres. Si vous n'aviez eu qu'un enfant, vos amis ou la famille n'auraient pas eu à l'examiner sous toutes les coutures pour être bien sûr de reconnaître le petit Thomas de votre faire-part, ce bébé que vous portez dans les bras ne pouvant être que Thomas. Mais puisque vous avez deux bébés, il est vital que tous fassent l'effort de reconnaître lequel est Thomas et lequel est Benjamin, plutôt que d'avoir trop facilement recours à l'expression «les jumeaux». Sinon, ils ne pourront pas nommer ce petit bébé, tout seul dans son berceau, auquel ils sourient.

Plus vous pousserez les gens à ne pas les confondre, plus eux-mêmes se verront comme deux enfants distincts, deux individus différents et indépendants. Surmonter cette difficulté est en général assez facile. De faux jumeaux ne se ressemblent pas forcément. Après tout, ils sont justes frères et/ou sœurs. Les vrais jumeaux eux-mêmes sont très rarement identiques au cours de leurs premières semaines à cause, entre autres, des différences de poids et de la façon dont ils sont arrivés au monde.

Au début, combler les besoins de bébés jumeaux est bien plus difficile que de combler les besoins de deux enfants d'âge différent, mais cela ne sera plus vrai quelques mois plus tard. Le problème fondamental est l'absolue dépendance des nouveau-nés – et spécialement leur incapacité à tenir leur tête seuls ou à se tourner pour trouver le sein. Prendre un bébé dans ses bras, le porter pour le réconforter ou le soutenir pour qu'il puisse téter et respirer en même temps réquisitionne deux mains. Avec deux bébés, vous aurez donc logiquement besoin d'une autre paire de mains ! L'aide du père est idéale, mais si cela est impossible, essayez vraiment de trouver une autre personne. Il n'est pas nécessaire qu'elle soit très proche ou très impliquée, vous êtes juste à court de mains ! Mais il faut qu'elle puisse rester près de vous au moins les premières semaines.

S'occuper d'un bébé qui va nécessiter des soins particuliers n'est pas forcément plus difficile en soi. Beaucoup d'affections génétiques ou neurologiques ne sont manifestes qu'après plusieurs mois, et même certains problèmes immédiatement diagnostiqués – comme le syndrome de Down – n'ont pas de conséquences sur les soins à apporter au nouveau-né. Les difficultés viendront plus souvent des adultes. Essayez de garder à l'esprit que, quels que soient le diagnostic ou la maladie envisagée pour votre enfant, il s'agit

avant tout d'un nourrisson et que, à ce moment de sa vie, il est plus que tout un enfant comme les autres. Il est souvent bon d'avoir quelqu'un pour vous rappeler cela et vous aider à envisager le futur et à faire face aux difficultés à venir. N'hésitez pas à insister pour obtenir des informations auprès des professionnels et pour qu'on vous mette en relation avec un groupe de soutien composé d'autres parents.

À PROPOS DE CE LIVRE

Ce livre est organisé en fonction de l'âge des enfants. Il commence par ce que nous connaissons de la vie intra-utérine et vous accompagne jusqu'à la fin de la cinquième année de l'enfant. Un tel découpage par âge est pratique (tous les parents connaissent l'âge exact de leur enfant!) mais si vous vous y reportez pour juger votre bébé et ses progrès, vous ferez erreur. Le développement de l'enfant est un processus, pas une course. Tous les bébés commencent au même point et suivent le même chemin en franchissant des étapes dans un ordre prédéterminé. Mais chaque bébé suit ce chemin à son propre rythme, avec ses propres bonds en avant, retards et pauses, et la rapidité ne fait gagner aucun prix. Donc, quel que soit l'âge de votre enfant, allez de chapitre en chapitre au rythme de ses propres progrès, de son propre développement.

VOTRE ENFANT DE 0 À 5 ANS n'a pas de chapitre consacré exclusivement à l'aspect médical – il existe aujourd'hui des livres entiers sur les maladies infantiles, les accidents et les premiers soins. En revanche, des textes encadrés sur fond coloré répartis dans chaque chapitre expriment des points de vue de parents (pas toujours identiques au mien), des questions récurrentes et des conseils sur des points importants.

Le bébé ou l'enfant pour lequel vous utilisez cet ouvrage n'est peut-être pas le vôtre au sens traditionnel et biologique du terme. Vous l'avez adopté ou vous êtes la nouvelle compagne de son père ou bien vous êtes son éducatrice. Le «vous» auquel je m'adresse dans ce livre n'est pas différent selon le type de relation qui vous lie à l'enfant. Il représente aussi bien les couples unis, le parent qui se débrouille seul ou toute autre personne prenant soin d'un petit être. Les bébés ne s'intéressent pas à la génétique, ils ne s'intéressent qu'à l'affection.

En français, «bébé» est du genre masculin, ainsi qu'«enfant» en général. C'est donc le plus souvent le pronom «il» qui est utilisé dans cet ouvrage. Le genre est spécifié lorsque cela a un sens. Mais dans la plupart des cas, ce qui est dit s'applique aux garçons comme aux filles, et plus largement à l'enfant que vous avez ou que vous projetez d'avoir.

LE
NOUVEAU-NÉ

Se découvrir

Il faut être trois pour une naissance. La plupart des mères et de plus en plus de pères se souviennent de la naissance de leur premier enfant comme de l'expérience la plus importante de leur vie. Mais l'être pour qui ce jour est vraiment vital est la troisième personne : le bébé.

Reconnaître le bébé comme un individu à part entière, même s'il est encore une partie de votre corps et restera longtemps dépendant de vous, est important pour devenir parent. Et en cela la technologie moderne vous aidera beaucoup. Deux générations plus tôt, les bébés restaient un grand mystère jusqu'à ce qu'ils sortent de leur mère et arrivent dans notre monde. Aujourd'hui, grâce aux nouvelles techniques d'imagerie, on en sait de plus en plus sur le développement du bébé avant la naissance. Nous savons, par exemple, que le fœtus bouge de la même façon que le nouveau-né, qu'à la fin du premier trimestre, ses mains s'ouvrent et se ferment et il découvre les mouvements de déglutition et de respiration, qu'à environ quinze semaines – avant même que ses gestes les plus énergiques soient perceptibles –, il peut sucer son doigt et qu'au cours du dernier trimestre, il boit, fait pipi, tousse, a le hoquet tout au long de journées et de nuits déjà organisées en cycles d'activité et d'inactivité. Et à le voir bouger ainsi, on a vraiment l'impression qu'il joue.

Vous avez probablement déjà vu votre bébé lors d'une échographie et montré fièrement à votre entourage les images prises il y a des mois déjà, lorsqu'il était encore assez petit pour qu'on reconnaisse sur l'écran les différentes parties de son corps. Peut-être savez-vous déjà si vous attendez un garçon ou une fille. De telles images sont des preuves stupéfiantes de l'existence d'un vrai bébé, encore plus si vous avez la chance d'assister à l'une de ses séances de gymnastique qui provoquent de curieuses palpitations dans votre ventre. Mais vous aident-elles à réaliser ce fait extraordinaire : ce fœtus est le vôtre, par les liens génétiques qui vous unissent mais surtout par l'influence directe que vous avez sur lui dès les premiers instants? Alors que vous observez votre ventre gonfler, vous prenez conscience de votre propre influence sur ce qui vit à l'intérieur et cela crée un lien tangible entre ce fœtus et votre futur bébé, entre être enceinte et être maman. Ces cycles organisés de repos et d'activité, par exemple, communs à tous les fœtus et alternant environ 40 minutes de repos et 80 minutes d'activité lorsque vous dormez, s'adaptent à votre propre rythme. Lorsque vous êtes physiquement occupée, votre fœtus reste souvent calme; quand vous vous reposez, il reprend sa gymnastique. Progressivement, vous parvenez à faire la différence entre son «sommeil profond» (calme et sourd aux sollicitations), son «sommeil léger» (calme, avec quelques petits mouvements et peut-être le hoquet), ses périodes d'«éveil actif» (des mouvements vigoureux et brusques) et son état d'«éveil calme», où il répond à vos caresses par des mouvements plus doux.

Au cours du dernier trimestre, le bébé ne fait pas que réagir aux sons, aux différentes caresses et aux variations de lumière, mais il les «apprend» et se comporte différemment selon qu'ils sont familiers ou nouveaux. Une lumière forte, braquée sur votre ventre dans le champ de vision du fœtus, peut le faire sursauter, alors qu'une lumière plus douce le fera se tourner. Mais s'il y a une lumière vive au-dessus de votre baignoire, elle fait partie de son quotidien et lui devient familière. Le bruit sourd d'un chien qui aboie le fait aussi sursauter, mais si c'est votre chien et qu'il aboie souvent, il s'y habitue (tout comme un nourrisson s'habitue aux bruits de sa maison) et ne sera pas perturbé par ce son particulier lorsqu'il aura quitté votre ventre. Il connaît ainsi plusieurs sons entendus régulièrement et en particulier vos voix. La plupart des nouveau-nés ont une nette préférence pour les timbres féminins, ce qui est bien normal puisque la voix de leur mère les a accompagnés neuf mois durant. Mais la préférence est moins marquée lorsque le père a été présent et n'a pas hésité à parler au ventre arrondi de sa femme.

Rien de tout cela ne signifie que l'on peut commencer l'éducation d'un bébé avant même sa naissance, bien entendu, ou que lui faire écouter de la grande musique et lui lire de la littérature en fera un artiste. Même s'il reste encore beaucoup à découvrir sur le développement prénatal, il est fort improbable que le fœtus soit capable de raisonnement intellectuel. Il est plus vraisemblable qu'il soit sensible aux stimulations sensorielles, ce qui lui permet de répondre aux rythmes et aux nuances de la musique et peut-être aux variations de la voix et du toucher. N'espérez donc pas «éduquer» ou «éveiller» votre bébé si tôt. Profitez simplement de cette communication.

Personne ne sait vraiment ce qu'un bébé ressent en naissant. On imagine plutôt une expérience angoissante et violente – quelque chose comme essayer de se glisser dans un passage horriblement étroit au cours d'un tremblement de terre. Pourtant, nous avons beaucoup appris sur cet événement. Nous savons, par exemple, que les bébés ont un rôle important dans le déclenchement du travail (à moins que la naissance ne soit médicalement programmée). Nous savons, par les réactions physiologiques des bébés au cours du travail – montée d'adrénaline, changements rapides du rythme cardiaque –, que l'expérience est physiquement intense. Mais on ne peut dire de façon certaine que le bébé souffre et panique au cours de la délivrance ou que la détresse fœtale, signe de danger physique, est aussi signe de détresse émotionnelle.

Ignorer les sensations du bébé n'autorise personne à se comporter comme s'il ne sentait rien et à se concentrer sur sa sécurité en oubliant de lui apporter réconfort et douceur. Pendant le travail et l'accouchement, le recours simultané à une technologie obstétrique de pointe et au savoir-faire de l'équipe médicale permet de s'occuper du bien-être du bébé tout en assurant sa sécurité. Prendre soin de lui comme d'un adulte et le traiter avec égard lui rendent certainement cette transition vers la vie indépendante plus facile. On peut imaginer, au vu des ecchymoses que provoque l'utilisation de forceps, que celle-ci est douloureuse pour le bébé et il est bien probable que son agitation soit due à un fort mal de tête… Et, dans le même ordre d'idées, oui, les bébés ont mal lorsqu'on les pique avec des aiguilles…

Inexorablement expulsé de son havre tiède et liquide, à travers un passage minuscule entouré d'os et vers un monde hyperlumineux, plein de bruit et de matières nouvelles, le bébé est soumis aux réactions violentes de chacun de ses nerfs. C'est le choc de la délivrance qui le pousse à respirer par lui-même. Le placenta, qui lui fournissait son oxygène par l'intermédiaire de votre sang, a fini son travail. Il faut qu'il respire. Mais si personne ne s'empresse de couper le cordon ombilical, le sang continue d'y circuler pendant un court moment, permettant au bébé de réaliser cette transition vitale en douceur et sans cris.

Votre bébé respire ; désormais il a besoin de repos, de temps pour récupérer ses forces et découvrir un nouveau bien-être dans un nouveau monde. Votre ventre, vide et mou à présent, forme un berceau idéal, mais votre bébé ne peut se reposer tant que l'activité alentour n'a pas cessé. Le personnel médical a discuté et bougé autour de lui, sous des lumières vives, le temps de s'assurer que tout allait bien. Mais maintenant que votre bébé *est* en sécurité, les lumières, agressives pour ses petits yeux habitués à la pénombre, peuvent être éteintes et le silence peut régner.

Dans une atmosphère tamisée, calme et chaleureuse, le bébé, entouré de votre voix et de votre odeur familières, va commencer à se détendre : sa respiration est paisible, la peau plissée de son visage se lisse et ses yeux vont peut-être s'ouvrir. Sa tête bouge un peu et, se frottant doucement à votre sein nu, il va peut-être téter, découvrant dans ce contact humain de quoi se consoler de cette séparation. Ce sont là les premiers contacts de votre bébé avec notre monde, les premiers instants de sa nouvelle vie : aidez-le à les vivre en paix.

Votre bébé doit être pesé. Mais est-il indispensable de le faire maintenant, alors que son poids n'aura pas changé dans une demi-heure ? Il doit être lavé. Mais pourquoi tout de suite ? Le vernix qui a protégé sa peau n'est pas subitement devenu néfaste pour lui. Il doit être habillé. Mais pour l'instant un drap doux, votre propre chaleur et celle de la pièce suffisent. Il faut nettoyer le cordon, pratiquer un examen physique complet et préparer son petit lit. On doit aussi vous aider à vous laver, vous changer, vous installer dans votre propre chambre, vous donner à boire. Mais tout cela peut attendre un peu. Votre bébé vient de naître. L'urgence médicale est passée. Tout ce qui compte maintenant, c'est de vous retrouver, tous les trois, dans le calme et l'intimité.

Il est important de préparer les parents à l'accueil de leur bébé, à ce premier moment où ils vont enfin pouvoir le toucher, dans le monde où ils vont vivre ensemble. Être le premier réconfort physique de son bébé installe la mère à sa véritable place : au centre de la vie de l'enfant. Si les premières minutes de cette nouvelle vie ne peuvent pas toujours se dérouler ainsi, elles ne sont cependant pas irremplaçables. La santé de l'enfant passe avant tout. Si pour son propre bien, ou pour le vôtre, le bébé doit arriver par césarienne ou à l'aide de forceps, être réanimé et pris en charge par des professionnels, ne vous désespérez pas de ne pas pouvoir lui offrir le meilleur départ, ne pensez pas que vous êtes passée à côté du premier lien. Les premières minutes comptent, mais ne pas les vivre comme vous le souhaitiez n'aura pas de conséquences irréversibles sur vos relations. Deux générations plus tôt, après tout, il était très rare que les pères soient présents et les femmes accouchaient souvent sous anesthésie ; pour autant, les problèmes de liens affectifs n'étaient pas plus fréquents qu'aujourd'hui.

La vérité est que, pour beaucoup de parents, le lien ne se fait pas dans la fusion instantanée qu'ils avaient imaginée. La peau encore maculée de sang et fripée, cette grosse tête lourde, ce cordon un peu primitif, ces oreilles et ces doigts miniatures vont peut-être vous faire un peu peur ou vous retourner l'estomac ! Et le sentiment que vous éprouverez peut être plus proche d'une immense panique que de l'amour. Pour nombre de parents, l'attachement est un processus qui

prend du temps, un lien qui s'approfondit dans la réciprocité. Un homme qui n'assiste pas à la naissance de son bébé, aux premières heures de sa vie ou aux visites de la première semaine peut craindre d'être passé à côté d'une période importante pour son attachement à l'enfant ; pour autant, il ne vivra pas forcément cela comme un drame. Mais lorsqu'une mère ne parvient pas à établir ce lien avec son bébé, ce n'est jamais à cause de simples circonstances externes ou d'un manque de temps. Ce sont des sentiments qui font barrière, et avoir le courage de le reconnaître et de nommer ces sentiments est le meilleur moyen de les combattre.

Les nouveau-nés ont besoin de réconfort après le stress physique de l'accouchement, le choc de la naissance et des premières respirations. Mais si l'accouchement ne s'est pas passé comme vous l'aviez prévu – un monitoring permanent, une médication trop importante, par exemple, alors que vous souhaitiez une intervention médicale minimale –, un sentiment d'échec pourrait dominer le triomphe qu'a été la mise au monde de ce magnifique bébé. La préparation à la naissance manque son but si l'accouchement devient une fin en soi plutôt que simplement le moyen d'offrir le meilleur début à l'enfant. Si vous êtes obnubilée par votre propre « performance », vous serez incapable de vous concentrer sur le bébé.

Les nouveau-nés ont besoin de réconfort après le stress physique de l'accouchement et le choc de la naissance. Mais si l'accouchement et la délivrance ont été difficiles et douloureux, vous aurez aussi besoin de réconfort et d'attention pour vous-même et ne serez peut-être pas en mesure d'en offrir autant à votre bébé. Et si vous ne vous sentez pas rapidement soutenue, vous finirez par considérer l'enfant comme la cause de votre malheur, comme l'agresseur plutôt que comme la victime.

Les nouveau-nés ont besoin de réconfort après le choc de la naissance, mais parfois l'état de santé de votre enfant ou un détail physique – une marque de naissance ou un bec-de-lièvre – vous empêche de faire le lien entre le bébé qui était en vous et que vous attendiez et celui que vous avez dans vos bras. Donnez-vous du temps ; ce rejet se transforme en général en besoin de le protéger. Vous informer sur le problème de votre enfant vous aidera à accélérer cette transition.

Les nouveau-nés ont besoin de réconfort, mais en cas d'urgence médicale, vous pouvez avoir l'impression de ne pas être à la hauteur. Face à un bébé mis en incubateur ou dont la vie dépend de machines et de spécialistes, vous risquez de vous sentir inutile, comme s'il appartenait plus aux médecins qu'à vous-même.

Tous ces sentiments sont bien légitimes. Il n'y a aucune raison pour qu'ils s'installent durablement entre votre enfant et vous, à moins que, horrifiée de ne pas être simplement remplie d'amour, vous culpabilisiez et préfériez les taire. Toutes les mères ont besoin de parler de leur accouchement – à l'équipe médicale mais surtout au père, aux proches, aux amies qui ont des enfants ou à celles qui ont partagé les cours de préparation… –, et plus encore lorsqu'il a été difficile. Ne soyez pas surprise si vous avez l'impression de ne pouvoir parler que de ça, encore et encore ; vous essayez d'y mettre un peu d'ordre et de vous approprier ce qui vient de vous arriver. Celles qui n'ont personne à qui en parler ou qui ont été trop bouleversées par la naissance pour pouvoir la raconter ont souvent tendance à enfouir leurs souvenirs en elles jusqu'à ne plus vouloir y penser, mais souvent en vain. Le meilleur moyen d'évacuer tous ces sentiments est de prendre le temps de « digérer » votre expérience. Vous serez alors prête à vous consacrer de tout votre cœur à l'enfant que vous venez de mettre au monde.

Partager l'expérience d'une naissance transforme les parents – et certainement l'enfant, même si nous ne savons pas de quelle façon. Les femmes qui ont partagé les neuf mois de grossesse avec un époux très impliqué trouvent souvent cette situation idéale. Un tel (ou une telle) partenaire a l'avantage d'être à la fois impliqué émotionnellement et préservé physiquement ! Il va pouvoir vous aider à utiliser au mieux les techniques de respiration apprises, vous soutenir physiquement et surtout, alors que le processus de l'accouchement vous envahit progressivement, il va pouvoir veiller sur vous et sur le bébé comme un *alter ego*. Alors que le travail commence, vous entraînant toujours plus profondément dans la confusion de cette naissance imminente, il peut même être votre seul lien avec la réalité.

Infirmières, sages-femmes et médecins vont et viennent, vérifiant que tout suit son cours, mais lorsque l'effort continu rend tout ce qui vous entoure flou, vous percevez encore son visage, entendez et comprenez ses paroles. Et la naissance de votre bébé devient le fruit d'un vrai travail d'équipe !

La plupart des couples souhaitent aujourd'hui qu'il en soit ainsi et les pères – biologiques ou non – sont bien accueillis par les hôpitaux. Il y a cependant encore des personnes qui ne souhaitent pas vivre les choses ainsi. Chaque couple qui s'apprête à faire une place à un enfant dans sa relation doit trouver sa propre façon de l'accueillir. Rien n'oblige à partager l'expérience de la naissance de telle ou telle façon, l'important est que vous décidiez ensemble. Les pères qui attendent dans une autre pièce et les mères qui préfèrent un environnement uniquement féminin n'abandonnent pas forcément l'autre. Se sentir ensemble est bien plus important que d'être ensemble.

Les premiers jours de sa vie

L'accouchement peut sembler l'aboutissement de longs mois d'attente mais, en réalité, ce n'est qu'un début. Vous n'attendiez pas de donner naissance, vous attendiez d'avoir un bébé. Vous n'aurez pas le temps de faire une pause entre le fait de devenir parent et le travail que cela implique dorénavant. Ne prévoyez pas un programme trop chargé pour ces quelques premiers jours très particuliers ! Vous adapter tous les trois à votre nouvelle vie est déjà une tâche importante, et plus vous, en tant qu'adultes, serez aptes à vivre cela posément, plus votre bébé pourra en faire autant. Ne cédez pas à la panique maintenant car tout va très vite changer. Lorsqu'il aura un mois, tout sera différent car votre bébé sera déjà bien installé dans sa nouvelle vie hors de votre utérus et vous aurez pris vos marques dans votre nouveau rôle de parent.

La plupart des couples gardent le souvenir d'un temps confus et très intense sur le plan émotionnel. Bien que largement prévenues qu'un accouchement est un vrai et dur travail, beaucoup de femmes sont quand même surprises par leur réel état de fatigue. La semaine (ou plus) qui suit votre accouchement, vous risquez de tout ressentir de façon excessive : joie, fatigue, responsabilité, fierté, égoïsme, don de soi… Si des raisons concrètes vous aident à mieux accepter votre état, rappelez-vous que votre équilibre hormonal est perturbé, votre montée de lait n'est pas finie, le col de votre utérus n'est pas encore fermé et tout votre corps s'efforce de trouver son équilibre post-partum. Mais vous n'avez pas besoin de ces excuses. Il est parfaitement normal que vous vous sentiez dans un état inhabituel. Toutes les mamans passent par là, et les pères aussi, car devenir parent est un des événements les plus bouleversants.

Votre bébé, lui, vit une expérience sans équivalent dans la vie d'adulte. Tant qu'il était en vous, votre corps prenait soin de lui. Il lui fournissait nourriture et oxygène, le débarrassait de ses propres rejets et le gardait bien au chaud, protégé du monde. Maintenant, c'est son propre corps qui doit prendre la relève. Il doit téter et avaler le lait, le digérer et en rejeter les déchets. Il doit tirer son énergie de cette nourriture pour que son corps fonctionne, pour conserver une bonne température et pour grandir. Il doit trouver lui-même son oxygène et nettoyer ses voies respiratoires en toussant et en éternuant. Et tout en faisant cela, il est bombardé de nouvelles sensations par le monde qui l'entoure. Tout d'un coup, il y a de l'air sur sa peau, chaud ou froid, de nouvelles matières, des mouvements et des obstacles. La lumière est bien plus vive qu'avant, et il y a plein de choses à voir, qui apparaissent et disparaissent soudainement. Il découvre la sensation de faim, il apprend à téter, à faire un rot et à déféquer. Il y a les odeurs, les goûts.

Et les sons qui, même familiers, sont très différents entendus hors de l'eau… Tout est différent. Tout est déroutant.

Votre nouveau-né a des instincts, des réflexes et des sens qui fonctionnent et, à de nombreux égards, il est incroyablement compétent. Mais il n'a ni les connaissances ni l'expérience propres à son nouvel environnement. Il ne sait pas ce qu'il est, que cet objet qui bouge devant ses yeux est une part de lui-même (ce que nous appelons une « main »…) et que cet objet va continuer d'exister (et de lui appartenir) lorsqu'il aura disparu. Il ne sait même pas que vous êtes des personnes (et encore moins des personnes appelées « parents »). Il est programmé pour s'intéresser à vous, pour observer votre visage et écouter votre voix. Il est programmé pour téter lorsque vous lui offrez le sein et pour reconnaître l'odeur de votre lait et le préférer à n'importe quel autre. Il est programmé pour survivre, apprendre et grandir, mais cela va prendre du temps…

Ce nouveau-né, avant d'être un bébé à l'aise dans sa nouvelle vie, a un comportement difficilement prévisible. Il peut vouloir être nourri toutes les demi-heures pendant six heures, puis s'endormir sans plus rien demander les six heures suivantes. Son appétit cet après-midi ne dépend pas de celui de ce matin, car il ne suit encore aucun cycle. Son système de digestion n'est pas réglé et il ne sait pas encore reconnaître les signes de la faim. Il vit dans l'instant. Son sommeil est tout aussi chaotique ; les petits sommes de dix minutes la nuit dernière et une sieste de cinq heures aujourd'hui ne vous apprennent rien du déroulement de sa prochaine nuit. Il peut aussi pleurer sans raison apparente et cesser de façon tout aussi inexplicable. Ses pleurs n'ont pas de motivations précises car, mis à part la douleur physique et le fait de téter, il n'a pas encore établi la différence entre plaisir et mécontentement.

Quiconque s'occupe d'un nouveau-né – parents ou professionnels – manque forcément de données essentielles… Votre bébé est tout neuf. Quelles que soient vos compétences en matière de nourrisson en général, ni vous ni personne ne connaît ce bébé en particulier. Vous ne pouvez pas savoir quelle expression de son visage signifie qu'il est bien, et donc quelle autre signifie qu'il est malade ou triste. Il n'est pas là depuis assez longtemps pour que vous puissiez connaître ses habitudes et vous n'avez aucun repère pour déchiffrer ses pleurs. Vous ne savez encore rien de ses habitudes en matière de faim et de sommeil ; comment savoir alors s'il a assez mangé et dormi aujourd'hui ? Et pourtant son bien-être est entre vos mains. Vous allez donc devoir tâtonner et ajuster en permanence en découvrant votre enfant, pendant que lui découvre la vie. Il y a beaucoup à apprendre pour chacun de vous. Une semaine suffira peut-être pour que vous vous sentiez à l'aise dans votre rôle et pour qu'il se

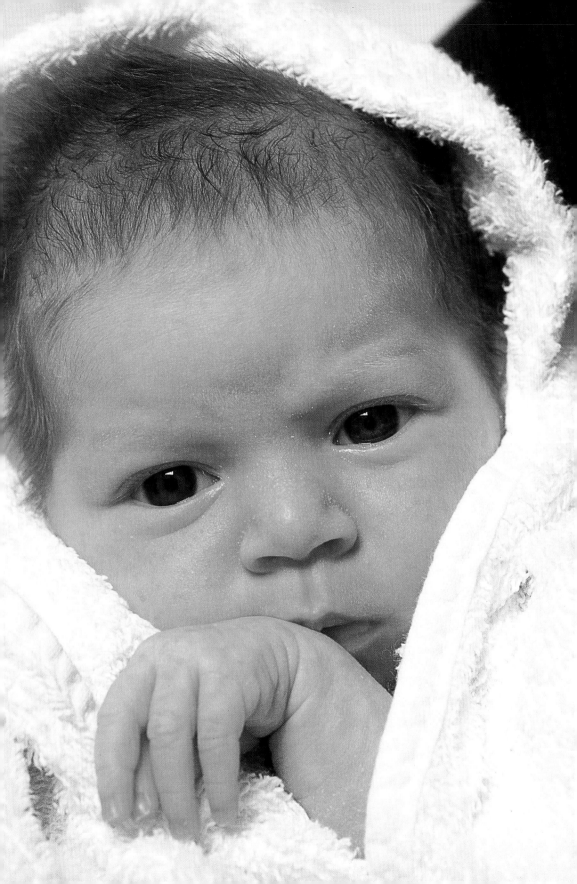

sente en sécurité. Mais cela peut aussi prendre un mois… Lorsque vous aurez chacun trouvé vos marques, que vous commencerez à vous connaître, tout deviendra d'un coup beaucoup plus facile et calme pour tous les deux. Vous ne vivrez déjà plus avec un nouveau-né mais avec un petit bébé.

À cette même période, et même si vous êtes la mère biologique du bébé, ne vous tourmentez pas s'il vous semble que vous ne ressentez pas encore vraiment de l'amour pour lui. Contrairement au coup de foudre amoureux, cet amour-là peut demander du temps. Et alors ? Quelle que soit votre définition de l'amour, il s'agit toujours d'une relation entre deux personnes qui se découvrent, aiment ce qu'elles apprennent l'une de l'autre et souhaitent en savoir toujours plus. Votre enfant et vous, vous ne vous connaissiez pas. Comment savoir qui est cet être tout nouveau ? Il est difficile pour le moment de trouver «adorable» quelqu'un dont vous ignorez tout des traits de caractère qui en feront un être unique. Vous l'aimez peut-être spontanément juste parce que c'est *votre* bébé, l'accomplissement de vos rêves et de vos projets personnels et mutuels. Mais comment l'aimer comme on aime une personne tant que sa propre personnalité n'est pas définie ? Pour le moment, il n'a pas réalisé que vous étiez indépendants l'un de l'autre, il n'a pas pris conscience de son existence en dehors de la vôtre. Il va apprendre à vous aimer avec une passion inébranlable et aucun amour n'égalera celui-ci. Mais cela demande un peu de temps.

Alors si vous éprouvez des sentiments mélangés, ne vous inquiétez pas. L'irritation provoquée par ses pleurs sera effacée dans un instant par une immense et irrésistible bouffée de tendresse alors que vous le bercerez. Mais votre fierté d'être mère peut aussi être soudainement transformée en claustrophobie, par l'angoisse de vous sentir responsable de la vie de cet enfant et de ne plus jamais être libre et indépendante. Plus rien ne sera jamais comme avant, c'est évident. Mais dès que vos sentiments auront cessé leur valse, cette idée ne vous paniquera plus. Si vous êtes tentée de reprendre votre vie professionnelle pour retrouver un peu de votre liberté, ne cédez pas à cette envie. Donnez-vous le plus de temps possible pour vous adapter à cette nouvelle réalité. Vous allez quitter votre enfant pour rejoindre une vie professionnelle dans laquelle vous devrez faire comme si rien ne vous était arrivé, comme si lui n'existait pas. Il vaut mieux reprendre le travail en tant que mère plutôt que pour fuir votre rôle.

Si vous êtes sa mère biologique, votre corps saura aimer ce nouveau-né dès les premiers instants, à la seule condition que vous le laissiez faire. Quels que soient les sentiments ou les anciennes habitudes pouvant faire obstacle, votre corps, lui, est prêt à l'accueillir. Votre peau frissonne à son contact. Ce petit corps se love parfaitement sur votre ventre, vos épaules, votre poitrine. Cette tête toute

chaude vient se blottir d'elle-même sur votre joue, s'y frotter et, lorsque votre bébé aura compris comment téter le lait que vous lui offrez, le plaisir de l'allaitement et le lien qu'il crée entre vous seront incroyablement forts.

Mais même sans lien biologique, le contact physique avec l'enfant, ce que vous allez ressentir en le berçant doucement dans vos bras et en tenant ces toutes petites mains dans les vôtres, va suffire à vous faire fondre d'amour. Les nourrissons n'attendent pas passivement que les adultes s'intéressent à eux. Si votre bébé vous sent à ses côtés, il saura lui aussi vous montrer tout l'intérêt qu'il vous porte. Il suffit de lui en donner la possibilité pour qu'il ressente cette affection.

Ses réactions physiques sont votre meilleur guide pour savoir ce dont il a besoin pendant les premiers jours. Les grands principes et les grandes théories ne vous sont pour l'instant d'aucune aide car vous ne pouvez pas encore savoir s'ils lui conviennent. La meilleure façon de prendre soin de votre bébé est de recréer autant que possible le bien-être de sa vie intra-utérine. Ses besoins sont simples, toujours les mêmes et faciles à résoudre. Il a besoin de nourriture et d'eau, qui sont contenues dans le lait; il a besoin de la chaleur et du réconfort que lui offrent des vêtements simples et vos bras, ou la douceur de sa dormeuse lorsqu'il est dans son berceau; il a besoin d'un minimum de toilette pour sa peau fragile; et il a besoin de protection. Voilà tout ce qu'il lui faut. Vous serez forcément tentée par les poudres et les lotions, les mobiles et les peluches, les sièges pour bébé et les splendides vête-ments. Faites-vous plaisir, votre bébé appréciera tout ça plus tard. Pour le moment, tenez-le contre vous bien enveloppé, bercez-le douce-ment, nourrissez-le quand il a faim, parlez-lui lorsqu'il vous regarde, lavez-le quand il est sale et donnez-lui tout le temps de s'habituer à la vie. À moins qu'il ne soit vraiment malade, aucun de vos devoirs envers lui n'est censé le faire pleurer ou l'effrayer. S'il prend plaisir à vos soins, vous avez tout juste; s'ils le perturbent, vous vous trompez sans doute. Laissez-vous simplement guider par ses réactions.

De cette façon, votre nouveau-né va progressivement prendre conscience de ses besoins et réaliser qu'ils sont toujours comblés au bon moment. Il va grandir en sachant que le monde dans lequel il vit est plutôt un endroit agréable. Et c'est bien le meilleur départ que vous puissiez lui offrir.

Que faire lorsque l'attachement n'a pas été instantané ?

Comment favoriser un attachement progressif lorsque le lien entre la mère et le bébé n'a pas été spontané ?

Ne vous fixez pas sur l'idée que l'attachement instantané est idéal et indispensable. Et n'entretenez pas non plus l'idée qui veut que cet attachement soit uniquement le problème de la femme.

L'attachement n'est pas un concept strict réservé aux mères biologiques et à leur bébé. Il concerne aussi les pères – biologiques ou non – et, en un sens, tous les couples et leurs bébés, quel que soit le lien qui les unit. Toute personne s'apprêtant à jouer le rôle de mère ou de père doit s'habituer à ses nouvelles attributions et s'attacher à l'enfant au sein de cette nouvelle entité à trois. Les choses se dérouleront naturellement et en douceur si vous pouvez vivre cette période ensemble et dans une certaine intimité. Une heure dans une chambre d'hôpital, c'est mieux que rien, mais deux semaines ensemble à la maison c'est encore bien mieux.

Organiser la vie avec un nouveau-né est au moins aussi important qu'organiser une naissance, et il faut y penser à l'avance. Le congé de paternité est une bonne chose, mais le père ne devrait pas hésiter, le cas échéant, à utiliser ses congés annuels. Des vacances un peu écourtées à Noël ou au prochain été, c'est embêtant, mais il y aura d'autres vacances alors que l'accueil de ce nouveau bébé au sein de la famille est unique.

À moins que vous n'ayez prévu un accouchement à domicile, renseignez-vous sur la durée de l'hospitalisation. Quel que soit le lieu de votre accouchement, le mieux est de pouvoir rentrer chez vous dès que possible. Les hôpitaux vous encouragent parfois à prolonger votre séjour – en cas d'allaitement, si votre montée de lait est douloureuse – mais vous serez bien mieux dans votre cadre familial que dans une chambre anonyme pour faire connaissance avec votre bébé. Et deux nuits séparée de votre conjoint, n'est-ce pas déjà deux nuits de trop ? Lorsqu'il viendra vous voir à l'hôpital, entourée d'inconnus prenant soin de vous, il risque de se sentir mal à l'aise, tel un simple visiteur.

Vos premiers jours à la maison doivent être comme une lune de miel à trois, surtout si vous n'avez pas d'enfants plus âgés qui précipitent forcément le retour à la vie réelle ! Faites en sorte de transformer votre foyer en un véritable cocon, avec tout ce qui est nécessaire à votre bébé mais aussi tout ce qui participe à votre propre plaisir – fruits, musique, télé… Investissez dans un téléphone sans fil, plus facile à utiliser au lit et indispensable lorsque vous êtes en train d'allaiter votre bébé, de lui faire faire son rot ou juste de le bercer.

Réfléchissez à l'aide dont vous aurez besoin et à la personne adéquate à qui la demander. Si votre conjoint reste auprès de vous, l'aide sera autant pour vous que pour lui. S'il ne peut être là tout le temps, trouver une autre source d'aide devient indispensable. Beaucoup de femmes sont obligées de se débrouiller seules chez elles avec leur nouveau-né, mais la plupart redoutent la première semaine. La quatrième personne idéale pour cette lune de miel saura vous décharger des soucis matériels pour que vous puissiez vous consacrer entièrement à votre bébé, sans interférer dans votre intimité. Il est indispensable qu'elle soit persuadée qu'il est le plus beau. Qu'elle sache vous dire, *si vous le lui demandez*, dans quel ordre fermer les boutons d'un pyjama est un plus.

Et réfléchissez aussi aux visites que vous allez recevoir. Félicitations et fleurs font partie de la joie de ces premiers jours. Mais les visites surprises ou celles qui n'en finissent pas ne vous feront pas plaisir. Vous n'aurez pas non plus envie de préparer des repas ou d'écouter les gens parler de ce qui pouvait vous préoccuper avant la naissance. Les bons amis s'organiseront pour ne pas vous déranger. Le mieux est de leur demander de vous prévenir de leur visite, d'acheter un répondeur et de ne répondre que si vous êtes sûre que cette future visite vous convient !

PORTRAIT
DU NOUVEAU-NÉ

Même si vous vous êtes sans doute beaucoup informée sur votre bébé avant sa naissance et l'avez vu lors de l'échographie, le voir réellement pour la première fois reste quelque chose de bouleversant. Vous allez vous poser des milliers de questions – et être cent fois inquiète – mais ce que vous voulez dans l'immédiat, c'est qu'on vous confirme que votre bébé, sous tout ce sang et ce vernix, va bien. C'est le médecin qui va vous le dire. Il a observé votre bébé en l'aidant à naître et lorsqu'il l'a posé sur vous. Il a fait attention à la façon dont il s'est mis à respirer, prêt à l'assister en cas de problème en aspirant le liquide du nez ou de sa bouche. Il a décidé du moment propice pour couper le cordon (privilège souvent accordé au père aujourd'hui) afin que la circulation sanguine de votre bébé bénéficie des palpitations du placenta, a noté la couleur de sa peau et a vérifié son tonus.

Si vous ne connaissiez pas encore le sexe de votre enfant, c'est maintenant que vous le découvrez. Mais souvent, les parents sont surpris de réaliser qu'ils ont presque oublié de poser la question – ou de regarder. Votre premier souci est qu'il aille bien. Savoir si c'est une fille ou un garçon vient après.

Si votre médecin note quelque chose qui peut vous inquiéter ou simplement vous intéresser – comme une marque de naissance ou une chevelure particulièrement fournie –, il vous en fera sans doute la remarque. Sinon, assuré que le bébé respire librement, il se concentre sur la troisième phase de l'accouchement afin que vous vous sentiez bien et prête pour la première mise au sein.

Vous allez sans doute demander ensuite combien il pèse. Le poids des bébés « normaux » étant très variable, pourquoi tout le monde semble autant s'intéresser au poids exact du vôtre ? Parce que son poids de naissance, quel qu'il soit, va devenir le poids repère de sa croissance.

Le poids moyen des bébés Le poids moyen des bébés à la naissance est d'environ 3,4 kilos. Mais cette moyenne cache de nombreuses variations. Les garçons pèsent souvent un peu plus que les filles et un premier enfant un peu moins que ses futurs frères ou sœurs. Par ailleurs, des parents grands font plutôt de grands bébés, et inversement, des parents petits font plutôt de petits bébés. Le vôtre peut donc avoir une taille normale pour lui sans être dans les moyennes.

Les gros bébés Vous serez fière d'avoir donné naissance à un bébé de 4,5 kilos ; il sera probablement plus agréable à regarder et plus « abouti » que la plupart des autres nouveau-nés de la pouponnière grâce à la graisse qui l'englobera. Mais ne soyez pas surprise si les infirmières l'observent attentivement les premiers jours. Les bébés de bon poids ne sont pas forcément des bébés en bonne santé. Certains sont exceptionnellement gros parce que la maman est diabétique ou prédiabétique et qu'une quantité plus ou moins importante de sucre a traversé le placenta. Ces bébés peuvent avoir des problèmes de métabolisme les premiers jours et il est important que le personnel médical s'assure que votre bébé est simplement bien portant.

Les bébés menus Si le poids de votre bébé est en dessous de la moyenne mais au-dessus d'environ 2,5 kilos, il n'aura pas besoin de soins particuliers – il sera simplement encouragé plus souvent à se nourrir. Il y a des chances pour que vous soyez vous aussi un petit gabarit et votre bébé était destiné à être comme il est : un petit bébé en bonne santé.

Si votre bébé pèse entre 2,3 et 2,5 kilos, une attention particulière lui sera apportée, même s'il semble être tout à fait en bonne santé. Les bébés dont le poids de naissance est inférieur à 2,5 kilos sont plus enclins à avoir des difficultés à trouver leur respiration, à stabiliser leur température ou à téter. Et c'est par un simple souci de sécurité que tous les bébés de ce poids sont suivis de façon systématique. N'en concluez pas que quelque chose ne va pas.

Il était d'usage auparavant de garder ces petits bébés à l'hôpital jusqu'à ce qu'ils aient atteint un certain poids. De nos jours, les médecins s'intéressent plutôt au comportement général de l'enfant et décident de la durée du séjour plus en fonction du rythme auquel l'enfant s'habitue au sein ou au biberon.

Si votre bébé est né avec un poids inférieur à 2,3 kilos, il est probablement en dessous de ce que la nature avait prévu pour lui. Plus son poids est faible, plus il a besoin d'une attention particulière. Le soin qui lui est apporté varie selon qu'il est né à terme ou prématurément.

Les bébés prématurés La plupart des nouveau-nés particulièrement menus sont des bébés nés prématurément – avant la fin des 40 semaines normales. N'ayant pas passé tout le temps prévu dans l'utérus, le bébé n'a pas fini sa croissance. Il n'a donc pas eu le temps d'acquérir tout ce qui le prépare à la vie extérieure. Plus il lui manque de semaines de vie intra-utérine, plus le risque de problèmes est important. Un bébé né après 36 ou 38 semaines peut avoir simplement besoin qu'on lui facilite les choses en le plaçant en incubateur pour lui assurer une température et un oxygène parfaits, et en lui proposant de petites quantités de lait très régulièrement. Un bébé encore plus «jeune» nécessitera des soins plus importants. Il peut être incapable d'assumer certaines fonctions propres à la vie indépendante ; il faudra alors, par exemple, le nourrir au moyen d'un tube passant du nez à l'estomac parce qu'il n'est pas encore apte à téter et à avaler, ou bien lui placer un masque à oxygène pour l'aider à respirer.

Les retards de croissance in utero Les bébés en retard de croissance *in utero* n'ont pas atteint, à leur naissance, le stade de croissance correspondant au nombre de semaines passées dans le ventre de leur mère. Cela concerne aussi bien des enfants nés à terme que des enfants nés prématurément – par exemple, un bébé né au bout de huit mois mais dont le stade de croissance correspond à une vie *in utero* encore plus courte. Les premiers soins sont alors les mêmes que ceux apportés aux prématurés, mais c'est une différence qu'il est important de prendre en compte.

Un bébé qui connaît un vrai retard de croissance *in utero* a, en général, subi une forme de sous-alimentation. Il peut s'agir d'un problème de placenta ou bien d'ennuis de santé chez la mère qui ont empêché le bébé d'obtenir tout ce dont il avait besoin. La petite taille d'un bébé n'a pas forcément de conséquences sur son développement futur. Le retard de croissance est en général perçu comme un mécanisme de protection qui, en réduisant les demandes en calories du fœtus, permet à celui-ci de se développer malgré un apport limité. Mais quelle qu'en soit la cause, il expose le bébé à des risques de complications néonatales. Si l'équipe médicale peut établir que le bébé souffre d'un retard de croissance, cela lui permet de réfléchir, avec la mère, aux raisons de ce problème et aux solutions à envisager pour un éventuel prochain bébé.

Au cours des visites médicales prénatales et des échographies, on a examiné et mesuré votre fœtus, on a évalué assez précisément sa date de conception, puis on a vérifié que sa courbe de croissance suivait un cours normal. Cependant, aucune de ces données n'est infaillible. Les médecins les réexamineront mais ils peuvent aussi vous questionner à nouveau sur la date de votre dernière menstruation. Il se peut, en effet, que vous vous soyez trompée d'un cycle, que les échographies n'aient pas permis de corriger l'erreur et que le 1,8 kilo de votre bébé ne soit pas dû à un retard de croissance mais à une naissance prématurée de quatre semaines (ou plus).

LES SOINS SPÉCIAUX

La médecine néonatale est aujourd'hui si avancée qu'on sauve souvent même les très grands prématurés. Certains traitements commencent avant la naissance. Un accouchement qui se déclenche vraiment trop tôt peut être arrêté, ou au moins différé, au moyen de médicaments. Un petit délai peut suffire à l'équipe médicale pour évaluer la situation du bébé et lui apporter le maximum de chances de survie. Si, par exemple, les poumons ne sont pas encore complètement formés, il est possible d'intervenir *in utero*. L'administration d'une certaine hormone permet d'accélérer leur formation et d'éviter le syndrome de détresse respiratoire postnatale.

L'incubateur   L'incubateur est le plus proche équivalent de l'utérus. Votre bébé ne peut pas rester en vous mais n'est pas non plus en mesure de survivre seul. L'incubateur est une sorte de refuge à mi-parcours entre la dépendance physique totale et l'indépendance d'un petit être. Si votre bébé est plutôt en bonne santé à la naissance, l'incubateur sera sans doute utilisé juste pour lui garantir une température constante et un certain taux d'humidité, lui donner peut-être un peu d'oxygène et lui offrir un environnement calme. S'il rencontre des difficultés, l'incubateur peut aider au fonctionnement de la plupart de ses fonctions corporelles. Quelle que soit l'aide qu'il lui apporte, il y est de toute façon en sécurité. Il est sous la haute surveillance d'une équipe pédiatrique spécialisée.

Les médecins vont observer ses progrès. La haute technologie composant l'incubateur enregistre le moindre changement le concernant et déclenche le système d'alarme dès qu'il a besoin d'une attention médicale. Mais, même convaincue que l'incubateur est ce qu'il y a de mieux pour lui pour l'instant, vous êtes forcément triste de le voir là. Tout votre être réclame un contact physique avec lui. Le processus, qui a démarré lors de la conception, s'est poursuivi durant neuf mois jusqu'à la naissance. Il aurait dû culminer dans le plaisir de porter votre enfant, mais il a été interrompu. Votre corps se languit de lui mais, au lieu de le tenir dans vos bras, vous le regardez

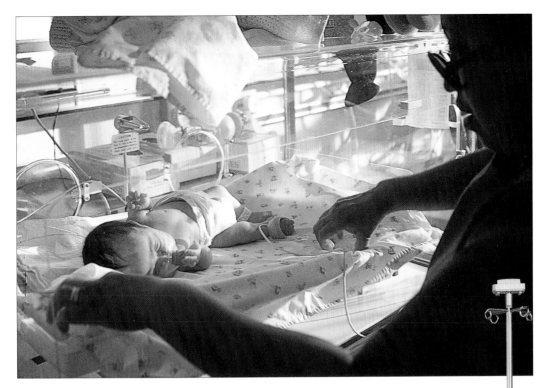

Lampe à UV
Lampe à ultraviolets utilisée pour traiter les jaunisses.

Pompe
Pompe aspirante pour nettoyer les voies respiratoires du bébé.

Moniteur
Permet de contrôler le rythme cardiaque et l'oxygénation du bébé.

Ouvertures
Permettent aux médecins et aux parents de toucher et câliner l'enfant.

Système de contrôle
« Cerveau » de l'incubateur, il contrôle l'environnement (taux d'humidité, température, oxygène, etc.) du bébé.

Système d'alarme
Connecté au moniteur et aux interphones des infirmères, il sonne et s'allume dès que le bébé a un problème. On peut aussi y installer les sacs de liquides intraveineux.

Essayez d'accepter cette machine. Elle n'est pas là pour vous séparer de votre enfant mais pour sa sécurité.

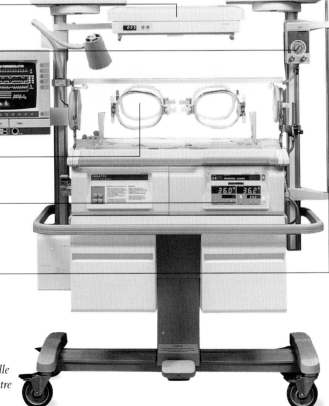

étendu dans cette machine qui ressemble à un laboratoire spatial, lointain, comme étranger.

Quand votre enfant est aux soins intensifs

Faire l'expérience de voir son bébé placé aux soins intensifs est forcément difficile pour les parents, et plus sa santé est fragile, plus l'angoisse est terrible. Si vous avez un autre enfant – un jumeau plus robuste ou un aîné – qui a aussi besoin de ses parents, cette période postnatale peut paraître vraiment dure à gérer. Si vous êtes en plus affaiblie par une césarienne ou une épisiotomie, vous allez vraiment vous demander comment vous en sortir. Il faut avant tout vous remettre physiquement, pour le bien de tous, en acceptant le sacrifice de la compagnie de votre partenaire qui veillera, pendant votre repos, sur le bébé et sur vos autres enfants à la maison.

Ensuite, l'idéal est que vous passiez, tous les deux, le plus de temps possible auprès de votre bébé. Le fait qu'il ne soit pas encore apte à vivre sans soins médicaux ne signifie pas qu'il n'est pas encore capable de sentir l'amour de ses parents. Il a eu ce lien affectif avec vous pendant toute sa vie utérine. Ne l'abandonnez pas maintenant. Si la pouponnière où se trouve son incubateur est dans le même pavillon que vous, vous serez probablement autorisée à le voir quand vous voulez. Si votre bébé est dans une unité de soins éloignée mais dans le même hôpital, un fauteuil roulant sera mis à votre disposition tant que vous ne pouvez pas marcher. Si votre bébé a dû être transféré dans un autre établissement, dans un service de soins néonatals très spécialisés, vous pouvez peut-être vous y faire transférer avec lui. Sinon, vous devez être autorisée à vous y rendre dès que votre état le permet.

Vous et l'équipe médicale

Les équipes médicales spécialisées sont autant formées à aider les parents qu'à soigner les bébés prématurés ou malades. Elles savent qu'il est très important de vous considérer comme un membre crucial de l'équipe de soins de votre enfant plutôt que comme un simple observateur. Elles seront tout à fait disposées à vous expliquer la situation de votre enfant ainsi que le fonctionnement des appareils médicaux, car le fait que vous compreniez de quoi il souffre exactement et à quoi tel tube lui sert permet d'éviter que vous ayez la sensation qu'il est plus le bébé du service médical que le vôtre.

La préparation à l'allaitement

Ce bébé est le vôtre et il y a une chose que vous êtes vraiment la seule au monde à pouvoir faire pour lui : fabriquer le lait dont il a besoin. Tous les grands prématurés, et les nouveau-nés malades, ont vraiment besoin de lait maternel dès qu'ils sont en mesure d'en boire. Souvent, le lait est donné au moyen d'une sonde ou au goutte-à-goutte jusqu'à ce que le bébé soit lui-même capable de téter. Et même si votre bébé ne peut pas encore boire de lait, soyez certaine qu'il aura bientôt besoin d'être allaité. Le lait que vous produisez en attendant peut être conservé. Les infirmières vous montreront comment utiliser un tire-lait électrique – beaucoup plus pratique et rapide qu'un tire-lait mécanique ou que vos simples mains (voir p. 59). Si votre enfant reste à l'hôpital plus longtemps que vous, il est quand même utile de tirer votre lait non seulement pour le nourrir maintenant, à l'hôpital, mais aussi pour être sûre que vous pourrez le nourrir plus tard, lorsqu'il arrivera à la maison.

La méthode kangourou À moins que votre bébé ne soit trop fragile, vous serez encouragée dès le début à le toucher à travers les ouvertures de l'incubateur. Bientôt, les infirmières vont vous suggérer de le caresser et de le masser, pour votre plaisir mais surtout pour le sien, et elles vous encourageront sûrement à participer aux soins donnés dans l'incubateur. S'il n'a pas de problème majeur, vous pourrez très vite le sortir et le tenir dans vos bras quelques minutes.

Dans certains hôpitaux, on vous proposera de le prendre dans vos bras dès les premiers jours, aussi petit et fragile soit-il et malgré les tubes qui l'encombrent. La méthode «kangourou» remplace l'incubateur par le corps de la mère. Elle tient son nom de ces marsupiaux dont les bébés naissent à un stade peu avancé de leur développement et achèvent de croître installés dans une poche sur le ventre de leur mère. Elle tente d'approcher le plus possible l'équivalent d'un retour dans le ventre de la mère le temps que le bébé ait terminé sa croissance.

La méthode kangourou a été mise au point en Colombie pour pallier le manque d'incubateurs et diminuer une mortalité infantile très importante. Le bébé, habillé seulement d'une couche et d'un bonnet, est placé entre les seins de sa mère, le visage contre le corps, peau contre peau, puis recouvert d'une couverture. Les bébés d'Amérique du Sud ainsi couvés s'en sortaient aussi bien que les autres placés en incubateur artificiel. Aujourd'hui, de plus en plus d'hôpitaux européens introduisent ce type de méthode, mais davantage comme un plus qu'en tant que véritable substitut à l'incubateur. Des études ont montré que quelques heures seulement par jour de cette méthode favorisaient une prise de poids et une mise au sein ou au biberon plus rapides et donc un retour à la maison plus prompt que prévu. La méthode kangourou n'est pas seulement bénéfique au bébé, elle protège les parents de l'horrible sensation d'inutilité que l'on ressent à regarder un bébé se battre pour la vie sans pouvoir l'aider.

Date de naissance prévue et réelle Certains parents, une fois remis du choc et de la déception de ne pas avoir leur bébé avec eux, parviennent à envisager cette période comme un petit temps supplémentaire de grossesse, une sorte de hiatus entre la vie intra-utérine du bébé et la vie ensemble dehors. Du point de vue du bébé prématuré, c'est une manière très juste de comprendre les choses. Même s'il poursuit sa croissance durant les semaines qui font la différence entre le véritable jour de sa venue au monde et la date programmée de sa naissance, il reste une coupure dans son développement, qu'il sera important de ne pas oublier lorsque vous le comparerez à d'autres enfants du «même» âge. Même si son premier jour de vie est bien le jour de sa naissance et que six semaines plus tard, il est effectivement plus vieux de six semaines, un bébé arrivé à terme aura toujours l'avantage des six semaines qui ont manqué au vôtre par rapport à la date prévue de naissance. Il est utile de garder en tête l'âge «correct» de votre bébé prématuré pendant ses deux premières années, même si cela perd progressivement son sens. Il y a une grande différence entre un bébé de trois mois arrivé à terme et un bébé de trois mois prématuré dont l'âge «correct» serait de trois semaines! Mais cette différence sera déjà nettement moins perceptible d'ici leur deuxième anniversaire.

Le premier examen médical

Au cours des 24 heures qui suivent sa naissance, votre bébé va passer un examen médical complet. Celui-ci est en général fait en votre présence afin que le médecin puisse non seulement s'assurer que tout va bien mais aussi vous le montrer et vous l'expliquer. Si vous n'êtes pas en état de vous déplacer, il peut avoir lieu dans votre chambre. Si le père doit quitter l'hôpital, ce qui est probable s'il doit s'occuper de vos autres enfants, renseignez-vous auprès des infirmières ou des sages-femmes pour savoir quand l'examen aura lieu et indiquez-leur le souhait du père d'être présent. Certains examens seront effectués quoi qu'il en soit.

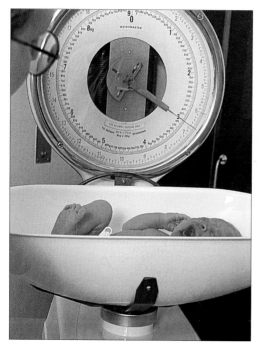

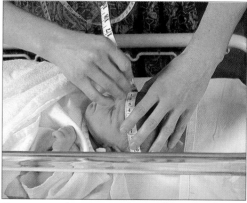

Le peser et le mesurer. *Votre bébé va être à nouveau pesé (à gauche). Le poids moyen est de 3,4 kilos ; 95 % des nouveau-nés pèsent entre 2,5 et 4,5 kilos. Il va être mesuré. La taille moyenne est de 50 cm ; 95 % des nouveau-nés mesurent entre 45 et 55 cm. On va aussi mesurer son périmètre crânien (au-dessus). La moyenne est de 35 cm ; la fourchette normale varie de 33 à 37 cm.*

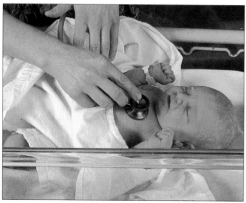

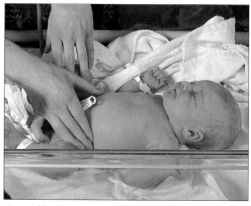

Contrôle du cœur et des poumons. *Le médecin utilise un stéthoscope pour écouter la poitrine de votre enfant, s'assurer que sa respiration est nette et régulière et que son cœur bat normalement. Un souffle au cœur anodin est assez courant chez les nouveau-nés.*

Contrôle des organes internes. *En touchant le ventre de votre bébé, le médecin vérifie que les organes internes, tels que les reins, le foie et la rate, sont de taille normale et bien en place. Il vérifie aussi son pouls au niveau de l'aine.*

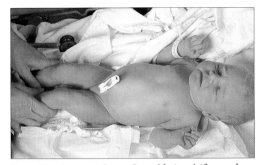

Contrôle des membres. *Le médecin vérifie que les membres de votre bébé sont de taille proportionnée, qu'il a ses dix orteils et ses dix doigts et que jambes et pieds sont bien alignés sans signes de pied-bot.*

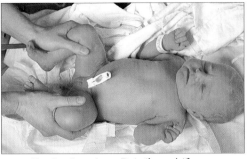

Contrôle des hanches. *Puis il va vérifier, en ennuyant probablement votre bébé, les mouvements des hanches et va essayer de repérer tout ressaut suspect ou risque de déboîtement ultérieur.*

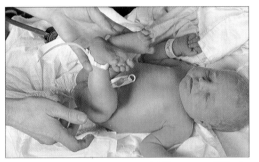

Contrôle de l'appareil génital. *Vous savez déjà si c'est une fille ou un garçon, mais le médecin s'assure que les parties génitales sont normales et, si c'est un garçon, que les testicules sont descendus (voir p. 49).*

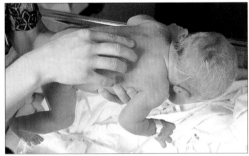

Contrôle de la colonne vertébrale et de l'anus. *En tenant le bébé sur son avant-bras, visage vers le bas, le médecin vérifie que toutes les vertèbres du bébé sont en place et que l'orifice anal est ouvert.*

Contrôle des yeux et du palais. *Un doigt à sucer calme votre bébé pendant l'examen des yeux et permet de vérifier qu'il n'y a pas de fente palatine.*

Bien que ce premier examen soit l'occasion idéale de poser toutes sortes de questions, cela n'est pas toujours possible. Les médecins sont souvent pressés, les bébés hurlent et les jeunes parents ne sont pas toujours en état de poser des questions cohérentes. Les questions et les inquiétudes referont surface plus tard. Tant que vous êtes à l'hôpital, vous trouverez toujours quelqu'un pour vous répondre ; profitez-en. À votre retour à la maison, la visite d'une infirmière du CLSC ou de votre sage-femme ainsi qu'un numéro de téléphone auquel vous adresser ne seront pas de trop pour vous rassurer. Il restera tant d'heures et tant de choses à penser pour ce nouveau bébé qui pourront être sources d'inquiétude !

PARTICULARITÉS DU NOUVEAU-NÉ

La physiologie du nouveau-né n'est pas la même que celle du bébé, de l'enfant ou de l'adulte. Il faut du temps pour que son corps s'habitue à la vie à l'air libre et fonctionne normalement. Pendant cette période d'adaptation, certains bébés exhibent toutes sortes de couleurs, boutons, taches, boursouflures et sécrétions, qui peuvent vous paraître vraiment bizarres. La plupart seraient en effet très étonnants s'ils se manifestaient chez un adulte mais sont tout à fait normaux, ou du moins insignifiants, lorsqu'ils surviennent au cours des deux premières semaines. Le personnel soignant n'y prête guère attention, sachant qu'ils sont sans gravité mais, du coup, oublie parfois d'en avertir les parents. Il en résulte une panique bien inutile en ce moment où vous avez surtout besoin de calme! La liste ci-dessous décrit les plus courants de ces phénomènes en expliquant leurs raisons et leurs significations. Si vous avez besoin d'être rassurée ou si vous n'êtes pas sûre de ce que vous voyez sur votre bébé, appelez votre médecin ou l'infirmière du CLSC. Rappelez-vous que ces petits soucis sont normaux et sans importance uniquement chez les nouveau-nés. Si vous notez l'une de ces manifestations sur votre bébé de trois semaines, il vaut mieux consulter votre médecin.

La peau La peau des nouveau-nés est si fine que les veines sous-jacentes la colorent et lui donnent en général une teinte rouge ou rose (quelle que soit la couleur de peau définitive).

Coloration irrégulière. La circulation n'étant pas encore bien réglée, il arrive que le sang se concentre dans la moitié supérieure du corps du bébé. Resté longtemps dans la même position, il semble à moitié rouge, à moitié blanc! Parfois, le sang n'atteint pas les extrémités et, alors que bébé dort, ses mains et ses pieds deviennent tout bleus. Dès que vous l'aurez pris dans vos bras ou tourné, la couleur de sa peau redeviendra homogène.

Coloration irrégulière

Boutons. La peau est si fragile qu'elle est facilement irritée – par les bords de couche ou autres coutures de vêtements. Et comme les pores ne fonctionnent pas encore bien, le terrain est propice à l'apparition de boutons. Les plus courants sont l'urticaire néonatal – éruption de petits boutons rouges sur n'importe quelle partie du corps ne durant que quelques heures –, les « croûtes de lait » (milium) – petits boutons blancs qui apparaissent en général sur le nez et les joues et restent visibles plusieurs semaines – et l'inoffensif érythème fessier – des boutons rouges, parfois pâles en leur centre, qui ressemblent à des piqûres d'insecte. Ils peuvent perturber votre bébé quelque temps mais sont sans conséquences et ne nécessitent aucun traitement.

Taches mongoloïdes. Ces taches, de couleur ardoise ou bronze, sont une accumulation temporaire de pigment sous la peau. Elles sont plus fréquentes chez les bébés d'origine africaine ou asiatique mais existent aussi chez les bébés d'origine méditerranéenne ou qui sont destinés à avoir la peau mate. Elles n'ont rien à voir avec des ecchymoses ou des problèmes de circulation du sang.

Marques de naissance. Il y a plusieurs sortes de marques de naissance. Seul un médecin peut vous confirmer que la tache qui vous inquiète est de ce type. Mais rappelez-vous que les marques de couleur rouge sont souvent dues à une pression au cours de l'accouchement et disparaissent en quelques jours.

Croûtes de lait

Eczéma séborrhéique
(« chapeau »)

Desquamation. La plupart des bébés ont la peau qui pèle un peu les premiers jours, particulièrement sur les paumes et la plante des pieds. Les bébés nés après terme ont souvent la peau très sèche, de même que les bébés d'origine afro-caribéenne ou asiatique. Pour soigner une peau de nouveau-né, il faut utiliser le moins possible de produits et toujours les plus simples. Si vous avez recours à un émollient pour éviter des crevasses, choisissez une lotion pour bébé hypoallergénique ou une huile végétale pure.

Sécheresse du cuir chevelu. Aussi anodine que sur le reste du corps, elle n'a rien à voir avec des pellicules ou un manque d'hygiène. L'eczéma séborrhéique ou « chapeau » (importante quantité de peaux mortes sur toute la tête) peut être pénible si les peaux tombent dans ses yeux. Le médecin vous conseillera un shampoing spécial ou de l'huile.

Les cheveux

Un bébé peut aussi bien naître très chevelu que chauve. Les bébés nés après terme ont souvent une quantité impressionnante de cheveux. Quoi qu'il en soit, ces premiers cheveux tombent en général progressivement et sont remplacés par de nouveaux dont la couleur et l'épaisseur peuvent être différentes.

Duvet du corps. Dans le ventre, les bébés sont recouverts d'un fin duvet appelé lanugo. Certains bébés, et spécialement les prématurés, en ont encore à la naissance, en général sur le dessus des épaules et le long de la colonne. Il disparaîtra en une ou deux semaines.

La tête

Un crâne déformé

Formes particulières. Le crâne des bébés est très malléable. La deuxième étape d'un accouchement sans assistance peut lui allonger incroyablement la tête, et les forceps laissent parfois des marques ou des ecchymoses. L'utilisation d'une ventouse n'a pas vraiment d'effet sur le crâne mais forme souvent une petite bosse sur le haut de la tête. Si votre nouveau-né ressemble à un boxeur, c'est que son arrivée au monde n'a pas dû être facile mais il ne va pas en garder de séquelles.

Fontanelles. Ce sont les zones où les os du crâne ne se sont pas encore soudés. La plus facile à repérer est l'antérieure, à l'arrière du dessus du crâne. Les fontanelles sont recouvertes par une membrane très résistante et il n'y a aucun risque de blessure lors des manipulations quotidiennes. On peut distinguer chez les bébés peu chevelus un battement sous la fontanelle. Cela est tout à fait normal. S'il arrive qu'elle se creuse au point de former un « trou » dans le crâne, le bébé est probablement déshydraté (en général à cause d'une chaleur excessive ou d'une montée de fièvre) et vous devez lui proposer de l'eau. Lorsque la fontanelle est tendue et forme un renflement, et même si votre bébé ne pleure pas, vous devez consulter un médecin de toute urgence car cela peut être le signe d'une maladie.

Les yeux

Strabisme. Beaucoup de bébés ayant des yeux parfaitement normaux semblent pourtant loucher au cours des premiers jours. Si vous regardez votre nouveau-né de près, vous verrez que ce sont des plis aux coins de ses yeux qui peuvent vous donner cette impression. Ces plis sont normaux et vont disparaître progressivement au long des premières semaines. Tant qu'il n'a pas appris à contrôler les muscles de ses yeux, il lui est assez difficile de les garder tous les deux dans le même axe, concentrés sur le même objet. Alors qu'il vous observe, un de ses yeux va subitement vous lâcher. Cet œil vagabond se corrigera lui-même d'ici le sixième mois de votre bébé. Vous pouvez quand même le signaler au médecin lors de votre prochaine visite afin qu'il contrôle ses progrès. Un bébé souffre d'un vrai strabisme lorsque ses yeux ne se stabilisent jamais sur le même objet. Il ne s'agit plus d'un écart temporaire ; les deux yeux ne sont jamais alignés. Si vous êtes la première à noter ce véritable strabisme, n'attendez pas pour en parler à votre médecin. Une intervention rapide est essentielle et permet d'obtenir de très bons résultats.

Yeux gonflés ou irrités. Très fréquents juste après la naissance, ils sont dus aux pressions subies pendant l'accouchement. À cause de ce gonflement, votre bébé a du mal à ouvrir ses yeux tout de suite, mais cela passera vite. Toute

Des yeux gonflés

réapparition de problèmes oculaires, une fois passés ces petits troubles du nouveau-né, doit être rapidement signalée au médecin.

Écoulement jaunâtre/croûtes sur les cils et les paupières. Ce sont les signes d'une infection bénigne due au contact avec le sang au cours de la délivrance – qui font dire que le bébé a « l'œil collé ». Il n'y a là rien de grave, mais le bébé doit être vu par un médecin qui prescrira des gouttes ou une solution pour lui laver les yeux.

Yeux humides. Les nouveau-nés n'ont en général pas de larmes lorsqu'ils pleurent, mais il arrive qu'elles coulent lorsqu'ils ne pleurent pas si les canaux lacrymaux ne sont pas assez ouverts pour leur permettre de s'écouler par le nez. Ce problème se résout de lui-même au cours de la première année.

Les oreilles

Écoulement. L'oreille du bébé produit naturellement du cérumen, la défense antiseptique du canal auditif. Mais toute autre sorte d'écoulement est anormale. Si vous n'êtes pas sûre que le liquide sortant de l'oreille de votre bébé est du cérumen, consultez votre médecin. S'il s'agit bien de cérumen, il vous rassurera, et s'il s'agit malheureusement de pus, il faudra le soigner rapidement. N'essayez jamais de laver l'intérieur d'une oreille,

vous pourriez lui endommager le tympan. Comme tous les orifices du corps, les oreilles se lavent elles-mêmes. Contentez-vous d'en laver l'extérieur.

Oreilles décollées. Les oreilles des bébés donnent souvent l'impression d'être décollées mais ne le resteront pas forcément. Elles sont encore souples et malléables et vont changer d'apparence selon l'évolution de la forme de la tête et la pousse des cheveux.

La bouche

Frein de la langue. La langue d'un nouveau-né est soudée sur une plus grande partie que la nôtre. Chez certains, la langue n'a même aucune mobilité. Autrefois, on appelait ces bébés les « bébés muets ». On pensait même qu'il fallait couper la peau soudant la langue pour que le bébé puisse téter et apprendre à babiller. Maintenant nous savons que les langues complètement collées (qui posent vraiment problème et nécessitent une intervention) sont extrêmement rares.

Ampoule de succion

La langue du bébé s'allonge durant la première année par le bout et est entièrement mobile pour son premier anniversaire. Entre-temps, le fait qu'elle soit plus ou moins soudée n'a pas d'effets négatifs.

Ampoules sur la lèvre supérieure. On les appelle les « ampoules de succion » car le bébé se les fait lui-même en tétant. Elles sont donc possibles tant que le bébé ne boit que du lait. Elles peuvent disparaître entre deux tétées et sont insignifiantes.

Langue blanche. Tant qu'ils sont uniquement au lait, les bébés ont souvent la langue complètement blanche. C'est tout à fait normal. Une maladie ou une infection ne produirait que des taches blanches sur une langue rose.

Papules au contenu liquidien (une forme de kyste indolore et courant). Vous apercevez des taches blanches ou jaunâtres sur le palais de votre bébé quand celui-ci ouvre grand la bouche pour bâiller. Malgré leur aspect inquiétant, elles sont également inoffensives et ne nécessitent aucun traitement.

La poitrine

Poitrine gonflée. Il est parfaitement normal que les nouveau-nés (filles ou garçons) aient la poitrine gonflée les cinq premiers jours. Cela est dû aux hormones transmises en grande quantité par la mère après la naissance. Prévues pour la maman, il arrive en effet qu'elles passent chez le bébé. Il peut même y avoir un minuscule écoulement de lait. Il ne faut absolument rien faire, toute pression pouvant provoquer une infection. L'écoulement cesse de lui-même en quelques jours, lorsque le corps du bébé s'est débarrassé des hormones.

L'abdomen

Cordon. Votre sage-femme ou votre médecin vérifiera que la coupure du cordon est propre (voir p. 100). Signalez le moindre signe d'infection – une rougeur ou un écoulement. *Hernie ombilicale.* Une petite grosseur, près du bout de cordon, qui se tend quand le bébé pleure ne peut pas vraiment être dite «normale» mais c'est un phénomène très courant, dû à une légère faiblesse des muscles de l'abdomen. De telles hernies disparaissent toutes seules dans la première année et la plupart des médecins sont convaincus qu'elles guérissent encore plus vite lorsqu'elles ne sont pas bandées. Presque aucun ne suggère un recours à la chirurgie.

L'appareil génital

Les organes génitaux des garçons et des filles sont plus grands, proportionnellement au reste de leur corps, à la naissance qu'à n'importe quel autre moment avant la puberté. Dans les quelques jours qui suivent la naissance, ils paraissent même plus grands que la norme à cause des hormones de la mère qui ont traversé le placenta et pénétré le sang du bébé. Le scrotum ou la vulve peuvent paraître rouges et enflammés. Tout dans cette partie du bébé semble vite étrange. Mais ne vous inquiétez pas. Le médecin ou la sage-femme a tout vérifié. L'inflammation ou le gonflement diminuera rapidement et tout va rentrer dans l'ordre, malgré ces organes apparemment «trop grands»…
Testicules descendus. Les testicules d'un garçon se développent dans l'abdomen. Ils descendent dans le scrotum juste avant l'arrivée à terme. Si le médecin ne les sent pas pendant l'examen du nouveau-né, il est possible qu'ils soient « rétractés ». Ils sont descendus mais peuvent encore remonter dans l'abdomen en réaction au toucher de mains froides. S'ils peuvent être réorientés vers le bas, ils reprendront leur place adéquate. Un testicule qui n'est pas descendu est un testicule qu'on ne peut pousser vers le scrotum après une naissance à terme ou, en ce qui concerne les prématurés, lorsque la date prévue de naissance est atteinte. Si vous ne pouvez voir ou sentir aucun testicule dans le scrotum, signalez-le au médecin qui examinera votre enfant à six semaines.
Prépuce serré (phimosis). Le pénis et le prépuce se développent à partir d'un même bourgeon chez le fœtus. Ils sont encore unis à la naissance et se séparent progressivement au cours des premières années du petit garçon.

Un prépuce serré n'est donc pas un problème chez le nouveau-né. Il ne faut pas forcer pour rétracter le prépuce, afin d'éviter la douleur et les risques de blessure. La grande majorité des garçons seront dilatés naturellement avant 5 ans. Lavez le pénis et le scrotum avec de l'eau et du savon. Dilatez délicatement le prépuce jusqu'à ce que vous sentiez une résistance, lavez et rincez. Ramenez le prépuce à sa position normale après l'avoir lavé. La circoncision (ablation chirurgicale du prépuce) d'un petit bébé est rarement médicalement conseillée et si elle devient nécessaire plus tard, c'est souvent parce qu'on a forcé la rétraction d'un prépuce qui n'était pas encore prêt.

Élimination et sécrétions

Se nourrir, et donc digérer la nourriture et évacuer les déchets, est un processus qui va se mettre en place progressivement. Même si vous avez l'habitude de changer les couches de bébés plus grands, le contenu de ces premières couches va peut-être vous surprendre.

Le méconium. Les premières selles sont essentiellement composées de cette substance noire ou verdâtre collante qui remplit l'intestin du bébé dans l'utérus et doit être évacuée avant que le système de digestion ne se mette en place. La plupart des bébés s'en débarrassent en 24 heures. Si votre bébé est né chez vous, vous devez prévenir la sage-femme si rien ne se produit le deuxième jour. Un méconium non évacué peut être le signe d'une obstruction intestinale.

Du sang dans les selles. Très rarement, on trouve du sang dans les selles des deux premiers jours. Il s'agit en général du sang de la mère, avalé pendant la naissance et ainsi rejeté, intact. Mais il est toujours plus prudent de conserver la couche pour la montrer à l'infirmière.

L'urine rougeâtre. Au tout début, l'urine contient souvent une substance inoffensive appelée « urate » qui colore de rouge les couches. Elle peut être confondue avec du sang – mieux vaut demander l'avis de l'infirmière.

La fréquence de l'urine. Une fois le système urinaire en place, le bébé peut évacuer de l'urine jusqu'à 30 fois en 24 heures, ce qui est tout à fait normal. En revanche, un bébé qui reste sec quatre, voire six heures, à cet âge doit être vu par le médecin. Une simple obstruction du canal urinaire est toujours possible.

Le saignement vaginal. Un minuscule saignement vaginal est courant et insignifiant chez les filles. Il est dû aux œstrogènes maternels transmis au bébé avant la naissance.

L'écoulement vaginal. Un écoulement clair ou blanchâtre du vagin est aussi tout à fait normal. Il s'arrêtera en très peu de jours.

L'écoulement nasal. De nombreux bébés accumulent assez de mucus pour avoir le nez encombré ou même une petite « goutte au nez » qu'il ne faut pas confondre avec un vrai rhume ou une infection.

Les larmes. La plupart des bébés n'ont de larmes qu'à partir de la quatrième ou sixième semaine, mais certains en versent dès le début. Cela n'a aucune importance.

La transpiration. Les nouveau-nés ont une tête si grande par rapport au reste du corps qu'ils perdent ou gagnent facilement de la chaleur par celle-ci. Lui couvrir la tête l'aidera à conserver une bonne température, mais s'il a trop chaud, cela peut empêcher la sudation qui ferait baisser sa température. De nombreux bébés transpirent beaucoup de la tête et du cou, même tête nue. Cela n'a aucune importance tant que le bébé ne montre pas d'autres signes de fièvre ou de maladie. C'est une bonne raison, cependant, de lui rincer tête et cheveux régulièrement car la sueur peut lui irriter la peau, en particulier dans les plis du cou.

Les régurgitations. Des petits reflux de lait après les tétées sont naturels.

L'opposition à la circoncision est une aberration; cela ne m'a fait aucun mal.

Nous attendons notre deuxième enfant — un garçon. Je pensais qu'il serait circoncis avant de quitter l'hôpital mais, à ma grande surprise, ma femme est complètement opposée à cette idée. Je croyais qu'elle était effrayée par ce qu'elle avait pu lire sur la douleur ressentie par le bébé au cours de cette intervention. J'ai suggéré de prévoir une anesthésie, ce qu'elle a bien reçu sans pour autant changer d'avis. À ses yeux, la circoncision est une pratique cruelle et archaïque; je lui réponds que cela ne m'a fait aucun mal et que c'est important pour des raisons d'hygiène.

Il est toujours difficile pour un adulte de devoir renier une part de son enfance dans l'intérêt de ses propres enfants. Et il est particulièrement difficile pour un homme d'accepter que, pour le bien de son fils, celui-ci n'ait pas le même pénis que lui. Cependant, si vous n'avez pas eu à souffrir de votre circoncision, d'autres hommes affirment qu'ils ont eu toute leur vie le sentiment d'avoir été abîmés. Le monde a beaucoup appris depuis votre enfance et votre femme veut que votre enfant bénéficie de ces nouveaux savoirs.

Il n'y a aucune raison de supprimer le prépuce du gland du pénis de façon automatique. L'argument d'une meilleure hygiène est fondé sur le fait que le smegma qui s'assemble sous un prépuce intact est difficile à nettoyer. Nous savons aujourd'hui qu'il est normal que le prépuce et le gland du pénis soient soudés à la naissance. Le prépuce ne se détache que progressivement. Vous ne pouvez pas laver sous le prépuce d'un bébé et ne devez même pas essayer. Cela ne sera possible (ou nécessaire ou désirable) que lorsque le petit garçon aura quatre ou cinq ans — et il pourra alors le faire tout seul. En outre, tenter de rétracter un prépuce encore soudé peut provoquer de petites lésions laissant des cicatrices qui gênent la séparation naturelle. C'est une des raisons principales pour lesquelles on est parfois obligé de circoncire des garçons plus âgés. Votre fils n'a pas plus besoin qu'on lui supprime le prépuce pour lui nettoyer le pénis qu'on ne lui fende les narines pour lui nettoyer le nez. Et cela ne réduira pas le risque de cancer du col de l'utérus de sa partenaire, contrairement à ce qu'ont pu affirmer des statistiques sans doute mal compilées !

S'il n'y a aucune raison physique pour la circoncision des bébés, il y a en revanche de forts arguments contre. Des arguments si forts que, dans beaucoup de pays, elle est pratiquée uniquement en tant que rituel religieux. Il n'y a qu'aux États-Unis qu'elle fait encore partie des soins automatiquement apportés aux nouveau-nés.

La circoncision n'est pas juste le petit coup de bistouri que beaucoup imaginent. Un grand pédiatre américain l'a décrite comme « l'une des plus douloureuses interventions pratiquées en médecine néonatale ». Tous les bébés réagissent par des cris de panique et certains sont vraiment en état de choc. Une anesthésie locale — bien qu'insuffisante et elle-même douloureuse — est certainement un petit mieux, mais lorsque son effet s'arrête, il reste la douleur d'un pénis à vif, celle que le bébé ressent lorsqu'il urine, ou quand vous le serrez fort dans vos bras. Et que dire de son plaisir à être porté et enlacé ? Sous anesthésie ou non, la circoncision est synonyme de jours pénibles pour chacun de vous.

Quand les bébés subissent une opération pour leur bien, les parents les aident à traverser cette épreuve du mieux qu'ils peuvent, en espérant qu'ils oublieront la douleur et le sentiment d'avoir été trahis. Mais pourquoi gâcher votre première semaine ensemble quand aucun bénéfice ne vient compenser le probable tort ?

Le retour à la maison

Votre retour chez vous sera peut-être plus difficile que vous ne l'imaginiez. Même si vous aviez hâte de rentrer, une fois seule chez vous, vous repensez à l'hôpital comme à un havre de sécurité. Vous êtes certainement plus en forme que juste après l'accouchement mais vous êtes toujours épuisée ; vos hormones travaillent en permanence à produire du lait et, outre ce bouleversement physique, vous êtes aussi bouleversée émotionnellement d'introduire une nouvelle personne dans votre vie et dans votre famille.

Même si vous êtes chamboulée aujourd'hui, cette nouvelle vie et vos nouvelles responsabilités vous sembleront normales et simples d'ici quelques semaines. Essayez d'être indulgente avec vous-même. Pourquoi ne pas vous installer confortablement dans votre lit avec votre bébé et son papa pour une lune de miel à trois (voir p. 37) ? Profitez de toute aide proposée. Laissez vos proches s'occuper de vous pendant que vous vous occupez de votre bébé. Et surtout, ne vous lancez pas dans des tâches pratiques ou professionnelles. Cette période est à consacrer aux personnes et à leurs sentiments. Discutez des vôtres, jouez avec votre aîné et gardez votre bébé tout contre vous.

Le « blues » Le « baby blues » n'est pas un passage obligé de la période postnatale mais il reste très courant. Il est parfois motivé par de vraies inquiétudes concernant votre propre santé ou celle de votre bébé, ou encore par la séparation d'avec votre conjoint que l'hôpital impose. Mais même avec un accouchement facile, un bébé magnifique et en pleine forme et un soutien chaleureux à la maison, il est possible que, soudainement, vous fondiez en larmes. Il ne faut surtout pas que cela vous inquiète et vous fasse douter de votre bonheur. Après la naissance, vous subissez une sorte de retombée physique et émotionnelle et c'est un vrai chaos hormonal qui règne dans votre corps, pendant que celui-ci s'adapte à votre nouvel état et travaille à fabriquer du lait. Laissez ces larmes couler tranquillement – ou même abondamment dans les bras de votre conjoint – et elles disparaîtront aussi vite qu'elles sont apparues.

La dépression postnatale Cette dépression n'a rien à voir avec le « baby blues ». Elle peut s'installer et vous accabler des semaines, voire des mois, après la naissance de votre bébé et pour longtemps.

La dépression est une vraie maladie. Tout bouleversement majeur peut la provoquer chez un être déjà vulnérable : un deuil, un divorce, un déménagement... On finit presque toujours par en guérir. Mais lorsque le bouleversement est une naissance, il y a un bébé à ne pas oublier.

Votre dépression postnatale est profondément liée au fait d'être la mère de ce bébé. Elle le touche donc autant que vous ; elle affecte l'image que vous avez de lui et donc sa propre image de lui-même. Elle le touche aussi de façon plus immédiate. Déprimée, vous ne pouvez pas lui offrir l'affection dont il a besoin, même si vous y consacrez tous vos efforts. La dépression prive tout ce qui vous entoure de joie et de couleur, annihile votre confiance en vous et votre énergie et vous enferme dans les spirales de l'inquiétude. Même si vous parvenez à satisfaire les besoins physiques de votre bébé – ou si quelqu'un peut le faire pour vous –, la dépression vous empêche de prendre plaisir à être avec votre enfant et le prive, lui, d'être l'objet de votre joie et de vos responsabilités. Si vous souffrez de dépression postnatale, vous avez donc besoin de soutien pratique, émotionnel et, si possible, médical, autant pour le bien du bébé que pour le vôtre.

Le problème peut être de trouver ce soutien. Si vous vous dépréciez complètement, vous aurez peur de faire perdre du temps à un médecin. Si vous habiller demande déjà un effort surhumain, expliquer à quelqu'un ce que vous ressentez sera sûrement au-delà de vos forces. Si vous culpabilisez du fait que votre bébé souffre de votre incompétence et que vous subissez les reproches de votre mère, vous n'aurez aucune envie de vous exposez à d'autres critiques. Au moins une femme sur dix souffre de dépression postnatale à des degrés divers – et souffrir est le mot juste. Les conjoints, grands-parents et amis doivent être mis au courant afin qu'ils puissent vous proposer leur aide plutôt que de vous dire : « Ressaisis-toi ! » Les amis sont très importants. L'expérience de la dépression postnatale et l'aide qu'elle nécessite sont très variables d'une femme à l'autre, mais toutes les études encouragent à trouver du soutien auprès d'autres mamans – et ne conseillent en aucun cas de séparer la mère et l'enfant.

Qu'il s'agisse de quelques intimes ou d'un groupe de copines, votre entourage féminin est plus important aujourd'hui que jamais.

Donnez une chance à l'allaitement ; avec un peu de patience, ce sera bientôt un vrai plaisir pour vous deux.

ALIMENTATION
ET CROISSANCE

Le choix de nourrir un bébé au sein doit être celui de la mère car elle est la seule personne qui peut agir en ce sens. C'est son corps, son mode de vie et son sentiment maternel plus que le rôle parental dans son ensemble qui sont d'abord en question. Mais le fait que le père ne puisse nourrir son enfant ne doit pas l'écarter totalement de la prise de décision ou le déresponsabiliser par rapport à la réussite ou non de ce choix. Il est beaucoup plus facile pour une femme de prendre la décision d'allaiter si le père accepte qu'elle ait envie de le faire – ou au moins aime l'idée qu'elle allaite. Et c'est souvent grâce au soutien d'un papa informé que la femme parvient à traverser les difficultés du début de l'allaitement. Donc, si une décision doit être prise pour savoir comment nourrir bébé, c'est à vous de la prendre, mais pas seule, – à moins que vous ne viviez pas avec le papa.

Mais y a-t-il vraiment une décision à prendre à ce sujet ? À moins que l'allaitement ne soit une chose que vous refusiez d'envisager – une chose à laquelle vous ne voulez même pas penser, en dépit de tout ce que vous avez entendu durant votre grossesse –, vous serez certainement sensible au fait de commencer par nourrir vous-même votre enfant. Allaiter maintenant vous laisse toute option pour la suite et offre un immense bénéfice immédiat à votre bébé. Si finalement cela ne vous plaît pas ou ne vous convient pas à long terme, vous pouvez toujours sevrer (doucement) votre bébé et le nourrir au biberon, tout en sachant que vous lui avez donné le meilleur départ. Un début au biberon est au contraire irréversible. Il interdit tout retour à l'allaitement, car il faut que votre bébé tète régulièrement vos seins pour provoquer la montée de lait.

Les avantages immédiats de l'allaitement

N'écoutez pas ceux qui vous disent que l'allaitement n'est intéressant que si vous décidez de le faire pendant au moins plusieurs mois. Cela vaut au contraire la peine même pour une très courte période. Être nourri au sein, même un jour ou deux, avant la mise au biberon, est bon pour votre bébé :

■ Tout en provoquant votre montée de lait, votre bébé bénéficie du colostrum, qui est le liquide que vous produisez en premier. Le colostrum fournit au bébé eau et sucre mais aussi la quantité idéale de protéines et de minéraux ainsi que beaucoup de vos propres anti-corps importants, qui le protégeront pendant qu'il développe son propre système immunitaire. Il n'y a aucun équivalent artificiel au colostrum. C'est pourquoi même quelques jours d'allaitement donnent le meilleur départ à votre enfant.

■ Votre lait (et pas celui de n'importe qui) est le seul lait à convenir exactement à votre enfant. Il s'ajuste toujours à son âge et, dès le début, sa composition est différente si votre bébé est né à terme ou prématuré. Il s'adaptera aussi aux variations de conditions et s'il fait très chaud, par exemple, et que votre bébé a besoin d'eau, votre lait la lui fournira.

■ Si votre bébé est génétiquement prédisposé aux allergies, seul l'allaitement maternel peut le protéger des protéines de lait « étranger » en attendant que son système digestif soit plus mature.

■ La recherche a montré que les bénéfices de l'allaitement maternel, même quelques semaines, sont énormes et à l'échelle d'une vie. Des travaux récents ont prouvé, par exemple, qu'il favorisait le développement du cerveau et diminuait les risques de problèmes neurologiques.

Nourrir deux ou trois semaines seulement ne vous fait connaître que la période la moins agréable de l'allaitement, mais offre quand même quelques avantages physiques :

■ Votre utérus retrouve sa forme d'avant la grossesse plus rapidement.

■ Les repas fréquents la nuit sont plus pratiques au sein qu'au biberon.

■ Une fois que la montée de lait est établie, les hormones libérées par l'allaitement vous aident à vous détendre et à combattre le stress.

Mais si un allaitement pour une courte période peut vous convenir à tous les deux, un allaitement à contrecœur peut ne pas du tout fonctionner. Nourrir sera très certainement un plaisir si vous ignorez ceux qui soutiennent le contraire, qui vous diront que vous allez être trop fatiguée pour produire assez de lait. Ces horribles avertissements se transforment facilement en prophéties bien arrangeantes, surtout dans les premiers jours, lorsqu'ils ont un semblant de vérité. Faites-vous confiance pour produire tout ce dont votre bébé a besoin (et entourez-vous de personnes qui vous font confiance). Et n'achetez ni lait, ni biberon, ni sucette.

Les avantages d'un allaitement long

La nature a prévu qu'un bébé humain serait nourri au lait maternel, et non au lait de vache. On connaît aujourd'hui plus de cent différences entre la composition de ces deux laits et toutes n'ont pas été éliminées par les formules de lait industriel. Les nouveaux résultats de la recherche dressent une liste toujours plus longue et précise des avantages pour votre bébé :

■ Le lait maternel (il s'agit toujours exclusivement du vôtre) est toujours le seul lait qui s'adapte en permanence à l'âge de votre enfant et à ses conditions de vie.

■ Le lait maternel s'ajuste à l'appétit de votre bébé au cours de chaque repas – ce qui assure sa satisfaction et le prévient de toute obésité. Le premier lait que votre bébé reçoit contient peu de calories ; il peut ainsi contenter sa soif et son besoin de succion sans risquer de se sentir « trop plein » ou de prendre trop de poids. Le lait qu'il obtient lorsqu'il a vidé vos seins est plus riche en graisses et en calories et lui donne la sensation d'être plein, signalant à son appétit qu'il a eu ce qu'il lui fallait.

■ Aussi longtemps que votre bébé est nourri exclusivement au sein, il est moins sensible aux infections – en particulier aux gastro-entérites, mais aussi aux rhumes et aux otites.

■ Si votre bébé est prédisposé aux allergies, poursuivre l'allaitement maternel aide à le protéger.

■ Outre les nombreux avantages de l'allaitement, le sein satisfait mieux le besoin de succion des bébés qu'un biberon car il peut continuer à téter pour le plaisir – et en tirer quelque chose qui a un goût plutôt que de l'air – même lorsque le sein est vide.

Un allaitement long est aussi bénéfique pour vous, à condition que votre mode de vie vous le permette :

Allaiter asservit les mères.

Nous nous apprêtons à avoir notre premier enfant. Bien sûr, nous comprenons les avantages de l'allaitement mais nous sommes étonnés de voir à quel point celui-ci assujettit nos amis à leurs bébés. Nous avons récemment fait une fête à laquelle étaient présents cinq bébés que les parents ne pouvaient pas laisser chez eux. Il doit être possible d'allaiter sans être asservi.

Allaiter lie certainement la mère à son bébé, mais ce lien peut être ressenti comme une chaîne ou comme un ruban d'honneur selon la femme (et son conjoint), leur bébé, leur mode de vie et les événements du quotidien.

Si votre bébé est nourri uniquement au lait maternel et toujours directement au sein, cela va prendre au moins trois mois avant que vous ne puissiez le quitter pour plus d'une heure. Est-ce que trois mois par enfant est vraiment de l'esclavage ?

Certains bébés adoptent très tôt des horaires très réguliers et l'on sait qu'ils n'auront pas besoin d'être nourris avant trois heures – assez longtemps pour aller au cinéma ou au restaurant – mais la plupart en sont incapables. Le problème est que, si un rot ou une alarme réveille votre bébé deux heures après son repas, il aura sans doute besoin de téter à nouveau, et si vous n'êtes pas là, rien d'autre n'arrêtera ses pleurs.

Ne laissez personne vous dire que s'il se réveille et que vous n'êtes pas là, ce n'est pas très important. Lorsqu'un bébé qui ne connaît aucune autre façon de manger ou de boire réclame le sein, rien ne peut le distraire. Il risque d'être inconsolable, et parfois incontrôlable, plus ou moins indéfiniment car plus il se fatigue et plus il a faim et soif. C'est le drame pour le bébé et le drame pour la personne qui le garde : elle voudrait vraiment le consoler mais reste impuissante.

Mais en cette période où vous êtes la seule source de contentement de votre bébé, aurez-vous vraiment besoin de le quitter ? Si vous l'amenez partout où vous allez, vous pouvez aller partout où cela vous chante. Pourquoi ne pas l'emmener à des fêtes (votre petit bébé ne cassera rien, n'est-ce pas ?), faire du magasinage et dîner au restaurant si vous choisissez un de ces lieux toujours plus nombreux qui se font une fierté d'être accueillants pour les bébés ?

■ Allaiter vous oblige à vous asseoir, ou à vous coucher, et à prendre le repos dont vous avez besoin ou le seul que vous vous accordez. Nourrir au sein la nuit est plus simple bien que votre bébé risque de réclamer plus souvent qu'au biberon.

■ Allaiter vous aide à retrouver votre forme d'avant, car les réserves de graisse que votre corps a faites étaient destinées à la préparation de la lactation et vont rapidement passer de vous à votre bébé. Cela peut – ou non – être un avantage pour vous que quelques-uns des tissus graisseux de votre poitrine soient remplacés par les glandes qui produisent le lait, ce qui réduit un peu la taille de vos seins…

■ Allaiter vous soulage de la tension prémenstruelle à long terme et de vos menstruations à court terme. Mais cela ne vous empêche pas cependant de tomber à nouveau enceinte.

■ On pense aujourd'hui que l'allaitement réduit le risque de cancer du sein avant la ménopause.

■ Un allaitement qui se passe bien fait gagner du temps et épargne beaucoup de soucis : pas besoin de courir les magasins, rien à mélanger ni à stériliser, rien à garder au frais ni à réchauffer, rien à aller chercher en plein milieu d'un film ou de la nuit. Et rien à laver. Et cela coûte aussi moins cher d'acheter les quelques aliments complémentaires et de cuisiner vous-même que d'acheter des produits tout prêts.

■ À moins que cela ne vous gêne, vous pouvez sortir avec votre bébé et le nourrir même dans des lieux publics ou sur votre lieu de travail. Pour voyager, rien d'autre à trimballer que des couches quand la voiture est déjà pleine à craquer ; votre bébé n'a besoin que de vous pour contenter tous ses besoins.

Les avantages du biberon

Presque toutes les mères peuvent produire du lait, et presque tous les bébés peuvent boire le lait maternel. Mais il reste toujours des cas dans lesquels l'allaitement est impossible. Si vous devez prendre des médicaments qui seraient nocifs pour votre bébé, si votre bébé ne peut pas téter parce qu'il est prématuré ou malade, ou à cause d'une anomalie comme un bec-de-lièvre ou un palais fendu, les avantages de l'utilisation immédiate du biberon sont évidents. Si vous ne parvenez pas à satisfaire l'appétit de votre bébé et que l'allaitement vous est pénible, les avantages du biberon pour vous deux sont aussi absolument évidents, même si ces problèmes peuvent être évités ou résolus. Soyez prudente cependant : parfois on choisit de nourrir son bébé au biberon moins par goût pour cette formule que par crainte que l'allaitement prenne du temps à devenir agréable :

■ Il est plus facile de commencer à nourrir au biberon qu'au sein parce que vous n'avez que son confort à considérer, le vôtre étant acquis.

■ Les biberons et les laits maternisés vous épargnent l'intense (et quelquefois inconfortable) engagement physique et émotionnel qu'exige une alimentation au sein.

■ Vous n'êtes plus enceinte et vous n'allaitez pas : votre corps n'est plus lié au bien-être de votre bébé, il vous appartient à nouveau. Vous savez que n'importe qui peut le nourrir et n'avez pas à vous demander si votre corps y est apte. Cela peut favoriser l'attachement entre le bébé et le père puisque celui-ci peut le nourrir dès le début, mais le lien entre vous et le bébé peut être moins fort, puisque vous pouvez vous dégager de ce rôle.

Les avantages d'une formule mixte

La plupart des avantages physiques de l'allaitement maternel sont plus en rapport avec le lait qu'avec le processus de l'allaitement en lui-même. Grâce au biberon, votre enfant peut être nourri avec votre lait sans avoir à téter votre sein, donc sans vous avoir avec lui. Ce qui est important si vous voulez continuer d'allaiter lorsque vous reprendrez le travail (ou si votre bébé doit boire du lait maternel et non du lait maternisé pour des raisons médicales, comme une tendance héréditaire aux allergies).

À condition que votre montée de lait ait eu le temps de se mettre en place, elle peut être si abondante que tant que vous nourrissez librement votre enfant le soir et avant de partir au travail, vous pouvez aussi tirer votre lait pour les biberons de la journée. Si vous choisissez cette formule, vous allez sans doute utiliser un tire-lait. Le faire manuellement est une technique utile en cas d'urgence, mais pour obtenir des biberons entiers, c'est un travail lent et pénible. Il existe des tire-lait manuels et électriques, aussi perfectionnés les uns que les autres. Le plus cher ne sera pas forcément le plus confortable.

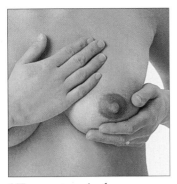 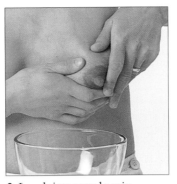 

1 Tenez votre sein dans une main. Utilisez l'autre paume pour masser jusqu'à l'aréole et tout autour du sein plusieurs fois.

2 Les doigts sous le sein, appuyez avec vos pouces jusqu'au bord de l'aréole et des canaux lactifères dessous.

3 Pressez dessus et dessous avec vos pouces afin que lait sorte sans que vous touchiez le mamelon. Répétez tout autour du sein.

Peut-être pouvez-vous vous arranger pour le tester avant de faire un investissement important.

C'est dans le tête-à-tête entre la mère et l'enfant que l'on trouve la plupart des avantages émotionnels et sociaux de l'allaitement, mais il doit quand même être possible de vous libérer parfois de cette tâche sur quelqu'un d'autre grâce au biberon.

La transition du sein au biberon n'est pas facile pour tous les bébés. Peu y sont prêts avant d'avoir deux ou trois mois. Cependant, dès que votre bébé accepte le biberon pour vous permettre d'aller au travail, il n'y a aucune raison qu'il n'en fasse pas autant le week-end pour des activités plus agréables. Si vous l'avez nourri au sein la journée du samedi, par exemple, vous pouvez tirer le lait dont il aura besoin le soir et, grâce à l'aide du papa ou d'un grand-parent, en profiter pour sortir ou même pour dormir.

Si, comme beaucoup de femmes, vous avez du mal à tirer votre lait (ou à trouver le temps de le faire) et qu'il n'y a pas de raisons particulières de ne pas donner du lait maternisé à votre enfant, les biberons de lait recomposé sont bien plus simples lorsque vous devez reprendre le travail.

Mais à condition que votre lactation le permette, cette alimentation au biberon ne signifie pas forcément l'arrêt total de l'allaitement. La lactation ne dépend pas toujours de la quantité de lait tirée par jour et varie d'une femme à l'autre. Il se peut que vous continuiez à produire du lait en allaitant juste le matin et le soir et en donnant du lait maternisé la journée à votre bébé, sans que celui-ci soit gêné par ce changement et rejette le sein ou la tétine du biberon.

Certains bébés ne connaissent jamais le biberon et d'autres ne connaissent jamais le sein. Mais la plupart des femmes ne font pas une séparation nette et irrévocable entre les deux. Beaucoup de bébés nourris au sein prennent des biberons, même ceux exclusivement nourris au lait maternel. La formule la plus courante est l'alimentation mixte, que ce soit régulièrement ou de temps en temps.

AU SEIN, AU BIBERON, OU LES DEUX?

Les projets que l'on peut faire sur la façon de nourrir son bébé sont souvent bouleversés par les événements. Il est probable que, comme pour ces trois mamans, la réalité soit différente pour vous. Faire des projets, c'est bien, mais n'hésitez pas à abandonner sans regrets ceux qui ne conviennent ni à votre enfant ni à vous.

L'histoire d'Isabelle

Ce qu'elle avait prévu. Allaiter son bébé pour son bien jusqu'à la fin de son congé de maternité de trois mois, puis lui donner du lait maternisé.
Ce qui s'est passé. Un allaitement complet durant cinq mois puis partiel pendant presque un an. Des biberons juste pour son propre lait, qu'elle tirait.
Ce qui a changé ses projets. À sa surprise, Isabelle a adoré allaiter et était désespérée à l'idée d'arrêter, aussi bien pour elle-même que pour son bébé. Peut-être que sa petite fille Laure a senti qu'elle lui proposait des biberons à contrecœur; quoi qu'il en soit, elle a clairement refusé de ne plus être nourrie au sein. Elle ne voulait pas entendre parler de biberon et de lait maternisé. Comme son congé de maternité touchait à sa fin, Isabelle a essayé de tirer son lait pour que sa fille le prenne au biberon. Tirer son lait a été facile et Laure a accepté le biberon, à condition qu'il lui soit donné par une autre personne. Elle a donc été nourrie ainsi pendant cinq mois jusqu'à ce qu'elle soit prête à varier son alimentation et à laisser le biberon de lait pour un repas solide. À ce moment, Isabelle et la gardienne de Laure ont réalisé que le bébé acceptait le lait maternisé au gobelet. Isabelle a pu arrêter de tirer son lait. Mais ça n'a pas été la fin de l'allaitement. À son grand plaisir, sa lactation ne s'est pas arrêtée et elle a pu continuer à allaiter son enfant le soir et le matin avant de partir travailler.

L'histoire de Marie

Ce qu'elle avait prévu. Allaiter au moins un an ou jusqu'à ce que son bébé soit entièrement sevré grâce à un congé de maternité de cinq mois et à ses congés annuels et la commodité d'un service de garde sur son lieu de travail.
Ce qui s'est passé. Elle a commencé à nourrir son bébé au lait maternisé dès le deuxième mois et a complètement cessé l'allaitement au quatrième mois.
Ce qui a changé ses projets. Marie n'a jamais trouvé l'allaitement aussi facile que ce qu'elle pensait. Bien que son bébé, Félix, se nourrisse correctement, elle n'avait pas réalisé à quel point il fallait que le bébé tète pour mettre en route et conserver la montée de lait. Son conjoint la soutenait dans son choix mais ne considérait pas utile qu'elle en souffre. Lorsque Marie passait une mauvaise nuit ou se sentait déprimée, il lui proposait systématiquement de donner un biberon à Félix pour qu'elle puisse se reposer. Deux mois après sa naissance, Félix était encore régulièrement nourri au sein, surtout le soir, et le papa a réalisé qu'il n'y avait aucune chance d'envisager une sortie entre deux tétées. Un mois plus tard, Marie n'était pas seulement extrêmement fatiguée mais ressentait aussi un sentiment mélangé de culpabilité et de colère envers le papa. Elle a accepté de donner un biberon le soir pour leur permettre d'avoir un peu de temps ensemble et il l'a si bien pris qu'ils ont bientôt pu sortir en le laissant à une gardienne. Marie a voulu que le repas du soir soit le seul au biberon, mais cette coupure

a suffi à réduire sa lactation et le bébé a commencé à réclamer le biberon à d'autres moments de la journée. Au quatrième mois, il était complètement nourri au biberon. Bien que ce fût pour une part un soulagement pour Marie, elle a regretté d'avoir laissé l'allaitement devenir une lutte. Elle se dit que maintenant qu'elle sait à quoi s'attendre, elle saura mieux s'y prendre avec un second bébé même si son conjoint la soutient sans doute un peu moins dans ce choix.

L'histoire de Jeanne

Ce qu'elle avait prévu. Allaiter tant que cela conviendrait à son bébé. Elle avait beaucoup attendu avant d'avoir son premier enfant et avait décidé de prendre un long congé de maternité puis de travailler dans l'entreprise de son mari, en partageant avec lui de façon souple travail et garde de l'enfant. Nourrir au sein faisait partie de l'image qu'elle s'était faite d'une maternité mature et sereine.

Ce qui s'est passé. Le bébé a été nourri au biberon au bout de trois jours.

Ce qui a changé ses projets. Jeanne a eu un accouchement assez difficile. Son bébé, Samuel, a su téter quelques minutes après la naissance et, contre l'avis de son médecin, Jeanne a décidé de retourner chez elle après quelques heures, comme elle l'avait prévu. Mais sans l'aide des infirmières, elle n'est pas parvenue à donner correctement le sein au petit Samuel, malgré le soutien du père. Le bébé a beaucoup dormi cette nuit-là mais les parents étaient trop anxieux pour se reposer et, au matin, ils étaient épuisés et convaincus que Samuel était déshydraté. Ils ont fait appel à une infirmière, mais avant qu'elle n'arrive les seins ont commencé à être douloureux. L'infirmière a rassuré tout le monde et mis Samuel au sein de sa mère. La nuit suivante la montée de lait a été très forte. Jeanne souffrait (et pleurait) beaucoup, Samuel ne parvenait pas à se nourrir et pleurait aussi, et le père (qui a peut-être pleuré aussi…) a appelé sa belle-mère et est allé acheter des biberons.

LES DÉBUTS AU SEIN OU AU BIBERON

Les nouveau-nés ont peu besoin d'être nourris les trois ou quatre premiers jours. Ceux qui sont allaités reçoivent de petites quantités de colostrum. Ils ne prendront sans doute que de petites quantités. Se nourrir est un acte qu'ils doivent apprendre.

Comme ils prennent peu de lait au début, les nouveau-nés ont tendance à perdre un peu de poids – en particulier quand ils sont nourris au sein. Il est assez fréquent qu'un bébé perde 225 g au cours des cinq premiers jours et qu'il les reprenne les cinq suivants. Un bébé de dix jours doit donc avoir retrouvé son poids de naissance.

Quand un nouveau-né a faim ou soif, il est gêné et pleure. Mais, à cet âge, il ne pleure pas encore pour être nourri. Il ne sait pas que cet inconfort est provoqué par la faim, que c'est en tétant qu'il obtiendra du lait et que c'est ce lait qui lui permettra de se sentir mieux. Il lui faut encore découvrir cette équation : téter = lait = bien-être.

Certains bébés sont tellement prêts à téter qu'ils apprennent très vite cette équation. Ils ont peut-être déjà sucé leur doigt pendant la grossesse (nous savons que certains bébés le font) et, une fois nés, ils sucent tout ce qu'on leur propose. D'autant plus s'il s'agit d'un

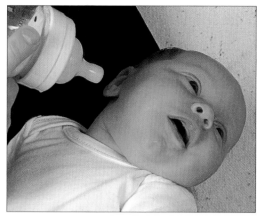

1 Approchez votre bébé du biberon comme s'il s'agissait de votre poitrine : plutôt que de lui mettre la tétine directement dans la bouche, caressez-lui la joue pour qu'il tourne la tête.

2 Lorsqu'il tourne la tête, les lèvres de votre bébé se ferment. Quand la tétine ou votre doigt les touche, elles s'ouvrent. La bouche grande ouverte de votre bébé vous signale qu'il est prêt.

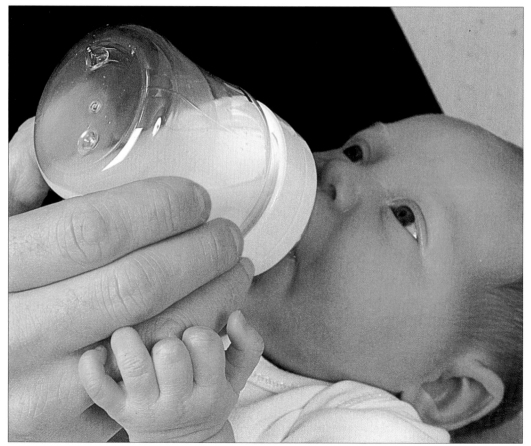

3 Si vous placez maintenant la tétine dans la bouche de votre bébé, il va probablement se mettre à téter de façon régulière. Gardez le biberon incliné de façon que la tétine soit remplie de lait et tenez-le fermement. La succion est forte et il a besoin de pouvoir tirer sur quelque chose.

biberon ou d'un sein. Ils obtiennent alors du colostrum ou du lait et ils se sentent bien. Lorsqu'ils ont répété l'expérience deux ou trois fois, la leçon de l'alimentation est apprise.

Pour d'autres, cela se passe autrement. La douleur de la faim les fait pleurer abondamment, mais lorsque leurs mères tentent de leur proposer le sein ou la tétine, ils continuent de pleurer. Même le goût du colostrum ou du lait ne parvient pas à les calmer car la connexion entre ce goût et le bien-être à venir n'est pas encore faite. Elle le sera cependant bientôt. Même si vos tentatives ont été vaines pour l'instant, soyez sûre que votre bébé est né avec un ensemble de réflexes de succion et que si vous l'aidez à les éveiller (plutôt que de tenter de le faire taire en lui enfonçant la tétine dans la bouche), il tétera bientôt. Et lorsqu'il aura compris le plaisir qu'il peut y trouver, tout sera rentré dans l'ordre.

Éviter la confusion de tétines

Obtenir du lait d'un sein ou d'un biberon relève de deux techniques de succion très différentes et peu de nouveau-nés sont capables d'apprendre ces deux techniques simultanément. Le sein et l'aréole forment une surface large, chaude et douce qui n'a rien à voir avec le petit bout raide d'une tétine en caoutchouc, latex ou silicone. Et ce simple contraste peut poser des problèmes si le bébé tente de téter votre sein de la même façon qu'il tète le biberon. Il risque de vous faire mal et de ne pas obtenir de lait. Mais s'il tète un biberon comme votre sein, le lait va venir si vite qu'il risque de s'étouffer.

Selon la sagesse populaire, les bébés trouvent les tétines plus «faciles» et donc ne savent plus téter le sein une fois qu'ils ont pris goût au biberon. Mais comme il est aussi difficile de convaincre un bébé nourri au sein d'accepter le biberon, il semble simplement que les bébés apprécient le mode d'alimentation auquel ils sont habitués.

Cette différence de succion peut mener à des problèmes de lactation ou d'alimentation insuffisante. Puisque vos montées de lait dépendent de la succion de votre bébé (ce qui n'est pas le cas pour les biberons), ne prenez pas de risque. Si vous voulez allaiter complètement, ne proposez pas de biberon (même pour de l'eau ou votre propre lait) tant que votre lactation n'est pas stable. Certaines mamans de jumeaux s'en sortent mieux avec quelques biberons au bout de trois semaines, mais il est plus prudent d'attendre six semaines si possible, voire le double, si l'allaitement est une vraie priorité pour vous.

Proposer un biberon après ce délai peut demander un peu de patience et de tact. Si vous reprenez votre travail, accordez une semaine ou plus à votre bébé pour lui faire accepter le nombre de biberons qu'il devra prendre en votre absence. Il se peut qu'il l'accepte mieux, donné par vous, car il a l'habitude que vous le nourrissiez. D'un autre côté, il peut aussi refuser catégoriquement un biberon de vos mains car il sent sur vous l'odeur de son lait habituel. Il le prendra alors plus facilement avec son père ou sa gardienne. Vous aurez sans doute aussi à tester différentes sortes et tailles de tétine.

Le réflexe de «fouissement»

Un bébé éveillé et avec une petite faim répondra à tout contact ou caresse de votre sein sur sa joue par un réflexe de «fouissement»: il tourne la tête à la recherche du sein et tend avec empressement ses lèvres à sa rencontre. Lorsqu'elles touchent quelque chose qui ressemble à votre sein, il ouvre grand la bouche, prêt à se nourrir.

Si votre bébé est nourri au sein et que vous le portez sur votre bras gauche, prête à le nourrir avec le sein gauche, le tourner afin qu'il s'allonge en vous faisant face provoquera un réflexe de fouissement. Alors que vous le tournez à nouveau, sa joue droite et le coin de sa bouche viennent caresser le dessous de votre poitrine ; dès que vos corps sont alignés, ses lèvres sont déjà prêtes à téter et si sa bouche et votre mamelon sont au même niveau, ils seront vite en contact.

Si vous utilisez un biberon, le processus est le même mais, comme vous préférerez que votre bébé vous regarde, vous pourrez provoquer le réflexe de fouissement en touchant sa joue et le bord de sa bouche avec votre doigt.

Utiliser les réflexes de succion et de fouissement

Ce qui arrive ensuite est très important (lorsque les choses se passent bien, vous n'avez même pas conscience de ces différentes étapes) : le bébé enregistre la sensation du sein ou de la tétine sur ses lèvres et y répond en ouvrant largement la bouche. Si, alors (et seulement alors), vous remplissez cette bouche en y introduisant la tétine ou en la dirigeant contre votre sein afin d'y introduire le mamelon (l'aréole doit être bien englobée par ses lèvres), il va s'en saisir et probablement se mettre à téter.

Pourquoi seulement « probablement » ? Parce que le réflexe de fouissement qui mène votre bébé jusqu'au biberon ou au sein ne met pas en route la succion. Le réflexe de succion se développe un peu plus tard – les prématurés semblent chercher à téter longtemps avant d'en être capables – et doit être complété, le premier ou deuxième jour, par le réflexe de régurgitation. Il est bien plus urgent pour votre bébé de débarrasser ses voies respiratoires de leur mucus que de se nourrir. Ne soyez donc pas surprise ou vexée si votre bébé préfère recracher une bonne gorgée de lait.

Mais tout est bien plus simple en réalité que ce qui est décrit ici. Si les premières tétées de votre bébé se déroulent bien, vous n'avez pas besoin de tout savoir du processus qui fait qu'il apprend à se servir de ses réflexes. Dans le cas contraire, il est utile d'en avoir une idée assez précise, en tête au moins, pour éviter toute action allant à l'encontre de ce processus :

■ Envoyez-lui des signaux simples. Si vous lui touchez les deux joues au lieu d'une, votre bébé ne saura pas de quel côté se tourner ; si vous lui tenez la tête pour la lui tourner, il sera perdu et ira contre vous.

■ Envoyez ces signaux dans l'ordre : il est important de l'encourager au réflexe de fouissement avant de le pousser à téter. Ne commencez donc pas à le nourrir en touchant ses lèvres avec la tétine.

■ Respectez son rythme. Si vous avez encore votre soutien-gorge ou si le biberon est trop chaud lorsque le bébé tend ses lèvres, vous manquez le moment magique de la première tétée et vous devrez peut-être tout recommencer.

■ Surtout, rappelez-vous que c'est votre bébé qui se nourrit et que votre rôle est de lui faciliter la tâche. N'essayez pas d'aller trop vite juste parce que cela vous semble la chose la plus importante et la plus difficile que vous ayez jamais faite. Vous ne pouvez pas le forcer à téter.

Les meilleures conditions pour les premiers repas

Si le réflexe de succion du bébé est respecté et utilisé dès les premières tentatives pour le nourrir, il apprendra vite la leçon «succion = lait = bien-être». Mais un environnement calme et confortable l'aidera à apprendre et à aimer tout ce qui tourne autour de son alimentation. Et cela est aussi vrai pour vous. Il n'est pas toujours possible d'obtenir cela pour votre bébé dans un hôpital, toujours bourdonnant d'activités, surtout si votre bébé est à la pouponnière et non à côté de vous dans votre chambre. Dans ce cas, pourquoi ne pas demander une décharge auprès de l'établissement pour pouvoir rentrer chez vous plus tôt? Pour un départ le plus harmonieux possible:

■ Évitez de tenter de nourrir un bébé qui est vraiment en colère ou pleure beaucoup. Il ne tétera pas correctement. Alors qu'il est accablé par ses sensations, il y a peu de chances qu'il prenne conscience lui-même qu'il peut y prendre plus de plaisir. À la maison, proposez-lui toujours de le nourrir avant qu'il en arrive à ce stade. À l'hôpital, il est possible que les infirmières le gardent éloigné de vous trop longtemps parce qu'elles souhaitent que vous vous reposiez, en particulier la nuit. Et elles ont peut-être l'habitude de nourrir à horaires réguliers plutôt qu'à la demande. Si, malgré tous vos efforts, votre bébé a été tenu éloigné de vous et est en colère, essayez de le réconforter en le berçant, en le promenant et le cajolant avant de le convaincre de téter.

■ Le bruit et l'agitation peuvent distraire votre bébé de sa tétée. Si cela pose un problème et que vous êtes chez vous, trouvez une pièce où vous serez seule (ou avec le papa) pour le nourrir, au moins les premiers jours. Si vous êtes à l'hôpital, vous pouvez vous placer de sorte que votre corps soit entre votre bébé et la pièce, votre visage dirigé vers lui. Si vous pouvez fixer son attention sur vous, il sera moins distrait par le reste. Où que vous soyez, parlez-lui doucement et de façon régulière. Votre voix lui fera oublier tous les autres bruits.

■ Ne forcez pas un bébé fatigué à rester éveillé. Les tout premiers jours, beaucoup de bébés sont trop épuisés pour téter longtemps. Cela n'a aucune importance que votre bébé s'endorme après quelques gorgées car s'il est assez fort pour avoir besoin de manger plus, il est assez fort pour se réveiller et réclamer qu'on le nourrisse. Il ne faut pas non plus l'énerver par quelque tentative maladroite de lui donner la «bonne» quantité de lait et lui rendre la mise au sein ou au biberon désagréable. Se nourrir doit être un moment de pur bonheur.

■ Assurez-vous que son effort de succion a bien été récompensé. Pour l'allaitement maternel, un sein un peu tombant (surtout lorsqu'il n'est pas encore rempli de lait mais juste de colostrum) peut boucher le nez du bébé lorsqu'il tente de téter, si bien qu'au lieu d'être récompensé par du lait, il ne peut plus respirer et panique. Il faut reculer un peu son corps pour éloigner son front ou utiliser les doigts de votre main libre pour appuyer un peu sur votre sein juste autour de l'aréole afin de libérer son nez.

Votre bébé et vos seins découvrent l'allaitement. Essayez de trouver les positions confortables.

Si vous nourrissez au biberon, une tétine avec un trou trop petit frustre votre bébé. Au lieu d'obtenir facilement du lait, il doit faire un effort pour chaque petite gorgée et, en ces premiers jours, il peut facilement abandonner. Lorsque vous inclinez le biberon, le lait doit couler au rythme de plusieurs gouttes par *seconde*.

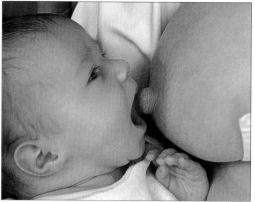

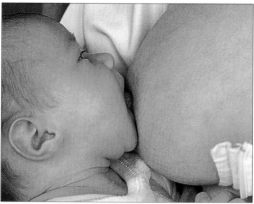

1 Une bouche qui saisit tout le mamelon garantit un allaitement confortable pour vous deux. Placez son corps (et pas seulement sa tête) contre vous. Lorsque sa bouche ouverte signale qu'il est prêt…

2 … approchez-le de votre sein (et pas l'inverse), la mâchoire inférieure bien placée sous l'aréole, le sein bien pris et le bout du sein allant droit dans sa bouche afin d'éviter les irritations.

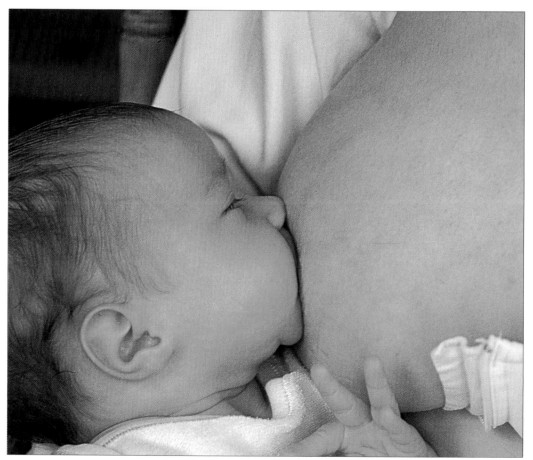

3 Le menton bien calé contre le sein, les lèvres bien collées, il ne tire pas le lait du bout du sein mais presse les sinus de lait avec ses mâchoires et sa langue pour le faire jaillir au fond de sa bouche. Pour vérifier qu'il boit bien, écoutez les bruits de déglutition et regardez ses oreilles bouger.

COMMENCER À NOURRIR AU SEIN

Commencer à nourrir au sein n'est pas toujours évident. De la même façon qu'il faut montrer doucement aux bébés comment utiliser leur réflexe de succion, il faut habituer progressivement les seins à la nouvelle fonction qui leur est attribuée. Beaucoup de femmes qui nourrissent leur premier bébé trouvent cela étrange, inquiétant et désagréable au début. Certaines même finissent par abandonner au cours de la première semaine. N'abandonnez pas sans vous être donné la chance de découvrir la période merveilleuse qui suit ces débuts difficiles. Le lait est enfin là, comme par magie, dès que votre bébé en réclame et où que vous soyez. Les mères qui connaissent déjà, par expérience, cet état merveilleux à venir hésitent rarement à allaiter le deuxième enfant et ne cèdent presque jamais aux difficultés des premiers jours.

Ne soyez ni surprise ni déçue s'il vous semble que l'allaitement est une véritable lutte pendant votre séjour à l'hôpital. Avoir des spécialistes autour de vous peut paraître rassurant mais en réalité n'est pas d'une grande aide. Aider quelqu'un à mettre un enfant au sein, c'est un peu comme aider un homme à faire son nœud de cravate : soit vous le faites seule, soit il le fait, mais à deux, vous vous « emmêlez les pinceaux ». Les choses seront sûrement plus simples quand vous serez rentrée chez vous, entourée simplement de votre bébé, de votre conjoint et de tout ce dont vous désirez. C'est dans cette intimité que vous allez découvrir sereinement cette expérience.

Parfois, les hôpitaux sabotent purement et simplement une mise au sein en donnant aux bébés des biberons ou des sucettes. À partir du moment où votre bébé doit provoquer votre montée de lait et la stabiliser en tétant, toute utilisation de tétine en latex ou autre est susceptible de le perturber. Plus encore, être rassasié par un biberon de lait ou d'eau, ou juste réconforté avec une sucette, va retarder l'urgence de la prochaine tétée et diminuer l'enthousiasme avec lequel il s'y adonne. Et c'est justement de cet enthousiasme et de cette urgence que dépend votre lactation (et donc son alimentation).

À moins que votre bébé ne soit prématuré, malade ou aux soins intensifs, il n'a pas besoin d'être nourri par l'équipe médicale. Vous pouvez le faire toute seule. Vous produisez tout ce dont il a besoin autant après qu'avant sa naissance. Votre colostrum est exactement ce qu'il lui faut. Votre lait contient exactement ce dont il a besoin. Vous allez en produire assez et le lui donner. Il aimera son goût et il le digérera très bien. Bref, ce lait le nourrit parfaitement.

Il faut attendre de trois à cinq jours après la naissance pour que le colostrum soit remplacé par du lait. Votre bébé doit être mis au sein régulièrement, autant pour bénéficier de ce colostrum vital que pour s'entraîner pendant que votre poitrine est vide. Sans cet « entraînement », votre bébé risque de trouver votre poitrine gonflée par le lait plus difficile à manier.

Lorsque le lait arrive, ne décidez pas qu'il n'est pas bon parce qu'il est un peu bleu ou liquide comparé à l'épais colostrum jaunâtre ou au lait maternisé crémeux donné au bébé de votre voisine de chambre. Votre lait doit être ainsi. Il est parfait.

Pour vous installer confortablement, choisissez une chaise basse qui soutient votre colonne vertébrale lorsque vos pieds sont à plat par terre, ou calez des coussins derrière vous (à droite). Vous ne devez ni vous courber ni soulever votre enfant. Utilisez un coussin pour amener sa bouche au niveau de votre sein ou ajoutez un coussin sous le bras qui tient le bébé – surtout si l'allaitement est difficile ou après une césarienne. Vous pouvez aussi allaiter couchée (ci-dessous).

Allaiter confortablement	Le confort et la relaxation vont ensemble et, pour une bonne lactation, il est important de pouvoir vous détendre. Différentes positions peuvent vous convenir, selon les moments de la journée et l'âge de l'enfant. Mais pour être à l'aise pendant tout son repas, vous allez avoir besoin d'oreillers et de coussins pour vous soutenir. La bouche de votre bébé doit être au niveau de votre sein sans que vous ayez à le porter ou à vous courber.
Éventuels problèmes des débuts	Avec la montée de lait, il est possible que vous découvriez certains petits inconvénients, désagréables – et parfois vraiment douloureux – mais de courte durée. Vous n'aurez pas forcément à en pâtir et si vous en subissez certains, cela ne remet pas en cause votre allaitement. La taille de vos seins, par exemple, n'a rien à voir avec l'abondance de votre lactation. Le lait est produit par des glandes profondes et non situées dans les tissus gras qui enrobent vos seins.
Engorgement	Après la naissance et la délivrance, la production d'hormones par le placenta, de progestérones et d'œstrogènes est réduite en faveur de la prolactine, l'hormone qui contrôle votre lactation, et de l'ocytocine, l'hormone qui contrôle le réflexe permettant d'évacuer le lait. Il arrive fréquemment que le lait «monte» au cours de la nuit et que vos seins se tendent soudainement, gonflés par le lait mais aussi par un afflux sanguin. Parfois, les messages chimiques que votre bébé envoient sont trop importants et les seins finissent par être engorgés : ils deviennent très durs, chaud et douloureux, et l'aréole peut se dilater.

Allaiter dans ces conditions est très inconfortable et peut même s'avérer excessivement douloureux. Heureusement, le déséquilibre hormonal se réduira dans un jour ou deux. Votre poitrine ne sera plus jamais aussi gonflée et tendue, même lorsque vous produirez trois fois plus de lait pour un bébé plus âgé et plus affamé.

Si votre bébé sait se nourrir, il vous soulagera d'une quantité suffisante de lait pour réduire la tension pénible de votre poitrine. Si l'aréole et vos seins sont gonflés et durs, il aura cependant du mal à s'en saisir et, malgré tous ses efforts, cela sera frustrant pour lui et douloureux pour vous. Vous devrez d'abord essayer de les adoucir un peu, en les passant régulièrement sous l'eau chaude et en essayant d'en extraire doucement le lait à la main (voir p. 59). Soyez prudente : les tissus gras s'abîment facilement. Entre chaque allaitement, vous pouvez appliquer des compresses froides sur votre poitrine pour resserrer les vaisseaux sanguins et l'aider à dégonfler. Un paquet de petits pois surgelés est la compresse la plus pratique. Si vous divisez le contenu du paquet en deux sacs de plastique plus grands, vous pourrez envelopper toute votre poitrine. Si vous ne supportez pas le contact de votre soutien-gorge ou celui de ces compresses, essayez des feuilles de chou rondes, de la taille qui vous convient, que vous aurez refroidies au réfrigérateur et que vous changerez régulièrement.

Réflexe d'évacuation du lait et contractions	Le réflexe d'évacuation du lait aide votre bébé à l'extraire de vos seins. Lorsque l'hormone appelée ocytocine est libérée dans le sang, les fibres musculaires autour des glandes qui produisent le lait se contractent et dirigent le lait dans les canaux – et quelquefois jusqu'à la sortie. Toutes les femmes qui allaitent possèdent ce réflexe mais certaines en sont plus conscientes que d'autres, ou le sentent se déclencher

Dans les situations où une fuite serait gênante, essayez de pousser le mamelon vers l'intérieur comme si c'était une sonnette.

progressivement de plus en plus tôt. Les petits picotements chauds dans vos seins – et la tâche humide sur votre tee-shirt – sont en général provoqués par la succion de votre bébé ; mais le voir ou penser à lui – ou même à un autre bébé – peut suffire à déclencher ce phénomène !

Presque toutes les femmes qui allaitent ont besoin de compresses d'allaitement dans leur soutien-gorge pour absorber les gouttes. Mais si vous avez une lactation abondante, vous aurez aussi besoin d'un bon sens de l'humour. Imaginez que votre bébé réclame sa tétée pendant que vous vous brossez les dents et que vos seins vaporisent du lait sur le miroir !

Une fois que la lactation est en place, il se peut que votre lait ne s'évacue pas si vous êtes tendue ou anxieuse. Le bébé tète mais ne parvient pas à obtenir de lait, ou très peu, lâche votre sein et le ressaisit en s'énervant. Le lait ne coulera pas mieux tant que vous n'aurez pas réussi à vous détendre.

L'ocytocine contracte aussi les muscles de votre utérus et favorise un retour rapide à sa taille normale. Pour certaines femmes, ces contractions provoquent le même genre de douleur, en plus doux, que des coliques. Il est très rare qu'elles soient vraiment douloureuses au début. Elles sont moins gênantes pour le premier bébé que pour les suivants et ne sont notables que les deux ou trois premiers jours.

Seins douloureux

L'idée fausse selon laquelle le bout des seins est douloureux parce qu'il n'est pas habitué à la succion a été responsable de beaucoup de souffrances pour les mères (qui avaient mal) et pour les bébés (dont on rationnait le temps de tétée). Indirectement, on lui doit aussi beaucoup d'échecs de mise au sein.

Ne faites pas de votre sein l'objet d'une lutte ; essayez plutôt de désamorcer la succion de votre bébé.

Le problème n'est pas d'habituer le sein à la succion, mais d'apprivoiser la succion en elle-même. Les seins ne sont pas faits pour ça. Lorsqu'ils sont étirés et aspirés en tous sens par la langue et les lèvres du bébé, le frottement provoque la douleur et pourtant il n'y pas plus de lait qui sort. Donc, la principale cause du problème est une mauvaise position. Votre bébé doit attirer le bout du sein directement au fond de sa bouche qui, elle, doit englober l'aréole. Les deux ensemble forment une « tétine » maintenue en place par la succion, alors que les mâchoires pressent le bord de l'aréole et les tissus du sein, tirant le lait des glandes qui le produisent. Ne tirez jamais votre bébé pour lui faire lâcher le sein. Attendez qu'il fasse une pause ou arrêtez la succion en glissant délicatement un doigt au coin de sa bouche.

Si vous avez une sensation de brûlure là où sa langue a caressé l'aréole, changez votre position au prochain allaitement de façon à placer la pression principale sur une autre partie de l'aréole.

Évitez de laver vos seins avec du savon à la fin de votre grossesse et pendant l'allaitement. Ils ont produit une sorte de lubrifiant à partir de petites glandes entourant l'aréole (tubercules de Montgomery) qu'il serait dommage de supprimer. Il est plus efficace que toutes les crèmes que vous pourrez utiliser à sa place et surtout plus hygiénique. Il ne faut ni masser ni laver les seins pour les durcir. Ils sont faits pour allaiter et n'ont besoin d'aucune préparation. Et vous n'avez pas envie qu'ils soient durs, mais flexibles et élastiques.

À la fin d'une tétée, vous pouvez extraire une goutte de lait du sein qui vient de nourrir et l'utiliser comme lotion sur le bout des seins et l'aréole. Puis, laissez-les sécher à l'air libre, si vous pouvez. L'air tiède (pas chaud) d'un sèche-cheveux est plus rapide si vous êtes pressée.

Il est important de préserver autant que possible le bout des seins de l'humidité. Les compresses d'allaitement en plastique ayant tendance à les laisser humides (même si elles préservent vos vêtements), il vaut mieux ne les utiliser qu'en certaines occasions. En général, les compresses d'allaitement en coton ou en papier gardent vos seins au sec. Avoir un soutien-gorge d'allaitement sec est important aussi et, bien qu'ils soient souvent chers, il faut en posséder assez pour pouvoir les laver tous les jours et en changer aussi souvent que nécessaire.

Inflammations et abcès Il arrive – rarement – qu'un des minuscules canaux qui transportent le lait des glandes au bout des seins soit bloqué. Le lait s'accumule au-dessus du canal lactifère obstrué et provoque une petite bosse dure. Vous aurez alors un gonflement rouge et douloureux (engorgement) mais cela n'a rien à voir avec un abcès ou une mastite.

Si vous parvenez à éliminer l'engorgement, tout ira bien. Lavez souvent votre sein à l'eau chaude et massez-le doucement, du gonflement jusqu'au bout du sein. Puis mettez votre bébé au sein pour qu'il tète et provoque l'évacuation du lait. Si le gonflement et la douleur diminuent, cela a permis au canal de se nettoyer. Si ce n'est pas le cas, consultez votre médecin le jour même.

Mastites Si le lait ne recommence pas à couler, prouvant que le problème n'est pas résolu, le gonflement va augmenter et finalement des substances contenues dans le lait vont passer à travers les cellules dans le tissu conjonctif et les petits vaisseaux sanguins de vos seins, provoquant un gonflement et une douleur beaucoup plus forts. Ces substances n'ont rien à faire ici et votre corps va réagir à leur présence comme à celle de n'importe quel corps étranger. Vous avez alors de la fièvre ou des frissons. Ce n'est qu'à ce moment-là que vous souffrez vraiment d'une mastite, mais qui n'est pas forcément infectieuse. Il faut consulter votre médecin et continuer en attendant d'essayer d'évacuer votre lait avec l'aide de votre bébé. Si vous y parvenez, vous vous sentirez tout de suite mieux. Sinon, si vous ne pouvez plus supporter de donner ce sein à votre enfant et le laissez «au repos», l'inflammation se transforme en infection. Alors, votre mastite est infectieuse et, si une poche de pus se forme, vous aurez un abcès.

L'infirmière du CLSC vous donnera des conseils pour masser le sein douloureux et pour faire téter votre bébé correctement afin de libérer le lait de toutes les parties du sein. Votre médecin vous prescrira sans doute des antibiotiques. Vous vous sentirez vite mieux et aurez même du mal à croire qu'il y avait vraiment une infection à guérir. Il n'y en avait probablement pas.

Vous assurer que toutes les parties de votre sein sont vidées vous permet souvent d'éviter de nouvelles obstructions. Si vous réagissez dès les premiers signes, vous n'aurez sans doute plus jamais de mastite. C'est une mauvaise technique d'allaitement qui peut rendre le problème récurrent, non des infections à répétition. Changer votre façon d'allaiter est une méthode de prévention bien plus efficace que toute médication. Si un nouveau gonflement rouge et chaud apparaît, vérifiez bien la position de votre bébé et envisagez les diverses causes possibles avec votre médecin.

Est-ce que vous et votre bébé avez une préférence pour l'un ou l'autre sein? Si c'est le cas, cela est sans doute en rapport avec le fait que vous soyez gauchère ou droitière (les droitières et leur bébé ont souvent une préférence pour le sein gauche). Voyez si un coussin bien positionné peut aider votre bébé (voir p. 68).

Il se peut aussi que vous ayez une lactation si importante que votre bébé n'ait même pas besoin de téter mais juste d'avaler le lait qui coule. Afin de vous assurer que les mâchoires et la langue de votre bébé vident et remplissent à nouveau votre sein, gardez-le du même côté jusqu'à ce que ce sein-là soit visiblement «vidé». Votre bébé sera peut-être alors rassasié et ne demandera même pas le second.

Montées de lait et demande   Quelle quantité de lait avez-vous? Combien de fois par jour nourrir votre bébé? Dans l'allaitement maternel, ces deux questions vont de pair car votre production de lait dépend de la demande de votre bébé. Plus il en demande, plus vous en produisez. Plus il en demande souvent, plus vous en produisez rapidement. Une mère dispose ainsi de l'exacte quantité de lait dont un bébé de 2,7 kilos a besoin ou de l'exacte quantité nécessaire à deux jumeaux de 5,9 kilos à eux deux. Et elle nourrira aussi bien un bébé de deux semaines qu'un bébé de vingt-deux semaines.

Presque toutes les mères peuvent nourrir, mais toutes ne le savent pas. La lactation est un phénomène naturel qui fonctionne à la demande. Il suffit donc de laisser le bébé se comporter naturellement. Souvent, le système échoue parce qu'on a imposé des horaires réguliers à l'enfant. Ou alors il fonctionne mal parce que de petits détails gênent le rythme naturel de l'enfant. Il est donc important de comprendre comment la nature a fait les choses.

Une fois que la naissance a mis en route l'étape naturelle suivante – la lactation –, les seins produisent le lait et le bébé le boit. Dès que les seins se vident, ils se remettent à produire encore plus de lait. Si le bébé est rassasié par sa première tétée, il n'a plus faim pendant quelque temps – peut-être environ deux heures. Vous allez alors produire à peu près la même quantité de lait. Mais si cette première tétée ne lui a pas suffi, il aura faim plus rapidement et voudra à nouveau téter. S'il peut le faire, il videra à nouveau vos seins et les stimulera à produire plus de lait.

Plus les seins sont vidés par le bébé, plus ils produisent de lait. Au bout d'un jour ou d'une semaine peut-être, vous produirez tellement de lait qu'il n'aura plus aussi souvent faim. Au lieu de se nourrir toutes les heures ou toutes les deux heures, il ne videra vos seins que toutes les trois heures. Vous allez alors spontanément ralentir votre production pour vous adapter à son rythme. Cette quantité produite ne lui conviendra cependant bientôt plus parce qu'il grandit. Un jour ou une semaine plus tard, il aura besoin de plus de millilitres de lait que ce qu'il obtient à chaque tétée et en réclamera à nouveau plus souvent. Les tétées supplémentaires servent autant à contenter son appétit qu'à signaler à vos seins qu'il faut augmenter la production de lait. Lorsqu'ils répondent à ce signal, la fréquence des tétées diminue à nouveau, et ainsi de suite. C'est un système simple et qui fonctionne presque toujours si on le laisse faire:

Le colostrum (à gauche) est une première alimentation parfaite. Ensuite, les bébés ont besoin, à chaque tétée, du premier lait qui désaltère (au centre) puis du deuxième lait plus nourrissant (à droite).

■ Nourrissez votre enfant aussi souvent qu'il a faim. La première semaine, ou plus, après votre montée de lait, ce sera sans doute à chacun de ses réveils ou toutes les heures, avec un intervalle peut-être plus long une ou deux fois par 24 heures. Il est fréquent qu'à cet âge un bébé prenne de 12 à 15 repas par jour ! Tant que vous veillez à ce que votre bébé tète correctement chaque fois, afin que vos seins ne deviennent pas douloureux, et que vous vous reposez entre les tétées, leur nombre n'a aucune importance.

■ Laissez votre enfant téter aussi longtemps qu'il le veut. Le conseil traditionnel de limiter la durée des tétées à «deux (ou cinq) minutes chaque côté» n'a aucun sens et a contribué à beaucoup d'échecs. La composition du lait change au fil de la tétée. Les premières gorgées, basses en calories, épanchent la soif et font place à un lait plus épais et plus riche. Les bébés dont les repas étaient limités à deux minutes recevaient deux portions de soupe mais pas de plat principal ! Vous pouvez nourrir votre bébé autant qu'il le souhaite sur chaque sein. Il est bon que la poitrine soit «vidée» pour diminuer les risques d'obstruction des canaux. Et cela assure aussi que le bébé a reçu un repas complet avec le lait le plus riche, qu'il a pu contenter son besoin de succion, et lui évite bien souvent les fameuses «coliques» du nourrisson. Offrez-lui votre second sein lorsqu'il en a fini avec le premier, mais ne soyez pas surprise s'il n'en veut pas. Vous le nourrirez de ce côté la prochaine fois.

■ Quel que soit le nombre de repas qu'a eus votre bébé, ne lui donnez pas un biberon parce que vous croyez que votre sein n'a plus de lait. Même s'il vient de téter, il y a toujours un peu de lait et le fait qu'il tète pour le boire est le meilleur moyen d'en produire à nouveau plus rapidement.

■ Quel que soit le nombre de repas qu'a eus votre bébé, ne lui donnez pas un biberon en plus du sein si vous croyez qu'il n'a pas assez mangé. Des tétées fréquentes l'alimentent suffisamment et signalent à vos seins qu'il faut plus de lait.

■ Vous n'avez pas besoin de lui donner de l'eau à boire s'il peut téter à volonté le lait disponible, même s'il fait très chaud – sauf si votre médecin vous le conseille, en cas de maladie. Le lait maternel comble à la fois la soif et la faim et ajuste sa composition si cela est nécessaire. Votre bébé n'a donc besoin de rien d'autre et de l'eau dans un biberon peut suffire à réduire le temps qu'il passe à téter votre sein et créer une confusion, en l'habituant à la tétine en plastique plutôt qu'au contact de votre peau.

Pas assez de lait ? Ne donnez pas trop rapidement de biberons supplémentaires à votre enfant. Même si votre lactation n'est pas abondante, vous pouvez, avec l'aide de votre bébé, l'augmenter, à condition d'avoir confiance en vous, de lui donner le sein aussi souvent qu'il veut et de pouvoir compter sur l'aide et le soutien d'une autre personne.

Réfléchissez d'abord aux raisons qui vous font croire que vous manquez de lait. Il n'existe que deux réels signes de manque de lait. Le premier est la perte de poids : la courbe de poids de votre bébé est descendante après la première semaine ; ou bien il n'a pas rattrapé son poids de naissance au bout de 15 jours, ou encore il n'a pas pris plus de 30 g chaque semaine suivante. Il vaut mieux ne pas vous attendre à ce que votre bébé, nourri au sein, prenne autant de poids que celui de votre cousine, nourri au biberon depuis la naissance, ou corresponde aux moyennes généralement établies (qui concernent souvent des bébés nourris au biberon). Prendre 85 grammes par semaine, au lieu des 225 « recommandés », ou avoir un gain de poids variable d'une semaine à l'autre ne signifie pas avoir un problème de poids. Le second signe, plus immédiat, correspond plutôt à un manque de liquide qu'à un manque de nourriture. Les nouveau-nés urinent en général si fréquemment qu'il est rare d'en trouver un la couche sèche. Si le vôtre reste sec deux ou trois heures ou ne mouille pas au moins 6 à 8 couches par 24 heures, il ne boit probablement pas assez.

Si ce sont les pleurs de votre bébé qui vous font douter de la quantité de lait qu'il reçoit, dites-vous que le problème est sans doute plus *comment* que *combien* vous lui donnez. Posez-vous les questions suivantes :

■ Laissez-vous votre bébé téter quand il veut ? Cela n'est pas un problème pour lui s'il doit téter très souvent pour se sentir bien et le fait qu'il tète permet en outre de corriger une quantité insuffisante de lait.

PARENTS, ATTENTION !

La déshydratation

Boire suffisamment pour apporter au corps l'eau dont il a besoin est crucial à la santé et au bien-être de tout être humain et encore plus des bébés. Plus ils sont jeunes, plus ils se déshydratent facilement, et plus les conséquences de cette déshydratation peuvent être graves. C'est principalement à cause du risque de déshydratation que certains états de santé sont pris très au sérieux chez les bébés – et même les jeunes enfants. Toute fièvre, par exemple, augmente les besoins en eau du corps. Tout vomissement ou toute diarrhée prive le corps d'eau. Ces trois phénomènes réunis épuisent très vite les réserves d'eau d'un bébé et peuvent même provoquer une inflammation des intestins et de l'estomac et empêcher ainsi son corps de profiter de l'eau qu'il parviendra à boire. Il faut alors immédiatement consulter un médecin.

Mais la déshydratation de votre bébé n'est pas forcément due à une maladie. Au cours des cinq premiers mois, ce qu'il boit est aussi ce qu'il mange. S'il ne boit pas assez de lait, il peut se déshydrater lentement, se retrouver progressivement en état de sous-alimentation et perdre du poids. Lorsque la quantité de lait ingurgitée n'est qu'approximativement suffisante, tout besoin supplémentaire imposé aux réserves d'eau du corps – un jour de grosse chaleur par exemple – la rendra insuffisante. Lorsqu'ils boivent et gardent assez d'eau, les bébés l'évacuent très régulièrement au point qu'une couche sèche est chose rare et qu'une couche qui reste sèche après plusieurs heures est un signal d'alarme. Attention, certaines marques de couches sont si performantes qu'il est difficile de distinguer une couche sèche d'une couche mouillée et qu'il est donc difficile de s'y fier. L'urine du bébé est gardée à l'intérieur de la couche, les fesses ne sont même pas humides. La toute petite quantité d'urine d'un nourrisson devient indétectable et, à moins qu'il n'y ait des selles, la couche semble propre. Si vous utilisez ce genre de couches, prenez l'habitude de les soupeser avant de les mettre à la poubelle. Même une toute petite quantité d'urine est décelable de cette façon.

■ Est-ce que votre inquiétude correspond à une période de stress ou de travail plus intense ? Une baisse de lait à votre retour de l'hôpital et au retour des responsabilités domestiques est courante. Mais si elle dure plus d'un jour ou deux, ou coïncide avec la reprise de travail de votre conjoint ou le retour de votre maman chez elle, il faut que vous trouviez de l'aide et plus de temps pour vous reposer.

■ Est-ce que les visites, vos autres enfants ou même les gens censés vous aider vous gênent ? Au tout début de l'allaitement, le réflexe d'évacuation peut être inhibé par la présence d'autres personnes au point que votre bébé ne puisse obtenir le lait qui est là pour lui.

■ Doutez-vous de la qualité de votre lait ? Il ne faut pas. Excepté dans des cas extrêmement rares de maladies ou de prise de médicaments, le lait maternel est toujours parfait. Si votre bébé nourri au sein a des boutons ou une digestion difficile, il en serait sans doute de même s'il était nourri au biberon.

■ Avez-vous repris la pilule ? Les hormones contraceptives ont tendance à réduire la production de lait. Si vous avez choisi la contraception par voie orale, on vous prescrira alors une pilule minidosée. Vous produirez encore un petit peu moins de lait les premiers jours de prise, mais votre corps va progressivement s'adapter. Notez que l'allaitement n'est pas une méthode contraceptive fiable.

■ Vous êtes-vous renseignée sur les associations pouvant vous venir en aide ? Votre propre sage-femme ou votre médecin peuvent vous être de bon conseil. Mais il est important d'avoir l'avis de vrais spécialistes, et une maman expérimentée au sein d'un groupe d'aide à l'allaitement (comme la Ligue La Leche) est susceptible de vous offrir le soutien et le réconfort plus intime dont vous avez besoin et qui fait la différence.

COMMENCER À NOURRIR AU BIBERON

Comme il n'existe pas de véritable remplacement pour le colostrum de la maman, le bébé nourri au biberon commencera par un ou deux biberons d'eau sucrée et le lait lui sera proposé le deuxième jour. Nourri au sein, il n'aurait pas eu de lait si tôt, ne soyez donc pas étonnée qu'il en prenne très peu. Rassurez-vous, le biberon d'eau est pour l'instant plus important.

Si le bébé prend tout le lait proposé, il gagnera tout de suite du poids au lieu d'en perdre les premiers jours. Bien que cette perte de poids postnatale inquiète souvent les parents, il n'y a pas de raison de se réjouir du moindre gramme pris ; les bébés nourris au biberon peuvent parfois trop grossir.

Choisir le lait Le lait de vache est idéal pour les veaux mais n'est pas une nourriture naturelle pour les bébés. Il ne faut pas donner de lait de vache non modifié à un bébé de moins de un an – liquide ou en poudre, vendu à la pharmacie ou dans les magasins d'aliments naturels. Vous pouvez lui faire goûter des produits laitiers, comme le yogourt, à partir de sept mois si vous voulez commencer à varier son alimentation.

Les laits maternisés modernes sont fabriqués pour offrir, le plus possible, les mêmes apports nutritifs que le lait maternel. Ils doivent répondre à certaines normes imposées par le ministère de la Santé et constituer une nourriture complète pour les premiers mois de vie, sans autre apport que de l'eau bouillie. La Société canadienne de pédiatrie et Santé Canada recommandent les préparations lactées enrichies de fer pour les nourrissons qui ne sont pas allaités, de la naissance à 9-12 mois (moment d'introduction du lait de vache).

Les laits maternisés varient cependant dans leur composition et leur commodité. Régulièrement, les médecins ou les diététistes s'interrogent sur la formule de tel ou tel lait. Faites votre choix avec votre pédiatre. Ne décidez pas sans motif précis d'utiliser un lait adapté à des circonstances spéciales (comme le lait de soja pour les allergies au lait de vache) et ne changez pas de marque simplement parce que vous pensez que votre bébé a des coliques. Lisez bien la composition sur les étiquettes afin de savoir exactement avec quoi vous nourrissez votre bébé.

■ Les préparations lactées pour nourrissons se vendent sous trois formes : liquide concentré, prêtes à servir et en poudre. Les préparations sous forme de liquide concentré ou en poudre doivent être diluées avec de l'eau (eau bouillie pour les bébés de 4 mois et moins). La dilution doit être précise.

■ Les préparations prêtes à servir sont plus chères mais très pratiques, surtout à l'extérieur de la maison.

■ Tous les laits maternisés sont enrichis de vitamines et de fer.

■ Le lait de vache ne convient pas aux bébés de moins de 9 mois. Il est une cause fréquente d'anémie avant cet âge. Le lait doit être pasteurisé avant d'être donné aux enfants. Le lait vendu en épicerie est pasteurisé et ne présente aucun risque.

La préparation des biberons   Vous ne devez vous accorder aucun laisser-aller dans la préparation des biberons de votre bébé, surtout tant qu'il est encore très jeune. Même si vous n'êtes pas une grande maniaque de l'entretien général de la maison, il vous faut apporter une grande attention au lavage et à la propreté des biberons. La gastro-entérite est une cause courante d'hospitalisation des bébés.

Les bactéries sont partout. Nous les portons tous sur nos mains et nos vêtements. Nous les respirons, les mangeons et les rejetons. La plupart sont inoffensives. Quelques-unes ne nous rendraient malades que si nous étions en présence d'un nombre incroyable d'entre elles, dépassant les capacités de défense de notre corps. Mais un nouveau-né, et spécialement s'il n'est pas nourri au sein, n'a pas beaucoup de défense contre les germes. Il lui faut du temps pour s'immuniser. Dans une maison raisonnablement propre, il sera en contact avec les quelques germes qu'il suce sur ses jouets et ses mains. Mais le domaine de l'alimentation est différent. Le lait, spécialement celui qui est à température ambiante, est un nid idéal pour les germes. Alors qu'il ne rencontre que quelques germes sur ses mains, le bébé devra faire face à une quantité énorme, et sans doute excessive, dans un biberon qui a traîné dans une pièce chauffée. Pour préserver autant que possible le lait des bactéries, il faut :

Préparer un biberon peut
être fastidieux, mais lui
donner est un tel plaisir…

Nourrir au biberon est encore tabou.

Bien que les statistiques disent que beaucoup de bébés sont nourris au biberon, j'ai l'impression que le mien est le seul. J'ai senti une pression durant la préparation à la naissance et à l'hôpital, et maintenant que je commence à sortir avec mon bébé, je vois des regards surpris, voire choqués, lorsque je sors un biberon. Je regrette que les gens ne semblent pas se souvenir que tout le monde ne veut pas, ou ne peut pas, nourrir au sein.

Beaucoup de bébés ne sont nourris au sein que quelques jours ou quelques semaines après la naissance, et assez peu sont nourris exclusivement au sein plusieurs mois. Il est donc juste de dire que la plupart des bébés sont nourris au biberon et si vous ne ressentez pas les choses ainsi, c'est probablement parce que l'allaitement maternel est très courant les premières semaines. Cela dépend aussi des régions et des différences socioculturelles.

Bien sûr, la gêne que vous ressentez à nourrir votre bébé au biberon est aussi injustifiée que celle que ressentent parfois les femmes qui allaitent. Une fois la décision prise, votre bien-être et celui du bébé sont les seules choses qui comptent. Je ne suis cependant pas surprise que vous ayez ressenti une certaine pression avant la naissance. Les sages-femmes, les médecins et les pédiatres font leur possible pour pousser les parents à penser à l'allaitement maternel car ils savent que s'ils réfléchissent de façon égale aux deux méthodes, celui-ci n'aura que peu de chances de les séduire.

L'allaitement maternel n'est pas mis en avant par notre société. Dans les familles modernes, peu de jeunes gens ont déjà vu une mère nourrir son bébé au sein avant d'avoir leur propre enfant et considèrent ce choix comme naturel. Au contraire, l'industrie dépense des millions chaque année pour faire la promotion des laits maternisés et du matériel qui va avec. Les jeunes gens ont grandi avec ces noms et ces images qui font désormais partie de la vie d'un bébé.

Le choix de l'allaitement maternel doit être fait avant la naissance afin que le bébé soit mis au sein tout de suite. Plus la mise au sein est tardive, plus l'entreprise est vouée à l'échec. La décision de nourrir au biberon peut être prise et réalisée à n'importe quel moment.

Une femme n'a rien à perdre à prendre la décision d'allaiter — et son bébé est sûr d'y gagner. Si la décision s'avère mauvaise, pour diverses raisons, elle peut toujours changer d'avis et utiliser un biberon. Le choix inverse prive la femme de toute hésitation aussi sûrement qu'il prive le bébé de colostrum. Si la lactation n'est pas enclenchée, il est impossible de faire machine arrière.

Il est triste pour une femme d'avoir le désir de nourrir son bébé mais de ne finalement pas pouvoir, surtout lorsqu'elle y a pensé pendant la grossesse. C'est vrai, il y a des femmes qui ne peuvent pas allaiter. Certaines, par exemple, sont trop faibles au moment de la mise en route de la lactation. D'autres doivent prendre des médicaments qui seraient nocifs pour leur bébé. D'autres encore ne parviennent pas à maintenir leur production de lait pendant que leur prématuré est aux soins intensifs.

Mais il ne sert à rien de prévenir les parents de ces risques avant la naissance car, en matière d'allaitement, la peur de l'échec est bien ce qui peut le plus sûrement mener à l'échec. Presque toutes les femmes, y compris celles qui ont abandonné l'allaitement à cause d'un sein trop douloureux ou des rythmes tyranniques du bébé, auraient été capables de nourrir avec un peu de confiance en elles, le soutien du père ou d'une autre maman et une aide professionnelle sensible et habile.

■ Vérifier la date de péremption avant d'acheter une boîte de lait et, à nouveau, avant d'en ouvrir une que vous aviez en réserve.

■ Ne pas utiliser les boîtes abîmées ou éventrées.

■ Conserver les boîtes entamées au réfrigérateur soigneusement fermées.

■ Se laver les mains avant de manipuler le lait ou le matériel, spécialement après être allé aux toilettes ou après avoir touché des animaux ou leur nourriture.

■ Laver à l'eau chaude et au détergent (ou dans un lave-vaisselle) tout ce que vous utilisez pour mesurer, mélanger et conserver le lait. Cela comprend les cuillères, les biberons, les tétines et les capuchons.

Les bactéries qui vous ont échappé (au moment où vous placiez la tétine sur le biberon par exemple) ne peuvent pas dangereusement proliférer dans un lait en train de bouillir ou sortant du réfrigérateur. C'est une température moyenne qui favorise leur développement. Pour minimiser les risques de présence de bactéries :

■ Refroidissez le lait chaud rapidement en le plaçant à l'intérieur du réfrigérateur (pas dans la porte).

■ Conservez un biberon déjà préparé au froid jusqu'à ce que le bébé le veuille. Ne mettez pas un biberon à chauffer à l'avance pour son réveil, et ne le conservez pas au chaud s'il s'est profondément endormi au milieu d'un repas. Ne mettez jamais du lait préparé dans un thermos : gardez de l'eau chaude et posez le biberon de lait froid dedans.

■ Jetez le lait que votre bébé n'a pas bu. Il ne faut pas essayer de conserver une moitié de biberon pour le prochain repas ou mélanger un restant de lait au lait d'un nouveau biberon.

Doser et mélanger le lait Lorsque vous mélangez le lait (en poudre ou concentré) à l'eau bouillie, vous préparez à la fois le repas et la boisson de votre bébé. Si vous respectez exactement les proportions indiquées par les fabricants, vous obtiendrez un résultat aussi proche que possible de la composition du lait maternel. Votre bébé recevra la bonne quantité de nourriture et la bonne quantité d'eau.

Les chercheurs se sont aperçus que les biberons faits avec du lait en poudre sont souvent mal dosés. Dans certaines parties du monde où ces laits infantiles sont beaucoup trop chers pour une grande partie de la population, la poudre est souvent diluée dans une double quantité d'eau, ce qui donne des repas trop importants aux valeurs nutritives faibles. Dans certaines régions, on a pu noter que les parents utilisaient le lait infantile comme un produit de cuisine ordinaire. Préparer un biberon, ce n'est pas comme faire un café soluble. Vous ne l'« améliorez » pas en rajoutant de la poudre, et il ne fait pas « moins grossir » si vous y ajoutez de l'eau. Un biberon préparé avec un peu plus de lait en poudre sera trop riche. Le bébé recevra trop de protéines, trop de graisses et trop de minéraux par rapport à la quantité d'eau. Il prendra trop de poids à cause des calories et aura plus soif à cause du sel. Comme il a soif, il pleure et vous lui donnez un nouveau biberon. Si ce biberon est aussi trop riche, il aura peut-être encore plus soif. Au final, votre bébé pleurera beaucoup, ne semblera ni bien ni heureux, prendra beaucoup de poids et paraîtra avoir besoin de beaucoup de repas. Suivez donc bien les instructions des fabricants, et surtout :

■ Ne jugez jamais les quantités « à l'œil ». Mesurez l'eau correctement (avant et après l'ébullition, pour prendre en compte l'évaporation).

■ Mesurez la poudre avec précision. Remplissez largement la mesurette fournie et éliminez le surplus avec un couteau. Si vous enlevez le surplus avec une cuillère, vous pouvez être sûre que le lait en poudre de votre mesurette sera tassé et qu'il y en aura trop. Secouer pour faire tomber le surplus n'est pas non plus une méthode fiable ; vous aurez toujours un peu trop ou pas assez de poudre.

■ Ne jugez pas non plus la quantité de lait en poudre ou d'eau à travers le biberon, en vous référant aux mesures qui y sont inscrites. Si votre œil est un peu au-dessus du niveau, vous penserez qu'il y en a moins qu'en réalité.

Si vous respectez scrupuleusement les recommandations des fabricants, et si vous résistez à la tentation d'ajouter une cuillère de céréales dans l'espoir vain d'une bonne nuit, ou une cuillère de sucre pour le rendre « meilleur », et si vous ne poussez pas votre bébé à boire plus que son appétit ne lui demande, vous pouvez considérer le lait obtenu comme étant proche du lait maternel. Votre bébé peut en boire autant qu'il en a envie et aussi souvent qu'il a faim. Il n'est pas nécessaire d'appliquer la même rigueur scientifique au contrôle de son appétit qu'à la préparation du lait !

Bien sûr, le lait recomposé *n'est pas* du lait maternel. Il ne s'ajustera pas de lui-même aux besoins changeants de votre enfant. En cas de grande chaleur, ou s'il a de la fièvre, il peut être tiraillé entre son manque d'appétit et sa soif inhabituelle. Il faudra alors lui offrir un biberon d'eau claire, afin qu'il puisse boire sans se nourrir. Le plus simple est de lui en offrir régulièrement.

Un biberon n'est pas un sein : un bébé qui voudrait téter pour le plaisir après s'être nourri avalerait une ration supplémentaire dont il ne veut pas, si le biberon n'est pas vide, ou bien il avalerait de l'air. S'il a besoin de téter, essayez de lui offrir votre doigt (propre et aux ongles coupés) ou une sucette.

Nourrir à la demande ? Combien de fois par jour et en quelle quantité doit-on donner de biberons ? Le mieux est d'agir de la même façon qu'au sein. Le biberon doit, bien sûr, être donné chaque fois que le bébé semble avoir faim et repris seulement lorsqu'il ne tète plus de façon déterminée. Le fait que vous sachiez exactement ce qu'il prend à chaque biberon fait malgré tout une différence. S'il ne prend que la moitié de ce que vous aviez prévu, vous allez être tentée de le pousser à boire encore un peu de lait. Essayez de ne pas agir ainsi. Après tout, si ce biberon était un sein, vous seriez incapable de savoir ce qu'il a laissé. S'il se met à pleurer une heure seulement après un biberon de 85 ml, vous allez penser qu'il ne peut raisonnablement pas déjà avoir faim. Essayez plutôt d'accepter que, bien que son estomac ne puisse pas déjà être vide, il ait envie de le remplir encore un peu. Après tout, si son repas précédent avait été au sein, vous penseriez simplement qu'il n'avait pas assez bu.

Un bébé qui vient de naître est habitué à avoir, dans l'utérus, ses réserves alimentaires en permanence réapprovisionnées. Maintenant ses besoins doivent être satisfaits par l'intermédiaire du processus de digestion d'un estomac au départ rempli et qui se vide progressivement. Le temps qu'il s'adapte à cet énorme changement et aux sensations qui l'accompagnent, son rythme de repas peut être aussi irrégulier que celui d'un bébé nourri au sein.

Si vous lui proposez un biberon chaque fois qu'il semble avoir faim, il prendra seulement la quantité dont il a besoin. S'il le vide, vous aurez eu raison de lui donner. S'il n'en prend qu'un peu, il se sentira quand même mieux grâce au plaisir de téter et d'être dans vos bras. S'il n'en veut pas, vous gagnez une information importante : cette fois, ce n'est pas de nourriture dont il avait besoin. Et qu'avez-vous perdu ? Juste un biberon de lait.

En vous en tenant à ces principes les premières semaines, vous n'aurez jamais à vous inquiéter de respecter des « horaires » car votre bébé va trouver ceux de son système digestif tout seul. Les demandes irrégulières vont certainement se stabiliser d'elles-mêmes rapidement si vous y répondez aujourd'hui. Le lait maternisé est un peu plus long à digérer que le lait maternel – à peu près trois heures. Les vrais signaux de la faim apparaissent lorsque le processus de digestion est presque fini. Dès que son système de digestion est plus mature et qu'il est habitué à cette nouvelle sensation de faim, il ne réclame un biberon que lorsque le précédent est complètement digéré, et ses horaires de repas deviennent plus réguliers.

Ce processus de maturation et la stabilisation de son alimentation se dérouleront exactement de la même façon si vous imposez à votre bébé des horaires stricts dès le début. Si vous lui proposez des biberons seulement à 2 h, 6 h, 10 h, 14 h, 18 h et 22 h, il finira – et son appétit aussi – par attendre d'être nourri à ces intervalles. La différence est qu'il vivra des premières semaines pénibles. Le bébé se réveille et pleure : si vous êtes déterminée à ne pas le nourrir car « ce n'est pas l'heure », il va falloir trouver une autre façon de le distraire, ce qui ne va pas être facile. Comme il est de plus en plus affamé, rien de ce que vous pouvez faire pour le réconforter ne marche. Au bout du compte, vous aurez de la chance si vous ne vous sentez pas à la fois coupable, en colère et désespérément impuissante. Pour couronner le tout, lorsque vous estimerez qu'« il est l'heure » de lui donner son biberon, il ne va pas beaucoup téter et ne prendra pas assez de lait pour le satisfaire jusqu'à l'horaire fixé du prochain repas. Ses pleurs l'ont trop fatigué et ont rempli son ventre d'air. Il y a de grandes chances qu'il tombe de fatigue après quelques millilitres et se réveille une heure plus tard pour répéter la même scène désespérante.

Ne tombez donc pas dans le piège de penser que nourrir votre enfant à la demande l'habitue à exiger d'être nourri trop souvent. Il ne se réveille pas par habitude mais parce qu'il a faim. Lorsque sa digestion sera plus mature et qu'il aura moins souvent faim, il ne se réveillera pas et ne pleurera pas.

LE ROT

Il y a toujours de l'air dans l'estomac de votre bébé. Il en avale en pleurant, ou juste en respirant, et aussi lorsqu'il se nourrit. Si vous le nourrissez plutôt en position droite, le lait, plus lourd, ira au fond de l'estomac, et l'air, plus léger, s'assemblera au-dessus. Lorsque l'estomac est rempli, votre bébé est capable d'expulser un peu d'air sans y associer trop de lait.

Le rot au milieu des tétées Quelques bébés avalent tellement d'air que leur estomac est trop tendu avant même qu'ils aient bu assez de lait. Ils ont besoin d'un rot au milieu du repas pour faire de la place au reste du biberon. Un bébé qui a besoin de faire un rot va arrêter de téter, lâcher la tétine ou le sein et s'agiter. Si vous le tenez bien droit une minute ou deux, il va faire son rot et il pourra finir son repas. Si votre bébé tète tranquillement, il n'y a aucune raison de lui retirer la tétine ou le sein. Tant qu'il continue à téter, il ne se sent pas gêné et vous pouvez le laisser manger en paix.

Le rot après la tétée Le rot est un phénomène banal dans la vie de la plupart des bébés mais peut aussi être un véritable fléau. Tous les bébés finissent leur repas avec l'estomac tendu par le lait, mais alors que cela provoque pleurs et agitation chez les uns, d'autres s'endorment tranquillement. La majorité des bébés parviennent à soulager cette pression par un petit rot, mais s'il suffit à certains d'être tenus droits une minute ou deux, d'autres requièrent toute la patience et l'inventivité de leurs parents. Et alors qu'un bébé va se contenter d'un rot (à la fin du biberon), un autre aura peut-être besoin de répéter son effort plusieurs fois.

Un bébé repu qui s'est paisiblement endormi n'a pas besoin de faire un rot maintenant mais peut en avoir besoin plus tard. Si vous l'installez sur votre épaule et lui frottez doucement le dos, vous prenez une utile précaution tout en lui faisant un câlin. Mais ne vous interdisez pas de le coucher avant son rot. Peut-être a-t-il avalé très peu d'air. S'il ne l'a pas fait au bout de trois minutes, il ne le fera sans doute pas. S'il doit le faire plus tard, il le fera, avec ou sans votre aide.

Si votre bébé fait partie des malchanceux qui semblent vraiment contrariés tant qu'ils n'ont pas fait leur rot mais qui ne le font pas facilement, vous allez sans doute essayer différentes méthodes et positions. Prenez garde de ne pas laisser le stress du moment et votre inventivité vous faire oublier l'anatomie. Par exemple, la position assise est souvent recommandée, mais l'estomac d'un tout petit bébé maintenu assis peut se plier, empêchant l'air de s'échapper. L'étendre à plat, dans n'importe quelle position – même le visage posé sur le genou de l'adulte, position souvent appréciée par les bébés –, favorise le mélange de l'air et du lait si bien que le bébé ne pourra rejeter l'un sans l'autre. Le mieux pour éviter cela est de le tenir droit.

Le reflux de lait Beaucoup de bébés rejettent un peu de lait en même temps que l'air, surtout lorsqu'on tente de forcer un rot par des mouvements et des caresses trop énergiques.

En général, seule une infime quantité de lait remonte, même si elle vous paraît énorme, mélangée à sa salive et répandue sur votre épaule.

La meilleure position pour le rot. Pensez aussi à le caresser, le promener et lui montrer le monde du haut d'un câlin.

Si la quantité de lait rejetée vous inquiète, comparez-la avec cinq millilitres de lait que vous renverserez intentionnellement. Les «bébés à reflux» peuvent régurgiter à chaque repas et même plusieurs fois par repas. Ils mènent la vie dure à vos vêtements et vous désespèrent mais ce phénomène ne leur fait aucun mal.

Si vous êtes quand même inquiète, consultez votre médecin. Mais si votre bébé ne perd pas de poids ou mouille normalement sa couche, vous pouvez être assurée qu'il ne rejette pas une quantité de son repas indispensable à sa santé.

Il existe plusieurs raisons au rejet d'une quantité de lait vraiment importante :

■ Le bébé tète plus de lait qu'il ne peut en digérer. Il rejette raisonnablement le surplus.

■ Il est nourri en position allongée, ce qui augmente la quantité d'air accumulée au-dessus du lait. Essayez de le nourrir en le tenant droit.

■ Il est trop manipulé, ce qui mélange l'air et le lait et empêche l'un de ressortir sans l'autre. Évitez de le remuer après les repas.

■ Il pleure en attendant son repas, ou au milieu d'un repas lorsqu'il se prive d'un rot pour continuer de téter : l'air qu'il a gardé est recouvert par le lait qu'il boit.

■ Le biberon est tenu trop droit et le lait ne recouvre pas toute l'embouchure de la tétine. Le bébé a tété beaucoup d'air entre chaque gorgée de lait et tout s'est mélangé dans son estomac. Gardez le biberon bien incliné.

■ Le trou de la tétine est trop petit et le bébé doit téter très fort, ce qui lui fait avaler de l'air à chaque gorgée de lait. Vérifiez que le lait coule au rythme de plusieurs gouttes par seconde lorsque vous inclinez le biberon. (Ne faites pas cette vérification avec de l'eau, car celle-ci coule plus vite que le lait.)

Les vomissements Lorsque le bébé régurgite du lait quelque temps après l'avoir bu, celui-ci a un aspect « caillé » car il a commencé à être digéré. Si le lait est régurgité une heure, ou plus, après le repas, il peut avoir une odeur un peu forte. Un peu d'air devait être resté prisonnier de l'estomac et a entraîné ce lait en partie digéré avec lui. Mais cela peut aussi être le signe d'un trouble digestif ou d'un début de maladie. Si le bébé semble affaibli, et surtout s'il a de la fièvre ou un début de diarrhée, consultez un médecin. Si au contraire il paraît en bonne santé, nourrissez-le comme d'habitude selon son appétit et soyez juste vigilante à tout symptôme.

Le reflux « en jet » Ce cas est assez différent du simple rot entraînant un peu de lait ou du reflux ordinaire. Le lait « jaillit » de la bouche du bébé juste à la fin du repas avec une telle force qu'il retombe sur le sol pas moins d'un mètre plus loin. Un bébé à qui cela arrive régulièrement rejette plus de nourriture qu'il ne peut. Il convient donc de consulter un médecin sans attendre. Les choses s'arrangeront probablement dès qu'il pourra s'asseoir pour boire son lait.

La cause la plus fréquente d'un reflux « en jet » est une maladie appelée sténose du pylore. Le muscle situé entre l'estomac et l'intestin est hypertrophié ; le lait remonte alors car il ne peut pas descendre. C'est un défaut plus fréquent chez les garçons que chez les filles qu'une petite intervention chirurgicale suffit à corriger.

L'ALIMENTATION ET LA CROISSANCE

Les nouveau-nés ont besoin d'autant de lait qu'ils ont envie d'en boire. Sauf dans des circonstances exceptionnelles, ils n'ont pas besoin d'autre chose jusqu'à leur quatrième mois.

À la différence des bébés nourris au lait maternel, les bébés au biberon ne perdent pas toujours de poids après la naissance, ou si peu qu'ils le reprennent en quelques jours. Une fois le poids de naissance retrouvé, le rythme moyen de prise de poids est de 28 g par jour quel que soit le lait. Des variations d'un jour à l'autre sont plus la règle que l'exception, bien sûr, mais un bébé né à terme et en bonne santé gagne environ entre 170 et 225 g par semaine.

Beaucoup de jeunes parents ont du mal à laisser leur bébé décider de la quantité de lait qui lui convient. Ils veulent savoir quelle quantité il est «censé» boire afin d'être sûrs de la lui fournir. Mais il n'y a pas de quantité «idéale», même pour un bébé nourri au biberon. L'alimentation des bébés n'est pas une science exacte parce que, comme les adultes, ils ont des besoins alimentaires différents les uns des autres. Un bébé au métabolisme lent a besoin de moins de calories qu'un bébé qui brûle ses réserves plus vite.

La plupart des adultes n'ajustent pas leur alimentation aux besoins de leur propre métabolisme. Ce que nous mangeons n'est pas seulement déterminé par notre faim mais aussi par nos habitudes sociales et par notre pure gourmandise. Mais cet ajustement est presque toujours parfait chez les nourrissons, au moins jusqu'à ce que nous venions le perturber avec des jus de fruits et autres aliments de sevrage. Tant qu'il ne reçoit que du lait, vous pouvez vous fier à son appétit. Ce qu'il boit lui convient, pourvu que vous lui donniez à la demande. Il est satisfait la plupart du temps et le devient toujours plus avec le temps. Il est actif dès qu'il est éveillé, et le sera toujours plus, et il grandit.

La prise de poids moyenne Il n'y a pas de quantité précise à donner aux bébés, mais il y a une croissance moyenne que tout bébé né à terme et en bonne santé est censé suivre. Le poids de naissance de votre bébé est son point de départ personnel de croissance, mais une fois la croissance commencée (environ au dixième jour, après la perte et la reprise postnatale), il grossira approximativement dans les mêmes proportions que la plupart des autres bébés. Bien sûr, cette «approximation» peut être affinée par une catégorisation plus précise des bébés. Comme nous l'avons déjà vu, il y a des différences sensibles entre la croissance des bébés nourris au lait maternel et celle des bébés nourris au lait maternisé, mais elles sont trop minimes pour être prises en compte. Les garçons pèsent souvent un peu plus lourd que les filles; on fait donc une distinction entre les genres. Les jumeaux (même nés à terme) sont toujours plus légers que les bébés uniques. Il peut aussi être utile de savoir qu'il existe certaines différences d'un groupe ethnique à l'autre. On a pu noter des variations de poids par exemple entre les bébés d'origine asiatique et les bébés d'origine caribéenne, ces derniers ayant tendance à avoir un poids de naissance plus élevé.

La croissance globale d'un bébé suit une courbe qui ressemble à celle d'une fusée qui, une fois lancée, suit une trajectoire préétablie. Tant que vous alimentez la croissance de votre enfant en lui fournissant une nourriture adéquate et toute votre affection, la courbe connaît une ascension stable. Mais, contrairement à la fusée, il est normal que la trajectoire quotidienne et même hebdomadaire de votre enfant soit parfois irrégulière, voire hésitante. Si vous vous sentez inquiète parce que votre bébé a pris 225 g une semaine et seulement 60 g la suivante, je vous conseille de prendre l'habitude de vérifier la courbe de son poids sur un graphique (voir p. 88) plutôt que d'y penser de façon abstraite.

Courbes de croissance Les graphiques qui permettent d'enregistrer la croissance des bébés sont très utiles. Bien que les statistiques sur lesquelles ils se fondent varient de l'un à l'autre, ils permettent aux parents de comparer la courbe de croissance – composée par les différents relevés de poids – de leur enfant aux courbes moyennes et de vérifier que sa croissance hebdomadaire ou mensuelle se situe à peu près toujours au même point à l'intérieur des moyennes inférieure et supérieure (voir p. 89). Si c'est le cas, le poids de votre bébé évolue de façon convenable. Si, au contraire, son poids ne connaît pas simplement de petites oscillations mais une chute si basse que le prochain relevé commence une nouvelle courbe, alors on peut dire que la croissance normale a été perturbée. La cause peut être une alimentation insuffisante, une maladie ou une autre source de stress. Il a besoin d'un complément alimentaire énergétique pour le remettre sur la bonne pente. Si son poids vient à augmenter si vite que son relevé atteint un point maximal avant d'entamer une nouvelle courbe encore plus élevée, il faut chercher les facteurs extérieurs en cause – des céréales ajoutées aux biberons ou des boissons sucrées, par exemple. Il faut lui donner des biberons sans ajout de calories afin de satisfaire sa faim et sa soif tout en ralentissant la course de sa courbe.

La taille compte aussi La prise de poids seule ne suffit pas à mesurer la croissance des bébés. Les enfants ne doivent pas juste devenir de plus en plus gros mais grandir de façon générale. Leur taille compte aussi. Elle change bien moins rapidement que le poids et est beaucoup plus difficile à mesurer avec précision, mais quelle que soit la taille de votre bébé à la naissance, il prend environ 2 cm par mois ou simplement 5 cm par trimestre. De la même façon qu'il y a un poids « idéal » pour chaque enfant et à tout âge – par rapport au poids de naissance –, il y a une taille « idéale » – calculée par rapport à la taille de naissance. Pour contrôler la croissance de votre enfant de façon complète, il faut un graphique qui prenne en compte ces deux mesures. Votre médecin pourra y ajouter l'évolution du périmètre crânien de votre bébé.

Variations et exceptions Malgré tout, les enfants ne continuent pas à grandir tous au même rythme. Si c'était le cas, les courbes de croissance n'auraient d'ailleurs aucun sens. Nous interférons sur la régularité de la croissance en nourrissant trop ou pas assez ou en introduisant des aliments solides plus ou moins tôt. La vie interfère aussi, qui fait que tel enfant est particulièrement sensible aux infections et tel autre très résistant, un tel très actif et tel autre moins. Enfin, les propres hormones des enfants ont leur rôle : leur augmentation au moment de la prépuberté varie d'un individu à l'autre. Les taux moyens de croissance restent valables pour la plupart des bébés, au moins la première année, mais il y a beaucoup d'exceptions :

■ Les bébés prématurés (dont les jumeaux et les triplés) : leur poids de naissance ne correspond pas à leur départ biologique idéal. Ils peuvent être particulièrement longs à s'alimenter correctement. Leur croissance est alors lente et parfois reste longtemps dans la moyenne la plus faible.

■ Les bébés en retard de croissance *in utero* : ils ont aussi un poids de référence artificiellement bas mais peuvent connaître une croissance surprenante au cours de leurs premières semaines, particulièrement s'ils étaient sous-alimentés dans l'utérus. Avec des soins adaptés, de tels bébés rattrapent très vite leur retard.

■ Les bébés qui sont malades en tout début de vie : ils ont en effet parfois du mal à prendre du poids (particulièrement ceux dont le problème touche directement l'alimentation), voire continuent à en perdre. Encore une fois, des soins adaptés, et parfois une intervention chirurgicale, peuvent changer radicalement la courbe du poids et lui donner une nouvelle trajectoire.

■ Les bébés nourris au biberon dès la naissance : ils ne perdent pas forcément de poids les premiers jours. Ils peuvent même en prendre très vite dès le début si le lait n'est pas bien dosé ou si on les pousse à en boire plus. L'introduction trop rapide d'aliments solides peut renforcer encore cette prise de poids excessive. C'est en comparant poids et taille que l'on s'aperçoit de ce genre de problèmes. Un bébé qui grossit plus vite que ce que la nature a prévu ne grandit pas de façon proportionnelle. La disparité entre les deux mesures est ce qui permet d'établir que votre enfant tend plus à l'obésité qu'à une croissance forte.

La moyenne est plus facile La société est faite pour les gens de taille « moyenne » et cela inclut les bébés. Si votre bébé n'est pas dans les moyennes à la naissance, il faut tenir compte de cette différence. Les vêtements pour bébés sont en général étiquetés par âge et par taille mais il est toujours facile de se tromper. On pense qu'un vêtement allant de « la naissance à trois mois » ira forcément à un nouveau-né. Mais cette étiquette correspond à un bébé pesant entre 3,2 et 5,5 kilos. Si le vôtre pèse 4,5 kilos, vous ne vous en servirez pas longtemps ! Certains articles de toilette ou médicaux en vente libre sont conseillés selon l'âge plutôt que selon le poids, ce qui peut être source de confusion importante. Le problème n'est pas seulement que les doses de médicaments sont plus faibles pour les bébés moins lourds, mais qu'un produit pour le bain recommandé « à partir de trois mois » ne conviendra à votre bébé que plusieurs semaines plus tard. Quand il s'agit de problèmes de sécurité comme les sièges d'auto, les spécifications par âge *et* par poids ne vous aideront pas plus si les mesures de votre bébé ne correspondent pas à celles du fabricant. S'il est plus lourd et plus grand que la moyenne, par exemple, vous ne saurez pas si vous devez changer de siège à l'âge indiqué ou plus tôt, selon qu'on considère la rigidité du siège ou la maturité de la colonne vertébrale de son occupant.

Plus la taille de votre bébé est éloignée des moyennes, plus il vous faudra réfléchir – et questionner. Surtout, tâchez d'ignorer les discours sur la prise de poids que vous allez entendre. Ils ne sont jamais ceux qui conviennent à votre bébé. Ce « proverbe » par exemple : « Un bébé doit doubler son poids de naissance en six mois et le tripler en un an. » De quel bébé parle-t-on ? Si vous regardez le graphique de la page 89, vous verrez que cela peut être vrai pour une petite fille dont la courbe se trouve sur le 50e centile, mais qu'un très petit bébé sur le 2e centile va doubler son poids de naissance en trois mois et qu'un gros bébé sur le 98e centile va prendre plus d'un an pour tripler le sien.

Courbes de croissance

Le graphique reproduit ci-contre a été établi à partir des vrais relevés de croissance d'un vrai bébé ! Il montre des courbes calculées en centiles qui ont la même forme pour tous les groupes de populations et explique leur trajectoire universelle. Elles sont fondées sur des statistiques précises qui varient selon la population étudiée (en fonction du sexe, de la nationalité, etc.).

La ligne rouge du milieu est le 50ᵉ centile qui représente toujours la moyenne pour la population prise en compte.

Cette ligne est tracée de façon que, pour chaque groupe de 100 bébés étudiés (dans ce cas des filles), 50 (50 %) sont plus gros ou plus grands et 50 sont moins gros ou moins grands.

Les deux lignes bleues représentent le 98ᵉ centile en haut et le 2ᵉ centile en bas. Ces lignes marquent les moyennes les plus hautes et les plus basses. La taille et le poids de presque tous les bébés seront compris entre ces lignes. Et en effet, dans le groupe de petites filles étudié ici, seulement 2 (2 %) sont au-dessus du 98ᵉ centile et 2 (2 %) en dessous du 2ᵉ centile. Donc, entre la ligne rouge et chaque ligne bleue se trouvent 48 (48 %) des 100 bébés.

Bien que tous ces bébés se situent dans la portion normale, il y a une grande différence entre le poids et la taille des bébés qui sont autour de la ligne moyenne et le poids et la taille de ceux qui voisinent les lignes représentant les extrêmes. Cette portion peut être précisée par des subdivisions de centiles afin de rendre compte d'une plus grande catégorie. Il est utile de faire apparaître au moins deux autres paires de lignes : la 91ᵉ et la 9ᵉ (9 % des bébés sont plus gros ou plus grands), ainsi que la 75ᵉ et la 25ᵉ (25 % – un quart – des bébés sont plus gros et plus grands).

L'intérêt de ce graphique est de suivre et d'illustrer les prises de poids et de taille d'une petite fille nourrie exclusivement au sein.

Son poids de naissance l'a située sur le 75ᵉ centile (seulement 25 % des nouveau-nés de sexe féminin pèsent plus lourd ; 75 % sont plus légers). Au cours des huit premières semaines, elle a rapidement pris du poids (comme la plupart des bébés nourris au sein) et a atteint le 91ᵉ centile.

Au cours des deux mois suivants, sa croissance s'est poursuivie mais à un rythme plus lent, la situant à nouveau sur le 75ᵉ centile où elle était au départ.

Ensuite, sa prise de poids a été variable mais est toujours restée à l'intérieur de cette fourchette. En regardant le graphique, on voit clairement qu'en général les relevés de ses prises de poids sont toujours autour du 75ᵉ centile, jamais en dessous et parfois un peu au-dessus. Parallèlement, sa taille augmente plus régulièrement et, en proportion, un peu plus rapidement. De taille moyenne à la naissance, elle est plus grande que la plupart des 100 autres bébés à neuf mois.

Ses parents – dont c'est le premier bébé – sont persuadés que cette méthode de relevés et d'observation des progrès de leur petite fille leur a permis de ne pas s'inquiéter inutilement. La maman, en particulier, pense que le ralentissement de la prise de poids du troisième mois l'aurait fait douter de sa production de lait et l'aurait peut-être même poussée à lui donner des biberons supplémentaires ou à introduire plus tôt une alimentation variée. Mais elle a vu, grâce aux courbes, que ce ralentissement ne faisait que ramener sa petite fille à son premier rythme de croissance.

Les courbes permettent de voir si la croissance de la taille (en haut à droite) et la croissance du poids (ci-contre) sont harmonieuses et si, malgré des pics et des ralentissements temporaires, la courbe est normale sur l'ensemble.

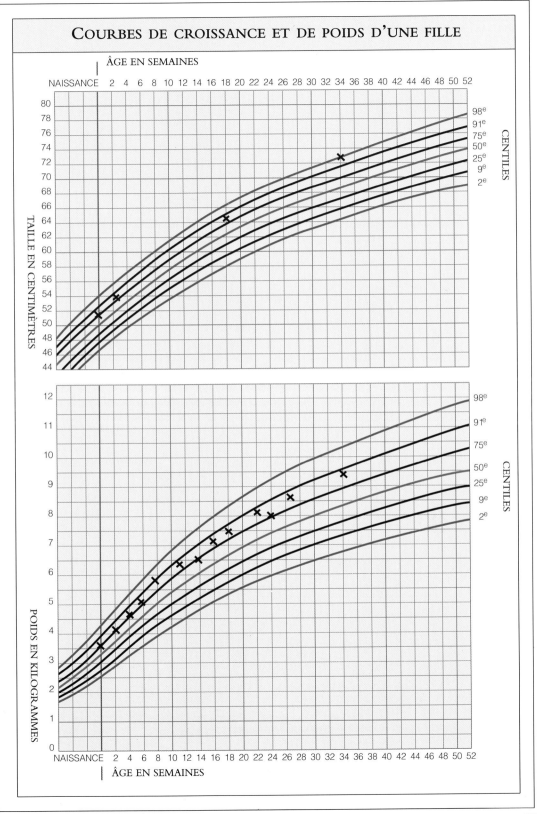

Prendre soin du corps de votre bébé n'est pas plus difficile que de prendre soin du vôtre. Mais avant que vous vous soyez habituée à tenir sa tête et à calmer ses cris indignés, votre rôle va peut-être vous intimider, sans vous laisser une minute de repos. Ces conseils, qui vous paraîtront simplistes dans quelques semaines – ou si vous êtes déjà des parents expérimentés –, sont destinés à aider les parents qui veulent s'impliquer complètement dès les premiers jours. Si une personne – votre maman ou votre belle-maman – joue le rôle de l'expert, le papa peut avoir du mal à suivre votre apprentissage.

SOULEVER ET PORTER SON BÉBÉ

Les nouveau-nés ont une peur instinctive qu'on les fasse tomber qu'ils ressentent dès que leur lourde tête n'est pas soutenue ou que leurs membres incontrôlables se balancent dans le vide. Incapables de soutenir seuls leur tête ou de contrôler leurs propres muscles, ils ne se sentent bien que lorsque quelqu'un le fait pour eux. Quand le bébé est dans son berceau, le matelas lui fournit ce support ; quand il est dans vos bras, c'est votre corps qui joue ce rôle. Il ressent le fait d'être soulevé ou posé comme un danger potentiel, un support lui étant retiré dans l'attente du suivant.

La solution est de lui faire sentir, avant tout mouvement, la présence du deuxième support. Si vous prenez votre bébé, faites en sorte que vos bras et vos mains l'entourent quand son poids est encore soutenu par son matelas. Vous ne commencerez à le soulever que lorsqu'il aura senti la sécurité apportée par vos mains. Lorsque vous le reposez, inversez le procédé : ne retirez pas vos mains avant de l'avoir bien installé dans son lit.

Ces gestes vont demander un peu de pratique puis deviendront vite automatiques. Au début, essayez de comparer votre bébé à un paquet mal ficelé. Si vous le tenez par le milieu, les deux extrémités vont tomber. Si vous vous concentrez sur sa tête, ses jambes vont pendiller. Il faut le tenir tout entier, le rassembler en un petit paquet compact et le bouger lentement, en réduisant à leur minimum les distances qu'il doit traverser entouré de vide. Par exemple, si vous soulevez votre bébé de son couffin posé à terre, agenouillez-vous pour le prendre dans vos bras. Vous ne vous remettrez debout que lorsqu'il sera niché contre vous.

Votre bébé n'a cependant rien à voir avec un paquet. C'est un individu et il mérite d'être traité avec respect. Il faut donc veiller à le prévenir de ce que vous allez faire avant de le faire – qu'il se rende au moins compte que vous allez faire *quelque chose* même s'il ne sait pas encore *quoi*. Ne le soulevez jamais sans lui avoir auparavant signalé votre présence en lui parlant ou en le touchant. Lorsque vous le déplacez, donnez-lui le temps d'ajuster ses muscles à sa nouvelle position.

Les bébés qui sont sortis de leur lit au milieu de leur sommeil sans qu'on leur ait demandé leur avis doivent avoir l'impression d'être transportés à travers les airs par un géant invisible.

Tant que votre bébé est aussi petit, un bras suffit à le tenir. Votre bras gauche le tient, bien serré contre vous par votre coude, et votre main droite vient se poser sur son dos.

Si vous êtes droitière, placez votre main gauche sous sa nuque et votre main droite sous son bassin. Votre avant-bras gauche soutient sa colonne vertébrale et vos doigts s'ouvrent pour tenir sa tête.

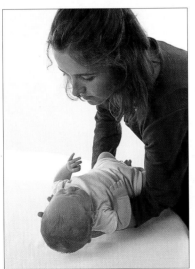

Maintenant, soulevez-le lentement et fermement. Vos bras et vos mains le tiennent dans la même position que son matelas et sont idéalement placés pour le blottir directement contre votre épaule.

La plupart des bébés semblent préférer cette position pour être portés, bercés — et pour faire leur rot. Beaucoup de parents l'apprécient aussi car le bébé semble faire partie de vous et, si vous ne pouvez voir son visage, lui peut entendre votre cœur.

Habiller son bébé

Certains bébés détestent vraiment toutes les manœuvres autour des changements de couche et d'habits et, comme elles sont répétitives, elles deviennent aussi détestables pour vous. Les situations qui le gênent sont les suivantes :

■ Être étendu sur une surface dure et froide. Utilisez un matelas à langer ou un équivalent, recouvert d'une serviette en coton.

■ Avoir sa peau nue exposée à l'air, surtout au-dessus de la taille. Il faut donc le changer dans une pièce chauffée. Vous pouvez aussi lui couvrir le ventre d'une autre serviette douce.

■ Être tourné et retourné et la tête passée dans des vêtements. Choisissez des vêtements qui s'ouvrent sur le devant plutôt que des vêtements fermés et serrés. Les vêtements qu'on passe par le cou doivent pouvoir être largement ouverts. Les manches raglan sont très pratiques pour trouver la main de bébé et tirer la manche sur son bras.

■ Avoir ses jambes en l'air dans le vide le temps que vous nettoyiez des fesses copieusement salies à l'aide d'une débarbouillette ou de lingettes. Enlevez le plus gros avec la couche retirée puis utilisez de l'eau.

 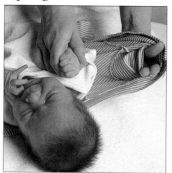 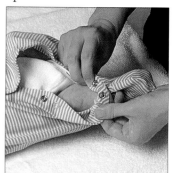

Il déteste être nu et qu'on lui racle le nez. Il faut être rapide et précise. Lui tenir la nuque avec vos pouces laisse deux paumes libres pour glisser le vêtement sur sa tête.

Vous n'avez pas besoin de tirer sur ses petits poings fragiles. Glissez votre main à l'intérieur de la manche jusqu'en haut, attrapez son poing et tirez la manche sur son bras.

Ses cris vous empêchent de fermer les pressions correctement. Commencez la jambe à partir de la hanche, d'abord à droite puis à gauche. Cela ne laisse pas de place à l'erreur.

S'assurer que l'enfant n'a ni trop chaud ni trop froid

La température est importante pour les nouveau-nés. Un bébé né à terme et en bonne santé peut *produire* de la chaleur dès la naissance, mais ne sait pas encore bien la *conserver*. Si la température environnante se rafraîchit, il doit concentrer son énergie sur la production de chaleur en la détournant des autres activités vitales et de croissance. Il est alors agité et fatigué et le laisser prendre vraiment *froid* peut avoir de graves conséquences. Un environnement raisonnablement chaud le préserve de devoir utiliser son énergie à se réchauffer et contribue aussi à son bien-être.

Les bébés peuvent aussi avoir trop chaud et cela les rend aussi agités et en colère. Environ quatre semaines après la naissance, avoir trop chaud est aussi mauvais qu'avoir trop froid. Ensuite, ils apprennent plus rapidement à conserver la chaleur qu'à la diffuser. Des habits trop épais, trop serrés, une couverture trop chaude, un protège-pluie trop hermétique sur une poussette, ou la combinaison de ces problèmes, empêchent l'air d'atteindre la peau pour la rafraîchir par évaporation de la sueur. Le risque de réchauffement est alors réel et dangereux.

Chaud mais pas trop

Les expériences ont montré qu'un nouveau-né *nu* n'utilise pas son énergie à créer de la chaleur tant que la température immédiatement environnante est de 29 °C. C'est une température bien sûr beaucoup trop élevée pour une maison et pour la pièce dans laquelle votre bébé *habillé* passe du temps. Mais c'est une température raisonnable pour la pièce dans laquelle il va prendre un bain et où il est donc tout nu. Le reste du temps, le fait d'être vêtu suffit à lui garantir cette température idéale autour du corps. Sous trois couches légères de vêtements (tels qu'une camisole, un chandail et un tricot), l'air est maintenu à une température suffisante dans une pièce normalement chauffée (entre 18 et 20 °C).

La capacité d'un bébé à conserver sa propre chaleur progresse avec l'âge et le poids, tout comme sa capacité à brûler un peu d'énergie pour en produire. Un bébé né prématurément et pesant moins de 2,7 kilos devrait être gardé à l'intérieur quand la météo est mauvaise et devrait être déshabillé seulement dans des pièces vraiment chauffées. À l'inverse, un bébé de trois mois pesant environ 5,5 kilos a la capacité de maintenir lui-même une bonne température, en la produisant si nécessaire.

Entre ces deux extrêmes, vous ferez naturellement attention à garder votre bébé au chaud, mais sans excès :

■ Habillez votre bébé selon la température et ajustez ses habits aux changements de température. Il est aussi important de lui retirer son manteau quand vous rentrez dans un magasin que de le lui mettre pour sortir. De même, il est important d'ajuster ses vêtements de nuit à la température de sa chambre. Si deux couvertures sont nécessaires au milieu de la nuit lorsque le chauffage central diminue, une seule suffit sûrement lorsque vous le couchez. Superposer des vêtements légers est pratique et permet une adaptation facile de jour comme de nuit. Évitez d'utiliser à l'intérieur d'une maison tous les vêtements prévus pour l'extérieur – comme les couvertures de la poussette –, qui sont vraiment trop chauds.

■ La tête de votre bébé est grande par rapport au reste de son corps et peu protégée par les cheveux. Il perd donc beaucoup de chaleur par la tête, à moins de porter un bonnet. Si vous avez peur qu'il prenne froid, couvrez-lui la tête.

■ Pendant son sommeil profond, votre bébé est plus vulnérable au froid et au chaud. Quand il dort, pensez à lui ajouter une couverture avant qu'il ne s'enrhume ou à en retirer une avant qu'il n'ait trop chaud.

■ Votre bébé est plus susceptible de prendre froid ou chaud dehors que dedans. Il suffit d'une brise un peu fraîche ou d'un beau rayon de soleil. Pendant les premières semaines, ne l'exposez à l'une ou à l'autre que pour une durée très brève.

Couvrir cette grosse tête avec un bonnet peut l'aider à conserver une bonne température quand il fait froid ou le protège du soleil, mais à l'intérieur, laissez-le tête nue.

Les signes d'un refroidissement

Un bébé qui parvient à produire lui-même la chaleur qui lui manque se sentirait mieux si on venait le soulager de cette tâche. Il est agité, sa respiration est plus rapide que d'habitude et il peut aussi pleurer. Alors que ses mains et ses pieds sont un peu frais, sa cage thoracique et son estomac, sous les vêtements, sont à température normale. Il suffit de l'installer dans une pièce plus chaude (et à l'abri des courants d'air) pour l'apaiser.

Lorsque la lutte contre le refroidissement dépasse ses forces, son comportement est tout à fait différent. Il paraît très calme et tranquille. Tant qu'il use ses forces à se réchauffer, il ne pleure pas. Ses mains et ses pieds sont froids et même la peau de sa poitrine sous les vêtements est froide sous vos doigts. Ajouter une couche de vêtements ne suffit pas. Il a déjà pris froid et est incapable de se réchauffer lui-même pour le moment. Des couches supplémentaires conserveraient le froid dessous. Il faut d'abord le réchauffer – dans une pièce chaude, en lui donnant un repas chaud ou en le berçant contre la chaleur de votre propre corps, à même la peau. Une fois que son corps est réchauffé, les couches supplémentaires conserveront la chaleur dont il a besoin.

Si on n'aide pas un bébé dans cette situation à retrouver une température normale, les fonctions vitales du corps sont ralenties, le bébé est léthargique, difficile à réveiller et incapable de téter. Cela est rare mais dangereux. Ses mains et ses pieds sont enflés et roses. Sa peau est très froide au toucher. Un bébé dans cet état a besoin d'être emmené à l'urgence pour être réchauffé progressivement.

Attention au « coup de chaud » Un temps chaud ne pose pas de problème au bébé tant qu'il boit assez d'eau pour pouvoir transpirer et porte des vêtements légers et larges laissant la sueur s'évaporer et ainsi le refroidir. Si votre bébé est né en période de canicule, il ne sentira pas de gêne particulière. Lorsqu'il fait vraiment très chaud, bannissez les tissus synthétiques (qui peuvent empêcher l'évaporation) pour privilégier le coton. Si votre bébé ne craint pas d'être nu, vous pouvez ne l'habiller que d'une couche, mais la plupart des nouveau-nés se sentent plus en sécurité vêtus au moins d'un haut à manches longues. Si vous le sortez, ajoutez une ombrelle à la poussette ou, mieux encore, faites-lui profiter de l'ombre des arbres.

En voiture, faites attention à la chaleur des rayons du soleil à travers les vitres, aux variations de température très fortes entre l'extérieur et un intérieur climatisé, et entre une voiture qui roule et une voiture immobile. Il faut adapter sans cesse la façon d'habiller votre enfant. Des pare-soleil sur les vitres sont aussi utiles : ils empêchent les rayons de soleil d'aveugler votre enfant et de faire monter la température de la voiture.

Si votre bébé est de mauvaise humeur et a la peau humide, éventez-le pour le rafraîchir par évaporation. Si sa peau est sèche, passez-lui un linge imbibé d'eau tiède sur la peau avant de l'éventer. S'il fait chaud et lourd, essayez de trouver un endroit plus frais où emmener votre bébé.

Le chauffage radiant est un vrai danger pour les nourrissons. Tant que le contact des vêtements et l'exposition à l'air, au vent et au soleil ne l'ont pas encore durcie, la peau de votre bébé est très fragile. Pensez aux menaces évidentes (coups de soleil, biberons brûlants…) mais aussi aux ampoules et aux radiateurs.

Soyez vigilante à la température.

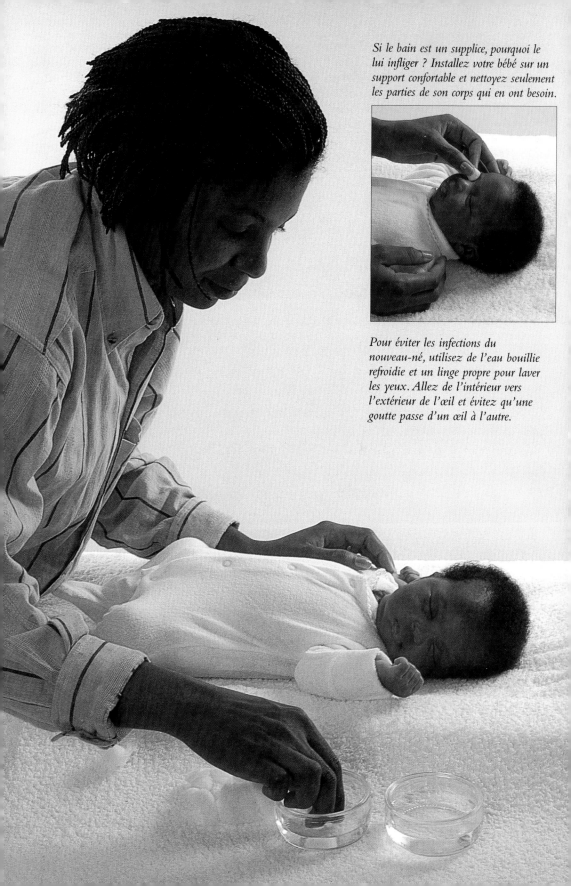

Si le bain est un supplice, pourquoi le lui infliger ? Installez votre bébé sur un support confortable et nettoyez seulement les parties de son corps qui en ont besoin.

Pour éviter les infections du nouveau-né, utilisez de l'eau bouillie refroidie et un linge propre pour laver les yeux. Allez de l'intérieur vers l'extérieur de l'œil et évitez qu'une goutte passe d'un œil à l'autre.

LA PROPRETÉ DE VOTRE BÉBÉ

Les bébés sont souvent plus lavés qu'ils n'en ont besoin. L'enthousiasme des parents les porte à acheter des produits de toilette raffinés qui abîment la peau du nouveau-né. Bien sûr, il est important de nettoyer urines et selles, qui irritent ses fesses et les rendent douloureuses, le lait séché caché dans les plis de son menton et la transpiration de sa tête et de son cou. Mais vous n'avez besoin d'aucune lotion ni de savon liquide ou de lingettes pour ça. Les premières semaines au moins, votre bébé se portera aussi bien sans. Ce qu'il vous faut, c'est beaucoup d'eau, mais sans lui donner forcément un bain.

Si le bain n'est un plaisir ni pour vous ni pour votre bébé, sachez que vous n'êtes pas obligée de lui en donner. Un peu d'eau au bon endroit suffit à le garder propre et vous évite de l'effrayer et de vous faire peur à vous-même en tentant de tenir cette petite écrevisse qui hurle et glisse entre vos mains tremblantes. Même si le cordon ombilical n'est pas tombé, le nouveau-né peut prendre un bain sans risquer une infection au site du cordon. Pendant les deux premières semaines, lavez votre bébé aux deux à trois jours seulement, mais nettoyez le visage, le cou et les organes génitaux quotidiennement.

Cette façon de laver votre bébé se concentre sur les parties qui en ont vraiment besoin : les yeux, le nez et les oreilles, le visage, les mains, le nombril et les fesses. Elle réduit le déshabillage (et donc l'habillage) à un simple changement de couche et ne nécessite aucun geste compliqué.

Notez bien que cette méthode n'impose pas d'enfoncer de la ouate dans le nez du bébé, de lui laver les yeux avec de la ouate ou d'essayer de retourner le prépuce des petits garçons. Tous les orifices des bébés sont tapissés de membranes muqueuses qui sont conçues pour rejeter la saleté. Contentez-vous donc de la propreté extérieure. Il est inutile d'aller fouiller le fond des narines ou des oreilles ; vous risquez surtout d'enfoncer la saleté.

Partez du principe qu'il ne faut jamais agir sur une partie qui n'est pas visible.

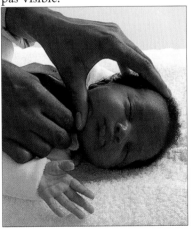

Combien de mentons votre bébé a-t-il ? Nettoyer les traces de lait de chaque pli est un défi quotidien. Se contenter de l'essuyer avec son bavoir ne suffit pas.

Quelques rares nouveau-nés ne craignent pas d'être nus. Mais un bout de tissu posé sur le ventre est toujours bienvenu.

Quelles couches choisir?

Quels sont les avantages et les inconvénients des différentes sortes de couches?

Les couches ont bénéficié des progrès de la technologie – surtout les plus chères – et en ont fait bénéficier les bébés et les parents. Il y a encore des bébés qui souffrent d'irritations du siège mais elles sont beaucoup moins fréquentes et ne sont pas liées à la qualité de la couche.

Couche jetable et pouvoir absorbant ne riment plus avec volume. Les couches « ultra-fines » contenant une matière gélifiante (du sodium polyacrylate) absorbent plus (et coûtent aussi plus cher) que la plupart des couches plus épaisses faites de divers tissus absorbants. Il faut cependant se méfier de cette efficacité. Certaines marques se révèlent si absorbantes, gardent si bien les fesses au sec et gênent si peu les bébés qu'on pourrait facilement oublier de les changer.

Vous allez sans doute utiliser de huit à dix couches par jour au début. Cela vaut donc la peine de faire des réserves de couches bon marché. Si vous n'avez pas de problème de rangement, vous pouvez profiter des ventes en vrac pratiquées dans les grandes chaînes de magasin. Mais n'achetez pas trop de paquets de la même marque. Vous aurez envie d'en tester différentes avant de choisir.

« Jetable » ne signifie pas « à volonté » ni « autodestructible ». Les couches jetables participent largement au problème croissant du gaspillage domestique. Les jeter dans des sacs en plastique à part réduit certaines nuisances (auprès des voisins par exemple), mais ces sacs s'ajoutent à des décharges déjà surchargées.

Les couches lavables sont encore disponibles. Il en existe différentes sortes à différents prix. Les carrés de coton ou de tissu éponge sont toujours les moins chers mais aussi les plus basiques. Aujourd'hui, si les mères en achètent, c'est surtout pour leur utilité plus générale (comme bavoir par exemple).

Du point de vue du bébé, peu importe, sans doute, le genre de couche que vous choisissez, tant qu'il est changé régulièrement. Le risque d'érythème fessier n'est pas plus important avec une marque ou avec une autre.

Du point de vue de l'adulte, la différence entre les nombreuses variétés de couches est évidente : plus elles sont performantes et esthétiques, plus elles sont chères !

Si vous êtes sensible à la question de la protection de l'environnement, vous vous demandez peut-être si, vu les problèmes de fabrication et de recyclage que posent les couches jetables, il n'est pas préférable de revenir aux différentes sortes de couches lavables et réutilisables. Mais il faut aussi prendre en compte l'énergie utilisée pour les laver et les effets polluants des stérilisants, détergents et autres produits chimiques nécessaires déversés dans les égouts et les rivières. Des études ont été faites, mais leurs conclusions ne sont pas convaincantes.

Changer une couche Votre vie domestique va être ponctuée par les changements de couche de votre bébé pendant un certain temps, donc il vaut mieux que cette manœuvre soit rapide et facile.

Il faut avoir à portée de main sur votre table à langer tout ce dont vous avez besoin – les couches, une poubelle, des lingettes ou de l'eau et une débarbouillette. Une table à langer est pratique mais pas essentielle ; il faut en recouvrir le plastique froid d'une serviette et la serviette toute seule suffit.

Si votre maison a plusieurs étages ou si votre bureau est chez vous, il est assez pratique d'avoir un deuxième coin organisé pour le changement de couche. De même, vous pouvez munir votre voiture du matériel nécessaire.

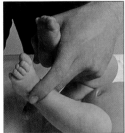

Assurez-vous que les os des chevilles ne se cognent pas l'un contre l'autre en gardant un doigt entre les deux.

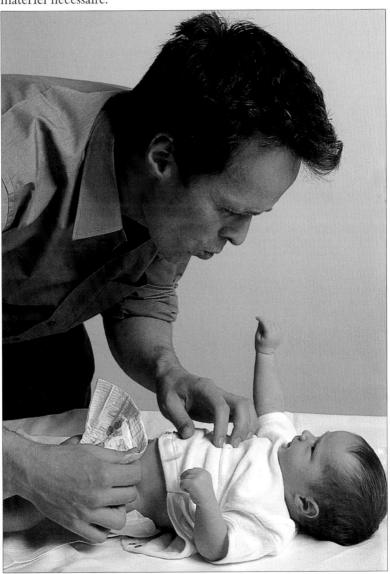

Changer sa couche fait partie du quotidien mais ne doit pas pour autant être un moment ennuyeux *pour vous et votre bébé. Quelle parfaite excuse pour un câlin ou un brin de causette !*

LE SOIN DU NOMBRIL ET DES ONGLES

Certains parents sont perturbés par le soin à apporter au bout de cordon ombilical. Ce centimètre (environ) de peau épaisse et noircie a un aspect étrange et ils ont du mal à croire que, le cordon n'étant pas innervé, il ne soit pas douloureux. En outre, ils savent que toute hémorragie ou infection serait un problème sérieux. Ne vous laissez pas impressionner. Au bout de deux semaines maximum, il ne restera rien d'autre qu'un nombril net. En attendant, il ne fait vraiment pas mal à votre enfant. Il y a très peu de risques qu'il saigne ou s'infecte, et dans le cas peu probable où cela arriverait, il est très improbable que vous n'ayez pas le temps de le remarquer et de le signaler à votre médecin.

Le premier jour (parfois plus) après sa naissance, la petite pince accrochée au cordon ombilical est laissée en place. Si c'est toujours le cas quand vous quittez l'hôpital, votre médecin la retirera. Un minuscule saignement – une ou deux gouttes – n'est pas rare.

Le cordon ombilical se racornit et tombe de lui-même au bout d'une ou deux semaines. Tous les jours, nettoyez le pourtour du cordon avec de l'eau tiède et un coton-tige. Asséchez ensuite le nombril avec un autre coton-tige sec. Le nombril va guérir tout seul. Dans tous les cas, si un écoulement jaune ou un écoulement de sang apparaît à l'intersection du cordon et du corps de votre bébé, ou si cette zone devient rouge et suintante, consultez le jour même un médecin afin qu'il tue dans l'œuf toute infection naissante.

Quand le cordon se détache, le nombril tout neuf de votre bébé peut être douloureux. Procédez avec douceur.

Le cordon disparaît souvent plus vite si vous évitez le plus possible de le soumettre à des frottements. Si votre bébé est dans les moyennes de taille, il existe des couches pour nouveau-né avec une petite ouverture sur le devant à cette fin. Sinon, vous pouvez simplement replier le haut de sa couche.

Quand le cordon tombe enfin, le nombril qu'il révèle n'est pas toujours entièrement cicatrisé. Cette partie de votre bébé *est* innervée et peut lui faire un peu mal un jour ou deux. Un peu de patience et de douceur, donc, surtout si l'aspect du nombril n'est pas encore tout à fait propre. À deux ou trois semaines, tous les bébés ont un joli petit nombril tout à fait fini – rentré ou sorti, personne ne peut le prévoir !

Des ongles bien coupés   Les ongles des bébés peuvent être déjà longs à la naissance et poussent très vite. Il faut les couper régulièrement pour lui éviter de se griffer le visage en agitant ses mains, en se frottant les yeux ou en essayant de sucer son pouce. Les mitaines lui évitent ce désagrément mais au prix terrible de le priver de ses mains !

Couper les ongles d'un bébé avec des ciseaux n'est pas facile car les doigts sont si petits qu'on a du mal à les tenir assez fermement pour ne pas risquer de le blesser, surtout s'il décide de se débattre. Utilisez des ciseaux prévus pour les bébés ou un petit coupe-ongles. Les bouts sont petits et arrondis, ce qui les rend un peu moins dangereux. Tenez son doigt entre le pouce et l'index en utilisant le reste de votre main pour entourer la sienne. De cette façon, même s'il retire son doigt, vous n'en couperez pas un autre! S'il bouge vraiment trop (et que vous êtes trop stressée), remettez l'expérience à un moment où il sera endormi. Si cela le réveille chaque fois, le papa peut aussi essayer de le faire pendant que vous le nourrissez.

Il faut tailler les ongles d'orteils en ligne droite afin d'éviter la formation d'ongles incarnés, mais on doit arrondir les ongles des mains pour diminuer les risques d'égratignures.

N'oubliez pas les ongles des orteils. Dès qu'il commence à donner des coups de pied, il peut se griffer les jambes.

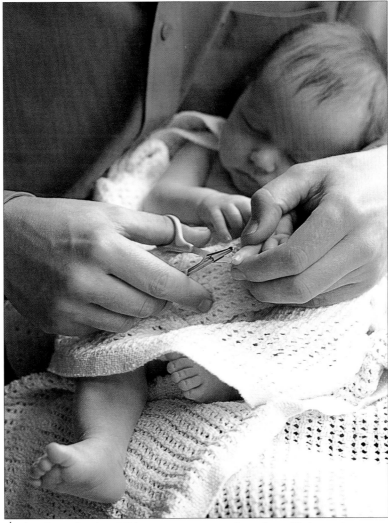

Égaliser les ongles d'un bébé est essentiel mais rarement facile. Si le vôtre se réveille à la moindre tentative, tentez votre chance lorsqu'il s'assoupit sur son repas ou remplacez les ciseaux par vos propres ongles ou vos dents.

LE BAIN

On a encore tendance à penser qu'il faut baigner un bébé chaque jour. Le personnel soignant de l'hôpital où vous avez accouché ne vous laissera pas sortir, même au bout d'un jour ou deux, sans vous avoir montré comment faire.

Même si elle n'est pas indispensable, une baignoire pour bébé est quand même bien pratique, que vous l'utilisiez tout de suite ou dans quelques jours. Certaines s'installent dans la baignoire familiale, d'autres sont sur pieds, et leur forme particulière contribue à la sécurité de votre enfant, mais une baignoire toute simple posée sur votre table ou à même le sol convient aussi. Ce qui compte, c'est que vous puissiez le faire dans une pièce bien chauffée et sans vous abîmer le dos (une autre personne devrait vous aider à remplir la baignoire et à la porter). Votre propre baignoire n'est pas une bonne solution : elle est trop basse pour vous et trop froide pour votre bébé. Il vaut encore mieux le baigner dans une grande bassine bien nettoyée ou dans l'évier de la cuisine. Méfiez-vous tout de même des robinets. Cogner votre bébé ou l'ébouillanter avec une goutte du robinet d'eau chaude est vite arrivé.

Peu de nouveau-nés apprécient la nudité et toute la cérémonie du bain. Ne soyez pas surprise ou déçue si le vôtre hurle. Dans une semaine ou deux, il aura probablement changé d'avis. En attendant, menez toute l'opération aussi vite que possible. Un assistant (âgé de 3 à 77 ans) pour vous faire passer ce dont vous avez besoin est d'une grande utilité. Sinon, pensez à tout poser à portée de main. Commencez par laver votre bébé partie par partie, puis finissez sa toilette en le tenant enroulé dans une serviette grande et douce.

Enveloppé dans sa serviette, tenez-le la tête au-dessus du bain pour lui laver le visage puis lui rincer les cheveux. Il n'a pas encore besoin de shampooing.

Retirez ensuite la serviette et plongez-le dans l'eau avec votre main droite sous son bassin. Votre avant-bras passe derrière lui, sa tête est tenue par votre poignet et vos doigts saisissent son aisselle.

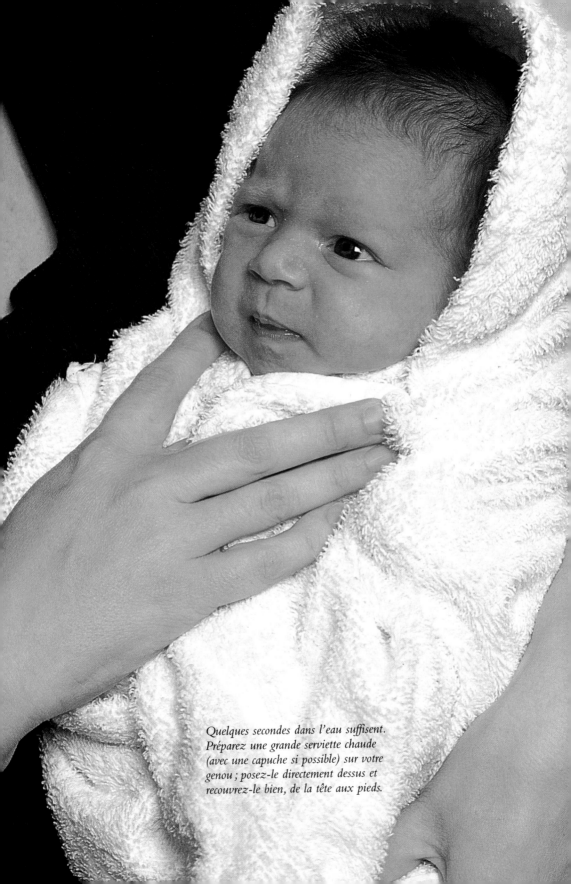

Quelques secondes dans l'eau suffisent.
Préparez une grande serviette chaude
(avec une capuche si possible) sur votre
genou ; posez-le directement dessus et
recouvrez-le bien, de la tête aux pieds.

La toute première substance évacuée par votre bébé est du méconium, ces selles noirâtres qui remplissent les intestins de l'enfant avant la naissance. L'évacuation du méconium prépare l'intestin à la digestion d'autres produits et prouve qu'il fonctionne correctement et n'est pas obstrué. À l'hôpital, le personnel médical sera attentif à cela. Si une infirmière change la couche de votre bébé et trouve du méconium, elle le note, ou bien on vous demandera de le faire. Il suffit qu'il en passe très peu pour que la question soit réglée (mais il peut y avoir plus d'une couche remplie de liquide noirâtre !). Si vous êtes de retour chez vous quelques heures après la naissance, gardez à l'esprit que le méconium doit être évacué et, si rien ne s'est passé au bout de vingt-quatre heures, prévenez votre sage-femme ou votre médecin.

Les selles de transition

Lorsque l'intestin est débarrassé du méconium et que le bébé commence à boire du lait, au sein ou au biberon, il va d'abord évacuer des selles de « transition ». Leur aspect étrange est en effet dû au bouleversement total que représente la digestion normale par rapport à la transfusion de nourriture dans l'utérus. Ces selles sont souvent verdâtres, à moitié liquides et fréquentes. Il arrive aussi qu'elles soient vert clair, pleines de lait caillé et de mucus, et expulsées violemment. Cela n'a rien à voir avec de la diarrhée. Ces selles bizarres sont caractéristiques des premiers jours de vie.

Si ses selles vous inquiètent, emmenez votre bébé chez le médecin en emportant une couche souillée (dans un sac de plastique fermé) pour qu'il puisse vérifier qu'il n'y a pas de diarrhée infectieuse (gastro-entérite). Il est très rare qu'un bébé nourri au sein en souffre. C'est une hypothèse plus probable chez un bébé nourri au biberon mais qui est quand même à écarter tant qu'il tète bien et paraît content. Il faut attendre au moins trois semaines pour que votre bébé ait des selles « normales ».

Les selles normales

Les selles d'un bébé nourri uniquement au lait maternel sont en général jaune orangé, ont la consistance de la moutarde et juste une petite odeur de lait caillé. Mais elles peuvent aussi être vertes, remplies de mucus, coagulées, et autres aspects étonnants… sans qu'il soit le moins du monde malade. N'y accordez pas trop d'importance.

Il peut avoir tout au long de la journée des petites selles si fréquentes que vous ne trouverez jamais sa couche propre. Mais il peut aussi n'en avoir que tous les deux ou trois jours. Les deux extrêmes – et toutes les autres possibilités qu'ils contiennent – sont des situations normales. Un bébé nourri au sein peut très bien passer de l'un à l'autre.

Les selles des bébés nourris au biberon sont en général plus fréquentes et plus volumineuses, car le lait maternisé laisse plus de déchets que le lait maternel. Elles sont de couleur brun clair et ont une odeur proche de selles ordinaires. Alors que l'alimentation d'un bébé au sein lui convient toujours, il n'en est pas de même avec un bébé nourri au biberon. C'est d'abord par ses selles que vous vous rendrez compte que le lait que vous utilisez ne lui convient pas. Mais ne changez pas de lait sans avis médical.

La constipation

Les bébés nourris au biberon ont souvent plusieurs selles par jour. Un bébé au biberon qui n'a pas de selle pendant un jour ou deux, et qui finit par évacuer une selle dure visiblement douloureuse, est constipé. Le manque d'eau étant la cause la plus courante, vous lui en proposerez plus que d'habitude.

La diarrhée Un bébé nourri au biberon qui est soudainement victime de diarrhée doit être vu par un médecin pour déceler une possible gastro-entérite. S'il se met en plus à vomir, à refuser de s'alimenter et/ou à être fiévreux, il faut consulter en urgence. Les gastro-entérites peuvent être très dangereuses pour les bébés, surtout lorsqu'ils sont très jeunes. Le danger le plus immédiat est la déshydratation provoquée par la diarrhée et aggravée par les vomissements. Il est important de bien hydrater le bébé. Le meilleur traitement est l'allaitement maternel, sinon une solution d'électrolytes (Pedialyte, Gastrolyte…) vendue en pharmacie peut faire l'affaire. Vous pouvez préparer une recette maison de solution d'électrolytes (360 ml de jus d'orange, 600 ml d'eau bouillie refroidie et 1/2 c. à thé de sel; bien mélanger), mais les quantités doivent être respectées avec précision. Une recette maison est bonne pendant un maximun de 12 heures. L'alimentation lactée au biberon devrait être cessée tant que les vomissements se poursuivent. Elle peut être reprise après 6 heures sans vomissement. Une solution d'électrolytes peut aussi être donnée aux bébés qui sont allaités s'ils refusent de téter. Si l'enfant mange d'autres aliments, ceux-ci peuvent être réintroduits après 24 heures.

Mais, bien souvent, les selles molles sont uniquement dues à un problème d'alimentation. Un excès de sucre, par exemple. Ajoutez-vous des céréales à ses biberons au lieu de lui donner le lait exactement selon les instructions du fabricant? Lui donnez-vous beaucoup de jus de fruits? Ou de l'eau sucrée?

La graisse peut aussi être un facteur de diarrhée. Si votre bébé ne digère pas certaines graisses contenues dans son lait, les selles auront une odeur très forte. Emmenez votre bébé et sa couche sale chez le médecin. S'il pense que la graisse de son lait ne lui convient pas, il vous recommandera une autre marque.

La couleur des selles Même avant l'introduction d'aliments solides, il suffit de peu pour que les selles d'un bébé prennent une couleur inquiétante. Un sirop rose, par exemple, peut les colorer de rouge ou de pourpre. Beaucoup de médicaments sans ordonnance ont ce genre d'effets. Si le médecin lui prescrit du fer, ses selles vont noircir.

L'urine Peu importe que votre bébé urine souvent. C'est le contraire qui serait un problème. Un nouveau-né qui reste sec plusieurs heures doit être examiné. Son corps utilise plus d'eau que d'habitude, soit parce qu'il commence à avoir de la fièvre, soit parce qu'il a plus chaud que d'habitude. Donnez-lui de l'eau à volonté et observez ce qui se passe dans l'heure qui suit. S'il reste sec (ce qui est peu probable), appelez le médecin. Il s'agit peut-être juste d'une obstruction.

Lorsqu'il manque d'eau, surtout lorsqu'il fait chaud ou en cas de fièvre, son urine peut être très concentrée et de couleur foncée. Ses couches sont jaune foncé et ses fesses sont irritées. Une fois encore, il faut lui donner beaucoup d'eau.

S'il a bien bu et que l'urine ne change pas d'apparence et prend une désagréable odeur de poisson, emmenez-le chez le médecin. Il a peut-être simplement une infection urinaire.

Si vous croyez trouver du sang dans ses urines, il faut rapidement voir un médecin. Mais prenez quand même le temps de vous poser quelques questions. Si vous avez une petite fille, ce sang vient peut-être de son vagin plutôt que de sa vessie. Un écoulement de sang vaginal est tout à fait normal au cours des premiers jours (voir p. 50) et, dans une couche mouillée, il peut facilement sembler faire partie de l'urine.

Votre nouveau-né s'endort où qu'il soit et dès qu'il en a besoin.

Le Sommeil

Les nouveau-nés dorment autant que leur physiologie l'exige. Il n'y a rien que vous puissiez faire pour forcer votre bébé à dormir plus qu'il n'en a besoin et rien qu'il puisse faire pour dormir moins. À moins qu'il ne soit malade, souffrant ou très mal installé, il peut dormir à peu près partout et dans presque toutes les circonstances. Vous n'avez donc pas un grand pouvoir sur ses heures de sommeil. L'installer confortablement est une bonne façon de s'assurer qu'il dormira autant qu'il en a besoin mais pas de l'y contraindre. Si, au contraire, vous êtes dans un bus plein à craquer et que vous craignez que cela ne l'empêche de dormir, rassurez-vous, il ne restera éveillé que s'il ne ressent pas le besoin de dormir.

Une frontière floue entre sommeil et éveil

Au tout début de sa vie, un bébé passe souvent si progressivement de l'état de veille à l'état de sommeil qu'il est parfois difficile de faire la différence. Il peut commencer un repas en pleine forme, téter dans un état d'extase paisible au point que seules quelques gorgées plus énergiques vous montrent qu'il ne dort pas, puis dériver jusqu'au sommeil profond que rien ne peut déranger.

Ces transitions rapides d'un état à l'autre ne sont pas du tout un problème pour lui. Mais, de votre point de vue, il est plus facile de vous organiser lorsque vous savez si votre bébé est éveillé (auquel cas, il a besoin de compagnie) ou s'il est endormi (auquel cas, il n'a besoin d'absolument rien pour un petit moment).

Donc, plutôt que de le laisser somnoler sur vos genoux, il est préférable de l'habituer très tôt à « aller au lit » quand il a besoin de dormir et à « quitter le lit » quand il est éveillé. Si vous l'installez régulièrement dans son couffin ou son landau lorsqu'il est sur le point de s'endormir, il associera rapidement ces lieux à son sommeil. Si vous lui offrez de la compagnie dès son réveil, il fera aussi très vite l'association.

Les troubles du sommeil

Lorsque votre bébé dort, vous n'avez pas à plonger votre maison dans le silence. Les sons et l'activité habituels ne le dérangent pas à cet âge. Si tout le monde marche sur la pointe des pieds et murmure quand il dort, il ne sera plus capable de s'endormir avec un volume sonore normal. Il vaut mieux éviter cette situation. Ce qui peut le perturber, ce sont les variations sonores soudaines. Il peut très bien s'endormir avec le bruit de la télévision à proximité mais se réveiller en sursaut lorsqu'on l'éteint. Un enfant qui joue dans sa chambre ne le dérangera pas, mais qu'un autre entre brusquement, et il se réveillera.

À cet âge, ce sont surtout les stimuli internes qui le dérangent. La faim, la soif, la douleur, mais aussi une selle ou un rot, le réveillent. Parfois, les mouvements et les tics de son corps, lorsqu'il est détendu et en plein sommeil profond, peuvent le gêner.

Distinguer la nuit et le jour

Bien que les êtres humains soient principalement des créatures diurnes, qui dorment la nuit et sont actives le jour, les bébés ne semblent pas dotés d'un mécanisme qui les instruise de cette différence. Ils s'endorment et se réveillent régulièrement pendant vingt-quatre heures et il faut manœuvrer habilement et patiemment pour les persuader de rassembler leurs périodes de sommeil sur la nuit. Rassurez-vous : la plupart des bébés adoptent assez rapidement ce rythme, mis à part ceux qui passent des semaines dans des unités de soins en permanence allumées et actives.

Vous accélérerez le processus de distinction du jour et de la nuit en introduisant dès le début une différence nette entre aller au lit pour y passer la nuit et aller au lit pour les petites siestes de la journée. Lui faire sa toilette ou lui donner un bain le soir avant de le mettre en pyjama peut aider. Vous pouvez aussi lui donner son dernier biberon dans sa chambre. Et surtout, le soir, installez-le dès le coucher dans son lit et dans sa chambre plutôt que dans un couffin posé n'importe où dans la maison, comme vous le faites la journée.

■ Mettez beaucoup de soin à faire en sorte qu'il se sente bien pour la nuit. Un petit rot qui le réveille pendant sa sieste, ce n'est pas très grave. Mais le soir, assurez-vous qu'il l'a évacué et que rien que vous auriez pu prévoir ne viendra perturber sa nuit.

■ Essayez de l'habiller correctement (voir p. 116). La journée, ce n'est pas très grave qu'un de ses propres mouvements le réveille pendant une période de sommeil léger. La nuit, autant éviter qu'il ne se réveille, même entre deux périodes de sommeil profond.

Le tenir endormi dans vos bras est un moment délicieux, mais le mettre dans son lit vous facilitera la vie plus tard.

■ Plongez sa chambre dans une obscurité suffisante pour qu'il fasse bien la différence avec le jour. Lorsqu'il ouvre les yeux (comme tous les bébés le font pendant la nuit), son attention ne doit pas être retenue par quoi que ce soit de trop lumineux ou visible. Une petite

Les petits bébés doivent dormir dans de petits lits et être près de vous.

veilleuse (15 watts) vous permet cependant de le surveiller la nuit sans le gêner.

■ Veillez à ce que la chambre soit à une température raisonnable (18 ou 20 °C) et constante. Le froid le réveillerait dans une période de sommeil léger et serait dangereux s'il était profondément endormi.

■ Faites en sorte que les repas nocturnes soient aussi brefs et calmes que possible. Le bébé est obligé de se réveiller car il ne peut (et ne doit) pas encore passer une nuit entière sans boire et sans manger. Mais autant qu'il reste un peu somnolent. Rassemblez tout ce dont vous aurez besoin durant la nuit. Il serait dommage de le trimbaler dans vos bras à la recherche d'une couche propre…

■ Lorsqu'il pleure, levez-vous tout de suite pour éviter qu'il ne se mette en colère. Ne le divertissez pendant que vous le nourrissez. Faites-lui plutôt des câlins. Les repas du jour sont aussi des moments de jeux, ceux de la nuit sont uniquement alimentaires.

Organiser les nuits

Le manque de sommeil est pour beaucoup l'une des facettes les plus pénibles de la vie de parents. Le problème n'est pas limité aux toutes premières semaines, lorsque les nouveau-nés ont encore besoin d'être nourris la nuit. Tous les bébés se réveillent parfois la nuit et réclament alors la compagnie et le réconfort des adultes. Vous pouvez croiser les doigts pour que votre bébé fasse partie des rares qui dorment toute la nuit dès la sixième semaine, mais ne pariez pas trop gros… Beaucoup de bébés ne font pas de nuit complète avant la fin de leur première année.

Il y a deux façons différentes d'aborder ce problème. Le mieux est de choisir tout de suite celle qui vous convient afin de vous y tenir dès le début. La première approche est l'acceptation simple de ce tout petit être non seulement dans votre vie active le jour mais aussi dans vos nuits et votre lit. Partager le lit parental n'empêchera pas votre bébé de se réveiller et ne vous épargnera pas les repas nocturnes des premières semaines. Mais s'il est auprès de vous, réveils et repas seront moins pénibles que si vous devez aller le chercher. Et le garder là où il préfère être – c'est-à-dire tout contre vous – l'aidera à retrouver plus vite son sommeil.

Les bébés qui dorment dans le lit des parents ont tendance à moins se réveiller plus tard que les autres. En grandissant, ils se réveilleront peut-être encore la nuit mais ne trouveront pas nécessaire de vous réveiller. Après tout, un petit enfant qui est dans votre lit n'a pas besoin de pleurer pour vous faire un câlin ou se blottir contre vous.

Partager le lit avec votre bébé n'est pas dangereux si vous respectez certaines précautions (voir p. 183). Mais il faut bien peser tout de suite le pour et le contre. Le problème majeur, lorsque vous habituez votre bébé à dormir avec vous, est qu'il va être très difficile de le persuader plus tard qu'un lit et une chambre pour lui tout seul, c'est bien mieux. Et si partager votre lit avec un bébé de six semaines vous est agréable, vous risquez fort cependant de changer bientôt d'avis. Un bébé dans votre lit vous prive d'intimité, et l'avoir près de vous de jour comme de nuit aggrave nettement l'impression que votre vie personnelle est totalement engloutie par votre vie de maman.

La seconde façon de voir les choses est de décider de l'exclure de vos nuits et de votre lit. Cela signifie faire tout ce que vous pouvez pour lui apprendre à dormir tout seul. Vous irez donc le voir dès qu'il pleure, mais ne le prendrez jamais avec vous et ne l'autoriserez pas à vous suivre lorsqu'il sera plus grand. Vous êtes ainsi plus libre tant qu'il dort bien, mais condamnée à des allers-retours sans fin lorsque ses dents le font souffrir ou lorsqu'il fait des cauchemars. Et plus tard, il vous faudra le ramener dans sa chambre, nuit après nuit.

Personne ne peut faire ce choix pour vous. Et vous ne serez peut-être pas capable de le faire vous-même. Même si vous préférez la seconde approche, il suffit d'un week-end difficile pour que, finalement, à 3 heures du matin, il se retrouve dans votre lit car une seule chose compte désormais pour vous : dormir. Quoi qu'il en soit, réfléchissez-y. Le compromis – le prendre dans votre lit parfois et d'autres fois insister pour qu'il dorme seul – est la pire option.

S'assurer un minimum de sommeil

Si vous choisissez de le faire dormir dans son lit, vous pouvez optimiser vos propres heures de sommeil, même pendant les premières semaines :

■ Réveillez votre bébé pour le nourrir juste avant de vous coucher. Si vous attendez qu'il se réveille spontanément, vous perdrez du temps de sommeil. Cela n'est pas mauvais pour lui de le faire manger avant qu'il ait vraiment faim.

■ Pensez à votre confort pour ces quelques heures de sommeil. Si vous nourrissez au biberon, laissez un biberon prêt dans le réfrigérateur à réchauffer au moment venu. Cela vous fera gagner du temps.

■ Nourrissez votre bébé dès qu'il commence à pleurer. Si vous le laissez pleurer, il peut se rendormir s'il n'a pas très faim, mais tant qu'il pleure, vous ne dormez pas, et le temps de retrouver votre sommeil, il pleurera à nouveau, terriblement affamé. Si vous le faites « attendre un peu », vous n'avez sans doute pas dormi en entendant ses pleurs et lorsque vous décidez de le nourrir, sa colère et sa fatigue l'empêchent de bien téter. Il vous réveillera à nouveau plus vite qu'après un repas correct. Si vous lui donnez de l'eau, le fait de téter et d'étancher sa soif va peut-être l'aider à se rendormir, mais le calme ne durera pas ; son estomac lui dira que vous lui avez joué un tour.

■ Apprenez à dormir en même temps que lui. Vous aurez sans doute tendance à rester éveillée au cas où il aurait besoin de faire un rot ou de boire encore quelques millilitres. Si c'est le cas, il vous le fera savoir. Ne perdez donc pas ces précieux instants de sommeil.

■ Décidez quel parent va se lever. Bien que donner les tout premiers repas nocturnes fasse partie de l'excitation des débuts, vous allez vite vous rendre compte qu'il vous faut chacun trouver un peu de temps pour dormir. Cela ne sert à rien de vous réveiller tous les deux à chaque repas, à moins que vous ne trouviez que cela accélère les choses. La plupart des mères qui allaitent jugent inutile de réveiller leur conjoint et préfèrent se débrouiller toutes seules, quitte à s'accorder des petites siestes pendant la journée ou le week-end. Les parents qui nourrissent au biberon mettent parfois en place des systèmes de partage, l'un étant responsable une nuit et l'autre la nuit suivante. Mais ce n'est pas toujours évident. Certaines mères, qui se réveillent quoi qu'il en soit et ne peuvent se rendormir tant que le bébé n'est pas lui-même recouché, finissent par penser qu'elles feraient tout aussi bien de le nourrir elles-mêmes.

Que faire contre la mort subite du nourrisson?

*Nous sommes hantés par la « mort subite »
sans vraiment comprendre de quoi il s'agit.
Pourquoi les professionnels ne parviennent-ils
pas à avoir un avis clair et à donner des
instructions en conséquence? Que peuvent
faire les parents?*

Très rarement, il arrive qu'un bébé en bonne
santé, en général de moins de six mois, meure
dans son sommeil. La mort subite du
nourrisson (MSN) est, par définition, une
mort qui ne peut pas être prévenue (même
par un médecin) et qui n'est jamais expliquée
(même post-mortem). Il existe d'autres
formes de mortalité infantile soudaine qui
ne sont pas plus prévisibles que la mort
subite du nourrisson mais dont on peut
au moins trouver la cause.

Ne pouvant définir les causes précises de la
mort subite (qui sinon n'en serait plus une),
les médecins ne peuvent pas savoir – ni dire
aux parents – comment la prévenir. En
réalité, il ne sera sans doute jamais possible
de les connaître précisément; il s'agit plus
de combinaisons et d'interactions de
circonstances que d'une cause unique. On
peut cependant aujourd'hui dresser une carte
assez précise de ces circonstances – le taux de
mort subite du nourrisson a d'ailleurs
diminué de façon spectaculaire.

Des recherches ont été menées sur ces
circonstances par comparaison entre des
nourrissons morts de façon subite et des
bébés qui ont eu une expérience similaire
mais qui ont survécu. Toutes les différences
observées n'ont pas forcément de lien avec la
mort subite, bien sûr. S'il ressort d'une étude
isolée qu'un bébé blond a plus de risque d'en
souffrir qu'un bébé châtain, cela n'est dû
qu'au hasard. Mais lorsque plusieurs études
montrent qu'il y a plus de MSN dans les
familles où l'on fume, il y a certainement
un rapport. La fumée de la cigarette est un
facteur reconnu de risque de MSN.

Il y a des facteurs de risque reconnus dont
les parents de presque tous les pays sont
avisés. Ces facteurs ne sont cependant pas les
« causes » de la mort subite; les éviter ne
signifie pas protéger entièrement votre bébé
de la mort subite. Ils permettent néanmoins
de réduire considérablement le risque (déjà
infime) qu'un tel drame frappe votre famille.

■ *Un bébé doit être couché sur le dos.* Il est
plus en sécurité sur le dos que sur le côté.
Évitez de le faire dormir sur le ventre.

■ *Il ne faut pas que sa tête soit recouverte
pendant son sommeil.* Placez votre bébé de
façon que ses pieds touchent le fond de son
lit et qu'il n'y ait rien à quoi il puisse
s'entortiller. Utilisez des dormeuses plutôt
que des couvertures et jamais de couette ou
d'édredon. Ne lui donnez pas d'oreiller ou de
peluches. Assurez-vous que le matelas ne
laisse pas de place vide autour de son lit où sa
tête pourrait se glisser.

■ *Un bébé ne doit pas avoir trop chaud en
dormant, surtout s'il est fiévreux.* Si vous
chauffez sa chambre, gardez-la à une
température qui conviendrait à un adulte. S'il
est fiévreux, couvrez-le moins.

■ *Un bébé ne doit pas être exposé à la
fumée avant et après la naissance.* S'il y a
des fumeurs dans la maison, sa chambre
doit rester une zone non-fumeurs vingt-
quatre heures sur vingt-quatre, même
lorsqu'il n'y est pas.

L'étude de la mort subite du nourrisson
est en cours. Les points indiqués ci-dessus
figurent dans tous les programmes de
prévention, mais il en existe d'autres, moins
sûrs, moins soutenus par les statistiques ou
moins généralement reconnus, entre autres:
trop tarder à déceler des signes de maladie
et à demander un avis médical, nourrir au
biberon (par opposition à l'allaitement
maternel) et différents détails des soins
prénatals. Dormir avec son enfant (voir
p. 183) est souligné autant comme facteur
aggravant que comme facteur de prévention
et reste donc controversé. Le plus important
facteur aggravant est celui sur lequel les
parents peuvent le moins agir: la pauvreté.

*Vous ne trouverez peut-être
pas pourquoi il pleure, mais
d'ici à ce que vous ayez
tout essayé, il se sera calmé.*

CONSOLER
SES PLEURS

Tous les bébés pleurent, surtout les toutes premières semaines. Bien que tous les parents rêvent d'un bébé qui ne pleure pas, il serait bien difficile de s'occuper des nouveau-nés si ce souhait se réalisait. Les bébés pleurent quand ils ont besoin de quelque chose. Et c'est parce que vous savez que le vôtre se comporte ainsi que vous savez que, tant qu'il ne pleure pas, il n'a besoin de rien. Il faut vraiment qu'il se sente très mal, qu'il ait pris très froid ou qu'il s'étouffe pour souffrir en silence.

Les bébés ne pleurent jamais pour rien. Dire qu'ils pleurent pour «exercer leurs poumons» est absurde. Leurs poumons trouvent tout l'«exercice» dont ils ont besoin dans la respiration. Cependant, si ces pleurs sont toujours motivés au moins par un peu d'inconfort ou de mécontentement, ils ne correspondent pas forcément à un problème précis. Des études récentes montrent qu'une grande partie des pleurs des nouveau-nés est «développementale»: ils pleurent parce qu'ils ne sont pas encore complètement adaptés à la vie dehors ou parce que l'un des aspects de leur développement neuropsychologique, incroyablement rapide et complexe, les perturbe.

La plupart du temps, bien sûr, votre bébé pleure parce qu'il a besoin de quelque chose, et, avec un peu de chance, vous serez capable de comprendre ce qu'il veut et de le lui donner. Il a faim, vous le nourrissez, il cesse de pleurer, et vous êtes tous les deux satisfaits. Mais, avec un peu moins de chance, son besoin n'est pas si clair. Vous lui offrez tout ce à quoi vous pensez, mais il continue à pleurer, et ni lui ni vous n'êtes contents.

Et puis, il y a les situations les plus décourageantes, lorsque vous savez ce qu'il lui faut mais ne pouvez lui donner. Il est totalement épuisé, mais rien ne parvient à le calmer et à l'endormir parce qu'un désagrément interne – un ventre douloureux ou une selle imminente – le tient éveillé (et vous aussi, par conséquent).

Un bébé qui pleure sans qu'on puisse le réconforter est, sans aucun doute, la part la plus difficile de la vie de parent. Le bruit de ses pleurs est parfait pour attirer votre attention mais pas pour durer encore et encore. Comme la sonnerie d'un téléphone, il est censé s'arrêter lorsqu'on lui répond. Plus ce bruit dure, plus il est difficile à supporter et l'on se laisse vite submerger par la panique ou le désespoir. Être toujours compatissant et sensible à un bébé qui repousse tous vos efforts pour l'aider et qui semble même *vous* repousser n'est pas facile. Lorsque les pleurs et les tentatives vaines de le réconforter durent trop (et à 3 heures du matin, tout est vite trop long), beaucoup de parents se sentent frustrés et inutiles; ils finissent par ressentir aussi de la colère – perdant de vue que le bébé ne *peut pas* s'arrêter de pleurer tant qu'il n'a pas ce dont il a besoin – et par penser que ces pleurs ne cherchent que leur tourment. Si c'est ce que vous ressentez, sachez que vous n'êtes pas la seule.

LES CAUSES ET LES REMÈDES

Les causes et les «remèdes» des pleurs qui sont indiqués ici sont destinés à répondre aux questions que se posent les parents, qui perdent tous patience de temps en temps: «Quel est son problème?», «Que puis-je faire?» La véritable réponse à ces deux questions pourrait bien être: «Pas grand-chose.» Mais quelque part dans ce chapitre, vous trouverez sûrement une façon de le réconforter et, dans le pire des cas, d'ici à ce que vous ayez tenté chaque possibilité, le mauvais moment sera passé – jusqu'au prochain…

La faim La faim est la cause la plus courante des pleurs d'un jeune bébé et la plus simple à résoudre. Des études ont montré que seul le lait arrête les pleurs d'un bébé affamé. Lorsque, au cours de ces recherches, on leur proposait de l'eau ou une sucette, les bébés tétaient quelques secondes puis se remettaient à pleurer. Le besoin de nourriture ne peut être comblé que par de la nourriture allant dans l'estomac. Sucer, même en en retirant un goût agréable, n'a pas d'effet.

La douleur Jusqu'à une époque étonnamment récente, on pensait que les bébés n'étaient pas sensibles à la douleur. Les infirmières assuraient aux parents inquiets que leur bébé ne sentait pas les diverses piqûres sur les talons; les petits garçons étaient circoncis sans que les chirurgiens jugent utile la moindre anesthésie. Leur certitude devait vraiment être inébranlable pour ne pas avoir fléchi face aux cris que provoque la douleur dès les premiers instants de vie – même s'il est difficile de savoir si les cris d'un bébé sont dus à la douleur ou à autre chose. Par exemple, votre bébé a cessé de pleurer lorsque vous l'avez pris dans vos bras et il a émis des gaz au même moment. Ces gaz étaient-ils la cause de la douleur? Peut-être lui avaient-ils donné mal à l'estomac? Ou peut-être que cela n'avait rien à voir, que c'est arrivé par hasard au même moment.

Par ailleurs, certaines sortes de douleurs provoquent des réactions très fortes et inattendues. Un bain ou un biberon quelques degrés trop chauds feraient hurler votre bébé.

Stimulation trop forte, choc et peur Une stimulation trop forte, de quelque genre que ce soit, le fait pleurer. Tout ce qui est trop soudain ou trop fort le surprend; bruits, lumières, goûts, mains froides, fous rires, chatouilles, secousses ou étreintes peuvent le saisir de panique.

Les événements soudains, surtout lorsqu'ils s'accompagnent d'une sensation de chute, peuvent le choquer et lui faire réellement peur. Il pleure, mais peut aussi trembler et pâlir.

Dans le cas d'un petit accident – par exemple si vous le portez et que sa tête cogne contre le chambranle d'une porte –, ses pleurs peuvent être motivés autant par la peur que par la douleur réelle.

Un mauvais calcul Le degré de stimulation «trop forte» dépend de l'humeur et de l'état de santé du bébé. Ce qu'il apprécie lorsqu'il est réveillé, satisfait et bien nourri peut le faire pleurer lorsqu'il a sommeil, qu'il est irritable ou affamé. Par exemple, les petites chatouilles qu'il adore quand il se sent d'humeur sociable le font pleurer de désespoir lorsque vous les utilisez pour le dérider. Les bébés fatigués ont besoin de câlins, pas de jeux.

Si vous mesurez mal la quantité de nourriture, il pleurera évidemment de faim. Mal régler la vitesse à laquelle le bébé reçoit le lait peut aussi poser un problème. Si vous lui offrez trop lentement – en choisissant mal une tétine ou en lui retirant le sein pour un rot –, la douleur de la faim casse le plaisir de se nourrir, et votre bébé, qui pleurait de faim, est toujours affamé, mais ses pleurs ont redoublé et il ne peut plus téter.

Laver ou changer un bébé qui a très faim le fera pleurer, parce que cela retarde l'arrivée de son repas mais aussi parce qu'il n'aime pas être remué dans ces moments-là. Il faut aussi éviter de lui donner un bain juste après l'avoir nourri ; le remuer pourrait lui faire régurgiter son lait. Choisissez plutôt une période d'éveil calme ou bien réveillez-le pour lui donner son bain avant qu'il ne soit réveillé par la faim. Changer sa couche après le repas ne pose pas de problème si vous veillez à le faire doucement. S'il a l'habitude de faire un rot au milieu du repas, vous pouvez en profiter pour le changer.

Passer de l'état de fatigue au véritable sommeil est souvent difficile pour les tout jeunes bébés. Il est bon qu'il n'y ait pas trop de mouvement autour de lui lorsque le sommeil le gagne. Si vous devez vous déplacer en voiture, installez-le dans son siège et démarrez votre voiture avant qu'il ne commence à s'endormir, ou bien attendez qu'il dorme à poings fermés pour mettre le moteur en marche.

Être déshabillé Beaucoup de parents pensent que c'est leur propre maladresse ou leur inexpérience qui fait pleurer leur bébé lorsqu'ils lui retirent ses vêtements. Bien que l'expérience aide en effet à faire vite et en douceur, beaucoup de bébés pleurent littéralement la perte de leurs vêtements. Le plus souvent, le bébé se crispe à mesure qu'on les lui enlève et se met carrément à hurler lorsqu'on lui retire celui qui était tout contre sa peau – sa camisole ou son pyjama. Cette réaction n'a rien à voir avec la sensation de froid : cela peut arriver même dans une pièce chauffée et avec des mains tièdes. Ce qui lui manque, c'est le contact du tissu avec sa peau nue. Il n'aime pas la sensation de sa peau exposée à l'air. Il pleure pour qu'on lui rende ses vêtements et s'arrêtera dès qu'on les lui remettra. Mais en général, un morceau de tissu (une serviette, une couverture…) posé sur son torse et son ventre suffit à le rassurer complètement.

Avoir froid Avoir froid le fera pleurer s'il est assez éveillé pour s'en rendre compte. Les bébés qui pleurent lors de leurs premières sorties en poussette sont souvent gênés par l'air froid, surtout s'il y a un peu de vent. Ce n'est pas un froid dangereux – le fait qu'il pleure prouve que le bébé produit lui-même de la chaleur – mais il ne l'apprécie pas. Il arrêtera de pleurer dès que vous l'emmènerez dans une pièce chauffée.

Les gestes incontrôlés Beaucoup de bébés ont des gestes inconscients quand ils sont entre conscience et sommeil. Certains sont sans cesse réveillés par leurs propres mouvements. Ils pleurent, s'assoupissent, s'agitent et pleurent à nouveau, épuisés et prêts à sombrer mais incapables de dépasser ce stade et de trouver le sommeil profond. Bien les enrouler ou même les emmailloter (voir la page suivante) règle presque toujours ce genre de problème.

Les bébés qui pleurent pour être portés et qui sont sereins tant qu'ils sont dans vos bras mais pleurent dès que vous les reposez ont un problème de contact physique. Ce genre de pleurs dus à un manque de «contact de confort» est souvent mal compris. Les parents s'entendent dire que leur bébé pleure «parce qu'il veut être dans vos bras», ce qui sous-entend «il fait un caprice et, si vous y cédez, il prendra de mauvaises habitudes».

En réalité, c'est l'inverse qui est vrai. Si quelqu'un n'a pas un comportement raisonnable, c'est vous. Il ne pleure pas pour que vous le portiez, mais parce que vous l'avez remis là où il était et l'avez privé du plaisir de votre contact. Il est naturel et instinctif pour un petit bébé d'être heureux lorsqu'il est porté par quelqu'un. Dans beaucoup de pays, les bébés sont tenus et portés presque tout le temps. Les grands-mères et les grandes sœurs prennent le relais pour soulager les mères qui accomplissent presque toutes leurs tâches avec leur bébé accroché dans le dos. Ces bébés pleurent beaucoup moins que les bébés occidentaux.

Le porter et le bercer arrêteront presque toujours ses pleurs. Si cela n'a pas d'effet, placez-le contre votre épaule afin que son estomac et sa poitrine soient collés à la vôtre. S'il est encore mécontent, marchez en le tenant dans cette position; le mouvement de bascule régulier de la marche l'apaisera.

Bien sûr, vous ne pouvez pas le porter et marcher ainsi pendant des heures, même si vous êtes deux à le faire à tour de rôle. Mais vous pouvez répondre au besoin de contact de votre bébé en l'enveloppant de telle façon que la couverture qui l'entoure lui apporte la même sensation de chaleur et de sécurité que lorsqu'il est entre vos bras, tout contre votre corps.

Vous pouvez aussi réduire ce genre de pleurs à leur minimum en vous assurant que toutes les surfaces sur lesquelles votre bébé repose sont chaudes et douces. Le plastique de son matelas ou de certains draps vous semble peut-être pratique, mais il est horrible pour lui. Le mieux est de recouvrir ce genre de matière de tissu-éponge ou d'un équivalent.

D'AUTRES FAÇONS DE LE RÉCONFORTER

Si vous avez essayé tous les «remèdes» appropriés et que votre bébé pleure toujours inexplicablement et vous désespère, il y a quelques autres pistes que vous pouvez tenter. Mais «tenter» est le bon mot. Il se peut que, malgré toute votre bonne volonté, rien ne marche dans l'immédiat. Tous les bébés pleurent, mais certains plus que d'autres et les parents n'en sont pas responsables. Vous pouvez tous passer quelques semaines difficiles.

Envelopper votre bébé rappelle un peu l'ancienne coutume de l'emmaillotage, excepté que le but n'est pas de «tenir son dos droit» ou autres absurdités de ce genre. L'idée est simplement de lui procurer un bien-être tactile, en l'entourant d'une matière chaude et douce qui empêchera ses propres petits mouvements saccadés de le déranger.

Cette technique a un pouvoir calmant magique sur la plupart des bébés. Mais attention, si le tissu est placé de façon trop lâche, elle peut

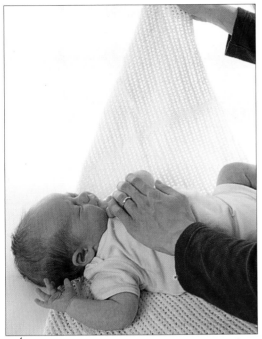

1 Étendez votre bébé sur une couverture en tissu doux et légèrement élastique. Tenez l'un des côtés au niveau de la nuque du bébé.

2 Ramenez ce côté vers le bas de l'épaule gauche de façon qu'il tienne son coude fléchi et laisse sa main libre. Glissez le bout sous votre bébé.

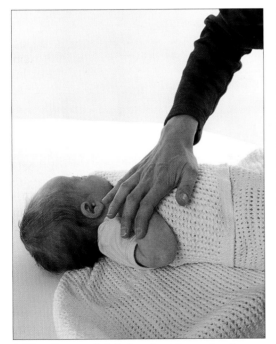

3 Tirez l'autre côté de la même façon, épaule droite tenue, main libre. Il faut que le tissu soit juste assez tendu pour bien envelopper votre bébé.

4 Soulevez-le un peu pour vous assurer qu'il est bien enveloppé – ou portez un peu ce petit paquet bien emmitouflé et, pour le moment, calme.

avoir l'effet inverse. Le but est d'envelopper complètement votre bébé afin que ses membres soient tenus dans leur position préférée et qu'il ne puisse avoir que des mouvements d'ensemble et non des petits gestes à l'intérieur de la couverture. Si vous utilisez la méthode présentée à la page 117, vous n'aurez pas à craindre de le serrer trop fort. La couverture est tenue dans sa position uniquement par le propre poids du bébé, et celui-ci ne peut suffir à la serrer plus qu'il ne faut. Le tissu idéal est léger et un peu extensible et s'adapte à la forme du bébé. Une petite couverture de laine fera l'affaire en hiver. Lorsqu'il fait doux, un drap en coton est agréable au toucher sans être trop chaud. Quelle que soit la matière utilisée, elle lui tiendra forcément un peu chaud. Il faut donc bien penser à l'habiller un peu plus légèrement sous la couverture pour compenser.

Un nourrisson en position naturelle a les bras un peu pliés au coude et les jambes fléchies. C'est ainsi qu'il faut l'envelopper, sans tenter de changer sa position au départ. Pensez à laisser ses mains libres afin qu'il puisse les sucer s'il en a envie.

Cette méthode est efficace plus ou moins longtemps selon les bébés. Laissez le vôtre en juger : lorsqu'il veut se débarrasser tout seul de son enveloppe, il donne des coups de pied et lutte pour s'en défaire.

Les rythmes qui calment

On peut aider un bébé à se détendre par certains stimuli rythmiques réguliers. Il semble que l'efficacité de ces mouvements vienne du fait qu'ils annihilent toute source d'inconfort interne ou externe. Comme si vous recouvriez et effaciez tout ce qui le gêne d'une couverture douce. Cela ne fonctionnera que si vous n'avez pas oublié une cause simple à ses pleurs, comme la faim, qui finirait par reprendre le dessus. Mais cela sera sûrement efficace si c'est une irritabilité diffuse ou une tension interne qui l'empêche de se détendre et de trouver le sommeil.

Le balancement régulier est universellement reconnu pour ses propriétés calmantes et somnifères. Les parents qui trouvent cela inefficace le font certainement trop lentement. Des études assez anciennes ont montré qu'un rythme efficace était d'au moins 60 balancements par minute, en se déplaçant d'au moins 8 cm. Un tel rythme est difficile à suivre, même avec un berceau à bascule. Il existe différentes sortes de gadgets à cet effet et une chaise berçante peut aussi convenir, mais le plus simple est encore de marcher avec votre bébé dans vos bras.

Une façon différente de porter et d'être porté peut changer l'humeur de tout le monde.

Un petit tour de salon le bercera juste comme il faut. Il est presque certain que ce mouvement de balancement calme votre enfant parce qu'il lui rappelle sa vie dans l'utérus. Vous pouvez offrir balancements et réconfort tactile à votre enfant tout en continuant à vaquer à vos propres occupations en utilisant un de ces porte-bébés ou bandeaux, offerts aujourd'hui sous différentes formes. Pour un tout petit bébé, et surtout quand le but est de le calmer et non de le transporter, le mieux est encore le porte-bébé, qui soutient bien sa tête et le tient au chaud tout contre vous.

La plupart des bébés sont aussi apaisés par des bruits doux et réguliers. On trouve des enregistrements de battements de cœur tels que le bébé les perçoit dans l'utérus, mais vous pouvez tout simplement lui chanter une berceuse. Vous pouvez aussi lui passer un CD de musique douce mais il ne faut pas qu'elle s'arrête avant qu'il ne se soit endormi.

Le bruit sourd d'un radiateur ou d'une machine à laver est souvent extraordinairement efficace. Tout comme le moteur d'une voiture. Presque tous les bébés dorment très bien dans une voiture en marche et se réveillent dès que vous arrêtez le moteur. Donc, inutile de faire le tour du pâté de maison au milieu de la nuit…

Téter ne calme un bébé qui crie de faim que s'il en retire de la nourriture mais calmera toujours un bébé qui n'a pas faim.

Le réconfort de la succion

Il y a des avantages et des inconvénients à l'utilisation de sucettes (voir p. 186). Les bébés relativement satisfaits peuvent parfaitement s'en passer et c'est même préférable. Mais les sucettes sont d'une grande aide pour les bébés qui sont nerveux et difficilement consolables autrement. Leur bouche furieuse transpose sur cette sucette toute l'énergie qu'elle mettait à crier. Progressivement, le rythme de succion diminue. Et finalement, le bébé s'endort. Même dans son sommeil, une sucette dans la bouche le protège d'une nouvelle envie de pleurer : dès que quelque chose le dérange, il tète au lieu de se réveiller.

Si vous décidez que votre bébé a besoin d'une sucette, veillez à ne pas prendre l'habitude de la lui mettre dans la bouche dès qu'il pleure. Essayez d'abord de comprendre ce dont il a besoin et de le lui fournir. La sucette ne doit être utilisée qu'après avoir essayé toutes les autres solutions.

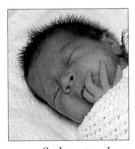

Certains bébés trouvent et sucent leur pouce ou leurs autres doigts avant la naissance et découvrent le confort de succion dès le premier jour de vie. D'autres mettront plusieurs semaines à trouver leur main sans votre aide. Si ses pleurs inconsolables vous inquiètent mais que vous refusez le recours à la sucette, la solution est d'approcher sa main de sa bouche pour voir s'il peut se calmer en la suçant tout seul. Malgré tout, il est possible qu'il préfère sucer votre doigt plus large que son tout petit pouce.

Seulement quelques chanceux parviennent à se consoler tout seuls en suçant leurs propres doigts.

Un peu de chaleur en plus

Comme nous l'avons vu, les bébés ont tendance à être agités lorsqu'ils doivent se réchauffer eux-mêmes, et plus apaisés lorsqu'il fait chaud autour d'eux, à condition qu'ils soient habillés en conséquence. Si vous ne parvenez pas à calmer les cris de votre bébé, un peu de chaleur en plus peut l'aider à se détendre. Cette chaleur n'est en aucun cas un remède à son véritable problème, mais une température d'au moins 21 °C autour de lui lui permet d'y réagir de façon plus tempérée. S'il finit par s'endormir, vérifiez bien avant de vous éclipser, réjouie, qu'il ne risque pas non plus d'avoir trop chaud.

Assurer une bonne température à un bébé agité et difficile à réconforter pendant les premières semaines après sa naissance est toujours une bonne chose à faire. Couvrez-le bien lorsque vous le sortez dans sa poussette et qu'il fait frais ou lorsque vous l'installez dans une voiture froide, jusqu'à ce qu'il ait un peu grandi. Chauffez sa chambre à 21°C, si possible, jusqu'à ce qu'il semble se sentir mieux et s'être habitué à sa nouvelle vie.

Les coliques

Une cause très courante des pleurs du nourrisson n'a pas été mentionnée dans les pages précédentes. Cela commence souvent ainsi : votre bébé de trois ou quatre semaines se met à pleurer de façon particulièrement déchirante en début de soirée plus qu'à n'importe quel autre moment. Lorsqu'il grandit et trouve son rythme, pleure moins au cours de la journée et est plus facile à consoler, les crises du soir, au contraire, se font de plus en plus régulières et intenses.

À cette période va correspondre sans doute une visite chez le médecin. Vous souhaitez connaître les raisons de la régularité de ces cris incontrôlables et de votre incapacité à le réconforter. Quel est donc son problème ?

Votre médecin va examiner votre enfant et parler avec vous. Il va s'assurer que le bébé est en bonne santé et qu'aucune raison physique – par exemple une indigestion – ne vient confirmer l'impression que vous avez que ces cris sont dus à des gaz ou à une douleur abdominale.

À la fin de la consultation, vous saurez que rien de grave ne provoque ces pleurs, mais vous ne connaîtrez toujours pas leur véritable raison ni la solution pour les supporter...

La réponse la plus probable à ce «pourquoi» est sans doute «les coliques» (ou «coliques du soir» ou «coliques du troisième mois»). Si votre médecin n'utilise pas ces termes, c'est tout simplement parce qu'ils sont loin d'être scientifiques. «Coliques» rappelle le nom d'une véritable maladie, potentiellement grave, nécessitant diagnostic et traitement. Mais les coliques du nourrisson ne sont pas une maladie, seulement un état d'agitation sans cause connue, sans traitement habituel et sans conséquence, si ce n'est sur les nerfs des parents. En réalité, de nombreux spécialistes rejettent la notion de colique pour parler d'une variété de pleurs du nouveau-né. Nous utilisons ici ce terme parce qu'un mot, même s'il n'est pas scientifique, peut aider vos nerfs à passer les deux ou trois mois que vous aurez à affronter si votre bébé hurle de façon désespérée tous les soirs. C'est vous qui allez devoir essayer tout ce que vous pourrez imaginer pour l'aider. Et c'est vous qui devrez accepter que, malgré toutes ces petites choses qui l'aident une minute ou deux, il n'y a rien d'autre à faire qu'attendre.

Vivre avec les coliques du nourrisson

Aucune des techniques qui marchent en temps normal avec votre bébé ne suffit lorsqu'il a des coliques. C'est ce sentiment d'impuissance, mêlé au fait que ces cris arrivent toujours au moment de la journée où vous commencez à être fatiguée et à avoir besoin tous les deux de calme, qui fait que ces périodes sont aussi pénibles à traverser pour les jeunes parents. Essayez d'accepter qu'on ne puisse en connaître la cause. Si vous la cherchez en permanence, vous allez semer la confusion dans tous les autres soins dont votre enfant a besoin, en essayant de le changer, de le nourrir, etc., sans aucun succès. Les coliques ont été mises tour à tour sur le compte d'un excès ou d'un manque de nourriture, de laits trop ou pas assez riches, trop chauds ou trop froids, d'un débit trop lent ou trop rapide, des allergies, des hernies, de l'appendicite, des troubles de la vésicule biliaire, des gaz et de la fatigue nerveuse de la mère ! Toutes ces explications contradictoires ont en commun le même hic : comment expliquer que les coliques surviennent toujours à la même heure ? Votre façon de le nourrir n'a rien de spécial au repas de 18 heures. Un problème physique n'a aucune raison de se révéler toujours à la même heure. Si votre fatigue est une cause plus que le résultat des coliques, le problème devrait disparaître lorsque le papa prend le relais.

Ne soyez cependant pas trop disposée à croire que votre bébé souffre de coliques. Si vous vous précipitez sur cette conclusion dès qu'il pleure le soir, vous prenez le risque de passer à côté d'une raison beaucoup plus simple à régler. Le tableau ci-dessous présente ce qu'on entend généralement par coliques. Si le comportement de votre bébé y correspond en partie, cela vous réconfortera peut-être de penser qu'il en souffre effectivement.

IL S'AGIT PEUT-ÊTRE DE COLIQUES SI :	IL NE S'AGIT PEUT-ÊTRE PAS DE COLIQUES SI :
Il s'agite et commence à crier dès qu'il a fini le repas pris en début de soirée, ou bien s'endort après le biberon mais se réveille en criant une demi-heure après.	Il a l'air de se sentir mal après son repas de début de soirée et pleure et gémit assez longtemps avant de s'endormir, mais ne crie pas. Les coliques s'accompagnent toujours de véritables cris.
Il ne fait pas que pleurer, mais crie, lève ses jambes au-dessus de son ventre et semble plié par la douleur.	Ses pleurs sont ses pleurs habituels, même s'ils sont forts et qu'il lève ses jambes au-dessus du ventre.
Tout ce que vous faites l'aide mais seulement une minute. Il accepte votre sein ou une sucette, vous pensez donc avoir trouvé la solution – mais il se remet à crier. Un rot arrête les hurlements – mais ils reprennent. Vous le bercez, il se calme – mais seulement quelques secondes. Des caresses sur son ventre font des miracles – mais qui ne durent pas.	Ce que vous faites pour l'aider calme ses pleurs au moins une demi-heure. Si un repas ou une sucette fonctionne, il avait faim ou envie de téter ; dans tous les cas, il ne souffrait pas de coliques. Si un rot lui permet de s'endormir, il avait seulement de l'air, et si le bercer, le câliner ou le masser l'apaise, il se sentait seul ou trop tendu.
Lorsque vous parvenez à calmer ses terribles cris, votre bébé tremble et sanglote, puis les cris reprennent.	Quand vous calmez ses pleurs, il est paisible au moins jusqu'à ce que vous le reposiez dans son lit.
Ces cris durent au moins une heure, et parfois trois ou quatre, puis l'épisode est fini et la nuit passe calmement.	L'épisode dure une demi-heure, puis il reste calme pendant au moins un quart d'heure avant de crier à nouveau. Un mauvais jour…
La même chose se répète tous les jours à peu près à la même heure et n'apparaît à aucun autre moment de la journée.	Il crie de façon occasionnelle et entêtante à n'importe quelle heure du jour et de la nuit. C'est dur à supporter mais cela n'a rien à voir avec des coliques.

Parfois, il me semble que ce ne sont pas les cris de mon bébé que je déteste, mais mon bébé lui-même.

Souvent, mon bébé pleure pour des raisons incompréhensibles. Malgré tout ce que je peux faire, il ne cesse de hurler lorsque je le lave, comme si je lui avais mis du savon dans les yeux. Je ne comprends pas pourquoi ; je ne fais que ce que je dois faire. Pourquoi continue-t-il alors que je fais mon possible pour lui donner ce qu'il veut ? Parfois, je pense que je suis une mauvaise mère, et parfois je pense qu'il est l'enfant le plus désagréable au monde. Les deux doivent être vrais.

Votre bébé découvre un tout nouveau monde où beaucoup de choses le perturbent et le font pleurer. Ce bébé est un grand changement pour vous aussi, mais ne laissez pas son comportement vous déstabiliser. Vous devez l'aider à apprivoiser ses peurs, non les partager.

Ses pleurs vous signalent que quelque chose ne va pas, mais sans vous préciser la cause ou la gravité du problème. Quand il pleure lorsque vous vous occupez de lui, votre bébé peut devenir rouge de panique parce que vous passez sa veste sur sa tête aussi bien que parce qu'il a du savon dans les yeux. Acheter des vestes qui s'ouvrent par-devant et faire attention aux gouttes de savon est une bonne idée, mais il est aussi important d'avoir assez confiance en vous pour rester calme parce que *vous savez que cela n'est pas grave.* Vraiment pas grave. Donc, continuez, sans perdre votre sang-froid.

Pour le moment, vous devez accepter que votre bébé pleure pour de petits, parfois même d'infimes, prétextes. Il n'y a aucune raison de vous comporter comme s'il était en porcelaine. Bien sûr, vous ferez de votre mieux pour qu'il n'ait pas de savon dans les yeux, mais vous avez le droit de vous dire : « Le lait ne peut pas rester dans les plis de son cou. Je fais aussi doucement que possible et continue à le laver même s'il hurle... » Vous n'êtes pas en train d'ignorer ses pleurs. En réalité, vous faites même beaucoup d'efforts pour l'écouter et le comprendre. Mais vous acceptez le fait que,

même lorsque vous comprenez ce qu'il veut, vous ne pouvez pas toujours le contenter car *vous savez mieux que lui* ce dont il a besoin. Dans l'immédiat, il pleure parce que vous lui lavez le cou. Si vous arrêtez, peut-être cessera-t-il de pleurer maintenant (mais ce n'est pas sûr), mais il criera plus fort lorsque son cou sera irrité. Ça, vous le savez ; lui, non.

Rester calme lorsqu'il crie à cause de quelque chose qui doit être fait rend tout plus simple : vous accomplissez votre devoir – combler ses besoins à long terme et répondre à son agitation présente – et vous l'aidez à s'habituer à son quotidien. Enfiler un vêtement par la tête ne fait pas mal. Que vous en soyez sûre l'aidera à l'accepter.

C'est ce genre de confiance fondamentale en votre propre compétence en tant que parent – liée à votre attachement fondamental à l'enfant, bien sûr – qui vous est utile aussi dans les pires moments, lorsque vous ne comprenez vraiment pas ce qu'il demande ou ressent. Plus il pleure et plus la panique et la culpabilité gagnent de terrain sur la compassion. Vous finissez par ressentir une sorte de haine, et la culpabilité vous envahit d'être capable d'un tel sentiment.

Votre bébé n'a pas de jugement. Il n'est pas capable de « réfléchir » à la façon dont les adultes se comportent et n'est donc certainement pas en train de vous juger ou de vous embêter sciemment. Il n'essaie pas non plus de vous dire quelque chose de vital que vous ne comprenez pas. S'il crie comme s'il était à l'agonie, c'est qu'il se sent vraiment à l'agonie ; il est certain qu'il a besoin de vous, mais pour autant, il n'y a pas d'urgence médicale. Ses pleurs vous disent que « quelque chose ne va pas ». Vous comprenez le message et faites ce que vous pouvez pour l'apaiser. Mais le problème, son degré de gravité et ce qui peut et doit être fait pour le résoudre relèvent de *votre* jugement. Faites-vous confiance afin qu'il puisse vous faire confiance. Après tout, c'est vous l'adulte.

Le bercer, le caresser, lui chanter une chanson ; tout peut aider votre bébé à se détendre, ou n'avoir aucun effet.

Votre recherche du « remède » à ses coliques ne doit pas dépasser certaines limites. Votre médecin va peut-être vous conseiller de lui donner des gouttes d'une marque particulière avant son repas, de changer son lait s'il est au biberon ou de modifier votre alimentation s'il est au sein – en éliminant les produits laitiers, par exemple. Mais si rien de ce qu'il vous conseille ne marche, n'allez pas chercher ailleurs d'autres solutions et n'essayez pas d'autres médicaments sur votre bébé. S'il y avait un remède, tout le monde le connaîtrait.

Au lieu de vous tourmenter à savoir pourquoi, de vous culpabiliser d'avoir mal fait telle ou telle chose, de vous inquiéter que votre bébé soit malade, tentez d'être d'humeur résignée et constructive : vous n'êtes pas fautive et vous ne pouvez pas faire grand-chose. Il va y avoir quelques mauvaises semaines à passer, et il reste à savoir comment.

Même lorsqu'ils savent qu'il n'existe pas de remède contre les coliques du nourrisson, la plupart des parents pensent qu'ils doivent continuer d'essayer de le réconforter et ne peuvent laisser seul leur bébé plus de quelques minutes. Des études récentes prouvent qu'ils ont raison. Les coliques des bébés ne s'arrêtent pas pour autant, mais les bébés crient beaucoup moins (ils remplacent les cris par des gémissements). Et en effet, certains parents se souviennent que trois heures ininterrompues de hurlements se transformaient, après trois heures d'acharnement de leur part, en seulement une demi-heure de cris et deux heures et demie passées entre pleurs et gémissements.

Quelquefois, vos divers soins réussissent vraiment à interrompre le mal-être de votre bébé. Cela vaut alors la peine de les répéter – peut-être en un cycle régulier : le bercer en marchant, lui offrir une sucette, lui caresser le ventre… – afin d'additionner les moments de calme. Quelquefois, ce que vous tentez ne produit qu'une infime différence, mais ça vaut quand même la peine ; écoutez la note particulièrement désespérée qu'il lance lorsque vous le posez, elle prouve que votre bébé est bien conscient que vous êtes là pour lui et que vous tentez de l'aider. Essayez de vous libérer autant que possible de vos autres tâches pendant ces moments difficiles, vous vous sentirez moins stressée. Des repas surgelés à réchauffer sont parfaits et vous pouvez laisser votre répondeur en marche. Ces heures restent cependant éreintantes, alors pourquoi ne pas les partager ? Certains couples instaurent des « tours de garde » – trente minutes l'un, trente minutes l'autre –, ce que vous pouvez aussi demander à de bons amis si vous êtes seule. D'autres font faire une balade en poussette à leur bébé dès qu'il commence à hurler et d'autres dansent avec lui dans les bras sur de la musique assez forte (pour être en harmonie) ; le bébé est bercé et les parents se défoulent… Et souvenez-vous : si pénibles soient ces coliques (et elles peuvent vraiment l'être), elles ne sont pas dangereuses pour votre bébé et ne dureront, au pis, pas plus de douze semaines.

APPRENDRE
L'UN DE L'AUTRE

Il est plus difficile de s'occuper de certains bébés que d'autres – cela paraît évident à quiconque a passé du temps avec plus de deux bébés. Mais on avoue moins facilement que certains adultes prennent moins de plaisir que d'autres à s'occuper des bébés. Vous ne pouvez pas plus choisir le tempérament de votre enfant que son sexe. Vous le prenez tel qu'il est. Mais ce qu'il est va aussi marquer votre apprentissage du rôle de parent; il sera plus ou moins évident d'être le père ou la mère – ou les grands-parents ou l'éducatrice – de ce bébé en particulier. Il peut être le «genre» de bébé que vous trouvez facile à comprendre, facile à vivre, ou alors le «genre» de bébé dont il faut s'occuper d'une façon qui ne vous est pas naturelle.

Les nouveau-nés en bonne santé ont beaucoup de caractéristiques et de comportements communs, bien sûr, et se ressemblent plus qu'ils ne se différencient. Mais cela ne signifie pas que tous les bébés sont identiques et que les gens qui sont «à l'aise avec les bébés» pourront s'occuper de l'un exactement comme de l'autre. Un bébé est un individu qui est génétiquement unique et qui a déjà acquis un ensemble unique d'expériences, dans l'utérus, pendant la naissance et après. Tous ces éléments réagissent les uns aux autres et jouent un rôle dans la façon dont le bébé s'installe dans la vie et réagit au monde – et aux adultes qui l'entourent. Ces adultes sont eux aussi des individus uniques, avec des années et des années d'expérience derrière eux (en tant que bébé, enfant et adulte) qui influent toutes sur l'idée qu'ils se font des bébés en général et de celui-ci en particulier, et sur leur propre comportement.

Si votre bébé tel qu'il est réellement ressemble à votre bébé tel que vous l'aviez imaginé, et si vos gestes «spontanés» sont ceux qui semblent lui convenir, l'interaction entre vous sera facile et simple dès le début. Mais si, au contraire, tout cela ne colle pas – et même s'oppose –, vous et votre bébé allez devoir prendre le temps de vous adapter l'un à l'autre. Imaginez, par exemple, que c'est votre deuxième enfant et que son grand frère était un bébé calme, voire placide, qui a poussé comme une fleur, acceptant toutes les stimulations et vos propres balbutiements.

Vous commencez par vous comporter avec le deuxième comme avec le premier – appliquant simplement la méthode qui vous a été apprise par votre premier enfant; s'il a les mêmes réactions, tout va bien. Mais si jamais ce bébé est particulièrement réactif et agité, terrifié par n'importe quel geste qui ne soit pas une caresse, vos premiers échanges ne seront pas simples. Vous avez tous les deux des choses à apprendre. Son caractère vous influencera dans vos façons de faire, vous apprendra à être plus douce; et vous influencerez son caractère, en lui apprenant à être plus calme.

Au tout début, vous devez essayer de vous conduire avec lui de la façon qui lui convient maintenant, tout en sachant que certains de ses comportements les plus extrêmes peuvent être dus à des expériences antérieures à sa naissance et sont donc susceptibles de

Ce que vous faites pour le rendre heureux maintenant n'est pas forcément ce qui lui conviendra plus tard. Il faut laisser aux nouveau-nés la possibilité de changer.

changer. Acceptez-le comme il est aujourd'hui, mais laissez-lui la possibilité d'être très différent au bout de quelques mois. Une maman plutôt énergique et active et un papa extraverti et sportif devront faire des efforts immenses pour adapter leurs gestes et même leur mode de vie à leur petit bébé particulièrement sensible, mais s'ils s'enferment dans l'idée qu'il est «nerveux» et «toujours tendu», ils vont conserver cette attitude extrêmement prudente avec lui, même lorsqu'il sera plus mature et prêt à supporter un comportement plus naturel. Oubliant qu'un bébé peut changer, ils oublieront aussi de lui offrir des jouets bruyants, de jouer à la bagarre avec lui à six mois et le surprotégeront des chutes lorsqu'il découvrira la marche. Ce petit enfant pourrait avoir de vraies difficultés à affirmer son indépendance et son autonomie.

Quelle que soit sa personnalité maintenant, faites en sorte qu'il soit heureux et paisible mais ne lui collez pas déjà des étiquettes. Vous allez vous transformer l'un l'autre, et cette interaction joue une part dans la formation de sa personnalité. Mais personne ne sait pour l'instant quel genre d'individu il va devenir. Ce mystère fait partie de l'excitation qu'il y a à élever un être humain tout neuf.

Ci-dessous sont indiqués différents «genres» de nouveau-nés, qui relèvent plus de la sagesse populaire que de la science. Les études sur le comportement infantile ne cherchent pas à catégoriser les individus avant quatre mois au plus tôt. Beaucoup de ces catégories se désintègrent d'elles-mêmes bien avant, dès que le nouveau-né commence à s'habituer à sa nouvelle vie. Cependant, certains comportements qui diffèrent de ce qu'on attend généralement d'un tout petit bébé peuvent être des sources d'inquiétude pour les parents.

Les bébés qui n'aiment pas être portés

Quelle que soit leur personnalité, la plupart des nouveau-nés adorent être tenus tout contre un adulte. La meilleure réponse à apporter à un bébé triste, nerveux ou trop agité pour dormir est en général de le tenir dans les bras en le caressant, en chantant ou bien en le berçant. Et quand vous ne pouvez rien faire de cela, il y a encore la solution de le tenir contre vous dans son porte-bébé.

Les bébés dits «pas câlins» semblent refuser, et même détester, la sensation physique de bras qui les entourent. Ils ne veulent pas poser en toute confiance leur lourde tête sur l'épaule d'un adulte ou s'installer confortablement sur lui. Loin de les détendre, être enveloppés les rend furieux.

Ces bébés qui n'aiment pas être tenus trouvent en général leur réconfort dans un autre genre de rapports et préfèrent l'échange de regards au contact, la parole aux caresses. Si votre bébé tente de s'échapper de vos bras, ne soyez pas blessée :

■ Installez-le sur un lit en vous asseyant à côté de lui afin qu'il puisse vous observer pendant que vous lui parlez. Il veut vous regarder et commencera peut-être à vous sourire et à vous «répondre» plus vite.

■ Si vous mourez d'envie de caresser ses petits poignets replets et d'embrasser les fossettes du bas de son dos, faites-le lorsqu'il est confortablement installé dans son berceau ou sur sa table à langer afin qu'il accepte vos caresses sans se sentir enfermé. Il appréciera aussi que vous jouiez avec ses doigts, que vous bougiez ses jambes et que vous lui fassiez des chatouilles sur le ventre.

■ De même que les bébés «câlins» ont tout autant besoin de vos regards et de votre voix que de contact physique, les bébés «pas câlins» ont besoin d'être portés. Passé quelques mois, votre bébé aimera toutes les formes de contact avec vous. Mais durant ces toutes premières semaines, admettre ses préférences vous simplifiera la vie à tous les deux.

Les bébés qui n'ont jamais l'air satisfaits

De même que certains adultes voient toujours le mauvais côté des choses, certains bébés ont un penchant à la tristesse. Ces bébés mettent souvent plus de temps à se conformer au tableau habituel: s'endormir profondément et paisiblement, se réveiller affamé, puis se sentir repu, éveillé et heureux, et s'endormir à nouveau. Ils se comportent comme si des petits échantillons de tous ces états se mélangeaient, ce qui les rend imprévisibles et les empêche de trouver leur nouvelle vie agréable.

Un tel bébé aura l'air fatigué et chagrin, et aura du mal à être assez décontracté pour s'endormir. Il ronchonne et fait de toutes petites siestes dans l'après-midi, puis la faim le met en colère mais il ne prend pas plaisir à téter. Le nourrir n'est pas facile et demande de la patience. À la fin du repas, il est éveillé mais pas sociable. Il est vite lassé d'être porté, ne semble pas prêter attention à vos paroles et n'a pas plus envie de retourner dans son lit. Il a sans doute un sommeil léger.

Ce bébé grossira moins vite que la plupart et sera plus lent à faire son premier sourire ou à jouer avec ses mains. Souvent, il a même l'air mécontent. Il est l'opposé de ces «jolis bébés» de publicité.

Il est très déprimant de ne pas parvenir à rendre un bébé heureux. Vous aurez l'impression de ne pas être le parent adéquat, comme avec un bébé qui pleure sans raison apparente. Si son mécontentement dure trop longtemps, vous vous sentirez insatisfaite, à force d'offrir tout votre amour sans rien recevoir en retour. Bien que ces sentiments soient parfaitement compréhensibles, vous ne pourrez aider votre bébé sans les tenir à distance. Ne vous sentez pas accusée par sa tristesse. C'est la vie hors de l'utérus que votre bébé a du mal à apprécier, pas vous. Il faut le soutenir et continuer à lui offrir l'attention réconfortante et patiente qui finalement parviendra à lui rendre la vie agréable. Continuez à faire en sorte qu'il vous regarde, vous écoute et vous sourie. Une fois que vous l'aurez amené à vous répondre, le pire sera derrière vous. Vous pouvez avoir recours à toutes les suggestions concernant le réconfort des bébés qui pleurent (voir p. 114) et en particulier:

■ Assurez-vous qu'il prend autant de lait qu'il veut, quand il veut.
■ Votre bébé est-il plus paisible lorsqu'il est contre vous? S'il aime être promené dans les bras, utilisez un porte-bébé afin que vous, ou toute autre personne qui s'occupe de lui, puissiez le porter le plus de temps possible lorsqu'il est éveillé.
■ Évitez de lui imposer des changements tant qu'il n'est pas plus satisfait avec ce qu'il connaît déjà. Par exemple, ne lui faites pas découvrir un nouveau siège de bébé ou même son premier jus de fruits tant qu'il est encore perturbé.

Les bébés nerveux

Tous les nouveau-nés sont surpris par les bruits forts, se détournent des lumières trop vives et tendent les bras en pleurant lorsqu'ils ont peur de tomber. Les bébés nerveux portent ce genre de comportements à leur extrême. Ils peuvent sursauter, trembler et pâlir au moindre événement. Ils ont l'air effrayés par tout, et peut-être le sont-ils. Peut-être est-ce la vie hors du havre de chaleur et de paix qu'est l'utérus qui les effraie.

Un bébé nerveux réagit de façon disproportionnée à tout ce qui se passe, aussi bien à l'extérieur qu'à l'intérieur de lui. La faim le plonge rapidement dans des sanglots désespérés. Ses propres gestes incontrôlés le réveillent. Il se raidit lorsqu'on le prend ; il tressaute lorsqu'on le repose. Tout changement dans son environnement, même infime, l'inquiète. Avec ce genre de bébé, mettre le téléphone dans la pièce d'à côté ne suffit pas, la sonnerie de l'autre côté du mur le fait sursauter.

Faire peur à un bébé ne lui apprend pas à ne plus avoir peur. Le surprendre ne va pas aider son système nerveux à réagir plus calmement aux surprises mineures. C'est son développement naturel combiné à votre soutien affectueux qui lui permettra de trouver de moins en moins de raisons d'être contrarié dans la vie quotidienne. S'occuper d'un bébé nerveux peut être un vrai défi ; voir les choses sous cet angle peut d'ailleurs vous en révéler le côté amusant. Préparez-vous à tenter chaque jour – et chaque instant – de ne rien laisser l'apeurer et le faire pleurer. Essayez de le stimuler dans des proportions qu'il tolère le temps qu'il grandisse et qu'il soit capable d'en accepter plus avec plaisir :

■ Ne vous précipitez jamais lorsque vous vous occupez de lui. Quand vous le soulevez, par exemple, prévenez-le et laissez à ses muscles le temps de s'adapter au changement de position. Quand vous le portez, bougez doucement en lui tenant bien la tête et tenez-le fermement pour lui éviter toute sensation d'insécurité.

■ Réduisez toute manipulation au minimum. Par exemple, il y a des chances qu'un bébé agité déteste être baigné et doive simplement être lavé à la débarbouillette jusqu'à ce qu'il soit plus rassuré. Peut-être n'aimera-t-il pas non plus les grands espaces et les secousses d'une promenade en poussette.

■ Réduisez au minimum les sollicitations physiques en l'enveloppant bien, sans pour autant qu'il ait trop chaud. Les changements de position et les déplacements seront mieux vécus s'il est bien emmailloté (voir p. 116). Il se sent plus en sécurité protégé du monde extérieur dans son petit cocon.

■ Assurez-vous que les personnes qui prennent soin de lui sont douces et calmes. Vous voulez qu'il comprenne qu'il n'a pas à craindre ce monde. Un oncle joyeux, plein de bonnes intentions, peut effrayer un bébé par un rire trop fort et lui donner encore plus envie de se méfier de ce nouveau monde. Protégez-le ; il a bien le temps d'apprendre les liens sociaux.

Les bébés dormeurs Les bébés qui semblent capables d'un sommeil sans fin se sentent certainement aussi peu prêts à affronter le monde extérieur que les bébés tristes ou nerveux. Mais leur réaction est bien différente : plutôt que de protester ou de reculer face à la vie, ils l'évitent en restant endormis.

Un bébé endormi ne pose pas de problème. Il ne demande presque rien et il faut probablement le réveiller à l'heure des repas. Il reste rarement éveillé assez longtemps pour téter suffisamment en une seule fois et, lorsqu'il s'est endormi sur son repas, il peut être impossible de le sortir du sommeil. Il ne donne pas l'impression d'être attentif à son environnement ou à ses parents. Il pleure rarement longtemps mais n'a pas non plus vraiment l'air heureux. Il est somnolant, neutre…

Bien que le manque de réactions de votre bébé puisse vous décevoir, il s'agit plutôt d'un « genre » de bébé facile. Pendant ses si longues périodes de sommeil, vous pouvez vous préparer et rassembler vos forces pour le moment proche où il sera un bébé actif. En attendant :

■ Assurez-vous que le bébé mange suffisamment. Il arrive qu'un bébé exceptionnellement dormeur et nourri à la demande ne prenne pas autant de poids qu'il devrait parce qu'il ne réclame pas assez de nourriture pour satisfaire les besoins de son corps. Si vous devez le réveiller, il n'y a évidemment aucun mal à le faire à votre convenance tant que vous le faites au moins toutes les quatre heures et peut-être même plus souvent s'il ne tète que cinq minutes par repas.

■ Ne laissez pas un bébé dormir plus de douze heures au tout début, même si cela semble lui convenir. C'est un délai trop long sans eau, sans parler de nourriture. Et si vous allaitez, il ne faut pas rester si longtemps sans stimuler votre poitrine. Réveillez-le au moment de vous coucher et lorsque vous vous levez, et bénissez le fait qu'il ne vous réveille sans doute jamais au petit matin.

■ Ne considérez pas son isolement dans le sommeil comme normal. En d'autres mots, ne laissez pas cette tendance à vivre reclus dans son berceau devenir une habitude. Multipliez les moments d'échange. Essayez de le convaincre qu'observer les choses et écouter les voix est intéressant. S'il s'endort sur vos genoux au bout de deux minutes, remettez-le au lit, mais jouez à nouveau avec lui lors de son prochain repas. Vous l'aiderez à réaliser, progressivement, qu'être éveillé est amusant.

Les bébés qui dorment peu

Les bébés n'ont pas tous les mêmes besoins sur le plan du sommeil dès le début de la vie. La plupart des bébés dorment à peu près seize heures sur vingt-quatre au départ. Les gros dormeurs dormiront vingt-deux heures. Les bébés qui dorment très peu ne dorment pas plus de douze heures par jour et leurs siestes durent rarement plus de deux heures.

Un bébé qui dort peu n'est pas, en général, particulièrement nerveux ou malheureux. Rien ne l'« empêche de dormir ». Simplement, il ne dort pas le nombre d'heures habituel pour son âge. Il va prendre un repas et s'endormir tout de suite après. Mais une ou deux heures plus tard, il est à nouveau éveillé, non parce qu'il a encore faim mais parce qu'il a cessé de dormir. Tout ce temps d'éveil supplémentaire va lui permettre de s'intéresser plus tôt que les autres bébés aux choses qui l'entourent. Son développement, sur tous les plans, sera plus rapide puisqu'il passe plus de temps à écouter, à regarder et à apprendre.

Ce n'est pas le bébé auquel on se consacre complètement sur quelques moments de la journée et qu'on peut ignorer entre-temps. Sa présence est effective presque toute la journée et une partie de la nuit…

La façon dont vous allez réagir dépend de ce que vous aurez à faire à côté. Un aîné jaloux, par exemple, souffrira plus d'un bébé toujours en éveil que d'un autre qui dort dans son coin une grande partie de sa journée d'enfant. Le problème principal avec un bébé qui dort peu est qu'il passe beaucoup plus de temps éveillé que ce que vous (et n'importe qui d'autre) pensiez et qu'à cet âge il est difficile de trouver de quoi l'amuser.

Rappelez-vous que, s'il avait besoin de dormir, il dormirait. Essayez d'accepter cet éveil et ne pensez pas qu'il « devrait » dormir. Si vous tentez de le forcer à se comporter comme un autre bébé, vous perdrez beaucoup de temps à le plonger dans de petites siestes qu'il ne veut pas. Cela le perturbera, il se sentira seul et s'ennuiera.

Il n'y a aucune raison de faire passer les bébés en premier.

Réconforter un bébé qui pleure sans cesse, essayer de tranquilliser un bébé nerveux, en amuser un qui ne peut pas dormir ni lire un livre… être parent semble infernal. Je ne vois pas pourquoi je devrais abandonner le mode de vie que j'ai choisi et mérité par égard pour un petit bout exigeant. Ni pourquoi tout le monde essaierait de me culpabiliser. Je ne suis même pas sûre que cela soit bien pour le bébé que tout soit fait selon sa volonté. Le gâter n'est pas lui faire un cadeau, car ce monde-ci n'est pas un cadeau et il vaut mieux qu'il s'en rende compte rapidement.

Quelquefois, être parent, *c'est* l'enfer. Mais le même bébé qui pour le moment gâche toutes vos soirées en hurlant embellira peut-être un jour tous vos réveils.

Un bébé change la vie. Très peu de personnes y sont préparées (peut-être est-ce impossible) ; beaucoup ont des moments de panique ; la plupart s'adaptent. Il est très rare de rencontrer un parent qui regrette d'avoir un enfant en particulier, même si quelques-uns regrettent d'avoir décidé d'en avoir.

Lorsque vous essayez de satisfaire les besoins d'un nouveau-né, vous le faites aussi pour vous, car à un bébé heureux correspondent toujours des parents moins stressés. Supposez que vous n'essayiez *vraiment* rien — que vous laissiez votre enfant pleurer entre les repas —, pourriez-vous vraiment apprécier votre mode de vie ? En réalité, c'est le fait même qu'il existe qui perturbe votre vie, pas son comportement. C'est le fait d'être parent qui vous ennuie, pas l'enfant en lui-même.

Si vous n'essayez vraiment pas de le satisfaire de votre mieux — même pas avec l'aide de quelqu'un d'autre —, vous avez des raisons de vous sentir coupable. C'est votre enfant, après tout ; vous êtes responsable de lui et il dépend de vous. Mais le plus dur pour des parents, c'est d'essayer sans y parvenir. C'est lorsque vous vous sentez rejetée — ou même pas aimée — que vous êtes tentée d'abandonner et de le laisser se débrouiller tout seul. S'il ne vous aime pas, pourquoi vous mettre dans tous vos états pour lui ?

Mais ce serait réagir comme un enfant bousculé par un autre, et vous n'êtes pas un enfant bousculé par un autre mais un adulte, un parent, responsable d'un tout petit bébé qui va vous aimer comme personne ne vous a aimée mais qui ne sait pas encore comment faire et qui doit tout apprendre de votre amour.

Rien de ce que vous faites pour un nouveau-né ne peut le « gâter ». Le combler maintenant est la meilleure préparation possible à l'adversité future. Il ne sait pas encore qu'il est une personne indépendante de vous, et encore moins une personne ayant sa propre volonté et ses propres désirs pouvant aller à l'encontre des vôtres.

*Dès les premiers jours,
les nourrissons
trouvent les figures
en noir et blanc
irrésistibles.*

JOUER AVEC UN NOUVEAU-NÉ

Bien que les nouveau-nés ne soient pas capables de tenir des jouets ou de prendre part à des jeux, le plus petit d'entre eux peut s'ennuyer et se sentir seul s'il passe plus d'heures éveillé que les adultes souhaitent en passer à s'occuper de lui.

Il y a plusieurs façons de tenir compagnie à un bébé. Placer son landau ou son siège à proximité de l'adulte le plus disponible et s'assurer que tous les membres de la famille prennent l'habitude de lui parler un peu. Le garder près de vous lorsque vous téléphonez ou regardez la télévision, et trouver des moyens faciles de le porter. Un porte-bébé vous laisse libre de faire quelques travaux dans la maison mais aussi de faire un tour de magasinage…

Être porté et promené est un parfait divertissement pour un nouveau-né. Le panorama vivant qu'il voit et entend pendant que vous flânez autour du jardin ou dans la rue est un spectacle captivant rythmé par la marche. Vous pouvez varier les façons de le tenir. En particulier, lorsque vous le portez pour l'amuser et lui montrer des choses, essayez de le tenir dos face à vous et visage tourné vers l'extérieur.

Les nouveau-nés passent inévitablement un grand nombre d'heures couchés sur le dos et s'ennuient moins si on les change régulièrement de lieu. Un peu plus tard, vous pourrez arranger différents endroits où coucher votre bébé sur le sol – un matelas de table à langer se transporte facilement. Pour l'instant, vous préférez tous les deux la sécurité de sa poussette – ou de son couffin, ou de son siège de bébé – qui peut aussi être déplacée. Votre bébé ne voit pas les détails de ce qui est à plus de 25 cm de lui, mais il prendra plaisir aux rayons de soleil et aux motifs de la tapisserie proche, à un rideau clair qui bouge doucement, aux formes d'une grande plante d'intérieur ou aux mouvements des feuilles d'un arbre ou d'un buisson.

Observer de près des choses intéressantes est ce qui se rapproche le plus du jeu pour les bébés de cet âge. Les jouets qu'on accroche habituellement sur les poussettes sont adéquats. Votre bébé sera sans doute aussi fasciné par des figures en noir et blanc disposées le long de son matelas du côté où il tourne la tête, par des mobiles prévus pour être vus par en dessous (par lui et non par vous) et par des objets ordinaires de formes variées que vous suspendez au-dessus de son lit ou de son siège. Pensez à les renouveler souvent afin que votre bébé ait toujours quelque chose de nouveau à regarder.

Après avoir étudié le cercle, le bébé s'intéresse au damier et commence même à toucher ce qu'il observe.

TÊTE LOURDE ET RÉFLEXES

Il y a beaucoup à apprendre pour savoir s'occuper d'un nouveau-né et, tant qu'il n'est pas un peu plus mature, c'est un travail très prenant. Il arrive vite qu'on soit si engagé dans les soins quotidiens qu'on en oublie de considérer ce bébé comme une personne en plein développement, un nouvel être humain. Votre bébé est un petit être qui se développe chaque minute de chaque jour. Ne laissez pas les pleurs nocturnes et les couches à changer accaparer votre attention au point de passer à côté des transformations fascinantes qui ont lieu, des signes indiquant que votre enfant commence à grandir.

Positions et maintien de la tête

Les nouveau-nés ont souvent l'air tout recroquevillés. Quelle que soit la position dans laquelle vous le laissez, le corps se replie sur lui-même en fonction de la place de la tête, si grosse et si lourde comparée au reste qu'elle agit comme une ancre ou un pivot.

Tant que ses membres et son corps n'ont pas un peu grandi en harmonie avec la tête et tant qu'il ne contrôle pas vraiment les muscles de son cou, les mouvements volontaires du bébé sont très restreints. Au tout début, il peut soulever un peu la tête – et il essaiera toujours de le faire pour ne pas étouffer –, mais les mouvements de ses membres sont réduits par sa position. Le fait qu'il ait toujours la tête tournée sur le côté l'empêche de voir les choses qui sont juste au-dessus de lui.

Le contrôle musculaire du bébé commence par le haut et descend progressivement. Quand vous le portez contre votre épaule dans les premières heures qui suivent la naissance, il repose sa tête contre vous. Si vous l'éloignez un peu de vous sans soutenir son cou, sa tête se laisse tout simplement tomber. Au bout d'une semaine, il peut maintenir les muscles de son cou pour tenir sa tête une ou deux secondes.

Cette créature à la tête disproportionnée et à la peau trop large ne peut se déplacer et n'aime même pas essayer. Mais à voir ses genoux pousser et ses jambes s'étirer, on pourrait croire qu'elle tente de ramper.

Quelques jours plus tard, il maîtrise la tenue de sa tête plus longtemps, au point que, chaque fois que vous le tenez, il semble cogner sa tête contre vous volontairement : un effort – elle tombe – un effort – elle tombe. Vers trois ou quatre semaines, un nourrisson peut en général équilibrer sa tête plusieurs secondes si la personne qui le tient est immobile. Mais il a toujours besoin de votre aide lorsque vous le promenez et plus encore lorsque vous le soulevez ou le reposez.

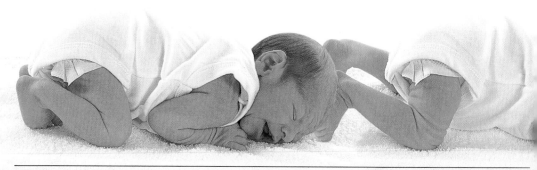

Les réflexes du nouveau-né Au cours de la première semaine, les bébés ont des attitudes physiques qui pourraient laisser croire aux parents qu'ils sauront ramper ou même marcher au bout de quelques semaines, alors même que leurs muscles sont encore incapables de tenir leur tête ! Ce ne sont pas des mouvements volontaires et contrôlés, mais des réflexes archaïques qui disparaîtront au bout de quelques jours et seront réappris des mois plus tard, au moment approprié de leur développement.

Ramper Si vous le mettez sur le ventre, sa position naturelle recroquevillée le poussera à fléchir les jambes et les bras. On dirait alors qu'il est sur le point de ramper. Il semble même gratter le drap sur lequel il est. Cette attitude est désapprise lorsque le bébé commence à dérouler son corps et à s'étendre à plat.

La marche automatique Si vous tenez votre bébé droit en le soulageant de son poids, la plante de ses pieds touchant une surface ferme, il ébauche des «pas», mettant délibérément un pied devant l'autre. Cela fait aussi partie des réflexes qui seront vite supprimés de son répertoire. Une semaine plus tard, tenu de la même façon, il s'affaissera tout simplement.

Le réflexe d'agrippement Dans les premiers jours, la main d'un bébé est d'une force incroyable. En théorie (et d'après quelques expériences réalisées), si vous le souleviez par les mains, il s'agripperait assez pour ne pas tomber. Mais n'essayez pas. Cette aptitude passe en un ou plusieurs jours. Vous risqueriez de faire l'expérience juste le jour suivant…

Ce réflexe d'agrippement perdure cependant mais à un degré moindre. Si vous glissez votre doigt ou un hochet dans sa paume refermée, sa main l'agrippe spontanément. Lorsque vous tentez de le retirer, sa paume se referme encore plus vigoureusement sous l'effet de ce réflexe. Cette réaction à tout objet «agrippable» mis dans sa paume va durer jusqu'à ce que le bébé soit prêt à apprendre à se saisir volontairement d'un objet. Tenir un objet dans ses mains n'est donc pas, comme ramper et marcher, un geste qu'il doit désapprendre puis apprendre à nouveau. Dans ce cas, le geste réflexe se transforme finalement en acte délibéré.

Ce réflexe qui pousse le bébé à attraper tout ce qui passe dans ses mains est probablement un héritage de la préhistoire, lorsque les petits de nos ancêtres les singes devaient s'agripper à leur mère pour être en sécurité. Les bébés humains aujourd'hui ne peuvent plus monter sur les vêtements des adultes avec leurs mains, leurs bras et leurs jambes

comme les bébés singes le font sur les poils de leur mère. Mais ils semblent encore le vouloir. Presque tous les bébés préfèrent être portés le corps face à celui de leur mère, et les enfants un peu plus grands aiment mettre leurs bras autour du cou. Et lorsqu'ils ne sont pas portés, les bébés sont plus apaisés lorsqu'ils sont bien enveloppés, ou simplement lorsqu'on place sur leur torse un tissu chaud et doux qui leur rappelle la sensation qu'ils ont lorsqu'ils sont tout contre leur mère.

Le réflexe de Moro Si votre bébé, qui aimerait grimper sur vous, a la sensation qu'il est lâché, il produit un réflexe violent et apparemment de panique appelé «réflexe de Moro». Vous vous en rendrez compte si vous secouez ses bras en lui tenant les mains : ses bras saisiront les vôtres et ses jambes se plieront convulsivement, comme à la recherche d'un corps autour duquel s'enrouler. Si vous le posez trop rapidement et que vos mains le lâchent avant qu'il ne soit rassuré par le contact de son lit, vous observerez une version encore plus violente : il écarte ses bras et ses jambes puis les replie vivement, sa tête peut avoir quelques mouvements saccadés car les réflexes ont perturbé son contrôle, et il crie probablement de peur.

Le réflexe de Moro a lui aussi perdu son utilité première car, contrairement à ses ancêtres poilus, le bébé n'a pas la capacité mus-
Votre bébé ne peut culaire qui lui permettrait d'éviter de tomber en s'agrippant à
s'agripper à aucune quelque chose. Mais ce réflexe garde une utilité indirecte. Chaque
fourrure pour éviter de fois que votre bébé a cette réaction, vous savez que vous l'avez
tomber, mais le réflexe de manié de façon trop brutale, trop soudaine ou sans soutenir correc-
Moro vous rappelle qu'il tement sa tête. Le réflexe de Moro signale aux parents qu'ils doivent
ne se sent pas en sécurité. être plus attentionnés.

SENS
ET SENSATIONS

Les cinq sens de votre bébé sont tous en état de marche dès sa naissance, si ce n'est avant. Il n'y a peut-être pas grand-chose à sentir ou à goûter *in utero*, et il y a sans doute assez peu d'occasions d'éprouver des sensations tactiles, mais les bébés entendent certainement avant la naissance, et voient, ou au moins distinguent, des nuances de luminosité. Votre tout nouveau-né n'a pas à apprendre comment voir, entendre, toucher, sentir les odeurs et goûter, il doit apprendre à interpréter ces messages sensoriels. Après tout, même s'il peut voir des différences entre tel objet et tel autre, rien ne lui permet de savoir que celui-ci est un visage, cet autre un sein, celui-là un ours en peluche ou sa propre main. Dès que le bébé sort de l'utérus, tous ses sens sont bombardés de messages, et leur apprentissage commence immédiatement.

Comme les nouveau-nés ne peuvent pas nous dire ce qu'ils ressentent ou pensent, nous devons tout déduire de leurs réactions. Les chercheurs ont conçu des moyens ingénieux pour évaluer les pensées et les sensations des bébés à différents stimuli, sans leur coopération directe, qui permettent de comparer un bébé aux autres mais aussi à lui-même à travers le temps. Si on lui donne un choix d'objets à regarder, par exemple, le bébé regarde d'abord, ou bien plus longtemps, ou se tourne, vers la vue qu'il «préfère». Si on lui propose deux enregistrements de voix qu'on a reliés à une sucette, on voit aux rythmes de succion qu'un bébé de quarante-huit heures préfère la voix de sa mère à celle d'un inconnu. Souvent, la seule déduction possible est que le bébé réagit avec plaisir à certaines sortes de sensations et avec panique à d'autres. Mais cette simple information est une grande contribution à notre compréhension.

Toucher *et être touché* Les bébés aiment non seulement toucher, mais ils en ont besoin. Le contact de la peau avec la peau les réconforte et les rassure, ils respirent alors plus profondément et donc s'oxygènent mieux. Les nouveaunés, et les bébés en général, apprécient une pression douce et chaleureuse, surtout sur le devant et le haut de leur corps – sans doute un avant-goût des étreintes que nous aimons tous. La peau des nouveaunés est très sensible aux matières, à l'humidité, aux pressions et à la température. Votre bébé est certainement conscient des différences de tissu de ses habits, de la pression de sa couche autour de sa taille et des variations de température de l'eau du bain. Dès les premiers jours, il est gêné par la sensation de nudité – quelle que soit la température ambiante – et apaisé par celle que lui apporte n'importe quelle texture posée sur son ventre.

Le toucher réveille aussi les réflexes des nouveau-nés. Les bébés réagissent au toucher d'un objet dans leur main en l'agrippant, à une caresse sur la joue par le fouissement et au toucher d'une surface plane sous la plante des pieds par la marche automatique.

Pendant longtemps, on a affirmé que la réaction des nourrissons à la douleur était un problème de réflexe. Jusqu'en 1986, les chirurgiens américains pensaient qu'un enfant de quinze mois était incapable de sentir la douleur ! Une révision profonde a prouvé le contraire. Ses conclusions, reconnues par les autorités médicales, mais qui ne sont pas toujours prises en compte, montrent que les réactions des nouveau-nés à la douleur sont «similaires, mais plus intenses que celles observées chez les adultes». Ce qui vous fait mal fait mal à votre bébé.

Odorat et goût Les nouveau-nés semblent avoir les mêmes réactions que les adultes aux odeurs ; ils se détournent avec une expression de dégoût de l'odeur d'œuf pourri et sont satisfaits par l'odeur du miel. À certains égards, pourtant, leur capacité à distinguer les odeurs dépasse largement la nôtre. Lorsqu'on place à côté d'un bébé un coussinet d'allaitement porté par sa mère et un autre porté par une autre maman, le bébé «choisit» l'odeur de sa mère et tourne la tête vers son coussinet 75 fois sur 100.

Dans le même ordre d'idées, les bébés réagissent comme les adultes aux différentes catégories de goûts. Ils font la grimace, et parfois pleurent, lorsqu'on leur propose un goût amer, acide ou aigre. Mais ils sont bien plus sensibles à certains goûts et à leurs nuances. Un bébé peut distinguer une eau claire d'une eau légèrement sucrée et d'une eau très sucrée, par exemple. Au cours des expériences réalisées, les bébés tétaient plus fort à mesure que le taux de sucre augmentait. Pas de surprise donc si vous avez du mal à contrôler le sucre ingurgité par un enfant plus âgé.

Entendre, écouter et émettre des sons Les bébés sentent et différencient les vibrations sonores au cours de leur vie intra-utérine. Ils semblent apaisés après la naissance par les bruits auxquels ils se sont habitués avant : non seulement le cœur de la mère, mais les morceaux de musique ou les thèmes d'émissions télévisées qu'ils ont partagés avec elle, bon gré mal gré, durant les dernières semaines de grossesse. À l'opposé, des bruits forts et soudains font sursauter votre bébé. Plus le son est perçant, plus sa réaction est vive. Le tonnerre qui gronde aux alentours ne le dérange pas plus qu'un plat qui tombe sur le sol. Autant il déteste ces bruits, autant le bébé adore les sons et les rythmes répétitifs (ou peut au moins être calmé par ceux-ci). Il aime la musique, mais il aime autant le martèlement rythmique d'un tambour ou le ronronnement de votre aspirateur – pour autant que nous puissions en juger.

Les voix, peut-être familières depuis la vie intra-utérine, sont les sons préférés du bébé. Il vous écoute même s'il ne vous regarde pas.

La plupart des bébés ayant une audition normale entendent clairement tous ces bruits, mais ceux qu'ils *écoutent* avec une concentration évidente sont les sons des conversations. Ils ont tous un intérêt profond pour les voix. Ces voix viennent des adultes auxquels ils s'attachent, des personnes qui prennent soin d'eux et sans qui ils ne pourraient survivre, et ils sont programmés pour s'y intéresser.

À moins que vous n'ayez toujours le regard rivé sur lui, vous ne remarquerez peut-être pas à quel point votre bébé apprécie votre voix durant ses premières semaines. À cet âge, le regard et l'écoute sont deux systèmes encore distincts. Il écoute sans regarder la source du son qu'il entend ; il vous écoute souvent sans vous regarder. Si vous l'observez attentivement, cependant, vous percevrez ses réactions à votre babil affectueux. Lorsqu'il pleure, entendre votre voix approcher de son lit le calme. Il n'a pas besoin de vous voir ou de vous toucher. Lorsque vous vous mettez à lui parler, il commence à bouger avec enthousiasme. S'il est en train de s'agiter, il s'arrête et porte toute son attention sur votre voix. Lorsque vous parlez, votre bébé écoute. Lorsque vous vous adressez directement à lui, son cœur bat plus vite. Et s'il doit choisir, d'une façon ou d'une autre, entre votre voix et celle d'un inconnu, il choisit toujours la vôtre.

Cela prendra du temps avant que votre bébé puisse comprendre vos mots mais, dès les premiers jours de sa vie, il réagit à votre ton. Lorsque vous lui parlez doucement, le bébé écoute avec plaisir ; mais si vous parlez de manière brusque à un aîné alors que vous l'avez dans vos bras, il se mettra probablement à pleurer, et si quelque chose vous pousse à crier, il sera immédiatement pris de panique.

Les seuls sons délibérés qu'émet votre bébé durant ces premiers jours sont des pleurs. Vous aurez peut-être l'impression que tous les pleurs sont les mêmes, mais, en réalité, il a un répertoire varié qui représente les différents états dans lesquels il se trouve et leur intensité. Et vous réagissez probablement différemment à chacun. Lorsqu'on analyse les pleurs par spectrographe, on s'aperçoit qu'il existe des variations de ton, de durée et de rythme. Les pleurs d'un bébé qui souffre ont une intensité et un rythme uniques. Lorsque vous entendez ce son, vous vous rendez compte qu'une seule chose importe alors : vous précipiter vers lui.

Les pleurs de faim sont très différents. Il ont une tonalité et des pauses qui sont identiques chez tous les bébés mais très différentes de tous les autres pleurs de votre propre bébé. Si vous allaitez, ces pleurs particuliers peuvent provoquer une montée de lait avant même que vous l'ayez pris dans vos bras. Si vous le nourrissez au biberon, ces pleurs vous dirigent vers la cuisine. Ils ne laissent aucun doute quant à leur cause. Vous savez immédiatement de quoi votre bébé a besoin, mais sans le sentiment d'urgence que vous font éprouver les cris de douleur.

La peur sonne encore différemment. Votre bébé émet alors des pleurs de pure désolation qui sont très contagieux. Le temps de rejoindre votre bébé, l'adrénaline aura parcouru tout votre corps et vous serez prête à affronter tous les dangers pour le protéger.

Vos propres sentiments sont votre meilleur guide pour réagir de façon appropriée aux pleurs de votre enfant. Si vous vous retrouvez à côté de son berceau sans avoir même eu le temps de vous souvenir du temps d'attente convenu avec votre conjoint, il y a des chances pour que quelque chose dans les pleurs de votre enfant – même si vous ne savez pas quoi – vous ait convaincue que c'était la seule chose à faire.

Aux environs de sa quatrième semaine, votre bébé commence à émettre d'autres sons, en dehors des pleurs. Il se met à gazouiller dans ses moments d'éveil calme, après les repas, et de petits bruits plaintifs annoncent ses cris de faim. Il avance vers la prochaine étape de la communication et vers une nouvelle sorte de pleurs.

Voir, regarder et observer Les bébés peuvent voir, clairement et avec discernement, dès la naissance. Si vous trouvez que votre bébé passe beaucoup de temps à fixer le vide ou à scruter la lumière qui entre par une fenêtre ou celle des lampes, ce n'est pas parce que les bébés ne peuvent pas voir de choses plus précises, mais parce que vous ne lui avez rien proposé à regarder dans un rayon plus proche.

Votre bébé observe toutes les choses intéressantes qui se trouvent à cette courte distance de son visage, les motifs mais surtout les visages.

Un nouveau-né peut focaliser son regard sur des objets à différentes distances. Il le peut, mais ne le fait que rarement, car, tant que les muscles de ses yeux ne se sont pas fortifiés, cela lui est difficile. La distance idéale pour la vue d'un bébé est de 20-25 cm à partir du bout du nez. À cette distance précise, il distingue clairement. Les objets plus éloignés sont flous. S'il n'a rien à observer à cette distance lorsqu'il est étendu dans son berceau, il fixe son attention sur ce qu'il perçoit dans le flou. Les lumières et les mouvements (comme les myopes le savent) sont les deux choses qu'il pourra percevoir.

Si, forte de cette information, vous disposez des objets assez près des yeux de votre bébé pour qu'il les distingue nettement, il fixera son attention sur des détails beaucoup plus subtils que la luminosité et le mouvement. Contrairement à ce qu'on pourrait croire, il ne regardera pas forcément les formes et les couleurs les plus simples. Vous pouvez tester ses choix en tenant deux objets à la bonne distance. Il fixe un simple hochet rouge s'il n'a rien d'autre autour de lui, mais si vous ajoutez un morceau de papier avec des formes noires et blanches complexes et des lignes d'environ 3 mm de large, son attention se tournera vers celui-ci. Il regardera aussi un simple cube, mais si vous ajoutez un objet plus complexe tel qu'un grille-pain, il le préférera sans doute. Il est programmé pour être attiré par les formes complexes parce qu'il doit apprendre un monde visuel complexe.

La distance à laquelle il voit n'est pas due au hasard. Au contraire, c'est exactement la distance qui sépare son visage du vôtre lorsque vous le portez et lui parlez ou lorsque vous le nourrissez. Tout comme les voix sont les sons les plus importants pour lui, les visages sont ce qu'il préfère observer et, de façon innée, il les étudie minutieusement dès qu'il peut. Il est même possible que le flou qui enrobe les objets distants soit utile à son développement, car il l'aide à se concentrer sur les visages sans être distrait par ce qui les entoure.

Les nouveau-nés ne savent pas que les gens sont des gens. Votre bébé ne peut donc pas savoir que, lorsqu'il scrute votre visage, c'est vous qu'il voit. Il se concentre simplement sur tous les visages à sa portée ou, le cas échéant, sur tout ce qui ressemble à un visage. Les critères de ce qui compose pour lui un visage ont été étudiés en détail. Il suffit qu'un objet ou une image ait une ligne de cheveux, des yeux, une bouche et une apparence de menton pour que le bébé réagisse comme si c'était un visage. Vous verrez alors ses yeux partir du haut, enregistrer la ligne de cheveux, se déplacer lentement vers le menton et revenir vers les yeux. Il passe plus de temps sur un visage que sur n'importe quoi d'autre.

Tester ses réactions en lui montrant un visage dessiné sur du papier peut vous intéresser, mais ce qui, lui, l'intéresse vraiment, ce sont les véritables visages. Lorsqu'il aura assez appris, vous serez largement récompensée de l'avoir patiemment laissé vous étudier. Un jour très proche, ses yeux finiront comme d'habitude leur parcours sur les vôtres, mais il y ajoutera ce premier geste social si irrésistible : son premier sourire.

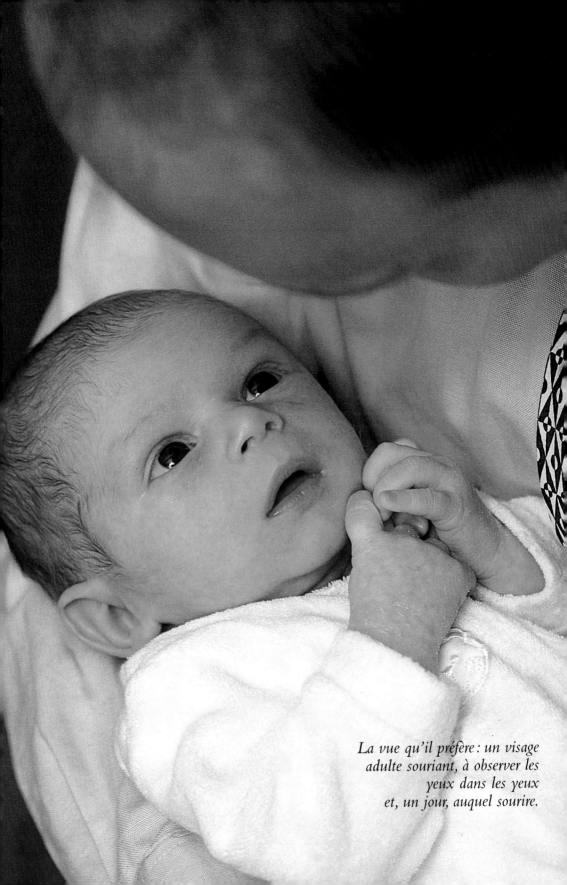

La vue qu'il préfère : un visage adulte souriant, à observer les yeux dans les yeux et, un jour, auquel sourire.

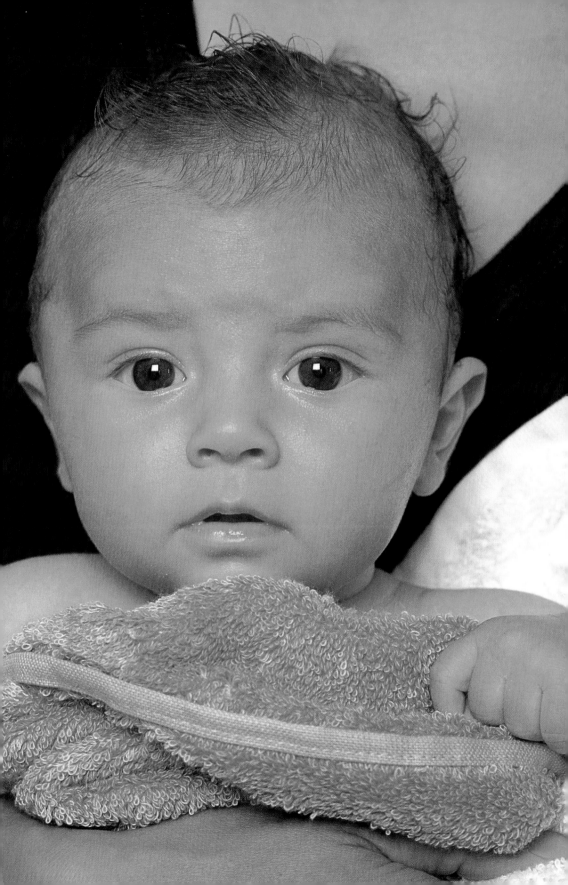

LE
NOURRISSON

Les six premiers mois

Un jour, vous allez réaliser que votre bébé ne vous semble plus aussi imprévisible, qu'il n'a plus ce côté «nouveauté inquiétante». Vous commencez à l'envisager comme une personne avec ses propres goûts, préférences et traits de caractère. À ce moment, vous savez que votre enfant a quitté l'état de nouveau-né et s'est installé dans sa nouvelle vie. Votre bébé peut avoir deux semaines ou deux mois lorsque cela arrive et, de son point de vue, plus tôt ou plus tard, cela n'a aucune importance. Cela compte pour vous, en revanche, et pour toutes les personnes qui s'occupent de lui.

Il est plus simple de s'occuper d'un bébé que d'un nouveau-né. Si vous trouvez que c'est un petit diable, au moins c'est un petit diable que vous connaissez. Vous savez comment il faut s'en occuper, même si ce n'est pas la façon que vous aviez imaginée au début. Vous savez à quoi vous attendre avec lui, même si c'est au pire! Et surtout, vous savez reconnaître quand il est content – même si c'est rare – et quand il est malheureux – même si c'est souvent. À partir de ce moment, vous savez ce que vous affrontez. Vous ne tentez plus simplement de vous en sortir, heure après heure, jour après jour, en évitant de penser à la semaine suivante. À présent, vous allez commencer à organiser un compromis raisonnable entre ses besoins et ceux des autres.

Votre bébé vous montre clairement qu'en dehors de la nourriture son principal besoin est d'être avec les gens qui s'occupent de lui. Il se peut que vos sentiments pour lui soient encore flous, mais son attachement toujours plus fort est une affaire de survie pour lui, l'assurance que vous l'aimerez et prendrez soin de lui. Plus les semaines passent, plus il se passionne pour les gens. Les visages le fascinent. Dès que le vôtre entre dans son champ de vision, il l'étudie minutieusement, du haut de votre front à votre bouche, puis il se fixe sur vos yeux. Il écoute attentivement votre voix, s'agitant un peu lorsqu'il l'entend ou au contraire cessant tout mouvement pour tenter de localiser sa provenance. Bientôt, il tournera les yeux et la tête pour voir la personne qui parle. Si vous le portez, il arrête de pleurer. Si vous le câlinez et marchez avec lui, il reste calme et content. Quels que soient ses autres goûts et besoins, il vous aime et vous lui êtes nécessaire. Vous pouvez commencer à avoir un peu confiance en vous en tant que parents de ce petit être.

Au cas où ses premières réactions à votre dévouement ne suffisent pas à combler votre affection, votre bébé a encore son meilleur atout à jouer : le sourire. Un jour, il vous observe comme d'habitude très sérieusement et intensément, du haut au bas du visage, puis remonte vers les yeux. Mais alors qu'il vous fixe, sur son visage s'épanouit doucement un petit miracle : un large sourire qui le transforme totalement. Pour la plupart des parents, grands-parents et autres proches, c'est une victoire. Il est le plus beau bébé du monde, même si son crâne est encore tordu, et celui qu'on a le plus envie d'aimer, même s'il se réveille encore la nuit. Peu d'adultes résistent au sourire d'un bébé. On a tous vu nos amis les plus réticents s'attarder auprès du berceau pour avoir encore un sourire, rien que pour eux.

Un bébé qui sourit n'exprime que de l'amour, mais n'est pas encore vraiment capable d'aimer quelqu'un, car il ne sait pas différencier une personne d'une autre. Ses premiers sourires lui assurent une attention sociale chaleureuse. Plus il sourit, gazouille et agite ses mains devant les gens, plus ils lui sourient et lui parlent. Et plus on fait attention à lui, plus il répond à cette attention, parvenant à émouvoir toujours plus son entourage par ses rires de gorge contagieux et les jolis mouvements de ses lèvres. Ses réactions créent un cercle autonome : vous souriez à ses sourires, il sourit aux vôtres, etc.

Il n'y a aucun mal à supposer que ces premiers sourires enchanteurs vous sont particulièrement destinés. Ils le seront bientôt. C'est grâce à cette interaction sociale avec les adultes qui se sentent gratifiés par ses sourires que le bébé passe d'un intérêt général pour les gens à la reconnaissance et à l'attachement à quelques personnes en particulier. Lorsqu'il a environ trois mois, il devient évident qu'il vous connaît, vous et les autres personnes qui lui sont chères. Il ne se met pas pour autant à gémir face à des inconnus – il sourit toujours à tout le monde –, mais il réserve ses plus beaux sourires et ses signes de faveur les plus forts à ses proches. Semaine après semaine, il est de plus en plus sociable et de plus en plus tatillon sur le choix des personnes avec lesquelles il se socialise. Il est parfaitement prêt à créer un lien passionné et personnel avec une personne, et si vous êtes la plus présente et la plus affectueuse de son petit monde, vous êtes son élue. Le premier amour d'un bébé est sa maman, à la seule condition qu'elle s'y prête. Vous n'êtes pas automatiquement l'élue. Être sa mère ne suffit pas à mériter ce lien, il faut aussi lui procurer tout l'amour

maternel dont il a besoin. Les soins physiques ne suffisent pas. Son premier amour n'est pas intéressé, uniquement dépendant du plaisir d'être nourri, même au sein. Les bébés tombent amoureux des personnes qui aiment s'occuper d'eux, qui leur parlent, les câlinent, leur sourient et jouent avec eux. Si vous devez partager le soin de votre bébé avec une autre personne qui s'occupe d'une grande partie des tâches physiques, mais que vous consacrez tout votre temps libre à l'amour et au jeu, vous conserverez le premier rôle dans sa vie. Si vous faites l'inverse et laissez à une autre personne le soin d'être son compagnon de jeu, il pourrait commencer par s'attacher à cette personne. Bien sûr, votre bébé a besoin de soins physiques corrects. Bien sûr, se nourrir est son plus grand plaisir dans la vie, mais les soins physiques et l'affect sont liés. Votre bébé ne veut pas quelqu'un qui vienne juste le nourrir quand il a faim. Il a besoin de quelqu'un qui lui tienne compagnie, quelqu'un qui guette ses sourires et lui en donne en retour, qui entend ses «bavardages», les écoute et y répond. Quelqu'un qui joue avec lui, lui montre des choses, lui fait découvrir des petits échantillons du monde extérieur. Voilà ce qui compte vraiment aux yeux d'un bébé de trois mois. Voilà ce qui lui assure qu'il est aimé.

Chaque bébé a besoin d'au moins une personne à laquelle s'attacher – plus il en a, mieux c'est. C'est à travers ce premier rapport affectif qu'il va tout apprendre sur lui-même, sur les gens et le monde. C'est à travers celui-ci qu'il va faire l'expérience des émotions. Et c'est sur les bases de ce premier amour qu'il va être capable d'autres genres d'amours plus adultes ; capable, dans un futur lointain, d'offrir à ses propres enfants le dévouement dont il a besoin aujourd'hui. Les bébés qui ne peuvent avoir cet attachement particulier, qui reçoivent des soins physiques mais aucune réponse émotionnelle, ou qui passent d'une personne à une autre, connaissent souvent des retards de développement. Et le développement des bébés brusquement séparés de leurs parents est souvent perturbé. Avoir au moins une personne à laquelle s'attacher rend votre bébé capable d'en aimer d'autres. Sa quantité d'amour n'est pas plus rationnée que la vôtre. C'est même l'inverse qui est vrai : l'amour crée l'amour.

Si vous et votre conjoint avez la chance de pouvoir vous occuper ensemble de votre enfant dès le début, il répondra autant à l'un qu'à l'autre (bien que différemment car vous êtes différents) et sa vie émotionnelle sera deux fois plus riche et plus stable du fait qu'elle ne dépend pas d'une seule personne. Cela ne signifie pas que vous recevrez autant de sourires l'un que l'autre ou que vous pourrez aussi facilement l'un que l'autre l'apaiser ou l'endormir. Un bébé qui connaît le luxe d'avoir ses deux parents avec lui joue souvent à avoir un favori. La plupart sont au départ plus apaisés par la présence de leur mère – sans doute est-ce lié à une familiarité antérieure, à son odeur, aux battements de son cœur, à sa voix, ainsi qu'au bonheur de l'allaitement. Mais autour de quatre ou cinq mois, le père – encore plus s'il n'a pas participé en permanence au quotidien – bénéficie souvent d'une faveur nouvelle. Lorsqu'il rentre le soir à la maison ou le week-end, son visage, sa voix et ses jeux sont tout neufs et donc intéressent particulièrement le bébé. N'ayant pas passé la journée à essayer de combiner quelques tâches et activités d'adulte avec les besoins du bébé, le père est parfois plus apte à offrir le contact social que le bébé sollicite.

Une fois que cette relation est établie, vous pouvez partager votre temps entre votre bébé et votre travail, sans menacer cette relation et sans menacer le bien-être de votre bébé, à condition qu'il sente qu'il est toujours votre souci premier et que la personne qui comble votre absence soit affectueuse. Partager sa garde avec votre conjoint ou avec d'autres proches, avec une éducatrice du service de garde ou avec une gardienne que vous payez pour qu'elle agisse comme un membre de sa famille est la version moderne de la façon dont on gardait les bébés dans les familles nombreuses et la version occidentale de la façon dont on s'en occupe encore aujourd'hui dans une grande partie des pays en voie de développement. N'attendez cependant pas de ces personnes qu'elles conservent votre bébé dans la glace en votre absence. Il continue à vivre et à aimer, même si vous détestez l'idée qu'il voie ses premiers flocons de neige sans vous. Cela n'a pas d'importance (il ne se souviendra pas de sa première année). Une fois que les bébés savent qui sont leurs parents, ils le savent pour toujours. Et une fois qu'ils les aiment plus que n'importe qui d'autre, ils les aiment toujours.

Beaucoup de femmes ne veulent pas quitter leur bébé si tôt pour retourner travailler, surtout à ce moment si passionnant de la relation à l'enfant. Votre bébé vous flatte de ses marques d'attention, vous vous sentez unique, aimée, irremplaçable. Il a besoin de vous pour tout. Vous seule savez lui prodiguer les soins physiques adéquats, mais aussi affectifs et intellectuels, et l'aider à franchir chaque petite étape de son développement. Lorsque votre bébé commence à savoir faire quelque chose, il veut absolument y parvenir (et il en a besoin), et vous pouvez l'y aider. Et malgré tous ces nouveaux besoins, s'occuper de lui est plus facile. Son comportement ne vous semble plus irrationnel et incompréhensible. Il dort toujours beaucoup et n'est pas encore le touche-à-tout qu'il sera plus tard. Vous avez encore des moments de paix et pouvez encore poser votre bébé sur le sol en sachant qu'il n'aura pas disparu dans une minute…

Il y a cependant des femmes qui détestent cette période. Au lieu de prendre plaisir à être autant aimées et indispensables, elles se sentent enfermées par cette dépendance et se mettent presque à regretter le temps où il n'avait besoin de rien sur le plan concret ou émotionnel.

L'effort continuel à fournir pour reconnaître ses besoins, ses sentiments et l'aider à traverser chaque jour sans souci semble dissoudre le temps. Éviter à un enfant de se sentir seul ou de s'ennuyer paraît alors plus difficile que de prendre soin d'un nouveau-né.

Le meilleur remède à ce sentiment est d'être consciente de votre propre importance. Toutes les capacités de développement de votre enfant sont en attente. Il dispose d'assez d'énergie pour découvrir tous les aspects de la vie : gazouiller, utiliser ses mains, goûter de nouveaux aliments, exploser de rire... Mais chaque étape de sa croissance est aussi entre vos mains. Vous pouvez l'aider dans son développement ou bien y faire obstacle en n'y participant pas. Vous pouvez le rendre heureux et lui permettre d'apprendre vite ou le livrer à lui-même et ralentir son apprentissage.

Si vous l'aidez vraiment, toute la famille sera gagnante, car le bébé sera gai et facile et ce sera un plaisir d'être avec lui. Si vous refusez de l'aider et essayez de rationner l'attention que vous lui accordez, tout le monde en souffrira, et vous la première. Votre bébé sera difficile, grognon et plutôt pénible à vivre. Vous ne serez pas heureuse non plus car, même si vous n'en n'êtes pas toujours consciente, votre plaisir et le sien sont étroitement liés. Lorsque vous le rendez heureux, son bonheur vous rend heureuse et rend tout plus facile. Si vous le laissez s'ennuyer, son chagrin vous déprimera et tout vous paraîtra difficile. Le fait qu'il réclame votre attention vous agace peut-être, mais l'ignorer vous condamne aussi à endurer ses pleurs. Lorsque vous tentez de combler ses désirs, de vous mettre à son écoute, de le traiter comme il demande à l'être, vous ne le faites pas seulement pour lui, mais aussi pour vous-même. Vous êtes une famille à présent. Vous coulez ou vous nagez ensemble.

Pourquoi les médecins ne disent-ils pas la vérité?

J'ai su dès le début que quelque chose n'allait pas avec notre second enfant. Mais le pédiatre de l'hôpital se contentait d'admettre qu'il avait «quelques petits problèmes» sans les spécifier et se bornait à hocher la tête à mes inquiétudes. Il m'affirmait qu'il se «débrouillait plutôt bien» mais sur un ton surpris. Lorsque mon mari a demandé quel était le problème, il a répondu qu'il était «bien trop tôt pour le dire» et, lorsque je lui ai demandé son pronostic pour le futur, il m'a regardée d'un air choqué et m'a dit de penser au présent. Pourquoi ne nous disent-ils pas ce qu'ils savent ou au moins ce qu'ils pensent?

Face à la découverte que «quelque chose ne va pas» chez leur bébé, les parents ont presque toujours la sensation que la nouvelle ne leur a pas été annoncée de la bonne manière. Parfois, on leur dit tout mais trop vite ou trop tôt et, sous le choc, ils ne parviennent pas à l'admettre. Parfois, on leur explique ce qui ne va pas, mais sans leur dire ce qui va (c'est souvent le cas des parents d'enfants prématurés). Et parfois, lorsque le problème est en partie visible – comme un bec-de-lièvre –, on passe plus de temps à décrire la partie non visible qu'à expliquer la chirurgie à venir. Cependant, en général, les parents ne sont pas assez informés, même lorsqu'ils sont déjà conscients qu'il y a un problème.

Annoncer à des parents que leur bébé n'est pas le bébé en bonne santé qu'ils attendaient est une chose que les médecins redoutent. En outre, la «nouvelle» est rarement précise. Beaucoup de maladies génétiques, par exemple, ne se déclarent pas immédiatement, et les premiers signes qui alertent les médecins peuvent n'avoir aucun sens pour les parents. Lorsqu'un bébé naît avec une obstruction intestinale, l'équipe médicale peut vérifier qu'il ne s'agit pas d'une *fibrose kystique*. Ce n'est pas une cause qui vient à l'esprit des parents, à moins qu'ils ne se sachent porteurs. Leur angoisse se focalise sur le problème intestinal immédiat de leur bébé et il leur paraît incompréhensible que les médecins préfèrent ne pas les informer d'une éventuelle maladie chronique avant d'avoir les résultats. Souvent, il vaut mieux que les médecins annoncent aux parents leurs craintes avant même qu'elles ne puissent se transformer en certitudes.

Le partage est la marque d'une bonne pratique. Vous pourrez l'obtenir au moment de l'examen complet de votre bébé. Un bon examen est l'occasion officielle de partager vos connaissances du bébé (vous êtes la seule à le connaître depuis 40 semaines après tout), de l'observer ensemble (un bon pédiatre attirera votre attention sur certains détails du comportement de l'enfant qui vous auraient échappés) et d'envisager la suite. Professionnels et parents deviennent ainsi des alliés pour le bien de l'enfant. Ils se concentrent autant sur ce qu'il peut faire que sur ce qu'il ne peut pas faire, et se concentrent de toute façon sur votre bébé, et non sur votre problème.

Un mauvais examen vous donne l'impression d'être en train de passer un test, votre bébé étant votre copie, et vous laisse dans le doute. Si cela vous arrive, il faudra aller chercher ailleurs information et soutien. Mais ceux-ci seront plus faciles à obtenir si vous avez un début de diagnostic. Vous trouverez au moins une tentative de diagnostic dans le dossier hospitalier de votre bébé. Vous avez le droit de le lire mais, si vous êtes gênée à l'idée de le demander, votre médecin de famille peut téléphoner au pédiatre, obtenir une réponse et vous la transmettre.

Ce diagnostic est utile non en lui-même mais parce qu'il vous donne accès à l'information et aux gens qui peuvent vous la donner. Il existe des groupes de parents et des associations de spécialistes pour un grand nombre de maladies. Ce mot ou cette phrase pourra vous aider à trouver leurs références dans les répertoires médicaux ou généraux. Avec un accès à Internet, vous trouverez toutes ces informations et des contacts avec des particuliers qui sont passés par là et dont l'aide peut être aussi précieuse que celle d'un médecin pour vous aider à envisager l'avenir.

ALIMENTATION
ET CROISSANCE

Une fois habitués à l'allaitement, vous pouvez aller ensemble partout, n'importe quand.

Deux semaines après la naissance, votre bébé et vous aurez tous les deux déjà beaucoup appris sur l'alimentation au sein ou au biberon. Les premiers jours de confusion, lorsque ni l'un ni l'autre ne savait comment s'y prendre, sont loin, mais d'autres genres de confusion peuvent faire leur apparition.

Le bébé vous demande de le nourrir, car il ne peut pas le faire tout seul. Vous voulez le nourrir, car vous savez qu'il doit manger pour grandir et être en bonne santé. Vous êtes donc du même avis et les inquiétudes et la bagarre autour des repas sont une perte d'énergie et de plaisir pour tous les deux. La part de plaisir est capitale. Au tout début d'un repas, vous pouvez lire sa faim sur son visage et l'apaisement que lui procure la sensation du lait coulant dans sa gorge. Vous pouvez voir que le fait de téter est aussi important pour lui. Après trois ou quatre gorgées, il se met à téter à un rythme très régulier ; une forte aspiration, puis une respiration, puis une pause, puis une nouvelle forte aspiration… Bientôt, une expression de satisfaction béate envahit son visage. Le rythme ralentit, les pauses se font plus longues, les aspirations plus courtes. Maintenant, il est repu de lait et de plaisir, presque endormi, tétant de temps en temps juste pour se rappeler que le lait est toujours là pour lui.

Tout semble facile. Et pour certains parents et bébés, c'est le cas. Si votre bébé a commencé à gagner du poids (et continue à le faire de façon régulière), est à peu près satisfait la plupart du temps (ou a au moins tendance à le devenir) et est de plus en plus actif et curieux lorsqu'il est éveillé, vous pouvez être sûre que, de son point de vue, tout va bien quant à l'alimentation. Et si vous attendez avec impatience l'heure des repas et qu'il adore lui aussi ce moment, vous pouvez sauter les pages suivantes. Mais ce n'est pas toujours aussi facile pour tout le monde. Le comportement incertain et imprévisible du nouveau-né peut durer un peu plus longtemps que vous ne le pensiez, en particulier s'il est né prématurément ou a eu des problèmes particuliers après la naissance. Peut-être a-t-il au contraire de nouvelles réactions curieuses à la nourriture. Ou peut-être que, malgré son comportement normal, ne parvenez-vous pas à vous détendre et à admettre que tout va bien.

L'ALLAITEMENT : LES PROBLÈMES COURANTS

Une fois que votre bébé et vous avez pris votre rythme de croisière, l'allaitement maternel trouve son propre équilibre et le conserve même lorsqu'il semble menacé par une maladie ou interrompu. Mais votre production de lait étant vulnérable au stress, même un petit souci peut être un danger pour l'allaitement.

Le refus du sein Il n'est pas inhabituel que des bébés refusent un repas ou soient difficiles à nourrir. Mais il est rare qu'une mère qui allaite admette ce genre de comportement avec calme. Un bébé qui rejette votre sein avec un dégoût apparent, tente de s'en éloigner ou ne se résout pas à

Essayez de ne pas prendre pour vous ses hésitations ; ce n'est pas vous qu'il rejette.

téter donne l'impression de *vous* rejeter. Plus il s'énerve, plus vous perdez tout espoir de le consoler. S'il refuse le réconfort de votre sein, que pouvez-vous lui offrir ? Pour couronner le tout, ses pleurs, vos tentatives de lui faire saisir votre sein et les quelques moments où il a tété ont fait couler votre lait un peu partout. Vous finissez par avoir mal au bout des seins et redoutez autant la douleur physique que la possibilité d'être rejetée. Si cela arrive plusieurs fois de suite, consultez un médecin. Une infection telle qu'un muguet lui rend peut-être la bouche douloureuse.

Le plus souvent cependant, les bébés réagissent ainsi au sein parce qu'ils ne déglutissent pas assez vite la première gorgée de lait et ont l'impression qu'ils vont s'étouffer, ou parce qu'ils ont le nez bouché lorsqu'ils tètent et ne peuvent plus respirer, ou parce qu'on les a fait attendre trop longtemps et que la sensation de faim les submerge, ou parce que leur effort de succion n'est pas récompensé immédiatement. Il est aussi possible que vous ne connaissiez jamais la raison exacte de son refus ou de ses troubles.

La meilleure chose à faire lorsque cela arrive de façon occasionnelle est d'admettre que quelque chose (et vous ne savez peut-être pas quoi) a donné un mauvais départ à son repas et de tout reprendre du début. Si votre conjoint est présent, il peut porter le bébé loin de vous et de votre odeur de lait et le tranquilliser, pendant que vous vous essuyez et que vous vous calmez. Puis choisissez une position plus confortable pour le nourrir. Par exemple, si le repas refusé était donné devant des gens, trouvez un endroit plus intime. Si votre bébé tète mieux lorsque vous êtes couchée, installez-vous dans votre lit ou sur un sofa et essayez comme ça. S'il refuse toujours de manger mais finit par s'endormir, laissez-le tranquille. Il y a de fortes chances qu'à son réveil tout rentre dans l'ordre.

Quelques refus ou quelques jours de problèmes récurrents peuvent cependant suffire à entamer votre confiance. Ne tardez donc pas à trouver de l'aide auprès d'une conseillère ou d'une personne de confiance ayant une bonne pratique de l'allaitement. Il y a de fortes chances que les causes et les remèdes de ce genre de problème aient un rapport avec la position du bébé et la façon dont il saisit votre sein et tète (voir p. 66).

Lait rationné Une mère qui allaite son premier bébé place souvent en tête de liste de ses inquiétudes la quantité de lait bue. Consciente de ne pouvoir contrôler ni la consommation du bébé ni les réserves de lait, elle se demande si son bébé est vraiment capable de prendre ce dont il a besoin.

La réponse est presque toujours oui, mais à condition que les parents soient aussi prêts à avoir confiance en leur bébé pour savoir quand il veut téter et combien de temps. Votre bébé est bien plus apte à assurer votre production de lait si vous acceptez de le nourrir à la demande – même lorsqu'il réclame une heure seulement après son dernier repas ou tète pendant plus d'une demi-heure. Si fréquents et si longs que soient ses repas, votre bébé ne prend pas plus de lait qu'il ne lui en faut. Il est impossible de suralimenter un bébé nourri au sein, à moins de lui donner en plus autre chose que du lait. Un bébé au gros appétit et dont la mère produit beaucoup de lait va grossir plus vite que le bébé de la voisine nourri aussi au sein. Ne les comparez pas. Même s'il vous paraît «grassouillet», votre bébé n'est pas et ne deviendra pas «trop gros» si vous n'introduisez pas trop tôt des aliments solides ou des jus de fruits sucrés.

Beaucoup de mères pour qui l'allaitement est encore une expérience difficile seraient heureuses de pouvoir s'inquiéter d'une prise de poids trop importante; cela signifierait qu'elles auraient cessé de s'inquiéter du contraire! Si votre bébé ne semble pas se développer facilement et vous paraît insatisfait, vous consulterez bien sûr votre médecin. Mais ne soyez pas trop vite convaincue qu'il ne se nourrit pas assez et ne fondez pas votre opinion sur la comparaison de votre bébé avec ceux nourris au biberon. Ils prennent souvent un peu plus de poids que les bébés exclusivement nourris au sein (voir p. 73).

On dit souvent, par exemple, que les bébés qui réclament fréquemment le sein sont sous-alimentés. Mais qu'est-ce que veut dire «fréquemment»? Certains bébés (pour ne pas dire tous) nourris au lait de vache recomposé attendent trois ou quatre heures entre chaque repas, mais c'est rarement le cas des bébés nourris au lait maternel. Pour votre bébé, un intervalle de deux heures ou deux heures et demie est tout à fait normal. Mais l'intervalle peut être encore plus court, bien sûr. Un intervalle va du début d'un repas au début de l'autre; les repas plus longs sont donc séparés par des intervalles plus courts. Les repas au sein durent souvent plus longtemps qu'au biberon, car ils sont prolongés par une succion de confort. Votre bébé peut commencer à téter à midi, lâcher le second sein vers 12 h 45 et recommencer aux environs de 14 heures…

Les bébés nourris au biberon qui salissent très peu de couches, ont des selles insuffisantes et d'aspect étrange sont souvent sous-alimentés. Ce n'est pas le cas des bébés nourris au sein. Une selle tous les deux jours n'est pas un signe de privation ou de constipation, même si votre bébé salissait jusqu'alors plusieurs couches par jour. Le lait maternel est parfois si bien digéré qu'il n'en reste rien…

Les bébés doivent grandir. Cela signifie que, quelle que soit leur façon de se nourrir, ils doivent prendre du poids (et des centimètres). Si la perte de poids est, bien sûr, un signe de manque de lait, la régularité et la «bonne» vitesse de la prise de poids sont des données qui peuvent être discutées.

La tendance ascendante du poids de votre bébé est certainement la meilleure preuve qu'il est correctement nourri. Il faut parfois plusieurs semaines pour que cette tendance s'établisse. Fixer sa courbe de poids ne vous empêchera donc pas de paniquer. Dans l'immédiat, pour vous rassurer sur le fait que votre bébé n'est pas affamé, vérifiez qu'il mouille ses couches – et non le nombre de ses selles.

Tant que votre bébé est nourri exclusivement au sein, sa nourriture et son eau sont contenues dans le même élément. Il ne peut donc pas manquer de l'un sans manquer aussi de l'autre. S'il mouille six, et même plutôt huit, couches par vingt-quatre heures, il n'est ni déshydraté ni affamé. Bien sûr, pour tenir ce genre de comptes, il faut changer votre bébé fréquemment. Si vous utilisez des couches très absorbantes, il faut aussi les observer attentivement, car un seul pipi de tout petit bébé est pratiquement imperceptible (voir p. 74).

Lorsque votre bébé nourri au sein manque de lait

Il n'est malheureusement pas évident de déceler qu'un bébé nourri au sein est sous-alimenté, car cela arrive très progressivement. Les choses se déroulent souvent ainsi : une fois la montée de lait déclenchée, votre lactation devient abondante la deuxième et la troisième semaine, lorsque vous parvenez à bien vous reposer et à ne pas trop vous préoccuper (je l'espère) des soucis domestiques. Le bébé commence à avoir des rythmes réguliers de repas (vraisemblablement toutes les deux heures la journée et seulement toutes les quatre heures la nuit) et vous supposez que cette demande et votre production concordent parfaitement.

Mais quelque temps après, vous devez vous préoccuper à nouveau des autres aspects de la vie quotidienne, et les gens qui vous ont aidée jusqu'alors aussi. Un regain d'activité physique ou simplement le stress de vous retrouver toute seule pour gérer votre maison et vous occuper de votre bébé peut vraiment vous fatiguer. Quel que soit l'âge précis de votre bébé, vous vous demandez comment vous allez pouvoir intégrer à votre nouvelle vie tout ce que vous faisiez avant.

Être fatiguée et harassée tend à réduire votre production de lait. Et votre bébé continue à grandir. Il a besoin de plus de lait que la semaine précédente. Toutes les conditions sont réunies pour qu'il ait très faim. Apaiser cette faim pour qu'il ne souffre pas est assez facile : il vous suffit de le laisser téter aussi souvent qu'il le souhaite, même si cela signifie beaucoup plus qu'avant. Mais gérer sa faim sans qu'elle *vous* fasse souffrir est plus complexe, car l'une des raisons de votre fatigue est son besoin si fréquent d'être nourri. Et évidemment, plus vous avez de tâches d'un autre ordre à accomplir et plus il devient difficile de le laisser téter aussi souvent et aussi longtemps qu'il le veut.

Il n'est pas toujours évident de réaliser qu'on se trouve dans ce genre de situation. Le comportement du bébé ne vous éclaire pas beaucoup, car les pleurs, l'insatisfaction, la tendance à se réveiller seulement deux heures après son dernier repas la journée et trois heures la nuit n'ont rien de nouveau. Ce sont ses comportements de nouveau-né et vous n'avez pas forcément conscience que, s'il avait moins faim, il n'aurait justement plus ces attitudes-là.

Les réactions de votre poitrine peuvent aussi vous induire en erreur. Si vous vous réveillez tous les matins avec une quantité de lait dont vous ne savez que faire et des soutiens-gorge tachés, vous aurez du mal à imaginer que votre bébé n'en a pas assez. C'est pourtant possible, surtout − et c'est souvent le cas − s'il en réclame lorsque vous en avez le moins.

Si vous analysez bien les quelques derniers jours, vous vous rendrez peut-être compte que votre bébé est en général assez satisfait entre les repas qui vont de 4 heures du matin à 16 heures et systématiquement plus grognon à partir de 16 heures, jusqu'à ce que vous ayez votre premier sommeil de la nuit. Son mécontentement vient peut-être du fait que la quantité de lait est plus faible en fin d'après-midi. Il suffit d'un aîné fatigué, d'une maison en désordre ou d'un repas à préparer. D'un autre côté, ce schéma systématique n'est peut-être pas dû à votre manque de lait mais au fait qu'il en veut plus. Beaucoup de bébés se nourrissent à intervalles réguliers le reste de la journée mais pourraient passer la soirée à téter.

Que faire ? Cela dépend de vos désirs concernant la durée de l'allaitement. Si vous voulez continuer à le nourrir, il faut lui laisser le temps de prendre plus de lait, comme au tout début lorsqu'il devait provoquer votre montée de lait. Le lait est stimulé par ses succions. S'il «vide» souvent votre poitrine, vous allez produire plus de lait. Quand la fréquence des tétées a augmenté la production de lait, celle-ci convient à nouveau à ses besoins et il tète moins souvent. C'est un système admirablement simple qui fonctionne vraiment. Mais il faut lui laisser deux semaines pour se mettre en place. Votre bébé a besoin de la première semaine pour stimuler la production supplémentaire de lait. Ce n'est qu'au cours de la deuxième que vous pouvez compter sur un bébé plus calme et plus satisfait, et sur une bonne nouvelle du pèse-bébé.

Augmenter la production de lait grâce au bébé

Pour que votre bébé vous aide à produire assez de lait pour sa croissance, il faut le mettre au sein autant qu'il veut et aussi longtemps qu'il le souhaite à chaque tétée. Cela n'est pas facile, surtout lorsque toute la famille considère que la lune de miel avec votre bébé est finie et attend un «retour à la norme», ou si vous comptez vos dernières semaines de congé de maternité sur les doigts d'une seule main. Aucune autre solution ne peut fonctionner, pas plus que tenter à contrecœur celle-ci. Cela vaut donc la peine de vous accorder, à vous et à votre enfant, le temps et l'espace nécessaires. Certaines mères choisissent de déclarer une «urgence d'allaitement» et se réfugient dans leur lit avec leur bébé pour trente-six heures.

Si vous pouvez passer une nuit, une journée et encore une nuit non seulement à le laisser téter quand il veut mais à l'y encourager autant que possible et à bien vous reposer vous-même, vous verrez votre production de lait reprendre un bon départ. Bien sûr, l'idéal

Prendre le temps qu'il faut pour vous et pour votre bébé ne signifie pas délaisser votre aînée.

est que le papa puisse se joindre à vous, ou au moins vous attendre avec des plateaux appétissants. Mais même si vous devez vous lever pour manger ou installer votre aîné et ses jouets dans votre lit, c'est toujours mieux d'être là où vous pouvez répondre aisément à la moindre demande de votre bébé et n'être jamais impatiente que son repas soit fini.

Vous n'avez besoin de rien d'autre. Boire plus que d'habitude ne vous fera pas produire plus de lait, à moins que votre ration habituelle ne soit insuffisante. Manger plus que d'habitude ne vous aidera pas non plus, sauf dans la mesure où cela vous fait du bien. Les femmes peuvent – et malheureusement beaucoup doivent – produire assez de lait pour leur bébé tout en étant elles-mêmes à la limite de la sous-alimentation.

Bien sûr, il est important de bien manger pour emmagasiner de l'énergie, mais le fromage, les fruits, les yogourts et une bonne pizza livrée de temps en temps suffisent lorsque vous n'avez le temps *ni* de faire les courses *ni* de cuisiner.

Avant même que votre bébé prenne du poids, plusieurs signes vous indiquent qu'il obtient plus de lait :

■ Il commence à manger à intervalles un peu plus longs, et même à s'endormir plus longtemps entre deux repas ou à se réveiller sans crier immédiatement de faim.

■ Il prend tellement de lait dans le premier sein que, certaines fois, il tète très peu le second, voire l'oublie complètement parce qu'il s'est endormi.

■ Il peut lui arriver de régurgiter un peu de lait en faisant son rot.

■ Il mouille plus de couches et de façon plus abondante que quelque temps avant.

Ce qu'il ne va sûrement pas faire tout de suite, c'est vous laisser des soirées et des nuits tranquilles. Ne concluez pas de ces soirées marathons et des repas nocturnes que votre bébé n'a toujours pas assez de lait. Ils font partie du processus qui va lui permettre d'en avoir bientôt suffisamment. Il est même prouvé que les repas nocturnes ont un effet hormonal important sur la production de lait.

Maintenir la production de lait Une fois que votre production de lait atteint le niveau qui convient à votre bébé, essayez de ne pas replonger dans un tourbillon d'activités – et surtout d'activités fatigantes. Se sentir calme – et mieux encore, heureuse – aide la lactation, tout comme les hormones libérées lorsque vous allaitez vous aident à vous détendre... Il n'y a cependant qu'une seule chose que vous devez absolument faire pour maintenir votre production de lait, c'est de continuer à donner le sein à votre bébé dès qu'il semble avoir faim et de le laisser téter autant qu'il le souhaite. Si vous (ou votre belle-mère) êtes gênée par le terme «nourrir à la demande», qui sous-entend une espèce d'autorité du bébé, pensez plutôt que vous «nourrissez à la requête».

Il existe quelques petites choses qu'il vaut mieux *ne pas* faire, car elles vont à l'encontre de votre projet. Par exemple, vous inquiéter. Nous ne savons pas encore bien comment le souci et l'anxiété affectent des fonctions physiques comme la production de lait, mais il n'y a pas de doute qu'ils le font. Beaucoup de mamans s'en rendent clairement compte lorsqu'elles tentent d'allaiter dans des circonstances qui ne leur permettent pas de se détendre : le sein est plein, le bébé tète, mais la tension empêche le réflexe d'évacuation du lait. Tout comme un paysan dont la vache est énervée dirait : « On n'arrivera à rien à moins de la calmer », vous devez vous détendre et éviter de faire trop de choses.

Vous ne devez surtout pas vous inquiéter de ses heures de repas. Essayer de lui imposer des horaires réguliers est vraiment la chose à ne pas faire, même s'il semblait les avoir intégrés de lui-même une semaine auparavant. Votre poitrine doit recevoir la stimulation de tétées supplémentaires si vous voulez qu'elle produise plus de lait. Pour le moment, vous ne pouvez pas rationner ses tétées sans rationner son alimentation et vous voulez sans doute éviter de remplacer le lait manquant par des biberons de lait en poudre. Si vous lui offrez un biberon et qu'il l'accepte, il aura moins faim que d'habitude et n'enverra pas à votre poitrine le message d'augmenter sa production. Compléter son régime par des biberons sera approprié seulement lorsque vous aurez vraiment décidé que vous ne pouvez, ou ne voulez plus, vous forcer à produire plus de lait.

Tant que vous faites des efforts pour conserver une bonne lactation, ne laissez même pas de biberon de préparation lactée à une gardienne. Une poitrine qui reste pleine pendant plusieurs heures reçoit le signal qu'elle a produit plus qu'il ne fallait et donc qu'elle doit produire moins. Si vous ne voulez pas sortir avec votre bébé, il vaut mieux laisser un biberon de votre propre lait et utiliser votre tire-lait lors de toute absence de plus de deux ou trois heures.

Vous ne tirerez aucune aide des produits qui prétendent augmenter la production de lait. Tout comme les « fortifiants » et les médicaments qui se flattent d'augmenter la vigueur sexuelle, la plupart sont simplement des mélanges de vitamines et de magie. Ils ne vous feront aucun mal (bien que, tant que vous allaitez, il soit préférable de ne prendre *aucun* « médicament » sans l'avis d'un médecin) mais, à moins que votre alimentation ne soit très faible en vitamines, ils ne vous feront pas de bien non plus.

Peut-être vaut-il mieux éviter de prendre votre mode de contraception orale habituel pour le moment. Certaines pilules diminuent vraiment la production de lait. Il faudra envisager une méthode alternative de contraception, ou au moins changer de pilule, sur le conseil de votre médecin. Il vous sera peut-être recommandé de prendre une pilule minidosée maintenant et de revenir éventuellement à votre pilule habituelle plus tard, lorsque votre bébé aura quatre ou cinq mois. Si vous avez allaité tout ce temps, le système de demande et de production sera alors parfaitement au point et largement capable de pallier la légère diminution temporaire due au changement.

S'il n'y a pas de progrès

Si vous pouvez consacrer deux semaines à l'augmentation de votre production de lait et à la satisfaction de votre bébé, vous réussirez certainement, même sans vous aliter un jour ou deux. Mais le succès a un prix et vous êtes la seule à pouvoir décider s'il est abordable ou pas. Pratiquement toutes les femmes en bonne santé peuvent produire assez de lait pour le plus affamé des bébés – ou pour deux bébés – mais peu y parviennent en étant par ailleurs très actives. Certaines mamans conçoivent sans problème l'allaitement comme un travail

Produire assez de lait pour deux est rarement un problème, alors que faire plusieurs choses en même temps peut en être un.

à temps plein pour quelques semaines, abandonnent toute idée d'«horaires de repas» ou de «nuit calme» pour se concentrer sur le bébé. D'autres n'en ont pas envie ou ne le peuvent pas. Si vous avez un autre enfant déjà attristé par l'attention que vous accordez au bébé, vous préférerez peut-être avoir du temps pour jouer avec lui, l'emmener en balade et vous en occuper comme avant. Si vous n'avez personne pour vous aider à prendre soin de la maison et de vous, rester toute la journée étendue pendant que votre bébé tète et fait des petites siestes n'est pas vraiment pratique. Et si vos seins sont toujours douloureux, que vous vous sentez enfermée, que vous êtes convaincue que votre mariage ou votre travail est en danger, vous vous dites simplement que vous avez tenté tout ce que vous pouviez, mais qu'il est temps d'arrêter.

De même que vous seule pouvez décider d'allaiter, vous seule pouvez prendre la décision de continuer quel qu'en soit le prix. Cependant, n'écartez pas complètement le père de cette décision, à moins qu'il n'ait préféré lui-même prendre ses distances, au sens propre ou au sens figuré. Il peut faire beaucoup pour vous rendre l'allaitement plus facile. S'il tient à ce que le bébé soit encore nourri au sein, il fera tout ce qui est en son pouvoir pour que cela soit possible. Vous formerez alors une vraie équipe, partageant responsabilités et petits déjeuners au lit !

Des biberons de complément Prenez en tout cas une décision définitive pour éviter d'avoir l'impression d'arrêter progressivement l'allaitement sans l'avoir voulu et d'avoir des regrets. Vous pouvez vous assurer que votre bébé a tout le lait qu'il faut tout en vous battant un peu moins pour l'allaiter en lui offrant en complément des biberons de préparation lactée. Attention, à partir du moment où vous lui donnez régulièrement des biberons de complément, il est fort probable qu'il tète de moins en moins votre lait. En un ou deux mois, ces biberons ne seront plus seulement des compléments.

Cela n'est évidemment pas forcément un problème. Si vous aviez l'intention de le sevrer pour le nourrir complètement au biberon, c'est en réalité une bonne façon d'introduire progressivement ce changement plutôt que de le faire de manière trop rapide. Et même si vous ne l'aviez pas décidé consciemment, mais que ce qui compte par-dessus tout est que votre bébé mange à sa faim, il y a des chances que vous passiez de quelques biberons et beaucoup de tétées à beaucoup de biberons et quelques – puis aucune – tétées. Vous vous sentirez plus libre de faire autre chose et votre bébé n'y verra aucun inconvénient (il a déjà eu l'énorme bénéfice du colostrum et du lait maternel). En revanche, si vous aviez envisagé d'allaiter votre enfant pendant au moins un an, vous risquez d'être vraiment déçue.

Si vous souhaitez continuer à allaiter, il vous faut encore y consacrer, malgré les biberons de complément, du temps et des efforts. Une fois que votre bébé accepte le biberon, votre lactation risque de diminuer : votre bébé trouve toute l'alimentation qui lui manque dans les biberons, il est donc moins affamé, il tète avec moins de vigueur et donc stimule moins votre poitrine.

Maintenir une bonne production de lait devient difficile, l'augmenter est impossible. D'autant plus qu'il arrive que le bébé mis au biberon perde un peu de sa motivation pour le sein. Il a découvert un moyen sûr d'avoir du lait sans faire d'effort et est devenu un peu plus «paresseux» – surtout en ce qui concerne les derniers millilitres qui demandent un effort de succion considérable. Dès que le lait ne vient plus facilement, le bébé cherche le biberon. À partir de là, il est possible que votre propre motivation diminue aussi. Même si votre bébé prend seulement de petites quantités par jour au biberon, vous devez quand même perdre du temps à acheter le lait, à stériliser les biberons, etc., et vous aurez l'impression de subir les inconvénients des deux formules.

Comment donner les biberons de complément

Choisissez le lait et préparez le biberon comme vous le feriez pour un bébé nourri exclusivement de cette façon (voir p. 75). Commencez par le nourrir au sein comme d'habitude, puis, lorsqu'il a bu tout ce qu'il peut, offrez-lui le biberon de préparation lactée. Il boira la quantité de lait dont il a besoin en plus du vôtre : parfois beaucoup, parfois presque rien.

S'il ne boit le lait du biberon qu'à certains repas (souvent en fin d'après-midi ou au repas du soir, lorsque votre lactation est plus faible), il vous suffira de lui en proposer à ce moment-là.

Il va peut-être falloir plusieurs jours pour qu'il accepte les biberons. Les bébés habitués au sein ne se familiarisent pas toujours facilement à la tétine. Lorsque votre bébé refuse les biberons, le problème est de savoir s'il les refuse parce qu'il n'a pas faim ou parce qu'il n'apprécie pas cette nouvelle méthode. Continuez à lui proposer des biberons pendant au moins cinq jours. S'il a vraiment faim, il les acceptera dans ce délai. Sinon, il n'a probablement plus faim. Continuez à bien contrôler son poids.

Nourrir au biberon : les problèmes courants

Lorsque vous nourrissez votre bébé au biberon, vous avez plus (et il a moins) le pouvoir sur ce qu'il mange. Avoir toujours assez de provision de lait pour lui, sans que cela dépende de votre présence, vous rassure et vous appréciez de pouvoir vérifier la quantité de lait qu'il boit à chaque repas. Vous craignez donc moins que les mamans qui allaitent de ne pas le nourrir assez, mais il y a plus de risques que vous le nourrissiez trop…

La suralimentation

Lorsque votre bébé nourri au biberon a soif mais pas faim, il faut lui donner un biberon d'eau.

Les bébés nourris au biberon ne prennent pas trop de poids parce qu'on leur donne le lait à la demande. Ils grossissent lorsqu'on leur donne autre chose à manger ou des boissons sucrées en plus de leurs biberons ou parce qu'on a enrichi le lait de leurs biberons. À moins que votre médecin ne vous le prescrive (ce qui est possible si votre bébé est particulièrement grand), l'introduction d'aliments « solides » ne doit pas se mettre en place avant la fin du quatrième mois. Et lorsqu'il commence les céréales et les purées, il faut les lui donner séparément, à la cuillère, et non mélangées au biberon. Il est aussi important de bien doser ses biberons ou d'utiliser des formules toutes prêtes. Une cuillerée de farine de riz ou une dose supplémentaire de lait dans son biberon lui apporte un surplus de calories dont il n'a pas besoin. Il ne pourra pas éviter de prendre ces calories s'il veut boire tout son lait.

Souvenez-vous qu'un bébé peut avoir soif sans avoir faim et que le lait en poudre ne s'ajuste pas comme le lait maternel à ses besoins. Il contient toujours la même quantité de nourriture et d'eau. On peut donc lui proposer des biberons d'eau bouillie, surtout s'il fait chaud ou s'il a de la fièvre.

Si vous donnez à boire à votre bébé, favorisez l'eau dans l'espoir que cela devienne un plaisir pour lui, plutôt que de l'habituer au jus de fruits maintenant. Les boissons enrichies de vitamine C et les « jus pour bébés » sont « sans sucre ajouté » mais contiennent beaucoup de fructose – le sucre naturel du fruit – qui abîme les dents et sont un apport supplémentaire de calories. Aujourd'hui, les laits infantiles sont déjà enrichis de vitamine C. Votre bébé n'a donc absolument pas besoin de ces boissons. Si vous voulez lui offrir des jus de fruits pour le plaisir, préférez les jus de fruits frais que vous diluerez largement dans l'eau.

La sous-alimentation Cela arrive rarement avec les bébés nourris au biberon. Un bébé qui pleure beaucoup, ne semble pas satisfait et prend peu de poids souffre peut-être d'un manque d'alimentation. Voici quelques points à surveiller :

■ Vous essayez peut-être de contrôler la quantité de lait que votre bébé prend ou de lui donner la même quantité à chaque repas plutôt que de le laisser gérer cela lui-même. Comme les adultes, les bébés ont plus faim à certains repas ou certains jours. Assurez-vous qu'il prend autant de lait qu'il veut en ajoutant quelques millilitres de lait à chacun de ses biberons et laissez-le téter jusqu'à ce qu'il s'arrête de lui-même plutôt que de le presser de tout finir. Et s'il finit son biberon, êtes-vous certaine qu'il n'en aurait pas aimé plus ?

■ Vous lui imposez peut-être des horaires trop rigides. Il lui faut environ trois heures pour digérer un repas, donc, la plupart du temps, il n'en demandera pas un autre avant ce délai. Mais son appétit varie. Il ne prend pas toujours tout son biberon. Si vous ne l'autorisez pas à compléter un biberon du matin un peu léger par une petite collation au milieu de la matinée et le laissez attendre le prochain horaire «normal», il peut ne pas parvenir à avaler tout le lait dont il a besoin pour être rassasié. Imaginez qu'il ne prenne que 85 ml de lait le matin au lieu des 170 ml habituels. Deux heures plus tard, il a à nouveau faim. Une petite collation avant son déjeuner normal le remettrait en route, mais si vous ne lui accordez pas ce biberon supplémentaire, il ne pourra pas boire son biberon normal de midi *plus* les 85 ml qu'il n'a pas eus plus tôt. Son estomac ne peut tout simplement pas en supporter autant d'un coup. Si la situation se répétait, il pourrait devenir très irritable et perdre progressivement du poids.

■ Vous utilisez peut-être une tétine avec un trou trop petit. Un bébé qui a faim fera des efforts pour obtenir le lait, même s'il s'écoule lentement. Mais, après 55 ml, la véritable sensation de faim disparaît, sa motivation diminue et le bébé finit par abandonner et s'endormir à nouveau. Il se réveille une ou deux heures plus tard encore plus affamé. Si l'expérience se répète, votre bébé demandera des repas fréquents, mais ne mangera jamais beaucoup et ne prendra pas beaucoup de poids. Il faut donc vous assurer que le lait coule facilement de la tétine lorsque vous inclinez le biberon. Votre bébé doit pouvoir absorber au moins la moitié de son contenu au cours des cinq premières minutes de succion.

■ Votre bébé est peut-être un gros dormeur (voir p. 127). Dans quelques semaines, il sera capable de rester éveillé plus longtemps mais, en attendant, ne comptez pas sur lui pour vous signaler qu'il a faim. Réveillez-le pour le nourrir à intervalles réguliers. Utilisez ce qui l'intéresse le plus – votre visage, votre voix – pour le tenir éveillé le temps qu'il boive son biberon. S'il s'endort malgré tout, il serait absurde de verser du lait dans sa bouche. Plutôt que de le forcer maintenant, offrez-lui des petits repas fréquents en attendant qu'il grandisse un peu.

LES REPAS NOCTURNES

Bien que vous soyez à peu près sûre d'entendre parler d'au moins un bébé qui fait ses nuits à moins de six semaines, la plupart des bébés ne les font pas, et il y a de fortes chances que votre bébé ne les fasse pas non plus. Les enfants nourris au sein ont besoin d'au moins six tétées par jour jusqu'à six semaines, puis de cinq tétées jusqu'à quatre mois. Si vous le nourrissez au sein, votre bébé tète si souvent que compter les tétées n'a pas de sens. Comme il ne tient pas plus de quatre heures entre chaque tétée, il faudra vous relever au moins une fois pendant la nuit – bien qu'avec un peu d'astuce, vous n'aurez que rarement à vous relever deux fois. Dès que votre bébé se satisfait de cinq tétées par jour – trois aux heures des repas, une aux aurores et une tard le soir –, vous devriez pouvoir vous offrir six à sept heures de sommeil en continu à peu près toutes les nuits.

Être réveillé toutes les nuits est épuisant, plus que ne peuvent l'imaginer médecins et infirmières, ou amis et proches. Le problème ne vient pas des heures de sommeil perdues ; on peut rattraper la plupart de celles-ci en se couchant plus tôt ou en faisant la sieste pendant le week-end. La fatigue vient du fait que les cycles de sommeil sont continuellement perturbés. Être réveillé, même pour quelques minutes, deux ou trois fois par nuit pendant des semaines peut vous donner l'impression de devenir somnambule.

Jongler avec les heures de tétées pour dormir plus

Vous reposer au maximum tout en satisfaisant votre bébé dépend de votre capacité à vous adapter à ses heures de réveil selon son âge et son développement. Pendant ses premiers mois, lui faire attendre les tétées vous fait perdre des heures de sommeil inutilement. Plus tard, vous précipiter dès qu'il se réveille vous condamnera à des semaines inutiles de nuits entrecoupées.

Le secret de la réussite, lorsque vous jonglez entre les tétées, consiste à arrêter de penser en termes de discipline. Ne croyez pas que passer une tétée soit «bon» pour le bébé, la vertu n'a rien à voir dans l'histoire. Ne pensez pas que le nourrir avant qu'il ne soit affamé ou lui donner quelques tétées supplémentaires signifie «gâter» votre bébé. C'est du simple bon sens. Si – et seulement si – vous acceptez vraiment cette réalité, vous parviendrez en général à anticiper et à changer les heures de repas qui sont difficiles à vivre. Il suffit pour cela de réveiller votre bébé et de le nourrir plutôt que d'attendre qu'il vous réveille. Pourquoi tomber de sommeil dans votre lit à minuit alors que vous savez que votre bébé réclamera un repas vers 2 heures et 6 heures du matin ? Mieux vaut le réveiller juste avant de vous coucher de manière qu'il ne vous dérange que vers 4 heures.

L'histoire d'Erika et Simon

Erika et Simon commençaient à se sentir somnambules. Leur petite fille Adèle n'était pas une «mauvaise» dormeuse, en fait elle dormait beaucoup. Mais les intervalles entre les tétées de la nuit étaient les mêmes qu'entre les tétées de la journée. Elle avait un repas à 5 h 30 du matin et un autre à 9 h 30, mais réveillait ses parents à 1 h ou 2 h du matin puis encore à 5 h. Ils ont décidé de faire quelque chose. *Que faire ?* Erika savait qu'essayer de retarder un repas quand Adèle avait faim signifiait plus de pleurs pour elle et moins de sommeil pour ses parents. Pourquoi ne pas proposer à Adèle le premier repas de la nuit avant qu'elle n'ait faim – et avant que ses parents ne s'endorment? C'était peut-être une façon de donner au bébé ce dont il avait besoin tout en s'accordant ce dont eux avaient besoin – du sommeil. Simon était prêt à tout essayer pour qu'Adèle ne les réveille qu'une seule fois: après le repas habituel de 9 h 30, ils n'ont pas attendu qu'elle les réveille à 1 h ou 2 h du matin mais l'ont réveillée vers minuit, juste avant d'aller dormir eux-mêmes.

Qu'est-il arrivé? Après quelques nuits un peu difficiles pendant lesquelles Adèle s'est réveillée vers 1 h bien qu'elle ait été nourrie peu de temps avant, elle a pris l'habitude de dormir jusqu'à 4 h. Pas encore une heure décente pour les parents, mais quand même mieux que des réveils à 1 h *et* à 5 h du matin. Cette façon de jongler avec les heures de repas d'Adèle convenait à ses parents. Quelques semaines plus tard, elle n'a plus semblé avoir besoin du

premier repas du matin et du dernier repas du soir et ils se sont rendu compte qu'avec cette méthode, ils pouvaient choisir celui des deux repas qu'elle abandonnerait. Ils ont décidé d'essayer de se débarrasser de celui du soir afin de pouvoir se coucher plus tôt. Au lieu d'attendre minuit, ils ont réveillé Adèle quelques minutes plus tôt chaque soir vers 22 h. Erika et Simon pouvaient ainsi compter sur (presque) six heures ininterrompues de sommeil.

Pour des matins plus faciles. S'ils avaient préféré se coucher tard et ne plus être réveillés à 4 h, ils auraient pu orienter Adèle vers un autre rythme. En faisant coïncider petit à petit le repas de 17 h 30 avec celui de 19 h, ils auraient pu la persuader de sauter le repas de 21 h 30 et de dormir jusque vers 23 h ou minuit. Ils auraient ainsi obtenu ces six heures de sommeil et un réveil décent vers 6 h du matin.

Une nuit complète sans repas Les vrais bébés (par opposition aux bébés décrits dans les livres) font encore six (ou sept ou huit) repas après six semaines, et certains ne sont encore pas disposés, à trois ou quatre mois, à assouplir les horaires du premier ou du dernier repas pour le bien-être des parents. Si votre bébé est de ceux qui demandent plus de repas la nuit que le jour et qui continuent à vous réveiller constamment alors qu'il ne «devrait» plus du tout le faire, vous avez sans doute l'impression que votre patience et votre bon sens vous lâchent à cause de la fatigue. Essayez de tenir bon et de résister à la pression morale qui vous conseille de lui dire non. Puisque vous savez que vous allez finir par le nourrir, autant le faire tout de suite. Il se réveille (en général) et pleure parce qu'il a faim. Le nourrir est la seule solution pour arrêter ses pleurs assez longtemps, et tout autre méthode consistant à différer le repas diffère aussi votre retour au lit.

Laisser pleurer le bébé est un conseil qu'on donne couramment, mais il est prématuré et même particulièrement absurde à cet âge. Plus vous laissez un bébé affamé pleurer, plus il a faim et se fatigue. Quand vous finissez par céder, cette fatigue l'empêche de se nourrir suffisamment, le sommeil l'emporte, mais il se réveille à nouveau quelque temps après.

Si vous refusez de «céder» et laissez votre bébé hurler plus d'une heure, il va peut-être se rendormir parce qu'il est exténué, mais vous n'aurez rien gagné au change. Dormir une demi-heure lui redonne de l'énergie et aussi un appétit féroce. Vous n'avez pas pu dormir pendant l'heure où il a pleuré et vous voilà de nouveau réveillée...

Donner des boissons qui ne sont pas nourrissantes peut aider votre bébé à se rendormir quelques minutes. L'eau, ou le jus de fruits, et le fait de téter procurent la sensation éphémère d'être «plein» et réconforté. Mais au bout d'une demi-heure, il se rend déjà compte qu'il a le ventre vide et vous réveille juste au moment où vous sombrez dans un profond sommeil.

Lui donner un repas plus important dans la soirée ne change rien, à moins que vous ne l'ayez sous-alimenté jusque-là. Les fabricants d'aliments pour bébés essaient parfois de profiter du besoin de sommeil des parents avec des slogans comme : «Pour une nuit tranquille pour votre bébé et vous, donnez-lui...»

Mais l'appétit et la digestion d'un bébé ne fonctionnent pas comme un moteur de voiture, vous ne pouvez pas le faire aller plus loin simplement en refaisant le plein. S'il prend déjà un repas complet dans la soirée, il mange autant qu'il veut et, par définition, il n'en veut pas plus. Les calories supplémentaires fournies par les céréales ajoutées à son biberon seront digérées à un rythme normal. Le supplément aura de l'effet sur son poids mais pas sur son sommeil – et il peut en plus avoir une indigestion.

L'ALIMENTATION MIXTE

Le lait maternel ou industriel fournit à la fois nourriture et eau. Le lait maternel contient très peu de fer, ce qui fait dire à certains médecins que les bébés nourris exclusivement au sein peuvent avoir besoin d'un complément de fer autour du quatrième mois. D'autres affirment que la qualité de cette quantité de fer est telle qu'elle n'a pas à être complétée. En théorie, votre enfant pourrait être nourri de lait toute sa vie, mais, en réalité, un tel régime ne suffit pas longtemps.

Bien que l'apport nutritif du lait soit complet, il est très dilué, le lait étant principalement constitué d'eau. Au cours de sa croissance, le bébé a besoin de plus en plus de calories et d'éléments nutritifs. Il boit donc plus de lait. Il finit par boire à chaque repas autant de lait que son organisme lui permet et cependant, remplir son ventre quatre ou cinq fois par jour ne lui suffit plus à absorber les calories dont son corps a besoin. Comme il lui est impossible d'augmenter la quantité de lait par repas, la seule façon de se nourrir plus est d'augmenter le nombre de repas. Si vous n'aviez que du lait à lui donner, il se remettrait à réclamer le repas nocturne qu'il avait abandonné et tiendrait de moins en moins longtemps entre chaque repas. Heureusement, vous disposez d'autre chose. Il est temps d'introduire des aliments «solides». Leur apport nutritif est moins équilibré, mais leur apport en calories est beaucoup plus concentré. De toutes petites quantités procurent au bébé le supplément de calories dont il commence à avoir besoin.

Il existe aussi des raisons sociales à l'introduction des aliments solides. Vous êtes en train d'élever un être humain, et les êtres humains boivent et mangent des aliments variés. Votre bébé a besoin d'apprendre que le plaisir de manger peut aussi bien venir d'une assiette que d'un biberon ou d'un sein. Il lui faut découvrir comment avaler sans téter et s'habituer aux différences de goûts et de consistances. Tant qu'il n'a pas appris tout ça, il ne peut pas participer au plaisir social d'un repas, qui joue un rôle important dans l'échange – même si un repas en famille autour d'une table est une pratique de moins en moins courante.

Les premiers aliments «solides» ne sont pas vraiment solides. Pour que le bébé puisse s'y familiariser, ils doivent être transformés en une texture crémeuse. Mais lorsque vous sentez que votre bébé est prêt pour cette nouvelle alimentation, résistez à la tentation de la mélanger au lait du biberon. Donnez-lui plutôt dans une petite cuillère ou sur votre doigt. Nourrir votre bébé avec un biberon complété d'une cuillerée de céréales, c'est le forcer à la manger. De cette façon, il ne peut pas boire sa ration de lait habituelle (et donc d'eau) sans goûter en même temps les céréales. Cela le prive de toute possibilité de les refuser. Si vous avez quand même envie d'ajouter *quoi que ce soit* au lait de votre bébé, rappelez-vous que l'allaitement maternel est une alimentation idéale et que vous ne pouvez y ajouter aucune céréale…

Quand commencer l'alimentation mixte
Il n'existe pas de règles strictes sur le moment auquel vous pouvez commencer à lui donner des aliments solides. Il faut seulement attendre la fin du quatrième mois – sans qu'il y ait de vraies raisons médicales à cela. Pour les bébés prématurés, il faut compter quatre mois à partir de la date prévue de naissance (et non réelle). Si vos jumelles sont nées à trente semaines, elles ne doivent pas avaler autre chose que du lait avant leur sixième mois, sauf avis médical contraire. Bien que des générations de bébés aient eu une alimentation variée dès leur plus jeune âge et y aient apparemment survécu, les études récentes montrent clairement qu'avant environ dix-huit semaines, il manque encore certaines enzymes à l'intestin d'un bébé, ce qui le rend inapte à supporter autre chose que du lait. Un aliment donné trop tôt ne lui fera pas forcément de mal mais ne lui fera pas de bien non plus et peut annihiler certaines qualités du lait, comme l'absorption facile du fer et la protection contre les allergies.

Lorsque votre bébé passe son quatrième mois, il y a deux façons de savoir s'il est prêt pour l'introduction de nouveaux aliments. La première, traditionnelle, est de suivre sa consommation de lait, son poids et le nombre de repas.

Si votre bébé nourri au biberon finit un biberon de 200 ml à chaque repas, il boit le maximum que son estomac lui autorise. Pour manger plus, il lui faut des repas plus nombreux et non plus importants.

La prise de poids de votre bébé au cours du dernier mois vous indique si les quantités de lait ont été suffisantes jusqu'à présent. S'il grossit de façon régulière, il a tout ce qu'il lui faut. Mais ses besoins nutritifs augmentent en même temps que son poids et plutôt que d'augmenter le nombre de repas qu'il prend, vous espérez surtout qu'il supprime l'un des biberons qui rendent vos nuits si courtes. Il y a peu de chances que cela se produise tant que vous ne variez pas son alimentation. Son appétit risque même de nécessiter un réveil nocturne supplémentaire.

Si vous allaitez votre bébé et n'avez donc aucune idée des quantités de lait bues, vous pouvez vous référer à son poids et au nombre de repas qu'il réclame. À partir de 5,5 kilos, il ne peut obtenir tout ce dont il a besoin sans faire au moins cinq repas par jour, si ce n'est six. S'il refuse absolument d'allonger les intervalles entre les repas, voire commence à les raccourcir, ou s'il redemande une vraie tétée le soir alors qu'il avait cessé de le faire, il est raisonnable de penser qu'il a besoin de manger plus. Il continuera à réclamer un plus grand nombre de repas tant que vous ne lui offrirez pas un aliment supplémentaire.

L'autre façon de reconnaître que votre bébé est prêt pour l'introduction d'une alimentation variée est plus subjective et personnelle. Votre bébé *vous* semble-t-il prêt à expérimenter une nouvelle façon de se nourrir? Aime-t-il être assis, bien calé dans sa chaise haute, par exemple, ou se laisse-t-il encore tomber si personne ne le soutient?

Une fois installé, s'intéresse-t-il à ce qui se passe sur la table? S'il vous observe en train de manger, suit chaque bouchée allant de l'assiette vers votre bouche, vous imite en train de mâcher et semble vous réclamer quelque chose, il a apparemment compris que vous appréciez ce procédé et il a envie de l'essayer. Il n'y a pas de meilleure raison de commencer à lui faire découvrir de nouveaux goûts.

Si vous vous sentez égoïste lorsqu'il vous regarde manger, il est probablement prêt à goûter autre chose que du lait.

Si ce qu'il semble vous réclamer sur la table est un aliment qu'il est en mesure de goûter – une soupe de légumes que vous n'avez ni salée ni poivrée –, vous pouvez sans problème lui faire découvrir ce premier goût sur votre doigt. Au moment où l'aliment touche sa langue, il est possible que sa langue le rejette. C'est le réflexe de rejet propre à tous les bébés. Il permet au nouveau-né d'éviter de s'étouffer en

expulsant tout corps étranger, y compris la nourriture, hors de la bouche. Tant que ce réflexe est encore actif, votre bébé n'est pas encore prêt. Mais s'il accepte votre doigt, le lèche avec plaisir et semble déçu lorsqu'il n'y a plus rien dessus, il appréciera sans doute que vous prépariez une demi-cuillerée pour lui tout seul.

Apprécier est le mot juste. La découverte des goûts nouveaux a plus une valeur éducative que nutritionnelle et ce qui compte le plus est qu'il le fasse avec enthousiasme.

Lorsqu'il peut encore être nourri uniquement au lait, de minuscules quantités de nouveaux aliments de temps en temps couvrent ses faibles besoins supplémentaires mais sont surtout une façon de le préparer pour la suite. Elles n'ont pas un rôle majeur dans son régime et ne remplacent rien. Surtout, l'expérience nouvelle – et pas toujours évidente – de l'utilisation de la cuillère ne remplace ni ne réduit le plaisir sensuel de la succion. Le début de l'alimentation mixte n'est pas le début du sevrage.

Il a toujours beaucoup plus besoin de lait que de tout autre aliment. Ne vous laissez pas convaincre par les diverses publicités que votre bébé doit manger plus d'aliments solides et diminuer sa consommation de lait. Au contraire, continuez à lui donner sa ration habituelle de lait et offrez-lui d'autres aliments en quantités infimes que vous n'augmenterez que s'il en a envie.

Proposez-lui de nouvelles saveurs et laissez-le décider de ce qu'il veut. Au début, vous aurez du mal à distinguer s'il n'est pas prêt ou s'il refuse – la purée dégouline de sa bouche ou il la recrache ? Il vaut mieux être trop prudent et lui en donner moins qu'il ne veut que de lui en donner trop. Il a toute la vie pour manger des carottes.

Alimentation variée : par quoi commencer ? Le régime de la plupart des bébés est encore uniquement composé de lait. Même lorsqu'il commence à vouloir plus d'aliments solides, le nourrisson boit encore assez de lait pour se procurer tous les minéraux, protéines et vitamines dont il a besoin. Les premiers aliments solides doivent lui apporter des calories qu'on trouve pratiquement dans tout. Il est inutile de lui donner des céréales «enrichies de protéines», des céréales ordinaires suffisent. Il n'a pas besoin des protéines supplémentaires contenues dans le produit le plus cher, seulement des calories qu'on trouve partout.

Pour choisir ses premiers aliments, il suffit d'éviter tout ce qui peut provoquer des réactions allergiques. Il peut manger tout ce que vous servez habituellement à la seule condition que le goût lui plaise, que la consistance lui convienne (semi-liquide) et qu'il n'y ait pas d'effet désagréable sur sa digestion. Une fois qu'il a compris qu'il pouvait faire autre chose que téter, essayez de lui proposer des saveurs variées afin de trouver ce qu'il aime et ce qu'il n'aime pas. Même à cet âge où le goût est un sens encore en formation, il peut avoir des préférences qu'il est bon de respecter.

Les aliments à éviter les six premiers mois Certains aliments sont particulièrement susceptibles de provoquer des réactions allergiques chez les jeunes bébés et doivent être évités au moins jusqu'au sixième mois. Ils seront ensuite introduits en toute petite quantité et un seul à la fois : le blé en farine ou en céréale (donc le pain), les céréales de soja, les œufs (le jaune et le blanc) et les agrumes (y compris les jus d'orange pour bébés).

La soupe était délicieuse,
mais à présent le doigt
n'a plus aucun goût :
il est peut-être temps de
lui donner sa part.

Les aliments dont il faut se méfier

Si un membre de votre famille souffre d'allergie – y compris de type rhume des foins dont le lien avec la nourriture n'est pas évident –, votre bébé a peut-être lui aussi un terrain favorable. Commencez par le nourrir exclusivement au sein si possible et consultez votre médecin avant de lui donner *quoi que ce soit* d'autre, préparation lactée ou aliment solide. Consultez-le à nouveau avant l'introduction de tout aliment à risque.

Évitez le sel, qui peut perturber des reins immatures, les épices fortes, qui pourraient lui brûler la bouche et l'estomac, ainsi que café, thé et alcool, qui sont tous des drogues.

Soyez vigilante sur les sucres ajoutés et offrez-lui autant d'aliments salés que sucrés. Les bébés développent facilement une préférence pour les choses sucrées, qui est mauvaise pour leurs dents.

Ne lui donnez pas du lait de vache ordinaire (ou de chèvre ou de mouton). Jusqu'à la fin de la première année, il ne boit que du lait maternel ou une préparation lactée. Vous pouvez lui donner un « lait de croissance » à partir de neuf mois. Ce genre de lait adapté aux enfants dont l'alimentation est variée n'offre pas plus d'avantages que les laits infantiles et certainement moins que le lait maternel. Bien que le lait de soja soit souvent recommandé pour les bébés qui souffrent d'une intolérance au lait de vache, il peut lui-même provoquer des allergies. N'utilisez le lait de soja que sur les conseils de votre médecin et uniquement le lait de soja infantile.

Introduisez un seul nouvel aliment à la fois en vous contentant d'une cuillerée les premiers temps. Ainsi, si votre bébé ne semble pas apprécier, vous saurez exactement quel aliment éviter. Il est préférable d'attendre de 3 à 7 jours avant d'introduire un nouvel aliment afin d'évaluer les symptômes d'allergie.

Rappelez-vous qu'il ne peut pas encore mâcher. Si vous lui donnez de trop gros morceaux, il devra les avaler tels quels. Il n'aime pas ça et risque de s'étouffer. Il vaut mieux utiliser un mélangeur afin de faire des purées lisses au cours des premières semaines. Il y a sur le marché des appareils prévus pour mélanger et rendre liquides les aliments. Un robot ordinaire donne une consistance similaire mais laisse parfois les pépins ou de petits morceaux de peau de fruit qu'il aura du mal à digérer, et vous devrez en plus passer ses purées au tamis.

Les premiers aliments

Au Québec, on commence par donner des céréales pour bébés enrichies de fer. Ensuite, on introduit les légumes et les fruits. Afin d'éviter de surcharger les reins du bébé, on introduit en dernier les aliments riches en protéines (yogourt, viande, œuf...). Les céréales sont vendues spécialement préparées pour les bébés ; vous n'avez plus qu'à les mélanger au lait. Les céréales à base de riz, d'orge ou d'avoine provoquent rarement des allergies et sont faciles à digérer.

Les céréales ont beaucoup d'avantages. Elles sont naturellement riches, ou enrichies, en fer – le seul élément nutritif qui manque surtout aux bébés nourris au sein. Mais, bien que leur goût soit assez doux et crémeux pour plaire à la majorité des bébés, beaucoup préfèrent les fruits ou les légumes en purée. Leur goût est peut-être plus surprenant que celui des céréales non sucrées, mais il est aussi plus

Doit-on éviter la nourriture industrielle?

Est-il vrai que la nourriture industrielle pour bébés est de mauvaise qualité, sucrée et contient de l'amidon? Tout cuisiner soi-même est-il meilleur pour la santé des bébés?

Cela dépend des marques et de la nourriture que vous préparez chez vous.

Certains aliments pour bébés n'ont en effet plus rien de naturel. Quelquefois, le contenu des pots – un mélange de légumes par exemple – est dilué puis épaissi à nouveau avec de l'amidon ou un autre agent gélifiant; quelquefois, le goût naturel est modifié par des arômes artificiels ou des colorants. Lisez les étiquettes. Si certains éléments vous sont inconnus, rappelez-vous que les ingrédients doivent être listés suivant leurs proportions; ainsi, si l'eau est en tête, cela signifie qu'il y a plus d'eau que d'autre chose. Et mieux vaut que la liste soit courte. Les meilleurs aliments pour bébés ne contiennent rien de plus que l'aliment naturel.

Cuisiner vous-même les aliments de votre bébé convient tant que vous les conservez soigneusement et que vous utilisez des aliments frais (ou congelés) qui ont été produits et commercialisés dans le respect des règles d'hygiène. Les jeunes bébés – comme les personnes âgées – sont plus sensibles que les autres à l'intoxication alimentaire. Les précautions que vous prenez dans votre cuisine sont cruciales mais ne protégeront pas votre bébé des négligences lors de la production ou sur le lieu de vente. La viande crue et la volaille doivent être séparées des aliments destinés à être mangés tels quels, et doivent être bien cuites elles-mêmes. Ne lui donnez jamais d'œufs crus (y compris dans la meringue et la mayonnaise). Le plus important est de ne pas laisser trop longtemps la nourriture à la température ambiante afin d'éviter la multiplication très rapide des bactéries. Résistez à la tentation de gagner du temps en réchauffant de la nourriture précuite. La nourriture doit être bouillie, refroidie et consommée immédiatement. Attention à la nourriture surgelée (incluant de plus en plus

de repas pour bébés) qu'il suffit de réchauffer au micro-ondes. Un plat bien présenté, que vous préférez ne pas remuer, n'est peut-être pas uniformément chaud.

Il est bon pour le bébé que sa nourriture soit variée. Cependant, pensez toujours à cuisiner en fonction de lui: évitez les aliments potentiellement allergisants, tels que les noisettes, n'utilisez pas trop de sucre et n'oubliez pas d'attendre que le bébé soit servi avant de rajouter du sel, des épices ou du vin dans votre plat. Pensez aux jours où tout le monde rentre tard et n'a aucune envie de cuisiner. Les plats chinois à emporter ne sont pas bons pour votre bébé, même minutieusement mis en purée.

Toutefois, le plus grand risque pour la santé des bébés n'est pas de leur donner une nourriture inadaptée ou un éventuel surplus d'additifs. Beaucoup de spécialistes sont d'accord pour dire que le danger vient surtout des résidus de pesticides (voir p. 246). La meilleure façon d'éviter ces derniers est d'acheter uniquement des produits biologiques – fruits et légumes, si vous cuisinez vous-même, ou petits pots produits à base d'aliments issus de la culture biologique.

Tous les parents veulent que leur enfant ait un régime équilibré, mais tous n'ont pas le temps, l'argent ou la volonté d'exclure tout ce qui n'est pas d'origine biologique ou toute alimentation industrielle. Si vous voulez être prudente, assurez-vous de donner à votre bébé une nourriture variée, qu'elle soit industrielle ou faite maison. Si le petit pot «agneau aux légumes» que bébé préfère contient beaucoup d'épaississant et pas beaucoup de viande, cela ne perturbera pas son régime s'il en mange une fois par semaine, à condition qu'il mange un petit pot différent (avec ses qualités et ses défauts) au repas suivant et un plat fait maison le lendemain. De la même façon, lui servir occasionnellement une tarte à la pomme industrielle, sans goût et trop sucrée, avec des traces de produit chimique, ne va pas mettre en danger sa santé, son goût ou le dégoûter de votre cuisine.

intéressant et amusant. Essayez une banane ou un avocat bien mûrs réduits en bouillie, une pomme cuite, une pomme de terre, bouillie et écrasée, des épinards ou une carotte.

Des plats faits maison ou industriels ?

Une fois que votre bébé accepte un ou deux aliments solides, il est bien de lui en offrir une grande variété. Vous pouvez acheter des aliments exprès pour lui ou lui donner de petites portions cuisinées et réduites en purée par vous-même. (Vous pouvez en congeler une partie.) Si vous voulez qu'il apprécie ce que vous lui préparez, cuisinez pour lui dès le début. S'il s'habitue trop aux goûts toujours doux des plats tout prêts, il risque de refuser les aliments au goût un peu plus prononcé. Une pomme fraîche écrasée n'a rien à voir avec une compote de pomme industrielle.

Cuisiner pour un bébé est très simple, même s'il vous faut être particulièrement vigilante à l'hygiène. Les bavoirs, le bec verseur d'un gobelet, les ouvre-boîtes, etc., peuvent être sources d'une quantité de bactéries trop importante pour votre bébé. Au tout début, lorsque vous n'avez pas encore à vous inquiéter de lui donner un repas équilibré, il peut avoir de petites portions de pratiquement tout ce que vous cuisinez. Il suffit de réduire les aliments à une consistance semiliquide. Vous pouvez les passer au mélangeur et ajouter un peu de lait ou d'eau. La plupart des bébés préfèrent une consistance crémeuse. Ils s'étouffent facilement avec une pomme de terre écrasée. Les aliments filandreux, rugueux ou durs, comme les fraises, le chou ou la viande hachée, doivent être bien nettoyés et mélangés. Vous pouvez adoucir certains goûts en ajoutant du yogourt ou du lait. Essayez d'éviter tout ce qui pourrait le dégoûter. Un morceau de cartilage peut le rendre méfiant pendant des semaines.

Donner un petit pot à un bébé à cet âge est tout à fait exagéré. Il n'a besoin que d'une ou deux cuillerées par repas, et les pots en contiennent beaucoup plus. Il ne faut pas conserver le reste pour les repas suivants : le produit ne reste pas frais plus de vingt-quatre heures après l'ouverture, même au réfrigérateur, et vous n'avez pas envie de proposer la même chose à votre bébé trois fois de suite. Vous pouvez utiliser les aliments déshydratés et en acheter de différents goûts, sucrés et salés, afin de varier les nouveaux plaisirs de votre bébé.

Apprendre à manger de la nourriture solide est une étape importante pour votre bébé. Si vous le contrariez ou le frustrez, vous risquez de le dégoûter pour longtemps.

Ne pensez pas que la faim va le motiver. Quand il a faim, il veut du lait. Il ne connaît pas d'autre moyen de se rassasier. Cela va lui prendre du temps de s'apercevoir que ce qui vient de la cuillère a le même effet. En attendant, si votre bébé réclame à manger et continue à pleurer entre les bouchées, ne croyez pas qu'il ne veut pas ou n'aime pas ce que vous lui donnez. S'il mange avec enthousiasme mais pleure quand même, il n'en a peut-être pas encore eu assez et vous dit : « J'ai encore faim. »

Profitez de sa curiosité et de son intérêt pour votre façon de manger et pour la nourriture qui semble plaire aux adultes. Partager le plaisir des repas en famille est la meilleure façon de l'amener à apprécier autre chose que le lait.

Utilisez ses capacités à jouer avec ses mains. À cet âge-là, un bébé ne se nourrit pas très bien avec les doigts mais cela l'amuse beaucoup.

Se débrouiller tout seul si tôt l'aidera à accepter plus tard les nouveaux goûts et les nouvelles consistances.

Manger à la cuillère est une technique difficile à apprendre – même en restant concentrée !

Avoir la permission d'attraper et de sucer une biscotte remplace largement la nourriture à la cuillère, et le fait qu'il porte lui-même la nourriture à la bouche l'aide à admettre et même à apprécier les nouveaux goûts et consistances. Surveillez-le à chaque instant. Si un gros morceau se casse dans sa bouche, il aura besoin de vous pour l'enlever.

Soyez patiente. N'essayez pas de lui faire découvrir des aliments nouveaux pendant les repas qui sont importants pour lui. Le premier repas de la journée, par exemple, n'est généralement pas celui par lequel il faut commencer. Il est à peine réveillé et il est affamé. Laissez-le téter en paix.

Quel que soit le moment de la journée que vous choisissez pour l'initier aux aliments solides, ne lui donnez pas à manger à la cuillère alors qu'il a envie de téter. Si vous le faites, il hurlera de faim et sera frustré à chaque cuillerée. N'attendez pas non plus qu'il soit rassasié de lait : il est alors trop endormi pour s'y intéresser. La méthode «sandwich» fonctionne souvent très bien : quelques minutes de tétée pour apaiser sa faim et le rassurer, puis un peu de nourriture solide, puis à nouveau du lait, autant qu'il veut. Cependant, le lait constitue la base du régime alimentaire jusqu'à 12 mois ; les aliments solides le complètent.

Absorber de la nourriture sans téter est difficile pour les bébés, le temps qu'ils comprennent la technique. Si vous posez la nourriture sur sa langue, votre bébé ne sait pas comment l'enfoncer assez loin dans la bouche pour l'avaler. Elle risque de simplement dégouliner. Si vous la mettez directement au fond de sa bouche, il peut avoir des haut-le-cœur et refuser la nourriture à la cuillère pendant des semaines. La meilleure technique est d'utiliser une petite cuillère extraplate et de la tenir entre les lèvres du bébé de manière qu'il puisse téter son contenu. S'il tète la cuillère, il parviendra à enfoncer suffisamment la nourriture pour l'avaler. S'il en aime le goût, cela l'enthousiasmera.

Il est important de savoir s'arrêter. Si vous le nourrissez à la cuillère, votre bébé saura vous « dire » quand il en a assez : il se détourne de la cuillère ou pince les lèvres au lieu de téter. Mais si vous lui mettez la nourriture directement dans la bouche, il vous sera plus difficile de reconnaître quand il n'en veut plus. Le fait qu'il recrache la nourriture, ait des haut-le-cœur et pleure signifie soit qu'il a fini de manger, soit que votre méthode n'est pas bonne, soit qu'il ne sait pas encore s'y prendre.

À table en famille Vers cinq ou six mois, la plupart des bébés sont prêts à s'adapter aux heures de repas de la famille, peu importe le nombre de collations au biberon ou au sein qu'ils ont dans la journée. Votre bébé ne peut cependant pas encore patienter entre son souper et son prochain petit déjeuner. Il aura besoin d'un biberon ou d'une tétée, en toute fin de soirée ou très tôt le matin selon votre préférence. Si vous voulez dormir mais ne parvenez pas à vous coucher tôt, un dernier repas tardif vous conviendra mieux.

Après quelques semaines, les bébés qui ont aimé les premiers aliments variés comprennent que la nourriture prise à la cuillère comble aussi la faim. Le lait qu'ils tètent reste un élément vital pour encore plusieurs mois, mais ils sont aussi impatients de manger autre chose. Ces bébés peuvent commencer, progressivement, à manger plus à la cuillère et à moins dépendre du biberon ou du sein.

La méthode du « sandwich » permet de repérer facilement cette étape. Vous préparez l'aliment nouveau de votre bébé, puis vous vous installez pour lui donner le sein ou le biberon. Mais, attiré par le repas qu'il aperçoit, il hâte la tétée. S'il aime ce que vous lui avez préparé, il en mange une bonne quantité et finit par une dose symbolique de lait.

À partir de ce moment, vous pouvez lui proposer des rations plus importantes d'alimentation solide (disons trois cuillerées plutôt qu'une) et abandonner la méthode « sandwich » dès qu'il vous montre, par ses gestes, qu'il préfère commencer par le vrai repas solide ou que, ayant tété puis mangé, il ne souhaite plus de lait supplémentaire. Petit à petit, il déplace sa dépendance au lait vers les « vrais » repas. Ce *véritable* début du sevrage, votre bébé en a décidé lui-même car il en a envie. Rien ne l'y a forcé et il est important de continuer à le laisser faire à son rythme. Certains jours ou certaines semaines, il ne voudra à nouveau que du lait ou réclamera encore une tétée avant et après son repas. Si vous le laissez vous guider, vous pouvez être certaine qu'il combinera nourriture variée et lait comme cela convient aussi bien à son goût qu'à sa santé.

Finalement, il arrive à une sorte de journée type. Le matin, il a encore besoin de commencer par téter. Vous pouvez lui donner le gros biberon de lait de la journée à ce moment-là plutôt que le soir. Mais si vous lui donnez un repas plus solide, laissez-le d'abord téter autant qu'il veut et donnez-lui son alimentation solide après.

Le dîner est sans doute le moment où il a le plus envie d'un repas solide et le moins besoin de téter. Offrez-lui le biberon ou le sein après son repas, mais s'il vous montre que cela ne l'intéresse pas, offrez-lui plutôt quelque chose à boire dans une petite tasse.

Au souper, il a peut-être besoin de commencer par téter, pour s'apaiser après avoir joué ou pris un bain. Il peut ensuite manger un peu solide avant d'avoir un vrai bon biberon au calme (peut-être dans sa chambre) pour le préparer à aller au lit.

S'il a toujours besoin d'un autre biberon tard dans la soirée, c'est un moment où il ne doit rien faire d'autre que téter et se rendormir tout de suite.

Au cours de cette période, votre bébé apprend à se débrouiller avec des repas moins fréquents mais plus importants qu'auparavant. Il apprendra vite et sans problème si vous faites en sorte que les repas soient toujours un moment agréable. Il a sans doute envie d'un goûter pour lui permettre de tenir. Vous pouvez à présent remplacer le lait par quelque chose de dur et de facile à tenir et à mâcher. Plus il s'entraîne à diriger la nourriture avec ses doigts et plus vite il y prend plaisir.

Il a sans doute envie de jouer avec les aliments, et plus vous l'y encouragerez, plus vite il saura se servir d'une cuillère. Votre bébé a toujours besoin d'être dans vos bras pour boire son lait, mais le reste du temps, une chaise haute avec sa petite table est plus confortable pour vous deux et vous donne une plus grande liberté pour l'aider.

À partir de maintenant, ne pensez plus que vous le nourrissez mais que vous l'aidez à se nourrir lui-même. Dès qu'il s'assoit pour manger, il a envie de participer avec ses mains, mais aussi avec sa bouche. Laissez-le tremper ses doigts dans sa purée, la répandre un peu partout, sucer ses doigts et découvrir à quoi sert une cuillère. C'est un peu dégoûtant mais d'une grande importance. Plus il sent qu'il

Être assis à table avec les adultes est amusant, mais il doit être bien attaché dans sa chaise.

PARENTS, ATTENTION !

Bébé s'étouffe !

Qu'un bébé s'étouffe avec un petit objet, surtout un objet rond comme les boutons, les billes ou les piles (toxiques) d'une montre, est un risque auquel tout le monde pense. Mais on pense moins au risque d'étouffement avec de la nourriture. C'est parce que les morceaux donnés sont rarement de taille à empêcher le bébé de respirer. Il ne faut pas laisser cette perspective horrible vous retenir de lui offrir de la nourriture à la main.

Beaucoup de bébés ont des haut-le-cœur si on leur donne à la cuillère un aliment nouveau, à la consistance étrange ou en trop grande quantité. Avoir un haut-le-cœur est désagréable – et les bébés n'aiment pas ça –, mais c'est aussi un réflexe de protection qui rejette la nourriture vers le bord de la bouche afin qu'elle soit recrachée ou réingurgitée. Le problème, lorsqu'il mange avec ses doigts, c'est qu'il peut ingurgiter un trop gros morceau impossible à mâcher faute de dents. Il peut se débrouiller avec un petit morceau

de pain qu'il mâchouille et ramollit avec ses gencives, mais pas avec un gros. S'il a un haut-le-cœur insuffisant pour recracher la nourriture, il commence à tousser et à s'étouffer. Il est alors facile de l'aider en retirant le morceau coupable avec vos doigts.

Un morceau plus petit représente parfois un plus gros danger, car il peut être avalé à moitié et déclencher une «fausse route». Le bébé tousse pour rejeter un petit morceau de carotte ou de pomme qu'il a essayé d'avaler entier. C'est impressionnant mais rarement dangereux, la nourriture ne bloquant pas le passage de l'air. Tant que le bébé peut respirer, il peut, avec votre aide, la recracher. S'il était tout seul, le problème serait différent. Lorsqu'un morceau de nourriture est coincé dans la gorge, celle-ci peut enfler et maintenir le corps étranger à sa place. C'est ce qui empêche l'air de passer. Il ne faut jamais laisser un bébé boire ou manger sans la surveillance d'un adulte.

contrôle lui-même ce qu'il mange, plus manger va l'amuser. Plus il s'amuse, moins il y a de risques que les repas soient difficiles plus tard. S'il peut s'entraîner librement maintenant, il sera rapidement capable de manger tout seul. Essayez de ne pas diriger ses gestes. Lui retirer ses vêtements pendant qu'il mange est plus efficace que de lui mettre un bavoir et il est assez facile de lui passer une débarbouillette d'eau tiède pour tout nettoyer. Un bavoir avec un rebord retient une grande partie des aliments, mais si vous vous inquiétez pour votre sol, mieux vaut placer, pendant ses repas, un plastique sous sa chaise ; c'est encore ce qu'il y a de plus efficace.

Boire dans une tasse Les bébés qui prennent moins de lait au sein ou au biberon parce qu'ils mangent plus à la cuillère doivent commencer à faire la différence entre ce qu'ils mangent et ce qu'ils boivent dans une tasse. Il est possible que boire sans téter soit plus difficile à apprendre que manger. Il est bon de laisser le nourrisson s'entraîner à boire au gobelet, mais vous pouvez faciliter ses débuts en lui donnant un verre avec un petit bec verseur et des anses. C'est un compromis idéal entre téter un biberon et boire un verre normal qui évite qu'il ne renverse sa boisson partout. On trouve des modèles avec des becs de différentes tailles. Il peut ainsi commencer avec un bec verseur assez long pour être pratiquement tété, puis la taille des becs suivants diminue pour le préparer à ne plus du tout en avoir besoin pour diriger le liquide dans sa bouche.

Un bec verseur et deux anses lui donnent un peu d'indépendance et diminuent les dégâts.

Votre bébé n'a pas besoin de boire de grandes quantités au gobelet parce qu'il boit encore une bonne partie de l'eau dont il a besoin dans le lait et que ses premiers «aliments solides» en contiennent aussi. Ne le poussez pas à prendre plus qu'il ne veut, et surtout pas en remplissant son gobelet de jus de fruits. S'il a besoin de boire quelque chose, ce sera de l'eau.

LA CROISSANCE

Pendant les trois premiers mois, les bébés prennent en général 28 g par jour, ou 170 g par semaine. Tous les bébés ne grossissent pas forcément à ce rythme, ni de façon aussi régulière, mais si vous regardez une courbe de croissance (voir p. 89) moyenne, vous verrez que cette prise de poids est valable non seulement pour les bébés de taille moyenne mais aussi pour ceux qui étaient particulièrement gros ou particulièrement menus à la naissance.

À la fin du premier trimestre, le rythme de croissance diminue un peu. Au cours des trois mois suivants, votre bébé prend environ 140-170 g par semaine et 6 cm. La régularité de la croissance compte toujours plus que sa quantité. Un bébé que sa prise de poids, semaine après semaine, place juste en dessous du *50ᵉ centile* et dont la courbe des relevés suit la courbe moyenne a peu de risques de se mettre soudainement à prendre si peu de poids qu'il descende jusqu'au *9ᵉ centile*. Pour que cela arrive, il faudrait qu'il soit sous-alimenté. Mais s'il a toujours pris moins de poids que la majorité et que sa courbe a toujours été un peu plus plate que la moyenne, cela indique qu'il est dans la nature de ce bébé de grossir un peu moins vite que les autres.

DENTS
ET POUSSÉE DENTAIRE

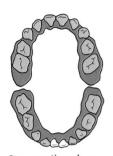

Les premières dents sont en général celles de devant, inférieures puis supérieures, et arrivent vers six mois.

Les dents des bébés poussent dans un ordre relativement prévisible mais à des âges très variables. La première dent de votre bébé sera certainement une des deux dents inférieures de devant mais peut aussi bien arriver après qu'avant son sixième mois. Cela ne signifie pas que votre bébé est «en avance» ou «en retard» – en réalité, cela ne signifie rien de particulier, si ce n'est la disparition définitive de son sourire édenté.

La plupart du temps, la «poussée dentaire» commence plus tard et de façon moins impressionnante que ce que vous imaginiez. Votre bébé n'aura sans doute pas de dent avant cinq ou six mois et le processus ne le dérangera probablement pas avant quatre mois, s'il le dérange un jour. Les quatre premières dents sont en général si plates et pointues qu'elles ne provoquent rien de plus qu'une petite inflammation de la gencive. Votre bébé salive et mordille. Essayez de lui masser la gencive qui vous paraît enflée avec votre doigt.

La poussée dentaire est un diagnostic populaire mais rarement exact de l'irritabilité et des pleurs des très jeunes bébés. Elle peut même se révéler une explication dangereuse. Chaque année, des bébés arrivent à l'hôpital dans un état grave parce que leurs parents ont attribué les symptômes d'une véritable maladie à la poussée dentaire et ont attendu trop longtemps pour consulter un médecin. Un bébé qui semble malade doit être vu par un médecin. Par contre, certains bébés éprouvent des malaises lors de l'éruption des dents. L'enfant peut refuser de manger, avoir le nez qui coule, des rougeurs aux joues et aux fesses et de la diarrhée. La fièvre est aussi possible : il faut la soulager avec de l'acétaminophène (Tempra, Tylenol) ou de l'ibuprofène (Motrin, Advil).

Les premières dents servent à mordre et non à mâcher. Les bébés commencent à mâcher avec leurs *gencives* longtemps avant d'avoir leurs dents du fond. Ils apprennent à le faire dès qu'ils peuvent mettre leurs mains et leurs jouets dans la bouche. Veillez à ce que votre bébé commence à mâchouiller de petits bouts de pomme pelée ou de carotte râpée avant six mois. Sinon il risque d'être tellement habitué à une alimentation semi-liquide que lorsque ses prémolaires auront poussé, il n'acceptera pas la nourriture solide et rejettera les morceaux sans se servir de ses dents pour les découper.

Lorsque sa première dent perce, il apprécie encore plus votre doigt, à la fois pour le mâcher et être massé.

Mordre des aliments durs est bon pour le développement des mâchoires, et le fait de les mettre tout seul dans sa bouche lui donne un sentiment d'indépendance. Restez à côté de lui cependant, au cas où il se mettrait ce bout de carotte dans l'œil. Et dès que vous apercevez une petite bosse pâle sous la gencive, soyez vigilante. Lorsque la dent perce, elle est si pointue que le bébé peut râper un minuscule bout de cette pomme et s'étouffer avec si vous n'êtes pas là pour l'aider.

LES SOINS QUOTIDIENS

Au cours des deux premières semaines, les bébés dorment en position recroquevillée, comme dans l'utérus, et lorsqu'ils ne sont pas dans les bras d'un adulte, ils aiment se sentir bien enveloppés. Être soulevés les inquiète et leur fait peur si leur corps, leurs membres et surtout leur cou ne sont pas tenus en permanence. Il vaut souvent mieux réduire au minimum indispensable le temps passé à changer leurs vêtements ou à les baigner.

Mais cela va rapidement changer. Petit à petit, les bébés deviennent plus indépendants, se sentent plus à l'aise et confiants en leur propre corps. Ils apprennent à le maîtriser un peu. À deux mois, le corps de votre bébé se détend, il commence à bouger ses jambes et ses bras par pur plaisir et tente enfin de se libérer de tout ce qui l'enveloppe. Il apprécie dorénavant autant d'avoir le corps libre que de se blottir, mais aussi d'être manié, tripoté et transporté.

PORTER SON BÉBÉ

Les bébés parviennent bien à s'endormir dans leur couffin ou dans leur siège, mais ils s'ennuient et se sentent seuls s'ils sont isolés du reste de la maison le reste du temps. Il y a des moyens faciles de porter votre bébé tout en vaquant à vos activités. Dans quelques semaines, vous pourrez l'installer confortablement dans une étole sur votre dos ou sur le devant. Dans les premières semaines, les bras semblent ce qu'il y a de mieux, mais tout changement est amusant.

Un porte-bébé ou une étole portée sur le devant permet au bébé de voir où vous allez et de partager le même spectacle que vous.

Une fois qu'il peut tenir sa tête, cette position sur votre hanche lui permet d'être tenu de l'épaule à l'entrejambe et vous laisse une main libre.

Vos bras en forme de porte-bébé lui permettent de se sentir grand et d'avoir tout le dos tenu.

Cette position visage vers le bas calme souvent les pleurs. Placez une main entre ses jambes afin de le tenir par-dessous. L'autre main soutient son cou et ses épaules.

La toilette de bébé

Lorsque son corps se détend et qu'il gigote ses jambes, le bébé commence à apprécier le bain. Au lieu d'être tout raide dans l'eau, à la limite de la panique, il sent son corps flotter et se sent léger, libre et fort. Cela lui donne en effet de la force : l'eau le décharge d'une partie de son poids, lui permettant de gigoter plus facilement que sur un autre support. Le bain est l'activité favorite de beaucoup de bébés de trois mois et une partie d'éclaboussures de trois minutes le soir les amuse, les détend et est la meilleure préparation au coucher.

Le laver dans une grande baignoire

Lorsqu'il commence à mettre de l'eau partout en gigotant, il est temps de passer dans la grande baignoire.

Entre trois et six mois, les bébés et leurs membres toniques deviennent un peu trop grands pour certaines petites baignoires. Procédez au passage à la baignoire familiale en douceur. Votre bébé peut être impressionné par la quantité d'eau et les murs qui l'entourent. S'il semble inquiet, commencez par mettre sa petite baignoire dans la grande quelques jours. Il ne sera pas effrayé par l'eau et pourra s'habituer aux lieux.

Une fois dans la baignoire, tenir votre bébé de façon sûre est plus difficile car il se trouve plus bas. N'essayez pas de vous pencher vers lui. Agenouillez-vous sur le sol avec tout ce dont vous avez besoin à côté de vous. Un tapis antidérapant au fond de la baignoire empêche le bébé de glisser et l'aide à se sentir en sécurité. Ne mettez pas trop d'eau, sinon votre bébé flottera. N'oubliez pas que la baignoire est large. Si vous ne tenez pas son épaule entre vos doigts et sa tête sur votre poignet, il peut tourner et se retrouver le visage dans l'eau.

Certains bébés adorent gigoter en dehors du bain, mais détestent toujours autant être baignés. Effrayer un bébé n'a jamais fait disparaître sa peur. Ne le forcez pas. S'il préfère la petite baignoire, vous pouvez continuer à le laver ainsi, ou peut-être essayer de prendre le bain avec lui pour le rassurer.

Même un bébé qui a peur du bain peut l'apprécier si vous le prenez avec lui. Cependant, ce bain est toujours le sien et l'eau doit être à la bonne température. Vous aurez besoin de vos deux mains pour le tenir et de l'aide d'une autre personne pour le sortir de l'eau.

La digestion du nouveau-né se met progressivement en place, mais ne vous attendez pas pour autant qu'il ait des selles régulières ou d'aspect ordinaire. L'aspect et la fréquence sont encore très variables. Les bébés exclusivement nourris au sein souffrent rarement de problèmes digestifs, de diarrhée ou de constipation. Essayez de ne pas vous inquiéter s'il a plusieurs selles dans la journée ou aucune pendant plusieurs jours. Cela n'a pas d'importance. Une semaine entière sans selle n'est pas rare, et un visage tout rouge lorsqu'il force n'est pas synonyme de constipation ; ses muscles sont simplement tout neufs et immatures.

Le lait de vache recomposé contenant plus de déchets, les bébés nourris au biberon tendent à produire des selles plus importantes et plus dures, de une à quatre par jour. La gastro-entérite est un risque réel chez les bébés nourris au biberon. En cas de crise de diarrhée, avec des selles fréquentes et liquides, il faut amener l'enfant chez un médecin le jour même. Si le bébé a l'air souffrant, a de la fièvre et/ou vomit, il faut l'y conduire d'urgence. Gardez une couche souillée avec vous, le médecin peut avoir besoin de la faire analyser.

Un bébé peut aussi souffrir de constipation. Si son corps a un besoin supplémentaire d'eau (il fait chaud ou il a de la fièvre, par exemple), il utilise la moindre goutte disponible dans l'alimentation et produit des déchets très secs et difficiles à évacuer. Il faut lui donner plus d'eau, mais si ses selles douloureuses sont récurrentes à trois ou quatre mois, des jus de fruits très dilués une ou deux fois par jour peuvent être bénéfiques.

Au début de l'alimentation variée, la digestion ne vient pas complètement à bout de toutes les substances. Ses selles peuvent donc être colorées et contenir des débris d'aliments. Si vous continuez à lui donner de petites quantités, son système digestif s'adaptera. Si ses selles contiennent aussi beaucoup de mucus, il y a peut-être un aliment que votre bébé n'est pas encore capable de digérer ou celui-ci n'a pas été assez réduit en purée. Évitez cet aliment pendant une semaine, puis proposez-lui une toute petite quantité encore plus lisse.

Les fesses irritées   Cela va de la simple petite rougeur à l'inflammation sérieuse, avec des pustules ou des plaies. L'une peut mener à l'autre. La peau du nouveau-né peut réagir aux lingettes même lorsqu'elles sont indiquées « hypoallergéniques ». Une peau restée humide trop longtemps peut gercer, et l'acidité de l'urine l'irrite particulièrement. Cette région du corps est propice au développement des bactéries et de certaines mycoses comme le muguet. La meilleure chose à faire est d'utiliser des produits simples (l'eau tiède est parfaite) et de garder ses fesses toujours propres, sèches et de les aérer autant que possible. Lavez et séchez votre bébé après chaque selle et changez-le fréquemment, même si vous utilisez des couches très absorbantes. Laissez-le souvent fesses nues si vous le pouvez. Si ses fesses sont souvent irritées, vous pouvez essayer d'y passer de la vaseline. Si cela ne change rien, consultez votre médecin. Certaines crèmes annulent l'effet absorbant de certaines couches et ne font qu'aggraver la situation.

Un bébé endormi n'a pas besoin
d'être bien au calme !
Dans son siège d'auto
ou sur votre épaule,
pour lui, peu importe.

Alors que les nouveau-nés s'endorment et se réveillent de façon irrégulière, passant parfois de longs moments suspendus entre sommeil et éveil, les bébés plus matures ont en général un rythme plus régulier. Une fois qu'il est endormi, vous pouvez être sûre que votre bébé ne se réveillera pas de sitôt. Lorsqu'il se réveille, vous pouvez être aussi sûre qu'il ne s'endormira pas au moins tant qu'il n'a pas été nourri. Cependant, votre bébé ne dort pas toujours d'un sommeil profond. Les nouveau-nés ont besoin de deux fois plus de sommeil paradoxal que les adultes.

Les parents ignorent souvent que ce sommeil joue un rôle crucial dans le développement du cerveau. Le bébé est détendu, mais son cerveau est actif et il fait beaucoup de rêves. Aux yeux des adultes qui l'observent, c'est un spectacle de grimaces et de mouvements de succion.

À trois ou quatre semaines, le sommeil et la nourriture sont encore étroitement liés, si bien que, spontanément, les bébés se réveillent lorsqu'ils ont faim et s'endorment quand ils sont rassasiés. À environ six semaines, cependant, cette relation entre la nourriture et le sommeil se relâche un peu. Votre bébé a toujours tendance à s'endormir après son repas et il est presque impossible de le réveiller lorsqu'il est repu, mais son réveil n'est plus seulement dicté par la faim. Il peut simplement estimer avoir assez dormi pour le moment.

Votre bébé dort autant qu'il en a la nécessité. Des études en laboratoire montrent qu'en moyenne un nouveau-né a besoin d'environ seize heures de sommeil. Mais cette moyenne cache des variations importantes. Votre bébé peut aussi très bien dormir dix ou dix-neuf heures, ce n'est pas un problème. Il a simplement plus ou moins besoin de sommeil.

Périodes d'éveil dans la journée

La plupart des bébés sont généralement éveillés à un moment précis de la journée. Souvent, c'est en fin d'après-midi. Ils s'endorment après le déjeuner et pour une grande partie de la matinée. Ils se rendorment après le dîner, mais cette fois ce n'est pas la faim qui les motive. Ils font la sieste pendant une heure ou deux et se réveillent. Souvent, les parents ou la gardienne trouvent ce rythme pratique. C'est un bon moment pour s'occuper de l'enfant, pour qu'il joue par terre ou pour le promener dans son porté-bébé, pour aller faire des courses ou même aller chercher d'autres enfants à l'école. Si vous le voulez, vous pouvez réveiller votre bébé s'il ne se réveille pas de lui-même et peut-être lui donner à boire de l'eau ou un jus de fruits qui le fera patienter jusqu'au prochain repas. Une heure ou deux à jouer et à se promener, et votre bébé sera prêt pour un bon repas et dormira probablement au moins jusqu'au début de la soirée des adultes.

Si le rythme de siestes adopté par votre bébé pendant la journée ne vous paraît pas pratique, vous pouvez peut-être le persuader d'en changer en jonglant avec ses horaires de repas. S'il ne dort qu'une heure ou deux après le déjeuner, par exemple, puis reste éveillé la plus grande partie de la matinée et dort tout l'après-midi, une collation supplémentaire au milieu de la matinée peut l'aider à s'endormir à nouveau à ce moment-là.

Si vous le laissez ensuite dormir autant qu'il veut, il dînera sûrement assez tard et, après quelques jours, finira par changer ses habitudes et rester éveillé dans l'après-midi. Certains bébés refusent de téter si on les réveille avant qu'ils n'aient faim. D'autres acceptent un repas supplémentaire avec plaisir et se rendorment aussitôt, mais ne dorment pas plus longtemps.

L'habituer à un bon cycle de sommeil la nuit vaut tous les efforts, mais pour la journée, les choses sont différentes : à trois ou quatre mois, tout va changer de toute façon, et votre bébé aura sûrement deux ou trois périodes d'éveil dans la journée. Comme avant, un bon repas aura tendance à l'endormir, mais plus il grandit, plus ses sommeils sont de courte durée.

Les problèmes de sommeil À cet âge, les bébés n'ont aucun problème de sommeil. Si votre bébé ne dort pas, le problème vient probablement de vous. À moins d'être malade, il dort autant qu'il en a besoin et sans vraiment se préoccuper de l'endroit et du moment. Il n'est pas encore capable de se forcer à rester éveillé et ne sait pas plus que vous comment se réveiller sur commande. Vous avez encore du temps avant d'avoir des raisons de vous inquiéter de savoir s'il dort assez ; pour le moment, c'est sans doute surtout vous qui manquez de sommeil !

Le sommeil la nuit Devenir un être diurne qui vit le jour et dort surtout la nuit est une adaptation biologique qui s'accomplit en général entre trois et quatre mois. Si à cet âge votre bébé n'a toujours pas pris de bonnes habitudes de sommeil, vous ne pouvez pas lui apprendre à faire une nette différence entre le comportement à adopter la nuit et celui à avoir la journée, mais vous pouvez au moins l'aider (voir p. 107).

En gardant le bébé au chaud lorsque les couvertures sont retirées, au frais quand elles sont mises, la dormeuse résout les problèmes de confort et de sécurité.

Recherchez les causes extérieures qui peuvent perturber votre bébé. S'il dort dans votre chambre, votre intervention à chacun de ses bruits et vos coups d'œil inquiets au berceau pour vous assurer qu'il respire bien sont autant de causes de réveil lorsque son sommeil est plus léger. En grandissant, il devient plus énergique et, à force de donner des coups de pied dans le petit lit à barreaux qui a remplacé le berceau, il lui arrive d'enlever ses couvertures et donc d'avoir froid pendant son sommeil. Une légère dormeuse en coton (sorte de couette fermée en bas) lui tient suffisamment chaud tout en étant très sûre. De plus, avec une dormeuse, vous vous débarrasserez plus tard d'un problème important : l'escalade hors du lit.

Si votre bébé reste éveillé le soir, c'est peut-être la conséquence des coliques du nourrisson (voir p. 120), qui l'ont habitué à rester éveillé à ce moment de la journée. Si ces coliques sont terminées, prenez-le dans vos bras quand il se réveille mais, après un bon câlin, recouchez-le. Maintenant qu'aucune douleur ne le gêne vraiment, il s'endormira probablement.

Cependant, si ces insomnies n'ont rien à voir avec la colique, et si votre enfant est nourri au sein, il peut avoir plus besoin de manger le soir que vous ne le pensez. Faites-lui confiance. Non seulement la ration de lait peut être insuffisante après une longue journée, mais beaucoup de bébés ont un regain de croissance au deuxième mois et doivent augmenter l'apport de lait pour y faire face. Ces bébés veulent souvent boire toute la soirée et, le niveau de prolactine étant plus haut la nuit, ces marathons nutritionnels sont très efficaces.

Rappelez-vous qu'en grandissant votre bébé reste éveillé de plus en plus longtemps. S'il dort le jour, il sera d'autant plus éveillé le soir et la nuit. Si vous vous occupez vous-même de lui, ou si vous partagez cette tâche avec votre conjoint ou avec une éducatrice, vous devrez modifier son rythme, au détriment des pauses que vous vous accordez, et organiser plus de sorties. S'il passe toute la journée ou une partie avec une gardienne ou dans un service de garde, assurez-vous qu'on veille à le stimuler et à jouer avec lui autant qu'il en a besoin.

Attention, si ce n'est pas le cas, n'en concluez pas que la gardienne est négligente. Alors que certains bébés insuffisamment stimulés font clairement comprendre qu'ils s'ennuient et demandent toujours plus d'attention, d'autres ne l'expriment pas aussi ostensiblement. Un bébé qui n'est pas assez stimulé avec sa gardienne ou qui l'est beaucoup trop au sein de son mode de garde collectif peut paraître passif, enclin à dormir jusqu'à ce que quelque chose d'intéressant se passe, comme le retour des parents.

S'il se réveille trop tôt le matin, c'est simplement parce qu'il a assez dormi, même si… vous, non. S'il se réveille parce qu'il a encore besoin d'un repas très tôt, vous pouvez peut-être redormir ensuite deux heures de plus. Mais si vous vous rendez compte qu'il n'a pas besoin d'un repas avant son vrai déjeuner, il n'y a rien à faire pour le forcer à dormir. Il sera heureux de venir dans votre lit pour vous laisser le temps de vous réveiller. Plus tard, il pourra même jouer quelque temps dans son berceau.

Le sommeil la journée
Au cours des premières semaines de la vie d'un premier enfant, les parents n'arrivent pas à se détendre ou à faire autre chose que de s'occuper de leur bébé quand celui-ci est éveillé. C'est seulement lorsqu'il dort que la vie normale peut reprendre. S'il ne s'endort pas ou s'il se réveille souvent, ils ont l'impression de ne rien pouvoir faire de la journée.

Ce sentiment est naturel dans les premières semaines mais il est important de vite vous organiser. Après tout, c'est seulement dans ces premières semaines que votre bébé passe plus de temps endormi qu'éveillé. C'est un être humain et, très rapidement, comme les autres êtres humains, être éveillé sera son état normal dans la journée, et le sommeil – sous forme de siestes –, l'exception. Vous devez apprendre à l'accepter en tant que membre éveillé de la famille et, dès que vous aurez cessé d'attendre qu'il dorme pour faire quoi que ce soit, vous vous apercevrez qu'il peut partager avec vous beaucoup d'activités. Une fois que vous l'acceptez en tant que personne, avec qui vous pouvez discuter tout en épluchant des pommes de terre ou partager l'objet d'un appel, vous vous occupez de votre bébé et des tâches ménagères simultanément.

Passer du berceau au lit d'enfant
Quand votre bébé devient trop grand pour son berceau, ou commence à donner des coups de pied et à se retourner, il est temps de l'habituer à dormir dans son lit, qui sera le sien jusqu'à ce qu'il dorme dans un lit normal. Les lits d'enfant doivent avoir un côté assez haut de telle manière qu'un bébé debout ou qui grimpe ne

Non seulement le lieu où il dort, mais aussi son petit refuge pour les deux prochaines années.

puisse pas basculer par-dessus. La plupart ont un côté qui s'abaisse pour qu'on puisse prendre le bébé facilement. Beaucoup ont plusieurs positions pour le sommier et le matelas, ce qui permet d'en ajuster la hauteur selon l'âge de l'enfant.

Les lits à barreaux ne sont pas facilement transportables d'une pièce à l'autre, ce qui ne veut pas dire que votre bébé ne fera sa sieste que dans sa chambre. Vous pouvez encore utiliser son berceau un certain temps, puis une poussette en position allongée pendant les mois suivants, à condition de mettre l'attache de sécurité.

Si votre bébé partage votre lit et que vous avez l'intention de continuer à dormir avec lui, vous pouvez vous demander si vous avez besoin d'un lit d'enfant. Mais dès que l'enfant est mobile, sa sécurité dépend de la présence d'un membre de la famille pour l'empêcher de rouler ou de ramper hors du lit. Sans lit d'enfant, vous ne pourrez jamais le mettre au lit avant que l'un de vous ne se couche.

Tant que le sommeil et l'alimentation de votre bébé sont entremêlés, il a probablement besoin de téter pour s'endormir. Il continue à téter le sein ou le biberon jusqu'à ce que le bout du sein ou la tétine lui tombe de la bouche. Même si vous le maintenez en position droite le temps qu'il fasse son rot, il ne refait pas surface et ne se réveille pas lorsque vous le couchez. C'est une expérience divine et très agréable pour votre bébé, mais aussi pour vous, qui pouvez enfin vous intéresser aux autres personnes ou à autre chose.

Prévoir les siestes et les nuits

Il est aussi important de savoir gérer ses réveils nocturnes lorsqu'il grandit que de savoir le mettre au lit le soir. Un bébé qui s'endort pendant la tétée ou pendant que vous le bercez en le tapotant pour faire sortir le rot *ne s'endort* pas, c'est vous qui *l'endormez*. Peut-être que c'est un instant qui vous est précieux aujourd'hui, mais vous ne serez certainement pas ravie de poursuivre ce rituel pendant les deux ou trois prochaines années.

Beaucoup des problèmes de sommeil ultérieurs proviennent, au moins en partie, du fait que certains bébés ont toujours compté sur quelqu'un pour les endormir et n'ont pas appris à le faire tout seuls. Il est facile de comprendre pourquoi. Vous bercez votre bébé jusqu'à ce qu'il perde totalement conscience de ce qui l'entoure. Ensuite vous le glissez dans son lit et l'y laissez. Tout va bien jusqu'à ce qu'il se réveille, mais, quand il se réveille, il s'aperçoit que tout a changé. La dernière chose dont il se souvient, c'est d'être dans vos bras et, d'un coup, il se retrouve seul dans son lit. Bien sûr, il va se mettre à pleurer. « Que s'est-il passé ? Où est maman ? » Quand vous arrivez, il veut que vous le preniez dans vos bras pour se rendormir de la même manière. Il ne sait pas se pelotonner, fermer les yeux et sombrer dans le sommeil. Il est même possible qu'il ait besoin d'être mis au sein ou qu'on lui donne un biberon pour s'endormir en tétant ; il se rendort alors facilement et vous pouvez le glisser tranquillement dans son lit. Mais au réveil suivant, la même scène se répète. Et si vous n'y prenez pas garde, cela peut durer encore l'année suivante. Beaucoup de bébés sont encore nourris au sein ou au biberon deux ou trois fois pendant la nuit parce que, bien que ne se réveillant pas plus que les autres, quand ils se réveillent, ils ne savent pas se rendormir autrement.

Les grands lits sont-ils sûrs ?

Dormir avec son enfant est-il dangereux ? Nous savons qu'il y a des raisons d'être pour ou contre, mais pour le moment nous nous interrogeons surtout sur l'aspect sécurité sans obtenir de réponse simple.

Il n'existe pas de réponse simple à cette question – ou une réponse sur laquelle les différents spécialistes et associations de médecins soient tous d'accord. Certains ont conclu de leurs recherches que partager le lit des parents augmente le risque (faible) de mort subite du nourrisson, parce que l'ensemble de la literie adulte peut gêner la respiration d'un bébé ou lui donner un coup de chaud. D'autres études concluent que ce rapport n'est pas évident et, pour compliquer encore les choses, certaines suggèrent que, loin d'être un risque, dormir avec son enfant le *protège* de la mort subite. Les bébés qui pourraient avoir des problèmes de respiration seuls dans leur lit seraient stimulés à respirer par la respiration de leurs parents, leurs mouvements et leurs bruits.

Il y a peu de chances que l'une de ces études ait absolument raison ou absolument tort. Les apparentes contradictions sont dues à la complexité du problème. La mort subite du nourrisson est par définition inexplicable (voir p. 111). Les facteurs de risque – comme dormir sur le ventre et être exposé à la fumée de cigarette – sont les causes probables de la mort subite, mais leur propre interaction est difficile à cerner. On peut donc dire que dormir avec les parents peut comporter un risque (si l'un des parents est ivre ou a pris de la drogue), peut n'avoir aucun effet particulier ou peut être une protection (si le bébé commence à être malade, par exemple).

La mort subite du nourrisson est une chose si terrible que les autorités médicales préfèrent jouer la carte de la sécurité et donner des conseils simples aux parents. Ainsi, tout ce qui a pu être lié à la mort subite d'un nourrisson est condamné, si bien que les directives deviennent parfois confuses et sources de stress pour les parents. On leur a par exemple conseillé de «remettre le bébé dans son berceau après l'avoir nourri ou réconforté dans le lit des parents, même si cela n'est pas toujours facile, et surtout si l'un des parents fume ou a bu de l'alcool». Quelle est l'utilité de nourrir un bébé au lit si la mère doit s'évertuer à ne pas s'endormir et à ne pas laisser le bébé sombrer dans le sommeil tant qu'il n'est pas à nouveau dans son lit ? Que devient le plaisir particulier de ce moment ? Et que penser du sentiment de culpabilité qu'elle éprouvera à chaque fois qu'elle n'y parviendra pas, s'endormira et ouvrira à nouveau un œil pour voir que deux heures ont passé ?

Vous pouvez, peut-être avec l'aide d'un médecin ou de spécialistes, trouver une réponse à cette question du partage du lit avec votre enfant qui vous convienne et qui prenne en compte votre propre situation et votre propre sensibilité. Bien sûr, partager le lit d'un adulte *peut être* un facteur de risque de mort subite. Il n'est pas difficile d'imaginer ce qui peut arriver si un des parents est soûl ou a pris un sédatif et ne se rend pas compte que le bébé s'est tourné sur le ventre – le matelas était mou, la couette épaisse le recouvrait, les oreillers n'avaient pas été tenus éloignés de lui, et le pire est arrivé… Mais cela ne signifie pas que dormir avec son bébé *est* dangereux et que tous les parents persuadés que cela leur convient doivent se l'interdire.

La question du partage du lit avec un bébé ne peut pas être réglée de façon précise et définitive, contrairement à celle de la position du bébé pour dormir. La différence est évidente. Il est en effet plus risqué de faire dormir un bébé sur le ventre que sur le dos ; personne ne le conteste et ne pas y veiller serait de la négligence. Il n'y a aucune prescription de la sorte interdisant de dormir avec son bébé, et il existe des évidences en faveur de cette pratique. Chacun doit donc en décider, de façon sensée et à titre individuel.

Vous n'avez cependant peut-être pas envie de priver définitivement votre bébé de s'endormir dans vos bras ou en tétant. Mais dès qu'il a, disons, trois ou quatre mois, il est raisonnable de le laisser s'endormir tout seul de temps en temps, pour vous assurer qu'il apprend à le faire. L'astuce est de le détendre jusqu'à ce qu'il somnole à moitié dans vos bras mais soit suffisamment conscient pour réaliser que vous le mettez au lit. Il prend ainsi conscience du confort du lit et de votre départ, et sombre dans le sommeil parce que le sommeil le prend.

Si vous préférez l'endormir vous-même *le soir* et *pendant* la nuit, vous pouvez essayer de le mettre au lit tout éveillé pour les petites siestes de la journée. Ce sera alors moins pénible pour vous d'avoir à retourner le voir. Mais un jour ou l'autre, il devra bien prendre l'habitude de s'endormir tout seul, même à l'heure du coucher. Si vous l'installez dans son lit et qu'il pleure tout de suite, retournez le voir sans attendre. Il s'agit d'apprentissage, pas d'éducation. Si nécessaire, retournez-y plusieurs fois jusqu'à ce que le sommeil le gagne. Si cela vous paraît plus compliqué que de le bercer, pensez à l'avenir. Une fois qu'il sera sevré et capable de trouver lui-même une position confortable, vous préférerez qu'il puisse se réveiller et se rendormir la nuit tout seul, comme vous le faites vous-même. S'il n'y est pas habitué aujourd'hui, il appellera à l'aide et vous réveillera chaque fois.

CONSOLER
SES PLEURS

Certains bébés pleurent plus que d'autres. Même une fois la période « nouveau-né » passée, ils sont plus facilement chagrinés, plus lunatiques, ou simplement moins contents que la majorité des bébés. Cependant, même si votre bébé a toujours fait partie de cette catégorie, il y a de fortes chances que cela se calme en grandissant. Le temps moyen qu'un bébé passe à pleurer atteint son maximum (deux ou trois heures par jour) à environ six semaines.

Toute baisse de la durée quotidienne des pleurs de votre bébé est la bienvenue, mais ce qui vous soulagerait vraiment serait qu'il n'ait plus de longues crises de larmes. Au cours du deuxième et du troisième mois, votre bébé peut se mettre à pleurer plus souvent – de nombreuses fois par jour –, mais vos efforts suffisent généralement à le calmer, à moins qu'il n'ait des coliques (voir p. 120). S'il pleure, prenez-le dans vos bras, câlinez-le et parlez-lui, et il arrêtera probablement. S'il a mal, est ébloui par le soleil, gêné par un vent frais ou s'il a faim, les pleurs recommenceront jusqu'à ce que vous l'ayez débarrassé de cet inconvénient. Mais la plupart des bébés restent calmes tant que leurs parents, ou leur gardienne, les câlinent.

Beaucoup de parents trouvent que ce changement est le plus important pour rendre les bébés difficiles plus faciles à vivre et à aimer. Au lieu de ces instants très pénibles où vous vous sentiez complètement inutile, vous réalisez que vous êtes magique. Vous aimeriez peut-être que votre bébé ait moins souvent besoin de cette magie, mais quel bonheur de la posséder au bon moment !

De plus, vous commencez à mieux comprendre ses pleurs. Les désormais familiers pleurs de faim sont toujours là. Votre bébé lâche toujours ce cri de douleur qui vous fait redouter le pire alors que vous savez très bien qu'il lui suffit d'un simple rot. Mais il y ajoute un « grognement », une sorte de petit gémissement, de petite plainte, qu'il utilise souvent en premier. Il ne dit pas « Au secours ! » ou « Je suis affamé », mais « Je ne suis pas très heureux en ce moment ». Peu après, il ajoute un cri de « colère », assez différent des autres. C'est un rugissement qui semble dire « Reviens ! » ou « Je veux ceci ! » ou « Ne fais pas ça ! »

Vous ne pouvez peut-être pas décrire les différents pleurs de votre bébé avec des mots ou ne les reconnaissez pas tels qu'ils sont décrits ici, mais vous savez sûrement à quoi ils correspondent quand vous les entendez.

Quand il se met à grogner, vous savez qu'il a faim ou qu'il commence à s'ennuyer, qu'il est temps de faire quelque chose pour lui. Et il vous est plus facile d'y réfléchir sans le sentiment de panique que ses pleurs désespérés vous donnaient. Vous êtes plus apte à les comprendre et souvent à les faire cesser. Mais vous vous demandez que faire pour qu'il se mette à pleurer moins souvent.

Toutes les causes et tous les remèdes suggérés pour le nouveau-né (voir p. 114) peuvent s'appliquer à ce bébé plus grand. Mais il existe aussi de nouveaux aspects à prendre en considération.

Le besoin de succion

Cela fonctionne sûrement, mais en a-t-il vraiment besoin ?

Certains bébés sont plus calmés par le geste de la succion que par n'importe quoi d'autre au point qu'il peut être difficile de distinguer le besoin de téter du besoin d'être nourri. Un bébé nourri au sein peut obtenir tout le confort de succion qu'il souhaite si on ne limite pas le temps passé à téter et si on le laisse «vider» le premier sein (et s'installer dans le plaisir de téter) avant de lui proposer le second. Un bébé au biberon ne peut téter un biberon vide. Même s'il est nourri à la demande, il peut avoir encore envie de téter. Le meilleur moyen de contenter ce besoin est ses propres mains : plus disponibles et hygiéniques que tout. Aidez-le en approchant son poignet de sa bouche quelques fois et en vous assurant que ses mains sont toujours libres. Sucer son pouce vient souvent plus tard cependant. La plupart des bébés ne parviennent pas encore à porter leurs mains à leur bouche sans aide ou alors seulement un tout petit bout de doigt.

Si votre bébé pleure beaucoup, ne peut ou ne veut pas sucer ses doigts mais prend les vôtres avec plaisir, vous pouvez lui donner une sucette. Elles sont de plus en plus courantes et il n'y a aucun doute qu'elles sont une aide précieuse pour quelques bébés particulièrement nerveux. Mais tous les bébés n'en ont pas besoin, et elles présentent autant d'inconvénients que d'avantages. Ne vous persuadez pas que votre bébé a besoin d'une sucette. La plupart peuvent s'en passer et sont mieux sans. Si votre bébé n'est pas bien et que vous voulez voir si une sucette peut faire la différence, essayez de lui en donner une juste quelques mois, en attendant qu'il puisse mettre ses jouets et ses doigts pleins de nourriture dans la bouche, et seulement en le couchant. Des soirées et des nuits calmes font du bien à toute la famille. Si le bébé est un peu plus calme à six mois, vous pouvez essayer de la supprimer avant qu'elle ne lui manque. Dès qu'il rampe ou marche à quatre pattes, la sucette devient inesthétique, sale et limite ses explorations.

Avantages de la sucette	Inconvénients de la sucette
Si le bébé la prend, la sucette l'aide à s'endormir, à se calmer quand il est énervé, paniqué ou lorsqu'il a eu une grosse peur.	Une fois qu'il y est habitué, il peut ne plus pouvoir s'en séparer. Cela peut durer des années et il vous sera difficile de lui en limiter l'usage.
S'il s'endort avec une sucette dans la bouche et qu'elle y reste, il se remettra à téter en cas de gêne ou de trouble du sommeil et se calmera tout seul plutôt que de se réveiller complètement.	La sucette tombe souvent de la bouche quand bébé dort. Quand il est perturbé dans son sommeil, il la veut à nouveau. Tant qu'il n'est pas capable de la retrouver tout seul, il a besoin de vous pour se rendormir.
S'il prend la sucette, il ne sucera probablement pas son pouce.	Une sucette la journée l'empêche de produire des sons et d'explorer ses jouets en les mettant dans sa bouche. À moins de la stériliser sans cesse, elle manque d'hygiène.

Santé Canada recommande aux parents de changer la sucette de l'enfant tous les deux mois même si elle est en bonne condition. La sucette doit être lavée à l'eau chaude et au savon. Il faut aussi la désinfecter selon les recommandations du fabricant avant la première utilisation. Les sucettes existant en différentes tailles, il faut en choisir une selon l'âge de l'enfant.

Quoi que vous décidiez à propos de la sucette, ne choisissez pas le compromis d'un petit biberon rempli d'une boisson sucrée ou même d'un biberon entier de jus de fruits ou de lait. C'est le meilleur moyen de lui abîmer les dents. Votre bébé risque aussi de s'étouffer s'il le boit pour s'endormir. Si vous voulez lui donner une boisson, prenez-le sur vos genoux.

Les bébés qui s'ennuient

Très souvent, les bébés pleurent parce qu'on attend d'eux qu'ils dorment plus et plus longtemps qu'ils n'en ont besoin. Peut-être votre bébé fait-il partie de ceux qui ont un petit besoin de sommeil (souvenez-vous que certains bébés de trois ou quatre mois ne dorment pas plus de douze heures sur vingt-quatre). Vous n'avez peut-être pas encore bien appris vous-même à continuer à vivre votre vie quand il est éveillé…

Si votre bébé est très actif (comme beaucoup de petits dormeurs), il peut se sentir frustré lorsque vous l'enveloppez. Dans son berceau ou son siège de bébé, laissez-le libre de bouger ses jambes. Vous pouvez aussi utiliser une dormeuse lorsqu'il fait froid (voir p. 180).

Même avec cette liberté de mouvement, si vous le laissez seul lorsqu'il est éveillé, il va s'ennuyer. Des objets intéressants à regarder et à toucher suffisent à l'amuser. Si vous avez un jardin, essayez de l'installer dans sa poussette sous un arbre, il pourra observer les jeux d'ombre

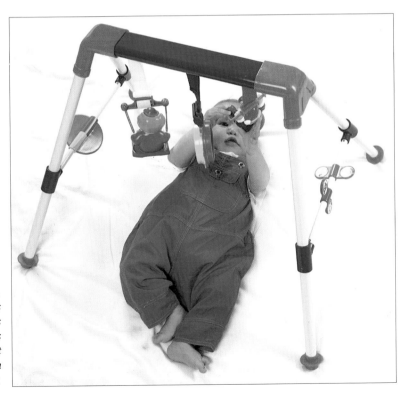

D'abord il observe, puis il donne des coups et finalement attrape les objets. Ajoutez des objets qu'il peut mordre tout seul, et cela l'amusera pendant des mois.

et de lumière, et peut-être du linge étendu qui danse sur une corde… S'il doit rester à l'intérieur, entourez-le de plein de choses intéressantes que vous changerez régulièrement.

Mais rien ne remplace les gens. Si votre bébé passe beaucoup de temps seul quand il est réveillé, il pleure probablement parce qu'il se sent isolé.

Un bébé qui dort dans un jardin ne sait pas qu'il est seul, mais un bébé éveillé et laissé seul est conscient de l'être. Si quelqu'un lui tient compagnie tant qu'il ne dort pas, les pleurs incompréhensibles peuvent cesser du jour au lendemain.

Lui tenir compagnie dès qu'il est éveillé ne signifie pas forcément rester chez soi à attendre qu'il se réveille en regrettant de ne pas avoir, *vous*, de compagnie. N'hésitez pas à l'emmener partout avec vous afin que votre congé de maternité ait des airs de vacances. Le fait de le nourrir au sein vous attache à lui mais ne vous attache ni l'un ni l'autre à un lieu précis. C'est durant ces quelques mois où il ne se déplace pas encore, et où il n'a pas besoin d'autre chose que de votre lait, qu'il est le plus facile à transporter avec vous. Vous pouvez aller presque partout et faire pratiquement tout ce que vous voulez avec vos amis ; lorsqu'il n'a pas faim, votre bébé est fasciné par ce qu'il voit.

Tous les adultes le fascinent, ainsi que tout ce qu'ils font. Tant qu'il est en compagnie de quelqu'un qu'il connaît, le bébé lui-même n'a pas besoin de beaucoup de sorties. Observer quelqu'un qui fait de simples travaux dans la maison ou dans le jardin le passionne, du haut de son porte-bébé. Même si personne ne peut le porter, il existe de nombreuses autres façons de faire en sorte qu'il partage les activités des autres, surtout maintenant qu'il est assez grand pour être confortablement calé. Tous les membres de la famille doivent prendre l'habitude de s'arrêter et de lui dire quelques mots, en lui expliquant ce qu'ils sont en train de faire. Bien installé dans son landau, sa poussette ou son siège de bébé, il peut être transporté partout où l'activité humaine est la plus captivante. Captivante *pour lui*. Même ce qui vous paraît terriblement ennuyeux l'intéresse. Vous en avez sûrement assez de peler des pommes de terre, mais c'est la première fois qu'il en voit : présentez-les-lui !

Lorsqu'il n'en peut plus d'être assis de cette façon, un tapis sur le sol est le terrain de jeu idéal, à moins que vous n'ayiez des chiens ou de tout petits enfants. Votre bébé ne regarde pas la télévision, mais il sera content d'observer quelqu'un faire du yoga ou passer l'aspirateur et un portique de jouets au-dessus de lui l'enchantera. Mais l'une des meilleures solutions pour l'amuser est peut-être le petit siège suspendu (exerciseur) dans lequel il peut se balancer. Un siège à harnais confortable attaché par une corde élastique au chambranle d'une porte ou à un crochet lui offre un point de vue parfait sur le monde et, grâce au contact de ses pieds sur le sol, la liberté de sauter, tourner, danser… Cela rend heureux les bébés tristes et encore plus heureux les autres. Les enfants plus grands jouent plus facilement avec eux. Les parents qui utilisent un exerciseur ne doivent jamais laisser l'enfant seul sans surveillance. Les cordes élastiques doivent être bien ajustées afin que toute la plante des pieds du bébé puisse toucher le sol. Dès que votre bébé tient sa tête et son dos, il peut découvrir le monde de ce nouveau point de vue amusant.

Peu de bébés résistent au plaisir de ce nouveau point de vue et de cette indépendance de mouvements.

Le développement musculaire

Lorsqu'on observe des nouveau-nés dans une pouponnière, qu'on voit leur corps si frêle, leur grosse tête disproportionnée et le peu de contrôle qu'ils ont sur leurs membres, on a du mal à croire qu'un an plus tard, la plupart d'entre eux se tiendront debout. Le contrôle des muscles arrive très vite. Il commence par le haut du corps – les bébés apprennent rapidement à tenir leur tête sur leur cou branlant – puis descend progressivement, toujours de la même façon. Au bout de six mois, les bébés sont en général capables de tenir leur dos droit et de s'asseoir, en étant plus ou moins soutenus. À la fin de l'année, ils amorcent le contrôle des genoux, des chevilles et des pieds, se redressent et parviennent à tenir debout.

Tous les bébés suivent le même développement physique mais chacun à son propre rythme. Comme les coureurs, ils partent en même temps et suivent la même piste, mais certains vont vite et d'autres moins, certains foncent comme des lièvres pendant un moment puis font la tortue et d'autres gardent le même rythme tout au long de la course. Les bébés en parfaite santé peuvent être en avance ou en retard au même âge, mais ils acquièrent tous leurs nouvelles compétences physiques dans le même cycle de développement et dans le même ordre. Un bébé peut apprendre à s'asseoir plus ou moins tôt, mais il commence toujours par s'asseoir avant de se mettre debout. Un bébé peut marcher sans jamais se mettre à quatre pattes, mais s'il se déplace à quatre pattes, il découvrira toujours cette façon de se déplacer avant de marcher.

Si connaître les différentes étapes – ramper, s'asseoir, se déplacer à quatre pattes, se mettre debout et marcher – par lesquelles chaque bébé passe peut vous être utile pour connaître la prochaine étape du vôtre, cela ne vous dit pas *quand* celle-ci, ou tout autre développement physique, aura lieu.

Le fait que ces stades soient franchis à un rythme variable permet aux enfants de continuellement changer de position les uns par rapport aux autres. Les comparaisons entre un enfant et un autre sont inévitables – tout parent qui s'intéresse à un bébé s'intéresse aux progrès qu'il fait –, mais si elles vont jusqu'à l'esprit de compétition chez les parents, grands-parents et autres proches, elles mènent droit à une jalousie absurde. Votre nièce saura peut-être s'asseoir toute seule des semaines avant votre fille, mais une fois assise, elle sera tellement satisfaite et occupée qu'elle ne montrera aucune envie de ramper. Pendant ce temps, votre fille la «rattrape» en apprenant à s'asseoir et la «devance» en se mettant tout de suite à quatre pattes.

«Rattraper» ou «devancer» n'ont d'ailleurs aucun sens. Le développement est un processus, pas une course. Votre bébé n'est pas meilleur ou moins bon que l'enfant de votre voisine parce qu'il a acquis certains gestes avant ou après celui-ci. Votre bébé est un individu qui prend le temps dont il a besoin sur le parcours de son propre développement. Vous pouvez le comparer avec celui d'autres individus, mais par curiosité et non pour le juger.

Maintien de la tête

Sa tête tient droite, mais elle est encore fragile. Si vous le soulevez précipitamment, elle tombe encore.

À six semaines, la plupart des bébés ont les muscles du cou fortifiés et peuvent les contrôler, assez pour équilibrer leur tête et la tenir droite, tant que la personne qui les porte ne bouge pas. Si vous portez un bébé en marchant, ou si vous vous courbez avec lui dans vos bras, sa tête tombe encore. Il a besoin de votre main derrière son cou lorsque vous le soulevez et le posez, ou toutes les fois que vous le penchez, même un tout petit peu.

Au cours des six prochaines semaines environ, les muscles du cou vont gagner en force, et le contrôle musculaire de votre bébé va progresser vers le bas, pour inclure les épaules. Il grandit aussi et prend du poids. Sa tête n'est donc plus aussi lourde comparée au reste. À environ trois mois – ou l'équivalent s'il est né prématurément –, il maîtrise complètement sa tête et n'a besoin de votre main que lorsque vous le soulevez ou entreprenez une manœuvre difficile, comme le sortir de son siège d'auto.

Au fur et à mesure que le contrôle de la tête progresse, c'est l'ensemble de ses attitudes – les positions qu'il adopte spontanément – qui change. Son corps se déplie et quitte la position du nouveau-né. Installé sur le dos, il s'allonge à plat avec sa tête posée droit sur le matelas et les bras et les jambes libres. Posé sur le ventre au sol, il apprend à étendre ses jambes en les sortant de sous son corps et à tourner la tête de chaque côté plutôt que de la garder dans la position de départ.

Porté contre votre épaule, il reste droit au lieu de blottir sa tête dans votre cou. Très vite, il tient sa tête lorsque vous lui tirez doucement les bras pour le mettre en position assise, le cou aligné avec la colonne vertébrale, plutôt que de la laisser tomber en arrière ou sur le menton.

Les coups de pied

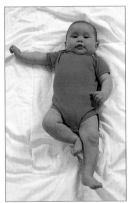

Maintenant qu'il a quitté la position fœtale et s'étend de tout son long, il peut bouger bras et jambes pour le pur plaisir du mouvement.

Ce petit progrès physique change de façon radicale ce que votre bébé est capable de faire et l'utilisation qu'il peut entreprendre du monde qui l'entoure. Enroulé en position fœtale, sa tête toujours tournée du même côté, il ne pouvait auparavant rien voir au-dessus de son berceau. Étendu à plat, il a à présent une vue dégagée au-dessus de lui, qu'il peut même élargir en bougeant la tête. Maintenant, il peut vraiment apprécier les jouets et les mobiles suspendus là et découvrir les joies de l'activité physique.

La plupart des bébés ont parfaitement «déroulé» leur corps au troisième mois. Une fois que votre bébé a atteint ce stade, il paraît plus à l'aise dans son corps et apprendre à s'en servir semble l'amuser. Maintenant, dès qu'il est éveillé, il bouge. Couché sur le dos, il donne des coups de pied, bouge une jambe après l'autre comme s'il faisait du vélo. Rien à voir avec les gestes incontrôlés précédents. Ses bras bougent aussi et, comme nous le verrons plus tard, ses mains remuant hors ou dans son champ de vision sont ses jouets les plus importants (voir p. 198).

Couché sur le ventre, il découvre une nouvelle façon de tenir sa tête. Il la soulève du matelas, un peu comme il la bougeait sur votre épaule quelques semaines plus tôt. Il apprend tout seul cette position et, lorsqu'il tiendra quelques secondes, il apprendra aussi à se soulever un peu sur les bras, afin de lever non seulement la tête mais aussi les épaules.

Se retourner À neuf ou dix semaines, beaucoup de bébés sont si actifs physiquement que, si vous les mettez sur le côté, ils parviennent rapidement à se remettre tout seuls sur le dos. Mouvement délibéré ou résultat de la gravité, la plupart des bébés ont trois mois environ lorsqu'ils apprennent la difficile (et potentiellement dangereuse) technique qui leur permet, lorsqu'ils sont sur le dos, en position stable, de rouler sur le côté, en position instable.

Attention : une fois que votre bébé sait se retourner ainsi, il le fait à tout moment. La table à langer qui paraissait si sûre et pratique peut devenir un vrai danger entre deux couches.

Mais pensez au plaisir et à l'indépendance que ces petits développements physiques apportent à votre bébé. Il peut s'y exercer tout seul, regarder ses jambes et ses mains, bouger pour se soulager d'une pression et changer sa vision de la pièce. Il peut soulever la tête et tout voir sous un autre angle. Mais il suffit aussi de très peu pour tout gâcher. Des vêtements trop serrés ou une couverture qui l'empêche de bouger, un tapis qui fait des plis et l'empêche de rouler, un mur blanc qui le prive du plaisir de voir autour de lui. Aidez-le à faire ce qu'il tente de faire et à ce que cela soit un plaisir pour lui, sans pour autant le pousser à ce dont il n'est pas encore capable. Pour retirer le maximum de son développement, il a besoin de votre aide.

Commencer à s'asseoir Lorsque votre bébé peut tenir sa tête droite quand vous le portez et la soulever lorsqu'il est couché sur le ventre, son contrôle musculaire descend progressivement du cou jusqu'au bas du dos. Si vous le posez doucement en position assise, il ne tombe pas tout de suite comme il l'aurait fait avant, la tête pratiquement au sol. Il tient sa tête et ses épaules, et seuls le milieu du dos et les hanches s'affaissent.

Entre trois et quatre mois, essayer de s'asseoir va peut-être devenir sa préoccupation principale. Lorsque vous lui tenez les mains, il essaie de s'en servir comme d'anses pour se dresser. Et s'il n'a pas les mains d'un adulte à sa portée, il essaiera tout seul. Couché sur le dos, se reposant après une séance énergique de coups de pied, il soulève sa

Si vous ne le lui donnez pas vos mains pour l'aider à s'asseoir, votre bébé essaiera de le faire tout seul.

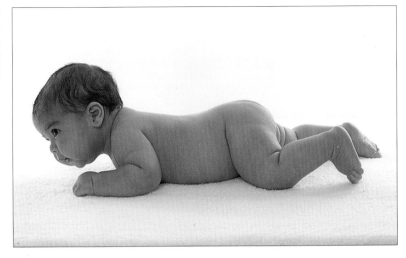

La plupart des bébés s'assoient avant de ramper. Même s'il ne refuse pas d'être couché sur le ventre, cela va lui prendre des mois avant de pouvoir se déplacer.

tête du sol. Un mois plus tard, il soulève sa tête et ses épaules et obtient du même coup une incroyable vision de ses propres pieds.

À présent, votre bébé a besoin de passer au moins une partie de son temps d'éveil calé en position assise. Cela lui permet de voir ce qui se passe et, surtout, de participer à l'activité sociale qui l'entoure. Quand il est couché sur le dos, les personnes occupées passent à côté sans lui jeter un coup d'œil. S'il est assis, elles croisent son regard et s'arrêtent pour lui sourire et lui parler. Cette position confirme son statut de véritable individu.

Mais cela demande quelques précautions. Si vous l'installez dans un coin de canapé ou de fauteuil, il va glisser petit à petit, son dos de plus en plus courbé, sa tête penchera en arrière et il sera incapable de la redresser. Vous pouvez le placer dans sa poussette, bien droit. Il peut aussi apprécier une balançoire au tout début, mais la meilleure solution est vraiment le siège de bébé.

Il existe des systèmes modulables, complétés d'un plateau (et peut-être d'un système de bascule et de balancement) qui peuvent être transformés en chaise haute et utilisés très longtemps. Mais vous pouvez choisir un siège simple, offrant ou non la possibilité de le bercer, si vous préférez les objets à utilité unique.

Vers cinq ou six mois, le contrôle musculaire de votre bébé a tellement progressé qu'il peut tenir pratiquement tout son dos, sauf ses hanches qui seront encore branlantes. Lorsque vous le tirez pour l'asseoir, il parvient à faire l'effort complet et n'a besoin de vos mains que pour le balancer vers l'avant. Lorsque vous le calez, il n'y a maintenant que le bas de sa colonne qui nécessite un support.

À six mois, beaucoup (ce qui ne signifie pas tous) de bébés ont la capacité musculaire suffisante pour être assis, même si peu ont compris le geste. Si vous posez votre bébé sur le sol et retirez vos mains pendant une seconde, il ne tombe pas mais se penche. Il doit encore résoudre un problème d'équilibre avant de pouvoir tenir tout seul en position assise.

Se déplacer à quatre pattes

Bien que beaucoup de bébés semblent prêts à ramper avant d'avoir six mois, il est rare que cela arrive. La position à quatre pattes suit toujours après la position assise – souvent plusieurs mois après – et, malgré les apparences trompeuses des débuts, certains bébés ne se déplacent jamais ainsi.

Le fait qu'ils commencent à ramper dépend de l'habitude et du plaisir qu'ils ont pris à être couchés sur le ventre. On a toujours vu des bébés détester cette position dès les premières semaines et c'est une tendance qui peut s'accentuer maintenant que tous dorment en général sur le dos et ont donc rarement l'occasion d'avoir le visage face au sol.

Les bébés qui passent une partie de leur temps d'éveil couchés sur le ventre apprennent rapidement à soulever leur tête, à porter leur poids sur leurs avant-bras, puis à ramener leurs genoux sous eux et à mettre les fesses en l'air. Vers quatre ou cinq mois, beaucoup ont déjà découvert qu'ils pouvaient gagner du terrain en redressant leurs jambes et en poussant avec leurs pieds plutôt qu'avec leurs genoux. À la même période, ils apprennent parfois à soulever les épaules en poussant avec les mains plutôt qu'avec les coudes. Le bébé est alors fin prêt à se mettre à quatre pattes, mais ne peut pas encore s'appuyer sur les genoux et les mains en même temps.

Certains s'efforcent de combiner ces deux positions si bien qu'ils paraissent faire un mouvement de bascule : tête en bas et fesses en l'air, puis fesses en bas et tête en l'air. Il est très rare qu'un bébé rampe vraiment, soulevant délibérément ses fesses, avant six mois. Mais un bébé qui bascule ainsi peut quand même couvrir un certain terrain, assez pour dépasser la limite du lit ou le haut des escaliers… Votre bébé n'est pas encore entièrement mobile, mais il est quand même grand temps de prendre quelques précautions pour sa sécurité.

D'autres, qui ne semblaient pas gênés par le fait d'être sur le ventre les trois premiers mois, se mettent à ne plus apprécier cette position et abandonnent ces préliminaires. Ce sont souvent des bébés particulièrement curieux de voir ce qui les entoure et qui aiment les échanges avec les gens. Être sur le ventre restreint leur champ de vision et, dès qu'ils se retrouvent dans cette position, ils luttent pour se remettre sur le dos. Certains y arrivent d'ailleurs avant six mois.

Ces bébés ne refusent plus d'être placés sur le ventre dès qu'ils savent se retourner tout seuls et à volonté. Ils y parviennent rapidement après avoir trouvé comment passer du dos sur le côté.

Il n'y a aucune raison pour qu'un bébé qui refuse ces positions qui le préparent à marcher à quatre pattes avant son sixième mois soit en retard sur les autres. S'il diffère ces tentatives de quatre pattes jusqu'au moment où il en est physiquement tout à fait capable, il maîtrise les mouvements beaucoup plus vite et apprend à aller où il veut en deux jours plutôt qu'en deux mois. Certains bébés ne se mettent jamais à quatre pattes, et cela n'a aucune importance. À la différence des autres étapes, se mettre à quatre pattes est courant mais pas universel. Votre bébé peut décider de passer directement au mode bipède.

Commencer à se redresser Se redresser vient après les positions assise et à quatre pattes, car le contrôle musculaire évolue du haut vers le bas. Les bébés ne peuvent pas se tenir sur leurs jambes, leurs genoux et leurs chevilles tant qu'ils n'ont pas acquis le contrôle de leur dos et de leurs hanches.

Mais l'entraînement commence tôt. Tenu en position «debout» sur vos genoux, votre bébé de trois mois s'affaisse. Un mois plus tard, il soutient une petite partie de son poids en poussant avec ses orteils et en commençant à garder ses genoux droits. À quatre ou cinq mois, la maîtrise des genoux se fait de façon rythmique, à tel point qu'il semble «sauter». À ce stade, il peut ne plus vouloir être «assis» sur vos genoux. Dès que vous le soulevez, il se replie un peu sur lui-même, attrape vos vêtements avec ses poignets et se débat pour tenir droit. Être debout lui permet d'être en contact direct avec votre corps, de vous regarder droit dans les yeux et d'avoir une vue d'ensemble par-dessus votre épaule lorsqu'il saute.

D'ici ses six mois, vous serez convaincue non seulement que votre bébé est un gymnaste-né, mais aussi qu'il a décidé que les adultes étaient des trampolines… Votre bébé n'est pas encore prêt pour le trampoline mais il est prêt pour être mis dans une de ces *balançoires pour bébé* (voir p. 188), à ne pas confondre avec les *trotteurs* dans lesquels les bébés se déplacent tout seuls. C'est une structure plus sûre et meilleure pour leur développement.

PARENTS, ATTENTION !

Tenez son éducatrice ou sa gardienne informée de ses progrès.

Le développement des bébés procède par crises et surprises. Certains progrès se font du jour au lendemain et prennent les parents par surprise. C'est pourquoi tant de bébés qui peuvent *presque* se retourner le lundi tombent de la table à langer le mardi matin.

Être conscients de tous ses progrès est déjà difficile pour les parents qui sont toujours avec leur bébé, mais bien plus dur encore pour les personnes qui ne le voient pas tous les jours. Une gardienne qui s'en occupe trois jours par semaine, une grand-mère qui le prend le samedi, ou même un service de garde où il ne va jamais le week-end doivent être avertis de tout changement. Faites aussi attention :

■ Aux bébés qui ont l'habitude de leurs mobiles et qui parviennent d'un coup à s'en saisir. Un joli jouet prévu pour être regardé peut être dangereux à mâcher, une ficelle peut étrangler.

■ Aux bébés qui commencent à attraper les objets – une assiette en plastique mais aussi votre tasse de thé brûlant ou les cheveux de sa grande sœur.

■ Aux bébés qui mettent tout à la bouche. Garder les petits objets de la vie quotidienne – stylos, ciseaux, journaux et tricot – hors de sa portée n'est pas difficile lorsque vous savez que vous devez le faire, mais personne ne sait d'avance que le temps est venu.

VOIR
ET COMPRENDRE

Les nouveau-nés ont un intérêt inné pour l'observation du visage humain et des formes et figures compliquées. C'est très important pour leur développement. Un bébé fasciné par les gens s'intéresse à son seul moyen de survie. Et étudier les formes et les images compliquées est une façon de s'adapter au monde complexe dans lequel il doit vivre.

Vous reconnaître

Au cours des six premiers mois, votre bébé fait bien plus qu'observer. Il commence à comprendre une grande partie des choses qu'il voit. Il apprend à les connaître l'une après l'autre. Il est petit à petit capable d'ajouter l'action à l'observation en coordonnant les gestes de ses mains à ceux de ses yeux.

Dans les premiers jours, votre bébé étudie tous les visages ou tous les objets ou images qu'il prend pour un visage. Il lui faudra peu de temps pour distinguer les vrais des faux. Lorsqu'il commence à sourire – en général après trois mois et avant six –, il sourit à vous, à votre voisin ou à un dessin. Mais autour de huit semaines, vous ou votre voisin obtiendrez de plus larges sourires.

Vers trois mois, les bébés ne distinguent pas seulement les vrais visages des dessins, ils commencent aussi à différencier deux visages et surtout à reconnaître les visages familiers. Votre bébé continue à sourire et à «parler» à votre voisin, mais il *vous* sourit plus spontanément, ainsi qu'à son père ou à sa gardienne, bref aux gens qu'il connaît et qu'il aime le plus. Environ un mois plus tard, il vous connaît et vous préfère infiniment. Il n'a pas peur des étrangers – cela viendra encore plus tard –, mais il garde un peu de retenue envers eux, alors qu'il se sent libre, confiant et joyeux avec vous. Avant six mois, les signes de son attachement émotionnel deviennent clairs et émouvants.

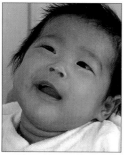

Un jour, ce regard qui scrute votre visage est comme illuminé par son premier sourire.

Sur vos genoux, il se comporte comme si votre corps lui appartenait, explore votre visage, mordille votre nez et met ses doigts dans votre bouche… Porté par un inconnu, il se tient mieux! Lorsque vous tendez vos bras pour le reprendre, il se tourne vers vous avec un grand sourire. Il a compris que les personnes qu'il voit tous les jours sont ses proches et il fait tenir ce rôle même au plus réticent membre de la maison – un colocataire ou un demi-frère adolescent – en lui offrant son affection.

D'autres choses intéressantes à regarder

Dans les premières semaines, la position du bébé et son champ de vision limité l'empêchent de trouver beaucoup de choses à observer tout seul. Cependant, si on lui montre des objets à environ 20 cm de son nez, il fixe son regard dessus et manifeste son intérêt avec son corps.

S'il est couché, il commence à se tortiller; s'il était agité, il est «paralysé par l'attention». Si le jouet bouge doucement, toujours dans son champ de vision, il le suit des yeux. S'il bouge trop vite ou trop loin, l'intérêt du bébé faiblit. En réalité, dès que l'objet disparaît de son champ de vision, il cesse d'exister.

*En apprenant à atteindre, à
toucher et à prendre les choses
qu'il voit, votre bébé participe
activement à la vie.*

Votre bébé apprend par les yeux bien avant d'apprendre par les gestes. Assurez-vous qu'il a des choses intéressantes à regarder.

Le meilleur premier jouet : les mains

Tant que les mains de votre bébé sont la plupart du temps fermées, il n'est pas prêt pour s'amuser à manipuler des choses, et les jouets ne lui servent à rien. Il peut tout observer et cela lui est sûrement utile de s'entraîner à fixer son regard sur différents objets, sous différents angles et à différentes distances. Souvenez-vous que la distance qui lui convient le mieux est de 20 cm. C'est donc à 20 cm de son nez qu'il faut tenir les mobiles et les jouets que vous lui montrez. Si vous disposez un dessin en noir et blanc ou une photo de visage au-dessus de son couffin ou sur le côté vers lequel sa tête se tourne naturellement, vous serez surprise de voir à quel point il concentre son attention dessus. Cependant, il étudie votre visage avec encore plus de vigilance. Les visages animés – qui sourient, parlent, chantent, interrogent – sont ce qu'il y a de plus passionnant au monde. Il ne se lassera jamais d'une «conversation» en tête à tête avec vous.

Cela prend plus de temps à un bébé de découvrir ses propres mains que de découvrir le visage des autres. Vous vous appliquez à placer le vôtre à la distance idéale plusieurs fois par jour, mais ses mains sont la plupart du temps hors de sa vue et hors de son esprit tant qu'il ne peut pas lui-même faire en sorte de les voir. Il ne sera prêt à s'en servir que lorsqu'elles ne seront plus en permanence fermées. Il pourra alors commencer à saisir des objets et à les manipuler.

À environ six semaines, votre bébé va découvrir ses mains closes par le toucher. Il tripote l'une avec l'autre, les tire, ouvre et ferme les doigts. Mais il ne sait pas que ces mains sont une partie de son corps et, même à huit semaines, lorsqu'elles sont parfois ouvertes, il ne les bouge pas pour les regarder. Votre bébé utilise une main pour jouer avec l'autre comme s'il s'agissait d'un objet et, si vous y placez un hochet, il le tripotera exactement de la même façon.

Ses premières aventures avec un hochet peuvent être un bon moyen de réaliser que ses mains font partie de lui. Un bébé de huit semaines ou plus étant habituellement allongé sur le dos, cela lui laisse les deux bras libres. Si quelqu'un place un hochet dans sa main, il va sans doute faire du bruit. Lorsqu'il entend le bruit, il le suit des yeux et c'est ainsi que, pour la première fois, il voit sa propre main et le hochet à l'intérieur. Pendant les deux ou trois semaines suivantes, les jouets faciles à attraper, assez légers pour ne pas le blesser et qui font du bruit lorsqu'on les remue sont vraiment utiles. Ils dirigent les yeux du bébé et son attention vers ce que font ses mains. Ils l'aident à établir le lien entre lui-même et ses mains, la relation entre ce qu'elles font (elles bougent) et ce qui se produit (le bruit).

À dix ou douze semaines, la plupart des bébés n'ont plus besoin de ce bruit, même s'ils l'apprécient encore. Ils ont trouvé leurs mains, par le regard autant que par le toucher, et passent leur temps à jouer avec et à les observer. Votre bébé peut passer de longues minutes à les porter l'une à l'autre, à les séparer à nouveau jusqu'à ce qu'elles disparaissent et à les ramener à lui, à tirer ses doigts… aussi concentré qu'un enfant de cinq ans devant la télévision.

Une fois qu'il contrôle ainsi ses mains – autour de trois mois –, il va les explorer avec sa bouche, avec ses yeux et l'une avec l'autre.

Les mains des bébés sont leur meilleur premier jouet. Votre bébé est aussi concentré sur ses mains qu'un enfant plus grand sur l'écran de télévision.

Il met un doigt dans sa bouche, le retire, l'inspecte, l'introduit à nouveau dans sa bouche avec un pouce en plus, l'observe à nouveau, etc.

Lorsque votre bébé peut mettre ses mains dans sa bouche, il peut en faire de même avec tout le reste. Sa bouche est devenue un outil d'exploration et il n'aura pas totalement fait connaissance avec un objet tant qu'il ne l'aura pas mis dans sa bouche. Essayer de l'empêcher de tout porter à la bouche est une perte de temps et une entrave à son exploration. Si vous vous inquiétez de l'hygiène, faites en sorte que tous ses jouets puissent aussi bien être mis à la bouche que tenus et regardés, lavez-les de temps en temps, et entraînez tout le monde à la maison à mettre les objets dangereux hors de sa portée. Votre bébé ne peut pas encore s'étirer pour atteindre ce qu'il veut, mais cela arrivera vite.

La bouche d'un bébé étant un outil d'exploration important, il serait vraiment regrettable qu'elle soit en permanence occupée par une sucette. Les bébés vraiment nerveux ou tristes qui ne peuvent être bien sans avoir toujours une sucette ne sont probablement pas encore prêts à jouer avec leurs mains. Mais beaucoup de bébés à cet âge n'ont besoin de téter qu'au moment du coucher ou dans les cas de stress particuliers et peuvent jouer avec leurs mains et leur bouche le reste du temps.

Commencer à utiliser ses mains

Les bébés commencent par utiliser leurs mains et leurs yeux séparément, touchant des choses sans les regarder et en observant d'autres sans les toucher. Aussi longtemps que ces deux actions restent séparées, le bébé est passif : il observe le monde mais ne peut rien faire de ce qu'il voit. Pour participer activement à la vie, votre bébé doit faire le lien et apprendre à toucher et à saisir ce qu'il voit.

Tenir un objet est une affaire très compliquée. Il faut commencer par le regarder, comprendre de quoi il s'agit – ou au moins décider qu'on le veut –, estimer à quelle distance il se trouve et enfin s'appliquer à bouger le bras pour que la main l'atteigne. Il reste encore à ajuster minutieusement les mouvements de la main pour qu'elle puisse le saisir. C'est seulement après avoir accompli tout ce processus que le bébé est en position de manipuler ce qu'il a attrapé, de faire quelque chose avec. L'apprentissage de cet exploit, que nous réalisons tous des centaines de fois par jour sans y penser, c'est acquérir la « coordination main-œil ».

C'est apprendre à relier l'action des deux mains à ce que les yeux voient. L'acquisition de cette coordination dans la première moitié de cette année capitale est aussi importante que celle de la position

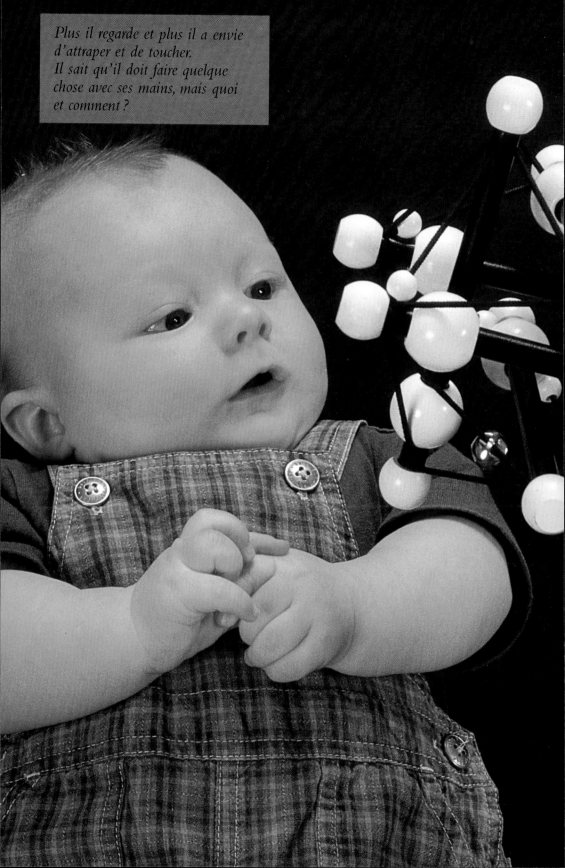

Plus il regarde et plus il a envie
d'attraper et de toucher.
Il sait qu'il doit faire quelque
chose avec ses mains, mais quoi
et comment ?

à quatre pattes et de la marche au cours de la seconde moitié. Et cette coordination main-œil est importante pour la vie entière. Un enfant doué avec un ballon ou un marteau a une coordination bien développée, tout comme un bon conducteur.

Vous ne pouvez rien faire pour apprendre à un bébé à coordonner ses mains et ses yeux tant qu'il n'y est pas prêt. En revanche, dès qu'il est prêt, lui offrir des jeux appropriés l'aide à comprendre rapidement et avec le maximum de plaisir. Les bébés qui passent des heures dans leur berceau ou dans leur parc, avec peu de jouets et une attention adulte minimale, apprennent lentement à saisir les choses et, par conséquent, sont lents à découvrir ce qu'on peut faire avec et à les manipuler. Il suffit d'offrir à ces bébés des objets intéressants à observer, de les encourager et de féliciter avec enthousiasme leurs progrès pour que leur coordination main-œil se développe très rapidement.

Les bébés qui s'ennuient ont une carence affective et sont en général aussi ennuyeux à garder. Ne croyez pas que, votre bébé étant trop petit pour pouvoir jouer de différentes manières, il ne peut pas s'amuser et enrichir ses connaissances en jouant avec autre chose que les classiques ours en peluche et autres mobiles et hochets…

Voir et faire   Lorsque votre bébé commence à jouer avec ses mains et à les observer bouger, il fait la connexion entre voir et faire. Bien qu'il fixe plus facilement son attention sur ce qui est près de lui, il adapte de plus en plus rapidement sa vision et il suit mieux les mouvements d'un objet avec ses yeux, tournant la tête si nécessaire pour le garder en vue. Bientôt, se contenter de *regarder* ce qui l'intéresse ne lui suffira plus. Il voudra aussi essayer de *faire quelque chose avec* – donnant vaguement un coup à l'objet avec la main la plus proche et parfois considérant cette main, puis l'objet, puis la main, plusieurs fois de suite.

Attraper et toucher les objets permettent à votre bébé de prendre conscience de son propre développement et de sa capacité à maîtriser à la fois son propre corps et le monde extérieur. Il va pouvoir profiter de toutes les occasions que vous créez pour lui. Cependant, ne lui en demandez pas trop. C'est une bonne chose pour lui d'essayer de

Les objets qui se balancent sont amusants à regarder et les frapper donne à votre bébé un nouveau sens de son propre pouvoir : «Je fais ça et quelque chose se passe ! »

contrôler ses mains et d'estimer la distance entre celles-ci et les objets qu'il désire, mais, au début, il n'y parvient pas encore bien et, comme les enfants ou les adultes, les échecs répétés ne vont pas le motiver à apprendre. Arrangez-vous pour que ses tentatives soient réussies. Si vous tenez un objet pour lui, attendez qu'il l'ait atteint et posez-le alors dans sa main. Des objets à taper ou à tirer, accrochés au-dessus de son siège, ou sur un portique au sol, à environ 25 cm de son nez et à portée de ses bras tendus sont parfaits à cet âge. Votre bébé agite sa main autour d'une balle en mousse suspendue et parfois sa main la touche et elle se balance. Un hochet léger, suspendu de la même manière, est une autre façon de jouer : votre bébé découvre qu'il fait un bruit distrayant en bougeant. Choisissez des objets variés qui sonnent et bougent différemment lorsqu'il les tape (et qui ne le blesseraient pas s'il parvenait à les faire tomber) et regardez-le découvrir avec fierté : « Je vois ça, je fais ça, et *quelque chose se passe.* »

Toucher et attraper Dès que votre bébé est capable de toucher les objets sans avoir à réfléchir à ses gestes, vous allez le voir faire de plus en plus d'efforts pour *s'en emparer.* Frapper les jouets suspendus au-dessus de son landau ou de son parc ne lui suffit plus. Il veut s'en saisir. En général, les bébés commencent par regarder l'objet, puis regardent leur main la plus proche, la lèvent vers lui, « mesurent » à nouveau la distance du regard et répètent l'expérience jusqu'à ce qu'ils l'aient touché… Mais il leur arrive encore souvent de le rater parce qu'ils ferment leur main juste avant de l'atteindre.

Les jouets qui se balancent sont à présent plus frustrants qu'amusants. Un tapis d'éveil avec ses propres mobiles et jouets est l'idéal lorsqu'il s'amuse tout seul. Choisissez un modèle avec des éléments suspendus sur les côtés pour qu'il puisse les atteindre – ceux qui sont au-dessus sont trop hauts pour un bébé de trois mois. Lorsqu'il est assis, un tableau d'activité peut être distrayant, mais il n'est pas encore capable de manœuvres compliquées, comme appuyer sur un bouton avec un doigt. Il s'amuse plus et développe plus ses compétences main-œil en jouant avec un adulte.

Il est plus aisé et plus prudent pour un bébé de cet âge d'atteindre des objets lorsqu'il est calé en position assise. Son corps est soutenu et ses bras et ses mains sont libres de leurs mouvements. Si vous tenez des objets pour qu'il les attrape, ne l'aidez pas trop rapidement car il est en train de forcer ses mains à lui obéir. Si vous le laissez faire cet effort jusqu'à ce qu'il réussisse à toucher l'objet, vous pouvez le récompenser en le mettant dans sa main pour qu'il ait vraiment le sentiment de l'*avoir attrapé.* Il aime aussi toucher des objets en étant assis sur vos genoux – surtout si vous ne vous occupez pas de ce qu'il fait et qu'il peut prendre tout le temps que sa concentration lui permet.

Porter une chaîne ou un médaillon autour de votre cou est une bonne façon de l'occuper dans un autobus ou lorsque vous discutez avec d'autres adultes. Cependant, vos réactions à ce qu'il fait vont bientôt faire partie de l'amusement. Si l'un de vous porte des lunettes, les enlever peut devenir sa première blague volontaire !

Autour du sixième mois, votre bébé peut désormais fixer son regard sur des objets à n'importe quelle distance et les suivre dans

Maintenant, quand il veut quelque chose, il sait ouvrir et orienter ses mains et l'atteint rapidement.

toutes les directions. Il se met à observer les adultes dans leurs gestes quotidiens et à regarder ce qui se passe par la fenêtre. Il est aussi devenu très habile de ses mains. Il sait où elles sont sans les regarder et peut concentrer son attention sur un objet qu'il a attrapé pendant que ses bras et ses mains le tiennent devant ses yeux. Il va apprendre à garder ses mains ouvertes et à ne les refermer qu'au contact de l'objet désiré. Et il découvre que la meilleure façon de tenir un objet lourd est de tendre les deux bras et de les refermer sur lui-même.

Montrez à votre bébé tout ce qui se présente et aidez-le à prendre conscience de ce qu'il peut attraper ou non. Il voit le grand bus mais ne peut pas le toucher car il est trop loin. Il voit les rayons du soleil sur le mur mais ne peut pas les saisir. Il voit les fleurs sur le tapis mais, malgré tous ses efforts, il ne peut pas les cueillir comme les fleurs du jardin. Les livres d'images l'aident à venir à bout de ces énigmes, tout comme les petites expériences que ses progrès gestuels lui permettent. À six mois, certains bébés (ce qui ne veut pas dire tous) ne se contentent pas de s'amuser à tenir leurs jouets et à les frapper sur la tablette de leur chaise : ils sont aussi captivés lorsque vous leur montrez à quoi sert chacun d'eux et vous copient en faisant mine de jeter ou de pousser quelque chose. Votre bébé aime sans doute prendre la nourriture avec ses doigts, la porter à la bouche et essaie de tenir tout seul son biberon ou votre sein. Et lorsqu'un objet l'intéresse, il s'en saisit à présent avec une rapidité impressionnante. Faites attention à ce qui se trouve à sa portée. Une fois capable d'attraper ce qu'il veut, il n'hésite pas à le faire et tout va dans sa bouche – les cartes de crédit et les ciseaux comme les hochets et les biscottes.

Il peut voir et toucher la fleur, mais pas l'attraper. Il ne connaît pas encore la « deuxième dimension », mais il est train de l'apprendre.

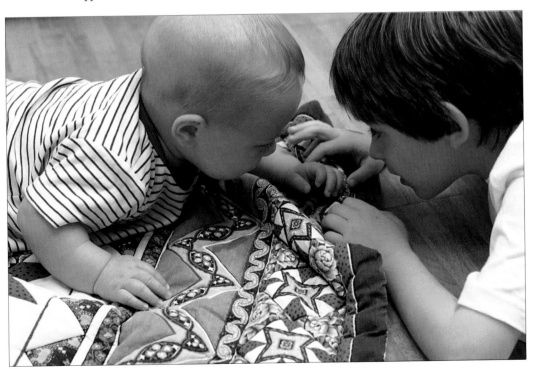

ENTENDRE
ET GAZOUILLER

Lorsque votre bébé atteint quatre ou six semaines et qu'il est un peu plus à l'aise dans son nouveau monde, il commence à faire le lien entre écouter et regarder, et c'est un des événements les plus excitants de cette période. Un jour, étendu sur sa table à langer, il écoute attentivement votre doux bavardage, le regard perdu dans le vague. Le lendemain, il écoute aussi intensément, mais plutôt que de regarder le mur, il cherche des yeux la source de cette voix, l'origine de ce qu'il entend.

Si vous n'avez pas encore aperçu un sourire volontaire de votre bébé, vous attendez sans doute cette expérience avec impatience. Les parents n'en sont pas toujours conscients, mais les premiers sourires naissent souvent en réaction simplement à la voix et non à un visage souriant ou même à un visage souriant qui parle. Votre bébé sourit d'abord au son, puis, lorsqu'il a trouvé votre visage qui s'adresse à lui, il sourit aux deux. Environ quinze jours plus tard, il répond à votre sourire sans avoir besoin d'entendre votre voix.

Au cours du deuxième mois, les bébés se mettent à réagir à une grande variété de sons. Les bruits de fracas soudains les font sursauter, la musique en calme encore beaucoup, mais les sons plus neutres deviennent aussi intéressants. La réaction de votre bébé à un son particulier dépend en général de son humeur et de l'état dans lequel il est à ce moment. Si vous branchez votre aspirateur lorsqu'il est ronchon, ce bruit est la goutte qui fait déborder le vase et il se met à pleurer. Mais si vous allumez le même aspirateur lorsqu'il se sent heureux et prêt à s'amuser, le même bruit peut le faire rire et se trémousser de joie. On peut dire que cette gamme de sons moyens agit comme un stimulateur qui amplifie les sentiments du bébé. Les voix humaines amicales sont l'unique et importante exception. Elles semblent toujours intéresser les bébés et leur faire plaisir, quelles que soient les circonstances et l'humeur.

La première communication par la voix Les bébés ayant une curiosité innée pour les voix humaines, il n'y a rien de surprenant à ce qu'ils émettent leur premier son communicatif lorsqu'un adulte les porte, joue avec eux ou leur parle. Très tôt après la naissance, les bébés émettent des petits bruits autres que des cris et des pleurs, mais les roucoulements satisfaits qui suivent les repas et les gémissements qui précèdent les pleurs sont plus les conséquences d'un état physique que d'un désir de communiquer. Un estomac bien rempli et une bouche entrouverte aboutissent à ces roucoulements. Une gorge serrée et une respiration plus rapide aboutissent au gémissement.

Deux ou trois semaines après avoir commencé à répondre aux sourires et aux discours en souriant et en se trémoussant, les bébés y ajoutent leurs propres sons. Votre bébé sourit, donne des coups de pied en regardant votre visage et produit une suite de petits bruits harmonieux. Deux semaines plus tard, à environ trois mois, il a fait la distinction entre le sourire et la voix. Dorénavant, lorsque vous lui souriez, il vous sourit, lorsque vous lui parlez, il vous parle.

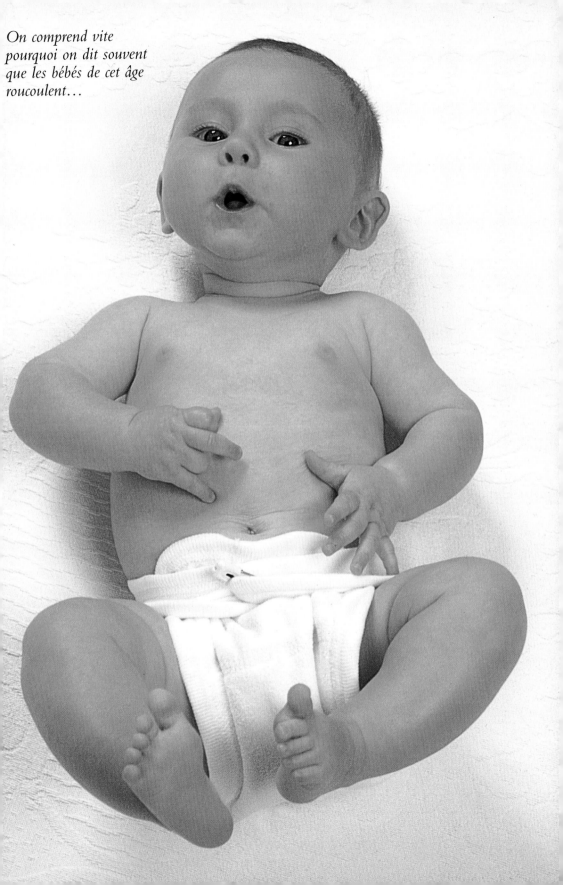

On comprend vite
pourquoi on dit souvent
que les bébés de cet âge
roucoulent…

Les bébés à qui l'on parle beaucoup sont souvent des bavards. Au contraire, ceux qui sont habitués à un environnement silencieux, ceux dont on ne s'occupe pas tout le temps ou ceux dont la mère s'adresse souvent simultanément à un enfant plus grand parlent beaucoup moins. Bien sûr, les bébés ne gazouillent pas seulement quand on leur parle, ils le font aussi souvent tout seuls dans leur lit. Mais même ce gazouillis solitaire est plus développé chez les bébés avec qui l'on discute souvent.

«Se parler» et jouer avec ses mains sont les deux jeux solitaires préférés des bébés de cet âge. En fait, un bébé qui parle beaucoup (aussi bien à lui-même qu'aux adultes) supportera mieux de passer une partie de son temps éveillé tout seul. Loin d'être «gâtés», les bébés qui bénéficient d'une grande attention ont tendance à être plus satisfaits et moins exigeants que ceux à qui l'on accorde moins de temps et d'attention.

Les premières conversations Ces premières vocalises ne sont pas des «conversations» dans le sens où votre bébé essaie de vous dire quelque chose de précis, bien sûr, mais elles sont des «conversations» dans le sens où il utilise sa voix comme moyen de communiquer avec vous. Vous lui dites quelque chose, il émet un son en réponse et puis s'arrête, comme s'il attendait votre réponse. Vous parlez à nouveau, il attend que vous ayez fini puis prend la parole à son tour. C'est une forme de communication que seule la voix humaine peut stimuler. Des chercheurs ont essayé de faire suivre chaque son émis par un bébé par le tintement d'une cloche, mais cela n'a provoqué aucune «réponse» et n'a eu aucun effet sur le rythme de sa conversation. Votre bébé ne fait pas que réagir à un son, il «répond» à quelqu'un qui lui parle.

Les gazouillis De trois à six mois, les bébés n'ont de cesse de produire ce qu'on appelle des «gazouillis». À cet âge, ils sont assez développés pour trouver la vie très stimulante et très excitante. Ils donnent des coups de pied, se retournent, jouent avec leurs mains, touchent et tapent les objets avec fierté et célèbrent tout ça par des flots de paroles. Votre bébé est toujours plus bavard quand vous lui parlez, mais il reste rarement silencieux lorsqu'il est tout seul.

À trois ou quatre mois, les sons que les bébés émettent sont essentiellement des voyelles ouvertes: «aaah» ou «oooh». On dit souvent avec raison que les bébés roucoulent comme des colombes.

Les premières consonnes que les bébés ajoutent à ce roucoulement – imposées par l'immaturité de leur appareil vocal plus que choisies – sont K, P, B et M. Leurs gazouillis ressemblent alors plus à des mots. En Occident, le premier son que les parents entendent est «maaa». Ce n'est pas par hasard si c'est la première syllabe du mot qui désigne les mamans dans la majorité des langues européennes. Outre les quelques mères un peu naïves qui se persuadent que leur bébé essaie de les nommer, on trouve aussi quelques pères qui se désespèrent parce que leur bébé dit «maaa» mais pas «paaa». Les six premiers mois, il est plus raisonnable de penser que votre bébé ne tente pas et n'oublie pas de nommer quelqu'un. Les bébés disent «maaa» parce que le M est plus facile à prononcer à ce stade du développement de la parole. Ils ne disent pas «paaa» parce que le P est pour le moment plus difficile.

Traverser ces différents stades de la formation des sons et apprendre des vocalises de plus en plus complexes est une part innée du développement des bébés. Votre bébé sera plus particulièrement bavard si vous lui parlez beaucoup, mais il s'exercera quand même aux vocalises – dans une moindre mesure – si on lui parle à peine, voire s'il n'entend pas le moindre son extérieur parce qu'il est sourd. Le fait qu'un bébé de moins de six mois gazouille ne suffit pas à conclure que son système auditif est normal. La surdité n'est pas décelable dans la voix avant le second semestre. Vous pouvez repérer un problème d'audition en observant les réactions (ou le manque de réaction) de votre bébé aux sons extérieurs. S'il ne tourne jamais la tête pour voir d'où vient votre voix et ne sursaute pas lorsque vous faites tomber une casserole derrière lui, consultez un médecin quels que soient ses progrès vocaux.

Écouter   Autour de quatre ou cinq mois, votre bébé vous écoute attentivement lorsque vous lui parlez et observe votre visage même si vous bougez autour de lui plutôt que de lui parler face à face. Lorsque vous marquez une pause au milieu du flot de vos discours, il vous répond avec des sons et des intonations de plus en plus variés. Quand il est seul, il révise ce répertoire de plus en plus riche.

Beaucoup de parents imaginent que leur enfant apprend en imitant et, dès le début, simplifient ce qu'ils disent et accentuent certains mots,

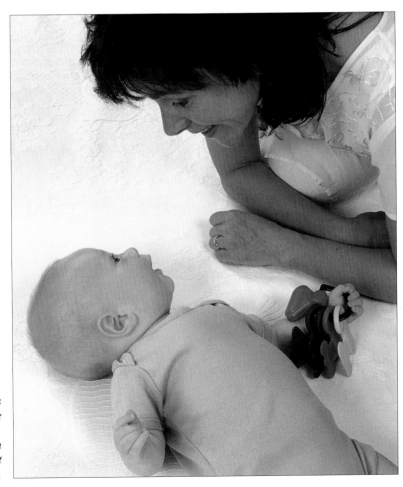

Il vous écoute quand vous parlez ; il prend la parole quand vous arrêtez. L'art de la conversation s'apprend bien avant les mots.

pensant lui faciliter ainsi le travail. Mais les bébés n'apprennent pas à parler en imitant et ils n'ont pas besoin que les adultes emploient des mots faciles mais simplement qu'ils leur répondent. Parler à votre bébé, maintenant et plus tard, comme s'il vous comprenait est le meilleur moyen de l'aider à en faire autant. Vos paroles lui apportent quelque chose de bien plus important qu'un modèle à copier : elles lui offrent la formidable expérience de la communication qui le stimule et lui donne envie de participer par les sons qu'il connaît déjà et par tous ceux qu'il apprend.

Tous les bébés disposent d'une large gamme de vocalises. Le nombre de sons différents qu'un bébé produit dépend en partie du stade de développement physiologique de son appareil vocal — bouche, langue, larynx... — et en partie de son propre goût pour la parole. La langue nationale ou l'accent régional n'ont pas encore d'influence. Les sons que font les bébés étant universels, ils incluent naturellement des bruits qui ressemblent à des tentatives de mots de n'importe quelle langue. Chaque bébé apprend la langue de sa famille et de sa communauté moins parce qu'il imite ce qu'il entend que grâce aux réactions de ses parents et de ses proches à certains sons. Si les adultes qui l'écoutent parlent français, ils sélectionnent les bruits qui ressemblent à des mots de la langue française, l'encouragent avec enthousiasme à les reproduire et sont plus indifférents à ce qui ne leur évoque rien. Des parents italiens choisiront les vocalises qui sonnent italien, les parents japonais choisiront les vocalises qui sonnent japonais, etc. En réalité, votre bébé n'essaie pas encore de former des mots dans une langue particulière, il n'essaie même pas du tout de former des mots. Il bavarde parce que bavarder est un jeu social, il joue avec des sons. Ces sons ne sont pas différents chez ses copains d'origine linguistique différente tant qu'il ne commence pas à prononcer des mots ayant un sens, au cours du semestre suivant.

Votre bébé n'est pas en train d'essayer de reproduire ce que les gens lui disent, il est en train d'apprendre les voix, d'apprendre à distinguer ses proches des inconnus en les écoutant, tout comme il les distingue en les regardant. La voix de la mère est en général déjà familière avant la naissance mais, dès qu'il a six mois, votre bébé est excité à la simple écoute d'une voix amie dans le hall d'entrée. Plus tard, lorsqu'il se réveillera d'une sieste et entendra la vôtre de sa chambre, il sourira avant même d'avoir soulevé sa tête pour vous apercevoir. Si la voix qu'il entend n'est pas la vôtre mais celle d'une gardienne qu'il ne connaît pas encore bien, son visage à la sortie du lit peut exprimer vigilance et prudence.

Aider son bébé à parler   L'âge auquel votre bébé dit ses premiers mots, utilise une expression en deux mots ou construit une véritable phrase est plus fixé par ses gènes que par le comportement de ses parents. Mais il y a quand même un rapport entre la facilité et la rapidité de son apprentissage des vocalises aujourd'hui, et la facilité et la rapidité de son apprentissage du véritable langage plus tard. Sa loquacité actuelle dépend au moins en partie de la façon dont vous le stimulez et sa facilité à parler lui ouvrira bientôt les portes de beaucoup d'autres découvertes. Il est donc très important de l'aider en favorisant tout ce qui peut lui être utile. Votre bébé essaie de joindre une communauté de langue. Passer de longues heures par jour en compagnie d'une gardienne ne parlant pas français ne l'aidera donc pas. De longues journées avec une personne qui passe son temps devant la télévision non plus.

Il n'est cependant pas toujours évident de lui apporter ce genre de stimulation, même pour des parents qui s'en occupent toute la journée. Il est plus facile de parler à certains bébés (même le sien) qu'à d'autres. Certains grands bavards sont capables de parler à quiconque se trouve avec eux, que ce soit un bébé, un adulte ou un chien. D'autres, qui ne s'adresseraient pas à un chien, sont conscients que les bébés sont des individus dès le premier jour et n'ignorent pas plus leur présence que celle d'un ami. D'autres encore sont naturellement calmes, parlent peu même avec les adultes et se sentent idiots de bavarder avec un bébé – comme s'ils parlaient tout seuls.

Vous ne pouvez pas décider de devenir bavarde. Si vous vous forcez et manquez de naturel, vos discours ne sonneront pas aux oreilles de votre bébé comme une véritable communication.

Favoriser certaines situations est un début pour vous aider ; le répondant de votre bébé fera le reste :

■ Montrez-lui un livre d'images, pointez et nommez les choses et expliquez-lui ce qu'il voit. Il adore ça, même s'il ne comprend pas tout, et il prend ainsi goût aux livres.

PARENTS, ATTENTION !

La surdité

Les difficultés d'audition posent des problèmes de langage. Les déceler tôt augmente les chances d'y remédier. Si l'audition de votre enfant vous inquiète, n'attendez pas, demandez l'avis d'un médecin.

On ne se rend pas toujours compte d'un défaut auditif au cours des premiers mois car, même une fois que les bébés distinguent entre entendre et voir et que vous savez ce qui fait sourire le vôtre, tous les bébés, sourds ou non, roucoulent de la même façon. Ces premiers sons ne dépendent pas de l'audition.

Au quatrième ou cinquième mois d'un bébé né à terme, des indices apparaissent. Outre le fait de sursauter à un bruit soudain et fort (ce que peut aussi faire un bébé à l'audition réduite), la plupart des bébés se mettent à chercher l'origine du bruit, à tourner la tête vers vous quand vous parlez ou vers la télé. Si personne n'a jamais vu votre bébé agir ainsi, provoquez quelques situations-tests. Par exemple, tournez sa chaise en direction d'une autre personne, attendez que son attention se fixe sur celle-ci puis parlez d'une voix normale juste derrière lui. S'il ne réagit pas, ne paniquez pas (il est peut-être juste trop occupé pour vous prêter attention) mais mentionnez-le à votre médecin.

Avant la fin du premier semestre, les roucoulements de votre bébé s'enrichissent de consonnes et se transforment en babil. C'est à partir de ce moment que les sons produits sont différents s'il a ou non des problèmes auditifs. À moins qu'il n'y ait d'autres bébés dans votre entourage ou que vous n'ayez un souvenir précis du babil de vos précédents enfants, la différence peut vous paraître difficile à entendre mais sera très nette aux oreilles d'un médecin spécialisé.

Si la seule raison de votre inquiétude est le fait que votre bébé ne «parle» pas beaucoup, il n'a probablement pas de problème d'audition. Il y a beaucoup de raisons à ce silence infantile relatif :

■ C'est un bébé calme de façon générale.
■ Il est né prématurément ou a eu des problèmes de santé à la naissance.
■ C'est un jumeau.
■ L'un de ses parents est plutôt silencieux ou a commencé à parler tard.

Partager un livre est l'une des meilleures façons de partager un adulte.

■ Décrivez-lui ce que vous faites quand vous vous occupez de lui. Pendant son bain, nommez les parties de son corps que vous lavez ou les objets dont vous vous servez. Pendant son repas, nommez les aliments.

■ Posez-lui des questions. Votre bébé ne va bien sûr pas vous répondre par des mots mais par ses expressions, ses intonations et ses gestes. «C'est joli, non?» «Il s'est caché?» «C'est trop froid?»

■ Parlez naturellement, sans simplifier délibérément ce que vous dites. Si vous vous forcez à utiliser des mots simples, à parler lentement et à aborder des sujets toujours compréhensibles, vos conversations sonneront faux. Votre bébé répondra avec autant d'enthousiasme à vos conversations sur les derniers événements politiques ou sur le prix du fromage qu'à une phrase simpliste à propos du chien de la maison. Si le «parler bébé» vous vient naturellement (et c'est probablement le cas), ne vous l'interdisez pas, mais ne vous y forcez pas non plus. Cela n'a pas encore une grande importance.

■ Essayez de consacrer quelques moments à parler à votre bébé en tête à tête, même s'il est l'un de vos triplés ou le frère d'une aînée jalouse. C'est particulièrement important si vous vous sentez gênée en présence d'autres personnes ou si votre aînée aime aussi beaucoup les discussions avec vous et sait bien mieux les obtenir!

■ Et surtout, écoutez votre bébé et essayez de lui répondre, par des mots, chaque fois qu'il vous sourit ou vous adresse ses vocalises. Il n'a pas besoin d'un monologue permanent mais d'une conversation. Si vous êtes le genre de personne qui a du mal à engager une conversation, vous pouvez au moins vous obliger à répondre à votre bébé chaque fois qu'il en entame une.

Le bain est un moment pour s'amuser, discuter et communiquer avec chaque partie de son corps.

JOUER
ET APPRENDRE

Jouer, pour les bébés, ne sert pas simplement à «s'amuser». Jouer, c'est découvrir ce qu'ils peuvent faire et s'y entraîner, découvrir des choses et les explorer. À cette période, tous les jeux qui les poussent à utiliser leur corps, leurs sens et leurs émotions, à développer leur réflexion, leur compréhension et leur intelligence sont bons. Donc, si le jeu doit être amusant (sinon il n'intéresse pas le bébé), tous ne doivent pas être uniquement amusants. Si l'adulte qui s'occupe de lui a assez de temps, de patience et de bonnes dispositions, votre bébé peut tirer profit et s'amuser de chaque événement de la vie ordinaire, des changements de couches aux repas.

Toutefois, jouer juste pour jouer est aussi très important. Les enfants plus grands demandent souvent à leurs parents de jouer avec eux et adorent ça, mais ils sont aussi capables de s'amuser tout seuls, sans la compagnie d'un adulte, ce que votre bébé ne peut pas faire. De fait, la première année, la distinction claire entre le fait de «jouer» et celui d'«apprendre», qui sera si importante plus tard, n'existe pas vraiment. Lorsque vous, ou un autre adulte, décidez de jouer avec votre bébé, vous lui apprenez forcément quelque chose : il est capable de très peu de choses tout seul pour le moment et il a encore tant à apprendre. Il aimerait jouer avec vous tout le temps où il ne dort pas, mais les moments que vous pouvez consacrer à cette activité, sans tenter d'accomplir autre chose en même temps, sont probablement limités. Il vaut donc mieux s'en servir pour lui proposer les jeux les plus appropriés – intéressants et distrayants – que vous puissiez imaginer.

Profiter   Ajustez le style de jeu à l'humeur de votre bébé. Comme tout le
au maximum   monde, ses goûts varient selon son humeur ; mais contrairement à la
du temps de jeux   plupart des gens plus âgés, son humeur peut changer en un instant.

Lorsqu'il se sent fort et content, il aime les jeux énergiques et physiques qui lui donnent l'impression de triompher de son propre corps et, progressivement, de le contrôler. Mais lorsqu'il est fatigué, les mêmes jeux lui font peur et lui donnent plus le sentiment d'être malmené.

Lorsqu'il est calme et affectueux, il adore être bercé et que vous lui chantiez une chanson. S'il est agité, ce genre de jeux lui donnera l'impression d'être prisonnier de vos bras.

Lorsqu'il est fatigué, affamé ou qu'il ne se sent pas bien, aucun jeu ne lui plaît. Il ne veut pas jouer avec vous, mais dormir, manger ou être réconforté.

Pour être son fidèle compagnon, il faut adapter votre rythme à celui de votre bébé. Ses réactions sont plus lentes que les vôtres, surtout lorsque le jeu que vous lui proposez fait appel à des capacités nouvelles ou au-delà de ses limites. Si vous voulez qu'il prenne vraiment part au jeu, il faut vous adapter à son allure. Si vous lui parlez, par exemple, ne lui laisser que cinq secondes pour «répondre» puis vous impatienter et reprendre la parole, c'est lui voler son tour. Attendez. Quinze secondes

Le monde, à travers les yeux d'un bébé, est difficile, voire décourageant, à comprendre.

lui sont peut-être nécessaires pour trouver par quel son vous répondre. Si vous tenez un jouet pour qu'il l'attrape, que vous attendez qu'il déclenche le processus délicat qui lui permettra de l'atteindre, puis, par compassion, décidez de le lui placer dans la main trop vite, vous l'écartez du jeu. Attendez. Donnez-lui le temps d'avancer ses mains, de réussir le jeu dans lequel vous l'avez entraîné.

Si vous lui souriez quelques secondes puis lui envoyez un baiser et vous détournez de lui, vous ne lui avez accordé aucun rôle. Il se préparait sûrement à vous sourire mais vous ne lui en avez pas laissé le temps. À présent, il est perplexe et son sourire se fane dans votre dos.

Adaptez vos jeux à son tempérament. Il faut trouver la «bonne» stimulation, celle qui convient à ce bébé et à ce moment en particulier – juste assez pour l'intéresser et attirer son attention sans pour autant l'accabler et le lasser. Certains bébés de cinq mois jubilent lorsqu'on les jette en l'air, d'autres ont peur. La douce berceuse qui fait sourire celui-ci passera inaperçue auprès d'un autre. Vous êtes la mieux placée pour savoir ce que votre bébé apprécie. Soyez attentive à ses réactions et vous trouverez les jeux qui lui correspondent le mieux.

Il déteste les bruits forts ? Ne lui donnez pas une cuillère en fer pour frapper sur une casserole, mais plutôt une spatule en plastique. Ne lui donnez pas un rouleau de scotch qui se décolle bruyamment; bloquez le rouleau pour qu'il le découvre tranquillement et empêchez votre aîné de lui montrer «comment ça marche».

Il n'est pas à l'aise physiquement? Alors ne jouez pas à «À cheval sur mes genoux…» en le faisant sauter sur les vôtres. Choisissez des jeux plus doux, comme des comptines qui font bouger ses doigts.

Il est très actif physiquement? Alors ne lui faites pas passer trop de temps dans son siège de bébé ou sur sa chaise haute, même avec un jouet en main. Posez-le plutôt sur le sol, faites-lui faire des «ciseaux» avec ses jambes et entraînez-le à se retourner dans tous les sens.

Proposez une dose raisonnable de «nouveautés». Entre trois et six mois, les bébés prennent un peu d'assurance et s'intéressent aux choses familières qu'ils peuvent manipuler mais aussi aux choses un peu nouvelles. Un objet qui ne ressemble à rien de ce qu'il a vu avant peut le laisser indifférent ou lui faire peur, mais ceux qu'il connaît trop bien risquent de l'ennuyer. Il a fait le tour de ce vieux hochet et des canards accrochés à sa poussette et n'a plus rien à y explorer. Ce qu'il appréciera le plus, c'est un nouveau hochet, comme le précédent, mais un peu plus grand, peut-être, et avec des couleurs différentes. Un morceau de papier comme celui d'hier, mais d'une matière différente pour que le toucher change et qu'il fasse un bruit nouveau. Une boîte à musique comme la première mais avec un nouvel air, un autre mobile avec des formes différentes, ou une petite bouteille en plastique remplie d'eau mousseuse plutôt que ce pot en plastique…

Donnez-lui l'occasion de jouer tout nu et de découvrir que cette peau est «la sienne» et qu'on ne peut pas la retirer comme ses vêtements. Vers deux ou trois mois, la plupart des bébés adorent être nus et ont complètement oublié leur ancienne peur d'être déshabillés. On ne peut que recommander de les laisser jouer tout nus. Sans l'entrave des différents tissus, le bébé découvre de nouvelles compétences physiques ainsi que des parties de son corps en général cachées de sa vue et de ses mains par les couches et les vêtements. Débarrassé de ceux-ci, il expérimente un autre contact avec le monde; l'air et la lumière caressent son corps pendant qu'il se tourne en tous sens et rigole. Les jeux physiques avec vous prennent aussi une nouvelle dimension. Ces petites fossettes au-dessus de ses fesses sont à croquer et en soufflant sur son petit ventre tout aussi mignon, vous provoquerez sans doute son premier vrai rire.

Bien sûr, votre bébé doit être bien au chaud et en sécurité. Un grand lit recouvert de serviettes douces est un endroit agréable pour jouer tout nu, tant qu'il ne peut pas rouler jusqu'au bord. Et s'il fait assez chaud, un tapis sur l'herbe à l'ombre d'un arbre est un endroit idyllique.

Aidez-le à explorer les parties de son univers qu'il ne peut atteindre. Portez-le autour de la salle à manger pour qu'il voie les tableaux aux murs, les décorations et les plantes suspendues. Emmenez-le dans le jardin ou au parc et soulevez-le pour qu'il puisse toucher les feuilles d'un petit arbre, s'il en a envie et s'il y parvient.

Lorsque vous accomplissez des tâches que vous avez déjà accomplies des millions de fois, souvenez-vous qu'elles sont nouvelles pour lui. Laissez ce regard neuf donner un nouvel aspect à ce que vous faites et profitez-en pour ralentir un peu l'allure. Montrez-lui les tomates que vous découpez, faites-lui toucher ces sacs de petits pois surgelés une seconde et réaliser qu'ils sont trop froids.

Toutes ces choses évidentes pour vous sont nouvelles pour lui. Il a besoin que vous les lui présentiez.

Jouets et jeux

Les adultes qu'il aime sont les meilleurs jeux d'éveil de votre bébé. Votre corps est son terrain de gym : vos muscles complètent les siens et lui permettent de faire des centaines de choses qu'il ne peut pas faire seul. Votre visage et votre voix l'hypnotisent. Ce que vous faites et les objets que vous utilisez le fascinent. Lorsque vous lui offrez attention, affection et soutien, vous lui donnez le meilleur genre de jeu possible.

Progressivement, cependant, les bébés ont envie de découvrir et de comprendre autant leur environnement que les gens qui l'habitent. Ils ont besoin d'objets, de jouets…

Les jouets destinés aux enfants qui ne sont pas encore sous l'influence de la télévision et de la publicité sont créés pour plaire aux gens qui les choisissent et les paient : les adultes. Bien sûr, couleurs et sécurité sont aussi assurées. Mais qui a dit que les bébés préféraient les couleurs primaires et brillantes ? Vous pouvez très bien proposer au vôtre un livre noir et blanc ou un hochet mauve (si vous en trouvez un). Ils sont aussi censés être faciles à tenir mais, pour rassurer les parents sur l'argent qu'ils dépensent, ces jouets sont souvent trop complexes et trop lourds. Votre bébé va d'abord se contenter de les agiter (tout élément supplémentaire à tirer ou à faire tourner est donc de trop) et va sans doute se frapper l'œil dans le feu de l'action. Les jouets bien pensés sont simples et légers et possèdent une variété de formes, de textures et de sons intégrés suffisante pour offrir à un bébé aux capacités physiques encore réduites des expériences diverses.

Même si vous mettez beaucoup de soin à choisir ses hochets et ses anneaux, ses peluches et ses mobiles, ses jouets musicaux et ses balles, acheter des jouets ne suffit pas pour un bébé de cet âge. Quel que soit le jouet que vous lui donniez, il ne fait pas grand-chose avec. Ce qui l'intéresse, c'est de le tenir, de l'observer, de le toucher et de l'explorer avec sa bouche. Une fois qu'il en a ainsi fait le tour, il veut en découvrir un autre. Il faudrait être millionnaire et avoir des espaces de rangement illimités pour acheter assez d'objets afin de satisfaire sa curiosité. La solution est de lui prêter une sélection rigoureuse d'objets ordinaires de la maison – vos jouets – qui viendront compléter les siens.

Il observe, touche et met dans sa bouche tout jouet, puis le laisse tomber et passe à autre chose.

Des objets ordinaires comme jouets

Tout est nouveau pour les bébés. Ils apprécient donc tout ce que vous voulez bien leur prêter. Peu importe l'utilité réelle puisque votre bébé est incapable de s'en servir. Seuls la couleur, la taille, la forme, le poids, le bruit et le toucher comptent.

Les adultes qui prêtent des objets domestiques à leur bébé prennent une responsabilité supplémentaire : leur vigilance et leur bon sens sont les seules garanties qu'il n'y a aucun danger. Vous devez être consciente de tous les périls mais aussi en avertir toute personne qui s'occupe de votre bébé. Une belle-mère ou une grand-mère qui voit votre bébé jouer avec l'un de vos objets supposera peut-être que vous lui avez donné sciemment et ne se doutera pas qu'elle doit garder un œil attentif dessus.

Souvenez-vous qu'un bébé suce et mord tout. Toutes les choses avec lesquelles il joue doivent pouvoir être mises dans sa bouche

Il lui faut beaucoup d'objets à examiner. Les objets domestiques et sans danger sont parfaits.

sans danger. Vérifiez que des objets apparemment inoffensifs, comme les passoires à thé, n'ont pas des bords qui pourraient le blesser. Des objets sûrs peuvent devenir dangereux en se cassant, donc restez vigilante et n'hésitez pas à les jeter au moindre signe de fêlure. Les pots de yogourt, par exemple, peuvent s'avérer tranchants si on les écrase et peuvent pincer ses petits doigts ou sa lèvre inférieure. Par accident ou volontairement, votre bébé apprendra à séparer les choses l'une de l'autre. Si vous voulez faire des «hochets maison» avec des petites bouteilles en plastique, ne mettez pas à l'intérieur des objets assez petits pour être avalés et l'étouffer. Sucer signifie parfois avaler : méfiez-vous des poisons inattendus – comme les piles et le papier journal – mais aussi des poisons évidents comme un fond de produit pour laver la vaisselle dans un flacon en plastique que vous pensiez vide. Mieux vaut ne jamais utiliser aucun récipient ayant contenu un produit dangereux pour votre bébé. Contentez-vous des bouteilles vides et bien lavées ayant contenu des jus de fruits ou du savon pour bébé. Et souvenez-vous que tout ce que votre bébé tient tombe à un moment ou à un autre. Évitez tout ce qui, en tombant, pourrait blesser son visage lorsqu'il joue étendu sur le dos, ou même ses doigts s'il est assis sur sa chaise haute.

Ces précautions sont plus difficiles à mettre en place lorsque votre bébé partage son espace de jeu avec des enfants plus grands. Vous pouvez indiquer à un enfant de quatre ans ce qui est dangereux pour un bébé mais il serait injuste d'exiger de lui qu'il s'en souvienne. Un plus jeune enfant proposera au bébé ses feutres et ses sucreries. Les choses se compliquent encore quand le bébé marche à quatre pattes. Mieux vaut trouver tout de suite la meilleure solution.

Au cours de ces mois, votre bébé devient très doué pour toucher les objets, mais il a encore quelques difficultés à les attraper. C'est seulement au cours du deuxième semestre qu'il va apprendre à utiliser ses doigts et son pouce séparément et à s'en servir comme d'une pince. À la même période, il va commencer à avancer les deux mains vers les objets, à piéger sa cible entre ses poignets et à s'en emparer avec ses paumes. Il est plus habile maintenu fermement en position assise, avec les deux bras libres et l'objet posé sur une table ou un plateau devant lui. Votre genou offre un support idéal lorsque vous êtes assise à table, à défaut d'une tablette adaptée sur sa chaise haute.

Les bébés de cet âge ne peuvent s'occuper que d'un objet à la fois et sont incapables de décider d'en laisser deux ou trois de côté. Face à une corbeille de jouets, beaucoup sont perdus et ne jouent finalement avec aucun. Votre bébé apprécie plutôt que vous disposiez simplement un ou deux objets sur sa table, les fassiez disparaître et les remplaciez par d'autres dès qu'il semble s'en lasser.

Lorsque vous avez besoin d'un «jouet» de cuisine qu'il a dans la main, proposez-lui de faire un échange en lui en offrant un autre. Il est encore incapable de lâcher un objet dont il s'est emparé. Plus vous tentez de lui prendre cette cuillère en bois dont vous avez besoin, plus il sert ses doigts dessus, et il sera extrêmement vexé qu'on la lui retire de force. Mieux vaut utiliser son incapacité à faire deux choses en même temps : offrez-lui cette cuillère à soupe et il lâchera celle que vous attendez.

Aimer son enfant
ou le gâter ?

Jouer avec votre enfant alors que d'autres tâches vous attendent, voir les choses de son point de vue, s'adapter à ses humeurs et à ses besoins, répondre à chacun de ses gestes ou de ses bruits : tout cela demande beaucoup d'attention. Est-il bon que votre bébé en reçoive autant ? Est-ce l'aimer ou le gâter ?

C'est un sujet que la plupart des parents abordent, même si ce n'est qu'entre eux ou tout seuls. Vous devez trouver votre propre réponse et avoir assez confiance en vous pour agir comme vous le souhaitez et transmettre des désirs précis à toute personne prenant soin de votre enfant. Sinon, vous risquez de rester éternellement sensible à ceux qui vous accusent de trop le « gâter » et, plus tard, les doutes autour de la discipline peuvent devenir votre talon d'Achille.

Le spectre de l'« enfant gâté » flotte au-dessus de beaucoup de parents dès la naissance de leur premier enfant. Le bébé va bien, mais s'ils ne font pas attention, ils vont le « pourrir ». Qu'est-ce que cela signifie ? « Gâté pourri » fait penser à un morceau de viande, laissé hors du réfrigérateur, ayant dépassé la date de péremption et devenu infect. Mais les enfants ne sont pas de la viande. Personne ne s'accorde sur la définition du mot « gâter », mais le concept continue à faire des dégâts – et pas seulement sur les enfants. Par peur de gâter, des mères, qui voudraient seulement que ce triste bruit cesse, nient leur sentiment et laissent leur bébé pleurer tout seul. Des pères qui courent entre travail et maison mais n'arrivent pas avant l'heure du coucher se privent – ou sont privés – du plaisir d'un câlin. Des grands-parents sont interdits du plaisir de faire « trop » de cadeaux et des familles entières rationnent leur attention et donc la joie des enfants.

Votre charmant bébé ne va pas être égoïste, exigeant et mal élevé à quatre ans parce qu'il a reçu « trop » de quoi que ce soit. Il n'y a aucun risque que votre malheureux bébé souffrant de coliques devienne un enfant gâté à cause de tous les moments que vous passez à le bercer et à le prendre dans vos bras. En réalité, donner trop d'attention et de réconfort, trop jouer, parler et rire, trop sourire et câliner, ça n'existe pas. Même les cadeaux et les bonbons, donnés par les parents ou des proches, ne sont pas « trop » s'ils sont offerts par envie et non par obligation, volontairement plutôt qu'en réponse à un chantage. On a peut-être été trop indulgent avec cet enfant de quatre (ou cinq) ans mal élevé, mais il s'avère parfois que les adultes mal élevés ont plutôt manqué d'attention dans leur enfance. Il est certain que les gens capricieux ont obtenu, jeunes enfants, ce qu'ils voulaient de leurs parents en les tyrannisant et contre leur gré.

Être un « enfant gâté » est un vrai problème. Les petits enfants qui ne « considèrent pas le non comme une réponse », les enfants plus grands et les adultes égocentriques, indifférents aux sentiments des autres et qui ne pensent qu'à leur plaisir personnel, gâtent celui de tout le monde. Chaque enfant doit apprendre qu'il n'est pas le seul grain de sable sur la plage. Chaque adulte doit avoir compris qu'il n'est pas tout seul sur son île.

Donner trop
d'attention n'existe
pas, à condition que
vous le fassiez
par plaisir et non
par obligation.

Comment choisir un service de garde?

Mon congé de maternité s'achève bientôt et je dois trouver un service de garde où laisser mon enfant toute la journée. Comment dois-je le choisir?

Rien ne remplace le fait d'aller sur place et de discuter, mais certains points sont indispensables pour une garde d'enfants en bas âge de qualité. Le bon soin de votre enfant dépend essentiellement des personnes qui le gardent. Intéressez-vous d'abord à la formation, à l'expérience et au soutien dont bénéficie le personnel:

■ Votre bébé a besoin d'un contact individuel et intime. Il doit être rattaché à une personne clé qui, idéalement, sera responsable des soins pratiques autant que du suivi de ses progrès et de ses éventuels problèmes. Certains centres de la petite enfance (CPE) favorisent plus particulièrement ce lien individuel (et le font parfois durer au fil des ans, jusqu'à la maternelle). Plus le nombre d'éducatrices par rapport au nombre d'enfants est élevé, mieux c'est. Le ratio recommandé est d'un adulte pour cinq ou six enfants dans les sections des tout-petits.

Lorsqu'un CPE (ou un autre mode de garde collectif, par exemple en milieu familial) réunit des enfants d'âges différents dans un même groupe, il ne doit pas y avoir plus d'un ou deux enfants qui ne marchent pas encore.

La sécurité d'un enfant dépend de la personne à laquelle il s'est attaché. Il est donc préférable que les équipes ne changent pas trop. Demandez le rythme de roulement de l'année précédente.

■ Votre bébé a aussi besoin de soins de qualité. Ceux-ci sont souvent liés au financement, et donc à la formation. Le programme «éducatif» est aussi une part importante de la qualité des soins, même pour les jeunes bébés. Ne soyez pas trop impressionnée par un programme perfectionné. Le but n'est pas de leur «apprendre une matière» ni même une compétence précise. Ce qui compte, c'est que les progrès de chacun soient encouragés au cours d'une gamme très variée d'activités pensées pour leurs besoins spécifiques et évoluant avec eux.

Les conditions matérielles de la garde sont aussi importantes et sont soumises à une réglementation. Veillez à la propreté, à la température et aussi à la lumière – la lumière du jour entre-t-elle? – ainsi qu'à l'espace disponible pour chaque groupe (est-ce qu'un enfant de deux ans peut pousser son camion sans terroriser tous les autres?).

Une pièce unique, même spacieuse, est un environnement quotidien limité pour des bébés qui découvrent le monde. Regardez si le CPE est à proximité de jardins ou de parcs et renseignez-vous sur les possibilités de sorties.

■ Votre bébé a besoin d'être respecté. Les bébés et les tout-petits qui vivent en groupe toute la journée se sentent déjà différents les uns des autres. Le personnel doit donc encourager ce respect de soi. Si les éducatrices ont vraiment envie de travailler en lien direct avec vous ou toute personne importante dans la vie de votre enfant, c'est bon signe. Autant que possible, les soins physiques doivent tenir compte des différences individuelles. Demandez si tous les enfants doivent manger les mêmes repas et faire leur sieste en même temps. Vous pouvez aussi demander si on aide les tout-petits à devenir propres individuellement ou en groupe.

Il est bien que livres, jouets et jeux soient à l'image de la diversité culturelle du service de garde et absolument non sexistes et non violents. Il est bon aussi que le personnel ne soit pas retranché dans certains stéréotypes de langage ou de réaction à un handicap. Essayez de demander comment sont gérés les problèmes entre les enfants, comme les morsures ou les coups.

Mais ces expressions, déjà utilisées bien avant notre enfance et encore appliquées aujourd'hui à nos enfants, n'ont aucun sens dans la vie d'un bébé et très peu dans celle des tout-petits. Ce n'est pas qu'ils soient trop parfaits pour être des enfants gâtés, c'est simplement qu'ils sont trop jeunes et immatures. Pour être un enfant gâté (ou bien l'inverse, un modèle de dévouement et de générosité), un enfant doit se considérer lui-même comme une personne, un individu tout à fait indépendant des autres. Il doit être conscient des droits des autres et des siens et capable d'affirmer les siens au détriment de ceux des autres. Tout cela est bien trop complexe pour les bébés et les tout-petits. Pour le moment, il fait à peine la différence entre sa main et la vôtre. S'il veut téter un doigt, le plus proche fait l'affaire. S'il a besoin de quelque chose, il le fait savoir. Il ne sera pas conscient que vous avez aussi des besoins et des sentiments avant des mois. Entre un et deux ans, votre enfant apprend tout ça, bien sûr, et il est important qu'il le fasse, mais c'est plus vers deux ans qu'il sera intellectuellement capable d'élaborer des pensées comme : « Si je pleure sans m'arrêter, elle finira par me laisser faire ça. »

Satisfaire les besoins d'un bébé est une tâche plus ou moins difficile selon les périodes. Tous les bébés traversent des phases paisibles où leur développement et leur mode de vie sont en parfaite harmonie, et d'autres où de nouveaux besoins surviennent si vite que, pendant un moment, ils passent leur temps à « réclamer » quelque chose. Si vous comprenez la soudaine avancée de son développement, il arrêtera bien vite de tenter d'en parler si fort et si souvent à tout le monde ! Si, au contraire, vous voyez dans son mécontentement une preuve que vous l'avez trop « gâté » – ou si d'autres personnes vous le suggèrent – et décidez de résister à ces réclamations plutôt que de les comprendre, vous l'obligez à continuer à les exprimer de la seule façon qu'il connaisse. Les amis qui vous disent que votre bébé est « malin » et qu'il vous fait rager n'ont cependant pas complètement tort. Vers six mois, les bébés ont déjà beaucoup appris de leur petit monde. S'ils sont toujours entourés des mêmes personnes – parents, amis, éducatrice –, ils ont appris ce qu'ils peuvent en attendre et *sont en train* de comprendre comment se comporter avec chacun. Et c'est très bien. Pour que votre bébé communique et ait confiance en lui, il est important qu'il découvre maintenant, par exemple, que même s'il ne peut rien faire pour vous empêcher de partir quand il dort – et pour ne plus se retrouver tout seul au réveil –, il peut faire quelque chose qui vous fasse revenir dans sa chambre dès qu'il a fini de dormir. Il prend ainsi conscience qu'il a besoin de vous. Il apprend que vous venez quand il pleure et apprend donc à vous appeler *en pleurant*, et plus tard, à appeler « maman ». Il apprend à « gérer » sa vie et son environnement, et c'est capital qu'il réussisse à le faire. Mais il y aura toujours quelqu'un pour appeler ça de la « manipulation » et affirmer que votre bébé ne doit pas y être autorisé : « Ne fais pas tout ce qu'il veut, la vie n'est pas tendre, autant qu'il l'apprenne tout de suite. » Vous ne pourrez pas le faire changer d'avis, mais soyez assez forte pour ne pas être influencée ou blessée. Surtout, ne vous engagez pas à partager le soin de votre enfant avec une éducatrice qui veut lui faire admettre que « ceux qui réclament n'obtiennent rien ».

Lorsque la sieste de votre bébé ne dure qu'une demi-heure au lieu des deux heures que vous attendiez, il faudrait que vous soyez un modèle de patience pour vous en réjouir. Une fois qu'il est éveillé, rien ne peut le convaincre de se rendormir. La seule façon de répondre à ses pleurs est d'aller le chercher et de jouer avec lui. La réaction d'un parent qui «ne veut pas d'un enfant gâté» serait l'opposée : «J'avais prévu que tu dormes jusqu'à 13 h 30 et tu te mets à pleurer à midi. Je vais te laisser attendre jusqu'à 14 heures pour que tu apprennes.» Qu'est-ce qu'un bébé comprend alors? Quel message reçoit-il de cette prétendue discipline? «Ne perds pas ton temps à m'appeler, je viendrai seulement quand j'en aurai envie»? «Le fait que tu me signales que tu n'es pas content ne m'intéresse pas»? «Plus tu me dis ce dont tu as besoin, moins tu as de chances de l'obtenir»? «Fais-toi une raison, petit, tu n'as aucun pouvoir»?

Dans une telle situation, tout le monde est perdant. Le bébé, parce que ses besoins ne sont pas satisfaits ou parce qu'il perd toute confiance en leur possible satisfaction après une telle attente. Peut-être avait-il tout simplement la couche pleine ou s'ennuyait-il tout seul. Mais après quelques expériences de ce genre, il anticipera l'angoisse d'être laissé, se mettra à pleurer encore plus tôt et n'acceptera pas tout de suite un éventuel réconfort. Plutôt que d'être heureux de jouer de temps en temps tout seul dans son lit, il associera cet endroit à la solitude et à l'impuissance. Bientôt, il commencera à pleurer dès qu'il ouvrira les yeux, puis avant même de les fermer, désormais tout à fait hostile à ce lit transformé en prison.

Ses parents ou son éducatrice sont perdants parce qu'en refusant de combler les besoins de leur bébé, ils le poussent à être plus exigeant. Plus ils sont déterminés à lui résister, plus ses demandes sont exagérées par l'angoisse. Les adultes se retrouvent prisonniers d'un cercle vicieux et finissent par obtenir le résultat tant redouté : un bébé difficile et pleurnicheur.

Le reste de la famille est aussi perdant parce que des parents amers et un bébé anxieux ne sont pas faciles à supporter tous les jours.

Si vous avez déjà l'impression d'être débordée par les soins quotidiens, ou si vous êtes sur le point de reprendre le travail et angoissée à l'idée de devoir faire plus en moins de temps, vous n'êtes peut-être pas convaincue que lui donner encore plus de vous-même puisse simplifier les choses. Si votre bébé vous accapare déjà trop, être encore plus disponible pour lui, n'est-ce pas laisser ses exigences dépasser votre temps et votre énergie? On pourrait croire que oui, mais la réponse est non. Si vous ne parvenez pas à trouver le bon équilibre entre vos besoins et les siens, la solution n'est pas de lui accorder moins de temps, mais de vous faire aider. Trouvez un peu de soutien pour gagner un peu de temps et d'énergie. Élever un enfant est indiscutablement un travail difficile que rien ne peut rendre facile. Mais les parents qui tentent autant que possible de satisfaire les besoins de l'enfant sans attente inutile s'en sortent avec moins de travail, moins de corvées et moins de stress.

Pourquoi? On comprendra mieux en prenant l'exemple d'un facteur de stress universellement reconnu. Le tableau ci-contre décrit une nuit dans la vie de deux mères de bébés de trois mois. Sophie (qui s'inquiète de trop gâter son enfant) croit qu'elle peut et doit

	LA NUIT DE SOPHIE	LA NUIT D'AGNÈS
Les deux bébés se réveillent et pleurent à 3 heures du matin	Sophie se réveille, écoute, vérifie l'heure et s'aperçoit qu'il n'a dormi que 3 heures depuis le dernier repas. Elle se met la tête sous l'oreiller et essaie de se rendormir. Les cris du bébé l'en empêchent. Elle se lève au bout de 20 minutes, en colère et fatiguée.	Agnès se réveille. Elle s'assure que les pleurs persistent, se lève endormie mais résignée.
Temps d'attente avant d'aller rejoindre le bébé	**22 minutes**	**2 minutes**
	Le bébé est très énervé, trop pour sourire à sa mère. Il sanglote encore pendant qu'elle prépare son biberon, puis a du mal à se nourrir. Il doit faire plusieurs rots à cause de l'air qu'il a avalé en pleurant. Il lui faut 30 minutes pour boire 85 ml de lait.	Le bébé s'arrête de pleurer dès que sa mère entre dans la chambre. Il lui sourit lorsqu'elle le prend dans ses bras. Il tète avec plaisir, fait un rot au milieu du repas. Au bout de 20 minutes, il a tout bu.
Durée du repas	**30 minutes**	**20 minutes**
	Le bébé a encore besoin de faire un rot et doit être remis au lit deux fois avant de trouver le sommeil.	Le bébé s'endort en tétant sur la fin du repas. Il fait un rot dans son lit et sombre immédiatement.
Temps pour recoucher le bébé	**15 minutes**	**2 minutes**
	Sophie peut retourner dans son lit et se rendormir.	Agnès peut retourner dans son lit et se rendormir.
Temps depuis son premier réveil	**1 heure et 7 minutes**	**24 minutes**

préserver un peu temps et d'énergie en limitant ceux qu'elle accorde à son bébé. Son conjoint et elle sont déterminés à lui apprendre à s'adapter à leur vie plutôt qu'à les dominer, mais il leur est plus difficile qu'ils le pensaient d'ignorer, ou de supporter, ses cris. Ils se disent qu'ils l'ont déjà mal élevé. Agnès est seule et aime son enfant au-delà de tout ce qu'elle avait imaginé. Elle n'est pas hantée par le spectre de l'enfant gâté. Elle trouve plus facile de se laisser guider par les besoins de son enfant.

Que vous soyez plutôt de l'avis de l'une ou de l'autre, vous allez vous apercevoir que, dans ce cas précis, Sophie est nettement perdante. Elle passe une plus grande partie de la nuit debout qu'Agnès, et de façon moins agréable. En laissant son bébé attendre son repas, Sophie lui impose une longue période de frustration et de pleurs, si bien que, lorsqu'elle finit par se lever, le bébé est trop malheureux pour l'accueillir en souriant.

Même lorsqu'elle lui propose son repas, il est trop stressé pour le prendre calmement et Sophie n'a pas la satisfaction de le voir content du soin qu'elle lui apporte. Au contraire, le nourrir est fatigant et frustrant et prend beaucoup plus de temps que s'il avait été calme. Le bébé ne boit finalement que la moitié de sa quantité de lait habituelle, épuisé et gonflé d'air par ses pleurs. Et, comme il ne s'est pas beaucoup nourri, Sophie sait qu'elle devra sans doute se réveiller une nouvelle fois dans quelques heures…

Personne *n'aime* nourrir son bébé la nuit. Mais Agnès peut, au moins, se rendormir avec le sentiment d'avoir fait son devoir de façon agréable. La pauvre Sophie est persuadée que «les bébés sont infernaux et les repas nocturnes terribles», et, lorsque l'appel de 5 heures va retentir, elle va commencer la journée en conflit avec son bébé.

Les bébés veulent ce dont ils ont besoin

Satisfaire autant que possible les besoins de votre bébé, c'est être moins stressé aujourd'hui et mieux dormir bientôt.

Cela montre bien tout l'intérêt qu'il y a à satisfaire les besoins physiques d'un bébé. Cependant, si, pour vous, les besoins sont uniquement physiques, vous allez penser que, puisque cet enfant vient de manger, a fait son rot et porte une couche propre, vous ne devez pas céder à ses pleurs et qu'«il n'a besoin de rien, si ce n'est d'attirer l'attention». Pour votre propre bien, n'oubliez pas que votre bébé n'est pas encore assez mature pour vouloir quelque chose sans raison. S'il veut quelque chose, c'est qu'il en a besoin. S'il a besoin de quelque

chose, il ne peut l'obtenir que de l'adulte qui prend soin de lui. De la compagnie, du réconfort ou un câlin sont de vrais besoins, aussi vrais que les besoins physiques. Sans nourriture et chaleur, il ne pourrait pas vivre. Sans l'attention des adultes, il ne pourra pas apprendre à vivre comme un être humain.

Votre bébé a besoin d'adultes affectueux – et de leur amour – pour faire et connaître tout ce qu'il ne peut ni faire ni connaître tout seul. Mais une aide passive, des soins sans éducation, ce n'est pas assez. Il a aussi besoin que vous lui fassiez découvrir les milliers de compétences vitales différentes, que vous lui nommiez les choses et que vous prêtiez un peu de votre savoir et de votre force à ses efforts pour se débrouiller dans ce monde. Surtout (tout en découle), il a besoin de pouvoir s'attacher à vous. En lui parlant et en l'aimant, vous lui permettez aussi d'apprendre qu'il est une personne spéciale capable de parler et d'aimer à son tour.

Tâchez de vous sentir honorée, plus qu'écrasée, par ce besoin énorme que votre bébé a de vous. C'est sans doute la seule personne qui va vous aimer à 100 %, sans critiques et sans réserve. Profitez du moindre instant passé avec lui et ne laissez pas les premiers murmures de la jalousie se dresser entre vous et la personne qui s'occupe de lui en votre absence. Il est probablement la seule personne au monde qui a toujours envie d'être avec vous. Personne d'autre n'aura sa préférence, même s'il accepte les soins tendres qu'il trouve ailleurs. Faites en sorte qu'il se sente heureux et vous vous sentirez alors heureuse. Vous avez tout à y gagner et rien à perdre.

BÉBÉ
GRANDIT

De six mois à un an

Au cours de ce semestre, votre bébé va connaître l'apogée de sa vie de nourrisson ; il maîtrise de mieux en mieux les découvertes des six premiers mois et c'est une joie pour lui de s'y exercer ! D'ici à son premier anniversaire, il saura (certainement) s'asseoir, (probablement) ramper, (peut-être) se tenir debout et même dire un mot ou deux. Chacune de ces étapes est importante en elle-même, bien sûr, mais c'est l'ensemble de ces acquis qui va vraiment transformer votre bébé et votre façon de vivre avec lui. Dès qu'il est capable de se déplacer tout seul – à quatre pattes ou debout –, il ne se contente plus de l'endroit où vous l'avez posé et des objets que vous avez choisi de lui apporter. Il va partout où il peut (y compris de l'autre côté de la porte d'entrée…), attrape et met à la bouche tout ce qui est à sa portée. De plus en plus agile de ses mains, il se sert maintenant avec précision du pouce et de l'index pour saisir un objet ; rien ne lui échappe, pas même une minuscule punaise, un trombone perdu ou un petit pois du dîner de dimanche dernier. Il trouve aussi des choses fascinantes à faire avec ce qui ne se mange pas : renverser une corbeille à papier, déchirer un livre, appuyer sur les boutons de la télécommande, patauger dans la litière du chat… Pour tout protéger de ses petites mains, il va vous falloir être prévoyante et ordonnée en permanence. Et constamment vigilante pour le protéger, lui, de tous ces objets.

Ne craignez pas de contrarier votre enfant par cette vigilance de tous les instants. En réalité, son attachement toujours plus fort aux personnes qui s'occupent de lui fait qu'il accepte avec plaisir et peut même rire de règles et de reproches pourtant encore incompréhensibles. Il n'y a rien au monde de plus attaché à vous que cet enfant de six mois – si ce n'est ce même enfant, trois mois plus tard. C'est une des caractéristiques marquantes de cette période : le lien fondamental est de plus en plus fort et, en même temps, le bébé est à présent capable de s'attacher à l'ensemble de ses proches. Le lien premier et essentiel va bien sûr à l'être qui passe le plus de temps à prendre soin de lui, aussi bien en jouant qu'en le nourrissant, c'est-à-dire – pour la plupart des bébés de moins de six mois – à sa maman. Pour quelques-uns cependant, ce sera le papa, pour d'autres encore, une mère adoptive ou de «substitution», avec ou sans lien de parenté.

Ce lien premier n'est pas exclusif et n'empêche pas l'enfant de s'intéresser à d'autres personnes. Les bébés n'ont pas de quota fixe d'amour à donner et le fait qu'une autre personne puisse être chère aux yeux de votre enfant ne vous dépossède de rien. Si vous avez toujours été la personne essentielle pour lui (ou avec son papa), rien ne change lorsque vous le confiez à une autre personne pour aller travailler, quel que soit le degré d'affection qu'il lui porte. Il en est de même, bien entendu, pour un père et une mère présents et engagés tous les deux. La maman, compagne de chaque instant, reste l'être fondamental pour l'enfant, mais s'il est lui aussi présent et attentionné, le père aura une place affective tout aussi primordiale. Et si l'enfant, à partir d'un an, trouve parfois son papa plus rigolo, les rapports peuvent changer. Lorsque c'est le papa qui gère le quotidien de l'enfant et la mère qui est souvent absente, les relations sont inversées – et susceptibles de la même évolution ! Et si les deux parents sont très pris et font appel à une gardienne aussi attentionnée qu'eux, la vie émotionnelle du bébé n'en est que plus riche, croyez-moi. Si un jour Mary Poppins sonne à votre porte, profitez-en bien !

Quel que soit le nombre de personnes affectueuses et amusantes auxquelles votre enfant s'attache, il reste toujours fidèle à la personne qu'il a choisie – disons qu'il s'agit de vous, sa maman – pour sa première (et sans doute sa plus importante) histoire d'amour. Votre bébé passe ses premiers mois à vous découvrir, vous et personne d'autre, et à vous aimer toujours plus. Il vous aime tant que, s'il pouvait choisir, il vous voudrait toujours avec lui et rien que pour lui. Il ne veut pas vous partager, vous voir donner du temps et de l'attention à qui que ce soit d'autre ; cette attention, il la réclame tout entière. Son besoin est aussi charnel. Même un bébé jusqu'alors peu câlin se met à adorer que vous le portiez, le berciez, le cajoliez. Installé sur vos genoux, il joue avec vos cheveux et vos mains, vous tripote le visage, inspecte vos dents, vous remplit la bouche de nourriture, comme si votre corps lui appartenait.

Un amour possessif est plutôt mignon lorsque les sentiments sont partagés ; sinon, il agace. De la même façon, la relation physique et émotionnelle que la plupart des bébés de cet âge attendent de leur mère flatte et attendrit celles qui ont apprécié la maternité jusqu'ici, mais peut paraître excessive à celles qui se sentaient déjà envahies. Certaines mères sont même gênées par les démonstrations physiques d'affection de leur bébé. En tant qu'adulte, vous êtes censée maîtriser vos propres sentiments, ne pas trop les montrer ni trop y céder, et vous voilà en présence d'un bébé qui a tout simplement besoin d'être porté, embrassé, câliné, caressé. Il tend les bras pour vous en demander encore plus, pouffe de bonheur si vous le chatouillez sous les bras en le portant, mordille votre nez ou caresse votre poitrine et ronronne comme un chaton quand vient le moment du bain ou du changement de couche.

Si vous acceptez avec une certaine fierté l'importance qu'il vous accorde, cette relation devient une vraie source de joie. Essayez de vous voir comme lui vous voit : douce, réconfortante et attentionnée, intéressante, passionnante et drôle, méritant amplement tout cet amour ; en fait, une maman parfaite. Votre bébé apprend à aimer pour la vie. Plus il peut donner d'amour et en recevoir en retour maintenant, plus il sera généreux et capable d'aimer tout au long de sa vie. En réalité, de la façon dont vous lui répondez aujourd'hui dépend sa propre réaction face aux besoins affectifs de vos futurs petits-enfants, quand viendra son tour d'être mère ou père. Et c'est aussi une manière de vous aider vous-même. Rien n'est plus efficace pour alléger la charge de travail et de stress des mois à venir que de réaliser à quel point votre bébé est le plus adorable au monde.

À six ou sept mois, toutes les démonstrations d'attachement de votre bébé sont positives. Il est charmant avec tout le monde, mais encore plus avec vous. Ses plus beaux sourires, ses plus longs babillages et ses fous rires les plus contagieux vous sont réservés. Mais pour vous, comme pour lui, ce bonheur a son revers. S'il aime autant votre présence, il va forcément détester que vous le quittiez. Il en vient même, en général vers huit mois, à vous vouloir dans son champ de vision à chaque instant, faute de quoi il s'inquiète, pleure ou même entre dans une peur panique.

Les psychologues appellent cette réaction l'«angoisse de la séparation», mais cette expression vous paraîtra plus ou moins correspondre à votre enfant selon son propre développement physique et psychologique, et son cadre de vie. S'il sait déjà ramper et que votre maison est un lieu assez ouvert, il vous gardera en vue en se déplaçant lui-même où que vous alliez. Mais si cette angoisse apparaît avant qu'il ne soit mobile, la situation sera bien différente. N'ayant pour vous suivre que ses yeux, il se mettra à pleurer au moindre éloignement.

Dans les bons jours, vous n'aurez aucun problème à contenter cette exigence permanente. Vous vous arrangerez pour pouvoir vaquer à vos occupations en restant à côté de lui, qui mènera aussi sa petite vie. Vous allez prendre l'habitude de lui parler tout en travaillant, de commenter ses activités sans interrompre les vôtres. Lorsque vous devrez changer de pièce, vous attendrez qu'il vous suive ou vous le prendrez dans vos bras jusqu'à l'entrée ou la cuisine… Mais d'autres jours, lorsque l'humeur sera moins bonne, cette dépendance de chaque instant vous semblera plus pesante. Vous vous sentez presque trop aimée. Lorsque vous commencez à vous sentir agacée, son comportement ne fait qu'aggraver les choses. Vous quittez la pièce, il se met à crier. Vous revenez, le réconfortez puis vous commencez à faire du repassage. Il rampe et roule à vos pieds, bouscule tout, et le fer est à deux doigts de lui tomber dessus. Un ami arrive pour le café et, bien déterminé à conserver un peu de votre attention, votre bébé veut absolument être sur vos genoux et utilise tous les sons récemment découverts pour participer à la conversation, voire la rendre impossible. Et pour couronner le tout, une fois l'ami parti, vous allez aux toilettes et retrouvez votre petit fardeau cognant désespérément à la porte… Toutes les mères ont connu de telles journées (et les pères qui en font l'expérience en sortent abasourdis…). Mais savoir que cela arrive à tout le monde n'arrange rien. En revanche, si vous pensez à voir les choses plutôt de son point de vue que du vôtre, vous comprendrez sûrement mieux ses sentiments.

À vos yeux, il est bien sûr parfaitement inutile qu'il se mette à pleurer juste parce que vous êtes allée dans la salle de bain. Mais lorsqu'il ne vous voit plus, votre bébé est vraiment inquiet. Vous êtes le centre de son monde, le miroir dans lequel il se voit et découvre tout ce qui l'entoure, celle qui s'occupe de lui et l'aide pour tout. Lorsque vous vous éloignez, vous savez où vous allez et que votre retour est imminent ; lui l'ignore. De son point de vue, vous ne reviendrez peut-être jamais. Pour le moment, hors de sa vue, vous n'existez plus. Conscient de votre absence, il n'est pas encore capable de conserver à l'esprit une image de vous qui lui permettrait d'attendre patiemment et en toute confiance votre retour. Dans les mois à venir, votre enfant va découvrir la « permanence des objets », il va apprendre que les choses (et les gens) ne cessent pas d'exister lorsqu'il ne les voit ou ne les entend plus. Et, avec l'expérience, il va apprendre que, où que vous soyez partie, vous reviendrez toujours. Mais pour le moment, il sait seulement que vous avez disparu et qu'il se sent perdu.

Si vous tentez d'ignorer ses sentiments, ses cris, de détacher de vous ses bras agrippés, ou si vous l'enfermez dans son parc pour l'empêcher de vous suivre, il sera encore plus anxieux. Et, plus il sera anxieux, plus il aura besoin d'être collé à vous. Si vous profitez souvent des moments où il est plongé dans une activité pour sortir discrètement, à la dérobée, de la pièce ou de la maison, il jouera de moins en moins tout seul, préférant garder un œil plus vigilant que jamais sur vous. L'angoisse de la séparation est plus facile à vivre si vous comprenez que votre bébé en souffre vraiment et que cela est bien normal à ce stade de son développement. Gardez-le à côté de

vous autant que possible ou laissez-le vous suivre. Lorsque vous devez vraiment le quitter, trouvez une petite phrase que vous utiliserez toujours dans ces cas-là («À tout à l'heure!») et prévenez-le clairement pour qu'il ne se sente pas abandonné ou trahi. Une autre expression («Coucou, me revoilà!») servira à marquer les retrouvailles, quelque chose qu'il reconnaîtra petit à petit et qu'il attendra après chaque départ. Vous pouvez l'aider dans cet apprentissage par le jeu de «caché/trouvé»: il se cache (en partie) le visage et vous entend le chercher partout («Mais où peut bien être mon bébé? Oh! le voilà!»): cela inverse les rôles habituels et lui donne le pouvoir de disparaître et de réapparaître.

Cet apprentissage est nécessaire pour dédramatiser la séparation mais il ne suffit pas toujours. Même lorsqu'il a compris que, quand vous partez, vous ne cessez pas d'exister et revenez toujours, votre bébé ne veut pas que vous le quittiez. Vous ne pouvez pas l'empêcher de s'inquiéter et de vous déchirer le cœur en pleurant les bras tendus vers vous lorsque vous allez travailler, mais vous pouvez faciliter la séparation en le confiant à une personne à laquelle il est déjà attaché. Il a besoin de quelqu'un qu'il connaît assez pour en faire votre «substitut» jusqu'à votre retour. Il sera malheureux avec un inconnu ou quelqu'un qu'il a rarement vu. Pour être rassuré, il lui faut un compagnon avec qui le lien affectif est réel. Dans ce cas, même si vous avez l'impression de l'abandonner perdu dans un océan de désespoir, quelques minutes à peine après votre départ, il se sentira en sécurité, bien accroché à sa bouée de sauvetage. Ainsi, lorsque vous vous dites: «Est-ce que je me sens prête à le laisser?» (pour une soirée, quatre demi-journées ou quarante heures par semaine), demandez-vous surtout s'il connaît assez bien votre «remplaçante» et s'ils sont assez proches. Votre absence est quelque chose de plutôt négatif pour lui mais qui peut être adoucie par une présence positive.

À cette angoisse de la séparation viendra peut-être s'ajouter, vers la fin de sa première année, l'angoisse du contact avec des inconnus. En général, ces deux peurs se mélangent car les occasions où votre enfant vous semble particulièrement timide sont aussi celles où vous souhaitez le détacher un peu de vous — parce que le vendeur du magasin de chaussures doit mesurer son pied, par exemple, ou parce qu'un de vos amis veut lui faire un câlin. Souvent, votre bébé n'a pas simplement peur des inconnus eux-mêmes mais de ce qu'ils font. Il apprécie sans doute de sourire et de parler à des étrangers, à condition que ceux-ci soient calmes et sachent garder leurs distances. Malheureusement, beaucoup d'adultes ne se comportent pas avec les bébés comme avec les autres adultes et ne leur accordent pas le même respect ni la même courtoisie. Certains adultes sont plus réservés que d'autres, mais même le moins timide serait tout à fait décontenancé si un inconnu se précipitait sur lui dans la rue pour l'embrasser et le serrer dans ses bras. Nous aimons connaître les gens avant d'accepter leurs marques physiques d'affection. Les bébés sont pareils et doivent être protégés de ceux qui se conduisent avec eux comme avec des animaux de compagnie.

Il est préférable de ne pas forcer le contact et de ne pas mettre votre enfant dans les bras de n'importe qui. S'il peut, de lui-même, s'amuser à jeter des coups d'œil aux gens dans les autobus et les magasins, jouer à cache-cache derrière vos jambes avec vos invités et aller vers eux lorsque la curiosité est plus forte que la timidité, il lui sera de plus en plus facile de faire connaissance avec des inconnus. Lui laisser dès maintenant l'initiative de la relation sociale l'aidera à devenir un enfant confiant, curieux des autres.

La peur d'être séparé de vous et celle des gens qu'il ne connaît pas sont des peurs bien réelles. Comme tant d'autres angoisses, elles disparaîtront plus rapidement chez les enfants qui n'ont pas eu beaucoup l'occasion d'en souffrir. Pour le moment, votre bébé est entièrement concentré sur sa relation avec vous. Aidez-le à traverser cette période intense et angoissante de l'attachement en l'entourant de tout votre amour protecteur; il finira par être sûr d'être aimé et en sécurité et, fort de cette confiance en vos relations, il sera libre et prêt, en grandissant, à se tourner vers le monde extérieur.

Plus vous l'autorisez
à utiliser ses mains, plus
vite il se sert d'une
cuillère. Et la peau
se lave facilement…

ALIMENTATION
ET CROISSANCE

À six mois, certains bébés apprécient tellement la nourriture solide qu'ils réduisent déjà leur consommation de lait maternel ou maternisé. Ne croyez pas pour autant qu'il est temps de sevrer le vôtre. Pour la majorité, l'alimentation solide vient encore en supplément et quelques-uns sont toujours exclusivement nourris au lait.

Les guides officiels de nutrition infantile recommandent depuis longtemps d'attendre au moins le quatrième mois pour introduire des aliments solides – âge auquel, en moyenne, le système digestif peut supporter autre chose que du lait. Ce conseil est toujours donné, mais on souligne aussi aujourd'hui que l'introduction de la nourriture solide ne devrait pas se faire après le premier semestre. Entre six et huit mois, certains bébés ont besoin d'aliments solides pour assurer un apport plus important en fer.

À cet âge, ils sont prêts à goûter ce qu'ils vous voient manger, à attraper les aliments et à les sucer comme leurs jouets. Même si votre bébé n'est pas très enthousiaste, continuez à lui offrir différentes saveurs. Il lui sera sans doute encore plus difficile d'accepter des techniques d'alimentation, des saveurs et des consistances nouvelles plus tard dans sa première année.

Les problèmes de lait Il est toutefois largement reconnu que certains bébés – par exemple à haut risque d'allergie – se portent mieux en étant nourris toute leur première année exclusivement au lait maternel (avec peut-être un supplément de fer). S'il n'y a aucune raison particulière de prolonger l'alimentation exclusive au lait de votre bébé, il en a encore beaucoup besoin. Quel que soit son enthousiasme pour les nouveaux aliments et les nouvelles façons de se nourrir, votre bébé est encore très attaché au sein ou au biberon, ou aux deux. Il n'y a aucune urgence à le sevrer. Il boit progressivement moins de lait, mais le plaisir de la succion sera encore longtemps un élément important de son équilibre affectif, de même que le lait est un élément important de son alimentation.

Quel type de lait ? Le lait maternel ou maternisé est toujours une source vitale de nutriments – tels que le fer – pour votre bébé. C'est une garantie simple et bon marché de sa bonne santé pendant ces phases où l'alimentation solide reste, en quelque sorte, limitée.

Ne passez pas au lait de vache (ni au lait de chèvre) avant la fin de la première année. Outre ses multiples différences avec le lait humain, le lait de vache non modifié, utilisé comme boisson principale pour votre bébé, accroît la probabilité d'anémie par manque de fer.

Les bébés arrivés à terme ou proches du terme naissent avec une dose de fer dans leur foie qui dure de quatre à six mois. Après cette période, la quantité peut baisser et doit être complétée. Ce n'est pas si simple qu'il y paraît puisque le corps des bébés ne peut absorber que certains types de fer et en s'alimentant d'une certaine façon. Le lait maternel n'en contient pas beaucoup mais il est si facile à absorber que la petite quantité disponible est généralement suffisante. Le lait de vache non

Un lait maternisé enrichi de fer est la meilleure solution de remplacement au lait maternel, que ce soit au biberon ou dans un gobelet.

seulement contient très peu de fer – un demi-litre par jour ne fournit que 5 % de la dose nécessaire à un bébé de six mois – mais, en plus, il rend difficile l'absorption de celui qui provient d'autres aliments. C'est important à savoir car, quels que soient les efforts que vous faites pour lui offrir à la fois une nourriture riche en fer et la vitamine C nécessaire à son absorption, il y a peu de risques que votre bébé obtienne plus de fer qu'il ne lui en faut, les aliments riches en fer, comme la viande rouge et les légumes verts, étant rarement ceux qu'il préfère.

Si vous ne le nourrissez pas au sein ou ne souhaitez le faire que le soir, donnez à votre bébé du lait maternisé et assurez-vous d'utiliser un lait maternisé enrichi de fer – la plupart le sont.

Si votre bébé est nourri au biberon, vous pouvez parfaitement utiliser le lait maternisé auquel il est habitué tout au long de la première année. Il peut le boire au biberon ou dans un gobelet et vous pouvez aussi vous en servir pour ses céréales ou dans d'autres plats. N'introduisez pas de lait de vache en boisson principale avant 9 mois. Si vous voulez changer son lait, vous pouvez utiliser du lait de transition ou de croissance. Ces différents laits sont en général enrichis de fer et de vitamines et sont par ailleurs, dans l'ensemble, très similaires. Le lait de transition ou de croissance n'est pas obligatoire. Un enfant peut très bien passer du lait maternisé au lait de vache vers 9 à 12 mois.

L'hygiène L'hygiène rigoureuse des biberons est importante, et si vous y accordez une attention spéciale, la stérilisation ne sera pas nécessaire. Lavez le biberon et toutes ses composantes à l'eau chaude et au savon (une brosse à tétine et à biberon est utile). Il faut les rincer à l'eau bouillante, les laisser égoutter et les couvrir avant l'utilisation. Vous pouvez aussi les mettre au lave-vaisselle. À la fin du boire, vous devez rincer le biberon à l'eau froide pour enlever tout le lait. Les fabricants recommandent de ne pas faire bouillir régulièrement les tétines afin de ne pas abîmer le caoutchouc. Avec le temps, les tétines deviennent collantes et pâteuses et doivent être remplacées.

Si vous avez choisi des biberons à sacs jetables, vous ne devez pas réutiliser les sacs, qui sont minces et fragiles. Ces sacs sont déjà stérilisés.

LE SEVRAGE

L'introduction de l'alimentation solide fait découvrir aux bébés de nouveaux aliments et de nouvelles façons de combler leur faim. C'est une part importante de la préparation au sevrage, mais le sevrage en lui-même est autre chose. Lorsque vous commencez à sevrer votre bébé, vous entamez un processus qui va finalement *remplacer* le lait, comme aliment de base, par des aliments variés et remplacer le sein ou le biberon par la cuillère ou les doigts et le gobelet.

Tant que votre bébé prend au moins quatre repas au sein ou au biberon par jour, le lait suffit à lui apporter les nutriments dont il a besoin. Les calories et les protéines que son appétit et sa croissance lui réclament sont toujours fournies par le lait. La faible quantité de nourriture solide qu'il ingurgite ne change rien à ce niveau mais lui assure un complément utile en minéraux et en vitamines.

Si le régime de base de votre bébé est constitué de quatre bibe-rons ou tétées, il est déséquilibré dès qu'il en abandonne un, que ce soit spontanément ou parce que vous avez décidé de commencer le sevrage. Peu après six mois, certains bébés – en général nourris au biberon – se mettent à faire des nuits complètes et s'installent dans une routine de trois biberons par jour, complétés de collations entre les repas. Les bébés nourris au sein abandonnent moins facilement leur repas tard le soir ou très tôt le matin, en particulier si leur mère travaille à l'extérieur, et prennent souvent peu ou pas de lait à midi, préférant de l'eau ou du jus de fruits dans un gobelet plutôt que du lait maternisé ou du lait extrait du sein bu au biberon.

Un sevrage imposé progressif réduit en général la prise de lait de la même façon. Si votre bébé accepte facilement de prendre son lait à la tasse ou au gobelet, cette nouvelle façon de boire ne lui permet cependant pas d'absorber la même quantité de lait.

Il est possible qu'au cours de cette période de sevrage vous vous aperceviez que, plus vous le poussez à boire au gobelet, plus il réduit sa consommation de lait. Si c'est le cas, allez-y très progressivement. Si votre bébé se sent plus forcé que convaincu et s'il pense qu'il n'est *plus autorisé* à avoir du lait au sein ou au biberon, il peut tout sim-plement refuser d'en boire.

Nouvelles boissons et nouvelles façons de boire

Un couvercle et un bec verseur facilitent la transition entre téter et boire.

Les « aliments solides » peuvent remplacer l'apport nutritif du lait mais pas son apport en eau. Dès que votre bébé mange de la « vraie » nour-riture, il a besoin de compléter ses boissons. Il boit cependant moins d'eau qu'il ne buvait de lait, les aliments solides en contenant quand même beaucoup.

Les gobelets à bec verseur sont d'une grande aide tout au long du sevrage. C'est un bon compromis entre téter et boire normalement, que l'on peut faire évoluer progressivement. Un long bec flexible est presque l'équivalent de la succion et permet une transition plus douce. En utilisant un bec verseur qui se « tète » pendant les premières semaines de sevrage progressif, vous augmentez les chances que votre bébé accepte de boire au moins une petite part du lait qu'il avait l'ha-bitude de téter.

À partir de huit ou neuf mois néanmoins, il est possible que votre bébé s'intéresse désormais plus à cette façon de boire qui lui permet de se débrouiller tout seul. Peu de bébés se débrouillent vraiment tout seuls avec un verre ordinaire avant un an et ils renversent encore sou-vent le contenu en posant le verre. Avec un bec court et rigide, votre bébé boit à peu près autant que dans une simple tasse, mais vous n'avez pas à la lui tenir puisque, même si elle tombe, il ne s'en échappe que quelques gouttes.

Que votre bébé accepte ou non de boire du lait au gobelet au déjeuner ou au souper, il a besoin de boissons désaltérantes aux autres repas et entre les repas. La meilleure boisson est – et de loin – l'eau. Un bébé habitué au jus de fruits dilué ou à des « boissons fruitées » à volonté risque de rejeter l'eau avec dépit et dégoût, alors qu'un bébé habitué à étancher sa soif avec de l'eau l'accepte comme la substance vitale qu'elle est en effet.

Si l'eau du robinet n'est pas saine ou potable, un purificateur d'eau est probablement la solution la moins chère. Si vous préférez utiliser de l'eau minérale pour votre bébé, choisissez-la avec précaution. Certaines eaux ont des taux de sel et autres minéraux très élevés.

Si vous voulez donner du jus de fruits à votre bébé, achetez (ou faites) du jus pur et sans sucre, diluez-le bien et proposez-le une seule fois par jour, comme un élément d'un goûter prévu. Le jus de fruits devient ainsi un vrai «aliment» contenant de la vitamine C utile. Le jus de fruits disponible à tout moment, comme il l'est souvent, en particulier s'il est sucré, plein de colorants et industriel, est un moyen très cher de mettre en danger les dents de votre enfant. Si votre bébé considère déjà l'eau pure comme un affront, il y a des chances qu'il réclame les jus de fruits «vus à la télé» l'année prochaine et des canettes de boissons gazeuses l'année suivante…

Sevrer les bébés nourris au sein Vous et votre bébé êtes les seuls à pouvoir décider du bon moment pour commencer et finir le sevrage, même si certaines personnes, comme vos employeurs, peuvent avoir une influence sur *votre* avis. Quelques bébés se lassent de la tétée et s'habituent au gobelet avant même que leur mère se sente prête. Il n'y a pas à discuter avec un bébé qui veut arrêter de téter puisque moins il tète, moins vous produisez de lait. Quelques mères ne voient aucune raison de commencer le sevrage tant que leur bébé (puis jeune enfant, puis enfant) demande à téter et continuent à le nourrir au sein. Tant qu'elle vous convient, à vous et à votre bébé, toute solution est bonne.

Un bébé nourri au sein dont la mère est très disponible peut continuer à boire son lait ainsi jusqu'à ce qu'il soit prêt à le boire à la tasse ou au gobelet. Mais quand est-il prêt? Allaiter un bébé uniquement au sein sans utiliser de biberon, même pour de l'eau ou du jus de fruits, peut avoir des conséquences psychiques lourdes. Votre bébé a environ six mois et vous devez le laisser à son père ou à une gardienne pendant que vous allez travailler. Le bébé mange de la nourriture solide (mais pas beaucoup) et boit de l'eau ou du jus de fruits au gobelet (mais pas beaucoup). A-t-il besoin d'un biberon? La réponse dépend en partie de son âge. À vingt semaines, boire au gobelet est plus une activité éducative et amusante qu'un moyen de se désaltérer. À vingt-huit semaines, les choses changent. Entre les deux, eh bien, c'est vous qui connaissez votre enfant. Mais la réponse dépend aussi de vos heures d'absence, de la possibilité de l'habituer progressivement, à la mesure de sa croissance. S'il accepte de manger des aliments solides et de boire à la tasse en quantité suffisante pour le combler, il peut certainement supporter un repas sans téter, mais pas deux, surtout si l'on compte les éventuelles collations. Si vous devez vous absenter de 8 heures à 17 heures et que votre bébé n'a pas encore sept mois, ne mange pas de nourriture solide et ne boit pas dans un gobelet, un biberon de lait maternisé est la meilleure solution pour lui, pour la personne qui s'en occupe et pour vous. Ne soyez pas surprise, cependant, s'il commence par rejeter les biberons, demande plus de nourriture «adulte» la journée et *beaucoup* de tétées la nuit…

Si vous pouvez choisir le moment du sevrage et sa durée, attendez que son attachement à l'allaitement diminue naturellement, au moins pour certains repas, et prenez le temps de le faire progressivement. Idéalement, vous ne devriez jamais avoir à refuser le sein à votre bébé s'il le demande. Il est incapable de comprendre pourquoi vous le lui refusez tout d'un coup et peut croire que vous ne refusez pas simplement le sein mais aussi ce moment d'intimité. Vous ne devriez pas avoir non plus à supporter l'inconfort physique de seins trop pleins. Faites les choses en douceur et votre bébé et vos seins s'adapteront d'eux-mêmes. Si, par exemple, il apprécie un déjeuner solide et tète sans véritable envie après ce repas, vous pouvez lui proposer un gobelet de lait au lieu du sein et le passer rapidement

---

QUESTION DE PARENTS

Dois-je sevrer mon bébé s'il me mord?

Mon fils a sept mois et vient de percer une dent du haut, après les deux du bas. Cette dent est particulièrement pointue et je suis terrifiée à l'idée qu'il puisse mordre mon sein. C'est arrivé à une de mes amies, qui a saigné. Mon mari pense que je devrais le sevrer; il dit que les dents sont associées à l'alimentation solide. Mais j'avais prévu de l'allaiter toute l'année et cela me plaisait jusqu'à présent. Il me semble injuste de le punir pour quelque chose qu'il n'a pas encore fait, mais le risque est cependant réel, n'est-ce pas?

La plupart des bébés allaités ne mordent pas les seins. Si la morsure était un vrai problème, l'humanité n'aurait sans doute pas survécu aussi longtemps puisque, dans une grande partie du monde, les bébés seraient morts de faim s'ils n'étaient pas nourris au sein pendant au moins deux ans. Votre mari a peut-être raison de penser qu'il faut commencer le sevrage, mais pas pour les raisons qu'il donne. Les premières dents n'ont rien à voir avec la capacité à manger de la nourriture solide. Les bébés ne mâchent pas avec leurs dents de devant, ils mâchent avec leurs gencives jusqu'à ce que les molaires poussent à la fin de la première année.

Certaines femmes souffrent de telles morsures, mais si vous tenez à continuer l'allaitement, pourquoi ne pas prendre le risque de vérifier par vous-même?

Beaucoup de bébés mordent une fois. Oui, c'est douloureux, mais pas au point d'être effrayée par cette mésaventure. Les mères crient et s'écartent; leur bébé est inquiet, éclate en sanglots et il faut le convaincre de reprendre la tétée. Souvent, cela ne se reproduit pas.

S'il arrive que cela se reproduise, vous serez sans doute de plus en plus tendue. Mais il est probable que le problème s'évanouira en quelques jours.

Essayez de ne pas avoir une réaction trop violente (cela est plus facile à dire qu'à faire). Les bébés n'ont pas la moindre idée du fait qu'ils font mal (la punition est donc déplacée) et peuvent être amusés, ou surpris. Les quelques bébés que cela amuse peuvent recommencer juste pour le plaisir d'*obtenir votre réaction* (tout comme ils jettent les rouleaux de papier hygiénique et attrapent les lunettes des grands-parents). Les bébés surpris ont parfois si peur que cela se reproduise qu'ils sont trop tendus pour téter (comme leur maman).

Essayez de dire « non » fermement et calmement, glissez votre doigt dans sa bouche pour lui enlever le sein et arrêtez la tétée pour cette fois. La fois suivante, assurez-vous que :

■ Il a eu quelque chose à mâcher au cas où ces dents qui percent lentement *le* gênent.

■ Personne n'a ri – et ne le fera – lorsqu'il a mordu des doigts ou un nez (« Non, ne mords pas »).

■ Vous n'avez pas à faire la conversation au téléphone ou à lire quelque chose à sa sœur pendant que vous le nourrissez. Il pourrait mordre pour attirer votre attention. Continuez à le regarder et à lui parler pendant qu'il tète.

■ Vous n'essayez pas de le persuader de téter si cela ne l'intéresse pas et vous lui retirez le sein quand il commence à jouer.

■ Vous glissez votre petit doigt entre ses gencives avant de le réveiller s'il s'endort au sein – il peut mordre en se réveillant.

de la chaise haute à la poussette pour une promenade distrayante. De retour à la maison, le moment habituel de la tétée est passé et il a sans doute oublié qu'il n'a pas tété comme d'habitude. À ce rythme, vos seins seront moins stimulés et, même si vous les sentez un peu trop pleins dans les premiers temps, ils vont s'adapter et produire moins de lait dans les deux ou trois jours suivants. Si aux autres repas aussi vous offrez à votre bébé du lait au gobelet et une alimentation solide tout en le laissant téter autant qu'il le veut à chaque fin du repas, il prendra de moins en moins de lait du sein et vous en produirez moins. Après quelques semaines sur ce modèle, il ne prendra plus que quelques tétées symboliques le matin et une autre pour son bien-être, le soir, au moment du coucher. Celle-ci sera sans doute la dernière que votre bébé acceptera d'abandonner et fera partie de vos rituels affectueux du soir pour les mois à venir. Si votre bébé n'a pas besoin de la tétée pour s'endormir, il peut vous surprendre en l'abandonnant de son propre chef plutôt autour de douze mois que de dix-huit.

Bien sûr, vous n'avez pas à laisser votre bébé décider du moment où il abandonnera cette dernière tétée et de la fin du sevrage. Mais si vous êtes vraiment déterminée à ne plus l'allaiter avant qu'il ait huit ou neuf mois, peut-être pouvez-vous envisager de lui offrir un biberon. Même s'il se débrouille très bien toute une journée sans téter, votre bébé n'est peut-être pas tout à fait prêt à s'en passer totalement et peut ressentir un vrai manque s'il n'a pas une succion de « confort » le soir, avant de s'endormir.

Sevrer les bébés nourris au biberon Certains parents sont très décontractés vis-à-vis des biberons et les considèrent comme un objet de réconfort et un moyen de boire sans en renverser partout pendant toute la petite enfance. Pour d'autres, c'est un mal nécessaire dont le bébé doit se débarrasser dès qu'il est capable de manger à la cuillère et de boire au gobelet. Les deux approches ont des avantages et des inconvénients, mais la pire des solutions est de ne pas faire de choix. Si vous laissez votre bébé faire ce qu'il veut avec son biberon pendant le premier semestre et décidez d'un coup qu'il doit l'abandonner complètement, il est très probable que cela se passe mal.

Les bébés qui ont des biberons pleins de lait aussi logtemps qu'ils veulent s'y attachent de plus en plus, non seulement comme source d'alimentation mais aussi comme source de réconfort. Cette sensation est bonne pour eux, bien sûr, comme la tétée est bonne pour les bébés nourris au sein, mais y avoir accès à volonté peut être un problème. Voilà les risques possibles :

■ Le réconfort qu'un bébé tire de son biberon n'est pas sous le contrôle de la mère, comme l'est celui d'un bébé nourri au sein. À mesure qu'il grandit et qu'il devient capable de demander un *autre* biberon, il est bien plus difficile de le lui refuser.

■ Les bébés qui sont vraiment *accrochés* à leur biberon boivent parfois tant de lait qu'ils manquent d'appétit pour les aliments solides, ce qui diminue leurs chances d'avoir un régime équilibré et complet.

■ Faire ses premiers pas chancelants avec un biberon de lait dans les mains ou dans la bouche limite l'activité manuelle et les efforts pour apprendre à parler. C'est aussi très mauvais pour les dents.

■ Téter un biberon de lait dans le lit et avoir du lait dans la bouche en s'endormant est pire que tout pour les dents des bébés (mis à part un biberon de jus de fruits acide et sucré). Il peut s'étouffer. Pour le moment, vous êtes peut-être persuadée que vous n'autoriserez jamais votre bébé à faire ça, et peut-être est-ce vrai. Mais s'il vient un temps où vous savez que c'est le seul moyen pour qu'il s'endorme tout seul le soir et qu'il retrouve tout seul son sommeil en pleine nuit, peut-être le laisserez-vous faire. Comme beaucoup d'autres parents épuisés.

Sevrer votre bébé dès qu'il boit au gobelet peut poser les problèmes inverses. Si vous refusez de lui donner du lait au biberon, votre bébé risque de refuser complètement d'en boire – ce qui est aussi mauvais pour son alimentation et pour sa santé que d'en boire trop, trop longtemps. Il risque aussi de combler son manque de succion en suçant son pouce toute la journée. Enfin, supprimer le biberon du coucher risque de compliquer le moment de la mise au lit.

Il n'est pas nécessaire de sevrer votre bébé très tôt. Il suffit de traiter le biberon comme si c'était votre sein et de sevrer votre enfant comme vous le feriez si vous l'allaitiez :

■ Commencez à le faire boire au gobelet vers quatre ou cinq mois et habituez-le progressivement à l'idée que le lait et l'eau en sortent aussi facilement que du biberon. À six mois, il aura probablement envie de boire au gobelet, en dehors des repas, de l'eau ou du jus de fruits. Ce qui signifie que seul le lait sera bu au biberon.

■ Remplacez le biberon du dîner par de la nourriture solide, avec un peu de lait dans un gobelet, peu après six mois ou dès qu'il prend des cuillerées conséquentes.

■ Abandonnez le biberon tard le soir (ou aux aurores) dès que votre bébé vous a montré, en faisant ses nuits complètes, que trois repas complets et des collations lui suffisent. Une tasse de lait fait un excellent goûter si votre bébé l'apprécie ; sinon proposez-lui de l'eau au verre ou au gobelet et de la nourriture solide qu'il mange avec les doigts.

■ Si tout se passe bien, votre bébé ne prendra bientôt que deux biberons par jour, l'un au déjeuner, l'autre après le souper, avant l'heure du coucher.

Une tasse de lait est un goûter, un jus de fruits est une gourmandise, mais quand votre bébé a soif, rien ne remplace l'eau.

Vient alors l'étape importante qui consiste à conserver au biberon sa place agréable et qui dépend de vous. Offrez à votre bébé ces deux biberons tant que, et seulement *tant que*, il les boit calmement assis sur les genoux de quelqu'un. Vers un an, son goût pour l'indépendance et son envie de se déplacer seront si forts qu'il ne voudra plus rester assis. Si vous le laissez, ne serait-ce qu'une seule fois, découvrir qu'un biberon peut être transporté à travers la pièce et dans ses aventures à quatre pattes, un jour viendra où il aura plus envie de bouger que de téter.

Ne vous laissez pas piéger en laissant le bébé porter son biberon «juste une fois». Après tout, il ne pourrait pas porter un sein. Même si vous êtes chez des amis et que vous voulez éviter les disputes, ne vous laissez pas aller à la tentation. Votre bébé comprendra tout de suite : s'il goûte, ce soir-là, au bonheur de combiner les deux choses qui lui font le plus plaisir – téter et se déplacer –, il voudra certainement reproduire l'expérience la nuit suivante, et celle d'après.

Pendant la phase où il réalise qu'il est face à un choix, laissez-le changer d'avis et revenir téter son biberon s'il en a envie (après tout, il aurait pu le faire s'il était au sein). Mais prenez-le sur vos genoux et câlinez-le quand il revient (on ne donne pas le sein à un bébé assis par terre). Il vous faudra peut-être poser des limites – par exemple une seule pause par repas – pour éviter qu'il ne se comporte comme un poulain, tétant 5 secondes entre des galops de 10 secondes !

Pensez à n'utiliser le biberon que pour le lait. Si vous lui donnez subitement du jus de fruits ou de l'eau au biberon – peut-être parce que c'est la manière la plus facile de transporter une boisson en voyage ou pour le faire boire quand il est fiévreux –, vous abandonnez l'idée du biberon remplaçant le sein et votre bébé risque d'être plus réticent face au gobelet la prochaine fois.

Alimentation solide

La première année, les bébés grandissent rapidement et ont des besoins énergétiques importants par rapport à leur taille. Un bébé de un an a besoin de la moitié des calories dont a besoin sa mère (si elle ne l'allaite pas). Mais leur estomac est plus petit et supporte difficilement l'absorption de grandes quantités de nourriture. Ils doivent donc être nourris plus fréquemment que les adultes et recevoir une alimentation plus énergétique. Les calories du sucre ne sont pas nutritives et le sucre est mauvais pour les dents, mais il faut veiller à ne pas appliquer à un enfant les conseils diététiques visant les adultes. Un régime riche en fibres, par exemple, ne convient pas du tout à un bébé ou à un petit enfant. Son estomac ne peut pas gérer une grande quantité d'aliments peu nourrissants et, loin d'être bénéfique à son système digestif, cela risque de provoquer des diarrhées. Il ne faut pas non plus lui donner des produits allégés car la graisse est la source la plus concentrée de calories et il en a besoin. Quand vous utilisez des produits laitiers pour lui, choisissez-les non écrémés.

Au cours du sevrage, votre bébé boit de moins en moins de lait et a besoin d'une alimentation solide plus importante. Assurez-vous que celle-ci remplace favorablement le lait – en calories, pour l'apport d'énergie et la croissance, et en besoins nutritionnels plus spécifiques. Un dîner de purée d'épinards et de compote de pommes est riche en vitamines et en minéraux, mais pauvre en calories par rapport à son ancien biberon de lait. Si vous lui donnez des légumes sans viande, sans poisson ou sans légumes secs, et de la compote de fruits très peu sucrée, augmentez leur valeur nutritive avec du fromage râpé ou du fromage blanc.

Tant que votre bébé boit tous les jours au moins un demi-litre de lait maternisé – ou a deux tétées complètes –, il ne manque pas de protéines, de calcium et de vitamines de «première qualité», quoi qu'il mange par ailleurs. Même si ses choix alimentaires étaient très limités et très particuliers – rien d'autre que des céréales et du pain ce jour-là –, ce lait serait son filet de sécurité. S'il refuse complètement d'en boire – peut-être parce que cela ne lui plaît toujours pas de le boire au gobelet –, il doit obtenir tous les nutriments indispensables de ses repas solides. Rappelez-vous quand même qu'une petite

*Aidez votre bébé
à manger tout seul parce
qu'il aime cet aliment,
non parce que vous
voulez qu'il le mange.*

portion de céréales infantiles fortifiées contient ce fer si important ainsi que d'autres minéraux. Et même s'il ne *boit* pas de lait, ses repas en contiennent suffisamment pour lui apporter calcium et vitamines B. Au moins 55 ml pour donner à ses céréales la consistance qu'il préfère, 25 ml pour écraser une petite pomme de terre, adoucir un œuf brouillé bien cuit ou faire la crème anglaise qui accompagnera son fruit – sans oublier le yogourt qu'il apprécie au souper et les morceaux de fromage qu'il mange avec les doigts.

Des plats faits maison ou industriels ? Les points de vue sur l'alimentation correcte varient énormément d'un pays à l'autre et dépendent beaucoup plus des habitudes que de la diététique. Il y a très peu d'aliments que vous mangez vous-même qui sont interdits à votre bébé. Tant que vous évitez ce qui est trop salé, trop sucré, trop épicé, ainsi que l'alcool, le café et le thé, il peut essayer tout ce que vous cuisinez. Vous découvrirez bientôt ce qu'il aime et ce que son appareil digestif est capable de supporter.

Beaucoup de bébés ont, entre six et dix-huit mois, une alimentation composée presque exclusivement de produits tout faits qu'on trouve dans le commerce. Quelques parents s'appliquent, au contraire, à ne jamais en donner. Comme pour tout ce qui concerne l'alimentation, vous réaliserez bien vite que la meilleure solution est de varier. À condition d'acheter ce qu'il faut et de cuisiner, il est aussi simple – et bien meilleur marché – d'adapter les repas de la famille aux besoins de votre bébé que de le nourrir de plats tout faits. Les aliments frais et de bonne qualité battent tous les petits pots aussi bien en goût qu'en qualité nutritive, et contribuent à son éducation. Ce pot de «pâté chinois» est exactement le même que celui de la semaine dernière, alors que ce que vous cuisinez n'a jamais deux fois le même goût, les ingrédients variant toujours un peu. Votre bébé n'est pas trop petit pour apprécier le goût des tomates de saison ou d'une sauce particulièrement réussie. Et il ne tardera pas à préférer un gratin recouvert de fromage ou une carotte râpée bien croquante à l'aspect toujours semi-liquide ou grumeleux des plats pour bébés. Mais si personne dans la maison ne cuisine – vous contentant vous-même des plats tout prêts du traiteur ou de l'épicerie –, les petits pots vous satisferont tous les deux.

Trouver le bon équilibre Un mélange de plats cuisinés par vos soins et de plats tout faits est certainement ce qui convient le mieux à tout le monde. Votre bébé peut partager vos repas si vous préparez quelque chose qu'il aime et à condition de le servir avant d'assaisonner et de hacher sa portion ou de la réduire en purée. Lorsqu'il n'aime pas le plat principal prévu pour tout le monde, ou si vous considérez qu'il ne lui convient pas, comme du bœuf salé, une tourte ou un plat cuisiné au vin, vous pouvez le remplacer par un petit pot ou une barquette toute prête que vous pourrez compléter de quelques légumes de votre propre plat. Quand le bébé est le seul à manger, un bon petit pot vaut mieux que ce qui traîne dans le réfrigérateur. Et si les fruits frais sont des desserts idéaux pour lui, les petites compotes de fruits toutes prêtes vous évitent de cuire des quantités minuscules ou constituent un «deuxième» plat quand les autres membres de la famille n'en ont pas. Et surtout, ne méprisez pas les céréales infantiles en poudre. Riches en vitamines, enrichies de fer, elles sont, mélangées à du lait, bien plus nourrissantes que les céréales arides qu'on prenait avant au déjeuner. Servies avec des fruits ou du fromage, elles composent un excellent déjeuner ou souper pour un bébé ou un enfant un peu plus grand qui les apprécie.

Lire les étiquettes — Regardez bien les étiquettes des produits alimentaires industriels pour bébés que vous achetez. Leurs qualités nutritives – et donc financières – varient largement. Il y a parfois une certaine disparité entre le nom du pot et son contenu réel. Un pot de compote de «pommes», par exemple, peut contenir – par ordre décroissant, bien sûr – du jus de pomme, du yogourt, de la farine de maïs modifiée, de la farine de riz, de l'huile végétale et de la vitamine C. Absolument pas de pomme, mais un jus de pomme épaissi.

Vous pouvez aussi trouver une longue liste d'additifs pour une recette banale. Dans le «gâteau à la pomme» d'un autre fabricant par exemple, on trouve du riz, de l'avoine, du blé, du soja, de la farine de maïs, du malt, du sucre, du lait écrémé en poudre, des pommes, de la maltodextrine, de la graisse végétale, du jus de pomme, de poire, d'abricot et de prune, de la caséine, des extraits de malt et de vanille, du dextrose, de l'acide citrique, de la levure, de la vitamine C, de la cannelle, du sulfate de zinc, du fer… Moins il y en a, mieux c'est, mais autant connaître ce qu'impliquent ces additifs:

■ Les épaississants: si le premier ingrédient de la liste est liquide – eau, jus –, un peu plus bas, vous trouverez sûrement un ou plusieurs «épaississants»: pas chers, pas nourrissants, ils donnent une texture semi-solide à un liquide. Les épaississants incluent farine de maïs, amidon de riz, amidon de blé, gélatine…

■ Les additifs: bien que les fabricants n'ajoutent pas autant d'additifs aux produits infantiles qu'à ceux destinés aux adultes, ils en intègrent parfois une grande quantité qui transforme considérablement le produit: émulsifiants, maltodextrine, graisses végétales hydrogénées, acide citrique, caséine, carbonate, acide de sodium, lait écrémé en poudre…

■ Les arômes artificiels: les produits alimentaires qui ont un goût naturel n'ont pas besoin d'arômes ajoutés. Vérifiez qu'il n'y a pas de sucre sous différentes formes – glucose, fructose, dextrose, lactose, maltose… Faites aussi attention aux extraits de viande, aux protéines végétales hydrolysées, aux levures ou aux légumes déshydratés.

Préférer la sécurité — Proposez à votre bébé des œufs exclusivement s'ils sont cuits durs et évitez tout ce qui comporte un œuf cru comme ingrédient. Éloignez toute viande crue des aliments qui ne se font pas cuire. La contamination aux salmonelles est assez répandue. Ce risque, ainsi que toutes les autres contaminations bactériennes, doit être pris encore plus au sérieux pour un enfant que pour les autres membres de la famille. En cas de problème de listeria dans les fromages à pâte molle ou les plats cuisinés froids, de ESB ou d'*E. coli* dans les hamburgers, votre bébé est le plus exposé et le plus susceptible d'être sérieusement touché par l'infection.

Manger tout seul

Les problèmes autour de l'alimentation de l'enfant dominent souvent, un peu plus tard, la vie de famille pendant des mois (voir p. 334). Si vous conservez une atmosphère calme aux repas et acceptez son comportement, vous éviterez bien des soucis. Montrez à votre bébé que se nourrir est quelque chose d'agréable qu'il fait lui-même parce qu'il veut et apprécie la nourriture, et non parce que les adultes l'imposent. Il est actif, et non passif, et il mange pour lui, pas pour vous.

À six ou huit mois, votre bébé est forcément un peu passif pendant les repas puisqu'il ne sait pas se nourrir tout seul. Mais être nourri n'est pas agréable. Essayez avec votre conjoint, vous verrez que la nourriture n'arrive jamais exactement au bon moment et jamais en quantité voulue et vous vous sentirez extrêmement impuissants. Réduisez donc au minimum la période où votre bébé se trouve dans cette situation en l'encourageant à prendre part, dès le début, à ses repas et à se débrouiller tout seul dès qu'il parviendra à mettre la nourriture dans sa bouche par le moyen qu'il préfère, quel que soit le désordre qui en résulte :

■ Donnez-lui une cuillère dès qu'il vous prend la vôtre, même s'il se contente de la mordre et de l'agiter. Si vous le laissez faire ce qu'il veut avec, il finira par l'incliner et la lécher et, vers neuf mois, il arrivera à prendre quelques petites cuillerées – même s'il aura toujours une fâcheuse tendance à la tourner dans le mauvais sens avant d'arriver à la bouche. Pendant ce temps, utilisez vous-même une deuxième cuillère et échangez-la avec celle qu'il a vidée afin qu'il remplisse à nouveau sa bouche pendant que vous remplissez la cuillère.

■ Encouragez votre bébé à manger avec ses doigts. Si vous le laissez tripoter sa nourriture, puis lécher ses mains à six mois, il saura bientôt s'en servir à volonté. Quand vous voyez qu'il lèche ses mains parce que le goût lui plaît, ralentissez le rythme de votre cuillère et laissez-le se nourrir ainsi autant qu'il veut.

■ Donnez-lui des aliments qui se mangent facilement avec les doigts. Si se lécher les mains est amusant, c'est encore mieux de picorer du pain ou du fromage. À six mois, cela lui permet de participer activement à son repas pendant que vous fournissez sa bouche en aliments faciles à avaler. Vers un an, il n'en aura plus besoin ; il mangera avec ses doigts et parfois avec une cuillère et vous n'aurez plus qu'à l'aider à attraper la fin de son flan…

■ Ne lui imposez pas nos règles conventionnelles. S'il veut mettre du fromage dans sa compote, pourquoi vous en soucier ? Il finira par adopter de lui-même votre point de vue sur la combinaison des aliments.

■ N'essayez pas de *lui faire* manger n'importe quoi. Beaucoup d'aliments sont bons pour sa santé, mais aucun n'est irremplaçable. S'il ne veut plus manger, autant qu'il s'arrête ; ne le laissez pas sur sa chaise haute dans l'espoir qu'il mange encore un peu.

Des aliments faciles à manger avec les doigts aident votre bébé à se sentir très tôt responsable de son repas.

■ Ne lui imposez pas de finir son plat principal avant d'avoir son dessert. À cet âge, l'envie du dessert ne l'encourage pas à finir le plat qu'il ne veut plus. Plus tard, lorsqu'il comprendra votre méthode, il n'aura que plus envie de passer directement au plat défendu.

1 Il peut mettre une petite cuillère dans sa bouche, mais la remplir est difficile et, de toute façon, une cuillère vide est très bonne à mâcher...

2 Il n'aime pas que vous preniez sa cuillère pour la remplir ou que vous le nourrissiez avec une autre. Remplissez l'autre et faites l'échange.

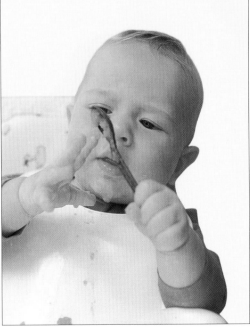

3 Maintenant, il peut recommencer et remplir sa bouche avec la cuillère bleue pendant que vous remplissez la jaune pour un nouvel échange.

4 Il continue à jouer avec les cuillères et à répandre de la nourriture, mais il reste enthousiaste pendant le repas, et c'est ce qui compte.

Mon bébé est-il exposé aux pesticides dans les aliments frais?

L éterminés à éviter l'excès de produits ch miques dans les aliments industriels, no.is souhaitions alimenter notre bébé avec des aliments frais cuisinés par nos soins. Mais on nous dit qu'il y a des pesticides et des résidus de différents produits chimiques dans les légumes et les fruits frais, encore plus dangereux pour les bébés et les petits enfants que pour les adultes. Est-ce vrai? Si oui, qu'est-ce que des parents soucieux peuvent donner à manger à leurs enfants?

Les légumes, et les fruits plus encore, contiennent en général des résidus de pesticides – jusqu'à 50 % de tous les fruits étudiés dans une large étude américaine récente.

Comparer les risques et les avantages des pesticides et autres produits chimiques dans les aliments est un problème très technique qui oppose en général les intérêts commerciaux et environnementaux. Encore récemment, les niveaux de résidus tolérés de différentes substances dangereuses étaient fondés sur des données concernant tous les consommateurs, sans attention particulière pour les enfants de moins de cinq ans, pourtant particulièrement vulnérables. Les petits enfants sont plus exposés aux résidus de pesticides présents dans les fruits parce qu'ils en mangent beaucoup plus pour un poids plus petit. Il a été montré qu'une grande majorité d'enfants américains de moins de cinq ans mangeaient 6 fois plus de fruits au total : 6 fois plus de raisins, 7 fois plus de pommes et 30 fois plus de jus de pomme que les adultes. Certains experts considèrent aussi que les enfants sont plus sensibles aux pesticides car leur corps est moins capable de lutter contre cette intoxication. Certains organes encore immatures sont particulièrement sensibles à des produits chimiques particuliers – comme le cerveau aux neurotoxines, par exemple.

Rendre publics ces risques indubitablement plus graves pour les enfants n'a pas pour objectif de paniquer les parents, mais de persuader l'industrie alimentaire de reconsidérer certaines pratiques. Lorsque l'opinion publique proteste violemment contre un produit précis, cela contribue à changer les lois et a des effets sur les pratiques commerciales, comme cela a été prouvé pour l'Alar (daminozide) qui a été interdit pour la culture de la pomme aux États-Unis à la fin des années 1980.

Cependant, prendre soin de son enfant devient mission impossible si vous vous laissez accabler par votre impuissance. Ces risques sont réels et inutiles (dictés par le profit), mais ils sont encore faibles comparés à d'autres dangers environnementaux. Et il y a quelques moyens (assez infimes) de minimiser les risques pour votre enfant :

■ Achetez des petits pots biologiques. De plus en plus de marques sont offertes. Si votre supermarché n'en a pas, exercez votre pouvoir de consommateur en en demandant.

■ Achetez si possible des fruits et des légumes issus de l'agriculture biologique. On trouve à peu près partout des produits agréés, cultivés sans pesticides, herbicides ou engrais chimiques. Ils coûtent souvent plus cher et vous ne trouverez pas, évidemment, de produits qui ne sont pas de saison car le stockage nécessite des agents conservateurs chimiques.

■ Quand vous ne pouvez pas acheter de produits alimentaires biologiques, essayez d'acheter principalement des produits locaux et de saison.

■ Le cas échéant, sachez que les fruits dont la peau est dure et non comestible (bananes, ananas) et les produits qui se pèlent ou s'épluchent sont plus protégés des pesticides en aérosol et des produits chimiques de surface, même s'ils restent vulnérables aux engrais et aux produits chimiques qui passent dans la terre.

■ Proposez une alimentation très variée à votre enfant – dans la mesure où il l'accepte – pour qu'elle soit sûre et riche. Plus les jus de fruits, les légumes ou les fruits qu'il ingurgite sont variés, moins il est exposé aux produits nocifs ajoutés à l'un d'eux en particulier. Ce sont les parents des enfants qui ne buvaient que du jus de pomme et en grande quantité chaque jour qui ont le plus eu à s'inquiéter des résidus d'Alar.

■ Il va inévitablement en mettre partout, alors autant faire avec. S'il fait assez chaud, retirez-lui son haut : la peau est plus facile à nettoyer que les vêtements. Si c'est impossible, un bavoir efficace (comme ceux dont le bas recueille les restes) le protégera de façon relative, surtout si vous lui remontez les manches et le protégez autour du cou avec un tissu. Pensez aussi à disposer des journaux sous sa chaise, ils protègent le sol et peuvent être recyclés. Vous pouvez aussi utiliser un morceau de plastique. Si, devant d'autres personnes, vous ne pouvez vous empêcher de lui tenir les mains pour lui enfourner les cuillerées directement dans la bouche, essayez de préserver votre intimité au moment des repas. Forcer votre bébé à manger correctement, cela revient à le faire manger de force en l'écartant complètement du processus.

Si vous pensez que votre bébé ne se nourrit pas assez

Attention ! Il est bien possible que vous vous trompiez et votre inquiétude à ce sujet peut créer des problèmes pour vous tous plus tard. Les bébés qui semblent en bonne santé et à peu près satisfaits, à qui l'on propose du lait et des aliments solides, ne se laissent pas mourir de faim (voir p. 336). Faites confiance au vôtre pour savoir ce qui lui suffit. Et sinon :
■ Observez la croissance de votre enfant. Si sa courbe de croissance en poids et en taille est raisonnablement régulière, il mange assez.
■ Fiez-vous à son énergie et à sa vitalité. S'il est vivant et actif, il n'est pas en manque de nourriture.
■ Regardez la quantité de lait qu'il boit et souvenez-vous que le lait le nourrit. Peut-être boit-il tout ce dont il a besoin.

Si, malgré tout, vous êtes tentée de le nourrir plus, faites vérifier sa courbe de croissance par un médecin. Même si votre bébé est visiblement bien nourri, il prendra le temps de vous rassurer car il sait combien il est important que vous n'ayez plus d'inquiétude à ce sujet au moment où votre bébé devient un petit enfant.

La croissance

Au cours de ce second semestre, le taux de croissance de votre bébé ralentit de façon notable. Entre six mois et un an, votre bébé ne gagne que la moitié du poids qu'il a pris au cours des six premiers mois. Si vous le pesiez toutes les semaines – ce qui est inutile –, vous constateriez qu'il ne prend pas plus de 60 g par semaine pour une croissance en taille, sur l'ensemble du semestre, d'environ 8 à 10 cm.

Bien que la courbe générale de croissance de votre bébé suive toujours la courbe moyenne générale – et qu'il soit probablement sur le même segment qu'au début –, il est possible qu'elle connaisse à présent plus d'« ondulations ». S'il a une maladie importante pendant une ou deux semaines, ou s'il ne va pas bien à cause de petites infections à répétition pendant plusieurs semaines, il ne prendra peut-être pas du tout de poids pendant quelque temps et peut même vous paraître plus menu. Mais il reprendra ce qu'il a perdu en quelques semaines.

L'alimentation solide peut aussi entraîner une prise de poids plus irrégulière. Les semaines où il se prend de passion pour le fromage, il grossit plus que les semaines où il ne veut que des soupes de légumes et des pommes. À long terme, ces « ondulations » s'aplanissent. Ce qui compte, c'est sa courbe *globale*. Ne vous torturez pas l'esprit en le pesant trop souvent.

DENTS
ET POUSSÉE DENTAIRE

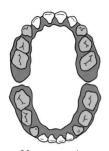

Vers un an, beaucoup de bébés ont leurs quatre incisives supérieures et leurs quatre incisives inférieures.

Les premières dents de votre bébé transforment son sourire.

En général, les dents poussent très vite pendant ce semestre, mais pas toujours. Ne soyez pas surprise, et encore moins inquiète, si votre bébé fait partie de cette large minorité qui ne respecte pas le calendrier présenté ci-dessous.

■ La première dent, qui perce autour de six mois, est en général une des deux incisives du milieu, sur la mâchoire inférieure.

■ La deuxième dent arrive juste après et est la voisine directe de la première.

■ Autour de sept mois (ou avant ou après), c'est souvent l'une des deux incisives centrales du haut qui arrive, suivie de près par sa voisine.

■ À huit ou neuf mois, les quatre incisives centrales sont visibles et entre neuf et dix mois, les quatre autres incisives apparaissent, formant des rangées de quatre dents en haut et de quatre dents en bas. Ensuite, il y a souvent une pause.

■ Autour du premier anniversaire, une nouvelle dent apparaît : l'une des quatre prémolaires qui remplissent le fond de la bouche de chaque côté des deux mâchoires.

La forme, plate et pointue, des dents de devant – les incisives – leur permet de percer bien plus facilement que les grosses et larges molaires qui vont arriver. La plupart des bébés ne ressentent qu'une douleur légère et de courte durée à la poussée d'une seule incisive, mais ceux qui subissent la poussée simultanée de deux ou trois dents peuvent souffrir un peu plus. Donnez à votre bébé plein d'objets à mordre. Les anneaux ordinaires prévus à cet effet n'ont rien de plus que les jouets habituels, mais votre bébé peut apprécier plus particulièrement ceux qui contiennent un liquide à refroidir au réfrigérateur. Ne les congelez pas, votre bébé pourrait se blesser.

Si vous souhaitez appliquer un gel sur la gencive de votre bébé, choisissez-le bien. Les gels calmants agissent de façon superficielle et leur efficacité est variable. Les parents doivent suivre les recommandations du fabricant s'ils décident d'utiliser ces produits. Une application trop abondante peut diminuer le réflexe de déglutition, et l'enfant risque de s'étouffer en avalant son lait. Aujourd'hui encore, certains contiennent des produits trop forts ou du sucre. Passer votre doigt sur la gencive douloureuse, sans aucun gel dessus, peut déjà s'avérer bénéfique. Dès qu'il a une ou deux dents, votre bébé aime mordre des objets (*pas* les doigts), ce qui permet aussi de «limer» leur bout pointu.

Les dents et le sevrage Lorsque les premières dents des bébés arrivent – les incisives –, elles sont si tranchantes que les mères se demandent parfois si leur arrivée ne signale pas la fin de l'allaitement. Il n'en est rien, bien sûr. Les deux premières sont à peu près toujours celles du bas. Votre bébé n'en ayant pas encore en haut, il ne peut pas pincer. Vous sentez sans doute la différence lorsqu'il joue avec le bout de votre sein à la fin d'un repas – peut-être devrez-vous l'arrêter –, mais les morsures occasionnelles qui peuvent être douloureuses et problématiques ne seront possibles que dans plusieurs semaines (voir p. 237).

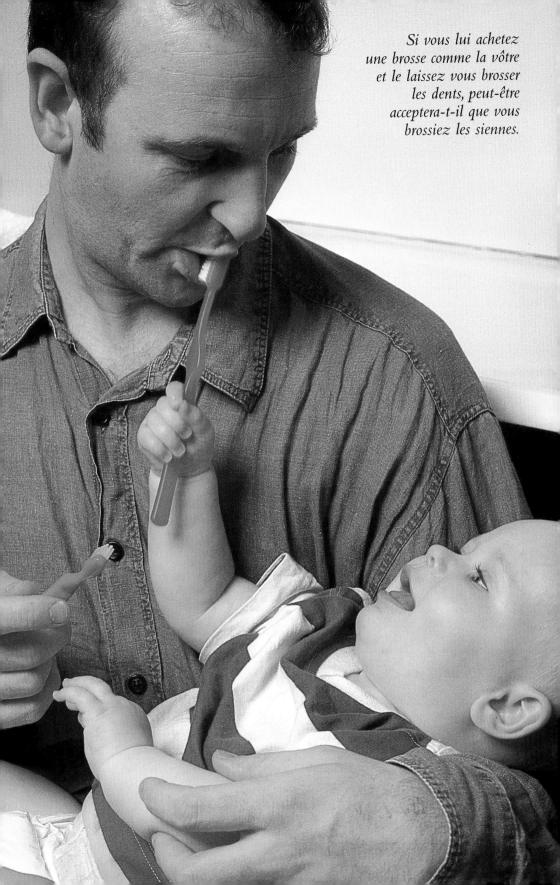

Si vous lui achetez une brosse comme la vôtre et le laissez vous brosser les dents, peut-être acceptera-t-il que vous brossiez les siennes.

Est-il vraiment utile de brosser les dents des bébés ?

On nous a conseillé de laver les dents (la dent !) de notre bébé de sept mois dès le début. Mais l'idée même de mettre une brosse dans sa bouche nous paraît absurde et horrible. Est-ce vraiment indispensable ? Et si oui, comment doit-on faire ?

L'unique dent de votre bébé n'a certainement pas besoin d'être *brossée*. Mais si votre médecin ne vous a pas préconisé des gouttes de fluor, l'effet protecteur du fluor contenu dans les dentifrices pour enfants lui sera bénéfique. Le plus simple est sans doute de l'appliquer avec votre doigt. Vous pouvez toujours le faire au toucher si votre bébé ne veut pas garder la bouche grande ouverte. Une infime quantité de dentifrice suffit pour couvrir toute la dent.

Le brossage et l'utilisation de dentifrice deviennent plus importants lorsque votre bébé a deux ou trois dents qui se cognent l'une contre l'autre, et plus importants encore au cours de la deuxième année, lorsqu'il mange plus d'aliments solides – voire sucrés et collants – qui peuvent rester coincés entre deux dents. Introduire la brosse à dents et le rituel du brossage la première année est surtout une bonne préparation et une bonne éducation à l'hygiène dentaire future.

Attendez que votre bébé se tienne droit et commence à vouloir imiter vos gestes quotidiens et assurez-vous alors qu'il vous voit régulièrement vous brosser les dents.

Utiliser des brosses de la même couleur pour vous et pour lui est une bonne idée. Organisez-vous pour qu'il puisse observer toute la manœuvre et la reproduire : vous pouvez par exemple vous asseoir avec lui dans la salle de bain avec un bol d'eau pour vous rincer et recracher. Il va bientôt mettre la brosse dans sa bouche mais ne saura pas encore imiter ces petits « recrachages » – mais comme c'est la partie la plus intéressante du rituel, il y restera très attentif.

Lorsqu'il est habitué à vous regarder vous brosser les dents et à faire semblant de brosser les siennes tout seul, proposez-lui de vous brosser les vôtres en échange de vous laisser brosser les siennes. Si ce stratagème fonctionne, il vous faudra peut-être brosser ses dents *pendant* qu'il « brosse » les vôtres. S'il ne marche pas, n'insistez pas (vous ne pouvez pas, de toute façon, le *forcer* à mettre la brosse dans sa bouche sans risquer de lui faire mal). Le dentifrice sur le doigt est encore la meilleure technique. Profitez de chaque occasion pour le persuader d'ouvrir sa bouche pour vous. Vous montrer sa nouvelle dent ou la gencive rougie par la prochaine peut devenir un jeu.

D'ici son premier anniversaire, il aura sans doute plusieurs dents en haut et en bas et sera aussi capable de s'asseoir sur vos genoux pour atteindre le lavabo, ou même de se tenir sur un tabouret (vous restez alors prudemment derrière lui) pour vous regarder lui laver (et peut-être compter) les dents. Appliquez-vous à nommer correctement chaque dent afin de le persuader qu'aucune ne doit être négligée. Toucher chaque dent avec la brosse pour lui « donner sa part de dentifrice » fait appel au sens de la justice des enfants entre un et deux ans et garde sa bouche ouverte pendant au moins 5 secondes avant l'ennui imminent.

Ce n'est pas une tâche facile. Peu de tout-petits sont enclins à coopérer à cette manœuvre. Et même s'il adore se les laver, votre bébé ne pourra pas le faire correctement avant au moins sa sixième année. L'œil vigilant d'un adulte lui rappelant comment faire et des tentatives assez régulières ne suffisent pas, car les petits enfants n'ont pas forcément la dextérité manuelle nécessaire.

Le soin des dents de lait

Il n'est pas toujours facile de prendre soin des dents d'un bébé mais il faut y veiller. Même si ces premières dents vont toutes tomber pour être remplacées, leur santé n'est pas moins importante que celle des dents définitives. Votre enfant va s'en servir pendant plusieurs années cruciales, après tout, et même lorsqu'elles commencent à tomber, l'état et la position des dents définitives dépendent largement des dents de lait.

Il est important de laver les dents de votre bébé dès le début et un peu plus à chaque fois qu'une nouvelle dent est en contact avec une autre. L'idéal, maintenant et plus tard, est d'empêcher une pellicule de sucre de rester dans la bouche et de dégager les aliments coincés entre deux dents. Mais un brossage efficace de bas en haut est pratiquement impossible à cet âge. Le dentifrice est donc ce qui compte le plus. Faites du brossage avec une petite brosse souple et adaptée et une pointe de dentifrice pour enfants un rituel quotidien. Mais si votre bébé résiste, ne le forcez pas. Vous ne pouvez rien faire de valable tant que votre bébé hurle et se débat et vous risquez de le dégoûter du lavage de dents pour longtemps.

Comme pour vous au cours de la grossesse, il est important à présent que votre bébé ait assez de fluor. Assez, mais pas plus que nécessaire. Trop de fluor peut décolorer les dents et avoir d'autres conséquences sur la santé. Au Québec, certaines municipalités ajoutent du fluor à l'eau de l'aqueduc. Cette pratique aide à prévenir la carie dentaire. Si votre enfant n'en obtient pas assez dans l'eau, vous pouvez lui donner le fluor en gouttes. Si c'est le cas, cependant, il faut peut-être éviter de lui donner, *en plus*, un dentifrice au fluor. Vérifiez les recommandations locales et prenez l'avis de votre médecin ou dentiste.

Les dents de lait sont aussi sensibles au sucre que les dents définitives. Il faut éduquer votre enfant à aimer autre chose que les sucreries, mais la meilleure façon de protéger ses dents à cet âge est de l'habituer à boire beaucoup d'eau. Les jus de fruits sans sucre et dilués sont une bonne source de vitamine C, mais même si le fabricant (ou vous, bien sûr) n'a pas ajouté de sucre, ils contiennent toujours le sucre naturel des fruits. Un petit gobelet par jour peut être bon pour votre enfant, mais il peut vite en boire plus et, par conséquent, ingurgiter plus de vitamines C qu'il n'en a besoin et trop de sucre pour la santé de ses dents. S'il boit du jus de fruits tout au long de la journée, il y a de gros risques qu'il le boive aussi au biberon. Téter des boissons sucrées, c'est prendre un bain de bouche au sucre et c'est le plus sûr moyen de s'abîmer les dents. En réalité, s'il n'y avait qu'une précaution à prendre maintenant pour les dents de votre bébé, ce serait de refuser de lui donner des biberons remplis de boissons sucrées et de vous assurer que personne d'autre ne lui en propose.

Faites comprendre à l'entourage de votre enfant que le lait nourrit, que l'eau désaltère et que le jus de fruits dans un petit verre est un plaisir occasionnel. Si vous y parvenez, vous éviterez peut-être à votre enfant le passage d'un vrai jus de fruits frais à la boisson certifiée «vitamine C concentrée» pour bébés, «à base de fruit» pour les tout-petits et aux boissons gazeuses encore plus tard. L'habituer aux boissons sucrées la première année, c'est porter un coup à la santé de ses dents toute son enfance.

Un grand frère qui laisse
le bébé laver ses cheveux
peut lui faire oublier sa
peur du shampooing.

En grandissant, les bébés passent plus de temps par terre et, dès qu'ils savent ramper, ils se salissent beaucoup plus. Les laver n'est plus aussi facile que quelques semaines auparavant, quand ils restaient encore (plus ou moins) tranquilles. Comment laver le visage d'un bébé qui mâchouille la débarbouillette et changer sa couche pendant qu'il mange ses pieds ? Ce n'est pas évident, mais tant que vous gardez le sens de l'humour, c'est plutôt amusant.

Laver les cheveux

Dès qu'ils sont capables de s'asseoir dans la baignoire, la plupart des bébés adorent le moment du bain, mais se mettent parfois à détester qu'on leur lave les cheveux. Une fois assis, ils n'apprécient pas qu'on les bascule en arrière et ont peur d'être couchés dans l'eau. Mais leur faire un shampooing assis est compliqué. Ils ont du mal à pencher leur tête et, s'ils ne le font pas, l'eau dégouline sur leur visage et c'est ce qu'ils détestent.

Lorsqu'il commence à s'énerver, abandonnez la lutte. Sinon, il aura de plus en plus peur. Pour l'instant, sa courte mémoire est dans votre camp : si vous ne le shampouinez pas pendant un mois, il oubliera probablement sa terreur. En attendant, vous pouvez lui passer une éponge sur les cheveux, comme si vous passiez une brosse humide sur un tapis, et le coiffer avec un peigne mouillé pour qu'ils ne paraissent pas gras et ternes.

À la prochaine tentative, veillez à ne lui mettre ni savon ni eau dans les yeux. Si du savon coule quand même, retirez-le avec une serviette plutôt que de le rincer. Si l'eau qui coule sur sa tête lui fait toujours peur, n'insistez pas. Lorsqu'il se débat, l'eau dégouline sur son visage et c'est *exactement* ce qui l'effraie.

Tant qu'il accepte qu'on le lui mette sur la tête, ce gadget stoppe les gouttes tant redoutées.

Il faut alors changer de méthode. Pour éviter que l'angoisse du shampooing ne le dégoûte du bain, vous pouvez séparer les deux activités en lui lavant les cheveux sur le rebord de la baignoire ou dans une bassine, comme quand il était minuscule (voir p. 102). Une autre solution est de lui laver les cheveux quand il partage son bain avec un adulte, bien en sécurité contre lui, si cela le rassure (voir p. 176). Si vous rincez les cheveux de devant avec une débarbouillette sans les immerger, il n'y a aucune raison que la moindre goutte coule sur son visage.

L'HYGIÈNE VITALE

La propreté est l'ennemie des bébés qui rampent mais une bonne hygiène est vitale. Trouver le bon équilibre, c'est être très vigilant avec la nourriture et les excréments (humains ou animaux) mais ne pas trop s'inquiéter de l'état des genoux de votre bébé ou des jouets qui traînent sur le sol et qu'il porte à la bouche. Ce genre de «saleté propre» peut contenir des bactéries – et même les plus nocives qu'on appelle «germes» – mais seule la véritable saleté – celle des aliments périmés, de la litière du chat ou des couches souillées – en contient une quantité dangereuse pour les défenses de votre bébé et peut le rendre malade.

Les germes sont un vrai danger dans les maisons, mais la menace que représentent les produits toxiques chimiques est plus courante et plus grave. Dès qu'il se déplace à quatre pattes, votre bébé ne tarde pas à se redresser et à grimper. Il est temps de cacher les produits d'entretien, de retirer l'alcool du buffet et d'installer des serrures spéciales sur les placards du garage et sur l'armoire à médicaments.

PARENTS, ATTENTION !

La noyade

Les bébés peuvent se noyer dans très peu d'eau, juste ce qu'il faut pour couvrir leur nez et leur bouche – moins de 5 cm. Ils se noient parce que, lorsqu'ils tombent en avant, ils ne mettent pas toujours leurs bras devant eux pour se relever et finissent à plat ventre. S'il arrive qu'ils se retrouvent ainsi dans l'eau, ils ne retiennent pas leur respiration pendant qu'ils se débattent pour se tourner ou s'asseoir. Au contraire, ils prennent une grande inspiration pour crier et se remplissent les poumons d'eau.

Tenez votre bébé qui commence juste à s'asseoir dans le bain et ne tournez pas le dos même lorsqu'il se tient plus fermement. Il pourrait essayer de se relever en se tenant au bord de la baignoire ou, plus tard, essayer de marcher dans l'eau. Ne le laissez jamais seul, même une minute, jusqu'à, au moins, trois ans.

Le danger est aussi dans le jardin. Dès que votre enfant peut y aller seul, les bassins en plastique doivent être vidés après chaque utilisation et les grandes piscines doivent être clôturées.

Apprendre à votre bébé à nager est le meilleur moyen de lui apprendre à retenir sa respiration lorsqu'il se retrouve sous l'eau. Mais ses capacités aquatiques précoces ne doivent pas faire baisser votre garde pour autant. Savoir nager dans une piscine chauffée et calme n'a rien à voir avec tomber la tête la première dans la cuve qu'on vient d'escalader, passer à travers la glace dans une mare gelée, glisser sur le bord d'une rivière profonde ou être renversé par des vagues.

Plus votre bébé adopte une alimentation proche de celle des adultes, plus ce qu'il reste à la fin de la digestion ressemble aux selles des adultes. L'alimentation solide ainsi que le lait de vache non modifié traversent les intestins plus lentement et laissent une plus grande quantité de résidus non digérables. Les selles sont donc moins fréquentes mais plus dures et ont une odeur plus ordinaire.

La constipation Le temps dont le corps a besoin pour évacuer les restes de la digestion est encore variable d'un bébé à l'autre. Il en est de même pour les enfants et les adultes. Une selle par jour n'est pas – et ne sera jamais – la condition, ou le signe, d'une bonne santé. Votre bébé n'est constipé que lorsque ses selles sont sèches, dures et douloureuses à évacuer.

L'explication la plus probable à ce genre de selles est un manque d'eau. À un degré faible, la déshydratation est assez courante pendant la période où votre bébé est en train de remplacer le lait par l'alimentation solide. Elle est sans doute aussi encouragée par le passage du biberon ou du sein au verre. Proposez-lui souvent de l'eau et, si les selles dures persistent, un peu de jus de fruits ou de légumes dilué.

Vous n'utiliserez de laxatif que si votre médecin vous l'a expressément recommandé. Ce qu'il ne fera sans doute pas, car la plupart s'accordent à penser que forcer le rythme naturel du corps est une grosse erreur. Ne perturbez jamais les habitudes de ses intestins en utilisant des suppositoires ou des lavements. Les intestins s'ouvrent quand ils en ont besoin. Il n'est pas de votre rôle de les contrôler.

Les diarrhées Votre bébé peut avoir du mal à digérer certains aliments, et parfois des morceaux non digérés sont visibles dans les selles. S'il y a aussi du mucus, cela signifie que l'aliment contenait trop de fibres ou de pépins. La prochaine fois que vous le lui proposerez, essayez de rendre la purée plus lisse ou de le tamiser.

Une intolérance à un plat épicé, une cure d'antibiotiques ou une augmentation soudaine de sucre ou de graisse peuvent provoquer des selles très molles et fréquentes et particulièrement malodorantes. En soi, ce genre de diarrhée non infectieuse ne rend pas votre bébé malade et ne nécessite aucun traitement, si ce n'est une alimentation adaptée un jour ou deux.

Mais si, en plus de ces selles, votre bébé est faible, n'a plus d'appétit et a de la fièvre ou des vomissements, il faut consulter un médecin le jour même. Il peut souffrir d'une gastro-entérite. C'est un problème moins grave à cet âge que chez les jeunes nourrissons, mais la perte d'eau peut quand même rapidement les rendre extrêmement malades. Consultez votre médecin et, en attendant, proposez-lui toute l'eau – plate ou avec une préparation réhydratante si le médecin vous le recommande – qu'il peut boire.

Quelques précautions simples vous aideront à éviter les gastro-entérites – et toute forme d'intoxication alimentaire. Les suggestions d'hygiène pendant la période de sevrage sont appropriées (voir p. 243).

Ce second semestre va introduire des changements marquants dans la vie nocturne de la famille. Des changements dans le pire ou dans le meilleur sens. Le nombre total d'heures que votre bébé passe à dormir par jour diminue sans doute légèrement, mais c'est surtout le changement de son rythme (plus que sa durée) de sommeil qui va compter pour vous. Jusqu'alors, il partageait son temps de sommeil de façon à peu près égale sur le cadran de l'horloge, dormant autant d'heures la nuit qu'au cours de ses siestes (si vous pouviez distinguer l'une des autres). À présent, le sommeil se concentre principalement sur la nuit.

En général, les bébés dorment entre dix et douze heures la nuit et font encore deux siestes, de vingt minutes à trois heures chacune. Ne vous attendez pas cependant à passer des nuits parfaites ou vous risqueriez d'être déçue au moindre réveil. Des statistiques récentes ont montré que moins de 1 bébé sur 6 fait ses nuits entre neuf et dix mois et plus de 1 sur 6 se réveille au moins une fois – et certains encore jusqu'à huit fois par nuit.

Bien qu'il reste un certain lien entre le sommeil et l'alimentation de votre bébé – un repas complet et un bon biberon l'aident toujours à s'endormir –, il est beaucoup moins fort qu'avant. Il ne s'endort plus systématiquement après chaque repas et, même lorsque celui-ci précède juste l'heure habituelle de la sieste, une activité distrayante peut le tenir éveillé encore un moment.

Comme nous l'avons vu précédemment, les bébés qui ont moins besoin de sommeil que la moyenne exigent plus d'attention de la part des adultes qui s'en occupent, mais tirent un avantage considérable de leurs heures supplémentaires d'éveil. Si votre bébé est dans un service de garde ou chez une gardienne, assurez-vous qu'on ne le laisse pas s'ennuyer pendant des heures sous prétexte qu'il est « censé » dormir. Un petit dormeur a une vie plus pleine que ceux qui dorment plusieurs heures par jour et a besoin de l'aide des adultes pour la remplir. La personne qui s'en occupe doit donc trouver le moyen de vivre sa journée d'adulte en la partageant avec le bébé, plutôt que de la diviser en périodes consacrées au bébé et en périodes consacrées à ses propres activités. Cet effort sera au bout du compte récompensé : un bébé qui passe son temps avec des adultes attentifs qui font des choses intéressantes a de fortes chances de devenir extrêmement sociable et dégourdi.

Toutefois, ne renoncez pas trop vite aux siestes. Même si votre bébé ne dort pas plus de vingt minutes chaque fois, il apprécie probablement de passer le double de ce temps confortablement installé dans son petit lit, avec des jouets et des choses intéressantes à observer.

Tenez-vous au rituel d'un temps de repos le matin et d'un deuxième l'après-midi, même si vous savez que votre bébé ne va pas vraiment dormir. Ignorez son bref mécontentement d'être laissé seul – un bébé actif, et attaché à vous, vous fera toujours savoir qu'il préférerait rester en votre compagnie.

Il y a de fortes chances qu'après quelques minutes, vous l'entendiez jouer et parler tranquillement tout seul. Si c'est le cas, laissez-le

Cette pause au milieu de sa vie stimulante, il l'apprécie peut-être autant que vous.

Ne faites cependant pas la sourde oreille à ses premiers grognements d'ennui. Retournez le voir même s'il n'est resté seul qu'un quart d'heure. Si vous le laissez, il va se sentir prisonnier de son lit et ne sera pas content d'y retourner.

LES DIFFICULTÉS À LE COUCHER

Un sommeil indépendant de l'alimentation et concentré sur la nuit devrait aussi vous permettre de mieux dormir. Mais d'autres développements suivent un scénario différent. Jusqu'à six mois, votre bébé s'endort quand il en a besoin. Rien ne peut l'en empêcher, excepté la faim, la maladie ou la douleur. S'il va facilement au lit le soir et fait des siestes la journée, vous êtes à peu près sûre qu'il dort autant qu'il veut et que, s'il ne dort pas, c'est qu'il n'en a pas besoin. Mais les choses changent entre six et neuf mois.

Votre bébé est à présent capable de se forcer à rester éveillé ou d'être tenu éveillé, non seulement par le bruit et le mouvement autour de lui, mais aussi par sa propre excitation ou par son refus d'être séparé du monde par le sommeil.

Dès qu'ils sont capables de se tenir éveillés, la plupart des bébés le font. Le refus d'être mis au lit le soir est l'un des problèmes les plus courants et les plus perturbants que les parents rencontrent. Vous serez bien chanceux si vous n'avez pas à en souffrir à un certain moment, au moins avec l'un de vos enfants. Alors, quand cela arrive, ne vous morfondez pas plus en vous persuadant que les enfants des autres vont au lit comme des anges ou que vous êtes responsable du comportement du vôtre.

Il est courant que des problèmes persistants apparaissent au moment où vous cessez de lui donner le sein ou le biberon à l'heure du coucher, qu'il ait huit ou dix-huit mois. Quel que soit son âge, une fois que votre bébé peut faire exprès de rester éveillé, vous ne pouvez plus être sûre qu'il va dormir lorsqu'il est fatigué. L'inverse est parfois vrai : il peut être trop fatigué, trop tendu et trop nerveux pour trouver le sommeil dont il a tant besoin.

Les premiers signes de ce genre de difficultés apparaissent souvent juste après un petit traumatisme. Les bébés qui font un séjour à l'hôpital, même très court, ont souvent des problèmes pour s'endormir de retour à la maison. Mais l'événement perturbateur n'est pas forcément traumatisant. Des vacances loin de la maison qui changent son « train-train » quotidien, une nouvelle chambre ou simplement des meubles neufs pour remplacer ses anciens suffisent à le désorienter et à l'empêcher de trouver le sommeil. Ces troubles étant beaucoup plus faciles à prévenir qu'à guérir, cela vaut la peine de bien réfléchir avant d'introduire tout changement majeur mais facultatif dans l'environnement de votre bébé pendant cette période.

Cependant, une cause extérieure n'est pas indispensable... Souvent, le problème vient du bébé lui-même, de son attachement passionné à vous et de sa détermination à vous garder près de lui ou à rester près de vous. Il ne peut pas supporter de vous voir partir et, même si vous êtes à ses côtés, il ne peut pas s'autoriser à s'endormir car cela l'éloigne de vous. Alors il pleure et crie lorsque vous le quittez, accueille votre retour avec un grand sourire et se remet à crier dès que vous quittez à nouveau la pièce. Si vous vous asseyez à côté de lui, il reste calmement étendu mais, dès que vous bougez, il semble se réveiller en sursaut. Sa capacité à rester éveillé dépasse sans doute votre patience. Il n'a rien d'autre à faire de la soirée, vous si.

Dormir avec son bébé

Il n'y a pas forcément de «solution» pour prévenir ou bien dissiper tout le stress de la séparation au moment du coucher. Même si vous «évitez» la séparation en faisant dormir votre bébé avec vous dans votre lit, vous ne supprimez pas forcément le stress. Soyez bien consciente de ce que cela implique pour le futur proche – quand votre bébé va ramper, grimper et marcher – avant d'en faire une solution à long terme.

Si votre bébé ne se couche pas tout seul, mais avec vous, où va-t-il passer ses soirées avant que vous alliez au lit? Pour l'instant, il est peut-être possible de le garder près de vous, de le laisser tomber de sommeil, puis de le mettre sur le canapé. Mais ce sera beaucoup plus compliqué quand il sera mobile. Il aura du mal à s'endormir sans être mis, de façon définitive, au lit. Et même s'il s'endort sur le canapé, il n'y sera pas en sécurité, pas plus que sur le sol ou dans un parc.

S'il n'est pas habitué à être quitté pour aller au lit le soir, être quitté lorsque vous voulez sortir lui sera sans doute difficile – de même que pour votre gardienne.

Une fois que vous l'avez couché dans votre lit, l'un de vous devra rester avec lui chaque minute où il ne dort pas et le surveiller de près lorsqu'il dort. Laissé seul, il risque de gigoter et de tomber. Et même s'il est descendu du lit sans se faire mal, sera-t-il en sécurité, libre de ramper dans votre chambre? Et même s'il ne se réveille pas, sera-t-il pour autant en sécurité? Les études qui affirment que dormir dans le lit des parents est bon pour les bébés oublient de dire que matelas, couettes et oreillers *sans adulte* ne sont pas sûrs.

Si vous l'allaitez, il ne va pas être facile de le sevrer alors qu'il peut, plus ou moins, se servir lui-même. Cela vous convient-il de le laisser se nourrir la nuit jusqu'à ce qu'il se sèvre lui-même?

Aider son enfant à dormir tout seul

Si vous préférez que votre bébé dorme dans son propre lit – dans votre chambre ou dans une autre –, il y a vraiment quelque chose que vous pouvez faire pour l'aider à vous libérer le soir. Votre but est de resserrer pour lui l'intervalle entre être éveillé avec vous et être endormi tout seul. Si vous le portez d'un coup hors du salon rempli de lumière et du son familier des gens et de la télévision, jusqu'à la pièce fraîche, sombre et calme où il est mis dans un lit dont il sait qu'il ne pourra s'échapper, et où il ne peut qu'écouter vos pas s'éloigner, il y a des chances qu'il panique. Nous ne savons pas ce qu'il pense, mais ses sanglots semblent dire: «Tu t'en vas, tu es partie, je suis tout seul à jamais...»

La réorganisation de la mise au lit et des gestes qui l'accompagnent peut vous aider à adoucir cette séparation. Prenez tout votre temps pour le coucher et faites en sorte que ce moment soit attendu comme un moment agréable de la journée. Cela peut commencer par votre arrivée au service de garde ou le départ de sa gardienne. Ou bien seul avec vous, après un bon souper ensemble, suivi d'une bonne partie d'éclaboussures dans le bain et de l'arrivée de son papa à la maison. Votre bébé a ensuite besoin d'un moment de retour au calme. Les petits rituels lui permettent de réaliser que l'heure du coucher arrive, que le compte à rebours a commencé. Beaucoup de bébés – et d'enfants, car les rituels durent longtemps – ont l'habitude qu'on leur raconte une histoire, qu'on compte les marches des escaliers, qu'on leur chante une chanson dans leur chambre, qu'on embrasse des images ou des jouets particuliers puis qu'on les embrasse, eux, dans leur lit. Votre bébé acceptera sans doute plus facilement d'être au lit s'il ne se retrouve pas complètement coupé du reste, grâce à une petite lumière, une porte ouverte ou au fond sonore du reste de la famille. Et il acceptera aussi beaucoup plus facilement de vous laisser partir *un peu* si vous ne tentez pas de partir *complètement*. Vous pouvez passer encore dix minutes à trier son linge, à préparer ses habits pour le lendemain, en accomplissant ces quelques tâches près de sa porte afin qu'il commence à somnoler avec le réconfort de votre présence. Le père peut se joindre à vous pour que le bébé vous ait tous les deux quelques minutes, avant que vous le laissiez lui chanter sa dernière chanson. Au bout du compte, votre bébé se retrouve seul, bien sûr, mais même s'il préférerait que l'un de vous reste, cela n'a rien à voir avec le laisser seul avec sa panique, bouleversé par votre départ. Si le coucher peut être ce moment calme et heureux, votre enfant va apprendre, au cours de ces mois, à trouver réconfort et sécurité par lui-même. Ce qui l'aidera à supporter d'être séparé de vous.

SES HABITUDES

C'est votre bébé qui décide des habitudes qui le rassurent, et personne d'autre. Il ne peut pas vous forcer à rester avec lui ou à continuer à le câliner ; ce réconfort-là est entre vos mains. Mais il peut se consoler autant qu'il veut par ce qui ne dépend que de lui.

C'est à la fois la force et la faiblesse de toutes ses habitudes de réconfort. Elles sont bonnes pour le bébé parce qu'elles lui procurent une source indépendante et autonome de sécurité, le rendent capable

Sucer son pouce est une source de réconfort toujours disponible et qu'il contrôle.

de compter sur lui-même et le laissent moins à la merci des adultes. Mais elles sont mauvaises pour lui s'il en a un besoin tel qu'elles le privent du réconfort venant des autres personnes. En général, cependant, un bébé qui a recours à une de ces habitudes pour se rassurer quand sa mère le laisse le soir ne fait rien de négatif pour lui. Mais un bébé qui a besoin de cette habitude toute la journée, même en présence de sa gardienne ou de ses parents et lorsque le monde des jouets et de l'exploration est à sa disposition, montre que quelque chose ne va pas. Il n'y a bien sûr pas lieu de s'inquiéter si c'est occasionnel. Cet après-midi, votre bébé préfère se balancer dans son coin plutôt que de jouer? Il est sans doute juste un peu plus fatigué que d'habitude ou ne se sent pas bien. Mais s'il se comporte ainsi souvent, s'il a toujours besoin d'être rassuré par cette habitude, c'est sans doute parce qu'il ne reçoit pas assez de réconfort affectif par ailleurs. À un point beaucoup plus grave, un enfant qui s'enferme dans un univers de balancement rythmique montre qu'il ne parvient pas à retirer de joie ni à vivre dans le monde des hommes et de leur activité.

Se rassurer en tétant La succion est la source de réconfort la plus basique. Votre bébé suce peut-être ses doigts, son pouce ou une sucette depuis des mois. Mais à présent, sucer prend une nouvelle signification. Il peut tout à fait supporter que vous le quittiez à condition qu'il suce son pouce et pas autrement. Lorsque vous partez, il le suce plus fort. Il suce plutôt que de pleurer, il reporte l'énergie de ses cris sur son pouce, transfère le réconfort de votre présence sur le réconfort de la succion. Sucer est si basique que votre bébé peut y ajouter d'autres habitudes.

Les doudous Appelé par les psychologues «objet transitionnel», le doudou est un objet que les bébés adoptent et qui, dans leur esprit, remplace les personnes absentes. Les doudous vont de la couche en tissu à la vieille couverture, en passant par des jouets doux plus traditionnels. Le doudou reste avec votre bébé pendant votre absence, comme un petit bout d'amour parental. Il est toujours là pour lui au petit matin, quand vous n'êtes pas encore venue le chercher. Tous les enfants n'ont pas de doudou, mais ceux qui en choisissent un le font souvent au cours de ce semestre et l'utilisent passionnément, en plus de leur pouce ou tout seul. Le doudou prend une réelle importance émotive pour votre enfant. C'est son ami, la chose qui le rassure, le protège de ce qui lui fait peur, et la promesse de votre retour. Il peut se contenter de le caresser ou s'en servir de façon beaucoup plus complexe. Il peut, par exemple, s'enrouler un foulard autour de la tête, une extrémité sur le visage pour qu'il la suce avec son pouce. Ou tenir son ours en peluche de façon que l'oreille de l'ours soit sous son nez.

Si votre bébé adopte ce genre d'objet, ce sera ce qu'il possède de plus important, ce que sa gardienne ne doit jamais oublier au parc ou jeter à la poubelle, ce que vous ne devez jamais laisser à la maison pour partir en vacances ou l'emmener à l'hôpital. Il est possible que vous ne puissiez même pas le laver autant que vous le souhaitez parce que cela supprime son odeur si familière. Un doudou ne peut jamais vraiment être «dupliqué», l'usage quotidien qu'il en fait lui donnant sa valeur unique. Il va s'en servir pendant des années, alors mieux vaut prendre quelques précautions. Si votre enfant choisit

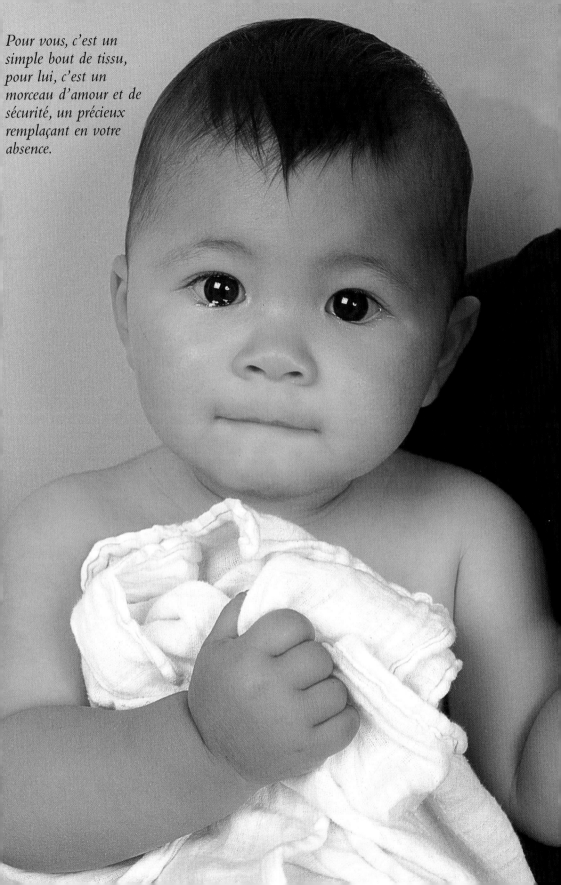

Pour vous, c'est un simple bout de tissu, pour lui, c'est un morceau d'amour et de sécurité, un précieux remplaçant en votre absence.

comme doudou une simple couche en tissu, gardez-en deux ou trois de côté en cas d'urgence. Si le doudou est une peluche, pourquoi ne pas racheter la même tout de suite et la mettre en lieu sûr ? Si c'est un bout de couverture ou un bout d'un de vos tee-shirts, vous pouvez en couper la moitié sans qu'il s'en aperçoive et la garder pour le jour où l'original tombera en lambeaux. Ce «double» ne l'empêchera pas d'être malheureux, car il ne sera jamais exactement pareil et n'aura jamais la même odeur. Mais ce sera toujours largement mieux que rien.

Les rituels Certains bébés investissent leur besoin de réconfort dans les rituels du coucher proposés par les parents. Cela ne pose aucun problème, mais ayez à l'esprit qu'une fois que vous avez instauré certains rituels pour mettre votre bébé au lit, il peut les enrichir à tel point que des treize minutes initiales qui y sont consacrées, vous passiez à trente-trois d'ici ses trois ans. Assurez-vous que toute personne censée le mettre au lit connaisse les détails des rituels qu'il a choisis. Ne vous attendez pas à ce que sa grand-mère le couche facilement si vous ne lui avez pas fourni ces quelques clés avant de sortir ce soir.

Les mouvements rythmiques Quand votre bébé était tout petit, vous marchiez sans doute en le tenant dans vos bras, le berciez et le caressiez pour le consoler et le rassurer. Quelle que fût la cause de ses cris, une activité physique en rythme le calmait. Les bébés plus grands y prennent toujours plaisir et beaucoup inventent des façons plus ou moins appréciables de reproduire un mouvement rythmique.

On compte, parmi les gestes inoffensifs que votre bébé peut découvrir, le fait de se caresser le visage ou de tirer sur son doudou. Entortiller ses cheveux autour d'un doigt est plutôt inoffensif mais peut, à un certain point, les abîmer, les emmêler ou même les arracher. Se balancer sur les mains et les genoux jusqu'à faire grincer le lit est une habitude bruyante mais sans danger. Un balancement qui fait taper la tête du bébé au bout du lit est déjà plus ennuyeux.

Se taper la tête Si vous remarquez que votre bébé se tape la tête chaque soir, il faudra découvrir si c'est le bruit ou le choc régulier qui le rassure, ou s'il cherche vraiment à se faire mal. Le meilleur moyen d'éclairer ce point est de fixer plusieurs morceaux de carton sur la tête de lit. N'utilisez pas un tour de lit ou une autre protection moelleuse qui le priverait du bruit. Le but est que son geste provoque toujours un bruit sourd mais qu'il ne puisse pas lui faire mal. S'il accepte cette situation, la douleur n'est pas le but, et vous n'avez aucune raison de vous inquiéter. Mais si le bébé n'est pas satisfait ou transfère ce balancement de tête sur les barreaux durs de son lit, la douleur fait vraiment partie de cette habitude et vous devez vous interroger — ainsi que la personne qui s'en occupe la journée — sur le sens de ce besoin de se faire mal.

Peut-être est-il en colère contre quelqu'un et retourne-t-il cette colère contre lui-même ? Y a-t-il quelqu'un ou quelque chose qui le frustre à un point insupportable ? Si ce geste n'apparaît que lorsque son père part en voyage ou alors que vous venez de changer de gardienne, le retour de son père ou un temps d'adaptation plus long suffiront à régler le problème. Si vous lui évitez toute source évidente de stress, lui offrez beaucoup d'attention et la possibilité de se défouler dans des jeux physiques avec vous, sa tension intérieure devrait diminuer.

Si, au lieu de diminuer, le cognement de tête se met à apparaître aussi en journée et que votre bébé ou petit enfant commence à se blesser volontairement sur les murs ou le mobilier, il faut consulter votre médecin ou un pédiatre. Ne remettez pas à plus tard parce que quelqu'un vous a dit : « Ne t'inquiète pas, beaucoup d'enfants font ça. » Il y en a peu et ils ont besoin qu'on les aide à se sentir plus heureux.

La masturbation Si les couches et les pyjamas n'y font pas obstacle, quelques bébés garçons trouvent le réconfort dans le fait de tirer de façon rythmique sur leur pénis, et quelques filles adoptent une version du balancement qui fait frotter leur vulve sur le matelas ou les barreaux. Même s'il vous semble naturel et normal que les bébés explorent les parties de leur corps en général couvertes par les couches lorsqu'elles sont dénudées, trouver votre bébé les joues rouges, essoufflé et visiblement excité risque de vous choquer.

Essayez de ne pas l'être, et si vous l'êtes, de ne pas le montrer. La masturbation ne fait aucun mal à votre enfant, maintenant ou plus tard, et le fait qu'il ait découvert ce plaisir tôt ne signifie pas que votre enfant est « sursexué ». Tous les bébés ont des sensations sexuelles (même si beaucoup d'adultes préfèrent penser le contraire) et découvrent un jour que se frotter les parties génitales est agréable. Le danger ne peut venir que de votre propre réaction, ou de celle d'un autre proche. Si votre bébé s'amuse ainsi tout seul dans son lit, laissez-le faire.

Si l'heure du coucher l'angoisse toujours Parfois, malgré toutes vos tentatives, malgré toutes ses petites habitudes rassurantes et le soin que vous apportez aux petits rituels, votre bébé reste angoissé par le fait d'être mis au lit. Tiraillée entre ses cris et votre repas qui brûle, vous avez de fortes chances de perdre de vue le long terme et de réagir au stress immédiat d'une façon qui pourrait avoir des conséquences pénibles pendant des mois. Cela vaut la peine de profiter d'un moment calme de la journée pour réfléchir au problème global.

Ce que vous voulez, c'est que votre bébé soit heureux d'être au lit, qu'il sache s'endormir calmement tout seul, en vous laissant libre de vous concentrer sur d'autres choses. Quitter sa chambre et le laisser hurler n'est donc pas la bonne solution, même si vous êtes capable de le faire. Il n'est pas heureux et le fait qu'il se sente abandonné va renforcer l'idée qu'il ne doit pas vous laisser quitter sa chambre car vous ne reviendrez peut-être jamais. Mais rester près de lui, ou le reprendre avec vous, n'est pas non plus une solution à long terme. Vous ne passez pas une bonne soirée entre adultes et loin d'apprendre qu'il n'y a pas de danger à être seul et qu'il est capable de s'endormir tout seul, votre bébé comprend que vous pensez aussi que la solitude est intolérable.

La solution à long terme risque de nécessiter beaucoup d'efforts à court terme pour convaincre votre bébé qu'il n'y a aucun danger à vous laisser partir parce que vous reviendrez toujours, mais qu'il ne sert à rien de vous faire lever à nouveau parce que vous ne le laisserez pas faire. Vous lui donnez ce dont il a besoin – être rassuré – mais pas forcément ce qu'il demande – une journée plus longue :

■ Avant l'heure du coucher, offrez-lui des moments affectueux et agréables. Une querelle à cause du dîner ou une bagarre jalouse autour de l'attention du père suffisent à le faire douter de l'amour qu'on lui porte et, par conséquent, de l'assurance de vous voir revenir si vous le quittez. Ce n'est pas le moment d'être soudainement autoritaire.

■ Assurez-vous que votre bébé a compris que l'heure du coucher approche en respectant une certaine routine chaque soir, par exemple : bain, jeu, souper, lit. N'oubliez pas ces rituels, ou même inventez-en. Mettre son ours au lit, par exemple, est une bonne entrée en matière pour le coucher lui-même.

■ Si, malgré tout, votre bébé pleure quand vous partez, faites demi-tour. Rassurez-le, embrassez-le encore et partez. Vous devrez peut-être répéter cette scène plusieurs fois, mais c'est la seule façon de le convaincre que vous revenez vraiment, mais que vous ne le reprendrez pas dans vos bras et ne resterez pas avec lui pour l'endormir.

■ Si vous êtes revenue encore et encore, essayez de le rassurer seulement par la voix. Cela peut lui suffire d'entendre votre voix l'appeler calmement. Si c'est le cas, pendant ce temps vous épargnez vos jambes et pouvez parler, au moins *un peu*, à son père. Ce n'est pas exactement l'idéal, mais c'est ce qui s'en rapproche le plus pour le moment.

LES RÉVEILS NOCTURNES

Même si les bébés peuvent dormir à poings fermés jusqu'à douze heures d'affilée, certains se réveillent souvent, même si c'est brièvement. Ce genre de réveil a longtemps été qualifié de «mauvaise habitude». On l'ignorait, on réprimandait même l'enfant pour lui «faire passer l'habitude». Mais les bébés sont incapables de faire exprès de se réveiller. Si quelque chose perturbe le vôtre avant qu'il ait assez dormi, ou s'il se réveille au cours d'une de ces périodes de «sommeil léger» que chacun traverse, le laisser pleurer ne va pas empêcher la même chose de se reproduire la nuit suivante. « Il va vite apprendre à ne pas le faire », dit-on. Mais comment peut-il apprendre à ne pas faire quelque chose qu'il ne contrôle pas ?

Les troubles externes Parfois, les réveils nocturnes, à cette période, sont dus à des événements extérieurs. Il ne dort plus aussi profondément qu'avant. Rien ne vous assure qu'une fois endormi, rien ne viendra le perturber. Ne laissez pas des visiteurs entrer dans sa chambre et n'y entrez pas vous-même sans une bonne raison de penser qu'il a besoin de vous. Laissez sa porte entrouverte pour vous rassurer d'un simple coup d'œil.

Les bruits qui se noient dans le brouhaha général de la journée peuvent devenir particulièrement gênants dans le silence de la nuit. La circulation intense dans la rue, la proximité d'une voie ferrée ou d'un arrêt d'autobus sont susceptibles de le déranger. Il peut même entendre les allées et venues les moins bruyantes. Il n'est pas nécessaire que les visiteurs entrent dans sa chambre pour le réveiller. S'il partage votre chambre, vos mouvements, vos chuchotements et les bruits que vous faites en dormant peuvent aussi le déranger.

Organisez l'environnement de votre enfant pour minimiser les sources de gêne. Si vous manquez d'espace, réfléchissez bien à qui partage la chambre de qui. S'il partage une chambre avec un enfant plus grand, il risque d'être dérangé par ses cauchemars et plus long à rendormir que l'aîné. Peut-être préférerez-vous le garder dans votre chambre. Si la pièce où il dort est longée par une route fréquentée, installer un double vitrage fera une grande différence, et de lourds rideaux aideront aussi un peu.

S'il a froid, il se réveillera plus facilement. Il court moins de risques dans une chambre très froide que lorsqu'il était plus petit parce qu'il ne sombrera pas dans un sommeil profond tant qu'il a trop froid. Si le chauffage s'éteint au milieu de la nuit et que la température chute, il se réveille. Sans faire monter la température de sa chambre au-dessus de 18-20 °C, vous ne voulez pas que votre bébé ait froid s'il sort de sa couverture. Une dormeuse ou même une gigoteuse conserve sa propre chaleur.

Des fesses très irritées peuvent le perturber plusieurs nuits de suite, l'urine lui brûlant la peau à chaque pipi. Autant prendre vos précautions au moindre signe d'une *possible* irritation et lui mettre une large couche de vaseline en guise de protection. Autour de son premier anniversaire, il peut passer quelques nuits difficiles à cause de l'arrivée de ses premières molaires.

Et, à moins d'avoir beaucoup de chance, il aura sûrement quelques rhumes et les gênes qui vont avec. Vous ne pouvez pas prévenir ce genre de réveil nocturne mais une dose appropriée d'acétaminophène peut l'aider à bien continuer sa nuit.

Les troubles internes Malheureusement, la plupart des pleurs nocturnes à cette période sont provoqués par des problèmes internes et sont plus difficiles à gérer. Dès qu'il est en période de sommeil léger, il est susceptible de se réveiller. Si, à ce moment, tout va bien pour lui, il se rendort sans rien dire, à moins qu'il n'ait systématiquement besoin de vous et de vos rituels. Des caméras vidéo installées dans des chambres d'enfants pendant la nuit ont permis de voir des bébés se réveiller et se rendormir sans que personne s'en aperçoive, bien plus souvent que les parents ne l'imaginent. Mais si votre bébé a besoin d'être nourri ou bercé ou câliné, il va vous appeler (voir p. 182), de même que s'il se sent anxieux et inquiet au réveil.

Les cauchemars – ou au moins les peurs nocturnes – sont courants à cet âge. Bien sûr, les parents n'ont aucun moyen d'en connaître la cause, car leur bébé ne peut pas leur raconter. Soudain, ils poussent un cri de peur, visiblement effrayés, mais ils sont complètement rassurés par l'arrivée des parents et, en général, replongent dans leur sommeil avant même qu'ils aient fini de les consoler.

Certains bébés font plusieurs cauchemars par nuit, plusieurs nuits par mois. Les études montrent qu'il s'agit souvent de bébés qui ne sont pas consolés tout de suite lorsqu'ils pleurent la journée par leurs parents ou leur gardienne parce que ceux-ci ont peur de trop les gâter ou ont trop d'enfants à surveiller. On peut donc dire que ces bébés compensent inconsciemment la nuit le trop peu d'attention dont ils bénéficient le jour, qu'ils tentent de se rassurer, la nuit, sur l'amour dont ils doutent quand ils sont éveillés.

Si votre bébé semble correspondre à ce schéma, essayez de vous mettre à sa place et de voir s'il a des raisons de se sentir délaissé. Si vous avez la moindre hésitation sur la réponse, il va falloir changer de comportement ou trouver un nouveau mode de garde, ou les deux. De plus :

■ Ralentissez l'allure si vous avez l'impression de trop pousser votre bébé. Si vous êtes en train de le sevrer, par exemple, peut-être allez-vous trop vite pour lui. Le laisser téter à nouveau peut ramener un peu de calme.

■ Assurez-vous que l'heure du coucher est calme et agréable. Se coucher en se sentant aimé et protégé l'aidera à passer une bonne nuit.

Le problème des réveils nocturnes systématiques

Si votre bébé commence à se réveiller de peur plusieurs fois par nuit et que vous ressemblez à un zombi, le prendre dans votre lit les premières fois peut au moins vous permettre de finir convenablement votre nuit. Beaucoup de parents s'en sortent ainsi et cela peut fonctionner pour vous comme pour d'autres. *Essayez* cependant de ne pas le faire par désespoir total ou en allant contre vos propres résolutions (voir p. 109). S'il partage votre lit les quelques semaines ou mois où il fait des cauchemars, il y a des chances qu'il n'ait pas très envie de se retrouver seul ensuite. Même s'il vous semble que vous ne pouvez pas vivre de nuits plus pénibles que celle que vous vivez, le retour à son propre lit risque d'être pire :

La solution à court terme la plus agréable. Mais vous conviendra-t-elle à long terme ?

■ Si votre bébé se réveille sans raison, sans avoir peur, mais est simplement incapable de se rendormir sans votre aide, le prendre dans votre lit va différer le moment où il parviendra à accomplir cet exploit. Il risque aussi de devenir plus difficile à coucher. Il sait qu'il

peut compter sur vos bras et vos câlins pour l'endormir à 2 heures du matin, pourquoi n'en serait-il pas de même le soir au coucher ? Après tout, il ne sait pas lire l'heure…

■ Si vous êtes décidée à ne pas le prendre dans votre lit, assurez-vous qu'il est vraiment en train de pleurer et non de grommeler avant d'aller le voir. Si c'est un cauchemar qui l'a sorti de son sommeil, il se calme dès qu'il vous aperçoit, entend votre voix ou sent la caresse de votre main. Bientôt, vous saurez le réconforter ainsi à moitié endormie vous-même et toute prête à retourner au lit.

■ S'il se réveille sans raison et a plutôt envie de jouer ou, à la limite, de téter ou d'être bercé jusqu'à ce que le sommeil le reprenne, vous pouvez avoir recours aux mêmes techniques que pour le coucher le soir (voir p. 263). Ce sont toujours des compromis entre laisser votre bébé pleurer jusqu'à ce qu'il s'épuise tout seul et abandonne tout espoir de vous voir, et le faire dormir avec vous. Vous êtes ferme et confiante lorsque vous le laissez (« Tout va bien. Il n'y a aucune raison de t'inquiéter. Dors maintenant. ») ; quand il pleure, vous retournez le rassurer (« Il n'y a aucune raison de pleurer, nous sommes juste à côté. ») ; mais vous ne le prenez pas dans vos bras, même si ses mains tendues vers vous vous brisent le cœur (« Non, pas maintenant. Il est l'heure de dormir. »). L'endormir ainsi peut être long et difficile, mais si les solutions extrêmes ne vous plaisent pas, c'est la façon la plus douce d'y parvenir.

Il y a différentes façons d'agrémenter cette approche afin d'en faire une véritable « méthode ». Peut-être souhaitez-vous que quelqu'un décide pour vous du nombre de minutes passées auprès de votre bébé la première nuit et du nombre de câlins la troisième. Mais votre meilleur guide est votre bébé. S'il panique vraiment, vous choisirez sans doute de rester avec lui jusqu'à ce qu'il se calme, même si cela prend plus de temps que prévu. Si ses pleurs expriment plutôt sa mauvaise humeur ou son chagrin, et non de la colère et de la peur, vous pouvez attendre un peu plus dans l'espoir qu'il s'endorme avant que vous n'y retourniez.

Le papa peut jouer un rôle important dans ce processus. Si votre bébé est nourri au sein, ou l'était encore récemment, les effets du sevrage se mélangent peut-être à ceux de la séparation. Votre bébé pensera moins à être dans vos bras s'il ne sent pas l'odeur de votre lait. Et même s'il a oublié l'allaitement depuis longtemps, la séparation d'avec vous peut lui être plus difficile que la séparation d'avec son père. Autant essayer, de toute façon.

Le réveil   Votre bébé ne sait pas quelle heure il est. Il se réveille parce qu'il a
aux aurores   assez dormi pour le moment. Même lorsqu'il aura abandonné le biberon qu'il avait l'habitude de prendre aux premières heures du matin, il y a peu de chance que vous arriviez à le convaincre de dormir encore. Ignorer ses pleurs et ses cris ne sert à rien. Au bout du compte, vous devrez vous lever, alors autant le faire tout de suite. Mais vous n'êtes pas obligée de commencer tout de suite la journée :

■ Laissez-lui assez de lumière pour qu'il puisse jouer. Si sa chambre est sombre le matin, vous pouvez brancher une petite veilleuse. Disposez une sélection de jouets dans (ou hors de) son lit afin qu'il puisse s'amuser tout seul, au moins un moment.

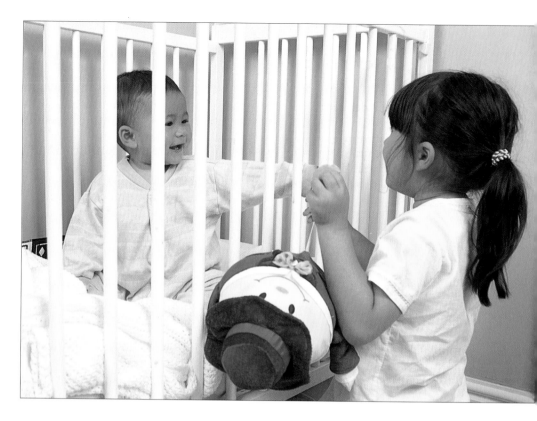

Au petit matin, sans adultes, les enfants savent s'amuser ensemble avec une douceur étonnante.

■ Commencez par le retirer de sa dormeuse, changez-lui sa couche et proposez-lui une petite boisson. Il est possible qu'après cela, il vous accorde encore une heure de sommeil…

■ Un grand frère ou une grande sœur peut avoir envie de lui tenir compagnie. S'ils partagent la même chambre, ou si l'aîné est autorisé à aller dans la chambre du bébé quand il se réveille, ils peuvent prendre plaisir à jouer ensemble. Sans adultes, les problèmes de jalousie ne se posent pas. Le bébé est en sécurité dans son lit à barreaux, ne peut pas tirer sur les cheveux ou les jouets et consacre tout le charme qui vous est habituellement destiné à son grand frère ou sa grande sœur. Ces parties de jeu au petit matin sont souvent le point de départ ou le ciment d'une relation proche et affectueuse. Habituée à leurs querelles quotidiennes lorsqu'ils sont avec vous, vous serez surprise par la douceur de ces moments intimes.

Ces moments, vous ne pouvez pas les partager, mais vous aussi vous vivrez des matins magiques. Même si votre lit lui est strictement interdit la nuit, il n'y a aucune raison de résister aux délices des câlins matinaux. Le prendre avec vous pour une étreinte en famille quand vous êtes tous éveillés (ou presque) ne va pas tout remettre en cause et vous rappelle tout le bonheur d'être parents !

CONSOLER
SES PLEURS

La vie des bébés de cette tranche d'âge est beaucoup moins caractérisée par les pleurs que celle des nourrissons. Le nombre total de minutes qu'il passe à pleurer dans une journée est beaucoup plus faible qu'à trois mois et bien loin du pic de la sixième semaine. Et même si votre bébé pleure encore beaucoup, l'impact de ses cris sur vous et son entourage n'est probablement plus le même. Il y a trois mois, il paraissait parfois pleurer sans raison, juste pour pleurer encore et encore quoi que vous puissiez faire. À présent, pleurer est beaucoup plus une réaction qu'un comportement en soi. Si votre bébé pleure, c'est à cause d'un événement ou d'un sentiment précis. Et s'il pleure plus aujourd'hui qu'hier, c'est parce que des choses perturbantes lui sont arrivées ou parce qu'il est dans un état de sensibilité particulière.

La plupart du temps, les événements ordinaires ne les font plus pleurer. Plus ils grandissent, mieux ils supportent le tumulte de la vie quotidienne. À tel point que beaucoup de situations qui les faisaient sursauter ou pleurer, comme les bruits soudains et les mouvements brusques, les font maintenant rire. Lorsqu'un événement les inquiète, ils expriment d'abord leurs craintes par l'expression de leur visage ou de petites plaintes, et réservent leurs cris pour le cas où personne ne viendrait les rassurer. Mais bien que, au cours de ce second semestre, les bébés aient tendance à pleurer moins souvent et moins facilement, certains aspects de leur développement peuvent être l'occasion de nouveaux pleurs s'ils ne sont pas bien compris. Il est important que vous sachiez les reconnaître et vous y adapter tout de suite, car ce sont des aspects de son évolution qui vont marquer toute sa petite enfance. Une attention et une sensibilité justes aux besoins et aux émotions de votre enfant aujourd'hui rendront sa vie future, mais aussi la vôtre, plus facile.

La séparation et la solitude Les bébés et les petits enfants ne souffrent pas tous de ce qu'on appelle avec raison l'«angoisse de la séparation», mais la plupart détestent être séparés des adultes auxquels ils sont attachés. Voir leurs parents partir provoque de vraies crises de larmes. Et le fait que les parents ne répondent pas à ces larmes par un retour prompt – comme ils le font au moment du coucher – les plonge dans de longs épisodes de pleurs ininterrompus.

Le refus d'être quitté ne se cantonne pas à la nuit. Certains bébés ont si peur d'être abandonnés, quand ils sont éveillés et qu'ils jouent, que deux minutes de solitude suffisent à les faire pleurer. Mieux vaut éviter de quitter subrepticement la pièce quand votre bébé n'est pas attentif, même s'il est occupé et que vous voulez juste prendre quelque chose dans la pièce voisine. S'il lève la tête et s'aperçoit que vous avez disparu, comment va-t-il pouvoir jouer en toute confiance la prochaine fois? Une série de ce qu'il ressent comme des «trahisons» l'angoissera beaucoup plus qu'une série de départs annoncés suivis de retours affectueux.

La combinaison séparation-solitude est ce qui perturbe le plus votre bébé. Il préfère être laissé en bonne compagnie et en particulier avec quelqu'un qu'il apprécie. Les pleurs, lorsque les parents partent travailler ou quittent le service de garde, sont courants, mais ils sont en général – et doivent être – de courte durée.

La peur   Quand votre bébé était plus petit, il vous donnait sans doute l'impression que tout pouvait l'effrayer. Maintenant qu'il a une plus grande confiance en la vie en général, il peut manifester des peurs intenses pour une ou deux choses précises. Il peut, par exemple, ne plus du tout avoir peur des bruits forts mais être soudainement terrifié par celui de l'aspirateur. Il peut adorer tous les jeux de bagarre mais détester qu'on lui passe des vêtements par la tête. Il peut adorer le bain et tout ce qui se rapporte à l'eau, mais paniquer à la vue des mouvements tourbillonnants de l'eau de la baignoire que vous évacuez.

Ce genre de peurs, qui semblent totalement irrationnelles, peut vous agacer : pourquoi le bruit de l'aspirateur l'effraie-t-il alors que celui de la laveuse ne lui fait rien ? Mais les peurs ne sont pas rationnelles. Il faut accepter les siennes et les respecter parce qu'elles sont réelles et non parce que vous les trouvez raisonnables. Si vous êtes tentée de lui prouver que ce bruit est inoffensif, pensez à vos propres phobies. Nous en avons tous. Pourquoi craignez-vous les scarabées alors que les fourmis vous indiffèrent ? Et qu'est-ce que cela change pour vous de savoir que les scarabées ne piquent pas alors que les fourmis peuvent le faire ?

Le meilleur comportement à avoir avec ces peurs est de les admettre une fois que vous les avez découvertes, et d'aider votre bébé à éviter autant que possible ce qui l'effraie. Oubliez l'aspirateur quand vous êtes toute seule avec lui, sans personne pour le rassurer et l'emmener dans une autre pièce de la maison. Un balai mécanique ne vous coûtera pas cher et ne fait pas de bruit. Ne videz pas l'eau de son bain tant qu'il est à côté et ne lui achetez pas de vêtements au col étroit et sans boutons, même s'ils sont très beaux. Cependant, vous ne pouvez pas deviner ce qui va effrayer votre bébé en particulier. Il est peut-être très courageux face à ces exemples et apeuré par des expériences bien différentes. Quelles que soient ses craintes, ne lui laissez pas imaginer que vous les partagez en les lui évitant ostensiblement. Lorsqu'il se heurte à une de ces choses angoissantes et que vous l'en éloignez, il faut qu'il comprenne que vous l'aidez parce qu'elle *lui* fait peur, non parce qu'elle fait peur à *tout le monde* ou juste à *vous*.

Si tout cela vous impatiente ou vous embarrasse devant d'autres personnes qui pensent qu'il ne faut pas encourager les peurs des bébés, souvenez-vous que, plus il sera en présence de sa peur, plus celle-ci grandira. Au contraire, moins il aura à l'affronter, plus vite elle disparaîtra d'elle-même. Vous ne ferez jamais disparaître une peur en la provoquant.

Un événement inhabituel   Au cours de ces mois, votre bébé commence à connaître quelques attentes à propos des gens et de leurs comportements. Il s'habitue aussi à la vie quotidienne, avec sa routine, son rythme et ses rituels. Ces attentes neuves et fortes sont en train de s'élaborer et sont une de ses premières préoccupations. Lorsqu'un événement semble les contredire, il perd confiance en sa compréhension des choses et a peur. Par exemple, imaginez un bébé qui a compris que, tous les matins, quand

il se réveille, son père ou sa mère vient lui dire bonjour et le sort du lit. Maintenant, imaginez qu'à la place d'un de ses parents, ce soit un inconnu qui arrive. Il est évident que le bébé va se mettre à pleurer de peur, mais on ne pense pas toujours que ses pleurs sont aussi motivés par le fait que son attente a été trompée. La peur vient-elle simplement du fait qu'il ne connaît pas cette personne? Ou du fait que cet inconnu soit entré sans avertir? À cet âge, c'est peu probable, car ce même étranger qui entre dans la maison pour prendre le thé avec la famille obtient sans problème de beaux sourires. Ce qui dérange votre bébé, ce n'est pas que cette personne soit apparue, mais qu'elle soit apparue quand et là où il attendait ses parents. Le même phénomène peut se produire lorsque le bébé prend certaines habitudes par rapport au biberon. S'il boit en général du lait tiède et que vous lui donnez du lait froid, le changement peut le faire pleurer. Ce n'est pas qu'il n'aime pas le lait froid (il l'adorera sans doute dans un verre) mais juste qu'il ne s'attendait pas à ça.

Il peut aussi être très perturbé par les expériences totalement nouvelles. Sa première tentative sur une balançoire, sa première glace, sa première rencontre avec un cheval peuvent le faire pleurer. Ce sont des événements potentiellement agréables, mais il lui faut du temps pour s'y habituer.

Il est important d'aider votre bébé à affronter une expérience nouvelle ou inattendue, parce qu'en grandissant, son horizon va s'élargir et toutes les expériences nouvelles à venir vont l'enrichir, le fortifier et le structurer. Bien sûr, les choses seront plus simples lorsque vous pourrez les expliquer avec des mots, mais à six mois, vous pouvez déjà l'avertir d'un événement nouveau imminent par l'intonation, le toucher et le geste, prévoir ce qui va l'inquiéter et attirer son attention sur votre présence calme et réconfortante afin qu'il vive l'expérience à travers vous. S'il découvre cette première balançoire assis sur vos genoux, rassuré par votre voix qui lui explique cette nouvelle sensation et par vos bras le tenant fermement, il aimera ça dès la première fois. Et les meilleures premières lapées de glace sont celles que l'on fait sur la glace d'un autre.

L'impuissance Les bébés ont des émotions très fortes mais très peu de pouvoirs. Autant que nous le sachions, leurs amours, leurs haines, leurs volontés et leurs espoirs sont aussi forts que les nôtres, mais leur impuissance physique et verbale les empêche de les exprimer. Souvent, votre bébé pleure parce que c'est la seule chose qu'il puisse *faire*. Une situation est survenue dans laquelle il ne peut rien obtenir par lui-même. Ses pleurs vous signalent que c'est à vous d'agir.

Vous sortez de la pièce. Votre bébé veut venir avec vous. Il n'est pas encore mobile, donc ne peut pas vous suivre. Il ne peut pas non plus vous empêcher de partir ni vous demander de l'emmener. Donc, il pleure. Une autre fois, il joue calmement dans son lit lorsque le jouet qui l'intéresse tombe à travers les barreaux. Il ne peut pas le récupérer tout seul. Il ne peut pas vous demander de le ramasser. Donc, il pleure. Pendant une promenade, vous croisez une amie qu'il ne connaît pas et qui lui tend les mains en disant : « Tu viens dans mes bras me faire un câlin ? » Le bébé sent vos bras se lâcher. Il ne peut pas vous dire d'arrêter ou répondre à la question de l'inconnue avec des mots. Il ne peut que pleurer son : « Non ! » Plus un adulte est sensible aux signes plus subtils que les pleurs envoyés par un bébé, moins le bébé a besoin de pleurer.

Si, par exemple, vous l'avertissez que vous allez quitter la pièce, il va tendre les bras pour vous demander de le prendre avec vous. Si vous tendez une oreille quand il joue dans son lit, son silence interloqué vous indique que le jouet est tombé. Toutefois, tout n'est pas seulement entre vos mains. L'ultime réponse à l'impuissance de votre bébé vient de son propre développement. Apprendre à marcher à quatre pattes, par exemple, est à la fois un plaisir et une libération. Il peut enfin aller où il veut, au moins dans les limites de la liberté que vous êtes prête à lui accorder.

Prisonnière et impuissante, elle ne peut que pleurer, demander du secours et vous serrer fort.

La colère et la frustration Une fois que les bébés peuvent se déplacer et faire ce qu'ils veulent, ils ressentent une grande frustration à être arrêtés par les adultes. Autour de un an, ce genre de frustration est la cause la plus courante des pleurs. Même le soir au coucher, c'est un peu ce genre de colère qui les fait pleurer, le sentiment d'être coincés dans ce lit dont ils voudraient sortir.

Un bébé qui rampe et peut explorer le monde doit être en permanence sous l'œil vigilant d'un adulte pour sa propre sécurité et celle de ce qui l'entoure. Le détourner de la porte du réfrigérateur huit fois en dix minutes vous rend peut-être folle mais lui, cela le désespère. Il veut ouvrir cette porte et il faut encore attendre des mois avant qu'il ne comprenne pourquoi il ne peut pas, ou juste pour qu'il se souvienne que vous ne l'autorisez pas à le faire. Plus il veut découvrir et faire de choses, plus le fait d'en être empêché – par vous ou par sa propre incompétence – va le mettre en colère.

Vous devez l'empêcher de se mettre en danger ou d'abîmer ce qui l'entoure. Et il doit se lancer des défis fous s'il veut apprendre. Quelques pleurs de colère et de frustration sont donc inévitables. Mais un bébé qui se sent toujours entravé par les adultes ou mis en échec par sa propre immaturité sera bloqué dans son développement. Il faut trouver le bon équilibre entre trop et pas assez de frustration.

Quand vous, ou sa gardienne, êtes obligée de contrecarrer ses intentions parce qu'elles sont dangereuses ou préjudiciables, pensez à vous servir de sa grande capacité à être distrait. Une longue bagarre autour du réfrigérateur est inutile. Emmenez votre bébé à l'autre bout de la pièce et, après une brève colère, il oubliera le frigo – pour le moment. Installez un système de sécurité sur la porte ce soir. Lorsqu'il voudra l'ouvrir demain, il sera frustré quelques minutes puis s'en désintéressera et passera à autre chose.

Quand le bébé se frustre tout seul, vous pouvez vous-même juger de la situation dans laquelle il s'est mis : a-t-il quelque chose à en apprendre ou bien n'en retirera-t-il que de la colère et des pleurs ? S'il se bat pour soulever le couvercle de la boîte à jouets et qu'il y a de fortes chances qu'il y arrive, laissez-le faire. Le succès vaut bien l'effort. Mais si vous voyez qu'il n'y parviendra pas tout seul, ne tardez pas trop à l'aider. Vous n'allez pas offenser sa dignité par cette ingérence. Il n'accorde pas encore d'importance au fait d'y arriver tout seul. Il veut juste enlever le couvercle, peu importe comment.

Certains bébés semblent avoir un degré de tolérance à la frustration plus important que d'autres. Un même revers fait hurler celui-ci et laisse cet autre souriant. Il n'y a pas grand-chose que vous puissiez faire à ce sujet, il est donc inutile de vous inquiéter. Mais ne décidez pas non plus que, parce que cette aptitude à la frustration est innée, il vaut mieux vous y résigner. Pendant ce semestre comme pendant le premier, il est faux de considérer le tempérament de votre bébé comme définitif. Il peut très bien acquérir une patience exceptionnelle plus tard. Et un tempérament placide aujourd'hui ne garantit pas qu'il sache prendre la vie comme elle vient plus tard… Si vous êtes à son écoute semaine après semaine et l'aidez chaque jour en le laissant vous guider, vous ne pouvez pas faire mieux.

Certains bébés pleurent plus facilement que d'autres et ce genre de crise est assez inévitable, mais le temps que le vôtre passe à pleurer dans une journée est un indice révélateur de son bien-être. S'il ne vous semble jamais satisfait plus de cinq minutes d'affilée (ce qui n'aide pas la personne qui s'en occupe à rester souriante), cela vaut la peine de trouver ce qui le gêne le plus. En dehors de certains états physiologiques – la douleur, la faiblesse, la fatigue, la faim, la soif –, ses pleurs sont probablement une réaction à un sentiment de solitude ou d'angoisse, ou une façon d'attirer votre attention sur lui, ou une explosion de frustration et de rage. Si vous parvenez à déceler quelle émotion favorisée par quelles circonstances provoque ses pleurs, vous saurez certainement lui offrir ce qui lui manque – la sécurité, la rapidité de vos réactions à ses demandes, la liberté – pour être un bébé heureux (et plus facile pour vous).

LE POINT DE VUE DES PARENTS

Mon bébé constamment accroché à moi me rend claustrophobe.

Je suis restée à la maison avec mon fils pendant neuf mois. J'espérais ne pas retravailler tant qu'il avait besoin de moi. Mais il pleure dès que je quitte la pièce et j'imagine déjà le mal que j'aurai à le mettre à l'école à cinq ans. Je l'aime plus que je ne l'aurais imaginé et je ne peux pas supporter de le quitter, mais je me sens enfermée et je ne peux pas supporter ça. Et puis, il y a l'argent. Nous pouvons nous en sortir avec un salaire, mais je m'inquiète pour le cas où quelque chose arriverait à mon mari ou à mon mariage. Personne ne le dit, mais je pense que cela aurait été plus simple si j'avais repris le travail quand il avait six semaines, avant qu'on s'habitue à être ensemble.

C'est un véritable dilemme partagé par des millions de femmes. Il est souvent simplifié à l'extrême du fait que seule une femme torturée par ce choix semble avoir le droit de dire quels sont ses problèmes et ses priorités.

Le problème n'est pas simplement que votre bébé veut que vous restiez et que vous avez envie de partir, mais que *vous* avez *autant* envie de rester, pour vous-même comme pour lui, que de partir. Cela n'a pas grand-chose à voir avec un éventuel plan de carrière ou un problème d'image de soi. L'argent est un peu juste pour le moment et en avoir un peu plus aiderait, mais c'est l'argent dans le futur qui vous inquiète et le fait d'être entièrement dépendante du papa. Vous n'êtes pas juste terrorisée par la séparation qui s'approche, mais par la possibilité que ce que vous avez fait jusque-là n'en valait pas la peine. Si vous aviez repris un travail à plein temps quand votre bébé avait six semaines, la séparation aurait effectivement été moins dure. Mais votre sentiment de liberté vous aurait fait rater des millions de câlins… Il ne semble pas de toute façon que vous doutiez vraiment d'avoir fait le bon choix. Et au moins, vous *aviez* le choix.

Votre inquiétude sous-jacente – votre bébé est peut-être *trop* attaché à vous et vous à lui – est sans fondement. À la fin de la première année, les bébés sont tous très accrochés à leur maman et c'est ce qui vous donne ce sentiment de claustrophobie. Mais il ne serait pas *moins* attaché si vous travailliez à plein temps ; vous seriez juste moins là pour vous en rendre compte.

De même, le fait qu'il ait probablement plus de mal à vous laisser partir maintenant qu'à six semaines ne signifie absolument pas qu'il aurait été mieux de le quitter plus tôt *ou* de ne jamais le quitter. Le temps passé ensemble a donné à votre relation des bases solides qui pourront supporter un changement de mode de vie, surtout si le changement n'est ni brutal ni total. Il pleurera quand vous partirez, sera fou de joie lorsque vous reviendrez, apprendra que d'autres adultes peuvent prendre soin de lui et qu'il n'est pas dangereux de laisser partir les gens qu'on aime parce qu'ils reviennent toujours.

Bien sûr, vous n'aimez pas voir son visage s'assombrir quand vous préparez votre sac et se chiffonner quand vous mettez votre manteau. Mais votre travail est de l'aider à gérer les émotions fortes, non de le garder dans un cocon dans lequel personne n'est jamais vraiment triste, mais jamais vraiment heureux non plus.

Lorsqu'un bébé s'assoit tout seul pour la première fois, son propre étonnement suffit parfois à le déséquilibrer.

ENCORE
PLUS MUSCLÉ !

Les bébés de six mois ont souvent l'air à l'aise dans leur corps. Ils utilisent leurs quatre membres en des gestes rythmés et souples. Ils adorent bouger et testent sans cesse les limites de leur propre force, qu'ils luttent pour se retourner ou pour soulever leurs épaules toujours plus haut au-dessus du sol. Ils semblent comprendre, maintenant, que chaque petit morceau de corps est une partie de ce tout.

Comme nous l'avons vu, le contrôle des muscles se fait du haut vers le bas du corps. À cet âge, le contrôle de la moitié supérieure du corps — les épaules, les bras et les mains — est bien plus avancé que celui de la moitié inférieure.

Votre bébé peut utiliser ses bras et ses mains pour atteindre de façon précise des objets, et il peut bouger sa tête pour suivre des yeux leurs mouvements. Il n'a pas encore la même maîtrise de ses hanches, de ses genoux et de ses pieds. C'est son nouveau combat de quadrupède, qui s'assoit et se déplace à quatre pattes, puis de bipède, qui marche tout seul.

S'ASSEOIR

Si vous calez bien votre bébé de six mois en position assise sur le sol, les jambes bien étendues et écartées, que vous l'équilibrez et retirez doucement vos mains, il gardera sans doute la position « assise » trois ou quatre secondes. Le contrôle de ses muscles a assez progressé vers le bas pour qu'il puisse se tenir droit du haut de la tête jusqu'aux hanches. Mais pas encore assez pour qu'il puisse trouver lui-même son équilibre dans cette position.

Vers sept ou huit mois, certains bébés résolvent ce problème d'équilibre en se penchant en avant et en posant leurs mains devant eux, à plat sur le sol. Si votre bébé adopte cette position, elle lui permettra d'être relativement stable, mais elle n'est pas la façon la plus utile d'être « assis tout seul ». Les deux mains étant occupées à conserver l'équilibre, il ne peut pas jouer ni même sucer son pouce. Et comme il doit se pencher en avant pour poser ses mains à plat sur le sol, il ne peut pas non plus voir ce qui se passe d'intéressant.

La plupart des bébés trouvent cet équilibre tout seuls, sans l'aide des adultes et sans poser les mains, vers huit ou neuf mois. Mais, même alors, s'asseoir est plus un exercice qu'une position pratique pour faire autre chose. Votre bébé a compris comment rester droit une minute ou plus, mais il bascule toujours dès qu'il tourne la tête ou tend une main. Il va lui falloir encore un mois d'entraînement constant avant que la position assise remplace la position couchée ou calée contre des oreillers qu'il utilise lorsqu'il est éveillé.

Aider son bébé à s'asseoir L'action de s'asseoir est inscrite dans le développement de votre enfant. Vous n'avez pas à lui en donner envie ni même à lui apprendre comment faire. Mais s'il est capable de découvrir son point d'équilibre dès six ou sept mois, il est incapable de se mettre en position assise sans votre aide jusqu'à environ neuf mois. Vous pouvez donc lui donner des occasions de s'y entraîner en l'installant dans cette position.

Il vous fera lui-même clairement comprendre qu'il veut que vous l'asseyiez. Étendu par terre sur le dos, il se met à tendre le cou et les épaules dans un effort désespéré pour les soulever. Si vous vous agenouillez à côté de lui, il saisit vos mains et les utilise comme leviers. Au bout de quelque temps, il aime tellement s'asseoir ainsi que, chaque fois que vous vous approchez de lui – dans son berceau ou au sol –, il vous donne ses mains dans l'espoir de renouveler l'expérience.

Comme vous ne pouvez pas tout le temps jouer à l'asseoir, il faut lui trouver des moyens d'exercer son équilibre tout seul. Soyez attentive à l'endroit et à la façon dont vous vous y prenez. L'asseoir attaché à sa chaise haute ne suffit plus. C'est une bonne position pour jouer, mais elle ne lui permet pas vraiment de s'exercer à trouver son équilibre, puisque son dos est soutenu. D'un autre côté, il est incapable de rester assis sans aucun soutien. Il faut donc lui trouver un bon compromis.

La meilleure solution est de poser votre bébé sur le sol entouré de coussins, de couvertures ou d'édredons ou sur un tapis d'éveil comme on en trouve dans les services de garde. À six ou sept mois, vous pouvez caler ce « rembourrage » sous ses fesses afin d'offrir à sa colonne le soutien dont elle a besoin quand il s'assoit une minute ou deux. Lorsqu'il tombe en arrière ou en avant pour ramper, il atterrit en douceur sur ce tapis moelleux.

Ainsi, votre bébé n'a pas besoin de s'équilibrer en posant les mains au sol et, s'il le fait, il sera vite conscient que c'est inutile puisqu'il ne se fait pas mal en tombant. Lorsque vous voyez que son sens de l'équilibre progresse, vous pouvez modifier la disposition des coussins ou des couvertures afin qu'ils l'entourent sans vraiment le soutenir. Cela lui permet, s'il agite les bras pour exprimer sa fierté de tenir assis tout seul, de tomber confortablement.

Un mois plus tard, votre bébé tient assis tant qu'il reste bien immobile et se concentre sur son équilibre. Mais rester immobile n'est pas ce qui l'amuse le plus. Cet entourage d'oreillers est donc encore indispensable chaque fois qu'il s'étire un peu trop en avant ou tombe en arrière en faisant un geste un peu trop brusque avec ses bras.

Apprendre à s'asseoir sans risques Une fois que votre bébé commence à bien tenir assis tout seul, il va essayer de s'asseoir en saisissant la moindre « poignée » à sa portée et de trouver son équilibre dès que vous l'asseyez. Certains objets ou mobiliers jusque-là inoffensifs peuvent donc devenir dangereux pour lui.

Méfiez-vous des poussettes ou des landaus trop légers. Un bébé qui dort dans son landau et se réveille collé contre un côté peut se servir du bord pour essayer de s'asseoir et tout faire basculer. Si vous le laissez confortablement calé dans ce genre de matériel pendant que vous êtes occupée, il peut décider de se pencher en avant et de trouver tout seul son équilibre. Et lorsqu'il perd l'équilibre et retombe lourdement sur le fond, le châssis et le frein subissent tous les deux un choc certain.

Il vaut mieux dès lors utiliser ce matériel de transport léger uniquement pour le déplacer. Votre bébé peut toujours s'endormir dedans quand vous vous promenez ou magasinez, mais il serait imprudent de le laisser là sans la surveillance d'un adulte. Si vous voulez que votre bébé puisse faire sa sieste chez des amis, ou commencer sa nuit dans un lit d'appoint pendant que vous soupez dehors, un lit parapluie est tout à fait indiqué, encore plus si vous avez des projets de camping ou de voyage pour les vacances. Ce genre de lit se replie et est facile à transporter ; il peut remplacer sans risque un lit normal jusqu'à deux ou trois ans et peut même faire office de parc.

Faites attention aux sièges pour bébés légers. Un bébé plus petit exerce une pression régulière sur le dos de son siège. Quand il tend le cou vers l'extérieur, il bouge sa tête et ses épaules, mais laisse ses fesses et la majorité de son poids bien calées au fond du siège. À présent, il gigote pour se tenir droit, s'équilibre quelques secondes, puis relâche ses muscles et retombe au fond du siège avec une force qui peut le faire basculer. Si le siège est sur le sol, il se fait peur et sans doute mal. S'il est sur une table ou un bureau, la chute peut être beaucoup plus grave.

Même si votre bébé n'a pas encore atteint le poids maximal préconisé, il est temps d'abandonner les berceaux et les sièges pour bébés à bascule, sauf s'ils sont adaptables et se transforment en chaise haute conforme aux normes de sécurité pour les mois futurs. Le siège de bébé ne doit plus être utilisé, mis à part peut-être pour des piqueniques et sous votre surveillance constante. Si vous ne voulez pas acheter de siège adaptable, votre bébé a besoin soit d'une chaise haute, soit d'une combinaison table et chaise. Quoi qu'il en soit :

■ Pensez à toujours utiliser un harnais de sécurité pour attacher votre bébé. Il risque d'essayer de se lever dans sa poussette ou dans sa chaise et de tomber lui-même ou de les renverser sur lui. Il doit porter un harnais de sécurité dès que vous l'installez dans un matériel qui l'enferme, tel qu'un siège, un landau, une poussette ou un siège d'auto, sauf bien sûr dans son lit ou son parc, qu'il ne pourra escalader que dans très longtemps et qui lui procurent une liberté limitée mais sûre. L'utilisation d'un harnais de sécurité est moins désagréable si chaque équipement a son propre système d'attache. Si vous devez aller chercher le harnais dans la cuisine, sur la chaise haute, pour installer votre bébé sur sa poussette, un jour viendra où vous n'irez pas le chercher. Et c'est le jour que votre bébé choisira pour découvrir comment basculer en avant…

■ N'installez plus votre bébé sur un fauteuil ou sur un lit. La pratique de la position assise s'accompagne toujours de chutes, et la meilleure chute est celle qui va du sol au sol. Si votre bébé tombe d'un sofa, il ne se blessera sans doute pas gravement mais pourrait être traumatisé psychologiquement et perdre confiance en lui, ce qui ralentirait ses progrès et diminuerait son plaisir à s'asseoir.

■ Ne laissez pas votre bébé tout seul sur le sol lorsqu'il s'entraîne à se tenir assis, surtout s'il est entouré de coussins. S'il tombe le visage dans les coussins, il parviendra sans doute à relever la tête et à se retourner, mais il suffit que ses bras soient malheureusement bloqués pour qu'il s'étouffe… Votre bébé prêt à s'asseoir est aussi prêt à ramper. Il ne doit jamais être laissé seul et libre dans une pièce, même pas le temps d'aller ouvrir la porte…

SE METTRE À QUATRE PATTES

Lorsqu'il sait se retourner, il peut ramener ses genoux sous lui et se mettre à quatre pattes – mais souvent, il se déplace d'abord en arrière.

Beaucoup de bébés (mais pas tous) apprennent à se mettre à quatre pattes en même temps qu'à tenir assis tout seuls. Ces deux développements évoluent souvent parallèlement, mais le déplacement à quatre pattes est plus long à perfectionner. À six mois, le bébé tient assis une seconde mais ne trouve pas son équilibre et se met à quatre pattes mais ne sait pas avancer. À sept ou huit mois, il peut jouer en position assise sans tomber et, un mois ou deux plus tard, il peut aller où il veut à quatre pattes.

Les bébés qui ne maîtrisent pas ces deux techniques simultanément commenceront certainement par apprendre à s'asseoir. Il n'est pas rare qu'un bébé sache s'asseoir mais pas se déplacer pour son premier anniversaire.

Bien que la position «à quatre pattes» soit la plus courante pour se déplacer d'un bout à l'autre d'une pièce, beaucoup de bébés adoptent des techniques différentes avant, ou à la place, de celle-ci. Au tout début, la mobilité commence souvent par une série de roulades que le bébé termine en tentant de glisser sur les derniers centimètres. Un sol lisse l'aidera à apprendre à se déplacer en se traînant sur les coudes, les jambes droites derrière lui. Si cette position le satisfait, il mettra du temps à apprendre à replier ses jambes et à pousser sur ses genoux.

Les bébés qui savent se tenir droits en position assise assez tôt adoptent parfois un déplacement sur les fesses. Le bébé se tracte lui-même, utilisant une main pour se propulser. De son point de vue, cette méthode a beaucoup d'avantages. Elle lui épargne l'effort de passer de la position assise à la position à quatre pattes et vice versa, lui permet d'avoir toujours une main libre et de bien mieux voir ce qui se passe autour de lui. Les bébés qui se déplacent sur les fesses omettent souvent l'étape de la marche à quatre pattes et passent directement des fesses à la position debout, en se tenant au mobilier.

D'autres apprennent le déplacement à quatre pattes ordinaire puis découvrent qu'ils vont beaucoup plus vite en utilisant mains et pieds, plutôt que mains et genoux. Quelques-uns sautent la position mains-genoux et marchent tout de suite «comme des ours».

Alors, même si les paragraphes suivants décrivent les différentes étapes du déplacement à quatre pattes, le fait que votre bébé évolue à un rythme différent ou ait choisi une autre méthode ne signifie pas que quelque chose ne va pas. Il doit apprendre à s'asseoir tout seul et

finalement à se tenir debout et à marcher. Quand et comment il y parvient n'est pas très important.

Un bébé de six mois, couché sur le ventre par terre et qui veut un objet qui est hors de sa portée, va ramener ses genoux sous lui, pousser sur ses mains et parvenir ainsi à soulever son ventre du sol. Pendant un moment, il semble vraiment prêt à ramper, mais il ne va nulle part. De même qu'il a encore un problème d'équilibre lorsqu'il essaie de s'asseoir, il ne peut pas vraiment se déplacer quand il tente de se mettre à quatre pattes.

Pendant le septième et le huitième mois, les bébés qui choisissent de passer du temps couchés sur le ventre – ou qui sont disposés à le faire – montrent souvent un vrai désir de marcher à quatre pattes. En observant votre bébé, vous verrez qu'il fait des efforts dans ce sens, qu'il «pense droit devant lui». Mais penser n'est pas faire. Très peu parviendront à se déplacer un tant soit peu à cet âge.

Vers la fin du huitième mois, votre bébé abandonnera probablement tout à fait la position allongée sur le ventre. Dès qu'on le place visage vers le bas ou qu'il s'affale de sa position assise la tête la première, il se met sur les mains et les genoux. Il sait tout faire ainsi, sauf se déplacer. Il se balance en avant et en arrière, il pivote sur lui-même *En se lançant en avant* pour suivre vos mouvements dans la pièce ou le chat qui s'enfuit. *à partir de la position* C'est à cet âge que, désespéré de ne pas parvenir à avancer, il peut *assise, il se retrouve sur* inventer toutes sortes de façons de se déplacer qui n'ont rien à voir *les mains et les pieds et* avec la marche à quatre pattes. Il se balance, pivote, se retourne et *avance comme un ours.* gigote sur le ventre et finit effectivement par passer d'un côté de la

pièce à l'autre. Mais ce progrès-là ne lui est pas plus utile que celui qui consistait à tenir assis en se tenant en avant sur les mains. Il ne choisit toujours pas dans quelle direction il va et, si c'est la vue d'un objet attrayant qui l'a décidé à se lancer, il l'aura perdu de vue d'ici qu'il ait fini de jouer les acrobates et qu'il se soit arrêté pour se reposer.

C'est au cours du neuvième mois que les plus ardents adeptes de la marche à quatre pattes commencent à faire de vrais progrès. À leur grand désespoir, ils commencent souvent par aller à reculons. Le bébé fixe ce qu'il désire du regard et fait un effort énorme. Cependant, comme il maîtrise mieux la partie supérieure de son corps que ses jambes, il a tendance à pousser plus fort sur ses mains et ses bras que sur ses genoux. Au lieu de s'approcher de l'objet convoité, il en est encore plus éloigné. Cela le rend furieux mais ne va pas durer. Dès qu'il maîtrisera mieux le mouvement, il ira dans la direction qu'il souhaite et saura équilibrer sa force.

Aider son bébé à marcher à quatre pattes Votre bébé n'a pas plus besoin de votre aide pour l'apprentissage de la marche à quatre pattes que pour tenir assis. Il n'attend qu'une chose de vous : des occasions de le faire. Il en aura tant qu'il veut en passant la majeure partie de son temps d'éveil sur le sol. Il peut passer à quatre pattes en étant couché sur le ventre ou en se retournant s'il est sur le dos, mais aussi en basculant en avant s'il est assis. Il y a cependant quelques petites choses que vous pouvez faire pour que ses premières tentatives soient amusantes et sans danger pour lui :

■ Protégez les genoux de votre bébé. Sa peau est toujours très fragile et facilement irritée. Même l'été, il sera mieux s'il porte des salopettes de coton ou des pantalons légers pour essayer de ramper sur la pelouse ou sur une moquette rugueuse.

■ Prévoyez les dangers éventuels. Il ne va pas gagner de bon sens en apprenant la marche à quatre pattes. Une marche entre deux pièces, des escaliers, un sol inégal et des objets mal rangés peuvent être dangereux.

■ Soyez attentive à ses progrès soudains. Avant même de savoir se déplacer, votre bébé est capable, en roulant et en gigotant, de quitter le coin sûr que vous lui aviez aménagé et d'aller droit au danger. Faites une inspection vigilante des pièces où vous l'installez avant qu'il soit mobile.

■ Souvenez-vous que son désir d'avancer est motivé en partie par l'envie d'attraper des objets. Quelque chose de très attractif peut lui donner le petit plus de motivation dont il a besoin pour se lancer. Assurez-vous, quand cela arrive, que l'objet en question n'est pas un stylo ou une épingle.

■ Ne laissez pas votre bébé seul dans une pièce, mais ne l'emprisonnez pas non plus dans un parc. Seul, il peut se mettre en danger. Enfermé, il est privé du plaisir de marcher à quatre pattes et éloigné de tout ce qui motive ses terribles efforts. Il a besoin d'un sol sûr, d'objets intéressants à atteindre et d'une surveillance constante.

■ N'essayez pas de le maintenir toujours propre. Être scrupuleux sur l'hygiène de la cuisine et des toilettes est important mais inutile lorsque votre bébé joue sur le sol. La poussière ordinaire d'une maison n'est pas dangereuse et la peau est ce qu'il y a de plus facile à nettoyer. Ne lui mettez pas ses plus beaux habits si cela vous ennuie qu'il les salisse. Choisissez des vêtements confortables, chauds et qui le protègent et réservez ses jolies tenues à des occasions particulières.

Il commence par rebondir, puis saute, et maintenant il marche solennellement, tout le long du genou de son grand-père.

SE REDRESSER

Les bébés apprennent en général à s'asseoir et à se déplacer à quatre pattes en même temps, mais il faut encore du temps avant qu'ils se redressent et marchent.

À six mois, la plupart d'entre eux adorent être tenus debout sur nos genoux et se comportent comme s'ils étaient sur un trampoline : ils « sautent » en courbant et en redressant leurs genoux ensemble.

Au cours du septième mois, ils commencent à utiliser un pied à la fois plutôt que les deux en même temps. Ils « dansent » plus qu'ils ne « sautent » et posent souvent un pied sur l'autre, puis retirent celui du dessous et recommencent…

À ce stade, le bébé ne supporte pas son propre poids et il ne pense plus « droit devant lui » comme il le faisait lorsqu'il essayait de ramper. Il est rare qu'il ait l'idée d'utiliser ses pieds pour avancer en en plaçant un devant l'autre avant neuf mois. Maintenant, votre bébé « marche » en faisant deux pas jusqu'au bout de votre genou puis s'affale d'un coup en rigolant. Si vous le tenez fermement, un pied touchant le sol, et le déchargez d'une bonne partie de son poids, il peut s'amuser à faire quelques pas hésitants.

Autour de dix mois, le contrôle musculaire a atteint les genoux et les pieds. Il peut enfin supporter tout son poids, tenir sur ses pieds, les genoux bien fermes, même s'il penche encore un peu en avant au niveau des hanches. Il a fait autant de progrès pour se redresser qu'il en avait fait à six mois pour tenir assis. Il peut se redresser, mais ne sait pas s'équilibrer.

Dès qu'il peut supporter tout son poids et se tenir droit sur le sol quand quelqu'un l'équilibre, il apprend vite à se redresser lui-même. La plupart des bébés y parviennent avant un an. Ils commencent par se cramponner, une main après l'autre, sur les barreaux du lit, du parc ou de la barrière de sécurité. Si vous le lui proposez, votre bébé se sert de vous de la même façon : il avance à quatre pattes lorsqu'il vous voit assise par terre, puis attrape vos vêtements pour se redresser tout seul et se tenir debout triomphalement, agrippé à vos cheveux…

Quand le grand moment arrive pour votre bébé de se mettre debout, assurez-vous que sa prise ne va pas basculer.

Tout comme les bébés qui commencent à se déplacer à quatre pattes sont démoralisés de voir qu'ils reculent plutôt que d'avancer, les bébés qui découvrent la position verticale éprouvent souvent des difficultés nouvelles à s'asseoir. Pendant deux ou trois semaines, dès qu'il est par terre, votre bébé trouve un moyen de se redresser, mais

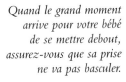

une fois debout, il crie désespérément à l'aide parce qu'il n'ose pas se laisser choir et s'asseoir à nouveau. Dès que vous êtes venue à son secours, il répète la même expérience.

Cette période où vous devez l'aider toutes les deux minutes peut être fatigante et frustrante pour vous deux, mais elle ne dure pas, et encore moins si vous évitez de le remettre directement en position assise et veillez à le faire descendre progressivement jusqu'au sol. Chaque fois que vous y pensez, vous l'aidez à réaliser qu'il peut se laisser tomber sur les fesses en lâchant sa prise ou bien descendre progressivement en s'aidant de ses mains en toute confiance. Et si vous êtes tous les deux fatigués de ce jeu, un petit tour au parc dans sa poussette ou son landau vous fera du bien. Pour le moment, il ne pense pas encore à marcher quand il est dehors et en balade. Il reste tranquillement assis à observer le monde autour de lui, ce qui repose à la fois ses muscles et vos nerfs !

Après quelques semaines passées à se redresser tout seul, votre bébé va apprendre à se déplacer en se cramponnant aux objets. Il se redresse comme d'habitude et se retrouve face au canapé ou aux barreaux de son lit. Progressivement, il avance ses deux mains le long du support puis les suit en mettant un pied sur le côté. Jambes écartées, il se rassoit et admire, abasourdi, son propre exploit. C'est un exploit majeur. Il vient de faire son premier pas. Il ne sera plus jamais un bébé qui ne marche pas.

Tant que votre bébé sent qu'il a besoin que ses mains soutiennent un peu son poids en agrippant un support, il se déplace de cette façon. Mais la pratique apporte la confiance. Quelques jours ou quelques semaines après ce premier pas de côté, il est déjà convaincu que ses jambes vont pouvoir supporter la totalité de son poids. Il va bientôt éloigner un peu son corps du support et déplacer une main après l'autre. Chaque fois qu'il déplace une main, il fait un pas de côté avec le pied correspondant, puis ramène l'autre pied à côté. Si vous l'observez bien, vous verrez que le moment qui l'inquiète encore est celui où il bouge un pied et fait peser tout son poids sur l'autre. Petit à petit, son sens de l'équilibre progresse. D'ici la fin de l'année, il se tiendra probablement droit, tenant son support à bout de bras uniquement pour se donner de l'équilibre. Très vite, il sera prêt à le lâcher et à tenir debout tout seul.

Ses premières traversées lui font faire le tour de la chaise et découvrir la vie sur ses deux jambes.

Sur deux jambes mais en sécurité Vous ne pouvez pas apprendre à votre bébé à tenir sur ses pieds en le mettant debout comme vous pouviez l'habituer à s'asseoir. Si vous lui donnez l'occasion de le faire et êtes attentive à sa sécurité, il se redressera tout seul dès qu'il se sentira prêt.

Lui en donner l'occasion n'est pas difficile. S'il est entouré de mobilier, il s'en sert. S'il est dans son lit, il utilise les barreaux. Et si aucun objet n'est à sa portée, il y a toujours vos cheveux ou le cou du chien de la maison. Le problème est que la plupart de ses tentatives finissent par une chute et que, si les chutes sont souvent inévitables à cet âge, elles risquent – surtout quand elles surviennent alors qu'il est debout – de le blesser et de lui faire perdre confiance. Plus tard, il apprendra à mettre ses mains en avant dès qu'il sentira la chute arriver. Les chutes des petits enfants ne font souvent qu'égratigner genoux ou paumes. Mais à cet âge, il ne sait pas se protéger, en particulier à cause de sa tête qui est encore grande et lourde par rapport à son corps. Ses mains sont tout occupées à essayer de garder un équilibre précaire. Ses chutes sont donc souvent maladroites. Mais vous pouvez prendre quelques précautions pour lui :

■ Prenez garde au mobilier. Les pièces fragiles sont dangereuses parce qu'elles le soutiennent lorsqu'il les saisit et commence à se redresser mais se cassent lorsqu'il s'y tient vraiment de tout son poids. Il tombe alors de sa position la plus précaire, plus vraiment assis mais pas encore debout, juste à mi-chemin entre les deux. Les objets grands et fragiles, tels un portemanteau ou une lampe sur pied, sont les pires de tous. Ils ne risquent pas simplement de se casser mais de tomber sur le bébé. Certains objets particulièrement dangereux peuvent sans doute être fixés sur place, d'autres seront déplacés hors de portée d'un bébé ou même retirés de la pièce et rangés ailleurs quelques mois jusqu'à ce que votre bébé n'ait plus besoin d'aide pour se redresser.

■ Prenez garde à ce qui se trouve au-dessus de lui. Il ne sera pas capable d'attraper des objets en se tenant debout tant qu'il ne pourra pas lâcher une main, mais il peut essayer de se redresser en se tenant à une nappe ou à un câble électrique qui pend. Recevoir une tasse de café ou une lampe de table sur la tête n'est pas une expérience agréable.

■ Ne commencez pas à utiliser une dormeuse à cet âge si votre bébé n'y est pas déjà habitué. Il pourrait essayer de se redresser dedans,

Être pieds nus aide votre bébé à sentir le sol et à trouver son équilibre.

tomber et se cogner contre les barreaux de son lit. Si, au contraire, il est habitué, ne vous précipitez pas pour l'abandonner. Il y a peu de risques qu'il essaie de grimper hors de son lit avec s'il l'a toujours eue et ce simple fait vous promet encore quelques mois de tranquillité supplémentaires par rapport à vos amies rendues folles par les tentatives d'escalade de leurs bébés.

■ Ne mettez pas de chaussures à votre bébé dès qu'il tient debout. Il n'en aura jamais besoin pour *soutenir* ses pieds. Il en a besoin seulement pour les protéger une fois qu'il marche en toute liberté sur n'importe quelle surface. Des chaussures à cet âge le gêneraient beaucoup pour trouver son équilibre, car elles le priveraient des sensations qu'il reçoit du sol et de la sensibilité de ses pieds. De plus, elles peuvent être glissantes et le faire tomber.

■ Évitez les chaussettes ordinaires sur un sol sans moquette ; elles transforment les sols durs en patinoire. Votre bébé risque de tomber et, même s'il ne le fait pas, la difficulté qu'il ressent à rester debout peut mettre à mal sa confiance. Il est plus en sécurité pieds nus. Mieux vaut utiliser des chaussettes ou des pantoufles antidérapantes.

Respecter le rythme de son bébé

N'essayez pas de faire marcher votre bébé en lui tenant les mains. À cet âge, il n'appréciera pas de marcher au milieu d'un espace vide avec vos seules mains mouvantes comme soutien. Il se sent plus en sécurité s'il se tient à quelque chose de solide. Si vous voulez l'aider à s'entraîner à être debout lorsque vous êtes au parc et qu'il n'a rien à quoi se tenir, agenouillez-vous et laissez-le utiliser votre corps comme s'il était inanimé.

Ne le forcez pas à se tenir debout ou à marcher. Se redresser, marcher en se tenant au canapé et finalement marcher tout seul dépendent de la confiance de votre enfant et de sa motivation autant que de ses muscles et de sa coordination. Si vous essayez de le hâter, vous risquez de ralentir son développement en provoquant des chutes qui lui feront peur. S'il a passé une étape – par exemple, apprendre à se redresser tout seul –, mais n'enchaîne pas avec la suivante – marcher en longeant un support –, c'est qu'il n'en a pas encore véritablement envie. Le plaisir qu'il trouve à traverser toute la pièce à quatre pattes à volonté montre qu'il n'est pas encore assez motivé par la marche. Beaucoup de bébés tiennent debout avant leur premier anniversaire, certains marchent même déjà, mais la grande majorité ne s'est jamais tenue sur ses deux pieds à un an.

Vivre avec un bébé mobile

Il n'est pas toujours facile de vivre avec un bébé qui commence à se déplacer. Cette mobilité nouvelle augmente nettement les dégâts qu'il peut faire et les situations dangereuses. Elle ne lui fait pas gagner le moindre bon sens supplémentaire. Il vous faut le surveiller à chaque instant dès qu'il est éveillé – ou le faire surveiller. Vous devez l'empêcher de faire ce qui est interdit, mais aussi l'aider à découvrir ce qui lui est permis, et vous assurer d'une façon ou d'une autre qu'il a assez d'espace pour ses activités de bébé pour ne pas envahir l'espace normalement réservé aux autres membres de la famille. Pour beaucoup de parents, cette période est l'une des plus difficiles à gérer pour la

Pour ou contre les parcs?

Maintenant que notre fille se déplace à quatre pattes et commence à marcher, nous nous disputons mon mari et moi pour savoir s'il faut privilégier sa sécurité ou sa liberté d'explorer, et plus précisément si nous devons utiliser un parc.

La différence entre la sécurité et l'emprisonnement est souvent dans l'œil du spectateur – et nous sommes tous assez illogiques à ce propos. Par exemple, nous reconnaissons que les parcs sont une possibilité (qu'on soit pour ou contre) mais nous considérons les lits à barreaux indispensables. Nous nous en servons tous pour que nos bébés ne tombent pas, mais sommes mal à l'aise à l'idée d'avoir recours à un filet au-dessus de son lit pour l'empêcher d'escalader. Chacun doit se faire sa propre opinion sur ces gadgets. Le mieux est de s'inquiéter d'abord de leurs effets sur votre bébé.

Un parc emprisonne votre enfant dans une petite surface que vous pouvez entièrement contrôler et donc préserver de tout danger. Tant qu'il n'est pas mobile, il ne peut utiliser qu'une petite surface à la fois et les parents peuvent décider de ce qui s'y trouve. À cet âge, le parc n'est donc pas un inconvénient pour lui et il n'y a aucune raison de ne pas l'utiliser si cela vous paraît utile. Peut-être n'en aurez-vous cependant pas besoin : un bébé qui reste là où on le pose n'est pas difficile à surveiller.

Dès que votre bébé rampe, tout change. Le parc sert dorénavant à l'empêcher de faire les deux choses qui l'intéressent le plus : se promener et explorer. Deux choses que les parents attendent aussi de leurs enfants. Le défi est de préserver en même temps sa sécurité (ce qui est difficile pour les adultes qui vivent forcément entourés de gadgets et ne peuvent quitter des yeux leur bébé) et non de le protéger aux dépens de son goût pour la découverte. Certaines familles trouvent un compromis en laissant en général le bébé libre de se déplacer et en s'accordant un peu de répit de temps en temps grâce au parc. Les bébés apprennent vite à protester dès qu'on les enferme et c'est ça qui fait la différence. Si cinq minutes dans son parc ne le dérangent pas et que ces quelques minutes vous font du bien, autant en profiter. Mais s'il ne les *supporte pas* et vous le fait clairement comprendre, le mettre dans son parc revient vraiment à l'emprisonner.

Qu'est-ce qui fait alors que le lit à barreaux ne donne pas la même impression même si le bébé crie et tend les bras pour que vous le sortiez de là? Peut-être parce qu'il l'empêche de faire quelque chose qu'il *ne doit pas* faire (sortir de son lit tout seul et aller là où il veut quand tout le monde dort). Dans ce cas, pourquoi ne pas y ajouter un filet pour une sécurité encore plus grande? Parce que, à la minute où il s'en rendra compte en essayant d'escalader son lit pour en sortir, ce lieu qui était son petit havre de paix deviendra une cellule de prison.

Veiller à la sécurité de votre enfant et lui offrir la liberté d'explorer sont deux choses aussi importantes l'une que l'autre qu'il faut penser en termes d'équilibre plutôt qu'en termes de choix absolu. Vous avez trouvé le juste équilibre quand votre bébé *est* en sécurité mais *ne se sent pas* emprisonné. La meilleure solution est donc de lui aménager un coin de la maison pour qu'il y soit en sécurité, et de préférer la dormeuse au filet…

surveillance de l'enfant. Accordez-vous tout ce qui peut vous simplifie la vie. Après tout, vous êtes supposée aimer ces mois et non y survivre

Il est important de penser à organiser votre maison de façon que le membres de tous âges la partagent facilement. Même s'il faut consa crer un week-end entier à la réorganisation du salon pour que le objets fragiles et les livres soient hors de portée, cela en vaut la peine Sinon, vous occuper de votre bébé reviendra à éloigner les choses d ses mains et à l'éloigner, lui, des objets, jour après jour.

Si un point particulier crée un véritable problème, faites en sorte d le faire disparaître du quotidien de votre bébé. S'il s'échappe sans cess du salon et essaie de monter les escaliers, installez une porte de sécu rité. Elle supprime le danger et l'inquiétude qui va avec. S'il veu absolument renverser le porte-magazines, mettez-le hors de sa vue Dès qu'il disparaît, il cesse d'être un problème. Parfois, ce genre d'ac tion préventive demande un peu d'ingéniosité et de patience. Si votr bébé ne cesse d'ouvrir la porte du réfrigérateur, par exemple, il v vous falloir acheter et installer une fermeture de sécurité et vivre avec C'est agaçant pour tout le monde (y compris pour le bébé!) mais pré férable aux réprimandes sans fin.

Pensez aux mesures de sécurité de base. N'oubliez pas de discute de ce qui doit être fait, et comment, avec toute personne qui pren soin de votre enfant et toute personne qui partage la partie de la mai son où votre enfant évolue. Si vous savez que votre bébé ne peut r s'électrocuter, ni tomber des escaliers, ni se brûler, vos nerfs se porte ront mieux.

Soyez positive avec votre enfant. Essayez de trouver un équivalen autorisé à toutes les actions que vous lui interdisez. S'il n'a pas le droi de vider ce tiroir, lequel peut-il vider? Mieux vaut répondre «celui ci» pour satisfaire tout le monde, plutôt qu'«aucun».

Utilisez sa capacité à être distrait pour désamorcer les crises. S' veut absolument vider la corbeille à papier, placez-la hors de sa vue e proposez-lui autre chose. Il l'aura oubliée dans quelques minutes. S vous ne pouvez déplacer l'objet, déplacez le bébé. Cinq minutes dan une autre pièce suffisent à faire oublier l'activité la plus distrayante.

Placez l'amusement avant le rangement. Balayer chaque miette e ranger au moindre début de désordre vous rendraient folle. Et si vou attendez de votre gardienne qu'elle vous rende une maison impec cable, elle n'aura pas le temps de s'occuper correctement de votr bébé. Décidez d'un moment pour nettoyer la pièce (que vous vouliez le faire deux fois par jour ou une fois par semaine), faites-le complè tement et n'y pensez plus jusqu'à la prochaine fois.

C'est au cours des six premiers mois que les bébés découvrent que leurs mains font partie de leur corps et qu'en faisant un certain effort, ils peuvent s'en servir pour atteindre les objets et les tenir. Lorsque, à la fin du premier semestre, votre bébé a « trouvé » ses mains, pour une fois et pour toujours, qu'il les bouge, attrape des jouets et les secoue aussi rapidement que vous et moi, c'est un véritable triomphe. Mais avant de se lancer dans des manœuvres encore plus compliquées, il doit apprendre à utiliser séparément les différentes parties de ses mains. Il va passer le prochain semestre à apprendre cette clé de la dextérité humaine : la prise entre le pouce et l'index.

Bien que le changement global entre six mois et un an soit énorme, les progrès quotidiens de votre bébé dans l'utilisation de sa main sont infimes. De plus, l'apprentissage du contrôle précis de ses mains dépend des objets et des occasions qu'on lui donne de s'entraîner. Même s'il est difficile de hiérarchiser, l'habileté de votre bébé à faire ce qu'il veut de ses mains est aussi importante que le fait qu'il contrôle ses jambes et ses pieds pour marcher.

Toucher et tenir

Entre six et sept mois, les bébés commencent à comprendre qu'ils peuvent se servir de leurs mains pour explorer les objets autrement qu'en les secouant ou qu'en les portant à la bouche. Même si sa réaction la plus courante à un jouet nouveau est de s'en saisir, de le mettre dans la bouche puis de le ressortir et de l'observer, votre bébé peut aussi simplement utiliser ses mains pour le toucher, le caresser ou le tapoter. Cette petite évolution est plus importante qu'il n'y paraît, car elle lui permet de s'intéresser aux objets qu'il ne peut pas saisir. Étendu sur la moquette, par exemple, il la caresse, explorant cette texture. Trois ou quatre semaines plus tôt, il en aurait été incapable et aurait concentré son énergie à essayer de saisir cette étrange fleur plate qui en est le motif. Désespéré de ne pas pouvoir l'attraper, il se serait désintéressé du reste de la moquette.

Toucher avec ses mains permet à votre bébé de découvrir les objets qu'il ne peut ni tenir ni sucer.

Une fois que votre bébé a découvert que toucher les choses avec ses mains lui fournit des informations, vous allez le voir s'intéresser de plus en plus aux différentes matières et aux sensations que ses doigts lui transmettent. Il caresse la tablette de sa chaise haute, la vitre de la fenêtre et ses couvertures. Il va même se mettre à caresser vos cheveux plutôt que de les tirer à pleine main ! Vous pouvez lui acheter des jouets « à toucher » avec des bouts de velours et de soie, mais aussi le laisser jouer sur l'herbe, la moquette, le parquet ou le tapis afin qu'il découvre les différences fascinantes du toucher. Maintenant qu'il n'a plus besoin d'attraper et de mettre à la bouche tout ce qu'il touche, vous pouvez même lui proposer de caresser le petit lapin.

Distinguer les bras et les mains

À six mois, votre bébé se comporte probablement encore comme s'il considérait que ses bras et ses mains étaient une seule et unique entité. Lorsqu'il est porté, il enroule ses bras autour du morceau de votre corps le plus accessible, plutôt que de se tenir avec une main. S'il veut attirer l'attention sur quelque chose, le geste qu'il fait dans sa direction part de l'épaule. Les gestes larges sont une caractéristique des réactions très physiques des bébés aux choses qui les intéressent, mais votre bébé va

Dans le miroir, il voit
une image dont il pense
pouvoir se saisir mais
qui est froide et plate.

progressivement apprendre à se servir aussi de son avant-bras, à partir du coude, et de sa main, à partir du poignet. Vers huit ou neuf mois, il possédera une large gamme de gestes, dont un royal «au revoir» de la main.

Pendant qu'il apprend à utiliser indépendamment les différentes parties de son bras, il apprend aussi à différencier les éléments de ses mains. À six mois, il saisit des objets à pleine main, ramasse des choses en utilisant sa main comme une petite pelle et attrape les objets plus grands en se servant de ses deux bras comme de pinces. Au cours des septième et huitième mois, il commence à utiliser ses doigts et son pouce pour prendre et tenir les objets. Environ un mois plus tard, il a un tel contrôle de ses doigts qu'il peut se servir de l'index pour montrer quelque chose ou pour appuyer dessus.

L'opposition du pouce et des doigts

Au cours des trois derniers mois de sa première année, votre bébé développe, grâce à cette nouvelle habileté manuelle, une façon plus mature d'attraper et de tenir les objets. Plutôt que d'essayer de les ramasser avec toute la main comme si c'était une cuillère, il apprend à s'en approcher en formant une pince avec son pouce et son index. Ce changement ne semble pas tout de suite faire une grande différence dans sa vie quotidienne et dans ses jeux, mais il est crucial pour sa vie future et le différencie des autres mammifères. Pour l'instant, cette nouveauté peut être dangereuse, car elle permet au bébé de récupérer la toute petite miette tombée sous la table il y a bien longtemps ou de ramasser l'épingle égarée laissée sur la table de chevet.

La petite pince qui a attrapé cette pomme et réjoui votre bébé est un développement important et propre aux humains.

En même temps qu'il développe cette manière d'attraper les objets avec ses doigts, il expérimente le difficile problème qui consiste à lâcher ce qu'il tient. À neuf mois, la plupart des bébés comprennent l'idée de lâcher un objet. Si vous tendez la main et lui dites : «Donne-le-moi», il vous tend l'objet, tout à fait conscient de ce que vous lui demandez de faire. Mais ouvrir ses doigts afin de libérer ce qu'il tient est encore un geste très difficile à réaliser. S'il reste là, à vous tendre l'objet sans le donner, ne pensez pas qu'il essaie de vous jouer un tour. Il ne sait simplement pas comment s'y prendre. Vous pouvez l'aider en mettant votre main à plat sous la sienne et en reproduisant la sensation qu'il a lorsqu'il joue avec des jouets sur une table : quand il sent l'objet et sa main posés sur une surface plane, il décontracte facilement ses doigts.

La plupart des bébés auront découvert comment ouvrir leurs doigts volontairement et dans le vide à dix ou onze mois. Une fois que votre bébé sait comment lâcher les choses, il va s'y exercer à la moindre occasion et avec un plaisir évident. Pendant plusieurs semaines, vous allez entendre ses jouets tomber de sa chaise haute, retrouver vêtements et savon au fond de la baignoire, son bonnet derrière la poussette et vos courses hors du panier d'épicerie. Cette phase peut être encore plus drôle et plus éducative (et un peu moins fatigante pour vous) si vous attachez de petits jouets à son lit ou à sa poussette. Il découvrira avec joie qu'après les avoir jetés une première fois, il peut recommencer sans fin. Faites cependant bien attention à votre façon de les attacher. N'utilisez pas de ficelle ou de corde, qui pourraient s'enrouler autour de son cou et l'étrangler. Choisissez une matière qui se casse facilement et coupez-en un morceau assez court – au maximum 15 cm. Certaines laines sont idéales, car elles sont très peu résistantes, mais méfiez-vous des acryliques et autres matière synthétiques, qui sont plus solides.

À la fin de la première année, il ne se contente plus de lâcher le objets mais les jette délibérément ou les dispose comme il veut. Votre bébé joue alors avec une balle légère qui roule et se lance – à l'inté rieur, une balle en mousse est idéale – et avec des objets qui s'emboî tent – des cubes, par exemple. Il va aussi beaucoup s'amuser à rempli n'importe quel contenant de tous les objets possibles pour ensuite l vider. Des pommes de terre ou des oranges à mettre et à enlever d'u panier le rendent heureux assez longtemps pour que vous puissie ranger les courses de la semaine.

Aider son bébé à manipuler les objets

En attendant que votre bébé puisse explorer le monde lui-même, c'est à vous de lui en amener des échantillons.

Tant qu'il n'est pas mobile, votre bébé compte sur vous pour amener l monde à lui. Encore incapable d'aller chercher ce qu'il veut, il doi attendre que quelqu'un le fasse pour lui. Assurez-vous que chacun s' prête. Même avant de pouvoir manipuler les objets, il apprend beau coup en les observant, en les suçant et en les tripotant. Si on ne lu propose que des hochets et que tous les objets domestiques fascinant sont tenus hors de sa portée, on le prive de joies et de découvertes san fin. N'hésitez pas à dire à la gardienne qui s'occupe de votre enfant chez vous ou chez elle, qu'elle peut partager ses «jouets» et ses «jeux avec lui. Il jouera avec tout ce qu'on lui propose mais appréciera d'avoir juste une ou deux choses à la fois, pour faire tout ce qu'il peu avec, avant qu'elles ne soient remplacées par d'autres trésors.

À six mois, un seul jouet suffit à accaparer toute son attention. Il n peut littéralement pas penser à deux choses en même temps, même s ces deux choses sont identiques, comme deux cubes rouges. Regarde ce qui se passe s'il en tient un dans une main et que vous lui offrez l deuxième. Pour le moment, il ne pense pas à conserver un cube dan chaque main, mais concentre son attention sur le nouveau, en lâchan le premier qui est sorti de son esprit.

Vers sept mois, cela va changer. Si vous lui donnez deux hochets o deux cubes, il peut en garder un dans chaque main. Bien que ce soi une activité intéressante pour lui, il va continuer, pour le moment, jouer avec les deux jouets séparément plutôt que de les mettre e contact. Il faut attendre encore quelques semaines pour le voir tape un hochet contre l'autre.

En général, c'est dans la même période que les bébés devienne capables de tenir deux objets en même temps et d'utiliser leurs doigt et leurs pouces séparément. Ces deux acquis combinés permettent votre bébé de partir à la découverte d'objets et de formes encore plu complexes. Il va enfiler des doigts dans tous les anneaux qu'il trouve les siens ou les anses de votre passoire à thé. Il va enfoncer son inde dans le jaune de son œuf mais aussi s'en servir pour suivre le contours du visage de sa poupée ou les courbes sinueuses des des sins de la nappe.

Être capable de tenir une chose dans chaque main ouvre un monde de combinaisons amusantes.

Votre bébé apprend les propriétés de beaucoup d'objets différent en les manipulant et découvre le bon usage de quelques-uns pa hasard. Après tout, c'est par hasard qu'il a commencé à faire du brui avec ses hochets en agitant ses bras, avant de le faire volontairement Après le premier semestre, c'est plus en observant les gens qu'i apprend à se servir des objets. Vers huit mois, il sera peut-être mêm capable de reproduire vraiment ce que vous lui montrez. Si vous lu donnez un crayon et du papier, par exemple, puis prenez le mêm

crayon et gribouillez le papier, il essaie de vous imiter. Il est fort possible qu'il ne parvienne pas à produire la moindre trace, mais ses gestes imitent les vôtres et, la prochaine fois que vous lui donnerez un crayon, il essaiera à nouveau. Des jouets accrochés à une corde produisent aussi souvent des miracles de compréhension. À sept mois, si vous lui donnez une corde à laquelle est accrochée une petite voiture, il tire dessus plus ou moins par hasard et, même si la voiture bouge derrière lui, il ne comprend pas vraiment ce qui se passe. Mais environ six semaines plus tard, il prend soudain conscience du système de cause et d'effet. Alors que la corde fait avancer la voiture, la surprise éclaire son visage et il va tirer la voiture à lui aussi souvent que vous voudrez bien l'éloigner à nouveau.

Votre bébé va mettre de plus en plus de bonne volonté à imiter ce que font les adultes et les autres enfants. S'il participe aux jeux des plus grands en compagnie d'un adulte qui lui montre comment faire ce qu'ils font – visser des couvercles, mettre la tringle du porte-papier dans le rouleau de papier hygiénique ou la clé dans la serrure et verser de l'eau d'un verre à l'autre –, votre bébé essaie de les copier. Cela lui donne plein de bonnes idées d'expériences à tenter et le motive à les essayer. C'est un bon moyen de développer rapidement son habileté manuelle.

Encouragez toujours votre bébé à utiliser ses nouvelles compétences. Même si vous avez déjà beaucoup à faire avec les repas et le bain, il vous suffit d'avoir une cuillère en main pendant le dîner et une débarbouillette pendant le bain. Vous pouvez lui montrer comment enlever ses chaussettes et tourner les pages de son carnet de santé. Il peut mettre les pommes de terre dans le bac à légumes comme les cubes dans leur boîte, taper les touches du piano aussi bien que son tambourin et lancer la balle au chien avec vous. Toutes ces choses, et des milliers d'autres, sont des expériences nouvelles pour lui. Elles sont amusantes et éducatives et surtout lui donnent l'impression de participer aux activités des adultes. Il n'a pas envie d'être tenu à l'écart du reste de la famille, avec ses propres jouets et des jeux auxquels on ne joue qu'avec lui. Il veut se joindre aux autres. Plus les adultes se mettent à son rythme et acceptent ses cafouillages, plus il apprendra vite et en s'amusant.

ÉCOUTER
ET PARLER

Même si la plupart des bébés ne produisent pas un seul mot identifiable avant leur premier anniversaire, ce second semestre est crucial pour le développement du langage. Les bébés apprennent le langage bien avant de pouvoir parler. Ils doivent d'abord écouter les mots des autres et comprendre leur sens. Alors seulement, ils seront capables de prononcer eux-mêmes des mots compréhensibles.

Le fait qu'un bébé écoute et comprenne est important mais souvent sous-estimé, alors qu'on surestime l'importance du premier mot qu'il parvient à produire. Si vous vous rendez compte que vous passez vous-même beaucoup de temps à essayer de lui faire prononcer un mot par imitation, souvenez-vous que vous êtes en train d'éduquer une personne et non un perroquet. Un son imité n'est pas un mot utile s'il n'en comprend pas le sens. Si vous persuadez votre bébé de produire le son «pa-pa» (ou de le répéter après vous plutôt que de le gazouiller à l'improviste), puis bondissez dans les bras de son père en criant : « *Papa* ! Tu as entendu ? Il a dit *papa* », ce son imité peut acquérir un véritable sens et devenir un mot utile. Mais il ne va pas apprendre à parler par ce genre d'apprentissage concentré sur un mot. Il va apprendre progressivement en décodant la masse de sons produits qui l'entoure. Contentez-vous de lui parler beaucoup, de multiplier ses chances de saisir le sens d'un mot, de répondre immédiatement et joyeusement à ses gazouillis et de lui proposer des jeux, des comptines et des plaisanteries à partir des mots.

Le pourquoi et le comment de l'apprentissage du langage De même que beaucoup de personnes pensent que les bébés apprennent les mots par imitation, beaucoup croient qu'ils apprennent à parler afin de dire ce qu'ils veulent ou ressentent. L'observation quotidienne et les études montrent toutes que ces idées simplistes sont fausses. L'imitation ne compte que de façon très limitée dans l'apprentissage du langage, comme le prouve le fait que la plupart des premiers mots et phrases ne sont, et *ne peuvent pas*, être des imitations. Les bébés parviennent à exprimer leurs désirs sans mots depuis presque un an, pourquoi en auraient-ils soudainement besoin ? Quoi qu'il en soit, les premiers mots ont rarement de lien avec les besoins de l'enfant. Votre bébé est exceptionnel si ses premiers mots sont «gâteau» ou «viens» ou «debout». Parfois, ils expriment des besoins par la négation : « À moi ! » ou même « Non ». Mais il commencera sûrement par nommer les personnes et les choses émotionnellement importantes à ses yeux ou particulièrement amusantes.

Deux principaux axes de recherche ont influencé la façon dont on explique comment – et pourquoi – les enfants apprennent le langage. Le plus ancien, élaboré par Chomsky et Lenneberg, postulait l'existence d'une aptitude innée au langage, en soulignant la capacité des enfants à apprendre la langue de leur communauté et à réaliser cet apprentissage à une vitesse incroyable et dans des conditions très variées. L'axe le plus récent, et plus connu à travers les travaux de psychologues tels que Jerome Bruner et ceux de son fondateur russe, Vygotski, considère le langage comme un acquis social plus que biologique et suggère que son développement dépend de l'«échafaudage social» construit par les parents et les adultes en général. Aucune position théorique ne se suffit à elle-même. Comme pour la plupart des controverses inné/acquis, il semble évident que chacune joue un rôle, ce qui relativise un peu la pression pesant sur les parents. Votre bébé apprendra à parler même s'il ne bénéficie pas d'un «échafaudage social» très développé. Mais en bénéficier fait quand même une différence.

Le développement de votre enfant est plus facile et plus léger si vous ne mettez de pression ni sur vous ni sur lui. Cette règle applicable à tous les aspects de son comportement est particulièrement juste en ce qui concerne le langage. Produire ses premiers sons ou faire la «conversation» était un jeu pour lui. Au cours de ce semestre, votre bébé parle – que ce soit tout seul ou à un adulte – quand il se sent heureux et enthousiaste, ou au moins content et satisfait. Quand il est en colère et triste, il ne parle pas, il pleure. Chaque fois que vous l'entendez avoir de grandes «conversations» tout seul, faire des sons, puis des pauses le temps d'une réponse, puis parler à nouveau, cela ressemble à une conversation agréable et amicale, jamais à une dispute. Lorsque votre bébé est enfin prêt à prononcer ses premiers mots, ils apparaissent aussi dans un contexte agréable. Si son premier mot est «balle», il s'agira d'un commentaire joyeux et non d'une demande autoritaire. S'il prononce votre nom, ce ne sera pas pour exprimer une insatisfaction mais un accueil chaleureux.

Favoriser la parole Au milieu de la première année, la plupart des bébés ont encore de longues conversations avec les adultes, font des pauses pour permettre à leur interlocuteur de répondre, avant de répondre à leur tour. Cela dure aussi longtemps que vous continuez à regarder votre bébé et à vous adresser à lui. Il ne peut pas encore vous parler sans vous voir ou même vous répondre si vous l'appelez à l'autre bout de la pièce.

La plupart des sons sont encore des monosyllabes. Il dit «paaa» ou «maaa» et «booo», et ces sons le font rire et lui donnent des hoquets de joie.

Au cours du septième mois, votre bébé est de plus en plus attentif aux bruits des conversations. Il commence à vous chercher des yeux quand vous l'appelez si vous n'êtes pas en face de lui. Il cherche aussi d'où vient la voix de la radio, prêt à répondre dès qu'il aura découvert qui parle.

C'est à peu près à cette période que votre bébé contrôle suffisamment son système vocal pour répéter des sons et vous l'entendez changer ses monosyllabes en «mots» de deux syllabes. Il dit «papa», «mama» et «bobo». Progressivement, ces mots se détachent les uns des autres et se perdent moins dans de longs gazouillis. Une fois que cela s'est produit, en général à la fin du septième mois, de nouveaux sons ne tardent pas à faire leur apparition, plus exclamatifs, tels «Imi!», «Aja!» et «Ippii!» Votre bébé paraît de plus en plus excité par ces «mots» bisyllabiques qui sortent de sa gorge. Une fois qu'ils ont enrichi son répertoire, vous allez chaque matin être réveillée au son d'un chœur enchanteur qu'il vous adresse comme si vous étiez dans la chambre en train de parler avec lui. Il s'exclame, fait une pause, parle à nouveau, fait une pause, puis reprend la parole et poursuit ainsi tout seul jusqu'à ce que vous décidiez de vous joindre à sa conversation.

À huit mois, la plupart des bébés s'intéressent aux conversations des adultes même si elles ne leur sont pas destinées. Quand votre bébé est assis entre vous deux et que vous parlez au-dessus de sa tête, il la tourne de l'un à l'autre au rythme de la conversation, comme s'il suivait avec attention un match de tennis. Mais le jeu de la parole est trop amusant pour que votre bébé tarde à y prendre part. Bientôt, il va apprendre à crier pour obtenir votre attention. Il n'émet ni un grognement ni des pleurs, mais un cri défini et volontaire. C'est souvent ainsi que les bébés se servent, pour la première fois, d'un son avec l'intention de communiquer quelque chose de précis.

Après ce cri, les bébés apprennent en général à chanter. Pas un chant élaboré, bien sûr. En moyenne, ils possèdent une gamme de quatre notes qu'ils utilisent de façon assez musicale sous l'influence de vos chants, des musiques que vous écoutez ou de thèmes entendus à la radio ou à la télévision.

Communiquer sans mots Langage et parole ne sont pas la même chose. Vous et votre bébé communiquez sans mots depuis le jour de sa naissance (et peut-être même avant), et au fil de sa première année, vous vous êtes approchés d'une forme de conversation. En fait, avant son premier anniversaire, votre bébé utilise le langage dans tous les sens du terme si ce n'est qu'il ne contrôle pas assez son système vocal pour produire des mots compréhensibles. Il se sert d'une gamme de gestes dont les significations sont

La communication peut prendre plusieurs formes et passer par tous les sens.

claires pour tout observateur sensible, comme secouer la tête pour dire oui ou non, pointer du doigt quand on lui demande où est tel ou tel objet, faire un câlin pour dire bonjour, agiter la main pour dire au revoir ou parfois « Va-t'en ». Quelqu'un demande à votre fils de dix mois : « Tu viens me faire un câlin ? » et il secoue énergiquement la tête de gauche à droite : qu'est-ce, si ce n'est du langage ?

Les bébés adorent les comptines qui combinent mouvements du corps et chansons en rimes.

Attendre de votre bébé qu'il forme des mots compréhensibles stimule son langage. Dans les familles de malentendants où l'on communique par signes, les bébés produisent leur premier signe reconnaissable environ entre sept et neuf mois, c'est-à-dire trois mois avant que les bébés des familles entendantes produisent leur premier mot compréhensible. L'explication est probablement autant biologique que sociale. Le contrôle des mains et des doigts est plus évident que celui du système vocal. De plus, il est plus facile pour les parents de modeler, déchiffrer et manipuler les signes des bébés que leurs sons. C'est d'ailleurs l'âge auquel tous les bébés, malentendants ou pas, adorent apprendre les chansons et les jeux à gestes, qui mettent en scène leurs corps – « Meunier, tu dors », « Savez-vous planter des choux ? »

De plus en plus près des mots

Au cours du dernier trimestre de sa première année, votre bébé va non seulement communiquer avec de plus en plus de facilité et d'enthousiasme, mais il va aussi faire de réels progrès pour former les mots. Au lieu de sortir tous les sons que son système vocal est capable de produire – comme un enfant plus grand soufflant n'importe comment dans une clarinette –, il commence à se concentrer sur les sons qu'il entend autour de lui – sur de vrais airs. En même temps, ses paroles prennent un *style* beaucoup plus élaboré, avec de longues séries de syllabes. Il commence aussi à donner différentes intonations à ces sons, interrogatifs, exclamatifs, et semble même raconter des blagues, au milieu de son bavardage. Puis ses discours changent à nouveau de style. Cette fois, le bébé cesse d'ajouter toujours la même syllabe ; il combine toutes les syllabes qu'il connaît dans de longues « phrases », comme « Ad-de-da-boo-maa ». Quelques-uns parviennent même à se faire comprendre avec ce langage aux sonorités étranges. D'autres paraissent véritablement parler mais dans une langue étrangère. Que vous puissiez le comprendre ou non, ce jargon sonne de façon si réaliste que parfois, si vous êtes perdue dans vos pensées quand il commence à parler, vous allez vous entendre dire : « Qu'est-ce que tu m'as dit, mon chéri ? », oubliant un instant qu'il n'est pas encore apte à vous « dire » quoi que ce soit. Mais il le sera bientôt.

Beaucoup de bébés prononcent leur premier « vrai » mot autour de dix ou onze mois. On ne peut être précis car les premiers mots sont étrangement difficiles à reconnaître. « Maman » par exemple. Quand un bébé de sept mois dit « mam », peu de parents ont l'idée folle qu'il s'agit vraiment d'un mot car ils n'attendent pas d'un bébé de cet âge qu'il parle. Mais lorsque le même bébé prononce le même mot à dix mois, tout est différent. Vous guettez à présent ses premiers mots et êtes prête à les reconnaître au milieu de son babil, voire à les exagérer, en oubliant que ce son dont vous faites un mot est dans son répertoire depuis des mois.

Ne vous évertuez pas à reconnaître les premiers mots de votre bébé. Cela n'a aucune importance qu'il en utilise quelques-uns ou aucun à cette période. Son jargon varié et expressif, surtout s'il est renforcé par des gestes, est la meilleure assurance qu'il va se mettre à parler dès qu'il sera prêt.

Les étapes que votre bébé traverse pour parvenir à prononcer des mots sont cependant captivantes et, en vous y intéressant, vous serez plus apte à l'aider tout au long de cet apprentissage. L'écouter attentivement vous poussera probablement à lui répondre avec des paroles de plus en plus adultes. Et c'est de ça dont il a besoin pour progresser : qu'on l'écoute et qu'on lui parle.

C'est sans doute peu avant son premier anniversaire que votre bébé aura l'idée d'utiliser un son particulier pour évoquer un événement ou un objet particulier. Toutefois, il a besoin d'encore un peu de temps pour savoir exactement quel mot correspond à quoi. Tel bébé utilise le mot «bouda» pour définir tout ce qui l'intéresse ou lui plaît : son gobelet d'eau, son livre, son jeu favori sont tous «bouda» pendant quelques jours. «Décider» quel son utiliser pour quel terme lui prend du temps. Il va utiliser le mot «bon-bon» pour désigner sa balle. Plus tard, cette même balle sera nommée «dan». Chaque fois, vous comprenez clairement qu'il désigne cette balle et rien d'autre et lui se comporte comme si l'important était d'utiliser un mot, peu importe lequel.

Il peut y avoir plusieurs semaines de confusion avant de passer à l'étape suivante et de commencer à utiliser un seul mot pour désigner un seul objet. Le son qu'il utilise alors n'est peut-être pas un «mot» au sens où nous l'entendons. Il peut s'agir d'un mot «à lui» (comme «dan» pour balle), d'un mot qu'il a inventé et rattaché à une chose ou à une personne précise. Mais même si ce mot n'a rien à voir avec le «vrai» mot, il a la même valeur si vous comprenez son sens. Après tout, le véritable rôle de la parole est de permettre aux gens de communiquer. Si vous savez que votre bébé parle d'un autobus quand il dit «gig», alors «gig» est un mot et votre bébé vous parle.

L'apprentissage des premiers vrais mots Votre bébé saisit des mots dans la masse qui l'entoure quand il est éveillé. Ceux qu'il choisit sont en général liés à quelque chose qui l'intéresse, l'excite ou l'amuse (il est attentif quand ils sont prononcés) et sont souvent répétés dans la journée, ce qui lui donne plusieurs indices pour comprendre leur sens.

Un bébé entend par exemple le mot «chaussure» plusieurs fois par jour et dans des situations variées. Un même jour, vous lui dites : «Où sont tes chaussures ?», «Comme tes chaussures sont sales !», «On va enlever tes chaussures», «Je te mets tes chaussures», «Regarde tes nouvelles chaussures». Le mot «chaussure» est l'élément commun de toutes ces phrases et est toujours associé à ces choses qui vont sur ses pieds. Il finit donc par associer ce mot à cet objet et, une fois cette association faite, il a appris ce que «chaussure» signifie.

Votre bébé va sans doute apprendre le sens de dizaines de mots avant d'en prononcer un ou deux. Il va commencer par les mots qui se rapportent à quelque chose qui l'intéresse particulièrement. Il a peut-être compris le mot «chaussure» depuis plusieurs semaines mais ne l'a jamais dit. Un jour, vous l'emmenez dans un magasin de chaussures et lui achetez une paire de pantoufles rouges. Il est tout content de les avoir aux pieds et cet événement le stimule enfin à prononcer «Chaussures!» Un autre petit garçon sait depuis des mois que «Toby» est le nom du chien de la famille, mais il faudra la tristesse d'en être séparé pour un séjour à l'hôpital et la joie de le retrouver à son retour pour qu'il prononce ce nom pour la première fois.

La prononciation des premiers mots vient beaucoup moins vite que leur compréhension. Si votre bébé n'a pas dit plus d'un mot ou deux à son premier anniversaire, n'en concluez pas qu'il n'apprend pas à parler. Il écoute et apprend à comprendre.

Apprendre à parler en deux langues

Les enfants apprennent à parler la langue qu'on utilise pour s'adresser à eux. Si vous êtes une famille bilingue ou s'il entend une langue à la maison et une autre au service de garde, il apprend les deux. L'apprentissage général peut être un peu plus lent, mais il rattrapera vite son retard. Et même s'il ne se sert pas de sa «deuxième» langue ou même l'oublie, il est évident que l'avoir apprise aura été un enrichissement intellectuel.

Aider son bébé à écouter, à comprendre et à parler

Beaucoup d'amour, d'attention et de conversation en tête à tête, voilà la meilleure façon d'aider votre bébé à apprendre à parler. Mais il y a une façon de lui parler qui est utile et une autre qui l'est moins. Voici quelques suggestions:

■ Adressez-vous directement à lui. Il ne peut pas écouter attentivement une conversation générale. S'il est dans une pièce où toute la famille discute, il est perdu dans une mer de sons. Vous dites quelque chose, il vous regarde et s'aperçoit que vous vous adressez à sa sœur. Sa sœur répond, interrompue par son grand frère qui n'achève pas sa phrase et finit sur un haussement d'épaules expressif. Entre-temps, quelqu'un a lancé une autre conversation et la télévision a été allumée… Un troisième ou quatrième enfant, surtout dans les familles où les enfants ont peu d'écart, met souvent plus de temps à parler parce qu'il a peu l'occasion de parler en tête à tête avec un adulte. Même si vous devez élever un bébé, un enfant de deux ans et un autre de quatre ans qui ne cesse de demander «Pourquoi?», essayez de trouver un peu de temps seule avec votre bébé pour ne parler qu'à lui.

■ Ne vous attendez pas qu'il apprenne autant à parler avec des inconnus – ou avec les différentes personnes qui s'occupent de lui – qu'avec vous. Les bébés apprennent le sens des mots en les entendant encore et encore, dans différentes phrases et sur des tons différents, accompagnés de mimiques et de gestuelles différentes selon chaque personne. Plus la personne qui parle lui est familière, plus il est susceptible de comprendre ce qu'elle dit. Même entre un et trois ans, il peut avoir du mal à comprendre les mots d'un inconnu s'ils sont accompagnés d'expressions et d'intonations qui lui sont tout à fait étrangères.

■ Réfléchissez bien avant d'employer une gardienne qui ne parle pas bien votre langue. Elle ne pourra pas modeler les mots de votre enfant si elle ne les maîtrise pas vraiment elle-même. Si tout chez elle vous convient et que vous l'employez à plein temps, peut-être vaut-il mieux lui proposer d'utiliser sa propre langue pour parler à votre bébé – qui sera ainsi bilingue!

■ Veillez à toujours utiliser le mot juste pour désigner les choses. Votre bébé commence par distinguer les mots qui apparaissent de façon récurrente dans différentes phrases, comme le mot « chaussures ». Lorsque vous partez à leur recherche sous le lit, prenez soin de dire : « Oh, mais où sont tes chaussures ? » plutôt que : « Oh, mais où sont-elles ? » Le prénom de votre enfant est un repère qu'il est vital de lui apprendre. Il ne va pas penser à lui en disant « moi » ou « je ». Les pronoms sont très difficiles pour lui, car le mot juste change selon la personne qui parle. Je suis « moi » pour moi-même, mais je suis « toi » pour toi. Mieux vaut vous servir de son prénom, sans vous sentir gênée de « parler bébé ». « Où est le biscuit de Gaspard ? » aura beaucoup plus de sens à ses oreilles que « Où est le tien ? »

■ Parlez à votre bébé de choses qui sont physiquement présentes afin qu'il puisse voir de quoi il s'agit et faire immédiatement la connexion entre l'objet et le mot récurrent qui lui correspond. « C'était rigolo de voir le chat grimper dans l'arbre » aura beaucoup moins de sens pour lui que : « Regarde le chat. Tu le vois ? Il court et grimpe dans l'arbre. Là ! Le chat dans l'arbre… »

■ Utilisez les livres d'images de la même manière. Des illustrations claires montrant des bébés et des adultes ayant des activités familières le fascineront : « Regarde, le papa lave la vaisselle. Tu vois les bols ? »

■ Parlez-lui de sujets qui l'intéressent. Il est impossible de n'évoquer que des choses immédiatement visibles, mais si vous racontez à son papa qu'il a vu un écureuil dans le parc cet après-midi, il va peut-être saisir de quoi vous parlez et reconnaître le mot qu'il a appris cet après-midi quand la chose, l'« écureuil », était visible.

■ Surjouez par les gestes et les expressions. Le sens de vos paroles est beaucoup plus clair pour votre bébé si vous lui montrez du doigt de quoi vous parlez, lui indiquez vers quoi il doit se diriger et « forcez » un peu le message. Les bébés dont les parents sont bavards et très expressifs comprennent et utilisent des exclamations parce qu'ils les entendent tous les jours, soulignées par des intonations fortes et un enthousiasme communicatif : « Oh ! là là ! », dites-vous quand il tombe, et « Allez, debout ! » quand vous le sortez du lit.

■ Essayez de comprendre les mots de votre bébé, même inventés. Montrez-lui que ce qu'il dit compte pour vous. Sentir qu'il est important qu'il utilise le bon mot pour être compris le motive à faire toujours plus d'efforts. Montrez-lui que vous êtes toujours prête à comprendre ses tentatives de communication. Il s'agit bien sûr d'un message subtil pour un bébé de dix ou onze mois, mais il en saisira l'idée générale s'il voit l'application que vous y mettez. Par exemple, s'il parle et fait des gestes dans une certaine direction du haut de sa chaise, vous allez regarder dans cette direction et faire la liste de tout ce que vous voyez qui pourrait correspondre à sa demande. Si vous touchez le bon objet, il répète le mot inventé avec un plaisir immense, mais s'intéresse aussi au terme juste que vous lui indiquez alors. S'il parcourt la pièce à quatre pattes à la recherche d'un objet, utilisant un mot étrange pour vous le demander, mettez-vous aussi à la poursuite de l'objet inconnu. Une fois celui-ci trouvé, le bébé est ravi, ravi que vous l'ayez compris et ravi du mot juste que vous lui avez appris.

■ Aidez votre bébé à utiliser les quelques mots qu'il possède à bon escient. Si vous jouez ensemble et pouvez voir tous les deux où la

Les bons livres sont
ceux qui utilisent
des mots utiles.

balle a roulé, demandez-lui d'aller vous la chercher. Lorsqu'il revient avec, confirmez-lui qu'il a bien compris votre message en le félicitant et en utilisant à nouveau le mot: «C'est bien, tu m'as rapporté la balle.» Si vous continuez à jouer à la balle, la relation entre le mot et l'action devient évidente, utile et agréable. Il y a alors de fortes chances que sa mémoire enregistre le mot.

■ Ne le corrigez pas et ne faites pas semblant de ne pas comprendre les mots qu'il invente. Il est important de lui indiquer la bonne version d'un mot qu'il a mal prononcé, mais si vous essayez de le lui faire dire «correctement», vous parviendrez juste à l'ennuyer. Il n'a plus envie de répéter la même chose mais de dire autre chose. Vos corrections ont de toute façon peu de chances d'avoir le moindre effet puisqu'il n'imite pas une langue mais la développe. Ses propres mots évolueront d'eux-mêmes en temps voulu, et non sur commande.

Si vous faites semblant de ne pas le comprendre tant que sa prononciation n'est pas «correcte», vous faites bien pire que l'ennuyer, vous le trompez. Il a communiqué avec vous, il a dit quelque chose et vous l'avez compris. Il a donc utilisé le langage. En refusant de l'admettre, vous interrompez le flot du *langage* pour imposer de simples *mots*. Il n'est peut-être tout simplement pas encore capable de prononcer «correctement» ce mot. Si celui qu'il utilise est le meilleur qu'il puisse offrir, vous risquez plus de le ralentir que de l'aider en le rejetant. Après tout, c'est le plaisir, l'affection et l'enthousiasme qui motivent à parler tôt. Lui refuser son biberon tant qu'il n'a pas dit «lait» au lieu de «ba-bou» ne peut que le frustrer et le mettre en colère. Vous y gagnerez plus de larmes que de mots.

JOUER
ET APPRENDRE

Un espace sûr et pratique est maintenant une priorité pour les jeux et les découvertes de votre bébé.

C'est un semestre très physique pour la plupart des bébés, une période pendant laquelle ils sont souvent si occupés à essayer de s'asseoir tout seuls, à traverser la pièce à quatre pattes ou à se redresser sur leurs deux jambes que les jouets passent au second plan. Franchir ces étapes nécessite des efforts physiques énormes, ainsi que beaucoup de pratique et de courage. Heureusement, les bébés possèdent une grande énergie naturelle qui les pousse à continuer, même lorsque les problèmes physiques ou neurologiques accumulent les obstacles sur leur chemin. Un bébé capable de marcher à quatre pattes marche à quatre pattes. Seul un véritable emprisonnement ou un plâtre l'en empêcheraient. Un bébé capable de se redresser sur ses jambes le fait malgré les bosses et les peurs dues à un mobilier trop fragile… Sa persévérance à tenter de se redresser tout seul – oscillant, tombant, se relevant à nouveau – est remarquable. La plupart des adultes se commanderaient un fauteuil roulant après deux jours de ce genre, mais votre bébé a assez d'énergie pour insister autant qu'il peut. Ne lui refusez pas l'objet qu'il demande sous prétexte qu'il peut «l'attraper lui-même en essayant vraiment». S'il pouvait, il le ferait, et quand il peut, il le fait.

Les bébés ne commencent pas à se déplacer à quatre pattes ou à marcher *parce qu*'ils veulent aller d'un endroit à l'autre par eux-mêmes. Néanmoins, ces nouveaux exploits physiques leur assurent une autonomie nouvelle. Toute leur courte vie, ils ont dû compter sur les adultes pour leur apporter des échantillons du monde qu'ils voulaient découvrir et explorer. À présent, ils peuvent se déplacer et attraper les objets tout seuls. Plutôt que d'accepter passivement les jouets et les idées qu'on leur propose, ils peuvent agir selon leur propre envie et décider du jeu ou du jouet qui les intéresse. Cette nouvelle autonomie d'action ne s'accompagne toutefois pas d'une nouvelle indépendance émotionnelle.

Le fait que votre bébé soit désormais en mesure de s'occuper et de jouer tout seul ne signifie pas forcément qu'il y soit plus disposé. La plupart des bébés ont besoin d'un soutien affectif et d'encouragements constants pendant qu'ils apprennent à grandir. En réalité, à l'approche de son premier anniversaire, votre bébé a plutôt tendance à être encore plus accroché à vous.

Libre, mais en sécurité

S'asseoir, se déplacer à quatre pattes, se redresser et parfois marcher sont de vraies activités pour votre bébé. À cet âge, il a surtout envie de s'amuser à se déplacer, à se mettre debout tout seul et à atteindre un lieu ou un objet.

Il a donc essentiellement besoin pour jouer d'un sol sur lequel il puisse évoluer librement. Si vous ne lui avez pas encore organisé un tel endroit dans la maison, il est temps de le faire. Trouvez-lui un espace adéquat qu'il puisse utiliser en permanence. L'idéal est un sol grand, dégarni (surtout de tout objet fragile, qui se brise ou se renverse), pas trop dur, chauffé, facile à nettoyer et proche de l'activité familiale. Seuls quelques chanceux bénéficient d'un tel endroit. Les autres trouvent des compromis et inventent.

À moins de vivre vraiment dans un petit espace, il est toujours possible de réserver un petit bout de sol à votre bébé. S'il est dur, froid, en pierre ou carrelé, vous pouvez le recouvrir d'un morceau de moquette ou de nattes bon marché, un peu dures pour les genoux mais pas mauvaises pour la tête. Une couche supplémentaire de coussins adoucit les chutes du bébé et vous rassure. Si vous souhaitez que votre bébé joue dans le salon sans abîmer la moquette neuve, posez une vieille couverture dans son coin ou un tapis de jeu – qui deviennent plus tard des jouets en eux-mêmes lorsqu'ils sont recouverts de dessins de routes et de fermes.

Une salle à manger ouverte sur la cuisine est assez pratique pour l'installer. La pièce ne perd pas son utilité première si la porte entre les deux pièces reste ouverte et qu'une porte de sécurité y est fixée. Le bébé garde une vue sur le centre d'activités des adultes mais n'a pas accès à la cuisine, qui est souvent un lieu petit et dangereux. Cependant, avec un peu d'imagination, une cuisine un peu spacieuse peut être assez sûre pour servir de terrain de jeu. Il faut alors ranger tous les objets dangereux (couteaux, produits d'entretien) dans des placards élevés ou fermés à clé, utiliser des appareils sûrs et des gadgets de sécurité. N'oubliez pas les dangers moins évidents, comme la poubelle (pleine de boîtes tranchantes et d'arêtes de poisson), la nourriture du chien et la litière du chat.

Cela vaut la peine de bien réfléchir à l'organisation de l'espace de jeu de votre enfant, car il va être fondamental à la vie de la maison pendant plusieurs mois, et certaines solutions apparemment évidentes peuvent se révéler mauvaises pour l'un de vous. Si vous l'installez dans un coin isolé de la maison, par exemple, cela ne fonctionnera pas, malgré tout le soin que vous y mettrez. Votre bébé s'y sentira seul et s'y ennuiera, et surtout sera loin de votre œil vigilant. Les adultes finiront par laisser votre bébé jouer dans la cuisine (que vous n'avez pas sécurisée) ou déplaceront leurs propres activités dans son coin de jeu pour lui tenir compagnie.

Certaines familles disposent de si peu de place que l'idée d'en réserver à l'usage du bébé leur paraît ridicule. Et pourtant, ça ne l'est pas. Moins vous avez d'espace, plus il est important de l'organiser. Si un bébé ou un enfant de deux ans doit jouer dans un salon déjà très occupé, il y a des risques qu'il abîme quelque chose, se mette lui-même – ou d'autres enfants – en danger si le lieu n'a pas été adapté à ses besoins. Un parc est une solution partielle et à court terme. Il le tient à l'écart de ses propres méfaits et de ceux des autres, mais même un enfant qui accepte volontiers d'y aller ne peut pas faire ni apprendre tout ce qu'il devrait en étant constamment enfermé. Il se sentira plus libre dans son coin de jeu délimité moins formellement, peut-être simplement avec un meuble – le canapé, le lit… – qu'il peut utiliser pour se redresser. Les couloirs se révèlent souvent de bons terrains de jeu, à condition de fermer l'accès à d'éventuels escaliers. Et l'espace extérieur le moins attirant – un jardin, un porche, une cour ou un balcon – vaut la peine d'être transformé en un lieu sûr car, même s'il est trop petit pour que le bébé se déplace à sa guise, il élargit son horizon – et votre tolérance au désordre et aux jeux avec de l'eau ou du sable.

Garder votre bébé à proximité du lieu de vie commune de votre maison, et imaginer les meilleures façons de lui assurer une sécurité et une liberté qui n'empiètent pas sur l'espace des autres, est important pour son bien mais aussi pour tous ceux qui vivent avec lui. S'il est près des personnes qui lui tiennent compagnie, votre bébé peut passer, certains jours, une bonne partie de son temps d'éveil à jouer seul dans son coin.

Bien sûr, votre bébé a aussi besoin d'autres genres de jeux, favorisant la communication et le langage. Mais il est plus facile de lui offrir toute votre attention, d'être vigilante au moindre danger et d'avoir la patience de mettre tout ce qui ne lui appartient pas à l'abri de ses frasques quand vous n'avez pas à le faire à chaque instant de la journée.

Changer de décor et d'activité est important. Cela permet de varier les possibilités de jeu et d'éviter que votre bébé ne s'ennuie. À cet âge, il connaît encore si peu de choses qu'un simple changement de pièce l'intéressera autant qu'une promenade à l'extérieur à deux ou trois ans. Une partie de chatouilles sur votre grand lit l'amuse et le repose des efforts qu'il fait pour se déplacer et se tenir debout. Jouer sur le sol dur de la cuisine plutôt que sur la moquette habituelle suffit à le distraire, surtout si quelqu'un prend le temps de lui montrer que son petit camion roule différemment ici. Les balades en plein air, qui combinent un voyage en poussette et, peut-être, un moment à quatre pattes sur l'herbe, sont indispensables. Sortez-le et promenez-le autant que possible. Un petit tour de vingt minutes au magasin ou à la bibliothèque, qui vous aurait auparavant ennuyée, lui permet de découvrir plein de choses, de nouveaux bruits et de nouvelles sensations. Partager son étonnement ravi à la vue du chat assis sur un balcon, l'aider à nommer le camion qui s'arrête aux feux de circulation et observer avec lui la couleur de ces feux changer vous fait voir votre univers avec des yeux tout neufs.

Changer de jeux, de compagnon et de lieu permet à votre enfant d'apprendre et lui évite de s'ennuyer.

JOUETS ET JEUX

Être libre de se déplacer et pouvoir tout explorer est plus important, à cet âge, que n'importe quel jouet. Beaucoup de jouets conseillés pour des bébés plus jeunes amusent votre bébé d'une autre façon à partir du moment où il peut s'asseoir, les manipuler et traverser la pièce à quatre pattes pour les trouver. Cependant, certaines nouveautés, plus adaptées à cette étape du développement, feront particulièrement plaisir à votre bébé.

Une fois qu'il peut se déplacer, votre bébé apprécie plus les choses qui roulent. Que ce soit de vraies balles, des jouets à roues ou des objets domestiques comme des anneaux de serviette, il va les chercher et apprend vite à les pousser pour les poursuivre. Choisissez de grands objets (pas des billes, même s'il les adore) et vérifiez le fonctionnement de tous les jouets à roues (surtout autour des essieux).

Apprendre à lâcher des objets à volonté est une clé étonnamment importante pour accéder à de nouveaux types de jeux. Votre bébé lâche désormais des choses du haut de sa chaise ou de sa poussette. Il va apprendre à les *jeter*, aussi bien pour jouer avec vous à la balle que pour sortir vos achats du panier d'épicerie aussi vite que vous les y placez. Et surtout, il découvre et adore le jeu qui consiste à remplir

Découvrir qu'il est la cause de cet effet mélodieux lui donne un sentiment nouveau de pouvoir.

Des concepts comme « rempli » et « vide » demandent une grande attention. Comment être sûr qu'il n'y a plus rien là-dedans ?

une boîte de tout ce qu'il a sous la main pour ensuite la vider. Vous trouverez dans le commerce de nombreux jouets à cet effet, mais des cubes de construction et une boîte à chaussures ou des oranges et une corbeille font très bien l'affaire.

Votre bébé prend conscience du lien entre une cause et son effet et de son propre pouvoir sur les objets. Il peut commencer à se servir d'instruments de musique simples, comme le tambourin, les maracas et le xylophone. Certains bébés sont encore effrayés par les sons soudains, mais la plupart raffolent des bruits de ces instruments (même si ce n'est pas le cas des adultes). Ils se délectent de pouvoir produire eux-mêmes et à volonté ces sons. Même si votre bébé n'est pas un musicien précoce, ne le laissez pas passer à côté de cette découverte de son pouvoir sur les choses. Offrez-lui des jouets qui réagissent quand on appuie sur un bouton ou qu'on tire sur un levier, ou bien présentez-lui une « poupée qui danse » dont les jambes bougent lorsqu'on tire sur une ficelle, ou un canard qui fait coin-coin quand on le pousse. Et dès qu'il fait quelque chose avec un jouet, *expliquez-lui* ce qu'il a fait et ce qui s'est produit.

À mesure que sa compréhension des mots et des concepts comme « en haut » et « en bas » se développe, les livres et les discours qui accompagnent leur « lecture » deviennent de plus en plus importants. Montrez-lui (et demandez-lui) où se trouve le chien ou le papa sur l'image. Les livres où l'on fait bouger les oreilles, les yeux, etc., auront peut-être sa préférence. Racontez-lui (et demandez-lui) quel bruit fait le chat ou la vache. Lisez-lui des comptines. N'oubliez pas celles qui finissent par des chatouilles et celles qui nomment les doigts, les orteils, le nez et les oreilles, qui l'aident à prendre conscience des différentes parties de son corps et à connaître leur nom.

Les soins quotidiens sont aussi l'occasion d'apprendre. Leur rythme routinier aide votre bébé à sentir qu'on l'aime et qu'on s'occupe de

lui et, progressivement, à le faire lui-même. Il a sa brosse à dents, et vous la vôtre, et vous surprend un jour à vous tendre la bonne avant que vous ne réalisiez qu'il connaissait les mots ou qu'il différenciait les tailles. Un bain peut être «trop chaud», le canard flotte mais les habits coulent et, un jour, il tend les bras pour enfiler son tee-shirt. Est-ce du jeu? Oui. Et il faut que cela reste du jeu.

Organiser ses jouets   Votre bébé ne se souvient pas des jouets qu'il a pendant tous ces mois, mais peut remarquer l'absence de l'un d'eux en particulier (par exemple, son doudou). Vous ne pouvez pas présumer qu'il sait lequel il veut et qu'il peut aller le chercher si ses jouets ne sont pas immédiatement disponibles. Rangés dans des placards, hors de sa vue, ils n'existent plus. Cela ne signifie cependant pas qu'il doit les avoir en permanence éparpillés sur «son» sol. Il s'en lasserait, tout simplement parce qu'il les a trop vus. Certains jouets vieillissent sans jamais avoir été utilisés, juste parce qu'ils sont devenus trop familiers à votre bébé.

À cet âge, une malle à jouets − que ce soit un vieux coffre en bois ou une grande boîte en plastique − dans un coin de la pièce est un bon compromis. Si tous ses jouets quotidiens (les «vrais» jouets comme les objets domestiques qui en font office) se trouvent ici, tout ranger entre deux parties de jeu est facile et rapide. Votre bébé repère vite ses jouets et apprend vite où il doit aller quand il veut quelque chose.

À un bébé qui ne sait pas se déplacer et qui est assis par terre ou sur une chaise, il faut offrir deux ou trois objets à la fois. Même lorsqu'il est mobile et peut se servir tout seul, il se concentre plus facilement si vous faites une petite sélection et la disposez sur le sol. Dans les deux cas, dès qu'il ne montre plus un grand intérêt pour ce qu'il a, remplacez ces jouets par une nouvelle sélection. D'ici la fin de sa première année, sa mobilité et ses progrès de langage vous permettront de lui demander avec quoi il préfère jouer et de l'encourager à se servir lui-même. Ne soyez pas surprise si certains jours il vide sa malle sans jouer avec rien en particulier. Le jeu consiste à vider la malle. Avec un peu d'encouragements, la remplir à nouveau peut aussi faire partie du jeu!

S'il vous semble que votre bébé a plus de jouets qu'il n'en a besoin, peut-être parce que ses grands-parents le couvrent de cadeaux ou parce qu'il a hérité de ceux de ses aînés, vous pouvez en mettre de côté pour les ressortir de façon ponctuelle. Outre les jouets pour lesquels il est trop jeune, il y a ceux qui nécessitent plus de surveillance ou un environnement particulier − à utiliser dans l'eau par exemple − et ceux qui font trop de bruit pour être supportés longtemps. Votre bébé étant plus facilement fasciné par des jouets neufs mais dont il sait déjà se servir, ceux qui ne sont sortis qu'occasionnellement ont tendance à l'intéresser plus longtemps que les autres.

Même une réserve prodigieuse de jouets ne peut pas satisfaire entièrement son désir de nouveauté ou suffire à son insatiable envie d'explorer et d'apprendre. Gardez une boîte dans laquelle vous mettrez les objets trouvés par hasard et susceptibles de lui plaire. Vous pouvez conserver une boîte en carton, un paquet de céréales vide ou n'importe quel rouleau qu'il aimera remplir de petits jouets.

Votre bébé ne sera jamais à court de jeux si vous lui prêtez vos « jouets ».

À l'occasion de fêtes, comme Noël, vous trouverez toujours des boîtes de cadeau et des rubans. En rangeant une armoire, vous tomberez sur un petit pot en plastique qu'il pourra remplir d'eau, ou sur un flacon de savon liquide qui fait des bulles quand on le secoue, ou bien encore sur une cuillère en plastique que vous ne voulez plus ou une bouteille vide que vous laverez pour qu'il joue avec dans son bain. Et ce papier peut bien attendre une semaine pour être recyclé et repartir gribouillé.

Si cela vous amuse et vous donne l'impression de penser à son plaisir même lorsque vous êtes séparés, vous aurez toujours un « nouveau jouet » disponible pour le jour où le mauvais temps empêchera la promenade ou lorsqu'une visite le privera de votre attention. Aucun jouet ne vous remplace, mais lui en donner un nouveau vous autorise quelques minutes de conversation !

Inclure le bébé dans les activités des adultes

La plupart des bébés de huit ou neuf mois, mobiles, éveillés et qui aiment imiter, préfèrent les « jouets » et les jeux des adultes à ceux qui sont faits pour eux. Observer et participer à vos activités aident votre bébé à découvrir le monde, les objets et les gens. Alors n'hésitez pas à l'emmener partout avec vous. Malheureusement, à moins de vivre de son jardin ou de ses lapins, la plupart des adultes ne peuvent pas partager leurs activités principales avec les bébés. Votre bébé ne peut pas vous accompagner au bureau et, de toute façon, il ne comprendrait rien à ce que vous y faites et ne s'amuserait pas. Et même s'il est assez chanceux pour avoir un parent qui travaille à la maison, les traitements de texte et les télécopieurs ne l'intéresseront pas longtemps et il ne pourra pas partager vos conversations téléphoniques.

Les activités dont il est vraiment curieux et qui le concernent, maintenant et tout au long de sa petite enfance, sont les activités domestiques. Elles s'accordent si bien à la surveillance et à l'éveil des tout-petits que souvent les gens associent garde d'enfant et ménage comme s'il s'agissait de la même activité. Cela n'a, évidemment, rien à voir. Faire efficacement le ménage, c'est accomplir le plus rapidement possible toutes les tâches quotidiennes. S'occuper d'un enfant, c'est se mettre à son rythme et organiser son activité pour qu'il ait assez d'espace et de temps pour y participer.

Si une personne vient à votre domicile pour prendre soin de votre enfant la journée, ne vous interdisez pas de lui demander de faire quelques petits travaux domestiques. De la même façon, n'attendez pas de la gardienne qui garde votre enfant chez elle qu'elle passe sa journée à jouer.

Après tout, votre bébé n'aurait pas *toute* votre attention si vous étiez à la maison. Jouer avec un adulte est important et vous voudrez être assurée que sa gardienne donne toujours la priorité aux besoins de votre bébé, non seulement s'il a exceptionnellement envie d'être câliné tout un après-midi mais aussi s'ils vont ensemble au parc profiter de la lumière du soleil. Souvent, les bébés n'apprécient pas les adultes qui les regardent jouer *sans rien faire* et sont même gênés par leur présence. Votre bébé s'amusera plus en compagnie d'une personne active tant que l'activité l'inclut, sans danger et dans un échange joyeux, et tant que l'adulte ne le laisse pas dans son parc pour vaquer à ses occupations.

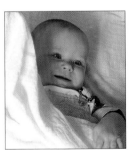

Jouer à cache-cache lui donne l'occasion d'être celui qui disparaît. C'est à vous de dire : « Où est-il passé ? » et « Le voilà ! »

Les bébés aiment voir un adulte cuisiner. Ils apprécient le « désordre » de cette activité avant même de pouvoir faire la connexion avec le bon plat qui en résulte. Installer le bébé sur sa chaise haute et lui donner de quoi mélanger, pétrir et goûter rendent la tâche plus aisée.

Les travaux domestiques peuvent se transformer en jeu si le bébé peut s'amuser à rebondir sur le lit qui vient d'être fait, à jouer à cache-cache autour des meubles et s'il a un chiffon propre pour vous imiter. Ce n'est pas un jeu recommandé aux bébés à tendance asthmatique, la poussière (et en particulier les acariens) étant un allergène courant. Les « jouets » utilisés doivent être bien triés, car la plupart des produits d'entretien sont dangereux. Vous pouvez décider de bannir tous les produits mortels – comme l'eau de Javel – de votre maison pour les remplacer par des produits en aérosol plus doux pour votre enfant et pour l'environnement. La lessive et le repassage sont ennuyeux et dangereux pour un bébé. Mieux vaut les garder pour les moments où il fait sa sieste.

Le jardinage peut être aussi amusant que la cuisine, à condition que le temps s'y prête et que le bébé puisse tripoter la terre et rouler sur l'herbe. La liste des précautions à prendre ne doit pas vous convaincre que passer du temps dehors avec lui est trop dangereux. De même que pour les instruments de cuisine, vous devez faire attention à ne pas utiliser d'outils dangereux ou électriques – sécateur, tondeuse, tronçonneuse – quand les enfants sont dans le jardin ou susceptibles d'y venir. Éloignez et enfermez aussi les outils pointus et les produits chimiques. Bien sûr, votre bébé ne doit pas être trop exposé au soleil, ou bien en contact avec des tiques, mais ce sont là des dangers propres à certains moments de l'année. Évitez tout contact avec des plantes toxiques. Le risque le plus difficile à éviter est la toxoplasmose, qu'il peut contracter dans la terre remuée par les chats et les chiens. Possible partout, le risque est cependant bien plus fort dans les zones urbaines. Mettre des gants pour jardiner et les retirer pour lui essuyer le nez est une bonne précaution. Pourquoi ne pas laisser les petits enfants faire leur propre « jardin » dans le compost frais, avec leurs propres rangées de graines bien abritées ?

Faire les courses – que ce soit juste un tour au magasin d'à côté pour un ou deux produits ou une expédition dans un supermarché – peut être une activité magique. Votre bébé est content de voir les gens du quartier qu'il connaît, mais aussi de prendre le métro, d'attraper lui-même les produits sur les rayons, d'ouvrir les paquets et de goûter leur contenu... Acceptez l'inévitable et laissez-le se servir d'un produit simple, comme une baguette, dès le début. Il va se débattre pour en arracher un morceau car il sait qu'il trouve ça bon, mais n'y parvient pas tout de suite ; cela l'occupe un moment pendant lequel il oublie de détruire tous les rayons et de déchirer tous les paquets. Les produits non emballés sont les plus amusants. Si quelqu'un pense à éloigner rapidement tous les produits dangereux ou fragiles, comme les œufs ou les tomates, il pourra toujours répandre les oranges sur le sol...

Bien vivre
la transition du bébé
au petit enfant

Être des parents attentionnés est une tâche concrète mais elle relève surtout de l'émotionnel, particulièrement au cours des périodes où l'enfant semble évoluer si vite que vous devez en permanence adapter votre comportement pour communiquer avec lui. C'est souvent le cas des mois autour de son premier anniversaire. Votre enfant apprend à se déplacer seul, à se lever, il est capable de comprendre de nombreux mots et d'en dire quelques-uns : vous avez le sentiment que c'est une autre personne. Mais il n'en est rien. Le petit être qui pleure au milieu de la nuit, debout dans son lit, est le même qui pleurait, couché dans son berceau. Il n'a pas réellement changé et il ne se développe pas plus vite qu'avant ; pourtant, ces changements ont un impact important. Plus vraiment un nourrisson, c'est pourtant toujours un bébé. Ne soyez pas trop exigeants avec lui.

Toujours du côté de son enfant
Plus vous traverserez avec calme ces mois de transition hors du monde du bébé, plus votre enfant vous paraîtra vite extraordinaire plutôt qu'insupportable. Quoi qu'il fasse, tâchez de toujours trouver une façon d'être de son côté. Profitez chaque jour des instants agréables, trouvez le côté amusant des moments plus difficiles, ne le considérez jamais, vous-même ou un autre adulte, comme un adversaire. Soyez totalement déterminée à apprécier pleinement votre rôle de mère et vous aurez plaisir à trouver des astuces pour guider votre enfant sans qu'il s'en aperçoive, le distraire pour désamorcer un conflit et prévenir les accidents.

Comme à beaucoup de parents, la vie va peut-être vous paraître plus chaotique à mesure que votre enfant grandit. Il fait beaucoup de choses à présent et toutes ne sont pas de votre goût. Comme il ne parle pas encore beaucoup, vous ne savez pas ce qu'il est en mesure de comprendre. Ce qu'il aime, c'est être avec vous, plutôt que « coopérer » avec vous.

Certains jours, tout ce qu'il fait vous énerve. Ne vous inquiétez pas trop d'avoir crié après lui. Bien que cela l'effraie sans doute un peu, il comprend mieux les adultes qui libèrent parfois leurs sentiments dans une petite colère que ceux qui contiennent tout, se taisent et se renferment. Votre enfant a besoin d'être en compagnie d'adultes gais, vivants. Sinon, il se sent dérouté et seul ; il ne peut s'épanouir au milieu d'un vide émotionnel.

Ne prenez cependant pas l'habitude de vous mettre en colère. Votre enfant interprète peut-être plus facilement les cris que le silence, mais cela ne signifie pas qu'il est bon pour lui d'être grondé, même pour de bonnes raisons.

Premières tentatives de discipline
C'est à ce moment et dans ce contexte de querelles que beaucoup de parents commencent à réfléchir à la discipline. Il est temps en effet, mais le contexte n'est pas favorable. Votre enfant, qui commence à marcher et à parler, est certainement capable de comprendre ce que

Pendant cette transition, soyez à ses côtés, profitez des bons moments et regardez le côté amusant de toute chose.

« non » signifie et de coopérer avec les adultes, même (parfois) lorsqu'il n'en a pas vraiment envie. Mais il ne peut pas encore comprendre la colère de l'adulte auquel il n'a pas obéi : ses raisons restent au-delà de sa compréhension, comme sorties de nulle part, telle la foudre vindicative d'un dieu.

Votre bébé n'a aucun moyen de comprendre que ce qu'il a fait ou ce qui vient d'arriver – du lait sur votre chemise propre, un sac renversé – est la goutte qui fait déborder le vase. Même s'il a senti votre tension avant, il n'en a pas compris l'origine : le réveil qui n'a pas sonné et qui a retardé son lever, son arrivée au service de garde et la vôtre au travail. Il ne comprend pas vos sentiments et vos soucis, et n'est pas censé le faire. Tout ça ne le concerne pas encore. Si vous le grondez, il pourrait rire et vous rendre encore plus furieuse ; si vous criez, il sera surpris et pleurera. Si vous perdez votre sang-froid au point de le punir physiquement, en le secouant, en lui donnant une fessée ou en l'abandonnant dans son lit, il sera aussi horrifié que vous si votre propre chien se retournait contre vous et vous mordait. Tant que les raisons de la colère de l'adulte sont incompréhensibles, aucune punition ne peut lui être utile. Et quand il les comprendra, il n'aura pas besoin de punitions pour apprendre.

Du temps perdu et du travail en plus pour vous, mais elle ne le sait pas. Malgré les dégâts, ses intentions ne sont pas mauvaises.

Supposons qu'il renverse une tasse de café et la casse. D'abord terrifiée parce que le café était chaud, vous justifiez votre colère par le fait que vous lui aviez répété plus d'une fois de ne pas la toucher et parce que, de toute façon, il aurait dû faire plus attention. Mais réfléchissez une minute. Il a touché la tasse parce qu'elle se trouvait là : sa curiosité vitale a motivé ce geste alors que sa mémoire et son intelligence ne sont pas encore capables de lui indiquer ce qui est défendu. Il l'a cassée parce qu'il n'a pas la dextérité manuelle nécessaire pour manipuler des objets fragiles. Est-il donc vraiment coupable de cet accident ? Que faisait cette tasse à sa portée ? Il est simplement puni d'être ce qu'il est : un bébé.

Supposons maintenant qu'il renverse le contenu de son assiette sur le sol qui vient d'être lavé. Très fâchée, vous lui dites qu'il devrait savoir que c'est mal. Mais en êtes-vous sûre ? Quelques minutes plus tôt, vous l'aidiez à renverser ses cubes par terre. Est-il censé faire la même différence que vous entre nourriture et jouets ? De la même façon, il vous a probablement observée tout à l'heure répandre l'eau savonneuse sur le sol. Peut-on attendre de lui qu'il comprenne que cette eau lave alors que la sauce salit ? Encore une fois, vous lui reprochez de se comporter comme les enfants de son d'âge sont censés le faire.

Quoi que puissent en dire certains, être doux avec un bébé de cet âge ne peut pas le rendre «capricieux» ou favoriser des comportements difficiles plus tard. En réalité, le mieux est de savoir l'aimer tel qu'il est et d'apprécier sa façon à lui de vous aimer. Si vous le comprenez et répondez à son insatiable envie de sourires et de câlins, il devient évident que la dernière chose qu'il souhaite est de vous fâcher. Il reste cependant du temps avant qu'il ne comprenne ce qui vous plaît. Vos plaisirs ne sont pas les siens. Vous n'aimez pas la sauce sur le sol...

PARENTS, ATTENTION !

Bébé secoué

Quel que soit le degré de votre colère, *ne secouez pas* votre enfant. Si vous devez le prendre dans vos bras pour l'éloigner de la télévision six fois en une minute, *ne le secouez pas*. Même s'il mord votre sein ou le nouveau-né de votre sœur, *ne le secouez pas*.

La taille de son cerveau s'harmonise progressivement à celle de sa tête mais celle-ci est toujours grosse et lourde. Bien que sa tête soit parfaitement maintenue par le cou dans ses activités courantes – y compris les jeux de bagarre qu'il adore –, votre bébé reste très vulnérable aux lésions traumatiques des cervicales. Elles peuvent être provoquées par un accident de voiture ou une chute sur la tête et sont plus que probables si l'enfant est secoué.

La tête d'un enfant que l'on secoue est envoyée d'avant en arrière si violemment que le cerveau heurte la boîte crânienne. Il arrive que de petits vaisseaux sanguins explosent dans le cerveau. Parfois un caillot se forme et exerce une pression. Secouer votre bébé peut le rendre aveugle, sourd, provoquer des crises d'épilepsie – ou le tuer.

Avoir confiance en soi

Conjuguer votre rôle de parent et votre vie d'individu est plus facile si votre bébé peut participer.

Vous n'êtes pas des parents différents parce que votre enfant n'est plus un tout petit bébé. Mais il arrive que cette étape vous fasse douter de vous-même. C'est un moment de sa vie où l'enfant est particulièrement conscient de son attachement à ses parents et très peu disposé à en être séparé – pour quelques heures ou quelques minutes. Mais c'est aussi le moment où les parents doivent oublier un peu de pouponner pour reprendre le chemin du monde des adultes. Le bébé se cramponne à vous, le monde extérieur vous rappelle et vous vous sentez déchirée entre les deux.

Vous aurez d'autant plus de mal à trouver l'équilibre entre ces demandes que vous vous sentez de plus en plus liée aux sentiments de votre bébé. C'est le pendant du lien profond qui s'est développé entre vous au cours de cette première année où votre bébé dépend complètement de vous : vous ne pouvez pas être heureuse s'il ne l'est pas ; quand vous le sentez malheureux, vous culpabilisez vraiment, et vous avez tendance à vous rendre responsable de tout ce qui n'est pas parfait pour lui.

Se préserver de la culpabilité

La culpabilité est probablement la moins utile des émotions propres au fait d'être parent. Parfois, elle vous occupe tant l'esprit à regretter ce que vous avez fait ou non dans le passé que vous n'avez plus le temps de penser au présent ou d'imaginer le futur. Si vous pouvez rester maître de ce sentiment, tout sera plus simple.

Essayez de ne jamais oublier que le fait d'être parents ne vous rend pas tout-puissants. Vous pouvez tout essayer, faire tous les sacrifices possibles, vous ne parviendrez pas à forcer le monde extérieur à se comporter selon vos souhaits. Vous voudriez que les enfants de vos voisins acceptent les câlins de votre bébé, que ce virus soit éradiqué avant qu'il ne l'attrape, que cet embouteillage disparaisse avant qu'il ne s'aperçoive de votre retard au service de garde. Mais comme vous ne pouvez pas contraindre les événements, vous ne pouvez pas en être tenue responsable. Tout ne sera pas toujours rose pour votre enfant. Faites-lui confiance pour s'en sortir avec les moyens de son âge et, au lieu de perdre votre énergie à vous fustiger pour ce qui est déjà fait, utilisez-la à le soutenir maintenant.

Aider son enfant à bien vivre les séparations

Les tout-petits se sentent en sécurité lorsqu'ils sont gardés par des parents ou des proches attentionnés et dans des endroits familiers. À cette période, toute séparation d'avec vous et d'avec sa maison est perturbante, même si le projet qui la motive est agréable, comme un week-end à la campagne avec les grands-parents. Toute nouveauté sera plus facile à vivre pour votre bébé si l'un de vous peut l'accompagner.

Les personnes comptent encore plus à ses yeux que les lieux. S'il pouvait choisir, il préférerait certainement vous accompagner dans un voyage professionnel très ennuyeux (ou au magasin du coin) plutôt que d'être séparé de vous.

Bien sûr, il ne peut pas choisir, mais, lorsque vous décidez pour lui, essayez de prendre en considération ses préférences. Ce week-end sera-t-il un bon moment ou se transformera-t-il en drame à l'heure du coucher ? Vous seule connaissez la réponse, mais elle

Pour que votre bébé puisse être confié à un grand-parent, il faut qu'il lui fasse confiance aussi bien pour jouer que pour prendre soin de lui.

dépend du lien qui existe entre votre enfant et ses grands-parents. Leur fait-il vraiment confiance ?

C'est la question qu'il faut vous poser la première fois que vous confiez votre enfant à quelqu'un, même s'il s'agit de son propre père ou d'une gardienne expérimentée : cette personne saura certainement changer une couche ou soulager une poussée dentaire, mais le bébé se sent-il en confiance avec elle ?

Si la réponse honnête à cette question est « non », les quelques heures de garde qui vous auraient arrangée ou le week-end qui semblait plaisant ne sont pas de bonnes idées. Votre bébé a besoin d'une (vraie) période d'acclimatation. Mais si vous n'en avez pas le temps, s'il ne s'agit pas simplement d'un petit dépannage ou d'une sortie agréable – si vous devez, par exemple, être hospitalisée –, il est toujours préférable que l'enfant puisse rester chez lui et conserver ses petites habitudes autant que possible. Quand les pères ne peuvent être présents, la meilleure aide que vos parents ou amis puissent vous apporter est de venir garder votre enfant chez vous, plutôt que de le prendre chez eux.

Emmener son enfant à l'hôpital

L'enfant grièvement blessé ou gravement malade est sans doute une des épreuves les plus pénibles dans la vie des parents. Dans le cas d'un accident, les parents se sentent souvent terriblement coupables, même (et surtout) lorsqu'ils n'y ont pas assisté, et très en colère contre la personne en charge de l'enfant à ce moment-là, que l'accident soit ou non réellement dû à une négligence. Même si votre bébé est hospitalisé parce qu'il est malade ou pour une opération prévue de longue date, votre incapacité à lui épargner la souffrance et la peur vous fera peut-être culpabiliser. Et si sa santé future ou sa vie même sont en jeu, il vous faudra aussi gérer votre propre peur. Les parents qui vivent régulièrement ce genre de situation – parce que la santé de leur enfant le nécessite – affirment ne jamais être parvenus à s'y habituer et jugent capital d'être soutenus par des parents ayant connu la même expérience. La première fois, cependant, ne soyez pas surprise que votre conjoint vous annonce subitement qu'il préfère laisser l'enfant « aux soins des spécialistes » ou si vous sentez que cela vous soulage vous-même de rester un peu en retrait.

En fait, vous voudriez tous les deux pouvoir disparaître jusqu'à ce que tout soit fini et que vous puissiez ramener votre enfant à la maison. C'est bien compréhensible mais c'est pourtant ce dont votre *bébé* a le moins besoin. Certaines circonstances justifient que les parents accordent une absolue priorité à leurs enfants, et celle-ci en est une. Votre enfant a besoin des soins de l'hôpital parce qu'il s'est brûlé, déshydraté ou pour une opération au cœur, mais pour son équilibre et sa santé, il a besoin de l'affection que vous seuls pouvez lui prodiguer. Avec vous à ses côtés, il supportera ces lieux et ces événements inquiétants ; séparé de ceux qu'il aime, l'expérience peut se transformer pour lui en véritable choc émotionnel.

Si vous vous demandez si vos autres enfants – un jumeau, un grand frère – vont s'en sortir sans vous à la maison, n'oubliez pas qu'eux ne sont pas malades et sont chez eux. Bien sûr, quelqu'un doit veiller sur eux en votre absence, mais il n'y a pas à hésiter entre laisser un enfant bien portant à la garde d'une personne qu'il n'apprécie pas beaucoup et laisser un enfant malade avec des inconnus. Lorsque le père et la mère vivent ensemble, il ne devrait même pas y avoir de problème. L'employeur devrait admettre qu'un père s'absente, ou au moins s'y résigner, comme il le ferait pour une mère, et les hôpitaux devraient inviter tout parent à rester auprès de son enfant, même la nuit. Les parents pourraient ainsi être auprès de l'enfant malade et s'occuper de ceux qui sont à la maison, même sans l'aide de la famille ou d'amis, et en échangeant les rôles.

L'enfant malade gardé à la maison La plupart du temps votre enfant ne souffre que d'un banal rhume ou d'une otite. Cela n'a rien de dramatique mais pose quand même des problèmes de garde. Si l'enfant a l'habitude d'un mode de garde collectif – le CPE ou une gardienne en milieu familial –, il devra en être retiré tant que son infection est contagieuse. Qui va alors s'en occuper ? La question est particulièrement délicate pour les parents qui ne peuvent pas s'appuyer sur l'aide de la famille ou d'amis proches. La solution des quelques jours de congé à chaque maladie est problématique pour de nombreux parents et employeurs. Notre société commence à imaginer d'autres possibilités, mais il y a peu de solutions concrètes.

Ces solutions ne sont pas les plus adaptées à l'enfant, et encore moins aux tout-petits, qui ne peuvent être confiés à des inconnus ou laissés seuls lorsqu'ils sont malades. Ce que vous ne feriez pas avec un enfant en bonne santé – le laisser à la garde d'une nouvelle personne ou dans un nouveau CPE – est encore moins approprié à un enfant fiévreux et accroché à vous comme un petit singe. Les bébés malades ont besoin – et méritent évidemment – d'être choyés par les personnes qu'ils connaissent et en qui ils ont confiance. Et les parents des bébés malades ont évidemment le droit de les choyer. Essayez de trouver un accord avec votre employeur ; vous devriez au moins pouvoir utiliser vos congés annuels à tout moment. Vous pouvez aussi trouver un arrangement rassurant pour ces jours particuliers de convalescence. Avoir son grand-papa ou sa grand-maman pour s'occuper de lui sera sûrement une vraie joie pour votre enfant.

Le préparer à son mode de garde Les tout-petits s'épanouissent lorsqu'ils ont une relation proche, chaleureuse avec la ou les personnes qui les gardent. Si vous êtes le seul être au monde auquel votre enfant est lié et en qui il a confiance, il sera forcément difficile de le confier à qui que ce soit d'autre *demain*. Mais cela ne signifie pas que l'un de vous est obligé de rester avec lui vingt-quatre heures sur vingt-quatre indéfiniment.

Au contraire, il est temps de l'aider à nouer des liens affectifs avec au moins une nouvelle personne, avec qui il acceptera volontiers de rester en votre absence. Après tout, même si vous pensez ne pas avoir besoin d'aide pour l'instant parce que l'un d'entre vous a décidé de rester à la maison, ou parce que vous souhaitez vous en occuper ensemble en travaillant à domicile, les projets peuvent changer, tout peut arriver. Votre bébé vous aime plus que tout et il est peu probable que cela change, mais avoir d'autres personnes à aimer est rassurant.

Je veux une gardienne, pas une deuxième maman.

Je n'aime pas l'idée que travailler à plein temps signifie partager l'éducation de nos petites filles avec leur gardienne. Je ne veux pas que notre bébé puisse – et doive – s'attacher à elle. C'est notre enfant. Le fait que nous soyons absents de 8 heures à 18 heures cinq jours par semaine n'y change rien. J'emploie une personne pour s'occuper de mes enfants et j'attends qu'elle agisse comme je le lui demande. Je ne veux pas qu'elle intervienne sur leurs valeurs et leur personnalité, pas plus que je n'attends l'avis de ma femme de ménage sur la décoration de ma maison. Je ne veux pas que nos enfants reportent leur amour sur quelqu'un d'autre. J'ai donc recours à des gardiennes en immersion française pour des durées de six mois. Le problème du langage fait que nos filles ont hâte de nous retrouver chaque soir et une relation trop forte née malgré tout prend fin avant d'être une menace.

Un enfant est différent d'une maison. Une maison est une chose, vous pouvez la quitter et y revenir, il ne s'y passe rien entre-temps. Un enfant est une personne ; en votre absence, il continue à vivre, à se développer et à changer. Les très jeunes gens ont même besoin des autres adultes pour évoluer et ont tendance à nouer facilement de nouveaux liens. Le problème de la langue peut gêner un adulte mais les enfants passent outre et apprendront aisément la langue de leur gardienne. Quant à sa potentielle influence sur leur comportement, elle serait elle-même bien incapable de la maîtriser, même en obéissant à vos ordres et en s'en tenant au strict soin de vos enfants. Pour les bébés et les tout-petits, le visage et ses expressions sont des miroirs dans lesquels se reflète leur propre comportement. Même sans un mot, ils devinent vite ce que la gardienne pense de leur façon de manger, de leurs chagrins, de leurs jeux et de leurs disputes. Et ils y accordent, eux, de l'importance.

Il serait préférable pour vous d'imaginer vos petites filles heureuses de vous voir tous les soirs même avec une gardienne parlant une autre langue et dont elles se seraient toujours senties aimées.

Quoi qu'il arrive, ces enfants sont les vôtres et le temps passé sans vous ne changera rien au lien qui vous attache. L'amour des enfants pour les adultes n'est pas rationnel, canalisé. Il ne peut pas s'épuiser ou être détourné. En réalité, plus les enfants ont de personnes à aimer et par qui être aimés, plus ils sont affectueux et adorables. Le lien qui unit votre enfant à une autre personne qui prend soin de lui n'est pas du même ordre que celui que votre mari pourrait nouer avec une femme ! Il n'est en aucun cas une menace. Vous n'avez absolument pas besoin de priver votre enfant d'amour en votre absence pour vous en assurer votre part le week-end.

Reprendre le travail ou prendre encore plus de travail

La personne qui va vous permettre de reprendre le travail sans culpabiliser peut être un grand-parent, une gardienne à domicile ou une éducatrice du service de garde. L'important n'est pas là. Ce qui compte avant tout, c'est que votre enfant et cette personne aient le temps de faire connaissance et de s'attacher l'un à l'autre, et que vous acceptiez et encouragiez cette relation sans jalousie.

Si vous voulez que votre enfant accepte cette formule qu'il n'a pas choisie, et qui n'a peut-être pas sa préférence, il est important que vous l'acceptiez vous-même. Lorsque les parents sont convaincus de leur choix, les enfants sont capables de considérer normal tout mode de vie, même *a priori* loin de la situation idéale – par exemple, avoir un des deux parents travaillant toute la semaine loin de la maison et ne

Quand vous travaillez,
votre bébé a besoin d'être
avec un autre adulte
qu'il connaît et dont il se
sent aimé.

rentrant que les week-ends. Soyez convaincue que même le plus crampon des bébés de un an finira par accepter volontiers son mode de garde si vous lui laissez le temps de s'y adapter, même s'il a été habitué à vous avoir toujours avec lui ou à passer seulement deux après-midi par semaine avec une de vos amies.

Ne lui demandez pas d'accepter une éducatrice ou une gardienne en une semaine. Il a besoin de temps pour faire sa connaissance, d'abord avec vous, puis seul avec elle pour de courts moments avant de se lancer dans de longues journées. S'il doit aussi s'adapter à un nouveau lieu – un CPE par exemple, ou la maison d'une personne qui le garde à son domicile –, il faudra sûrement prévoir un peu plus de temps.

Rappelez-vous qu'une fois que votre bébé est habitué à son éducatrice ou à sa gardienne, il faut aussi qu'il apprenne à l'aimer. Changer d'éducatrice ne signifie pas seulement devoir reprendre le processus des présentations, c'est aussi perdre une personne devenue importante. Il n'est, bien sûr, pas question de laisser votre enfant à quelqu'un qui ne convient pas, mais d'être très prudente lors du premier choix. Il est surprenant de voir combien de parents choisissent un CPE sans s'être intéressés aux autres modes de garde, et plus étonnant encore, le nombre de gardiennes embauchées sans vérification préalable de leurs références. Sans aller jusqu'à exiger un contrat de longue durée, évitez une gardienne dont la présence est provisoire (parce qu'elle se marie sur un autre continent dans six mois, par exemple). Une fois la relation engagée, réfléchissez bien avant tout changement si votre enfant semble heureux. Il est sans doute désagréable de rentrer le soir dans une maison en désordre, mais si on y trouve un enfant qui babille gaiement et qui a visiblement passé une bonne journée, mieux vaut trouver une autre solution pour le ménage qu'une autre gardienne. Une autre peut vous paraître parfaite, mais il est bien plus important qu'elle le soit aux yeux de votre enfant – tout en restant tolérable pour vous.

Le choix de la personne et de la formule dépend d'abord de la disponibilité des parents. Si le père et la mère élèvent l'enfant ensemble, l'absence éventuelle de chacun au travail en cas de maladie est réduite de moitié. S'ils ne partagent pas le quotidien, le fait qu'ils puissent compter l'un sur l'autre pour se relayer – chacun selon la flexibilité dont il dispose – et relayer la gardienne est important. Certains chanceux bénéficient en plus d'un réseau plus large : des membres de la famille habitant tout près ou des amis ayant eux-mêmes des enfants sur qui compter en cas d'urgence, en leur renvoyant l'ascenseur à la prochaine occasion.

Vos choix professionnels, et surtout votre emploi du temps, prennent une importance particulière. Si vous reprenez seulement un travail à temps partiel, au moins au début, l'essentiel de la garde et de l'éducation de votre enfant reste entre vos mains. Pourvu qu'il soit content et en sécurité chez sa gardienne, ce n'est pas très grave s'il y est trop gâté. En revanche, si vous reprenez un emploi à temps plein, aux horaires plus stricts et exigeant des heures supplémentaires ou des voyages professionnels, votre enfant passera plus de la moitié de son temps d'éveil avec sa gardienne, et vous devrez alors accepter de partager non seulement le soin de votre enfant mais aussi son éducation. Sa confiance en lui, son éveil et ses manières seront aussi (mais pas autant) influencés par la gardienne. Faites votre choix en conséquence.

LE PETIT ENFANT

De un an à deux ans et demi

Votre enfant n'est plus un petit bébé qui se voit comme une part de sa maman et qui attend que vous conduisiez et facilitiez sa vie. Vous n'êtes plus le miroir dans lequel il se voit et voit le monde. Mais il n'est pas encore tout à fait un enfant, capable de vous considérer comme une personne à part entière et d'agir par lui-même. Il prend conscience que vous êtes deux personnes indépendantes mais n'en est pas encore totalement convaincu. Parfois, il affirme fort cette individualité récente, criant «Non!» ou «Laisse-moi!», luttant contre votre autorité et votre aide nécessaire à la moindre occasion. Parfois, il s'accroche à vous, pleure dès que vous quittez la pièce, tend ses bras pour être dans les vôtres, ouvre sa bouche comme un petit oiseau pour être nourri.

Ce comportement très changeant vous déstabilise mais il est surtout douloureux pour lui. Il lui faut devenir une personne à part entière, mais il se sent plus en sécurité en restant en votre possession. Il lui faut se débarrasser du contrôle total que vous avez sur lui, mais il lui est plus facile de l'accepter. Il lui faut développer ses propres goûts et poursuivre ses propres buts, mais tout conflit le terrorise. Il vous aime toujours d'une passion inégalable et dépend totalement de votre soutien affectif. Son indispensable quête d'indépendance est en conflit avec son impérieux besoin d'amour.

Si vous attendez de votre enfant qu'il reste le bébé plutôt docile qu'il était, vous l'obligez à entrer en conflit direct avec vous. Il a besoin de votre amour et de votre approbation, mais il n'acceptera pas que son indépendance en soit le prix. Si vous attendez de lui qu'il devienne du jour au lendemain l'enfant raisonnable qu'il sera un jour, il ne se sentira pas à la hauteur. Il a besoin de votre aide et de votre soutien ; sans eux, il est perdu. Il se sent mal s'il est surprotégé. Il se sent mal s'il est trop poussé.

Vous devez trouver l'entre-deux qui lui permet de partir à l'aventure tout en le protégeant des dangers, qui l'aide dans ses tentatives mais adoucit ses échecs, qui lui impose des limites fermes sans blesser la sensation nouvelle qu'il a d'être son propre patron. Pour trouver cet entre-deux, il faut comprendre certains aspects du développement du tout-petit qui ne sont pas toujours évidents et éviter de se fier aux apparences. Sur de nombreux points, votre enfant de deux ans semble beaucoup plus mûr qu'en réalité. Le fait qu'il marche et qu'il parle ainsi que sa façon de jouer le rapprochent vraiment d'un enfant de trois ans, mais il n'a pas son expérience et sa compréhension des choses. Si, au contraire, vous le traitez comme un bébé, vous l'empêchez de se développer. Il doit comprendre et apprendre par l'expérience. Mais si vous le traitez comme un enfant de quatre ans, vous lui infligez une pression intolérable. Il a besoin qu'on l'aide à comprendre et qu'on l'aide à faire ses propres expériences.

La clé pour comprendre votre enfant réside dans la compréhension des processus de développement de sa pensée. À mesure que celle-ci mûrit, ses émotions contradictoires et ses aptitudes trompeuses s'apaisent pour former l'être raisonnable et facile qu'on appelle un enfant.

La mémoire de votre enfant, par exemple, ne fonctionne pas comme celle d'un enfant plus grand. Il peut se souvenir, comme vous, de personnes, de lieux, de chansons et d'odeurs, mais sa mémoire des détails peut être très courte. Lorsqu'il était encore un petit bébé, avec des activités de bébé, vous ne vous en rendiez pas vraiment compte et ça n'était pas très important. Mais à présent qu'il tente d'avoir un comportement de «grand», ce point devient vital et manifeste. Chaque jour, il chute sur la marche qui est entre la cuisine et le salon. Cela vous agace et vous avez peur qu'il se fasse mal. Vous vous demandez s'il apprendra un jour à la passer. Il apprendra, mais il lui faut du temps. Pour que cette marche reste gravée dans sa mémoire, il faut qu'il en fasse plusieurs fois l'expérience malheureuse. Bébé, il était de votre rôle de l'empêcher de s'en approcher. Plus tard, vous la lui signalerez. Mais pour le moment, votre rôle est de limiter les chutes et de faire travailler sa mémoire — en mettant un tapis sous la marche et en lui rappelant sans fin sa présence.

Tout comme sa mémoire, sa capacité à prévoir le futur est sélective. Bien qu'il comprenne que vous partez travailler à la seule vue de l'attaché-case dans votre main, il ne sait pas anticiper les conséquences de son propre comportement. Il grimpera sur cet escabeau sans réfléchir au problème que pose la descente. Souvent, les difficultés de mémorisation et d'anticipation se combinent et le mettent dans des situations inconfortables. Vous l'avez réprimandé encore et encore pour avoir joué avec la télécommande, mais ni le souvenir des réprimandes passées, ni l'anticipation de celle à venir ne sont assez forts pour l'empêcher de s'en emparer. La télécommande est là et l'attire comme un aimant.

C'est parce que votre enfant ne peut pas prévoir le futur qu'il est incapable de patienter une seconde. Quand il veut quelque chose, il le veut maintenant et commence à râler alors même qu'il vous voit retirer le papier qui entoure son gâteau. S'il a du mal à attendre calmement les choses qu'il désire, supporter la moindre incommodité, même mineure, dans l'instant afin de se sentir mieux plus tard lui est impossible. Il gémit parce qu'il a du gâteau collé partout, mais se débat quand même si vous passez une débarbouillette sur son visage. La plupart du temps, c'est encore un être de l'instant.

Le même genre d'immaturité lui pose des problèmes dans ses relations avec les gens. Il vous aime. Tout le monde vous dit qu'il vous aime. Il vous le dit lui-même et lorsque vous partagez ce gros câlin, ce sourire malicieux ou ce fou rire, vous savez qu'il vous aime. Cependant, il se comporte peut-être rarement de façon «aimable» au sens où *vous* entendez ce mot. Il ne peut pas se mettre à votre place ou voir les choses à travers vos yeux. Il déteste vous voir pleurer, mais ce sont les sentiments que vos larmes éveillent en lui qu'il n'aime pas, et non ce qu'elles révèlent des vôtres. Il n'est pas encore de son ressort de prendre en compte les sentiments des autres. Il doit d'abord venir à bout des siens. S'il vous mord et que vous le mordez à votre tour pour «lui montrer ce que ça fait», il crie de douleur et d'indignation, comme s'il découvrait qu'on pouvait mordre. Il ne fait pas le lien entre ce qu'il vous a fait et ce que vous lui faites, entre vos sentiments et les siens.

Ses propres sentiments restent souvent un mystère pour lui-même. Il s'interroge sur ce qu'il ressent sur l'instant sans pouvoir se souvenir de ce qu'il a ressenti la fois précédente ou prévoir ce qu'il ressentira plus tard. C'est ce qui lui rend toute décision si difficile. «Tu restes ici avec moi ou tu vas faire des courses avec papa?» semble une question simple et insignifiante. Mais pas pour un tout petit enfant. Qu'est-ce qu'il préfère? Qu'est-ce qu'il a préféré la fois précédente? Que veut-il faire maintenant? Il ne sait pas et est incapable de le savoir. Il hésite et quoi que vous lui ayez finalement imposé, il est malheureux.

Savoir prendre ses propres décisions est une part de son développement. Mais il apprendra plus vite et plus simplement à le faire s'il peut s'y entraîner sur des choix où il n'a rien à perdre. S'il a deux biscuits, «Lequel vas-tu manger en premier?» est une question qu'il peut considérer sans inquiétude. Il les a tous les deux. Personne ne va lui prendre celui qu'il ne mangera pas tout de suite. Il peut même changer d'avis six fois de suite s'il en a envie.

Les tout-petits acquièrent le langage à des âges variés, mais les premiers mots les plongent souvent dans de nouvelles difficultés car ils nous trompent sur leur capacité réelle de compréhension. Votre enfant utilise correctement les mots nouveaux qu'il apprend, mais il n'enregistre pas les sens plus subtils qu'ils ont pour vous. Il se sert correctement du mot «promis», par exemple, mais ne saisit pas le concept que ce mot englobe. Si vous lui offrez cinq minutes de jeu supplémentaires contre la promesse d'aller au lit ensuite, il dira «promis» avec enthousiasme. Mais ce mot n'a pas de sens au-delà de cet instant. Cinq minutes plus tard, il ne comprendra pas votre ton de reproche: «Tu avais promis…»

Avec l'arrivée du langage se pose aussi le problème de la vérité. Votre enfant parle peut-être assez bien pour formuler des accusations ou des dénégations bien avant d'être capable d'en saisir le sens exact. Il dit ce qu'il ressent. Cette flaque sur le sol de la cuisine pourrait être l'œuvre du chien; c'est ce qu'il aimerait et c'est ce qu'il dit. Au cours d'une dispute avec sa sœur, il tombe et se blesse. Il dit que sa sœur l'a poussé – et c'est faux. Mais bien qu'elle ne l'ait pas poussé, elle a blessé ses sentiments. Il dit une sorte de «vérité des sentiments» qui est simplement différente de la vérité des adultes.

Plus tard, vous pourrez lui démontrer qu'il faut tenir ses promesses, dire (en général) la vérité et éviter (le plus souvent) les mensonges. Mais il est trop tôt pour l'embêter avec des concepts incompréhensibles. Il fait de son mieux pour vous satisfaire, mais il est encore si petit! Si vous lui imposez un comportement d'enfant plus grand, il ne peut qu'échouer.

L'horloge du développement de votre petit enfant lui indique qu'il n'est plus un bébé et qu'il doit se comporter comme un individu. Si vous le traitez comme un bébé, il luttera contre vous tout au long de son chemin vers l'indépendance et gagnera celle-ci parce qu'il le doit, mais à un prix terrible.

Mais cette horloge n'indique pas encore «enfant». Lui imposer la même discipline qu'à un enfant de trois ans n'est donc pas mieux. Vous vous heurteriez à un manque de compréhension qui pourrait passer pour du défi, et chaque bataille que vous mèneriez serait un peu d'amour perdu. N'essayez pas de tout contrôler et n'engagez pas de conflits pour des questions morales. Votre enfant sera «sage» si ce qu'il a envie de faire correspond à ce que vous souhaitez qu'il fasse. Essayez d'organiser la vie en général, et certains problèmes en particulier, pour que, le plus souvent, vos désirs se rejoignent. Votre enfant a répandu ses cubes dans le salon et vous voulez que cette pièce soit rangée. Si vous lui demandez de les ramasser, il va probablement refuser. Si vous insistez, vous entrez en conflit avec lui et n'y gagnez rien. Le gronder ou le punir ne remettra pas les cubes à leur place. Mais si vous lui dites: «Je parie que tu n'es pas capable de ramasser tous les cubes avant que j'aie fini de ranger ces livres», vous transformez une

corvée en jeu, un ordre en défi. Maintenant, il a envie de faire ce que vous voulez, et il le fait. Il n'a pas ramassé ses cubes «pour maman», il ne l'a pas fait parce qu'il est un «bon garçon». Il l'a fait parce que vous lui en avez donné envie. Et c'est la meilleure façon de vous y prendre. Dirigez votre petit enfant à travers sa vie, aidez-le à éviter les obstacles, évitez les ordres absolus qu'il refusera absolument et guidez-le pour qu'il se comporte comme vous le souhaitez, car rien ne lui a appris à vouloir se comporter autrement.

Cette méthode a pour résultats immédiats plus d'amusement et moins de conflits pour tout le monde, mais répond aussi aux impératifs moraux, ce qui est très important. Ce tout-petit, qui ne distingue pas le vrai du faux et ne peut pas choisir entre se comporter bien ou mal, grandit. Bientôt, il sera capable de se souvenir de vos consignes et de prévoir les conséquences de ses actes, il comprendra les subtilités du langage de tous les jours et sera conscient de vos sentiments et de vos droits. À ce moment, il pourra décider d'être «sage» ou «polisson». Sa décision dépendra beaucoup de la façon dont il perçoit les adultes qui ont un pouvoir sur lui. S'il atteint cette nouvelle étape de son développement avec le sentiment que vous l'aimez, que vous l'approuvez et que vous êtes de son côté, il voudra (en général) vous faire plaisir et vous obéira (malgré des défaillances fréquentes). Mais si, au contraire, ses parents lui paraissent tout-puissants, incompréhensibles et contre lui, il va peut-être très vite choisir de ne pas perdre son temps à essayer de vous satisfaire, puisque vous ne l'êtes jamais, de ne pas prendre en compte vos colères, puisque vous êtes toujours en colère, et de ne pas vous livrer tout son amour puisque vous ne semblez pas toujours l'aimer.

Vous craignez d'être trop douce ou trop tolérante avec votre petit, ou quelqu'un vous suggère de vous durcir un peu? Regardez plus loin que l'instant présent. Si à trois ou quatre ans votre enfant ne cherche plus votre approbation et n'a plus confiance en votre amour, vous aurez perdu les bases d'une «éducation» facile et efficace pour toute son enfance. Pendant cette étape intermédiaire, un enfant heureux est un enfant facile. Et un enfant facile aujourd'hui sera facile à éduquer plus tard.

*Une alimentation saine,
mais pas forcément
monotone…*

ALIMENTATION ET CROISSANCE

Au début de la deuxième année, votre bébé peut partager la plupart de vos repas, aux heures qui vous conviennent, à condition de lui donner quelques collations supplémentaires.

Si vous cuisinez des produits frais, ils sont en général tous adéquats. Les aliments frits sont encore trop gras, mais sa part peut être grillée ou cuite sans graisse. Vous pouvez remplacer une sauce faite avec du vin, des épices fortes ou beaucoup d'ail par du yogourt. La plupart du temps, vous n'avez qu'à couper son repas en petits morceaux, à le hacher ou à l'écraser pendant que tout le monde se sert.

Si vous ne cuisinez pas beaucoup pour le reste de la famille, ou si vous utilisez des plats tout prêts ou surgelés dont vous ne maîtrisez pas la composition (en particulier les additifs), vous pouvez toujours avoir recours à des plats industriels pour bébés. Par exemple, si personne d'autre ne prend de déjeuner chez vous, un bol de céréales infantiles est beaucoup plus nourrissant qu'un bol de céréales ordinaires. Si vous ne préparez jamais de dessert, les petits pots de compote ou de collations sucrées vous évitent de cuire une demi-pomme ou de préparer un flan minuscule.

La qualité des produits que vous utilisez pour vous n'est pas toujours idéale pour un enfant. Les produits surgelés ont les mêmes qualités que les produits frais. Un bol de soupe à la tomate en sachet, par exemple, remplit le ventre de votre bébé, mais ne contient pas les calories ni les nutriments d'un vrai plat principal. Ces produits sont souvent très salés. Même si les enfants supportent de mieux en mieux le sel en grandissant, leurs reins le gèrent mal en trop grande quantité.

Ces aliments contiennent aussi beaucoup d'agents de conservation, de colorants et d'arômes artificiels, comme l'omniprésent glutamate de sodium. Malgré les règles strictes imposées à l'utilisation de produits chimiques, il vaut mieux éviter de trop se nourrir ainsi. Sans tomber dans l'extrême – un fond de sauce en poudre de temps en temps est sans conséquence –, il ne faut pas que ces produits industriels soient la base de son alimentation.

Cette prudence s'applique aussi aux boissons non alcoolisées pour adultes. L'étiquette d'une bouteille de jus d'orange indique une grande variété d'édulcorants, d'arômes artificiels et de colorants et très peu de vrai fruit. Si votre enfant en boit occasionnellement, cela ne lui fera aucun mal, mais, pour une consommation régulière et un bon apport de vitamine C, privilégiez le jus de fruits frais dilué avec de l'eau. Bien sûr, rien de tel qu'un verre de lait pour la collation ou un verre d'eau s'il a soif.

Être soucieux de son alimentation — Après avoir été bombardés d'informations sur la façon de nourrir un bébé, les parents qui cherchent conseil pour l'alimentation d'un enfant reçoivent souvent cette mystérieuse prescription : une alimentation saine et variée. Lorsqu'ils demandent en quoi cela consiste, on leur répond : « Beaucoup de sucres complexes – pain complet ou pâtes –, de la viande ou du poisson tous les jours, des œufs cuits, du fromage, du lait et beaucoup de légumes frais. » Ils réalisent alors que leur enfant refuse la plupart de ces aliments et en concluent que son alimentation n'est pas équilibrée. Les graines de l'anxiété (et des repas difficiles) sont semées.

Qu'est-ce qu'une alimentation variée et en quoi est-elle importante ?

Une alimentation variée est composée d'une grande variété de produits associés différemment chaque jour. Un individu qui s'alimente ainsi fournit à son organisme tout ce dont il a besoin en toutes circonstances. Ce qui n'est pas dans un aliment sera dans un autre. Si le déjeuner n'est pas assez riche en tel nutriment, le manque sera comblé au dîner. Si votre enfant a une alimentation saine et variée, vous n'avez pas à vous inquiéter d'éventuelles carences car, au fil des jours et des semaines, il obtient tout ce qui lui faut.

C'est un avantage majeur, car résoudre un problème de carence est assez compliqué. Les besoins alimentaires et nutritifs varient d'une personne à une autre et, pour une même personne, d'un jour à l'autre. L'alimentation qui *vous* convient en général peut tout à coup ne pas être assez riche en fer si, pendant plusieurs mois, vos règles sont particulièrement abondantes. Savoir ce que telle quantité d'un aliment vous apporte est encore plus difficile. Nous savons, par exemple, combien de protéines contiennent 170 g d'agneau maigre. Mais à quel point cet agneau-là est-il maigre ? Nous savons combien de vitamine C contiennent 115 g de chou fraîchement ramassé, mais qu'en reste-t-il une fois le chou transporté, stocké, cuisiné et réchauffé ? Une alimentation variée vous libère de ces questions. Une personne qui mange de la viande ou du poisson ou des haricots, des légumes secs, du fromage, des œufs, du lait ou du yogourt y trouve plus de protéines qu'il n'en faut, quelle que soit la qualité de chaque produit. Si elle mange divers légumes et fruits, elle peut éliminer la vitamine C du chou en le faisant bouillir sans perturber l'équilibre de son alimentation – elle en trouvera aussi dans les pommes de terre cuites au four ou dans la salade de fruits.

Une alimentation très variée, et donc saine et équilibrée, est le moyen le plus facile et le plus sûr de bien nourrir un enfant ou un adulte. Fixez-vous cela comme objectif, par tous les moyens, mais ne croyez pas que, si vous ne le faites pas, l'alimentation de votre enfant sera forcément pauvre. Elle peut être bonne et assez variée sans inclure tous les aliments qui sont considérés comme bons pour lui. La valeur de l'alimentation dépend de l'utilisation qu'en fait le corps. Aucune denrée n'est absolument indispensable puisque tous les nutriments qu'elle contient peuvent être trouvés ailleurs. Une génération plus tôt, on considérait, par exemple, que le lait était essentiel à l'enfant, et ceux qui n'en buvaient pas faisaient l'objet de débats sans fin. Aujourd'hui, on reconnaît que certains se portent mieux sans lait, et que le lait est simplement un moyen pratique d'obtenir des nutriments utiles. Les protéines, vitamines et minéraux précieux que contient le lait se trouvent aussi dans d'autres aliments, en particulier dans les produits qui en sont issus.

Proposez-lui une gamme très variée d'aliments, aussi bien pour les collations que pour les repas.

Une tasse de lait n'a pas plus de vertus qu'un yogourt, et l'œuf comme le lait contenus dans les crêpes que votre enfant adore sont aussi bons (ou aussi mauvais) que ceux proposés au déjeuner et qu'il a refusés.

Donc, si votre enfant a une alimentation raisonnablement variée, il y trouve tout ce dont il a besoin, et vous n'avez pas à vous soucier outre mesure de sa nourriture. Épargnez-vous même la lecture de la suite de ce chapitre. Si ce n'est pas le cas, il n'y a pas non plus lieu de s'inquiéter. Dans les pages suivantes, vous allez voir qu'à condition de toujours lui offrir une large gamme d'aliments, les menus qu'il apprécie lui procurent tout ce qui lui est vital, quels que soient les aliments qu'il refuse. Quant aux *nouvelles* recommandations alimentaires à la mode, écoutez-les avec prudence ; elles vous pousseraient vite à restreindre la gamme d'aliments que vous lui proposez. De qualité discutable pour les adultes, beaucoup de ces notions alimentaires sont indiscutablement fausses pour les petits enfants.

Les calories Dans nos sociétés où les calories n'ont pas bonne presse, il est important de se souvenir que celles-ci (plus précisément les kilocalories ou kilojoules) ne sont pas des nutriments, comme la graisse ou les protéines, mais une mesure de l'énergie totale que notre corps retire des aliments. Être en bonne santé, c'est avoir suffisamment de calories pour faire tourner toutes les fonctions vitales et combler les dépenses d'énergie. L'organisme d'un enfant a besoin d'un surplus de calories pour les besoins propres à la croissance. Les quantités varient selon les personnes et selon les enfants du même âge. Il est essentiel d'offrir beaucoup de calories à votre enfant, tout en admettant que son petit appétit n'est pas forcément un problème : tant qu'il grandit et qu'il fait preuve d'énergie, il a ce qu'il lui faut.

Tous les aliments contiennent des calories – lorsque les fabricants produiront des aliments comestibles sans calories, ce ne seront plus vraiment des aliments –, mais dans des proportions très variables. C'est dans les graisses (y compris l'huile) qu'on en trouve le plus. Une tranche de pain beurrée apporte à votre enfant plus d'énergie que deux tranches sans rien dessus. Une pomme de terre frite contient autant de calories que trois pommes de terre cuites à l'eau. Un enfant dont la croissance est bonne malgré un appétit remarquablement faible mange peut-être des produits très caloriques.

Les hydrates Le sucre est un hydrate de carbone pur, en général trop présent dans
de carbone l'alimentation, à ne pas confondre avec les sucres lents qui, au contraire, en sont souvent trop absents. La plupart des aliments riches en hydrates de carbone sont les céréales de grains – blé, maïs, riz – et de racines – pommes de terre, patates douces, manioc… Ces produits de base, moins riches en calories que les graisses, sont la principale source d'énergie des populations du monde entier.

Très nourrissants mais peu caloriques, ils sont essentiels, car ils nous permettent de remplir notre estomac tout en apportant les fibres nécessaires au bon fonctionnement de notre appareil digestif, sans risque de surpoids.

Si votre enfant en mange volontiers, il comblera à la fois son appétit et son besoin d'énergie, surtout si vous les cuisinez simplement. Si vous ne l'habituez pas à manger des céréales sucrées ou des frites salées, il aimera sans doute le maïs et les pommes de terre cuites au four.

Ne soyez pas trop pressée de réduire sa consommation d'hydrates de carbone modifiés. L'introduction progressive de pain et de riz complets et blancs aidera votre enfant à apprécier un mode d'alimentation raisonnable plus tard, mais une alimentation trop riche en fibres n'est pas appropriée à son âge. Son estomac étant encore minuscule, il doit faire de petits repas et manger des aliments relativement riches en calories pour leur volume. Les céréales complètes, et surtout le son, tellement à la mode aujourd'hui, lui donneraient sûrement des diarrhées.

Les graisses De nombreuses familles essaient de diminuer leur consommation de graisse en général – et de graisse animale ou saturée en particulier – à cause des problèmes de cholestérol et d'accidents cardiaques. Une alimentation relativement faible en graisses convient à votre enfant. Même s'il ne mange pas de graisses «directes» – comme le beurre ou la margarine – et consomme peu d'aliments frits, il trouve les petites traces d'acides gras que son corps réclame dans les produits industriels. Mais, à la différence des autres membres de la famille, il boit du lait entier, plutôt que demi-écrémé, et mange des produits laitiers (fromages, yogourt...) non allégés. Il a besoin des vitamines présentes dans ces corps gras.

Même si vous les lui donnez sous forme de gouttes – surtout s'il vient d'être sevré et ne mange pas encore de viande, d'œufs ou de poisson –, le surplus de calories – et de goût! – de ces produits lui convient. S'il se nourrit bien, il pourra boire du lait demi-écrémé (mais pas écrémé) à partir de la fin de l'année et partager les produits laitiers de la famille.

Les protéines Les protéines sont composées d'éléments fondamentaux à la croissance. Dans les pays riches, les fabricants ont même exagéré les besoins des enfants et prétendu que les protéines étaient difficiles à trouver, donc chères... Malgré la mode de l'expression «riche en protéines», un enfant qui mange autant qu'il veut une nourriture variée n'a pas besoin de protéines supplémentaires.

Les protéines sont composées de plusieurs sortes d'acides aminés. Votre enfant doit manger des aliments contenant ces acides, car son corps ne peut les fabriquer à partir des autres nutriments. Les aliments riches en acides aminés sont la viande, le poisson, les œufs et les produits laitiers, sources de protéines dites de première catégorie. Mais on en trouve aussi ailleurs. Les protéines d'origine végétale présentes dans le pain, les pommes de terre, les haricots, les noix et les céréales peuvent se compléter et assurer un apport suffisant à un adulte, mais pas à un enfant en pleine croissance. Elles doivent être complétées par un petit supplément de protéines d'origine animale: de la viande ou du poisson, mais aussi du lait et des produits laitiers. Du pain et du fromage, par exemple, ou des flocons d'avoine avec du lait fournissent autant de protéines de première catégorie qu'un filet de viande hors de prix, toujours très recommandé, mais bien souvent refusé.

De cette façon, la plupart des enfants obtiennent leur dose de protéines. Ils peuvent refuser les œufs, mais manger des gâteaux qui en contiennent. Ils peuvent refuser la viande et le poisson, mais accepter un sandwich, du poulet, des saucisses ou du poisson pané. Un enfant qui vit dans une famille végétarienne mangera peut-être beaucoup de légumes secs, des œufs, du fromage et d'autres produits laitiers. Ce ne sont pas des produits aussi riches en protéines que la

Ne vous obligez pas à lui interdire ses mets favoris. Ils peuvent être bons pour sa santé.

viande rouge, mais cette consommation totale de protéines d'origine végétale lui suffit.

Si l'alimentation de votre enfant ne lui procure pas un bon apport de protéines d'origine végétale ou s'il n'aime aucun des produits riches en protéines animales, n'oubliez pas le lait. Tant qu'il en boit 500 ml par jour, directement ou comme ingrédient de cuisine, il ne manquera pas de protéines, quoi qu'il mange ou refuse de manger.

Mais si les régimes végétariens, qui autorisent les produits laitiers et parfois les œufs, peuvent convenir à un enfant en pleine croissance, il en va bien autrement des régimes végétaliens, qui excluent tous les aliments d'origine animale, y compris le lait. Les laits infantiles au soja sont un mauvais substitut du lait maternel, la vitamine B_{12} ne se trouve que dans les produits d'origine animale et trouver assez de calcium sans produits laitiers n'est pas aisé. Pour obtenir un bon apport de protéines, il faudra beaucoup de tofu ou de produits à base de soja. Si vous ne maîtrisez pas vous-même parfaitement les conséquences d'un régime végétalien strict, demandez conseil à un spécialiste.

Le calcium et les minéraux

Votre bébé a besoin de calcium pour ses os et pour ses dents mais aussi pour le bon fonctionnement de ses muscles et pour la coagulation du sang. Le pain, la farine et les autres céréales en contiennent, mais pas en quantité suffisante. La source de calcium la plus évidente et la plus simple est le lait. Une consommation de 500 ml de lait par jour apporte à votre enfant le calcium dont il a besoin. Même s'il n'en boit pas autant, vous en utilisez aussi lorsque vous cuisinez : au moins 30 ml pour délayer son œuf cuit, pour lui faire une crêpe, ou dans sa purée de pommes de terre, le double dans ses céréales, dans son flan ou dans sa soupe, et encore le double dans un yogourt ou une portion de crème glacée.

Le fromage est une autre source importante de protéines. Beaucoup de très jeunes enfants manifestent une véritable passion pour le fromage, en morceaux à manger avec les doigts, râpé sur les légumes, étalé sur du pain…

Les autres minéraux dont votre enfant a besoin sont soit trop courants (comme le phosphore) pour qu'il ait des carences, soit tellement utilisés et réutilisés par le corps (comme le fer) que, à condition que ses réserves soient correctes après le sevrage, des compléments quotidiens ne sont pas nécessaires.

Il n'est pas indispensable qu'il boive du lait. Les produits laitiers suffisent.

La plupart des vitamines sont aussi très courantes, et un enfant qui mange de tout obtient automatiquement toutes les vitamines qu'il lui faut. Les suppléments de vitamines ne remplacent pas les aliments. Cependant, un complément (bien dosé) des trois vitamines vitales lui assure de bonnes réserves pour les périodes où il mange moins ou de façon moins équilibrée. Ces trois vitamines sont :

Les vitamines

■ La vitamine A : on la trouve surtout dans le foie, le lait, le beurre et la margarine enrichie. Les carottes procurent du carotène à partir duquel notre corps produit lui-même de la vitamine A. Votre enfant en mange sans doute assez, mais lui en donner en plus est plus sûr.

■ La vitamine D : on la trouve principalement dans le jaune d'œuf et les poissons gras. Les peaux pâles en produisent en réaction au soleil, mais un supplément est essentiel l'hiver et pour les enfants de peau noire.

■ La vitamine C : très présente dans les fruits et les légumes verts, cette vitamine n'est cependant pas facile à obtenir en dose quotidienne idéale, car elle est détruite par la lumière et par la chaleur. Les légumes verts exposés à la lumière du jour, épluchés et cuits à l'eau perdent la plus grande part de leur vitamine C. Les faire peu cuire, les servir rapidement et garder l'eau de cuisson, avec les vitamines dissoutes, pour faire des soupes ou des sauces est indiqué, mais il reste difficile de savoir ce que votre enfant reçoit exactement. La peau des pommes de terre est pleine de vitamine C, mais la chaleur du four l'élimine. Épluchées et cuites à l'eau, elles perdent encore plus de leur vitamine C.

Les fruits sont une excellente source de vitamine C, car on les mange souvent crus ou servis dans leur eau de cuisson. Les agrumes, qui sont naturellement protégés de la lumière et en général servis crus, sont les plus recommandés. Une orange entière ou son jus chaque matin apporte à votre enfant la vitamine C dont il a besoin. Les jus de fruits industriels enrichis en vitamine C font aussi l'affaire. Évitez cependant d'habituer votre enfant à en boire à volonté, car il deviendra difficile de surveiller son alimentation à partir du moment où il pourra exprimer clairement ses désirs. Si vous voulez garder la maîtrise de sa consommation de sucreries, il serait absurde de lui donner des verres de jus de fruits toute la journée. Même les marques certifiées « sans sucre ajouté » contiennent une quantité de sucre naturel suffisante pour attaquer ses dents et rompre l'équilibre de son alimentation.

Ne vous battez pas pour lui faire manger des légumes verts. Les fruits sont encore plus riches en vitamines.

LE COMPORTEMENT AU MOMENT DES REPAS

Si vous faites ce qu'il faut pour qu'il ait une bonne alimentation mais que vous restez inquiète, c'est peut-être plus à cause de son comportement qu'à cause de ce qu'il mange réellement. Préparer un repas, c'est dépenser de l'argent et passer du temps à cuisiner. Vous êtes peut-être vexée ou blessée quand il refuse vos plats. Le voir jouer avec de la nourriture va contre votre conception des bonnes manières et vous semble un gaspillage honteux. Son empressement à quitter la table après quelques bouchées empêche le repas – peut-être le seul moment où toute la famille est réunie – d'être un moment agréable. Vos sentiments sont compréhensibles, mais il ne faut pas les confondre avec votre souci de bien le nourrir. Vous essayez de lui donner ce qu'il faut pour qu'il grandisse et vous tentez de lui apprendre à se comporter convenablement. Ce sont deux tâches distinctes, toutes deux importantes, mais différentes.

Lorsque vous insistez pour qu'il mange des haricots ou du brocoli, vous pensez aux vitamines ou à la discipline ? Il y a d'autres sources (meilleures) de vitamine C. Et il y a d'autres façons (meilleures) de l'éduquer.

Lorsque vous dites qu'il devrait manger tout ce qui est dans son assiette, est-ce pour qu'il ne manque de rien ou pour ne pas gâcher de nourriture ? Lui seul sait s'il a encore faim ou non. Lorsque vous lui dites qu'il n'aura pas de dessert tant qu'il n'aura pas fini son plat principal, pensez-vous vraiment que ce plat est important pour son organisme ou estimez-vous qu'il doit mériter les sucreries en mangeant de la viande et des légumes ?

Bien sûr, ce sont les parents qui décident des moments où éduquer leurs enfants, mais le faire pendant les repas peut coûter cher. Certains bataillent tellement pour faire manger leur enfant que c'est la vie de famille tout entière qui en pâtit, souvent pendant des mois. Des parents en arrivent à bannir toute conversation normale au cours des repas pour chanter des comptines qui pourraient distraire l'enfant pendant qu'on le nourrit.

D'autres refusent toutes les invitations à souper chez des amis parce que leur enfant n'accepte de manger que chez lui. Une mère a renvoyé une gardienne formidable parce que celle-ci refusait de forcer l'enfant à rester deux heures à table pour lui faire avaler quelque chose, et son ami en a choisi une autre parce qu'elle passait le temps des siestes à découper de petits sandwichs en formes d'animaux pour le goûter...

Il est curieux que nous soyons aussi angoissés par les repas des petits enfants. Comme tout le monde, ils ressentent la faim et, quand leur corps leur demande de manger, ils mangent. Très peu d'enfants de cet âge avec de prétendus sérieux problèmes d'alimentation sont maigres. La plupart sont plutôt potelés. Les problèmes surgissent parce que l'enfant ne mange pas ce que vous lui proposez quand et comment cela vous convient.

Plus vous lui imposez de règles à table, plus il est persuadé que sa chaise haute est le lieu idéal du conflit. Il comprend vite que le repas est l'une des situations qui lui permettent d'attirer votre attention sur lui (et de la dévier de sa sœur) et de susciter votre inquiétude. Son indépendance et son sentiment de pouvoir tout nouveaux ne peuvent y résister.

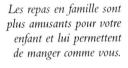

Les repas en famille sont plus amusants pour votre enfant et lui permettent de manger comme vous.

Des études dans des services de garde ont montré que des bébés de un an auxquels on sert des plateaux contenant une grande variété

d'aliments bien cuits et découpés en petits morceaux, trois fois par jour, mangent tout seuls, sans l'assistance ni la persuasion des adultes, des repas qui, bien qu'assez extravagants en eux-mêmes, constituent, à long terme, une alimentation parfaitement équilibrée. Comme eux, votre enfant peut ne vouloir que du pain, puis se prendre de passion pour la viande ou ne manger que des fruits un jour ou deux. Cela ne pose aucun problème. Si vous acceptez ce comportement et lui faites confiance pour savoir ce qu'il veut et ce dont il a besoin, vous éviterez sûrement les véritables difficultés alimentaires.

Éviter les problèmes d'alimentation Vous êtes plus raisonnable que votre enfant. Si vous sentez les conflits possibles à l'heure des repas, essayez de rester un peu en retrait et de ne pas y participer. Il faut être deux pour se quereller. Pour bien commencer, interrogez-vous d'abord sur vos propres sentiments :

■ Soyez convaincue que votre enfant ne se laissera pas mourir de faim si vous lui offrez une nourriture adéquate. Ce n'est pas une généralité sans fondements, mais une vérité valable pour tous les enfants, excepté ceux dont les mécanismes de la faim sont gênés par un problème physique. Est-ce le cas du vôtre ? Vous vous en rendrez compte s'il refuse son plat préféré alors qu'il a faim.

■ Vérifiez l'évolution de son poids sur une courbe de croissance. Si vous n'êtes pas sûre que la courbe évolue normalement, demandez conseil à votre médecin.

■ Essayez de vous convaincre que votre tâche consiste seulement à lui proposer une alimentation saine, pas à le forcer à l'avaler.

■ Partagez cette conception des choses avec les autres personnes qui s'occupent aussi de lui. Si son père ou sa gardienne, par exemple, continue à le contraindre à manger, la campagne que vous menez sera vouée à l'échec.

Ensuite, il faut encourager l'indépendance de votre enfant dans tous les domaines où vous êtes en conflit, en particulier les repas :

■ Présentez-lui ses aliments sous une forme qui lui permette de se débrouiller tout seul et aidez-le seulement quand il demande votre aide par des mots ou des gestes.

■ Si c'est le cas, évitez de le nourrir complètement en portant la cuillère de son assiette à sa bouche. Remplissez sa cuillère et laissez-le la mettre lui-même dans sa bouche.

■ Faites-lui sentir qu'il est actif pendant les repas, qu'il se nourrit lui-même parce qu'il en a envie. Il ne faut pas qu'il accepte passivement de manger simplement pour vous faire plaisir.

■ Laissez-le se nourrir comme il l'entend : avec ses doigts et ses poignets aussi bien qu'avec une cuillère. Il faut qu'il comprenne que l'important est de parvenir à ingurgiter ce qu'il veut et non de le faire d'une certaine façon.

■ Autorisez-le à prendre son repas dans n'importe quel ordre et à faire tous les mélanges. Si vous pouvez tenir son gâteau ou la corbeille à fruits hors de sa vue jusqu'à ce qu'il ait fini son gratin de chou-fleur, tant mieux. Mais s'il y pense et vous le demande, lui refuser tant qu'il n'a pas mangé le plat principal lui fera vite réaliser que celui-ci a plus d'importance à vos yeux. Et l'esprit de contradiction propre à son âge lui rendra ce gâteau bien plus attirant. De même, si vous ne le laissez pas tremper son bacon dans ses céréales, il pourrait décider de ne manger ni l'un ni l'autre. Mieux vaut éviter de le regarder faire…

■ Ne perdez pas trop de temps à lui cuisiner des plats. Vous seriez particulièrement vexée qu'il balance directement par terre ce que vous avez mis la moitié de la matinée à préparer. Des repas tout simples qu'il est susceptible d'aimer valent mieux. Cela peut être un énième sandwich au concombre et au jambon. S'il mange, tant mieux; c'est un très bon dîner. Quoi qu'il en soit, vous n'aurez pas perdu de temps à cuisiner.

■ Ne faites pas de la nourriture une récompense, une punition ou une menace. Rappelez-vous que vous ne devez pas mélanger l'alimentation et la discipline. S'il a faim, il mangera ce qu'il veut de ce qui lui est proposé. S'il n'a pas faim, il n'y a aucune raison de le forcer. Si vous lui donnez une glace, c'est parce que vous l'aviez prévu, non parce qu'il a été sage. Si vous ne lui en donnez pas, c'est parce qu'il n'y en a pas aujourd'hui et non parce qu'il a fait une bêtise.

■ Laissez-le décider de la fin du repas. Si vous avez accepté qu'il mange ce qu'il veut de la façon qu'il veut, il peut aussi choisir de ne plus manger ou de ne pas manger du tout. Ne craquez pas au dernier moment en essayant de lui faire avaler quelques dernières bouchées.

■ Faites en sorte que les repas soient des moments agréables. Il n'apprécie pas de rester assis longtemps et ne suit pas encore une conversation générale. L'obliger à rester à table pendant tout un repas de famille ne peut que mal finir. Pour qu'il apprécie son rôle à table, laissez-le s'asseoir avec vous, manger ce qu'il veut, puis s'en aller jouer. Si vous ne vous en sentez pas capable, faites-lui prendre ses repas tout seul pendant encore au moins un an.

Les repas et les collations   Trois repas ne suffisent pas aux enfants de cet âge. Pour obtenir les calories indispensables à leur taille, ils ont besoin de manger entre les repas, tant que leur petit estomac ne leur permet pas d'ingurgiter des quantités de nourriture suffisantes en une seule fois. Les goûters ne sont pas une faveur mais une nécessité. Votre enfant a certainement besoin d'une collation en milieu de matinée et d'une autre en milieu d'après-midi et, s'il soupe une heure ou plus avant d'aller au lit, il appréciera peut-être une collation à l'heure du coucher.

S'il reste longtemps sans manger, son taux de glycémie peut descendre trop bas. Il se retrouve alors à court d'énergie, de patience et de bonne humeur. Lorsqu'il se réveille de sa sieste en pleurs et en colère, une tasse de lait peut faire des miracles. Assurez-vous que personne chez vous n'a une attitude moralisatrice par rapport aux goûters. Aucune règle alimentaire ne dit qu'il est meilleur de manger trois fois par jour que deux fois ou six fois. Il s'agit juste d'un mélange de bon sens, de commodité et de convention sociale.

Assurez-vous que les goûters de votre enfant le nourrissent vraiment, qu'ils sont de vrais minirepas. L'argument principal donné contre les collations est qu'elles «remplissent» l'enfant, qui n'a alors «plus assez d'appétit pour le souper».

S'il prend un goûter peu nutritif – des biscuits au chocolat, par exemple – alors qu'il n'a pas très faim, il est possible qu'il refuse le souper et, en réalité, s'il ne le refuse pas, il risque l'obésité. Mais une

Pour garder le contrôle de ses collations, donnez les friandises aux repas et des aliments simples entre les repas.

collation nutritive quand il a très faim ne lui fera pas fuir son souper une heure plus tard. Et même s'il fait un souper plus léger, il n'y perd rien, car la collation – disons, des morceaux de fromage et une pomme – était aussi bonne pour lui que ce poisson pané.

À mesure que votre enfant grandit, faites attention aux *goûters* et à la vaste gamme de produits présentés de façon attractive, à grand renfort de publicité, dans tous les magasins et dans les mains de ses petits copains. Il a besoin de manger quelque chose entre le déjeuner et le dîner, mais si ce goûter est meilleur, plus facile et plus rigolo à manger que les vrais repas, vous allez vous retrouver dans une situation où ces goûters déséquilibrent son alimentation (voir p. 439).

Si vous craignez que votre enfant ne soit obèse, vérifiez sa courbe de croissance (ou demandez à votre médecin de le faire). Le poids idéal d'un enfant est en relation étroite avec sa taille. S'il prend beaucoup plus de poids que de centimètres, il grossit certainement trop. Mais si son poids reste sur le 98e centile, il n'est pas médicalement obèse. Et souvenez-vous que beaucoup de bébés qui sont plutôt gros avant de commencer à se déplacer mincissent ensuite très vite.

À cet âge, beaucoup sont plus dodus que réellement gros. Dans certains cas, cela fait partie de leur morphologie : ils étaient de gros bébés, restent gros au moment des premiers pas et parfois jusqu'à l'âge adulte. Mais, en majorité, ils ne sont ni grands ni gros. Ils ont juste un visage très rond, avec des joues de bébé, un cou et une taille peu marqués et un ventre rebondi.

Un enfant qui devient gros à cette période a sûrement une alimentation trop riche en hydrates de carbone. Mais il en a besoin pour combler son appétit et lui apporter de l'énergie. Ils lui fournissent protéines, vitamines et minéraux.

N'essayez pas de limiter sa consommation de produits riches en hydrates de carbone. Vérifiez plutôt sa consommation de sucre, en particulier dans les boissons.

Si votre enfant boit beaucoup et finit une pleine bouteille de jus de fruits riche en vitamine C dans la semaine, il absorbe beaucoup plus de vitamine C que nécessaire, ce qui n'est pas un problème, et une quantité incroyable de sucre, ce qui en est un. Mis à part le mal qu'elles font à ses dents, ces boissons apportent beaucoup de calories sans satisfaire son appétit comme une vraie collation, ou même un verre de lait. S'il a juste soif, rien de mieux que de l'eau. S'il a faim, proposez-lui un véritable goûter : un yogourt et un fruit frais ou du lait et un biscuit.

La croissance de votre enfant est très rapide. Si vous réduisez, même un peu, sa prise de calories inutiles et supprimez l'habitude des jus de fruits sucrés quotidiens, vous annihilez toute tendance à l'obésité. Il est aussi important de lui donner l'occasion de faire tout l'exercice qu'il souhaite. Est-il libre de se déplacer comme il le veut sur le sol ou passe-t-il son temps dans un parc ? A-t-il un endroit où il peut jouer en toute sécurité ? Le promenez-vous en voiture ou en poussette ? Si c'est en poussette, le laissez-vous la pousser de temps en temps ou est-il en permanence assis ?

Pendant la période où il commence à marcher, puis à grimper et à courir, il a toujours envie de bouger. Se dépenser est bon pour sa santé, mais aussi pour son humeur, son éveil et son développement physique.

La croissance

Après le premier anniversaire, la prise de poids ralentit. La moyenne est de 30 à 60 g par semaine, mais une prise de poids plus rapide ou plus lente lui convient peut-être parfaitement. Comme nous l'avons déjà dit, il existe de grandes variations à tous les âges.

Au bout d'un an à se tenir debout sur ses jambes, votre bébé au ventre rebondi, aux jambes arquées et aux pieds plats devient un enfant svelte.

À moins qu'il n'ait été malade ou qu'il n'ait eu des problèmes d'alimentation importants au cours de la première année, il n'est plus nécessaire de le peser très régulièrement. Le peser toutes les semaines serait absurde, car de simples détails comme une selle avant ou après suffiraient à laisser suspecter une perte ou un gain de poids. Mieux vaut le peser et le mesurer une fois par mois afin de vérifier que taille et poids augmentent en même temps.

Les proportions d'un nouveau-né sont assez différentes de celles d'un bébé de six mois, mais les changements qui surviennent au cours de cette deuxième année sont encore plus spectaculaires. Quand un bébé se met pour la première fois droit sur ses jambes, il est fréquent que son apparence inquiète ses parents. Sa tête est toujours grosse par rapport au reste du corps, et il semble ne pas avoir de cou. Ses épaules et son torse sont menus, son ventre tout rond, ses jambes paraissent arquées et ses pieds plats. Mais, en un an, tout va changer. La forme du corps du bébé de un an est conçue pour qu'il tienne sur ses quatre membres. D'ici à son deuxième anniversaire, ses proportions auront encore évolué. Un an plus tard, il se sera affiné et allongé et aura l'allure et l'élégance d'un enfant prêt à aller à l'école.

Dents
ET POUSSÉE DENTAIRE

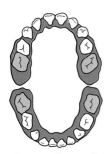

Les premières molaires et les canines pointues sorties, il ne manque que les secondes molaires.

Trouvez à votre enfant un bonnet qui protège ses mâchoires et ses oreilles des vents froids.

Poussées dentaires et maladies

Votre enfant va certainement percer des dents pendant toute sa deuxième année et en souffrira plus qu'auparavant. Les percées les plus pénibles sont celles des premières molaires, qui apparaissent souvent entre douze et quinze mois, et des deuxièmes molaires, qui sortent à la fin de la deuxième année. Les canines, plus pointues, pointent dans l'intervalle et sont moins douloureuses.

Les molaires sont larges et peu tranchantes et, par conséquent, plus lentes à percer. Les poussées dentaires ne rendent pas votre enfant malade, mais peuvent l'ennuyer suffisamment pour qu'il soit irritable. Quand une dent est imminente, la joue du côté concerné est parfois rouge et brûlante, et tout ce qu'il peut faire pour se soulager (comme mordre ou sucer) lui fait aussi mal.

Un enfant qui suce son pouce ou son doudou pour s'endormir aura du mal à trouver son sommeil, car téter est désagréable sur l'instant, mais aussi une fois qu'il aura arrêté. Boire du lait au biberon ou au sein peut lui faire mal aux gencives, ce qui le rend particulièrement malheureux. Laissez-le prendre autant qu'il peut, mais offrez-lui à boire au gobelet si la douleur l'empêche de téter au bout de quelques minutes.

Cette gêne ne dure que quelques jours par dent, et il n'y a pas grand-chose à faire pour aider votre enfant, mais *agir* quand même vous rendra peut-être à tous deux la situation plus tolérable :

■ Quelque chose de froid à mordre le soulage. Les anneaux de dentition remplis de gel froid ne résistent pas aux dents d'un enfant de cet âge, mais une carotte passée au réfrigérateur peut être très efficace, surtout si sa forme lui permet de la placer exactement où il a mal.

■ Un massage de la gencive sensible avec le doigt est parfois efficace. Voir la page 248 pour les recommandations au sujet des gels calmants.

■ Le vent froid semble augmenter le mal de dents. L'hiver, essayez de lui trouver un bonnet qui protège bien les oreilles et le haut des mâchoires et qu'il ne peut pas retirer facilement, ou évitez de le sortir (si ce n'est dans une voiture ou une poussette bien protégée) jusqu'à la fin de l'épisode douloureux.

Si la douleur est vraiment importante et ne semble pas directement liée au fait de mordre ou de téter, il est possible que les dents n'en soient pas l'unique cause.

À cet âge, les otites sont courantes et parfois confondues avec les douleurs dentaires. Si votre enfant a de la température, quelque chose d'autre ne va probablement pas.

S'il n'a pas de température mais ne cesse de mettre sa main sur le côté du visage ou de tirer sur une oreille, seul un médecin peut vous dire s'il souffre d'une otite, d'une dent, ou des deux en même temps. Faites-le examiner.

Votre médecin vous conseillera un peu d'acétaminophène pour soulager la douleur.

Des dents saines   Avoir des dents saines dépend de l'alimentation. Les dents de lait de votre bébé se forment pendant la grossesse et dépendent donc de *votre* alimentation pendant cette période. Mais vous pouvez agir sur la qualité des dents définitives et prendre soin de celles qu'il a déjà. Veillez à lui donner beaucoup de calcium et de vitamine D, qui permet au corps d'utiliser le calcium afin de renforcer les os et les dents (voir p. 333). Si le sevrage du biberon ou du sein a énormément réduit sa consommation de lait, proposez-lui beaucoup de produits laitiers (fromage, yogourt…).

Gardez un œil sur sa prise de fluor. Ce minéral contribue largement à la fortification de l'émail des dents et l'aide à résister aux agressions extérieures, mais votre enfant peut aussi en prendre trop. Si vous lui donniez des gouttes de fluor, il est peut-être temps d'arrêter et d'utiliser un dentifrice pour enfants au fluor, en posant de toutes petites quantités sur sa brosse et en lui apprenant à recracher. S'il continue à le prendre en gouttes, il vaut peut-être mieux utiliser un dentifrice non fluoré. Demandez l'avis de votre médecin ou de votre dentiste.

Le soin des dents   Ne cédez pas aux habitudes dangereuses pour la santé de ses dents, comme le biberon de lait le soir dans son lit ou les boissons autres que de l'eau après lui avoir lavé les dents. Le lait seul contient assez de sucre pour provoquer des problèmes dentaires quand il reste longtemps dans la bouche. Si votre enfant a vraiment besoin de téter, préférez la sucette ou un biberon d'eau.

Brossez-lui les dents régulièrement, surtout à partir du moment où les molaires sortent, car leur surface inégale retient facilement les aliments.

Votre objectif est de supprimer tous les restes de nourriture sur et entre les dents. Choisissez une petite brosse souple et utilisez une petite portion de dentifrice, en brossant de haut en bas. Ne le laissez pas prendre l'habitude de les brosser horizontalement. Cela ne nettoie pas les dents et abîme les gencives. Répétez l'exercice deux fois par jour et surtout après le souper afin que rien ne passe la nuit dans sa bouche.

Voir ses propres dents (dans un miroir) l'aide à comprendre l'utilité du brossage.

Tout cela est plus facile à dire qu'à faire. Si vous pouviez observer minutieusement sa bouche sous une bonne lumière, vous seriez sans doute stupéfaite du nombre de petits morceaux de céréales qui ont résisté à vos efforts. Il est toujours préférable d'essayer de convaincre votre enfant de coopérer plutôt que de faire cela à l'aveuglette. Quand les jeux précédemment cités (le brossage mutuel par exemple) ne l'amusent plus, proposez-lui un miroir. S'il observe ses dents, vous les voyez aussi. Si vous pointez ses dents du doigt pour les compter et que cela l'amuse, il vous laissera peut-être le faire avec la brosse.

Les sucreries   Surveillez sa consommation de sucreries avant qu'il ne s'y habitue trop. Si vous n'en mangez pas vous-même et qu'il côtoie peu d'enfants plus grands, vous pouvez peut-être empêcher qu'il ne croise de bonbons avant son deuxième anniversaire. Cela vaut la peine d'essayer. Si son alimentation générale est saine, cette période sans sucreries est un bon départ pour ses dents. Mais, malgré votre prudence, ce problème se posera un jour. Il verra de jolis paquets dans les magasins, les publicités si bien ciblées à la télévision et les autres enfants qui les mastiquent et les échangent. Il aura forcément envie de savoir ce que c'est, et après le premier, il en voudra d'autres.

Les sucreries sont toujours mauvaises pour ses dents. Mais, bien choisies, elles peuvent ne pas être plus mauvaises que d'autres aliments et, consommées avec modération, elles ne posent pas de problème grave. Le sucre très raffiné crée dans la bouche un acide qui attaque l'émail. Dès que votre enfant en mange, ses dents sont agressées. S'il en prend régulièrement et que le sucre reste dans sa bouche, les risques de caries sont multipliés. Cela s'applique à toutes les formes de sucre raffiné et pas seulement aux bonbons. Du sirop à boire est pire que le pire des bonbons, une tranche de gâteau produit autant d'acide que la plus affreuse des sucreries. Il est donc bien plus efficace de veiller à ce que sa consommation de bonbons soit raisonnable plutôt que de les interdire et de lui donner, le reste du temps, une alimentation typiquement occidentale.

Les aliments sucrés ingurgités rapidement ne sont pas dangereux, car l'acide disparaît avant d'attaquer l'émail. Une part de quatre-quarts avec un morceau de chocolat est bien moins nocive qu'un bonbon en sucette que l'enfant garde dans la bouche tout l'après-midi. Les pâtisseries ou les bonbons qui collent aux dents sont les pires, car ils restent jusqu'au prochain brossage et peuvent même y résister. C'est un défaut qu'ont malheureusement beaucoup d'aliments « sains » proposés comme remplacement aux sucreries. Les raisins de Corinthe, les dattes et autres fruits secs, en vrac ou en barres, sont si collants que leur sucre, bien qu'il ne soit pas raffiné, fait des dégâts considérables. Certains dentistes vont jusqu'à récuser la pomme couramment donnée en fin de repas, car les petits morceaux de peau coincés entre les dents sont aussi nocifs que la couche de sucre que la pomme est censée nettoyer.

À l'âge où votre enfant veut absolument des bonbons pour ne pas se sentir différent des autres, sélectionnez-les avec soin et surveillez la façon dont il les mange. Choisissez-en qui se dissolvent vite, comme le chocolat ou les sucreries fondantes. Encouragez-le à déguster tout ce que vous lui donnez en une seule fois : il vaut mieux qu'il mange quatre bonbons en dix minutes qu'un seul toutes les demi-heures pendant deux heures. Faites-lui boire un verre d'eau dès qu'il les a finis et veillez à ce que le prochain brossage de dents soit consciencieux.

L'emmener chez le dentiste Les dentistes aujourd'hui essaient de favoriser la prévention plutôt que le soin. N'attendez donc pas que votre enfant ait une rage de dent (avec un peu de chance, dans plusieurs années). Emmenez-le chez le dentiste avant son deuxième anniversaire, puis faites de cette visite une routine. Les dentistes qui ont l'habitude des enfants et qui savent s'y prendre feront de ces premières visites un moment amusant, ce qui facilitera les soins ultérieurs. Ils utiliseront aussi leurs compétences et leur autorité pour vous aider à lui apprendre à prendre lui-même soin de ses dents.

Emmener un tout petit enfant chez le dentiste peut être très compliqué. Il est toujours plus facile de décider que ces visites sont inutiles puisque les dents de lait vont tomber. N'en faites rien. Elles ont encore dix ans de dur labeur devant elles, et leur santé comme leur disposition sont essentielles pour les dents définitives.

C'est vous qui savez que son visage a besoin d'être lavé, mais c'est à lui que ce visage appartient.

C'est votre rôle de prendre soin du corps de votre enfant, mais ce corps lui appartient, et le fait qu'il en soit de plus en plus conscient est un signe de sa maturité croissante. Cela signifie aussi que les soins quotidiens demandent beaucoup de patience et de tact. Les enfants de cet âge ne se rendent pas compte que leur nez doit être mouché ou leurs chaussettes humides changées et ne peuvent de toute façon pas faire toutes ces choses tout seuls. Ils n'apprécient cependant guère qu'on les manipule comme des objets. Il va donc falloir du temps et de l'imagination.

Quand vous êtes pressée, vous êtes tentée d'essuyer rapidement ce nez qui coule, sans même prévenir votre enfant. Mais, en vous mettant à sa place, vous réalisez vite à quel point ce genre de geste fait de force et sans explication est offensant. Vous trouvez alors le moyen de le transformer en un geste partagé, qu'il sera même bientôt capable d'accomplir tout seul.

Lui apprendre à se laver est important pour son développement. Mais cette tâche quotidienne est aussi une occasion idéale d'exprimer son esprit de contradiction et sa mauvaise humeur. Sans un minimum de délicatesse, elle devient le détonateur de ses colères et de votre stress et vous fait perdre du temps sans qu'il en retire le moindre enseignement.

À cette période, votre enfant se salit beaucoup, et c'est bien normal. Il ne peut avoir des vêtements, des mains, un visage et des genoux propres à la fin de la journée que s'il sort de la piscine ou s'il s'est terriblement ennuyé toute la journée. Vous ne le voyez tout propre que lorsque vous venez de l'habiller le matin ou le soir après son bain. Faire ses premiers pas est un travail physique intense et, comme tout travailleur, votre enfant a besoin de vêtements lavables et confortables pour «travailler» en toute liberté.

S'HABILLER ET SE DÉSHABILLER

En le faisant participer aux séances d'habillage et de déshabillage, vous vous épargnez beaucoup de tracas, car, même s'il ne peut pas encore faire grand-chose, au moins il ne vous rend pas la tâche impossible.

Enlever les vêtements est facile, bien sûr. En fait, vous préféreriez que ce soit plus difficile – ce qui éviterait que les chaussures et les chaussettes ne volent de la poussette et qu'il ne retire sa couche pendant la sieste. Si vous devez souvent l'empêcher de se déshabiller n'importe où et n'importe quand, encouragez-le et félicitez-le en revanche quand il le fait le soir. Il s'attaque même dorénavant aux boutons et aux fermetures éclair.

Pour que les séances d'habillage soient aussi faciles, la clé est d'obtenir qu'il coopère. Au début, il dirige son corps et vous ses habits. Vous ouvrez et orientez la manche de son chandail ou la jambe de son pantalon, et votre enfant y glisse la main ou le pied et pousse. Plus tard, il apprendra à appuyer sur les boutons-pression, ainsi qu'à enfiler les vêtements par la tête. Pour le moment, il n'apprécie pas et court

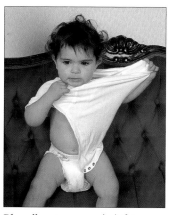

La coopération est la clé pour l'habiller et la déshabiller.

Plus elle est encouragée à faire elle-même tout ce qu'elle peut…

… plus elle accepte de vous laisser faire ce qui est trop difficile.

sur ses jambes chancelantes en riant pour que vous le poursuiviez, tee-shirt à la main. Choisissez des hauts dont l'ouverture est large et souple ou qui se déboutonnent sur le devant. Les vêtements qui écrasent le nez au passage ou qui restent coincés au milieu du visage font vraiment paniquer certains enfants.

Les couches   Les jours de la table à langer sont comptés, si elle n'est pas déjà superflue. Maintenu sur le dos, votre enfant fait tout pour se retourner ou suce ses orteils. Essayez de le distraire : posez-le sur sa couche, puis donnez-lui un objet intéressant. Il restera peut-être immobile le temps, pour lui, de l'explorer et, pour vous, de le changer… Si ses fesses sont très sales, il y a peu de chances qu'il vous laisse lui tenir les pieds en l'air assez longtemps. Il est plus simple de le changer debout et (si nécessaire) momentanément bloqué entre vos genoux.

Les habits   Ne laissez pas le choix des vêtements devenir une source de conflits entre votre enfant et vous. L'enfant a souvent un avis bien arrêté à ce sujet. Un vêtement doit avant tout être confortable, mais, garçon ou fille, vous allez être surprise par l'intérêt qu'il porte à son apparence.

Les habits doivent protéger sa peau et le garder au sec et au chaud. Ni votre enfant ni vous ne devez en choisir de raides, lourds et qui restreignent ses gestes.

Les acheter bon marché est une meilleure façon de faire des économies que de les acheter trop grands. Il ne s'y sent pas bien et ils seront usés avant d'être à la bonne taille. Les vêtements bon marché ne durent pas, mais ils n'auront pas le temps de s'abîmer tant votre enfant grandit vite. Les habits achetés pour des occasions particulières, qu'il ne portera qu'une ou deux fois avant qu'ils ne soient trop petits, sont une dépense inutile, mais qui peut quand même vous faire plaisir…

Quand ils passent leur temps à ramper et à tomber, filles comme garçons sont mieux protégés par les pantalons. Les salopettes ont l'avantage d'éviter les ceintures serrées et les ventres à l'air, mais dès que votre enfant va sur le pot, des bretelles élastiques sont plus pratiques que des vêtements qu'il doit retirer complètement. Évitez les chandails épais, surtout avec un col haut et serré. L'hiver, superposez les couches de vêtements.

Les chaussures et les chaussettes

Votre enfant n'a pas à porter de chaussures tant qu'il ne marche pas dehors. Il est plus en sécurité pieds nus puisqu'il utilise ses orteils pour s'équilibrer. C'est aussi plus confortable tant que le sol n'est pas trop froid.

Dans ce cas, il existe des pantoufles sans véritables semelles, qui sont comme de grosses chaussettes avec une épaisseur antidérapante. Ne le laissez pas courir en chaussettes ordinaires et sans chaussures sur un sol glissant.

Dès qu'il met de vraies chaussures, il faut qu'elles lui aillent parfaitement et qu'elles soient vérifiées tous les mois. Il ne peut pas vous dire si elles sont trop petites ou trop étroites. Les os des pieds sont encore très souples et peuvent être écrasés et abîmés sans qu'il ait mal.

Allez dans des magasins de chaussures pour enfants et veillez à ce qu'on mesure la longueur *et* la largeur de ses pieds. N'oubliez pas que, si son pied a grandi et qu'il doit changer de chaussures, toutes celles qu'il ne met qu'occasionnellement – ses bottes en plastique, par exemple – sont aussi trop petites.

Votre enfant n'a pas besoin de chaussures hors de prix, mais de chaussures et de chaussettes à la bonne taille.

À condition que ses chaussures lui aillent bien, il n'est pas nécessaire qu'elles soient en cuir et qu'elles lui tiennent bien le pied. Ce sont ses muscles qui soutiennent son pied. Les espadrilles ou les chaussures en toile sont parfaites tant qu'elles ne lui écrasent pas le pied et que le laçage est assez ferme pour empêcher ses orteils de trop bouger ou de se crisper.

Votre enfant doit porter des chaussettes pour empêcher les frottements et absorber la transpiration. Leur matière est importante : des chaussettes trop raides peuvent lui déformer les orteils. Attention aux chaussettes en coton qui rétrécissent. Quand il est debout, elles doivent dépasser d'au moins 3 mm le plus long orteil. Si sa pointure est 21, achetez-lui plutôt du 22-25 que du 19-21.

Quand vous achetez des chaussettes plus grandes que les précédentes, débarrassez vos placards des anciennes. Il ne sert à rien d'avoir deux paires à la bonne taille et quatre trop petites.

LE BAIN

Un bain le soir est la façon la plus simple de le débarrasser de la saleté de la journée. Vous n'avez plus à le tenir dans l'eau, mais vous devez rester toujours près de lui. Un enfant de un an peut tomber s'il décide de se redresser en se tenant aux rebords de la baignoire (essayez de lui apprendre à *ne pas se mettre debout* dans son bain). Un enfant de deux ans peut faire couler l'eau bouillante (essayez de lui apprendre à *ne pas toucher* le robinet). Et tous peuvent se noyer dans 5 cm d'eau. Si le fond du bain est très glissant, utilisez un tapis en caoutchouc. Si le robinet reste brûlant, entourez-le d'une débarbouillette. Et surtout, *ne vous éloignez pas.*

Donnez à votre enfant plein de jouets qui flottent et de gobelets en plastique afin qu'il se lave en s'amusant.

À cet âge, la plupart des enfants aiment être baignés et jouer dans l'eau, mais il y en a encore qui sont effrayés. Si c'est le cas, ne le forcez pas.

Quelques méthodes suggérées plus tôt (voir p. 176) peuvent vous aider à lui redonner goût au bain. Peut-être préfère-t-il le partager avec vous, avec sa sœur ou un petit camarade ? De toute façon, il faut bien que vous le laviez, et il y a peu de chances qu'il reste immobile sur une serviette…

Essayez de comprendre les raisons de sa peur. Si c'est la taille de la baignoire, pourquoi ne pas essayer l'évier de la cuisine ? Si c'est la quantité d'eau, asseyez-le dans une baignoire presque vide et utilisez le pommeau de douche si vous maîtrisez bien sa température.

Le shampooing Beaucoup de tout petits (et de moins petits) enfants détestent qu'on leur lave les cheveux. Il n'existe aucune solution parfaite. Toutes les astuces conseillées pour les bébés (voir p. 253) peuvent fonctionner, mais, maintenant qu'il a grandi, vous pouvez en expérimenter d'autres. S'il supporte toujours mal le shampooing (et le brossage qui va avec), peut-être que lui couper les cheveux très court réduira les problèmes. L'entretien est facile (une éponge suffit) et ils repoussent plus forts et plus épais.

À condition qu'il apprécie cette activité, la piscine est un moyen de l'habituer à avoir de l'eau dans les yeux. Et les douches chaudes des vestiaires sont l'endroit idéal pour un rapide shampooing. L'enfant est déjà mouillé, il apprécie la chaleur de la douche et le fait de pouvoir la prendre avec vous.

Si votre enfant aime vous accompagner chez le coiffeur, pourquoi ne pas utiliser sa passion pour l'imitation et jouer au coiffeur à la maison ? Avec un peu d'imagination, vous trouverez de quoi improviser le décor. Il suffit de mettre à «monsieur» ou «madame» un bavoir en plastique, de lui faire choisir son shampooing et de lui parler de sa coiffure et de la température de l'eau. Il acceptera peut-être plus facilement le pommeau de la douche, et vous pourrez couper les mèches trop longues. S'il a aussi assisté à des soins de manucure, vous enchaînerez par ses ongles. Et la contrainte hebdomadaire devient un jeu.

N'allez pas trop loin en lui séchant les cheveux au séchoir si, comme la plupart des enfants de cet âge, il a peur de cet appareil. Frottez-les bien et installez-le dans une pièce bien chauffée le temps de lui raconter une histoire.

Les mains et les ongles Des ongles propres font partie de l'hygiène. Lavez-lui les mains avant les repas et après chaque passage sur le pot ou chaque fois qu'il vous «aide» à changer sa couche. Cela évite aussi que son rhume ne se propage à toute la famille.

Votre enfant n'est pas encore capable de se couper les ongles lui-même, mais vous pouvez l'intéresser à cette tâche en lui demandant dans quel ordre il veut qu'on les coupe et de quelle longueur. Ne les coupez pas trop court : ils doivent juste dépasser le bout du doigt et suivre leur courbe naturelle. Si les ciseaux ne vous conviennent pas, essayez un coupe-ongles ou une lime. Vous pouvez lui en donner une en carton pendant que vous en utilisez une autre, et bientôt il saura vous aider.

Pour lui laver les mains, entourez-les de vos mains savonneuses. Bientôt, il aura envie de faire mousser le savon lui-même. Pour le moment, votre aide est encore indispensable, entre autres pour veiller à ce qu'il ne mette pas ses doigts dans ses yeux. À trois ans, il se débrouillera parfaitement, surtout s'il a un petit marchepied pour être à la hauteur du lavabo.

Méfiez-vous du robinet d'eau chaude. Au cas où il le tourne, il est préférable de réduire la température maximale de l'eau de la maison. Une eau à 50-55 °C ne le brûlera pas vraiment, contrairement à une eau à 65-70 °C.

Où qu'il ait posé ses mains, elles seront bientôt dans sa bouche. Les laver doit devenir une habitude – et un jeu.

Vacciner les enfants
contre les maladies infantiles bénignes est inutile.

Notre petite fille a eu le triple vaccin DCT au tout début, et je dois admettre qu'elle n'a pas eu de réaction particulière, si ce n'est un petit hématome. Elle a un an à présent et doit être encore vaccinée contre la rougeole, les oreillons et la rubéole. On nous a prévenus qu'elle pouvait avoir une mini-rougeole une semaine après le vaccin, ou une petite crise d'oreillons trois semaines après. On nous a aussi dit qu'il y avait un risque infime, mais angoissant, d'effets secondaires : fièvre, convulsions ou même lésions cérébrales. Les maladies elles-mêmes n'étant pas très graves en général, nous ne voyons pas l'utilité de la vacciner. Si elle en attrape une, elle sera protégée pour le reste de sa vie (plutôt que de devoir subir une seconde infection à l'école), mais, comme elles sont plutôt rares de nos jours, les risques sont faibles.

Il est vrai que ces maladies sont généralement plus bénignes que celles pour lesquelles elle a été vaccinée plus tôt. En réalité, la rubéole ou même les oreillons ne mériteraient guère en eux-mêmes un vaccin. Cependant, les injections ne servent pas simplement à protéger les enfants de la maladie, mais aussi à les protéger des éventuelles complications qui peuvent être graves, voire fatales. Dans les pays où les enfants ne sont pas vaccinés contre les oreillons, par exemple, les cas de surdité consécutive à des complications sont fréquents, et le virus responsable des oreillons est la cause la plus courante des méningites virales. De même, chez les enfants non vaccinés qui sont touchés par la rougeole, un sur quinze souffre de complications pouvant aller jusqu'aux infections pulmonaires, aux convulsions et aux lésions cérébrales. Dans les pays sans programme de vaccination, des centaines d'enfants meurent chaque année des suites de la rougeole. Au Canada, les cas sont rarissimes.

La forme de rougeole ou d'oreillons minime qui apparaît parfois juste après le vaccin est sans risque de complications et donc encore plus insignifiante que l'infection naturelle la plus faible. Les effets secondaires sérieux de ces vaccins sont aussi graves que les complications naturelles, mais beaucoup plus rares. Environ 1 enfant sur 1 000 a des convulsions à la suite de la première injection contre 1 enfant sur 100 pour la rougeole « naturelle ». De même pour l'encéphalite : alors que 1 enfant sur 1 million a une inflammation cérébrale à la suite du vaccin, 1 sur 5 000 en souffre après la rougeole. Un tiers de ces enfants en gardera des séquelles irréversibles.

Beaucoup de maladies ont presque disparu dans les pays où les enfants sont protégés par les vaccins. Mais la faiblesse des risques ne justifie pas qu'un enfant, dans un tel pays, ne soit pas vacciné. Aujourd'hui, beaucoup de gens voyagent, partent en vacances en famille dans des pays où ces maladies infectieuses sont encore courantes et peuvent aussi les rapporter. Vacciner le plus de monde possible, c'est faire en sorte que de moins en moins de personnes soient touchées par ces maladies et que les maladies deviennent de plus en plus rares, pour finalement disparaître. Mais tant qu'il existe le plus petit réservoir infectieux, une baisse du taux de vaccination fait augmenter le risque d'un retour de la maladie. En ce sens, la vaccination, en protégeant votre enfant, protège toute la société (et surtout les enfants qui ne peuvent être vaccinés pour des raisons de santé).

Mettre son ours sur le pot peut être une première étape, avant de l'asseoir lui-même.

Autour du premier anniversaire, certains bébés ont des selles très régulières, qui surviennent souvent juste après (ou pendant!) les repas, et, comme ils sont aussi capables de tenir assis tout seuls et de comprendre une bonne partie de ce qu'on leur dit, leurs parents décident de les mettre sur le pot au moment propice. On appelle cela l'«apprentissage de la propreté», mais il n'y a aucun apprentissage là-dedans. Le bébé est simplement posé à la bonne place au bon moment.

Cette méthode, outre qu'elle n'apprend rien à l'enfant, n'est pas sans risque. À un an, il se laissera peut-être faire : être assis sur un pot ou ailleurs ne le dérange pas particulièrement. Mais, deux mois plus tard, il risque de détester cette contrainte. Il ne reste jamais assis au même endroit très longtemps, et rester assis sur un pot lui paraît particulièrement inutile. Quand vous le posez sur sa chaise, vous lui donnez à manger. Quand vous le posez dans sa poussette, vous l'emmenez en balade. Quand vous le posez sur son pot, il n'y gagne rien – excepté une selle qu'il aurait évacuée de toute façon. Si vous êtes à l'écoute de ce qu'il ressent à ce sujet, vous abandonnerez ce pot pour encore quelques semaines.

Si vous préférez insister pour qu'il reste assis dessus, vous prenez le risque d'entrer en conflit avec lui et de retarder le moment où il se sentira lui-même prêt à être propre, quand il en sera physiquement capable.

Lui infliger le pot avant que son corps soit assez mature, c'est lui demander l'impossible. Il y a là de quoi l'angoisser! Il faut aussi qu'il soit prêt psychologiquement. Si vous insistez pour qu'il coopère, vous tentez de lui imposer votre volonté dans un domaine où cela est tout à fait impossible. Il n'y a aucun moyen de contraindre un enfant à utiliser un pot. En voulant le rendre propre contre sa volonté, vous le poussez à défier votre autorité.

Il y a d'autres raisons d'éviter un «apprentissage» précoce. Un peu d'arithmétique prouve que, même en le mettant sur le pot au bon moment, vous ne gagnez pas de temps et ne vous épargnez pas d'efforts.

Des études ont montré que, quel que soit le moment où vous introduisez le pot, un enfant devient vraiment propre la journée, en moyenne, au milieu de sa troisième année. Supposons que vous commenciez vers douze mois, six fois par jour : vous l'aurez fait 3 285 fois avant d'atteindre votre objectif : un enfant sans couches. Vous l'aurez déshabillé et rhabillé autant de fois (3 285 fois, auxquelles s'ajoutent l'habillage et le déshabillage ordinaires) pour, bien souvent, ne rien obtenir et avoir toujours des couches à changer. Si vous attendez que votre enfant soit vraiment prêt – vers vingt-quatre mois environ –, vous obtiendrez le même résultat en seulement 1 000 fois. Changer une couche sale est bien plus rapide que d'en retirer une propre pour lui proposer le pot, puis la remettre. Vous avez donc tout à gagner à attendre, aussi bien de son point de vue que du vôtre.

Aider son bébé à devenir propre — Bien que l'expression «apprentissage de la propreté» soit très ancrée dans notre culture, elle n'est pas appropriée. Le processus n'a pas grand-chose à voir avec un apprentissage. Vous ne demandez pas à votre bébé de faire quelque chose pour vous, de vous obéir, vous l'aidez à faire quelque chose pour lui-même. Le but est qu'il soit responsable de sa propreté, qu'il ait conscience du message envoyé par ses intestins et qu'il agisse en conséquence d'une façon acceptable pour la société.

Même si vous vous y prenez tôt, votre enfant ne sera pas vraiment propre, même la journée, avant la troisième année. Et même s'il vous semble lent à comprendre, soyez sûre qu'il n'entrera pas à la grande école avec des couches, à moins que des problèmes neurophysiologiques ou psychologiques ne soient en cause.

Jusqu'à environ quinze mois, la plupart des enfants évacuent leurs selles ou leur urine sans même avoir conscience de ce qui est en train de se produire ou de ce qui s'est passé. Vous pouvez le constater lorsque votre enfant urine au moment où vous changez sa couche ou bien quand il est tout nu. S'il ne regarde même pas la flaque sur le sol, il ne fait aucun rapport entre celle-ci et lui et n'est pas encore prêt pour le pot. Mais s'il l'observe avec intérêt et surtout s'il la touche, il fait le lien fondamental entre la sensation d'uriner et la vue du résultat. Un enfant qui est conscient de ce qui *est arrivé* mais qui ne sait pas encore le prévoir n'est pas prêt pour l'*utilisation* d'un pot, mais vous pouvez déjà lui en présenter un pour l'habituer à l'objet.

Quel genre de pot ? — Lorsqu'ils décident de ne plus avoir de couches et de déposer leurs selles ou leur urine ailleurs, certains enfants choisissent le même endroit que vous : les toilettes.

Ils ne veulent rien avoir à faire avec des pots posés par terre, mais préfèrent grimper sur les toilettes (à l'aide d'un marchepied) et s'asseoir comme un grand (sur un rehausseur qui les empêche de passer à travers). Toutefois, dans un premier temps, les toilettes ne sont pas une bonne solution, car elles imposent la présence d'un adulte. Le pot leur permet de se sentir complètement responsable de leur propreté.

L'enfant doit pouvoir s'y asseoir confortablement et se sentir en sécurité, même lorsqu'il se tortille dessus. Le pot doit être stable et, bien sûr, facile à laver. Pour un garçon, il doit avoir un rebord protecteur.

Une «chaise-pot» est un bon achat. Il est plus simple de s'y asseoir et de se relever, et le dos est bien soutenu. Les pots vendus aujourd'hui sont simples à nettoyer et facilement transportables. Avec un peu de chance, votre enfant aura du mal à le soulever, ce qui minimise les catastrophes.

Si vous trouvez une «chaise-pot», en forme de toilettes, qui permettra à votre enfant de s'identifier plus facilement à vous, cela vaut la peine de dépenser un peu plus. La plupart des autres gadgets, comme les pots qui jouent de la musique quand on s'assoit dessus, sont de valeur douteuse. Votre enfant réalisera vite qu'un jouet jeté dedans fait le même effet. Et s'il déteste entendre de la musique à ce moment-là ?

S'il doit s'habituer à ce pot, assurez-vous qu'il est stable et que l'enfant peut s'y installer facilement.

Introduire le pot À ce stade, vous voulez seulement que votre enfant sache à quoi sert le pot et réalise qu'un jour il l'utilisera. Ces deux points sont parfaitement clairs pour vous et, s'il a des grands frères ou des grandes sœurs ou s'il passe du temps en groupe, ils sont aussi clairs pour lui. Sinon, il est peut-être perplexe. Après tout, les adultes utilisent les toilettes, non un pot, et les deux objets ne se ressemblent guère.

Montrez-lui le pot, dites-lui qu'il servira à mettre tout ce qu'il appelle pipi ou caca quand il sera assez grand pour ne plus mettre de couches, puis mettez-le dans un coin de sa pièce (à moins qu'il ne s'y oppose) ou à côté de vos propres toilettes. Ne l'encouragez pas à l'utiliser comme un chapeau, mais si c'est sa façon de se l'approprier, laissez-le faire. S'il est prêt à s'y intéresser vraiment, il va peut-être installer son ours dessus (ou dedans). Finalement (demain ou dans six mois), il aura envie de s'y asseoir lui-même. N'insistez pas tout de suite pour lui enlever les couches. Il veut juste voir quel effet cela fait.

Savoir quand il est prêt Il est temps d'encourager votre enfant à utiliser un pot quand il prend conscience de ce qui est *sur le point* d'arriver, et non de ce qui est déjà arrivé.

Au départ, une selle imminente peut l'impressionner. Il reste debout, son visage s'empourpre et ses yeux brillent, comme chaque fois qu'il déféquait pendant les mois précédents. Mais, cette fois, il se tortille, vous regarde et vous annonce comme il peut ce qui se passe. Jusqu'à aujourd'hui, tout le monde dans la maison savait quand il déféquait, *à part lui*.

À présent, il en est aussi conscient et il peut choisir le pot plutôt que la couche. Mais souvenez-vous que l'apprentissage dont nous parlons ne concerne que les selles et que ce choix est, et restera, le sien.

Aider son bébé à maîtriser ses selles Devenir propre est bien plus facile pour un enfant que d'être sec. La plupart des enfants ne défèquent qu'une ou deux fois par jour, et beaucoup le font à des horaires très réguliers. Le problème se réduit donc à une routine quotidienne simple.

En outre, si votre enfant *a envie* d'utiliser ce pot, il est facile de l'aider. Les signes d'une selle imminente sont assez visibles pour un adulte vigilant et, entre le moment où il réalise ce qui va arriver et l'évacuation réelle, il lui reste assez de temps pour vous prévenir et aller jusqu'à son pot.

Devoir garder des couches pour l'urine peut être désagréable à un enfant qui est bien décidé à se servir du pot pour le reste. Si vous savez qu'il y a de fortes chances que votre enfant ait une selle immédiatement après son petit déjeuner ou sa sieste, essayez de le laisser fesses nues pendant un moment. Assurez-vous que son pot est à sa place habituelle, attendez qu'il vous indique que le moment est arrivé et suggérez-lui de s'asseoir dessus.

S'il vous répond « Non » (maintenant ou dans les prochains mois), n'insistez pas et n'essayez pas de le persuader. Vous êtes en train de l'aider à être responsable de lui-même et ne pouvez pas l'y obliger.

Si l'idée semble lui convenir ou le laisse indifférent, montrez-lui le pot et rappelez-lui où il se trouve, aidez-le à se déshabiller s'il vous le demande, restez avec lui aussi longtemps qu'il reste assis et félicitez-le calmement si quelque chose arrive.

Les enfants à qui on présente les choses de cette façon au bon moment cessent, en majorité, de souiller leurs couches en quinze jours. Mais si votre enfant n'accepte pas si facilement cette idée, vous et votre entourage – son papa et la gardienne – devez être attentifs à votre comportement :

■ N'essayez pas de le forcer à s'asseoir sur le pot, même s'il est évident que quelque chose est sur le point de sortir. À cet âge, l'esprit de contradiction est très développé. Plus il voit que vous tenez à ce qu'il s'assoie là, moins il a envie de le faire. Et plus vous semblez intéressée par ce qu'il produit, plus il s'en sent propriétaire et est effrayé par votre désir de tout jeter dans les toilettes.

■ Appliquez-vous à ne pas avoir l'air déçue. Il serait d'ailleurs bien mieux de ne pas vous *sentir* déçue. Si vous êtes contente que votre enfant «réussisse» et triste qu'il «échoue», ne laissez ni votre voix ni votre visage exprimer vos sentiments. Surtout, n'impliquez aucune notion morale à l'usage du pot en lui disant qu'il est «sage» quand il l'utilise et «polisson» lorsqu'il ne le fait pas. Utiliser un pot plutôt que des couches est juste une technique à apprendre. Quand il fait dans son pot, il mérite qu'on le félicite de devenir un grand. Lorsqu'il fait dans sa couche ou sur le sol, il a également besoin d'un mot tendre qui lui explique que demain il ira peut-être sur son pot.

■ Ne lui faites pas partager votre dégoût des selles. Il vient juste de découvrir qu'elles sortent de lui. Il les considère comme un produit intéressant qui lui appartient. Si vous l'essuyez du bout des doigts et en vous pinçant le nez, si vous vous dépêchez de vider le pot et paraissez choquée ou en colère quand il examine et tripote son contenu, vous heurtez ses sentiments. Il n'est pas nécessaire d'avoir l'air de partager son intérêt – découvrir que les adultes ne jouent pas avec le caca fait partie de son éducation –, mais ne l'obligez pas à penser que c'est sale. Si votre enfant pense que vous trouvez ses selles dégoûtantes, il peut se persuader que tout son corps vous dégoûte et qu'il vous dégoûte lui-même.

■ N'essayez jamais de modifier le fonctionnement naturel de ses intestins, à moins que ce ne soit sur avis médical. Les laxatifs et les suppositoires qui «facilitent» l'arrivée des selles à un moment précis sont tout à fait inappropriés. C'est *son* corps. Si vous tentez d'influencer son organisme, il peut avoir l'impression d'être écrasé par votre contrôle.

■ Aidez votre enfant à se débrouiller tout seul, mais ne l'abandonnez pas à son sort. Si vous commencez cette étape tard dans sa deuxième année, il sera capable d'aller de lui-même sur le pot, de retirer ses vêtements avec une aide minimale et de décider du moment opportun. Accompagnez-le quand il vous le demande. Restez à ses côtés et demandez-lui la permission de l'essuyer (en allant de l'avant à l'arrière pour une petite fille afin que les selles n'entrent pas en contact avec son urètre, pour éviter les risques d'infection urinaire), de vider le pot et de le laver. Peut-être préférera-t-il ne pas être dans la pièce quand vous jetez le contenu de son pot, mais, s'il souhaite s'en occuper lui-même, laissez-le faire. Plus il se sent responsable de tout le processus, mieux c'est.

Le contenu du pot doit être manié avec tact. C'est à lui. Si cela ne lui fait pas peur, laissez-le s'en occuper.

Lui apprendre à ne plus uriner dans ses couches

Votre enfant reconnaît que sa vessie est pleine à peu près en même temps qu'il reconnaît l'imminence d'une selle, mais réagir à temps lui est beaucoup plus difficile, et il faut encore quelque temps avant qu'il y parvienne.

Les premières fois que les enfants réalisent qu'ils sont sur le point d'uriner, ils n'ont pas le temps de comprendre ce qui se passe qu'ils sont déjà mouillés. Le temps de vous signaler qu'il « va faire » pipi, la flaque est apparue... La première fois, vous serez sans doute surprise. Souriez-lui, car, pour lui aussi, c'est une première !

Avant même que votre enfant ne soit prêt à uriner dans le pot, il sait que le pipi *peut* y aller autant que dans une couche, car il lui arrive souvent d'uriner quand il y est installé pour une selle. S'il a facilement appris à contrôler ses intestins, il enchaînera spontanément avec la vessie, dès qu'il en sera physiquement capable.

En être physiquement capable, c'est pouvoir attendre un peu – et agir en conséquence – entre le moment où il prend conscience qu'il va uriner et celui où il urine. Ce contrôle momentané de l'urine, que certains enfants appellent « fermer les fesses », est le premier signe qu'il est prêt. L'enfant se rend compte, juste à temps, que le pipi arrive. Il serre les muscles qui entourent l'urètre et l'anus et retiennent l'urine. Bien que serrer les fesses soit une découverte capitale, ce n'est pas très utile en soi. Les muscles sont trop bas pour permettre un véritable contrôle, la pression contre l'abdomen est déjà forte, l'urgence est extrême ; il ne peut retarder le moment fatidique que quelques secondes et seulement en restant immobile et les jambes croisées. S'il bouge pour atteindre le pot, il urine. Il faut encore compter trois mois pour que votre enfant apprenne à constater plus tôt que sa vessie est pleine et à mieux contrôler les muscles de son abdomen. Il se retient alors quelques minutes et peut marcher sans perdre la maîtrise de la situation. Il peut alors atteindre le pot, s'il en a envie.

Aider son enfant à apprendre à se retenir

Même une fois que votre enfant réalise qu'il doit uriner et qu'il a le temps d'aller sur le pot, devenir propre peut prendre encore du temps. C'est un processus long et lent qui ne va pas l'amuser longtemps. Les enfants urinent très souvent dans une journée, et il suffit qu'ils soient en train de jouer pour que leur attention faiblisse et qu'ils mouillent leurs vêtements. Même une fois qu'il est capable de rester sec toute une journée, votre enfant ne se réveille pas tout seul la nuit pour uriner, ce qui l'oblige à supporter des couches, souvent mouillées au petit matin. Veillez à être douce et patiente avec lui pour éviter qu'il ne se décourage trop vite et n'ait plus envie de coopérer.

Votre but est de multiplier ses succès dès le début. Dès que vous voyez qu'il y a un peu de temps entre son envie d'uriner et l'action elle-même, choisissez un jour où il se réveille avec une couche sèche et attendez un peu avant de l'habiller. Proposez-lui de s'asseoir sur son pot, mais, s'il ne veut pas, ou se relève trop vite, ne faites pas de commentaire. Laissez-le tout nu, le pot à portée de main, et encouragez-le à y revenir quand il sentira le moment venu. S'il urine dans le pot (ou en s'y précipitant), félicitez-le posément. S'il se met à jouer et « s'oublie », nettoyez la flaque sans reproche.

Dans un cas comme dans l'autre, l'expérience est finie, et il est temps de s'habiller. S'il fait chaud, cependant, et que vous pouvez le

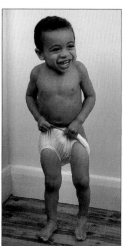

Confortables et pratiques, les culottes en tissu-éponge évitent les flaques sans remplacer le pot.

laisser tout nu dans la cour, profitez-en. Il est même toujours préférable d'attendre l'été, quand c'est possible. Chaque fois qu'il se voi ou se sent uriner, il fait un peu plus la connexion entre la sensation e ce qui se produit ensuite.

Après quelques jours de coopération et de succès occasionnels dites-lui qu'il peut s'en sortir sans couche à la maison et que vou allez l'y aider. N'en faites pas un événement important, sinon il pourrait se vexer quand vous lui remettrez des couches pour sortir ou pou la nuit. Il s'agit simplement d'être plus à l'aise pour jouer. S'il a besoi d'uriner, son pot n'est pas loin. Soyez consciente qu'il y aura beaucoup de flaques à éponger durant cette étape et soyez compatissante chaque petit accident : « Pas de chance, tu t'es levé un peu trop tard o dirait ? Essuyons tout ça. »

Lorsque, à la maison, il utilise le pot la plupart du temps, vous pouvez utiliser la formule intermédiaire entre la culotte et la couche. Le couches-culottes sont plus confortables que les véritables couches mais il faut s'en servir avec précaution : certaines absorbent si effica cement l'urine et gardent si bien votre enfant au sec qu'au lieu d participer à l'apprentissage de la propreté, elles le ralentissent. Avec le culottes en tissu-éponge recouvertes de matière plastique, le pot rest indispensable, car l'urine n'est pas complètement absorbée, et l'enfan se sent à l'aise. Faciles à retirer et à remettre, elles sont juste asse absorbantes pour lui éviter d'être gêné en public.

À cette période, il est bon de lui proposer aussi les toilettes de adultes. L'idée de faire comme vous lui plaira certainement. Si un petit garçon veut utiliser les toilettes comme papa et uriner debout mais qu'il est encore trop petit, il acceptera sans doute de s'y asseoi si vous lui rappelez que tout le monde s'assoit sur les toilettes pou le reste. S'il est déterminé à rester debout, il peut se servir du po uniquement pour uriner.

Garçons et filles auront besoin d'un marchepied pour les aider monter et à descendre des toilettes et d'un rehausseur pour qu'il n'aient pas peur de tomber. Continuez à agir avec tact quand il s'agi de jeter ses selles. Beaucoup d'enfants détestent le bruit de la chass d'eau et sont terrorisés à l'idée que les choses puissent disparaîtr ainsi. Comme ils ne savent pas bien juger de la taille des choses, ils s persuadent parfois qu'ils pourraient eux aussi être emportés… Lais sez votre enfant tirer la chasse si cela l'amuse. Sinon, attendez qu'i soit sorti des toilettes.

Lorsque votre enfant est plus ou moins capable d'être propre l journée, les couches disparaissent de sa panoplie journalière, mai accompagnent toujours le pyjama. Même si vous nettoyez encor quelques pipis par terre, il est important d'abandonner les couches ou les couches-culottes. Tant qu'il les porte de temps en temps, il n'est pa absolument indispensable, à ses yeux, d'aller au pot dès qu'il sent s vessie pleine. Vous ne pouvez attendre de lui qu'il se pose la question « Je vais bientôt faire pipi : est-ce que je porte des couches ou pas ? »

Avec la plupart des enfants, l'apprentissage de la propreté sur c plan est assez lent. Petit à petit, les incidents se raréfient, puis vous réa lisez un jour que nettoyer les flaques ne fait plus partie de vos tâche quotidiennes.

Il reste cependant quelques pièges à éviter:

■ Ne le harcelez pas avec le pot. Il s'agit de lui faire comprendre que les culottes sont plus confortables que les couches et qu'utiliser un pot est plus agréable que d'être changé. Si vous ne cessez de le gronder à ce sujet, il va penser que la vie était bien plus simple lorsqu'il portait ses couches et que les culottes ont tout compliqué. De toute façon, lui rappeler sans cesse ce pot est inutile. Il doit apprendre à reconnaître lui-même quand y aller et comment s'y prendre. Si vous y pensez à sa place, vous retardez le moment où il se débrouillera vraiment tout seul.

■ Ne demandez pas à un tout-petit d'uriner sans en éprouver le besoin. Il faut attendre ses trois ans pour qu'il soit capable de se forcer avant que l'envie ne soit pressante et donc discernable. Il est donc vain de l'envoyer aux toilettes pour lui «éviter d'y aller plus tard» et tout à fait injuste de vous mettre en colère après une «fuite» au supermarché sous prétexte qu'il aurait dû prévoir et «y aller avant de sortir».

■ Apprenez à repérer les toilettes partout où vous allez. À partir du moment où votre enfant a envie d'être propre, il doit pouvoir compter sur vous pour lui dire où uriner, vite, où que vous soyez lorsque l'envie presse. Localisez les toilettes dans les magasins et dans les endroits où vous allez souvent. Faites preuve de patience quand vous êtes obligée de descendre de l'autobus, de quitter l'autoroute, de perdre votre place dans la queue à la banque ou de rentrer à la maison en toute hâte. Prenez l'habitude d'emmener son pot lorsque vous quittez la maison pour quelques jours. Et ayez toujours, *toujours*, des culottes propres avec vous. C'est vous qui vouliez que votre enfant soit propre. Une fois qu'il fait tout pour l'être, il serait très vexé que les circonstances l'en empêchent.

Les toilettes et leur vocabulaire Notre langue est pleine d'euphémismes pour désigner les toilettes et ce que nous y faisons. Les adultes savent adapter leur langage à leur interlocuteur, mais pas les petits enfants. Ils acceptent les mots que vous utilisez la première fois que vous les invitez à s'asseoir sur un pot et s'en servent pendant des années, quels qu'ils soient. Alors mieux vaut bien y réfléchir. Un mot d'enfant inventé pour désigner ses selles semble approprié à un enfant de deux ans, mais vous gênera lorsqu'il l'utilisera encore à quatre ans et sera incompréhensible pour son enseignante un an plus tard. Le terme médical correct pourrait être le meilleur dès le début; malheureusement, les éducatrices, les enseignants et les autres parents risquent fort de rire bêtement en entendant votre enfant dire: «J'ai besoin d'uriner.»

Il n'y a pas de réponse générale à ce problème tout à fait mineur, car la terminologie varie selon les périodes et les lieux. Où que vous viviez, il existe un mot adéquat, entre le langage médical et le langage populaire, entre l'acceptable et le grossier. Vous pouvez toujours demander conseil aux autres parents.

Maintenant que votre enfant n'est plus un bébé, vous ne pouvez pas espérer qu'il tombe de sommeil dès qu'il en a besoin, où qu'il soit et quoi qu'il arrive, ou qu'il continue de dormir quand vous le transportez. Désormais, vous devez prendre en compte son besoin de sommeil dans l'organisation de vos journées, ce qui restreint inévitablement votre liberté. Pour que cette contrainte ne soit pas trop pesante, mieux vaut faire dès à présent des choix dans vos modes de vie.

Est-il plus important à vos yeux d'être libre d'aller et de venir selon vos envies *avec* votre bébé ou de vous préserver la liberté de le faire *sans* lui ? Les deux choix sont envisageables, mais il faut en faire un. Si vous souhaitez emmener votre bébé partout, c'est possible. Il sera heureux de vous accompagner à un souper chez des amis, de partir en week-end et même de partager vos voyages professionnels… Si vous vivez et travaillez dans un univers ouvert aux enfants, ou si vous avez le courage d'insister pour que tout univers qui a besoin de vous accepte votre enfant, tout le monde (et lui en particulier) y gagne. Il y a, bien sûr, un prix à payer.

Un bébé qui est maintenu éveillé et que vous sortez selon vos convenances aura sans doute du mal à accepter de s'endormir tout seul à l'heure normale, sous prétexte que cela vous convient aujourd'hui. Il reste tard le soir dans vos jupes tous les soirs de la semaine, et ses siestes sont imprévisibles, puisqu'elles dépendent de son état de fatigue et donc de vos sorties. Il n'est pas particulièrement gêné par ce manque de routine (au moins tant qu'il ne doit pas se conformer au rythme de l'école), mais vous risquez d'être un peu jalouse d'entendre vos amies prévoir en toute confiance de coucher leur enfant tôt pour aller au cinéma à la séance de 20 heures.

Si vous voulez vous assurer des soirées calmes et intimes entre adultes et des pauses au cours de la journée, votre enfant acceptera sûrement des horaires de sieste et de coucher réguliers. Mais cette méthode aussi a son prix. Les routines ne fonctionnent que lorsqu'on s'y tient. Les sorties seront donc obligatoirement en dehors des heures de sieste la journée et avant l'heure du coucher le soir. Et vous devrez avoir recours à une gardienne même lorsqu'il aurait été le bienvenu là où vous allez. De plus, il faudra respecter ses rythmes de sommeil habituels même le week-end et pendant les vacances.

Les rythmes du sommeil Entre un an et deux ans et demi, la plupart des enfants dorment entre dix et douze heures par nuit (malheureusement, rarement sans interruptions). La différence entre ces heures et le besoin total de sommeil de votre enfant est comblée par les siestes, qui durent vingt minutes ou trois heures, ou plus.

Vers un an, presque tous les bébés ont besoin de faire deux siestes, qui coupent la journée de façon régulière. Si votre bébé se réveille à 6 heures de matin (ce qui est souvent le cas), il fait sans doute une sieste vers 9 h 30, puis une autre en début d'après-midi.

Au milieu de sa deuxième année, vous allez peut-être traverser une période difficile où deux siestes sont trop mais une pas assez. Il

Même des jumeaux qui adoptent les mêmes habitudes de réconfort peuvent avoir des besoins de sommeil différents.

a vraiment besoin d'une sieste et demie. Vous connaîtrez peut-être le même problème plus tard lorsque votre enfant n'aura plus besoin que d'une demi-sieste.

Il vous montre clairement qu'il n'a pas besoin de dormir en milieu de matinée, mais, pour autant, il est incapable de rester éveillé et en forme aussi longtemps. Si vous lui laissez le choix, il titube jusqu'à l'heure du dîner, de plus en plus épuisé et grognon, et finit par s'endormir sur son repas dans sa chaise haute. Si vous le mettez au lit à 11 h 30 parce qu'il est évident qu'il est trop fatigué pour manger, il s'endort sans doute, mais la même chose se produit l'après-midi. Il a dîné tard, refuse de dormir ensuite, mais est incapable de tenir jusqu'à l'heure normale du coucher. Vous allez vous retrouver avec un enfant qui dîne à 11 h 15 et qui commence sa nuit à 17 h 30.

À la fin de sa deuxième année, ce problème de sommeil est souvent résolu en une sieste en fin de matinée avant un dîner pris tard, ou en tout début d'après-midi après un dîner pris tôt. Réfléchissez bien à ce qui convient le mieux à votre enfant ainsi qu'à vos éventuels autres enfants.

Mais vous n'aurez peut-être pas le choix s'il est dans un CPE ou chez une gardienne avec d'autres enfants du même âge et que les sorties et les jeux dépendent de siestes collectives.

Certains enfants sont si sensibles aux heures de sieste que leurs horaires dominent le rythme de vie de la famille. Si le vôtre a l'habitude de faire une sieste tôt dans la journée au service de garde et de rester éveillé tout l'après-midi, il tombe peut-être de fatigue dès que vous le ramenez à la maison et vous ne le voyez pratiquement pas. D'un autre côté, certains enfants sont si requinqués par dix minutes de sommeil en fin d'après-midi qu'ils se couchent le soir à une heure qui dépasse largement la patience des parents. Vous demandez alors à son éducatrice de supprimer une sieste et de le garder éveillé, mais, sur le trajet du retour, vous ne pouvez rien faire pour l'empêcher de s'endormir dans la voiture ou la poussette.

Interrompre ses siestes Que ce soit à la maison, chez la gardienne ou ailleurs, il n'est pas rare d'être obligé d'interrompre la sieste d'un enfant pour le bon déroulement de la journée. Si votre enfant s'endort à 11 h 30, il peut

Si vous êtes obligée de réveiller votre enfant, prenez le temps de le faire en douceur.

ne pas se réveiller avant 15 heures. Parfois, cela vous arrange. Si vous avez prévu de l'emmener le soir chez des amis, cette longue sieste est parfaite. Mais, en général, d'autres projets prévalent, et même sa gardienne ne trouvera pas aisé de le faire dîner tard et d'annuler toute sortie l'après-midi, surtout si elle a un autre enfant à amener à l'école.

Lorsque vous interrompez sa sieste, faites-le en douceur et en prenant votre temps. Il est sans doute fâché qu'on le dérange et a besoin d'un long câlin et de mots doux pour se préparer à affronter le monde. Si vous essayez de le laver ou de l'habiller, il va hurler. Si vous le pressez pour qu'il mange, il refuse son repas. Si vous le hâtez pour accompagner un autre enfant à l'école, il râle, grogne et vous empêche de vous consacrer deux minutes au plus grand. Mieux vaut donc le réveiller tendrement, afin que la transition entre le sommeil et l'éveil, entre la chaleur de son lit et la fraîcheur du sol, soit progressive.

Un bébé trop fatigué

À cet âge, c'est un problème courant mais peu pris en considération. Votre enfant fait beaucoup d'efforts physiques, psychologiques et intellectuels. Les adultes qui considèrent que les bambins n'ont « rien d'autre à faire que jouer » n'ont jamais observé ce que leurs jeux impliquent. Pendant son apprentissage de la marche, votre enfant repousse sans cesse les limites de sa force physique. Apprendre, c'est tomber, se faire des bosses, se faire peur et se blesser tout seul à longueur de journée. Sa vie quotidienne en ce moment est celle d'un adulte qui se met au ski nautique ou au patin à glace.

Comme tout le monde, il maîtrise moins son corps à mesure que la fatigue le gagne. Il coordonne moins bien ses mouvements, doit faire plus d'efforts pour chaque geste et, plus il fait d'efforts, plus il est fatigué. Si vous observez un enfant qui joue dans un parc, vous verrez ce phénomène se dérouler sous vos yeux. Au début, frais et enthousiaste, il va où il veut et réussit tout ce qu'il entreprend.

Le sable qu'il creuse avec sa pelle va bien dans son seau, il monte trois barreaux de la petite échelle et rit lorsqu'on le pousse sur la balançoire. Une heure plus tard, il lui faut dix minutes pour remplir son seau, et toutes les constructions de sable s'effondrent, ses mains glissent sur tout ce qu'il essaie d'escalader, et la balançoire le fait pleurer. Il y a un prix émotionnel à payer pour « s'amuser ».

Outre les efforts physiques qu'il fait pour accorder son corps, votre enfant s'efforce aussi de comprendre le monde et d'y faire son chemin. Pourquoi le sable ne reste-t-il pas dans la pelle ? Pourquoi la balançoire se balance-t-elle ? Et pourquoi les autres enfants s'en servent-ils quand il a envie d'en faire ? Le quartier est bruyant, il y a beaucoup d'adultes et d'enfants inconnus. Cela l'effraie ou l'excite, mais ne le repose certainement pas.

La fatigue physique, l'excitation et la tension, souvent mélangées à un peu de frustration et d'inquiétude, peuvent arriver à un point où l'enfant ne sait même plus qu'il est fatigué, ne sait plus comment s'arrêter et est incapable de se reposer. C'est un phénomène que tous ceux qui s'occupent d'enfants reconnaissent – et redoutent. Il faut intervenir avant que l'enfant n'atteigne ce stade, mais c'est une tâche ardue pour qui surveille plusieurs enfants en même temps. Ne croyez pas qu'un enfant qui court en tous sens n'est pas fatigué. Observez si ce qu'il fait lui paraît plus difficile qu'une demi-heure plus tôt. Si c'est le cas, il a besoin de se reposer. Ne croyez pas qu'un enfant qui a du mal à s'endormir le soir n'a pas eu une journée assez fatigante : il peut aussi être trop fatigué pour trouver son sommeil. La solution n'est pas forcément qu'il dorme plus, mais qu'il se repose plus.

Se reposer sans dormir — Essayez d'aider votre enfant à se reposer physiquement et psychologiquement sans nécessairement aller au lit. Il y a sans doute des activités calmes qu'il apprécie, entre deux dépenses d'énergie, et qui seront utiles pour les années à venir. La télévision — et très bientôt les jeux vidéo — ne sont pas des activités adéquates, en tout cas pas à cet âge. Un enfant de quinze ou dix-huit mois qui fixe son attention sur la télévision ne trouve certainement pas cette activité facile et relaxante.

Chaque famille a ses propres activités reposantes. Proposez-lui quelque chose que vous appréciez vous-même, car tout enfant de cet âge qui se respecte ne fera rien assis tout seul plus de cinq minutes. Votre enfant a besoin que vous partagiez son activité. Que vous choisissiez le dessin, les casse-tête ou la lecture à haute voix, tout ce qui l'aide à reposer ses jambes dix minutes aujourd'hui est susceptible de l'occuper, plus tard, lorsque les circonstances l'obligeront à rester tranquille.

Et, après tout, même lorsqu'il sera en âge de se reposer devant un film, il n'aura certainement pas de télévision à regarder pendant les voyages ou dans la salle d'attente du médecin.

Quand il ne fait plus deux siestes mais qu'une ne suffit pas, votre enfant a besoin de se reposer sans dormir.

LES PROBLÈMES DE SOMMEIL

Beaucoup de parents croient que leur enfant est le seul à ne pas aller paisiblement au lit tous les soirs à la même heure, à ne pas s'endormir tout seul et à se réveiller la nuit. Tout le monde s'accorde à penser qu'en étant doux mais ferme, on évite forcément les nuits difficiles. Mais c'est un mythe. Lorsque des études sérieuses donnent aux parents l'occasion de décrire comment les choses se passent réellement, on constate qu'au moins 50 % des enfants entre un et deux ans posent un réel problème au moment du coucher.

Les difficultés pour le mettre au lit le soir — La réalité est que, nuit après nuit, les enfants sont bercés, câlinés, ramenés au salon, mis dans le lit des parents, nourris, réprimandés, puis de nouveau bercés... Dans la vraie vie, les parents font tout ce qu'ils peuvent pour éviter le drame qui gâche la soirée de toute la famille et qui est particulièrement épuisant après une longue journée de travail. Ils ont eux-mêmes désespérément besoin d'un peu de calme, mais aussi de l'assurance de ne pas avoir trop manqué à leurs enfants. Avec un repas à préparer et à prendre, des nouvelles à échanger et éventuellement un enfant plus grand à qui offrir son attention, la plupart des parents préfèrent éviter les conflits. Ils savent que le ramener au salon avec eux parce qu'il pleure n'est pas vraiment une solution mais si cela marche ce soir, c'est déjà bien — en attendant demain.

Apprendre à son enfant à s'endormir seul

Si vous avez toujours câliné et bercé votre enfant pour l'endormir, l'heure du coucher n'est pas un moment de conflit, mais elle prend de plus en plus de temps. Il vous demande toujours plus de chansons et passe soudainement de la somnolence à la colère quand vous tentez de le poser dans son lit. Comme vous devez renouveler l'expérience chaque fois qu'il se réveille la nuit, vous avez sans doute envie qu'il apprenne à s'endormir tout seul, même si cela vous vaut quelques nuits encore plus pénibles pendant un moment (voir p. 257). Plus vous tardez à lui apprendre à se passer de vos bras, plus la tâche sera difficile.

Dans quelques mois, il ne va pas se contenter de pleurer quand vous tenterez de le laisser alors qu'il ne dort pas encore, il vous suppliera : « Aux bras, maman » et vous criera : « Reviens ! » Un an plus tard, il sortira tout seul de son lit pour vous suivre.

S'il prend toujours le biberon, lui en donner un à boire dans son lit pour l'aider à s'endormir tout seul peut être tentant. Si l'effet dévastateur sur ses dents et le (faible) risque qu'il s'étouffe ne suffisent pas à vous décourager, pensez à ce qui va se passer plus tard dans la nuit. Puisqu'il a obtenu un biberon de lait ce soir pour s'endormir, pourquoi ne pas vous en demander un autre à chaque réveil ?

Certains bébés vont jusqu'à trois biberons par nuit – des biberons que les parents doivent préparer. Si ce qui semble l'aider à supporter votre départ est le fait de sucer et qu'il n'est pas intéressé par son pouce, mieux vaut lui donner une sucette (voir p. 186).

Lui apprendre à accepter que l'on parte

Un enfant laissé à son chagrin, c'est une soirée triste pour tout le monde. Aidez-le à ne pas craindre votre départ.

Apprendre à votre enfant *comment* se calmer et s'endormir sans l'aide d'un adulte est une chose, le persuader de le faire en est encore une autre. Même s'il n'a pas besoin de caresses ou de chansons, il préfère que vous restiez avec lui et vous le dit haut et fort. On a longtemps affirmé aux parents qu'un peu de fermeté résoudrait vite ce conflit d'intérêts. Il suffirait de mettre l'enfant au lit calmement, de sortir de sa chambre et de ne pas y revenir malgré les pleurs. Les pleurs dureraient deux heures la première nuit, une heure la suivante, puis une demi-heure, jusqu'à faire place à des soirées calmes. Bien que cette pseudo-méthode semble fonctionner dans certaines familles, qui sait combien s'y sont vraiment tenues ? On ne peut que spéculer sur son éventuel succès. Parfois, le calme obtenu au prix d'une semaine terrifiante n'a duré que jusqu'à la prochaine dent ou jusqu'au prochain rhume. D'autres parents ont tenu autant qu'ils ont pu sans que jamais le calme s'installe. Du point de vue de l'enfant, la valeur de la méthode est très discutable. Votre enfant pleure parce que, pour le moment, il ne peut pas supporter de vous voir partir. Quel message lui envoyez-vous en ne réagissant pas à ses cris ? « Inutile de pleurer, je ne reviendrai pas ; quel que soit ton désespoir, personne ne t'écoute... » Rien de tout cela n'est censé le rassurer pour la prochaine fois. En réalité, il sera sûrement, de manière générale, encore plus angoissé de vous voir partir...

La plupart des spécialistes du sommeil qui avaient soutenu cette méthode sont revenus sur leurs recommandations, et c'est tant mieux. Un enfant bien déterminé peut rester éveillé et pleurer bien plus longtemps que ce que les parents (ou les voisins) supportent. Et si vous devez craquer et retourner le voir au bout de deux heures, alors qu'il est déjà convaincu que vous l'avez abandonné pour toujours, autant y retourner tout de suite.

Accepter de rester
auprès de
son enfant

L'attitude opposée consiste à accorder à votre enfant ce qu'il veut en restant avec lui ou en le prenant avec vous. Bien que cette méthode soit plus douce, elle n'est pas plus raisonnable si vous réfléchissez au message que votre comportement lui envoie. « Tu as peur d'être seul et tu as raison, c'est angoissant d'être tout seul. Je vais donc rester avec toi/te prendre avec moi… » Ce n'est toujours pas un message qui simplifiera vos prochaines soirées. Comment votre enfant va-t-il comprendre qu'il peut très bien s'endormir tout seul si vous lui suggérez le contraire ? Et comment peut-il accepter que l'heure du coucher soit la fin de la journée s'il a la preuve qu'en pleurant il peut l'allonger un peu ?

Le juste milieu

La méthode recommandée pour les bébés entre six mois et un an (voir p. 258) peut servir de compromis pour résoudre ce conflit d'intérêts entre vous et votre enfant et éviter une lutte de pouvoir. Après tout, gagner une bataille qui laisse votre enfant au désespoir ne vous intéresse pas, et vous n'avez pas non plus envie d'accepter de prolonger sa journée. Vous souhaitez juste qu'il s'endorme *paisiblement* et qu'il reçoive à peu près ce message : « Il n'y a aucune raison de pleurer, aucune raison d'être triste. Nous sommes à côté et nous viendrons si tu as besoin de nous. Mais la journée est finie et il est temps de dormir. »

Prenez le temps d'apaiser votre enfant avec tous les rituels de coucher auxquels il est habitué. Quittez-le confiante. S'il pleure, attendez quelques secondes au cas où il exprimerait juste son mécontentement. Si les pleurs durent, retournez dans sa chambre, rassurez-le : « Tout va bien, endors-toi. » Dites-lui juste un dernier bonsoir et repartez.

Recommencez autant de fois qu'il le faut pour qu'il se calme (en faisant quand même attention au plat qui brûle !). Tant qu'il est assez malheureux pour pleurer, l'un de vous ira le voir très régulièrement. Mais, même si ses pleurs sont déchirants ou s'il est très en colère, vous devez simplement le rassurer et lui redire : « Bonne nuit. Je suis toujours là mais la journée est finie. »

Ne le laissez pas pleurer seul plus de trois minutes (ce qui est plus long qu'il n'y paraît), ne restez pas dans sa chambre plus de trente secondes, ne vous énervez pas et, surtout, ne le sortez pas de son lit.

Vous voulez qu'il comprenne que vous n'êtes pas loin, mais qu'à ce moment de la journée, il n'est plus temps de jouer.

Parfois, il faut une semaine pour que cette méthode opère. Si cela prend plus de temps, c'est sans doute que vous avez faibli à un moment ou à un autre. Il suffit d'une nuit de ras-le-bol où vous décidez de le laisser pleurer, et tout est à recommencer pour le persuader qu'il n'y a aucun danger à être tout seul. De même, si, épuisée par les allées et venues dans sa chambre, vous cédez et le ramenez avec vous au salon, il faut tout reprendre de zéro pour le convaincre qu'une fois qu'il est au lit, il y reste.

Une solution encore
plus simple

Au bout du deuxième (ou septième) écart, il devient de plus en plus difficile de le convaincre. Pour choisir cette méthode, il est impératif que vous soyez tous les deux déterminés à tenir le cap quoi qu'il arrive. Si vous doutez de vous, pourquoi ne pas emprunter d'abord une voie plus facile pour votre enfant (et moins harassante pour vous), en espérant qu'elle vous épargne d'avoir à tenter autre chose ?

Si votre enfant reste paisiblement étendu dans son lit tant que vous êtes auprès de lui, essayez, pendant quelques nuits, de rester assise à côté de son lit jusqu'à ce qu'il dorme, puis amorcez un retrait stratégique en vous asseyant près de la fenêtre, pour vous éloigner ensuite progressivement, par exemple en rangeant sa chambre puis la pièce voisine. À partir du moment où il est calme et prêt à s'endormir avec vous à une *petite* distance, vous êtes sur le bon chemin, mais ne précipitez pas les choses. Si tout se passe bien, au bout d'une semaine, vous pourrez le mettre tranquillement au lit et retourner à votre vie d'adulte.

Il se réveille au milieu de la nuit Bien que votre enfant soit assez grand à présent pour décider de ne pas dormir, il ne peut toujours pas (et ne pourra jamais) se réveiller à volonté. Se réveiller la nuit n'est pas une « habitude » dont vous le débarrasserez en ignorant ses pleurs ou en le grondant. En réalité, les réveils nocturnes n'ont rien à voir avec l'éducation, et les parents qui prétendent, bêtement, que leurs enfants sont plus sages sont leurs propres dupes. Ne les laissez pas *vous* duper.

Il se réveille mais n'a pas peur Tous les enfants se réveillent plusieurs fois par nuit et, en général, se rendorment. Si rien ne vient les déranger, ils replongent immédiatement dans leur sommeil, et vous n'en saurez jamais rien. Si votre enfant tient, au contraire, à vous en informer bien qu'il soit tout à fait capable de s'endormir tout seul à l'heure du coucher ou pendant ses siestes, vérifiez les points suivants :

■ Est-ce que vous allez le voir dans sa chambre au moindre murmure ou grognement ? Il est possible alors que vous le dérangiez. Souvent, les enfants semblent bien mieux dormir quand seul le père est présent ; c'est simplement parce que le père lui-même dort mieux. Votre enfant n'est plus un petit bébé fragile. S'il a besoin de vous, il vous le fera savoir.

■ Est-ce que votre enfant sort de ses draps en dormant et est réveillé par le froid ? Pensez à le mettre dans une dormeuse ou bien à garder une couverture supplémentaire pour le couvrir lorsque vous allez vous coucher.

■ Est-ce que la chambre de votre enfant est très sombre ? Pourquoi ne pas lui laisser une petite veilleuse de 15 watts ? Cela ne l'empêchera pas de se réveiller, mais peut-être qu'il ne ressentira plus le besoin de vous appeler.

■ Est-ce qu'il a un doudou ? En ce cas, pensez à le remettre tout près de lui quand vous allez vous coucher. Avec beaucoup de chance, il le retrouvera sans pleurer et sans avoir besoin de vous.

■ Est-il gêné par des bruits extérieurs ? Comme avec un enfant plus petit, une insonorisation plus efficace peut être salutaire.

■ A-t-il faim la nuit ? Certains enfants sont trop fatigués à l'heure du souper pour prendre le repas consistant dont ils auraient besoin. Le déjeuner semble alors loin. Un petit verre de lait aux aurores et une collation au coucher peuvent être une solution durant cette période.

■ A-t-il soif ? Certains parents pensent qu'en limitant les boissons le soir ils aident les enfants à passer la nuit au sec. Ils se trompent. Si les couches que vous utilisez fuient, changez de marque. Votre enfant doit boire autant qu'il veut jusqu'à l'heure du coucher.

Il se réveille effrayé C'est le genre de réveil nocturne le plus courant. Selon des études, à peu près la moitié des enfants entre un et deux ans en souffrent. Le réveil est provoqué par une forme de cauchemar, mais nous ne pouvons bien sûr pas savoir à quoi rêve l'enfant, à quoi il pense et ce qu'il voit en dormant.

Certains se réveillent terrifiés plusieurs fois par nuit pendant quelque temps, puis plus du tout les mois suivants. D'autres se réveillent trois ou quatre fois dans une semaine pendant des mois.

Un enfant peut se réveiller en état de panique. Vous le retrouvez assis au milieu de son lit, terrifié. Pour d'autres, le réveil semble provoqué par un sursaut de douleur. L'enfant pleure, couché dans son lit, comme si quelque chose d'épouvantable venait de lui arriver.

Dans tous les cas, si vous arrivez rapidement, le choc passe en général en trente secondes. Il aperçoit votre visage familier, sent votre caresse réconfortante et se rendort aussitôt. Au matin, il ne se souvient de rien. Si vous n'arrivez pas aussi vite, les choses vont de mal en pis. Entendre sa propre voix angoissée dans le silence de la nuit aggrave sa peur. Lorsque vous arrivez enfin, il est tout tremblant, tendu et il sanglote. Il a besoin que vous lui parliez et le câliniez pendant un quart d'heure, voire une demi-heure avant d'accepter de se rendormir.

Les cauchemars En cas de cauchemar, la solution est simple : allez réconforter votre enfant dès que vous l'entendez pleurer. Vous préféreriez, bien sûr, parvenir à l'empêcher de faire des cauchemars, surtout au bout de dix nuits interrompues, mais c'est une tâche bien difficile.

Méfiez-vous des gens qui vous suggèrent d'« épuiser l'enfant pendant la journée » ou de « lui donner plus à manger au souper ». Un enfant trop fatigué ou qu'on a poussé à se nourrir plus qu'il ne voulait est, au contraire, plus enclin aux mauvais rêves. Une approche plus générale, considérant l'enfant dans son ensemble, peut, en revanche, porter ses fruits. Nous ne connaissons pas les causes des cauchemars des enfants ou des adultes, mais nous savons qu'ils sont souvent liés à un état de stress et d'anxiété. Il se peut que votre enfant soit particulièrement angoissé par un aspect de sa vie. Si vous parvenez à le décharger en partie de cette angoisse, les cauchemars devraient être moins fréquents.

Une nouvelle naissance est-elle imminente ? Votre travail et le mode de garde de votre enfant ont-ils changé récemment ? Son père est-il souvent absent en ce moment ? Son éducatrice au service de garde vient-elle de partir ? Tout changement radical intervenu dans son petit univers est susceptible de l'inquiéter, sans qu'il le montre forcément dans la journée. Vous ne pouvez pas toujours supprimer la cause de la tension, mais, avec un peu d'attention et de tolérance, vous l'aiderez à la supporter. Essayez de lui en parler. Même un enfant qui ne parle pas encore beaucoup comprend suffisamment le mélange complexe de mots et d'intonations que nous appelons langage pour être tranquillisé par le simple fait de savoir que vous connaissez et comprenez son angoisse.

Est-ce que la confrontation entre le désir d'indépendance de votre enfant et votre détermination à l'éduquer provoque des conflits permanents à propos du pot, des repas ou de la désobéissance ? Même si c'est une forte tête, ce qui reste en lui de bébé est encore très sensible aux querelles avec les parents ou avec les personnes qui s'occupent de lui. Plus il provoque votre mécontentement, plus il se sent en danger.

Peut-être vaut-il mieux pour l'instant lui en demander un peu moins et le rassurer sur sa capacité à répondre à vos attentes, afin qu'il se sente plus en sécurité.

Est-ce que vous rentrez juste de vacances ? A-t-il été hospitalisé ou malade pendant une longue période ? Les événements qui l'éloignent temporairement de sa maison ou qui rompent sa routine sont perturbants. Appliquez-vous à respecter ses habitudes et à lui redonner des structures rassurantes pendant quelques semaines.

Toutes ces suggestions sont motivées par la même idée : un enfant qui fait beaucoup de cauchemars à cet âge a sans doute besoin d'être traité, pendant quelque temps, comme un plus jeune bébé. Quelque chose le trouble et lui donne l'impression d'être incapable de répondre à ce que la vie lui demande. Cajolez-le, montrez-lui qu'il se sort très bien de toutes les situations, et les cauchemars s'espaceront.

Il erre la nuit dans la maison
À la fin de la deuxième année apparaît une nouvelle raison de ne pas laisser votre enfant pleurer la nuit : si vous n'allez pas le voir, c'est lui qui viendra à vous. Il faut absolument éviter qu'il apprenne à grimper hors de son lit. C'est dangereux en soi, car les lits à barreaux sont souvent hauts et, s'il s'en sort sans se faire mal et sans vous réveiller, il se retrouve seul et sans surveillance dans la maison. Mais le danger physique n'est pas le seul problème. Un enfant qui découvre qu'il peut sortir de son lit et venir vous voir avant d'être en âge de comprendre que c'est interdit risque de le faire nuit après nuit. C'est assez gênant de ne pas savoir à quel moment il va débarquer dans le salon ou, pis encore, dans votre propre chambre. S'il finit par passer toutes ses nuits dans le lit parental, il vaut parfois mieux s'y résoudre et préparer les choses en conséquence pour éviter tout danger.

Éviter qu'il ne se lève la nuit
La meilleure façon d'éviter qu'un enfant ne grimpe hors de son lit est d'éviter qu'il n'en ait l'idée. Une fois qu'il a imaginé cet exploit, l'obstination propre aux enfants de cet âge et ses progrès physiques lui permettront sans doute d'y parvenir. Il faut donc éviter de lui donner de réels motifs de s'échapper de son lit et de croire que c'est possible.

S'il sait que quelqu'un vient le voir quand il pleure, que ce soit le soir ou en pleine nuit, il ne ressent aucune urgence et aucune raison de sortir de son lit. Ce qui le motive à venir à vous, c'est le fait que vous ne veniez pas à lui.

Si vous ne l'avez jamais ramené dans le salon le soir ou jamais pris dans votre lit la nuit, il n'a pas en mémoire l'image du plaisir qu'il rate en étant dans son lit.

Ce sont les enfants qui peuvent se projeter en compagnie des autres ou, encore mieux, en votre compagnie dans le lit parental qui sont les plus décidés à quitter leur lit.

Il y a encore deux astuces très simples à la disposition des parents. Si votre enfant porte une dormeuse depuis toujours, il sait qu'il ne peut pas marcher tant qu'on ne la lui a pas retirée. Et si son sommier est mis dans la position la plus basse dès qu'il est capable de se redresser et qu'il n'y a pas de gros jouet dans son lit sur lequel il pourrait grimper, la barrière de son lit lui paraîtra toujours impossible à escalader.

Quand l'habitude est prise... En revanche, une fois l'habitude prise, il est très difficile de la faire passer. Seules des contraintes physiques pourraient retenir un tout jeune enfant au lit, et elles sont tout à fait inacceptables. Fermer la porte de la chambre à clé, mettre un filet au-dessus de son lit (ou même lui installer un «lit-tente») ou le faire dormir avec un harnais de sécurité sont des solutions potentiellement dangereuses, physiquement et psychologiquement, et qui n'envisagent que le court terme. Il est légitime qu'un enfant maintenu dans son lit de force perçoive son lit comme une prison. Une fois qu'il en est convaincu, vos espoirs de le mettre au lit dans le calme et de passer des nuits sereines s'envolent.

Malheureusement, il est difficile, voire impossible, d'*apprendre* à un enfant de cet âge à ne pas sortir de son lit. Le seul moyen d'y parvenir est de le persuader, fermement, qu'il n'y a rien qu'il puisse obtenir par cet exploit. Essayez de l'entendre dès qu'il commence à escalader son lit (autant mettre l'interphone de surveillance au volume maximal) afin d'être près de lui avant qu'il n'atteigne la porte de sa chambre. S'il est toujours remis au lit immédiatement, il y a de fortes chances qu'il abandonne.

Quoi qu'il en soit, ses promenades nocturnes ne doivent pas le mener n'importe où. Lorsqu'il apparaît dans le salon, ne lui laissez pas deux secondes pour vous charmer et ramenez-le tout de suite dans son lit. S'il pénètre dans votre chambre, ramenez-le sur-le-champ dans la sienne. Le laisser s'installer pour quelques câlins, c'est programmer d'autres nuits du même genre.

La base indispensable, ce sont des barreaux trop hauts et des parents qui viennent quand on les appelle. Il n'est pas encore temps de lui acheter un «grand lit» (voir p. 462). Si un autre bébé est en route, prévoyez un second lit à barreaux.

Les réveils trop tôt Les réveils un peu trop matinaux sont encore plus courants chez les petits enfants que chez les bébés, mais plus simples à vivre. C'est un moment où ils sont de bonne humeur et faciles. À 6 heures du matin, votre enfant vous réveille plus souvent par ses bavardages et par ses chants que par ses cris et ses grognements. Certains parlent tout seuls, sautent dans leur lit et s'occupent de leur ours en peluche. D'autres apprécient la visite d'enfants plus grands et leur déploient tout leur charme en attendant l'arrivée des adultes. Si votre enfant insiste pour que vous veniez le voir, essayez les solutions suivantes :

■ Laissez quelques jouets et livres à côté de son lit quand vous allez vous coucher. Les attraper à travers les barreaux l'occupera pendant un bon moment.

■ Laissez-lui un peu de lumière. En hiver, en particulier, branchez une petite veilleuse très faible dans sa chambre.

S'il a de quoi s'occuper le matin, vous gagnez une demi-heure de sommeil.

■ Apprenez-lui à reconnaître les signes qui annoncent le vrai début de la journée. S'il sait que l'un de vous arrive dès que l'alarme du réveil ou la radio se déclenche, il sera peut-être plus enclin à attendre ce signal et donc à patienter.

CONSOLER
SES PLEURS

Entre un an et deux ans et demi, les enfants oscillent en permanence entre l'anxiété et les larmes, d'un côté, et la frustration et la colère, de l'autre. Leurs sentiments, positifs ou négatifs, sont à cette période à leur paroxysme et leur nouveauté les rend encore plus impressionnants. Lorsque votre enfant est fâché ou offensé pour un rien et que vous devez vous contenir pour ne pas être *vraiment* fâchée, rappelez-vous qu'il n'est pas encore habitué à ce qu'il ressent. Il est terriblement sensible, car il n'a pas eu le temps de recouvrir ses sentiments d'une carapace protectrice. Il n'a pas assez d'expérience pour s'en accommoder et les maîtriser.

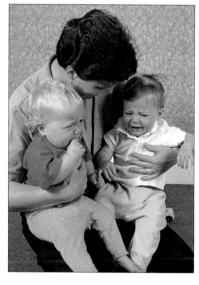

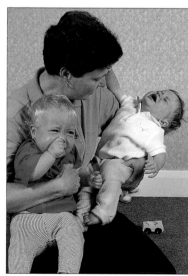

Si vous trouvez difficile de gérer les colères de votre enfant, qu'en serait-il avec des jumeaux…

Jean qui rit, *Jean qui pleure*	Beaucoup d'adultes ont tendance à s'arrêter sur l'expression violente des émotions négatives, typique de cet âge, plutôt que sur celle, pourtant merveilleuse et tout autant typique, des émotions positives. Votre enfant passe rapidement du rire aux larmes, de l'amour au désamour. Il est autant excité par ses propres exploits que désespéré par ses échecs. S'il est concentré sur lui-même et n'hésite pas à vous mettre mal à l'aise en public par une énième colère, il est aussi incroyablement affectueux et drôle.
Supporter *ses changements* *d'humeur*	Les troubles de votre enfant, ses pleurs et ses colères sont fondés sur une contradiction concernant ce qu'il attend du monde adulte. Son désir d'être autonome, de se libérer du contrôle total des parents et de devenir un individu indépendant pèse d'un côté de la balance. Son désir inverse d'être encore un bébé bénéficiant de la protection permanente des adultes pèse de l'autre côté.

Chaque jour, chaque heure, chaque minute, cette balance penche d'un côté puis de l'autre. Un instant, votre enfant exige d'être autonome et crie «moi tout seul» et «va-t'en». L'instant suivant, il redevient un bébé et pleure désespérément parce que vous quittez la pièce.

Il faut un adulte capable de s'ajuster à ces brusques changements d'émotion et de les désamorcer pour tempérer cette oscillation permanente. Si vous surprotégez votre enfant, son besoin croissant d'indépendance va certainement se transformer en colère et en frustration. Si vous lui donnez trop d'espace et qu'il se sent indépendant mais seul et abandonné à son sort, son besoin d'affection et de protection se changera en angoisse de la séparation. Votre rôle de parent est de trouver le juste équilibre entre ces deux tendances, et vous devriez aussi pouvoir en attendre autant de la personne qui s'occupe de lui en votre absence.

ANGOISSE ET PEURS

L'angoisse et la peur sont deux émotions humaines normales mais inconfortables. En grandissant, nous apprenons à affronter la plupart des situations stressantes et à éviter les choses qui nous effraient. Mais votre enfant n'est qu'au début de ce processus. Pour le moment, son peu d'expérience ne suffit pas à le protéger, et il n'a pas le pouvoir de forcer les adultes à le faire pour lui.

Un enfant angoissé d'être seul dans son lit le soir acquiert des habitudes qui l'aident à supporter ce sentiment désagréable : caresser le bras de son ours en peluche, entortiller son doudou autour de son oreille…

Mais même ces simples moyens de défense ne sont pas vraiment en son pouvoir. Si une grande sœur jalouse cache son ours ou qu'il a perdu son doudou au supermarché, il ne peut rien y faire – sauf pleurer.

S'il est inquiet quand vous quittez une pièce pendant la journée, il peut maîtriser son inquiétude en vous suivant. Mais si vous allez dans la salle de bain et fermez la porte à clé, il est impuissant.

Il ne peut jamais être sûr qu'on va lui permettre de se sentir en sécurité.

Les causes de son anxiété ne sont pas toujours aussi évidentes. Ses propres sentiments, échappant à son contrôle, le tourmentent souvent plus que leur cause première. Il n'est pas content que vous ayez éloigné ce tournevis, mais sa colère, qui était censée vous faire peur, l'effraie lui-même à mesure qu'elle s'installe. Il ne peut rien faire pour vous empêcher de répondre à sa colère par la vôtre, mais ce dont il a besoin, c'est que vous l'aidiez à affronter ses propres sentiments.

Aider son enfant La première chose à faire, pour offrir à votre enfant ce soutien émotionnel, est d'être toujours à son écoute, de l'observer et de l'écouter avec attention, afin de percevoir tous les signes qu'il envoie vous permettant de comprendre ses sentiments. Il va falloir attendre encore longtemps avant qu'il ne puisse vous prendre par la main et vous dire : «Maman, j'ai peur que ces chiens ne me courent après» ou : «Je n'ai pas peur du tonnerre en général, mais celui-ci est trop près.» Pour le moment, vous devez comprendre autrement. Les adultes (et même les parents) ne sont pas tous capables de saisir les signes les plus évidents. La prochaine fois que vous allez à la plage ou dans un parc, notez le nombre de fois où vous voyez et entendez un enfant pleurer, crier de colère ou de peur sans qu'on lui accorde le moindre crédit. Vous serez épouvantée du nombre d'adultes qui répondent : «Mais non, tu n'as pas peur de ça…» ou «Mais ça te plaît, ça, normalement…», forçant parfois un enfant qui résiste autant que possible à aller dans l'eau ou sur la balançoire la plus haute.

Bien sûr, il ne s'agit que d'une façon de parler. Bien sûr, les adultes ne pensent pas vraiment qu'ils savent mieux ce que l'enfant ressent que l'enfant lui-même. Mais les tout-petits ne savent pas qu'il existe des façons de parler. De leur point de vue, les adultes refusent de compatir à leurs sentiments et sont incapables de comprendre le mot «non», même crié très fort.

Ignorer les sentiments d'un enfant est inutile, les provoquer est cruel. Malheureusement, ce sont souvent les enfants qui s'énervent le plus facilement que l'on contrarie le plus, et personne – si ce n'est un adolescent – ne se vexe plus vite qu'un enfant de cet âge. Être amusé (en privé) par la petite «danse de fureur» qui précède les colères de votre enfant est une chose, la provoquer pour votre propre amusement en est une autre. Jouer à le poursuivre quand il fait semblant d'avoir peur est très bien, mais continuer quand il a vraiment peur est cruel. Et, bien sûr, chatouilles et bagarres sont formidables, mais doivent cesser dès qu'il proteste ou s'énerve.

Les signes Si votre enfant est plutôt angoissé ou inquiet de grandir plus vite *d'angoisse* qu'il ne s'en sent capable, il vous enverra les signaux suivants :
et de stress ■ Il est plus collé à vous que d'habitude et préfère vous suivre partout que de rester tout seul dans une pièce, vous tenir la main plutôt que de courir librement, s'asseoir sur vos genoux plutôt que sur une chaise ou par terre.

■ Il semble plus «sage» et moins polisson que d'habitude. Il se sent très dépendant de vous et essaie de faire tout ce qu'il sait que vous appréciez. Il ne se sent pas très aventureux et n'est pas tenté par les bêtises.

■ Son anxiété est particulièrement visible lorsqu'il ne connaît pas l'endroit où il se trouve ni les gens qui l'entourent. Si son éducatrice au service de garde est en vacances, il peut ne pas vouloir y aller. Si vous l'emmenez avec vous dans un café, il reste timide tout l'après-midi, la tête cachée sur vos genoux. Même un nouveau parc à explorer ne le tente pas, car il est trop occupé à ne pas vous perdre.

Lorsqu'il se comporte ainsi, incitez tous les adultes qui sont proches de lui à lui offrir encore plus d'attention et d'affection que d'habitude, pour quelques jours ou quelques semaines. Si vous vous en apercevez à temps, la balance va vite se rééquilibrer. Si son penchant à l'anxiété persiste, il l'exprimera de façon encore plus évidente :

■ Il a des difficultés nouvelles à s'endormir, adopte de nouveaux rituels à l'heure du coucher, ajoute de nouveaux membres à la famille de peluches installées dans son lit, a peur du noir et vous appelle, inlassablement, dès que vous le laissez.

■ Il entre dans une période de cauchemars (voir p. 363).

■ Il manque d'appétit, préfère revenir à une alimentation plus «bébé» et refuse de se nourrir avec autant d'autonomie qu'avant.

Lorsque l'anxiété atteint un niveau qui affecte son sommeil et son appétit, il y a de fortes chances qu'elle produise aussi des peurs très spécifiques, comme si toute cette anxiété s'y exprimait.

L'aider à surmonter ses peurs

Quand votre enfant rencontre une créature inconnue, présentez-la-lui, mais n'insistez pas pour qu'ils deviennent amis.

Quand les peurs des tout-petits sont jugées «raisonnables» par les parents, ceux-ci les aident gentiment à les surmonter. Les cauchemars, par exemple, font peur à tout le monde ; on réconforte toujours un enfant qui se réveille en criant. Mais souvent, les peurs ne semblent pas «raisonnables» aux adultes et, au lieu d'offrir leur compassion, ils exhortent l'enfant à ne pas «faire l'idiot».

Acceptez la peur de votre enfant. Peut-être n'est-elle pas raisonnable à vos yeux, mais qu'est-ce que la raison a à voir avec la peur ? Le fait que vous ne la partagiez pas ne retire rien à sa réalité. Avant de vous en moquer, pensez à vos propres phobies : sont-elles toutes «raisonnables» ? Comment réagiriez-vous si on ne vous laissait pas éviter ce qui les provoque ? Aimez-vous, par exemple, les grosses, et pourtant inoffensives, araignées ?

Assurer à votre enfant qu'il n'y a rien à craindre (quand cela est vrai) est utile, mais il ne sert à rien de lui demander de ne pas avoir peur. Si vous dites : «Cela ne te fera aucun mal, mais comme je vois que tu as peur, nous ne nous approcherons pas plus», votre enfant sent que vous êtes de son côté. Si vous dites : «Ne sois pas bête, il n'y a aucune raison d'avoir peur», vous ne lui offrez ni réconfort ni soutien.

La plupart des peurs sont fondées sur un réflexe naturel d'autoprotection par rapport à tout ce qui est inconnu. Les tout-petits sont prudents avec les choses nouvelles tant qu'elles n'ont pas prouvé qu'elles étaient inoffensives. La plupart du temps, les éléments qui l'environnent lui donnent cette assurance ou disparaissent, et les peurs passent aussi vite qu'elles étaient apparues. Mais certaines persistent si on ne les traite pas avec tact. Au lieu de s'habituer à l'élément nouveau et de l'accepter comme une part de son monde familier, l'enfant focalise de plus en plus sa peur sur cet élément jusqu'à en faire une phobie.

Les phobies Les phobies, très courantes chez les petits, ne sont pas forcément l[e] signe d'un trouble profond. Il est normal que le monde paraiss[e] assez effrayant aux yeux d'un enfant. Il y a beaucoup de choses qu'i[l] ne peut encore comprendre et sur lesquelles il peut fixer sa peu[r]. Plus d'un enfant sur deux manifeste au moins une phobie entr[e] deux et trois ans, et ce sont souvent les mêmes phobies.

Dans les pays occidentaux, les chiens arrivent en tête de liste[.] L'obscurité et tous les monstres qui l'habitent arrivent en deuxièm[e] position. Viennent ensuite les insectes et les reptiles – surtout les ser[-] pents – puis les bruits très forts comme les sirènes d'alarme o[u] d'ambulance.

Les phobies ne sont pas des peurs ordinaires. Un enfant qui [a] seulement peur des chiens, par exemple, ne montre sa peur que lors[-] qu'il en rencontre un. Le reste du temps, il n'y pense pas du tout. C[e] genre de peur disparaît quand (et si) l'enfant découvre que les chien[s] ne sont pas méchants. S'il ne fait pas spontanément cette décou[-] verte, peut-être pouvez-vous l'aider en lui montrant des chiots dan[s] un magasin d'animaux domestiques ou le caniche frisé de votre voi[-] sin tenu en laisse.

La phobie des chiens passe par l'imagination toute neuve de l'en[-] fant. Il n'est pas seulement effrayé lorsqu'il croise un chien mais auss[i] lorsqu'il en aperçoit un de loin, lorsqu'il regarde un dessin qui e[n] représente un ou simplement en y pensant. Il n'évite pas seulement le[s] lieux où il y a des chiens, mais aussi ceux où il imagine qu'il pourrai[t] y en avoir. En cas de phobie très forte, il reste dans sa poussette dans l[a] rue au cas où un chien arriverait, refuse d'aller au parc parce que le[s] chiens y jouent, délaisse son livre d'images préféré parce qu'un chie[n] y est dessiné et sort son singe en peluche de son lit parce qu'il lui fai[t] penser à un chien.

Surmonter Les explications rationnelles ne peuvent rien contre les phobies[,]
les phobies car ce n'est pas le chien réel qui pose un problème mais le chie[n] imaginé. Montrer à votre enfant que ce qu'il craint est inoffensif n[e] résoudra rien. L'emmener voir un adorable petit chiot ou un genti[l] caniche sera contre-productif : l'enfant sera submergé par sa peur, e[t] sa phobie n'en sera probablement que plus forte. À ses yeux[,] les chiens sont *forcément* effrayants puisqu'ils font naître en lui ce[s] horribles sensations.

Provoquer sa peur ne peut qu'aggraver les choses. Il est donc pré[-] férable de s'y attaquer indirectement, en essayant de baisser le nivea[u] d'anxiété général pour qu'il n'ait plus assez de peur en lui à focalise[r] sur un objet :

■ Aidez votre enfant à éviter ce qui l'effraie, mais veillez aussi à n[e] pas lui suggérer que vous partagez sa peur. S'il veut rester dan[s] sa poussette au cas où il y aurait un chien dans la rue, laissez[-] le faire, montrez-lui que vous acceptez qu'il ait peur, mais qu[e] vous ne vous sentez pas, vous-même, en danger. La peur est trè[s] contagieuse.

■ Recherchez ce qui, dans sa vie, est source de stress (voir p. 363) e[t] essayez d'apaiser la tension. Vous ne pouvez pas vous débarrasser d[e] votre nouveau bébé, mais vous pouvez aider votre enfant à l'accep[-] ter (voir p. 427).

■ Si vous ne trouvez pas de cause spécifique, soyez encore plus tendre avec lui pendant quelque temps. Peut-être a-t-il pris trop vite trop d'autonomie et ne sait-il pas bien la gérer. La balance penche du côté de l'anxiété et de la peur, et il faut l'aider à se sentir à nouveau en sécurité.

■ Si la phobie perturbe toute la vie de famille, limite ses jeux, l'empêche d'aller dans les lieux auxquels il est habitué ou de faire ce qu'il aime, demandez conseil à votre médecin.

Courageux et intrépide

Lorsque votre enfant part à l'aventure, donnez-lui toute la liberté possible.

Parfois, les parents ont du mal à éprouver de la compassion et de la compréhension pour l'anxiété, les peurs et les phobies de leur enfant, car ils n'acceptent pas le fait que tous les petits ressentent des peurs. Certains parents ont même honte de voir leur enfant «lâche», «poule mouillée» ou «pleurnicheur», surtout – encore aujourd'hui – s'il s'agit d'un garçon.

Il faut bien voir la différence immense qu'il y a entre être courageux et être intrépide. Être courageux, c'est faire et affronter des choses dont on a peur. Un enfant courageux a donc peur, par définition. Vous pouvez avoir besoin de lui demander d'être courageux pour affronter une piqûre ou un orage, mais, dans ce cas, il est juste de souligner que vous comprenez qu'il a peur et que vous appréciez l'effort qu'il fait. Refuser qu'il exprime sa crainte ne va pas l'aider à être courageux à ce moment-là. Refuser d'admettre qu'il y a des raisons d'avoir peur et de faire preuve de courage cette fois-ci ne l'aidera pas à être courageux la prochaine fois.

Un enfant intrépide, par définition, *n'a pas peur*. Si vous voulez un enfant intrépide, il ne faut donc pas lui donner l'occasion d'être effrayé. Essayer de le rendre aventureux en le forçant à faire ce qui le paralyse est un non-sens. Si vous obligez votre enfant qui hurle à aller dans une piscine ou dans la mer parce que vous ne voulez pas qu'il ait peur de l'eau, vous lui demandez d'être très, très courageux. Plus vous demandez à un tout-petit de dissimuler ses peurs, plus il a peur et plus il doit produire de gros efforts pour se comporter selon vos souhaits.

Si vous lui imposez de nombreuses exigences de ce genre, votre enfant va être de plus en plus angoissé et apeuré et de plus en plus éloigné de l'enfant intrépide que vous espériez. Un stress permanent le prive de cette volonté d'indépendance que vous essayez d'encourager et accentue son besoin d'être rassuré. À un certain point, son goût pour l'aventure et l'autonomie est annihilé par vos exigences qui le poussent au contraire à vous demander sans cesse de le protéger et de le soutenir.

INDÉPENDANCE ET FRUSTRATION

Votre enfant est en train de prendre rapidement conscience qu'il est un individu indépendant avec ses droits, ses préférences et ses façons de se faire comprendre. Il ne se voit plus du tout comme une partie de vous et n'accepte plus que vous contrôliez totalement sa vie. Il veut s'affirmer et il est bien qu'il en soit ainsi. Son «obstination» est le signe qu'il grandit et qu'il se sent assez sûr de lui aujourd'hui pour tenter de se débrouiller tout seul.

Les enfants aiment être ensemble mais, sans l'aide des adultes, savoir rendre et prêter n'est pas facile…

Mais la vie est bien compliquée à gérer pour un enfant de cet âge. Il y a tant de choses qu'il ne comprend pas, tant de choses qui l'attirent mais que les adultes n'autorisent pas, et il est encore si petit et si faible physiquement ! Ses efforts d'indépendance aboutissent inévitablement à une part de frustration. C'est un sentiment normal, mais, s'il y est trop souvent exposé, c'est son estime de soi qui en souffre, et les colères qui s'ensuivent lui font perdre un temps et une énergie qu'il pourrait dépenser à apprendre.

La frustration due aux adultes

Les adultes frustrent facilement l'indépendance nouvelle de l'enfant, son envie d'autonomie et son sens de la dignité. Dès qu'il se sent harcelé, brimé, contraint, il se braque. Toute situation est propice à la querelle. Être sur le pot, s'habiller, manger ou se coucher. Dès qu'il sent que vous insistez, il résiste. Mais s'il voit qu'on lui donne sa part de choix et de maîtrise de sa propre vie, il utilise (peut-être) ce pot, mange (probablement) ce repas, reste (en général) dans son lit, vient quand on l'appelle, part quand on le lui demande, et adore ça.

Toutefois, malgré tout le respect que vous aurez pour ses sentiments, il y aura d'innombrables occasions où vous devrez l'empêcher de faire ce qu'il veut ou l'obliger à faire ce qu'il n'a pas choisi. Plus il accepte ces contraintes, plus il en retire quelque chose. La seule façon d'y parvenir est de cultiver quelques vertus indispensables comme le tact, l'humour et la patience, mais aussi un certain talent d'acteur. Vous devez rentrer rapidement à la maison ? Installez votre enfant dans sa poussette alors qu'il veut marcher, et tout effort sera vain. Comportez-vous plutôt comme si vous aviez tout votre temps et proposez-lui, juste pour s'amuser, d'être son cheval et de le porter : vous serez à la maison aussi vite que vous pourrez courir…

La frustration due aux autres enfants

Les enfants – même bébés – sont souvent très curieux des autres enfants de leur âge. Si on leur en donne l'occasion, ils deviennent facilement très amis. Cependant, même les meilleurs amis sont des sources de frustration et de peine, car ils sont encore incapables de se mettre à la place de l'autre et de comprendre ses sentiments. Si deux enfants désirent le même jouet, il est fort probable que le plus dominant des deux l'obtienne, que l'autre se mette à pleurer et que les adultes soient

mécontents. Si l'un des deux veut faire un câlin que l'autre refuse, il vous sera difficile de décider lequel est le plus à plaindre. Le comportement social se développe par l'expérience, mais les enfants ne sauront pas trouver eux-mêmes les solutions. Ils ont encore besoin des adultes pour se comprendre et pour que règne la paix. Ils n'apprennent rien d'utile en tirant les cheveux ou en se faisant mordre.

La frustration due aux objets

Les objets que votre enfant essaie d'utiliser refusent souvent de se comporter comme il le souhaiterait. L'enfant manque encore de force et ne coordonne pas toujours bien ses gestes. Se débattre avec un objet ou avec un jouet frustrants est un bon moyen d'apprendre. Il découvre ce que les choses font et ne font pas, et ces informations sont essentielles. Il est frustré de ne pas parvenir à introduire son cube rectangulaire dans le trou rond de sa boîte à outils, mais le fait qu'un objet rectangulaire n'entre pas dans un trou rond est une chose qu'il doit

Expliquer à chacun ce que ressent l'autre est une bonne façon de leur apprendre les relations sociales.

apprendre, et lui éviter ce genre de situations serait peine perdue, car elles le poussent à poursuivre ses tentatives et participent à son éveil.

Mais une dose de frustration trop forte aura l'effet inverse. Si votre enfant fait souvent face à des tâches impossibles à accomplir tout seul et donc à de vrais échecs, il finit par abandonner. Soyez prête à l'aider lorsque vous voyez et entendez qu'il est de plus en plus frustré (et pas avant) et qu'il s'en sort de moins en moins bien. Essayez alors de lui offrir l'aide minimale qui lui permettra de réussir ce qu'il a entrepris. Si vous faisiez tout, vous ne l'aideriez pas.

La frustration d'être si petit Un enfant qui comprend à quoi sert un objet et comment s'en servir, mais n'est pas assez fort ou pas assez grand pour y parvenir, a besoin de votre aide. Il ne retire ni plaisir ni enseignement de cette situation d'échec, seulement du chagrin. Pour s'amuser et apprendre, les enfants n'ont pas besoin de chambres remplies de jouets onéreux, mais d'un matériel approprié à leur développement physique. Votre enfant a peut-être envie de mettre la poupée de sa sœur dans son landau, mais n'est pas assez grand pour le pousser. Il a envie de taper dans le ballon de son frère, mais celui-ci est bien trop gros pour lui. S'il ne peut pas avoir un landau à sa taille ou une balle en plastique plus petite, autant qu'il n'y joue pas tant qu'il n'a pas un peu grandi. Pour lui donner la sensation d'être assez fort pour se débrouiller dans ce monde, il est important de lui donner la possibilité de jouer avec ses propres objets à sa propre échelle.

Un jour, elle sera aussi grande qu'eux, mais pour le moment, ce jeu ne lui convient pas.

Un enfant qui mord ou qui tape doit être puni en étant à son tour mordu ou tapé.

Mon enfant de un an a été mordu par un autre. Sa maman était visiblement gênée et s'est excusée, mais elle ne l'a pas puni. Lorsque je lui ai suggéré de le faire, elle l'a soutenu sous prétexte qu'il était perturbé par l'arrivée d'un petit frère. Il est bien d'essayer de comprendre les sentiments qui motivent le comportement des enfants, si cela permet de prévenir les problèmes. (J'aurais été plus compréhensive si elle lui avait donné quelque chose à mordre pour qu'il décharge sa colère.) J'admets que je voulais que cet enfant soit puni pour avoir agressé le mien, mais je pense surtout que sa maman a perdu de vue la base de la discipline : punir de façon appropriée un enfant qui a fait une bêtise. Quand mon petit garçon dit un gros mot, je lui lave la bouche avec du savon. Si un jour il mord quelqu'un, je le mordrai pour lui montrer ce que cela fait.

Il s'agit là du comportement agressif le plus redouté par les parents. Jeter des objets, donner des coups de pied peuvent être plus dangereux, mais la morsure heurte autant moralement que physiquement, terrorise la victime et les parents. Les enfants qui mordent – et leurs parents – sont parfois exclus des services de garde ou des maternelles comme des parias. Mordre est un comportement bien plus puni que n'importe quel autre. Votre réponse aux gros mots infantiles est originale, mais l'idée de mordre un enfant qui mord est totalement inadéquate, bien que très courante et compréhensible.

Quand un bébé ou un tout-petit mord, il faut immédiatement lui faire comprendre que ce geste est inacceptable. Les dents (et les «griffes») sont les armes naturelles de tous les jeunes mammifères ; les enfants ne savent donc pas «instinctivement» que mordre (comme pincer et tirer les cheveux) est interdit. Vous le lui apprenez en le retirant du sein avec un ferme «Ne mords pas», ou en l'éloignant de vous ou d'un petit camarade avec le même message. Il n'est pas nécessaire qu'il comprenne *pourquoi* il ne doit pas le

faire, simplement que cela lui est interdit. Même si l'idée d'un adulte mordant un enfant ne vous semble pas barbare, le mordre pour lui «montrer ce que cela fait» est aussi vain que douloureux pour lui, car il ne comprend pas le message.

C'est seulement à trois ans, et pas plus tôt, qu'un enfant conçoit suffisamment ce que ressent l'autre pour faire le lien entre ce qu'il fait et ce qu'on lui fait, entre ce que ressent l'autre et ses propres sentiments.

Les enfants apprennent à se comporter socialement par l'exemple. Vous ne pouvez donc pas lui apprendre à ne pas être violent en répondant ainsi (ou par une punition du même genre). Comment peut-il comprendre qu'il est inadmissible de mordre si vous le faites ? Pour affirmer leur autorité sans être agressifs, les enfants doivent assimiler qu'il n'est *jamais* acceptable qu'une personne (à la maison, au service de garde ou à l'école) en blesse une autre sciemment. On n'accepte pas qu'un enfant réponde à un coup par un autre ; ce même genre de revanche comme mode de punition par l'adulte n'est pas plus acceptable.

Si punir un enfant par une agression favorise son agressivité, l'encourager à se «défouler» sur un coussin ou un punching-ball n'est pas mieux. Cette violence indolore reste de la violence. Même si cette activité détourne l'agressivité de votre enfant de sa victime cette fois-ci, elle confirme sa tendance à réagir physiquement à la colère ou à la frustration. Les adultes doivent lui montrer qu'ils désapprouvent clairement *toute* violence.

On n'apprend pas aux enfants à ne pas mordre en se mettant à leur niveau. Les gestes agressifs s'arrêtent quand les adultes les arrêtent immédiatement et systématiquement. Montrez votre inquiétude pour l'enfant qui a été agressé et admettez les sentiments des deux parties. Lorsque les enfants commencent à parler, aidez-les à négocier d'égal à égal et non entre agresseur et victime : «On ne mord pas (ou frappe ou pince), on se parle…»

LES CRISES DE COLÈRE

On attribue en général les grosses colères aux enfants entre un et trois ans, mais elles ne sont pas inhabituelles chez les bébés dès neuf mois, et plus d'un enfant de quatre ans est encore capable de se coucher par terre au milieu du supermarché en tapant des pieds.

Il ne faut pas classer toute démonstration de colère ou de défi dans cette catégorie. Les enfants peuvent partir en courant, crier, taper du pied et s'entêter sans faire véritablement une crise. Une vraie crise de colère est l'équivalent physique d'un fusible qui saute. Une fois enclenchée, elle ne peut pas être interrompue par un adulte ou par l'enfant lui-même. En général, elle est provoquée par une frustration trop forte – souvent renforcée par la peur ou l'angoisse – qui grandit jusqu'à ce que l'enfant ressente une telle tension que seule une explosion peut la soulager. Parfois, elle grandit lentement. Certains après-midi, vous guettez une colère qu'il prépare depuis le dîner et vous parvenez jusqu'à l'heure de coucher sans qu'elle ait explosé. Mais parfois, elle démarre si vite et si soudainement qu'il semble vraiment que quelqu'un vient d'appuyer sur le mauvais bouton. Lorsque la crise passe, l'enfant est submergé par sa propre rage, perdu et terrifié par ces sentiments violents qu'il ne peut maîtriser. Bien qu'elles soient désagréables pour vous, ces crises sont surtout terribles pour lui.

Une crise de colère est l'équivalent émotionnel d'un fusible qui saute, terrifiant pour vous mais pire encore pour votre enfant.

Le comportement des enfants en pleine crise de colère varie de l'un à l'autre, mais le vôtre réagira probablement toujours de la même façon. Il peut se mettre à courir en tous sens dans la pièce en criant. Souvenez-vous qu'il ne maîtrise pas ce qu'il fait et que tout ce qui est sur son passage est susceptible de s'envoler. Si vous ne le protégez pas, il peut même foncer sur le mur ou sur des meubles. Il peut s'affaler sur le sol en s'agitant de tout son corps, donner des coups de pied et crier comme s'il luttait contre des démons. Toute personne se trouvant à sa portée a des chances de prendre un coup. Prenez garde si vous tentez de le relever ! Il peut crier et crier encore jusqu'à perdre la voix ou même se faire vomir. Certains hurlent jusqu'à avoir le visage tout bleu, incapables de retrouver leur respiration. Les colères qui coupent le souffle sont les plus impressionnantes pour les parents. La respiration reste coupée si longtemps que son visage passe au gris et qu'il est à la limite de la perte de conscience. En réalité, il ne peut rien lui arriver de grave. Ses réflexes corporels reprennent le dessus et expulsent l'air de ses poumons bien avant qu'il soit en danger.

Comment réagir aux colères

Les colères font partie du quotidien de certains enfants et sont beaucoup plus rares chez d'autres. Quelle que soit sa capacité à faire ce genre de crises, vous pouvez en éviter beaucoup en organisant la vie de votre enfant de façon à limiter son sentiment de frustration. Il est toujours préférable d'éviter une colère – tant que vous pouvez le faire sans outrepasser vos propres limites – car personne n'en retire rien, ni lui ni vous. Quand vous devez forcer votre enfant à faire quelque chose ou lui interdire ce qu'il souhaite, utilisez tout votre tact. Quand il commence à se fâcher, adoucissez la situation pour qu'il l'accepte. Bien sûr, il faut qu'il enfile son manteau si vous le lui demandez, mais peut-être pouvez-vous ne pas remonter tout de suite la fermeture éclair. Le défier par un «tu dois» ou «tu ne dois pas» ou l'immobiliser

Quand les cris se transforment en sanglots, le monstre furieux devient un tout petit bébé qui a besoin d'un câlin.

dans un coin ne peut que faire exploser sa rage. Laissez-lui la possibilité de sortir dignement de cette situation.

En cas de crise, rappelez-vous que la rage qui l'a submergé le terrifie et veillez à ce qu'il ne blesse personne et ne se blesse pas lui-même. Si, une fois la colère passée, il s'aperçoit qu'il s'est cogné la tête, griffé le visage ou qu'il a cassé un vase, il y verra la preuve de son terrible pouvoir et l'évidence que, lorsqu'il ne peut pas se maîtriser lui-même, vous n'avez pas le pouvoir de le contrôler ni d'assurer sa sécurité.

Tenir votre enfant, au sol, est peut-être la solution la plus sûre. Lorsqu'il se calme, il est tout contre vous et s'aperçoit, à sa grande surprise, que tout est comme avant la tempête. Petit à petit, il se détend et se réfugie dans vos bras. Ses cris se transforment en sanglots. Le monstre furieux se mue en tout petit bébé qui a pleuré à se rendre malade et qui s'est effrayé lui-même. Il est temps de le réconforter.

Certains enfants ne supportent pas d'être portés dans ces moments-là. La sensation de la restriction physique ne fait qu'aggraver la situation. Dans ce cas, n'insistez pas pour le maîtriser. Éloignez tout ce qu'il pourrait briser et essayez de le détourner des objets blessants.

■ Ne tentez pas de discuter avec lui ou de le gronder. Tant qu'il est dans cet état, il est incapable de raisonner.

■ Si possible, ne vous mettez pas à crier à votre tour. La colère est très contagieuse, et la vôtre pourrait très bien grossir à chaque nouveau cri. En prenant part à la crise, vous ne feriez que la prolonger : dès que votre enfant commence à se calmer, il réalise à votre voix que vous êtes fâchée et il récidive.

■ Votre enfant ne doit se sentir ni récompensé ni puni après une telle colère. Vous voulez seulement qu'il prenne conscience que ces crises sont pénibles pour lui et ne changent absolument rien. Si l'origine de la crise est que vous avez refusé d'aller au parc, ne changez pas d'avis. De même, si vous vous apprêtiez à le promener avant qu'il ne se mette en colère, maintenez votre projet et sortez-le dès qu'il sera calmé.

■ Ne traitez pas votre enfant avec encore plus de ménagement par crainte de ses colères. Beaucoup de parents redoutent qu'elles ne surviennent dans des lieux publics, mais vous ne devez pas laisser votre enfant ressentir votre inquiétude. Si vous hésitez à l'emmener au magasin du coin par crainte qu'il ne réclame des bonbons ou que vous le traitez avec une délicatesse particulière quand vous recevez de la visite, il s'en rendra vite compte.

Une fois qu'il a pris conscience que ses colères involontaires ont un effet sur votre comportement à son égard, il comprend vite qu'il peut en jouer et se mettre lui-même dans des colères à demi volontaires, typiques des enfants de quatre ans qu'on a mal éduqués. Comportez-vous comme s'il n'allait pas se mettre en colère, comme si vous n'aviez jamais entendu parler de telles crises et, lorsqu'elles surviennent, accueillez-les comme des épisodes désagréables, mais tout à fait inhabituels, de la vie courante. Un petit garçon de vingt mois demande à sa maman de sortir sa pâte à modeler de la boîte. Elle lui répond : « Pas maintenant, c'est bientôt l'heure du bain » et continue à parler avec un ami. L'enfant tire sur son bras et réitère sa demande sans recevoir de réponse. Il essaie d'ouvrir la boîte tout seul, mais en vain. Trop fatigué, trop frustré, il explose. Lorsque la colère passe et que sa maman l'a consolé, elle lui dit : « Je suis vraiment désolée. Tout

Le mettre «dans le coin» est une bonne méthode, mais pas pour les tout-petits.

Je ne crois pas que donner des fessées ou des punitions – comme «privé de télé» – soit très utile, mais «aller dans le coin» fonctionne vraiment. Lorsque mon fils avait deux ans, nous avions installé une chaise dans le couloir. Maintenant, il a quatre ans et comprend ce que cela signifie. Lorsque je me mets en colère, il demande: «Je vais dans le coin?» et comme il trouve que cinq minutes (une minute par année d'âge), c'est très long, il fait tout pour les éviter. Je pense l'appliquer encore plus tôt à mon second enfant. Elle a bientôt un an et ne peut pas encore s'asseoir sur une chaise, mais quelqu'un m'a suggéré d'utiliser un «lit pour polisson» et m'a prêté à cet effet son lit de voyage. Je l'ai mis dans la chambre d'amis où il n'y a pas de jouets et lorsqu'elle n'est pas sage, je la mets là le temps qu'elle se calme.

L'idée de mettre un enfant dans le coin pour l'écarter d'une situation sociale stressante où il n'a rien à gagner, lui permettre de se calmer et de revenir sur de bonnes bases est tout à fait sensée. Les adultes font souvent eux-mêmes ce genre de pause quand ils sont sur le point de perdre leur calme, par exemple en allant cinq minutes dans la salle de bain quand une discussion politique au cours d'une soirée entre amis risque de leur faire dépasser les limites de la politesse.

Le «coin» est une solution particulièrement populaire dans les familles qui cherchent des solutions de remplacement aux punitions physiques (fessées ou gifles) et se révèle souvent efficace. Après avoir été clairement prévenu, l'enfant qui ne cesse pas ses bêtises est isolé sans jouets ou distractions sur une chaise ou dans un lieu particulier. Il doit y rester quelques minutes à partir du moment où il arrête de «faire des siennes». Il sait ce qu'il a fait, ce qu'il aurait dû faire et ce qu'il doit faire à présent pour arranger les choses (et mériter la fin de sa punition). Tant qu'il coopère, il n'y a là ni violence ni humiliation. Malheureusement, beaucoup d'enfants ne coopèrent pas et, dès qu'ils commencent à résister, cette méthode perd de

sa valeur. Si vous dites à votre enfant «Va dans le coin» et qu'il vous répond «J'irai pas», que faites-vous? Vous l'y mettez de force, alors qu'il crie et se débat? Si vous le mettez dans une pièce et qu'il en ressort illico, comment réagissez-vous? Vous tenez la porte? Vous la *fermez*? Soudain, cette forme de punition, sans être douloureuse, prend un caractère aussi physique et humiliant qu'une fessée.

Si «le coin» n'est pas une bonne idée pour un enfant qui ne veut pas coopérer, il est encore plus évident que cela ne convient pas à un enfant qui *ne peut pas* coopérer parce qu'il n'est pas assez grand pour comprendre. Un bébé qui est mis dans un «lit pour polisson», comme vous le suggérez, est en fait emprisonné. Même s'il comprend qu'il est ici parce qu'il a continué à jeter sa nourriture par terre, il ne comprend pas que sa punition est pour un temps déterminé ou qu'elle ne commence que lorsqu'il arrête de crier – ce à quoi on ne peut pas le contraindre. Allez-vous laisser crier votre petite fille jusqu'à ce qu'elle tombe d'épuisement ou seulement le temps de vous calmer et de retrouver vous-même la raison? Et que peut-elle retirer de cette expérience, si ce n'est la certitude qu'être seule dans son lit est effrayant?

«Le coin» n'est utile qu'avec un enfant en âge de coopérer. En fait, avec un enfant qui coopère, il ne s'agit plus forcément d'une punition. Courir autour du jardin pour évacuer sa colère est certainement plus judicieux que s'asseoir dans un coin. Toutefois, une pause entre les bras d'un adulte a plus de chance d'être efficace que tous les «coins» possibles. Le petit enfant dont le comportement a dépassé les limites n'a pas besoin d'être poussé encore plus loin, mais d'être ramené dans ces limites. Il a plus besoin d'être avec vous que séparé de vous. S'il tape ses camarades au lieu de jouer, c'est qu'il a perdu la maîtrise de soi pour le moment. Il a besoin que vous l'aidiez à sortir de cette situation et que vous lui prêtiez un peu de votre maîtrise personnelle, le temps qu'il reprenne sa respiration et ses esprits.

est de ma faute. Je n'ai pas réalisé à quel point tu tenais à jouer avec la pâte à modeler », et elle lui ouvre la boîte.

La réaction de cette maman est facile à comprendre mais illustre parfaitement ce qu'il ne faut pas faire ! Elle a dit « non » à la première demande de l'enfant sans vraiment y réfléchir. Les efforts qu'il a faits pour ouvrir la boîte tout seul n'ont pas suffi à lui montrer à quel point il y tenait, car elle n'y a pas prêté attention. Seule sa crise de colère lui a fait réaliser qu'il souhaitait vraiment sa pâte à modeler et qu'il n'y avait pas de raisons valables de la lui interdire. Bien sûr, en la lui donnant finalement, elle a voulu faire la paix avec lui, mais cette décision intervient trop tard. Il aurait mieux valu qu'elle s'en tienne à son premier avis, même hâtif, car en passant du « non » au « oui » à la suite de la colère, elle laisse croire à l'enfant que cette explosion a eu un effet très positif. Il aurait été préférable pour tout le monde qu'elle prenne un moment pour l'écouter et réfléchir lorsqu'il lui demandait son aide, plutôt que de céder à ses cris.

Osciller régulièrement entre l'angoisse et la colère n'est pas facile pour l'enfant. Tout faire pour maintenir cette balance émotionnelle en équilibre est un travail compliqué pour l'adulte. Mais le temps joue en la faveur de tous. Beaucoup de ces turbulences psychologiques seront apaisées lorsque la métamorphose du bébé en enfant sera achevée.

Il sera alors plus grand, plus fort, plus habile et apprendra plus facilement à faire ce qu'il veut. La vie quotidienne lui donnera moins d'occasions de se sentir frustré. Il commencera à mieux comprendre et à connaître son environnement et sera moins apeuré de façon générale. Plus intrépide, il n'a plus besoin que vous le rassuriez en permanence. Progressivement, il va apprendre à parler non seulement de ce qu'il voit, mais aussi de ce à quoi il pense et de ce qu'il imagine. Les mots suffisent, parfois, à l'apaiser, et il n'a plus systématiquement besoin d'un réconfort physique. Grâce au langage, il apprend aussi à faire la distinction entre l'imaginaire et la réalité. C'est ce qui lui permettra bientôt de constater à la fois l'irréalité de la plupart de ses peurs et le caractère raisonnable de la plupart de vos exigences et des interdits que vous lui imposez. Il devient un être humain qui raisonne et qui communique. Laissez-lui juste un peu de temps.

Toujours
plus fort !

L'exploit physique de cette période est d'apprendre à marcher tout seul, et c'est un point-phare du développement. Ces premiers pas chancelants sans l'aide d'un support différencient l'être humain des autres espèces : ce bipède ne se sert que de ses membres inférieurs pour marcher et dispose de ses deux membres supérieurs pour faire autre chose. Mais la mobilité ne permet pas seulement à un enfant de se déplacer dans l'espace. Elle lui permet aussi de comprendre la notion d'espace, d'associer ce que ses yeux voient avec ce que son corps fait et d'affiner les compétences acquises depuis qu'il coordonne ses yeux et ses mains (voir p. 199), par exemple apprécier les distances ou reconnaître une image en deux dimensions ou des objets en trois dimensions.

Il est particulièrement émouvant de voir un petit enfant se redresser et se mettre à marcher, mais l'habileté manuelle est une part aussi essentielle du développement humain que la position debout. S'il se trouve que votre enfant ne pourra jamais marcher, souvenez-vous qu'il est en train de se développer comme n'importe quel autre enfant. Il pourra réaliser tout son potentiel dans un fauteuil roulant si une aide appropriée assure l'épanouissement des autres aspects de son développement.

Devant une distance trop grande à parcourir, il se rapproche autant qu'il le peut du centre…

Entre le jour où il se met debout tout seul et celui où il traverse une pièce, les progrès se font par étapes successives. Votre enfant aura peut-être atteint l'une de ces étapes pour son premier anniversaire – l'âge auquel les enfants se redressent et marchent varie de façon considérable –, et personne ne doit essayer de hâter le passage à l'étape suivante.

Les étapes de l'apprentissage de la marche

Chaque enfant passe par les étapes suivantes, dans l'ordre indiqué, mais certains le font en quelques jours et d'autres en plusieurs mois.

Au cours de la première phase, le bébé, qui se met déjà en position verticale grâce aux barreaux de son lit ou aux meubles de votre salon, apprend à se déplacer le long d'un support, équilibré par ses deux mains, glissant un pied, puis l'autre, jusqu'à être à nouveau droit. Il ne laisse jamais tout son poids peser sur un seul pied, ni même sur un pied et une main (voir p. 284).

Au cours de la deuxième phase, il découvre un mode de déplacement bien plus efficace. Il s'écarte de son support, tout son poids porté par ses jambes, et il utilise ses mains simplement pour s'équilibrer. Plutôt que de les glisser en même temps lorsqu'il veut se déplacer, il les bouge l'une après l'autre.

À la fin de cette étape, il associe les mains et les pieds, en rythme, et se retrouve, à certains moments, en équilibre sur une jambe et sur une main, les deux autres membres de chaque paire étant en mouvement.

À la troisième phase, il est beaucoup plus mobile puisqu'il apprend à traverser de petits espaces entre un support et le suivant. Si la disposition de vos meubles le permet, il peut désormais traverser la pièce, d'abord en longeant le canapé, puis en attrapant le rebord de la fenêtre, puis en rejoignant la chaise…

Il peut franchir tout espace couvert par ses deux bras, mais il ne lâche pas prise d'une main tant que l'autre n'a pas attrapé le support suivant.

La quatrième phase voit le premier pas de l'enfant les mains libres. Le voilà qui affronte un espace trop grand pour ses deux bras. Il se tient au premier support, approche ses pieds du centre de l'espace vide, lâche son support et fait un pas vacillant pour atteindre le support suivant de l'autre main.

… puis risque un pas en avant pour attraper la prise sûre qui l'attend de l'autre côté.

Il n'a encore ni freins ni boîte de direction, mais il est pour toujours un bipède.

Aider son enfant à apprendre à marcher

Une fois qu'il est capable de cet exploit, il est aussi capable de tenir debout tout seul. Il arrive souvent qu'il découvre cela par erreur. Il se tient au dos d'une chaise et vous voit approcher avec son gobelet. Sans penser le moins du monde au sens de gravité, il lâche la chaise et attrape son gobelet de ses deux mains.

Il est fort probable qu'il ne se rend même pas compte qu'il ne se tient plus à rien.

Une fois qu'il a fait ce pas tout seul pour aller d'une prise à l'autre, il ne tarde pas à entreprendre l'étape suivante. Il continue à marcher la plupart du temps en se tenant à quelque chose, mais, si aucun meuble ne peut l'aider à atteindre son objectif, il ne renonce pas, et tente deux ou trois pas vacillants.

La sixième phase est celle de la marche tout à fait indépendante. Il ne va peut-être pas très loin sans faire une pause et s'asseoir un moment par terre, mais, lorsqu'il est décidé à traverser la pièce, il le fait en ligne droite, qu'il ait ou non de quoi se tenir.

Pas de précipitation ni d'inquiétude. Une fois que votre enfant s'est mis sur ses deux pieds (phase un), vous pouvez être certaine qu'il marchera, même s'il progresse lentement. Peut-être que se déplacer à quatre pattes lui suffit pour le moment. Peut-être consacre-t-il son énergie à d'autres aspects de son développement, comme l'habileté manuelle ou le début du langage. Laissez-le prendre son temps.

Offrez-lui le maximum d'occasions de pratiquer les phases déjà acquises plutôt que de hâter la suivante. Lorsqu'il en est à la phase trois, par exemple, disposez les meubles de façon qu'il puisse traverser toute la pièce ou même aller d'une pièce à l'autre. Aux phases quatre et cinq, il adorera que vous vous agenouilliez à quelque distance et l'invitiez à marcher jusqu'à vos bras.

Protégez-le des chutes. Il est habitué aux bosses qu'il se fait en tombant de la position assise, mais tomber de toute sa hauteur peut lui faire peur, surtout s'il se cogne la tête et que cela lui arrive plusieurs fois de suite. Il pourrait abandonner l'aventure pour des semaines.

Votre enfant aura beaucoup de mal à marcher sur un sol glissant, autant que vous sur de la glace. Il est mieux pieds nus, car il sent le sol et utilise ses orteils pour s'équilibrer. Des chaussettes ordinaires sur un sol dur sont dangereuses, et il ne sera prêt pour les vraies chaussures que lorsqu'il marchera dehors (voir p. 345).

Les enfants plus grands qui chahutent autour de lui rendent le centre de la pièce très dangereux.

Assurez-vous qu'il a la possibilité de s'exercer à la marche sans trains humains qui lui foncent dessus.

Ne vous inquiétez pas des légers contretemps.

De même qu'il peut passer des semaines sans faire de progrès dans ce domaine parce qu'il est concentré sur autre chose ou particulièrement nerveux, il peut y avoir des périodes où son habileté à la marche paraît régresser.

Une maladie brève mais aiguë, comme une otite, signifie parfois plusieurs jours de fièvre, peu d'alimentation et peu d'exercice. Cette combinaison peut réduire son tonus musculaire, son énergie et son courage à un tel point qu'il régresse d'une phase ou deux pendant quelques jours.

La position debout exige vigilance et sécurité.

L'œil vigilant avec lequel vous considériez votre maison quand votre enfant commençait à se déplacer n'est peut-être plus adéquat une fois qu'il tient sur ses jambes. Des accessoires qui n'étaient pas nécessaires alors peuvent se révéler indispensables aujourd'hui : des caches pour protéger sa tête des angles pointus, des grilles aux fenêtres, par exemple, ou de nouveaux systèmes de fermeture pour la porte du garage ou celle de la clôture.

Outre les accessoires, il est aussi temps de porter un regard nouveau à toutes les pièces où votre enfant peut aller. Repérez tout ce qu'il ne pouvait atteindre assis, mais qu'il touche en se tenant debout – qui plus est les deux mains libres – et qui est source de dangers. Peut-il désormais attraper le téléphone, le fer à repasser ou la bouilloire ou se les faire tomber sur la tête ? Ne faut-il pas baisser le niveau du sommier de son lit à barreaux ? Peut-il atteindre les plaques électriques ou les tasses de café brûlant sur la table ?

Lorsqu'il apprend à marcher, les objets sur lesquels il se cramponne pour avancer deviennent dangereux s'ils risquent de lui tomber dessus. Les objets légers ou fragiles comme un portemanteau, une lampe sur pied ou un tabouret de bar sont des dangers évidents, mais les simples chaises de cuisine sont aussi à surveiller : beaucoup se renversent si l'enfant se tient au dos plutôt qu'au siège, surtout si on y a suspendu un sac à main. Plus le meuble est lourd et possède des bords tranchants, plus il y a de risques que votre enfant se blesse et ressente de la peur.

Pour apprendre à se redresser et à marcher, les enfants ont besoin de se tenir à quelque chose ; essayer de les en empêcher n'est donc pas la bonne solution pour éviter les accidents. Supprimez tous les éléments instables, au moins jusqu'à ce que votre enfant puisse se lever et se déplacer sans support, et remplacez-les par un canapé et une table basse lourds, au centre de gravité bas. Si vous ne voulez pas supprimer votre lampadaire, vous pouvez peut-être le caler avec un fauteuil. Si la stabilité de votre grande bibliothèque vous inquiète, fixez-la au mur.

Vous pouvez compléter ses possibilités de support en lui offrant un jouet qui roule et sur lequel il peut s'appuyer. Il peut l'utiliser partout dans la maison. Non seulement ce jouet l'aide à se redresser, mais il lui permet aussi de se déplacer dans les pièces où la disposition des meubles ne lui convient pas. La poussette de poupée, destinée à un enfant plus grand, chavire quand votre enfant tire dessus (et le fait tomber sur le dos) et part beaucoup trop vite en avant lorsqu'il essaie de marcher (et il tombe à plat ventre), mais il existe des jouets conçus spécialement à cet effet. Certains de ces « chariots » ne sont pas de bonne qualité : leur stabilité dépend des cubes et autres briques que l'on met dedans et non de leur propre centre de gravité et d'équilibre. Un bon « camion » pour faire ses premiers pas ne se renverse pas quand on le manœuvre en s'agrippant à sa barre et n'avance pas plus vite que l'enfant lorsqu'il le pousse. Il préserve au contraire sa sécurité alors qu'il vit ses premières aventures sur deux jambes et développe sa mobilité. Avec encore de nombreuses années de service devant lui, comme poussette pour sa poupée ou brouette, ce jouet est vraiment le cadeau idéal pour son premier anniversaire.

S'il longeait votre canapé avant d'être malade, il se remet à quatre pattes. S'il pouvait faire deux pas tout seul, il ne veut plus désormais lâcher les mains. Il n'y a toujours aucune raison de vous inquiéter ou de le presser. Il reviendra à la dernière phase acquise en quelques heures ou quelques jours.

Parfois, c'est un choc psychologique ou un niveau de stress trop important qui lui font abandonner ses victoires récentes. Une séparation, un séjour à l'hôpital, l'arrivée d'un nouveau bébé, et le voilà à nouveau à quatre pattes. Dès qu'il retrouve un sentiment de sécurité, il se remet à marcher.

Lorsqu'il peut faire quelques pas – phases cinq et six –, rappelez-vous qu'il n'est toujours pas capable de passer de la position assise à la position debout sans aide.

Bien que les progrès vers l'indépendance physique soient souvent spectaculairement rapides à ce moment-là, il a toujours besoin de se déplacer à quatre pattes pour rejoindre un support qui lui permettra de se redresser.

Les premiers pas Un bébé qui commence juste à marcher n'a ni freins ni boîte de direction. Une fois qu'il prend de la vitesse, il ne peut pas s'arrêter assez tôt pour ne pas tomber dans les escaliers ou se diriger assez précisément pour éviter le réverbère. Dans un espace intérieur restreint, il est à peu près en sécurité.

Mais le laisser s'exercer à la marche dans des rues ou des magasins bondés peut être dangereux. Il vaut mieux qu'il reste dans sa poussette tant que vous êtes dans la rue et qu'il réserve sa pratique de la marche aux espaces ouverts des centres commerciaux ou au parc où vous vous arrêterez sur le chemin du retour à la maison.

Mais, s'il vit en plein centre-ville, entouré de rues, ou s'il refuse de rester dans sa poussette, il faut le tenir. Lui tenir la main n'est agréable ni pour vous ni pour lui. Votre bras n'est pas assez long pour qu'il tienne votre main à une hauteur confortable, et il a en permanence l'épaule tirée vers le haut. Cela l'empêche aussi de suivre son propre rythme, de faire des pauses devant un objet intéressant pour repartir à toute allure…

Pour quelques mois, vous serez tous deux bien plus à l'aise si vous utilisez des rênes pour enfant. On leur reproche souvent de restreindre la liberté de l'enfant, mais elles permettent en réalité de lui en accorder plus en toute sécurité.

Pour son deuxième anniversaire, son système de freinage et de direction et le contrôle général de ses jambes auront fait des progrès. Il pourra marcher de façon régulière sur d'assez longues distances, même si les enfants ne sont pas tous disposés à parcourir les mêmes distances.

Il sera aussi capable de tenir sur ses jambes, de s'arrêter et de s'asseoir sans utiliser de support.

D'autres activités en marchant

Quand un enfant commence à faire ses premiers pas, cette aventure verticale lui prend toute son énergie et sa concentration, si bien qu'il ne peut rien faire d'autre en même temps. S'il veut un jouet, il doit s'arrêter, s'asseoir, l'attraper, puis tout reprendre du début en retrouvant, d'abord, un support pour se mettre debout. S'il veut écouter ce que vous lui dites ou observer un objet un peu plus loin, il s'arrêtera pour s'asseoir à nouveau.

Mais son entraînement régulier à la marche va vite lui rendre tout cela plus facile.

À environ dix-huit mois, il aura appris à se lever sans aucune aide, et sa stabilité lui permettra de marcher en accordant un peu de son attention à autre chose. Il va apprendre à se baisser pour ramasser un jouet et à le porter en marchant. Il va apprendre à tourner sa tête et à vous écouter lorsque vous lui parlez.

Une fois qu'il est stable sur ses jambes, il adore jouer en marchant plutôt que de jouer à marcher.

Il va aussi apprendre à lancer un regard par-dessus son épaule et, dès cet instant, tirer un jouet à roues derrière lui va devenir l'une de ses occupations favorites.

Comment les enfants utilisent cette nouvelle mobilité

La plupart des adultes pensent à la marche comme à un moyen d'aller d'un lieu à un autre. Pas les enfants. N'attendez pas de lui qu'il marche maintenant comme il le fera plus tard. Cela lui est impossible. Comprendre les limites et les spécificités de sa façon de marcher vous évitera bien des conflits.

Pour un enfant de cet âge, marcher n'est pas un moyen d'avancer, mais d'aller et de venir autour d'un adulte. Votre enfant marche beaucoup lorsque vous restez immobile et moins lorsque vous bougez. Quiconque s'est occupé d'un tout-petit compatit avec cette mère qui dit : « Il me rend folle. Ce matin, j'avais des tas de choses à faire dans la maison et il n'a cessé de râler et de s'accrocher à mes jupes. Maintenant que je suis assise sans rien d'autre à faire que jouer avec lui, il ne fait que courir partout et semble très occupé ! » C'est la vie normale avec les enfants de cet âge. Le matin, l'enfant a dû garder un œil attentif sur sa mère, car il n'était pas sûr de savoir ce qu'elle s'apprêtait à faire. Mais, une fois qu'elle s'est installée quelque part, il s'est senti libre de partir à l'aventure, d'aller et venir sans danger. C'est lorsqu'il sait où vous êtes et qu'il vous sent disposée à ne plus bouger qu'il passe le plus de temps à marcher.

Les adultes comme point de repère

Si vous restez au même endroit, peut-être sur un banc dans un parc, votre enfant partira sur ses jambes chancelantes dans la direction qui l'intéresse. Tant qu'il n'y a pas de danger environnant, vous n'avez pas à le suivre. Les études ont montré que les enfants qui commencent juste à marcher s'éloignent rarement de plus de 60 m. Il sait exactement où vous êtes. Lorsqu'il sera arrivé à la limite qu'il s'impose lui-même, il prendra le chemin du retour, le ponctuant en général de plusieurs pauses, mais se rapprochant toujours de vous. Arrivé à quelques mètres, il s'arrête peut-être pour observer minutieusement une brindille ou une feuille, puis repart dans une autre direction sans même vous jeter un regard, et va continuer ainsi tout l'après-midi.

Les dangers des premiers pas

Ce schéma d'allers-retours est inscrit en lui. Il a sa propre logique, sans doute assez différente de la vôtre et difficile à comprendre. Dans votre logique, vous pensez que, si vous allez sur un autre banc plus au soleil, rien n'empêche votre enfant de vous suivre et d'utiliser cette nouvelle base comme la précédente. Mais votre déplacement à 4 m perturbe son schéma. Même s'il voit où vous êtes allée et souhaite vous rejoindre, les rails établis le ramènent là où vous étiez et non là où vous êtes désormais. Il est donc figé dans sa position, prêt à pleurer. Vous pouvez l'appeler, lui faire signe, rien ne parvient à le faire venir. Vous devrez aller le chercher et le ramener à votre nouvelle base, puis le laisser redessiner son nouvel ensemble de rails.

Un enfant n'apprend à suivre un adulte qui bouge ou à rester auprès de lui qu'à environ trois ans. Jusque-là, il vous demandera de le porter dès que vous lui indiquerez votre intention de vous déplacer. Malheureusement, les adultes ne comprennent pas toujours que les tout-petits, qui restent plantés en plein milieu de leur chemin et tendent les bras pour être portés, ne sont ni paresseux ni assommants, mais suivent simplement leur instinct d'autoprotection. Regardez les singes au zoo : dès qu'une mère s'éloigne, son petit s'immobilise et crie. Parfois, la mère appelle son bébé avec colère, tout comme vous appelez le vôtre, mais il ne bouge pas tant qu'elle ne va pas le chercher, et il lui faudra le porter pour qu'il l'accompagne, tout comme vous.

Lorsqu'il tend les bras, ce n'est pas par paresse, mais simplement parce qu'il est incapable de vous suivre.

Combien d'après-midi agréables au parc finissent gâchés par un enfant qui semble refuser de rentrer à la maison ? Vous savez qu'il n'est pas trop fatigué pour marcher – il a beaucoup couru de long en large pendant l'heure précédente et peut sûrement en faire autant en direction de la maison. Mais l'y forcer ne peut qu'engendrer les problèmes.

Si vous n'avez pas de poussette avec vous et ne voulez pas le porter, vous lui prenez la main. Être lié à vous physiquement l'aide à rester à vos côtés, au moins quelques mètres. Mais ce n'est pas suffisant. Il avance doucement et de façon irrégulière. Vous tirez sur sa main chaque fois qu'il s'arrête. Vous tirez aussi chaque fois qu'il part dans la mauvaise direction. Au bout de quelques minutes, vous en avez tous deux assez. Il se met toujours devant vous en tendant les bras pour vous supplier de le porter. Soit vous perdez patience et le tirez tout au long du chemin par la main, soit vous décidez de le laisser vous suivre à son propre rythme. Et il ne le fera pas, car il en est incapable.

Jusqu'à ce qu'il apprenne à suivre, le seul moyen qu'il reste là où il veut et doit être — près de vous — est de le porter.

Livré à ses propres moyens alors que vous avancez lentement, il reste en arrière, s'arrête, dérive sur les côtés et finit probablement par s'asseoir. Vous avez vraiment l'impression qu'il fait tout pour vous ennuyer, et c'est ainsi que la plupart des gens vous présenteront les choses.

On vous conseillera de continuer à marcher car «s'il voit que tu es décidée, il finira par te suivre». Si vous décidez vraiment de poursuivre votre chemin, vous le perdrez. Si vous allez doucement, vous devrez faire de continuels allers-retours pour le remettre dans le bon sens et le relever. Vous auriez gagné du temps en le portant dès le

---

QUESTION DE PARENTS

Comment surveiller un enfant encore inconscient des dangers de la rue?

Ma fille de dix-huit mois commence juste à marcher. Nous vivons dans le centre-ville et toutes ses sorties, avec moi ou sa gardienne, se font dans les rues et les magasins. Il n'est pas toujours facile de lui tenir la main et nous ne pouvons prendre le risque de la laisser marcher librement. Il nous faudrait un autre moyen de la surveiller. Que choisir: des rênes ou une lanière accrochée au poignet? Ou encore ces avertisseurs qui sonnent lorsque l'enfant s'éloigne trop?

Il est important de bien savoir quel danger vous voulez éviter avant de décider du moyen qui pourrait vous y aider.

Le genre de sortie que vous décrivez comporte deux dangers très différents. Tout d'abord, l'enfant risque de tomber sur la route, ou sous un véhicule dans un stationnement. Ensuite, il risque de s'éloigner de vous, ou de sa gardienne, et de vous perdre, ou même d'être enlevé. Les avertisseurs ne sont pas conçus pour éviter les accidents sur la route et ne seront pas d'une grande utilité pour empêcher un petit enfant de se perdre dans la foule. Ces appareils électroniques ne sont utiles que pour les enfants plus grands – à partir de cinq ans – qui ont tendance à s'éloigner un peu trop lorsqu'ils jouent dehors ou dans des lieux publics.

Attacher un enfant à l'adulte qui l'accompagne contribue à éviter les deux dangers. Les plus grands préféreront sans doute la version plus discrète d'une lanière au poignet, mais les tout-petits sont plus en sécurité et plus à l'aise avec un harnais et des rênes. Lorsque votre enfant, si petit, s'écarte de vous, même d'un seul pas, la lanière qui joint vos deux poignets est difficile à apercevoir. Si quelqu'un tente de passer entre vous, il y a de grands risques qu'il fasse tomber votre enfant. Un enfant attaché par le poignet qui lâche la main de son père peut essayer de traverser la rue et se faire renverser. Avec un harnais et des rênes, l'enfant marche devant l'adulte plutôt que sur les côtés. Vous l'avez toujours dans votre champ de vision et personne ne peut être tenté de passer entre vous deux.

Si le harnais est bien ajusté, les rênes peuvent éviter des accidents. En cas de faux pas, elles vous aident à retenir l'enfant. S'il décide d'un coup qu'il en a marre de marcher et choisit de s'asseoir à un endroit dangereux, vous pouvez le remettre debout puisqu'il est maintenu droit par le harnais.

Cependant, il serait triste que toutes les sorties de votre enfant se résument à être tenu par des rênes au milieu de genoux adultes et le nez au niveau de centaines de pots d'échappement. Il doit pouvoir explorer le monde (un environnement raisonnablement propre et «naturel») à sa propre allure, plutôt que soumis (même en douceur) à la vôtre, et aller et venir en liberté. En fait, même s'il demande très vite à marcher, la meilleure solution est de le mettre dans sa poussette ou dans un porte-bébé pour l'emmener rapidement là où il peut vaquer à ses occupations en toute sécurité.

début. Mais la meilleure solution pour rester de bonne humeur et s'épargner des efforts inutiles est de toujours avoir un porte-bébé (sur le dos) ou une poussette et de l'y installer dès que vous devez vous déplacer. Votre enfant ne cherche pas à se débarrasser de vous, il redoute même de vous perdre et panique dès qu'il ne vous voit plus. Il vous demande juste de l'aider à rester là où vous voulez tous les deux qu'il soit : près de vous.

Grimper et autres aventures physiques

Vers le milieu de sa deuxième année, votre enfant est si stable et si habile sur ses jambes que vous aurez déjà oublié les premiers pas chancelants qu'il a faits six ou neuf mois plus tôt. Bientôt, il va commencer à varier sa façon de marcher juste pour s'amuser : il tourne en rond en rigolant pour s'étourdir, il marche à reculons et sur le côté, et remplace même ses petits pas précipités par une véritable course. Une fois qu'il sait courir, il se met bientôt à sauter à pieds joints. Il est presque capable de donner un coup de pied dans une balle, mais il manque encore d'équilibre sur une jambe, ce qui rend son coup de pied un peu traînant…

Votre bébé a peut-être déjà tenté de se hisser sur les chaises ou de monter les escaliers avant même de savoir marcher. À quinze mois, il monte les escaliers et, laissé tout seul, il peut même tenter de les descendre.

À dix-huit mois, il est prêt à les monter en s'aidant des mains et des pieds, plutôt que des mains et des genoux, et en mettant un pied sur une marche, puis le deuxième.

S'il y a plus de trois ou quatre marches, il va malheureusement vouloir s'asseoir à mi-chemin pour se reposer – fesses en arrière, dans le vide. Ne le laissez jamais seul sur un escalier, mais donnez-lui l'occasion de s'entraîner à monter et apprenez-lui une méthode pratique et sûre pour descendre – les escaliers mais aussi les lits et les canapés : juste avant qu'il n'atteigne le bord de n'importe quel obstacle qu'il aborde, arrêtez-le, faites-le s'asseoir et se tourner afin de descendre les jambes en premier.

Si vous en faites un jeu et le tenez doucement les premières fois, il comprendra sûrement le truc. Il aura toujours besoin d'aide et de surveillance, car souvent il se retourne et se met sur le ventre alors qu'il est encore loin du bord. Comment faire alors ? Peu d'enfants de cet âge parviennent à ramper à reculons.

Le comportement des enfants face aux escaliers est très variable. Certains peuvent monter des marches raisonnablement profondes, un pied après l'autre, sans avoir besoin de se tenir, avant leur deuxième anniversaire ; peu peuvent descendre de la même façon, avec une rampe ou une personne à laquelle se tenir.

Mais, en général, c'est vers trois ans qu'ils y parviennent et qu'on peut leur faire confiance pour rester concentrés jusqu'à la dernière marche.

Contrairement aux enfants plus grands, les petits intrépides de cet âge qui insistent pour grimper les escaliers mais aussi les meubles, les échelles et les jeux du parc destinés aux plus grands ne connaissent pas leurs propres limites. Si un enfant de quatre ans monte vers le haut de la glissoire quand personne ne le gêne, il y a des chances qu'il y parvienne.

Apprenez-lui à s'arrêter tout en haut, à se retourner et à descendre à reculons sur les jambes et les mains. C'est aussi valable pour descendre des canapés.

À un an, il n'a aucune idée de ce qu'il entreprend et ne se souvient pas qu'il doit se tenir, ou n'y arrive pas. S'il veut grimper, il doit apprendre à choisir ses montagnes et améliorer sa technique : ne lui interdisez pas le premier barreau ou la première marche, mais apprenez-lui à grimper à ceux qui correspondent à ses capacités. Même en étant très attentive à ses terrains de jeux et en le surveillant partout, vous aurez de la chance s'il ne lui arrive absolument rien au cours des deux prochaines années. Vous pourrez être satisfaite de ne jamais avoir à l'emmener aux urgences !

Se mettre à courir et à danser À deux ans, *marcher* n'est probablement plus un défi pour lui, mais *courir* pose toujours des problèmes pour ce qui est de s'arrêter et de se diriger. Il aime sans doute faire la course, mais avec un adulte compréhensif plutôt qu'avec un grand frère à l'esprit de compétition. Il ne saura partir à toute vitesse, jeter un coup d'œil à son poursuivant et éviter une main qui l'attrape que dans quelques mois. Il découvrira bientôt les jeux qui nécessitent des départs et des arrêts soudains, comme « 1, 2, 3, go » et « chat perché », et adorera ça, tout comme ceux qui lui permettent de se servir de sa nouvelle agilité à se lever et à s'asseoir par terre.

Certains enfants répondent à la musique et aux rythmes dès leur plus jeune âge. À deux ans, pratiquement tous ceux qui voient des enfants plus grands ou des adultes danser les imitent à la moindre occasion. Même si leur entourage proche ne pratique pas souvent cette activité, il est bon que les enfants aient l'occasion de danser, seuls, avec leur gardienne ou au service de garde. Dès que les pieds et les genoux commencent à bouger en rythme, les hanches, les bras et les mains suivent. Cela les amuse beaucoup et leur apprend la coordination et le contrôle de leurs gestes.

À l'approche de son deuxième anniversaire, vous allez vous rendre compte que, quoi qu'il essaie de faire avec son corps, ses mouvements deviennent de plus en plus nets et précis. S'il est concentré sur ce qu'il fait, il peut transporter un objet fragile sans risque que ses mains ne le lâchent ou que lui-même ne tombe en avant. Il commence aussi à combiner des mouvements plus compliqués, comme sauter à pieds joints de quelques centimètres et marcher sur la pointe des pieds. Il pourra bientôt monter sur des engins à roues qu'il fera avancer en poussant avec ses pieds. Pas mal pour quelqu'un qui tenait à peine sur ses pieds pas plus d'un an plus tôt !

Comprendre les mots – et les utiliser – est un élément crucial du développement et du passage de l'état de bébé à celui d'enfant. Tant qu'il ne parle pas, votre enfant est encore perçu comme un bébé, à qui il faut «s'adresser» avec des gestes particuliers, peu de mots, beaucoup de contact physique et qui a besoin d'une écoute particulière pour être compris. Il râle : Que veut-il ? Est-il fatigué ? A-t-il faim ? S'ennuie-t-il ?

Soudain, comme par l'effet du hasard, le langage utile fait son apparition lorsqu'une petite fille de dix-sept mois, assise dans son siège d'auto, commence à s'agiter. «Que se passe-t-il, chérie ?» demande sa mère pour faire la conversation, mais sans attendre une vraie réponse. «Abeille!» crie-t-elle. Il y a en effet une abeille sur sa manche et, comme personne ne peut se retourner pour la voir, parler est sa seule façon de demander du secours.

La parole n'est cependant pas simplement une réponse à un besoin. Une fois que l'enfant comprend et utilise le langage, vous pouvez discuter de différentes choses avec lui. De choses visibles, comme ce vilain chien qui court après le chat. De choses absentes pour le moment, comme maman qui reviendra bientôt du travail. De choses qui ne seront jamais «là» au sens propre, comme la foudre ou la joie.

Le langage, ce n'est pas juste une personne qui prononce des mots, mais des gens qui communiquent. Quelques mots isolés ne servent pas à grand-chose, comme vous pouvez en faire l'expérience si vous utilisez un recueil d'expressions dans un pays dont la langue vous est inconnue. Lever les yeux et épeler une phrase vitale comme «Où sont les toilettes ?» est une chose facile, mais vaine si vous ne pouvez pas interpréter la réponse. Comprendre les mots est toujours plus important pour votre enfant que de les dire. Ce n'est qu'en les comprenant vraiment qu'il peut communiquer avec vous. Si vous essayez de lui faire imiter des sons qui forment des mots avant qu'il n'en saisisse le sens, vous le traitez comme un perroquet, non comme une personne.

Le rythme de l'apprentissage Parler est important, cependant, et, comme tous les parents en sont conscients, tous s'inquiètent plus ou moins de la possibilité que leur enfant «parle tard» – d'autant plus que personne n'est vraiment d'accord sur ce que signifie «tard». Selon les avis, votre enfant dira son premier mot entre sept, dix ou quinze mois, en aura cinquante à son vocabulaire à dix-huit, vingt-quatre ou trente mois et fera des combinaisons de mots à seize, vingt-quatre ou trente mois. Dans les tests de développement infantile les plus courants, vous trouverez qu'un enfant dit deux mots en moyenne à quatorze mois, mais aussi que cette moyenne est composée d'une gamme d'âge allant de dix à vingt-trois mois. Cette grande variabilité est due en partie à la nature, en partie à la culture et en partie à la personnalité de l'enfant. Les jumeaux forment un exemple évident de ces trois influences.

Le langage chez les jumeaux Les bébés nés prématurément ont souvent un retard de langage qu'ils auront complètement rattrapé à trois ans, et il se trouve que les jumeaux sont souvent prématurés. La précocité du langage dépend en grande partie du temps que le bébé passe à dialoguer en tête à tête avec un adulte attentionné. Être jumeau divise ce temps de moitié. Le style de langage utilisé par les parents est aussi important, surtout s'ils sont particulièrement bavards ou particulièrement silencieux. Avec des jumeaux (ou des enfants d'âge très rapproché), gérer le dialogue est plus compliqué, et il faut souvent parler aux deux, ou les écouter, en même temps, ou parler à l'un pendant que l'autre écoute. Cela impose de contrôler ce qui devrait être naturel. Les jumeaux fonctionnent souvent comme une équipe linguistique, se complétant pour répondre aux questions des adultes, rivalisant pour faire leurs commentaires en premier, et parlent plus vite (même s'ils parlent moins) que les autres.

Les enfants qui parlent tard

Si votre enfant écoute les gens parler et comprend de plus en plus de mots, vous n'avez pas à vous inquiéter qu'il soit lent à en prononcer lui-même. Si vous lui demandez sans cesse d'imiter des mots ou de nommer l'objet qu'il réclame pour l'obtenir, vous supprimez tout plaisir du jeu de la conversation, vous le poussez à se sentir incompétent et risquez plutôt de le ralentir. Souvenez-vous que les garçons commencent souvent à parler plus tard que les filles, que les enfants de familles bilingues disent moins de mots de chaque langue au début et que les enfants qui ont un aîné très proche ont besoin de beaucoup de tête-à-tête avec vous. La recommandation est la même pour tous : faire du langage un jeu et y jouer le plus possible.

Cependant, si votre enfant ne parle pas du tout à deux ans et demi, il est préférable de demander l'avis d'un médecin ou d'un pédiatre. Il est important de vérifier son audition, car, même si elle était bonne auparavant, des problèmes d'oreille répétés peuvent affecter l'audition et ralentir l'apprentissage du langage. Il est aussi capital de s'assurer que la raison de ce retard n'est pas un trouble du développement, comme le retard spécifique de langage (très rare) (voir p. 504), qui nécessite les soins d'un bon orthophoniste. Il y a toutefois de fortes chances que votre enfant qui ne parle pas encore beaucoup ne tarde pas à s'y mettre. Einstein a commencé à parler à trois ans et, oui, ses parents se sont inquiétés à son sujet…

Aider son enfant à parler

Comme les bébés, les enfants de cet âge ont un intérêt inné pour les voix humaines et une tendance naturelle à l'écoute.
Profitez-en pour :
■ Parler aussi souvent que possible directement à votre enfant et avoir souvent des conversations juste avec lui. Si vous lui parlez, ou lui lisez une histoire, en même temps qu'à son aîné, il ne bénéficie pas de toutes les répétitions et explications pourtant bien utiles qu'il aurait eues seul avec vous. Regardez-le quand vous lui parlez pour qu'il puisse voir votre visage et vos gestes.
■ L'aider à comprendre ce que vous dites en harmonisant vos actes à vos paroles. Vous lui dites : « On enlève le tee-shirt » en le lui enlevant, puis : « Maintenant, les chaussures » en les retirant.
■ L'aider à comprendre ce que vous ressentez en harmonisant les expressions de votre visage à vos paroles. Ce n'est pas encore l'âge de le taquiner (s'il y a un âge). Si, en lui faisant un câlin, vous dites : « Qui c'est, l'horrible monstre de maman ? », vous embrouillez le message, car votre visage dit : « Qui c'est, la magnifique petite fille de maman ? »
■ L'aider à comprendre que tout langage est communication. Si vous parlez dans votre coin sans attendre de réponse ou sans paraître en

Les jumeaux s'activent ensemble, jouent ensemble mais ne font pas toujours d'efforts pour se parler.

attendre, ou si vous ne prenez pas la peine de répondre lorsque votre enfant ou un autre membre de la famille vous parle, il est normal qu'il pense que les mots ne sont que des sons sans signification.

■ Ne pas faire du langage un fond sonore. Si vous aimez écouter la radio toute la journée, essayez de privilégier la musique, sauf si vous écoutez réellement. Dans ce cas, faites-lui comprendre que cette voix invisible dit des choses qui ont un sens et qui vous intéressent.

■ Être l'interprète de votre enfant. Il vous est bien plus facile qu'aux autres de comprendre son langage, et lui-même vous comprend bien mieux, vous et ses autres proches, que des inconnus.

■ Aider votre enfant à comprendre toutes vos conversations. Il ne s'agit pas qu'il saisisse le sens exact de chaque mot. Si vous cuisinez, mettez la table et lui tendez la main en disant: «Il est l'heure de manger maintenant», il comprend que son repas est prêt et se dirige vers sa chaise haute. Il n'aurait pas forcément compris les mots «l'heure de manger maintenant» sans ces autres indices. Il apprendra le sens précis de chaque mot en les comprenant d'abord grâce au contexte dans lequel ils sont utilisés, encore et encore.

■ Partager votre enthousiasme et vos émotions de façon démonstrative, que vous lui exprimiez votre amour ou que vous admiriez un vol d'oiseaux dans le ciel. C'est ce type de paroles qui éveille et retient son attention tout en le motivant à comprendre ce que vous dites.

Nommer les choses importantes

Les premiers mots sont presque toujours des noms. Ceux des gens, des animaux ou d'autres choses importantes aux yeux de l'enfant. Après une ou deux personnes et peut-être un animal de compagnie, il va sans doute nommer son jouet ou son aliment préféré. Il ne s'agira pas d'un terme général, comme «dîner», motivé par la faim – la faim le fait râler et non parler –, mais d'un mot concernant un aliment particulier, connoté affectivement. La prononciation est toujours difficile, cependant, et les enfants ont tendance à raccourcir et à simplifier les mots qu'ils comprennent et souhaitent utiliser, si bien que même les parents ou la gardienne ne sont sûrs de leur sens que grâce au contexte ou par élimination. Un petit garçon dit «bou» pour «biberon», «biscuit» et «banane». À l'heure du dîner, le nom a un sens collectif, car il veut toutes ces choses à la fois, mais, à d'autres moments, «bou» a un sens précis qu'il faut deviner. Sa gardienne sera très soulagée lorsqu'il aura remplacé «bou» par «bibou», «biski» et «baba».

Beaucoup d'enfants ne dépassent pas ce stade jusqu'au milieu de leur deuxième année. Les mots nouveaux apparaissent d'abord lentement, au rythme d'un ou de deux par mois. Mais l'enfant comprend de mieux en mieux, accumule des connaissances et finalement, peu avant ses deux ans, connaît une véritable explosion de langage. Il n'est pas rare qu'un enfant qui ne dit pas plus de dix mots assez clairement pour être compris à dix-huit mois en utilise cent six mois plus tard.

Cette nouvelle avalanche de mots concerne toujours ce qui le touche de près. Avec votre aide, il peut apprendre le nom des parties de son corps, nommer sa brosse à cheveux, éviter la débarbouillette en la nommant et s'échapper de son lit en le nommant aussi. Lorsqu'il commence à étendre son vocabulaire à des choses plus extérieures à son univers, celles-ci restent liées à lui. Il peut apprendre à nommer les oiseaux qu'il aime nourrir avec des miettes mais aussi l'école de sa grande sœur si les trajets d'aller et retour font partie de sa routine.

Tout dans la nature peut être nommé.

Ces mots désignent des objets familiers que l'enfant voit chaque jour, mais il va les utiliser de façon plus variée à mesure qu'il se prépare au prochain stade de l'apprentissage du langage. Vous pouvez l'aider en étant attentive non seulement aux mots qu'il utilise mais à la manière dont il les dit. Il dit «chien» et vous comprenez qu'il parle de son chien.

Mais la fois suivante, il dit ce mot avec une intonation interrogative («Chien?») en le voyant traverser le jardin. Répondez à cette intonation, dites-lui où va le chien. Il peut même exprimer des jugements moraux avec un seul mot. Regardant le chien monter sur votre lit, il peut s'exclamer «Chien!» sur un ton nettement désapprobateur. Montrez-lui que vous avez compris en confirmant que le chien a fait une grosse bêtise.

Utiliser plusieurs mots à la fois

Une fois qu'il a acquis une large gamme de mots et qu'il a compr[...] comment varier l'intonation et le sens, votre enfant passe tout seul à l'étape suivante, où il associe deux mots. Il ne faut pas confondre le[...] expressions qu'il utilise comme des mots uniques multisyllabique[...] avec ce stade beaucoup plus élaboré du langage. Ne considérez pa[...] « de-l'eau » ou « donne-moi » comme des phrases si ces mots sont tou[...] jours associés de la même façon.

Certains enfants apprennent ainsi des phrases entières, reprenan[...] (avec l'intonation) celles qui sont récurrentes dans la bouche de leu[...] parents. Pour féliciter sa maman du bon gâteau qu'elle a fait, un enfan[...] de deux ans prend exactement le ton de son père pour dire : « Vrai[...] ment délicieux, chérie. »

Ne vous attendez pas, bien entendu, à ce que les premières phrase[...] de votre enfant soient grammaticalement justes. Il a décidé d'ajoute[...] un mot à un autre pour communiquer de façon plus précise, et no[...] plus correcte. Il ne va pas passer de « balle » à « la balle », car « la[...] n'ajoute rien à ce qu'il veut dire. Mais il dira « Denis balle » ou « encore balle ». Si vous essayez de le corriger, vous limitez le plaisi[...] qu'il a à parler. Il est important de lui faire sentir que chaque effor[...] fait pour manier cet art difficile du langage vaut la peine. Lorsqu'[...] dit « balle ? », l'objet reste imprécis, mais lorsqu'il dit « Denis balle »[...] on comprend qu'il demande : « Est-ce la balle de Denis ? » ou « Est-c[...] que Denis joue à la balle ? »

Ces expressions en deux mots vous permettent de mieux pénétre[...] le fonctionnement de la pensée de votre enfant. Vous allez vou[...] rendre compte, par exemple, qu'il est capable de penser à des chose[...] qu'il ne voit pas. S'il va et vient dans une pièce en disant « Ted ? »[...] vous devinez qu'il est en train de penser à son ours en peluche, mai[...] lorsqu'il dit « Ted où ? », vous savez clairement qu'il le cherche. Vou[...] allez aussi l'entendre manier des idées abstraites pour la première[...] fois (voir p. 402).

Pendant plusieurs semaines, tous les animaux étaient appelé[...] « minou ». Aujourd'hui, il croise un berger allemand et dit, sur u[...] ton surpris : « Gros minou ? » Même s'il n'a pas encore un mot précis[...] pour dire chien ou pour tout animal qui n'est pas un chat, il sait assez ce qu'est un chat pour comprendre que ce grand chien n'entre[...] pas dans cette catégorie.

Les phrases et la grammaire

À partir du moment où votre enfant utilise des expressions associan[...] deux mots, il ne tarde pas à en ajouter un ou deux autres pour forme[...] des phrases. Ce qu'il dit alors peut être assez surprenant, car il ne copi[...] pas ce qu'il vous entend dire, mais suit des règles de communicatio[...] et une logique grammaticale qui sont en général assez éloignées de l[...] grammaire de n'importe quelle langue.

N'essayez toujours pas de corriger cette grammaire personnelle. Cela n'aura aucun effet positif, car il lui est impossible de changer c[...] qu'il dit pour suivre vos recommandations. Au contraire, votre désap[...] probation pourrait le décourager. Il a besoin de sentir que vous écou[...] tez et appréciez tout message qu'il vous transmet.

Écoutez dans quel ordre il place les mots. Il se trompe rarement. S'il veut dire à sa sœur qu'elle est méchante, il dit : « Méchante Sarah. » Mais s'il veut vous dire, à vous, qu'elle est méchante, il dit : « Sarah méchante. » S'il veut vous dire qu'il a vu un autobus, il dit : « Vu autobus », mais s'il veut que vous veniez vite voir l'autobus par la fenêtre, il dit : « Autobus, voir. »

Écoutez la façon dont votre enfant utilise des expressions qu'il a comprises depuis plusieurs mois, mais comme des mots uniques. Lorsqu'il les associe à d'autres mots, il ne peut pas les séparer des mots originels. Il a entendu, par exemple, encore et encore : « Donne-le » et dit à présent : « Donne-le ça. »

Et soyez à l'affût de la beauté des mots que votre enfant invente pour vous exprimer le sens qu'il attribue à certains objets, comme ce « Mamanva » pour votre attaché-case.

LE POINT DE VUE DES PARENTS

Quels sont le pour et le contre du «parler bébé»?

Notre fille de dix-huit mois est très bavarde. Sa demi-sœur de treize ans nous a récemment fait remarquer que nous utilisions un «langage bébé dégoûtant». Elle s'adresse elle-même à Lucie comme à une grande. Elle semble s'appliquer à utiliser des mots particulièrement longs, et je dois reconnaître que Lucie boit ses paroles. Elle a réussi à nous en faire prendre conscience (ce qui était son intention), mais a-t-elle raison? Vaut-il mieux pour Lucie que nous n'ayons plus recours qu'à un langage normal?

Lucie a de la chance d'avoir des interlocuteurs aussi variés chez elle, et surtout d'avoir une sœur adolescente qui prend le temps de lui parler et qui utilise des mots polysyllabiques si passionnants!

Le «parler bébé» est utilisé par les parents de tous les pays. On s'adresse en général aux bébés avec une voix plus aiguë, en multipliant les tons interrogatifs, les répétitions et les exagérations. De façon générale, les bébés apprécient cela. Leur attention est plus attirée et retenue par ce parler bébé parental que par les discours ordinaires. Plus tard, la tendance des parents à parler plus lentement et par phrases courtes à l'enfant de un ou deux ans paraît sensée : nous apprécions nous-mêmes cette attitude lorsque nous nous débattons avec une nouvelle langue. Et de nombreux linguistes s'accordent à penser que la répétition de mots clés et le recours au style télégraphique aident vraiment l'apprentissage du langage. L'enfant dit : « Chat en haut. » Le père : « Le chat est parti? Le chat est en haut?

Où est-il monté? Est-ce que le chat est monté sur l'arbre? » L'enfant : « Chat en haut arbre. »

Le «parler bébé dégoûtant» fait cependant sans doute référence à une autre sorte de langage qui n'est pas très utile et qui consiste à utiliser des mots «simplifiés» ou incorrects. Il n'est pas plus facile pour un enfant d'apprendre «toutou» que «chien», et «canard» ou «train» sont largement aussi simples que «coin-coin» et «tchou-tchou» (et quels trains font encore «tchou-tchou» de nos jours?). Utiliser les mots inventés (ou mal prononcés) par votre enfant en famille peut être une marque d'attention (et ils ne sont pas encore vraiment dégoûtants), mais si tout le monde mange du «yoggit», Lucie ne saura pas dire yogourt correctement avant quatre ans et sera embarrassée – et vous aussi – en public.

La simplification n'est pas la meilleure éducation. Une baleine n'est pas un poisson, même si elle apparaît sur une image avec plein de ce que Lucie vient d'apprendre à appeler «poissons». Elle est capable de comprendre que c'est un mammifère qui vit dans l'eau. Et pourquoi appeler ces deux animaux des singes, alors que ce sont plus précisément des chimpanzés et des orangs-outans? Pourquoi avoir peur des mots précis? Les tout-petits en sont friands et, plus ils sont compliqués, mieux c'est. Apprenez donc à Lucie «orang-outan», et votre aînée cessera de critiquer vos conversations avec elle. Apprenez-lui le nom de tous les dinosaures : les diplodocus et autres atlantosaures devraient contenter tout le monde!

Ses premières phrases sont dans un style télégraphique qui lui est propre, conçu à partir de son désir de communiquer des choses intéressantes et excitantes plutôt que par imitation des adultes. Un petit garçon, emmené à sa première partie de baseball et passionné par ce qu'il voit, attrape la main de son grand-père et dit : «Vois beaucoup hommes !» Il n'a pas pu copier cette phrase, la plus longue de sa petite vie, qui n'a rien à voir avec la version adulte : «As-tu vu le monde qu'il y a?» Dans son enthousiasme, Charles a conçu cette phrase lui-même.

Votre enfant parle à sa façon et vous écoute parler à votre façon. Vos réponses, rapides et compréhensibles, maintiennent son intérêt pour cette forme de communication, et votre façon correcte de parler reste en même temps un modèle qu'il atteindra tout seul, progressivement. Lorsqu'il se précipite dans la cuisine pour vous dire : «Bébé pleurer, vite !», vous savez qu'il vous dit que sa petite sœur est en train de pleurer et que vous devez aller la voir tout de suite. Vous lui montrez que vous comprenez ce qu'il dit, mais vous répondez à votre façon : «Jeanne est en train de pleurer? Je ferais mieux d'aller voir ce qui se passe.» Si vous voulez à tout prix corriger son style télégraphique et lui faire dire les choses correctement, vous allez surtout l'ennuyer et ralentir le développement de son langage. Laissez-le parler à sa manière et ne faites pas semblant de ne pas comprendre ce qu'il veut dire quand ce n'est pas le cas.

Si vous lui répondez seulement dans son «parler bébé», vous retardez aussi son développement, car vous ne lui fournissez pas de nouveaux éléments de langage. Le laisser utiliser son propre langage est une bonne chose, mais il faut aussi veiller à conserver le vôtre. Il peut vous demander un «biski» si c'est le mot qui lui convient, et vous dire «Mangé» si c'est sa façon de vous dire qu'il l'a mangé. Mais vous lui offrez un *biscuit* et vous lui demandez s'il *l'a mangé*. Tant que vous vous comprenez l'un l'autre et tant que vous vous parlez beaucoup, tout ira bien.

JOUER
ET RÉFLÉCHIR

C'est un jeu aujourd'hui, mais une affaire sérieuse demain.

Pour les petits enfants, il n'y a pas de distinction entre jouer et apprendre, entre les choses qu'ils font «juste pour s'amuser» et celles qui sont «éducatives». Les jouets et toutes les autres formes de jeux sont distrayants – sinon, ils ne s'en serviraient pas et donc n'en apprendraient rien –, mais sont surtout des outils pour comprendre le monde et acquérir de nouvelles compétences. Tous les enfants, dans toutes les sociétés, s'amusent et apprennent en jouant, mais les jouets ont pris une place particulière en Occident. Notre envie d'offrir des jouets aux enfants est très encouragée par la société moderne de consommation, mais, pour autant, elle ne sert pas seulement à les «gâter». Ils ont besoin de ces jouets pour découvrir les facettes du monde réel que la vie dans notre environnement urbain moderne leur cache.

En d'autres lieux (et en d'autres temps), l'enfant trouve dans son environnement familial et dans les activités de ses membres le pourquoi et le comment des compétences qu'il doit acquérir. On boit du lait que l'on vient de traire des vaches ou des chèvres. On danse sur de la musique jouée sur des instruments. Les enfants peuvent voir, et bientôt comprendre, les soucis des adultes – les récoltes abîmées par un mauvais temps inattendu ou des fuites d'eau sur le toit – et «utilisent» la plupart des outils des adultes, de la pelle à la bassine. Au contraire, les enfants vivant dans les villes modernes sont coupés des bases essentielles de la vie. L'activité productive se passe loin de la maison dans un lieu mystérieux appelé «bureau», voire «centre-ville».

Cette activité ne produit rien de clairement utile comme le lait, mais une chose appelée argent, sous forme de papier ou virtuelle. Beaucoup des loisirs des adultes sont également mystérieux – ils se réunissent et boivent une certaine sorte de boisson – et leurs soucis sont complètement inexplicables : taux de change et remboursements d'emprunt… Même les activités domestiques que les jeunes enfants ont souvent envie de partager ont recours à des appareils trop dangereux ou trop fragiles. Laver le linge à la main et l'étendre pourraient amuser votre enfant, mais, pour vous, mieux vaut utiliser ces machines qu'il n'a pas le droit de toucher. Vous lui avez peut-être déjà permis d'approcher votre ordinateur, mais la télécommande de la télévision ou les boutons du magnétoscope lui sont certainement interdits.

Vous ne pouvez rien faire pour transformer votre immeuble en plein centre en environnement idéal pour un être humain tout neuf, mais un grand choix de jeux et de jouets vous aidera à lui faire découvrir le monde naturel caché sous le béton ainsi que son fonctionnement. Il y a des centaines de jouets sur le marché et tant d'activités à inventer avec juste un peu d'imagination ! Pour bien choisir ce dont il a besoin aujourd'hui, il vous suffit de comprendre comment sa pensée se développe, à quel stade il en est, et de prendre en compte ce qui est déjà à sa disposition.

Le monde de l'enfant de un an

Le monde de l'enfant de un an se concentre dans la réalité de l'instant. L'enfant est bien trop occupé à comprendre le sens de ce qui existe pour imaginer ce qui pourrait être. Il ne se préoccupe pas encore du passé ni de l'avenir, ne se souvient pas d'hier et ne prévoit pas demain. Il a assez à faire avec les personnes et les objets réels qu'il a sous les yeux.

Il a déjà beaucoup appris de ce monde réel grâce à ses cinq sens. Il peut reconnaître les objets familiers, même lorsqu'il les voit sous un angle nouveau, comme son biberon présenté à l'envers dont il ne voit qu'un disque. Il peut reconnaître les bruits familiers ou la voix de son père, même s'il ne le voit pas. Il peut reconnaître le contact de plusieurs choses et trouver son doudou au toucher. Et si vous faites cuire des gâteaux, l'odeur lui annoncera quelque chose de bon à manger, et son goût lui permettra de distinguer ceux au chocolat – ses préférés – des autres.

Mais son interprétation du monde n'est pas toujours la bonne. Il peut encore être trompé par des gens et par des objets qui ne correspondent pas à ce qu'il attendait. Il a des attentes très précises concernant, par exemple, votre apparence. Si vous rentrez de chez le coiffeur avec une nouvelle tête ou sortez de la salle de bain avec une serviette enroulée sur vos cheveux, vous contredisez ses attentes. Il peut très bien ne pas vous reconnaître ou être inquiété par ce mélange de familier et d'étrange. De même, s'il s'attend à voir arriver son père, comme tous les soirs, au coin de cette rue et à pied et qu'il arrive en voiture devant la maison, votre enfant continuera peut-être à le guetter sur le chemin habituel. Alors que son père lui dit bonjour, il regarde, perplexe, son visage, puis le coin de la rue où il était censé apparaître. Le monde est imprévisible, et c'est seulement maintenant qu'il est prêt à gérer ces inconstances.

Être un explorateur

Lorsque votre enfant peut explorer en toute liberté, il est rare qu'il s'ennuie.

À un certain moment, au cours de sa deuxième année, les nombreuses acquisitions nouvelles de votre enfant s'assemblent pour lui permettre d'apprendre encore plus facilement. Il est mobile. Il peut aller à la pêche aux objets que vous n'auriez pu lui apporter quand il restait assis. Il a vu cette table de nombreuses fois, mais maintenant il peut se glisser dessous pour l'observer. Il tient et lâche les objets à volonté. Il peut s'emparer de ce qu'il a envie de découvrir. Il s'exprime de façon très expressive, même sans mots, et les gens lui répondent, lui racontent et lui montrent des choses, et l'aident. Bientôt, il utilisera de vrais mots qui lui permettront à la fois de comprendre ce qu'il découvre et de s'en souvenir. Il a un peu moins besoin de sommeil et, lorsque quelque chose excite vraiment sa curiosité, il peut rester éveillé. Il a donc plus de temps pour l'exploration et pour l'apprentissage du monde. Laissé libre de ses mouvements dans une pièce, il se promène d'objet en objet, observe, touche, goûte, sent et écoute. Il n'a pas de but précis. Il examine un objet comme un alpiniste grimpe une montagne : parce qu'il est là. Mais il peut en observer cent en une heure.

Parce que tout est nouveau pour lui, il s'ennuie rarement, à moins d'être coincé sur sa chaise haute ou dans un parc. Si cette pièce était intéressante hier et ce matin, de toutes petites modifications suffisent pour qu'il l'explore à nouveau de fond en comble cet après-midi.

La table était mise pour le dîner, maintenant elle est nue. La table basse est recouverte de nouveaux papiers alors que la corbeille à papiers qu'il avait renversée sur le sol a été (sagement) vidée. Ses propres cubes qu'il avait étalés n'importe comment ont été empilés, et il lui faut un certain temps pour reconnaître son camion laissé les roues en l'air.

L'explorateur se transforme en scientifique

Un enfant n'a jamais trop à explorer ni trop de temps pour le faire. Lorsqu'il ramasse un objet juste pour le plaisir de le ramasser, le laisse tomber parce que cela l'amuse, le met dans la bouche pour mieux le comprendre, il est en train de jouer et d'apprendre.

Lorsque l'exploration première est finie, l'enfant commence aussi à faire des expériences. Il ramasse toujours les objets et les met dans sa bouche, mais maintenant il le fait avec un but précis : il essaie de comprendre ce qu'il peut faire avec et veut savoir quel est leur goût. Il les tripote, les presse et les renverse *pour voir ce qui se passe*. Il exécute une série sans fin d'expériences fondamentales.

Celles-ci lui enseignent progressivement les règles qui gouvernent le comportement des objets. Il n'est pas exagéré de le décrire comme un « scientifique », car la plupart de ces règles ont aussi été observées,

Qu'arrive-t-il à sa pâte à modeler lorsqu'elle passe dans votre presse-ail ?

examinées et expliquées par des scientifiques des générations plus tôt. Le jeune enfant ne les comprend pas, mais les découvre par lui-même.

Il découvre que, lorsqu'il lâche un objet, celui-ci tombe. Toujours en bas, jamais en haut. Il ne comprend pas le concept de gravité, mais il en observe les effets constants. Il découvre que, lorsqu'il pousse une balle ou une pomme, celle-ci roule toujours ; mais lorsqu'il pousse un cube, celui-ci ne roule jamais. La géométrie ne signifie rien pour lui, mais il apprend à vivre avec ses règles.

Quand il penche un gobelet plein d'eau, il se mouille. Quand celui-ci est rempli de sable, il ne se mouille pas. L'eau disparaît dans ses vêtements et le sable en tombe lorsqu'il se lève. Il ne saurait vous décrire les propriétés des éléments solides et liquides, mais il les a quand même mises au jour.

Identifier des groupes d'objets similaires

En apprenant comment réagissent les objets, l'enfant comprend qu'il existe des différences et des similarités d'aspect et de fonctionnement. Il a des cubes de tailles et de couleurs variées, mais, bien qu'ils *paraissent* différents, il s'aperçoit qu'ils servent tous à faire des constructions et qu'ils ressemblent plus l'un à l'autre qu'à n'importe quoi d'autre. Petit à petit, il apprend à faire d'autres regroupements : les aliments, les animaux, les fleurs.

Lorsqu'il s'était mis à quatre pattes, il avait essayé de jouer avec le chat et avec le chien comme avec ses propres jouets, et il avait été triste de les voir s'enfuir. Maintenant, il sait que les animaux ne sont pas des jouets. Il les traite différemment.

Un premier pas vers l'abstraction

Maintenant qu'il reconnaît les différences et les similarités et que son esprit les utilise pour former des groupes, il est prêt à faire une avancée intellectuelle fondamentale : la formulation de concepts.

Les adultes organisent leur perception du monde grâce à une version plus sophistiquée de cette technique de regroupement. Nous assortissons, comparons, distinguons et réunissons d'innombrables objets, faits, personnes, sentiments et idées que nous « trions » grâce à notre connaissance du monde, puis nous élaborons des concepts complexes. Ces concepts nous permettent d'intégrer de nouvelles informations et de communiquer sur la base d'un savoir partagé. Si je parle d'un « insecte », par exemple, vous voyez instantanément les caractéristiques générales de ce à quoi je fais allusion. Je ne dois pas passer les cinq premières minutes à vous expliquer qu'un insecte est un être vivant mais non un être humain, ou bien qu'il s'agit d'une bête bien plus petite qu'un éléphant. De la même façon, si vous parlez de « jalousie », je sais que votre discussion évoque des sentiments désagréables d'envie et de perte. Vous n'avez pas à m'expliquer ce concept.

Habitués à apposer des mots aux concepts, nous percevons difficilement les progrès que les jeunes enfants font dans ce domaine tant qu'ils n'utilisent pas le langage et même tant qu'ils n'associent pas au moins deux mots. Si votre enfant apprend à grouper et à nommer les objets en même temps, vous vous demanderez, lorsque vous l'entendrez dire « chien » pour nommer l'animal de la maison, s'il sait vraiment ce qu'est un chien de façon plus générale. Il ne le sait pas forcément. Le mot « chien » signifie d'abord pour lui cette chose particulière – cet animal-là. Il ne devient un concept que lorsqu'il a groupé *tous* les chiens – celui croisé au parc, celui du livre et sa

Elle distingue le mouton des cochons et des vaches et commence à les voir comme des familles.

peluche – sous ce même vocable. Il faut pour cela qu'il réalise que, bien que tous les membres de ce groupe abstrait soient différents, ils se ressemblent plus entre eux qu'ils ressemblent à n'importe quoi d'autre. Lorsqu'il passe de son vrai chien à son livre pour pointer du doigt le chien dessiné, vous pouvez en déduire qu'il a franchi ce stade. Vous pouvez en être encore plus certaine lorsqu'il ajoute quelque chose comme : « Chien ! Wouf-wouf ! Cheval ! Hiii ! » Il choisit alors des caractéristiques différentes chez le chien et chez le cheval (le bruit qu'ils font), les étend à tous les membres du groupe (tous les chiens aboient, tous les chevaux hennissent) et distingue les deux groupes (les chiens ne hennissent pas et les chevaux n'aboient pas).

Une fois que son mode de pensée a franchi cette étape, votre enfant va passer une grande partie de son temps à assembler et à classifier. Il a tant à faire dans ce domaine ! Les concepts types des enfants de cet âge sont rattachés au monde visible. Si vous présentez à votre enfant une page pleine d'images mélangées ou une boîte pleine de jouets, il vous trouve – si cela l'amuse – tous les chiens ou toutes les voitures. Mais il ne peut pas trouver les choses « jolies » ou « lourdes » ou « rondes ». Ce sont des idées abstraites qui viennent plus lentement.

Découvrir les idées abstraites au cours de la troisième année

Les concepts abstraits nous permettent de discuter des gens et des objets qui sont absents ou imaginaires et de débattre d'idées sans référent physique, ce qui est impossible à la grande majorité des enfants de deux ans.

Le vôtre comprend vaguement des abstractions comme « bientôt », mais a encore probablement besoin d'indications concrètes, comme « après avoir mangé et fait ta sieste » pour « cet après-midi ». Rien de ce que vous pourrez dire ne lui fera comprendre des temps plus lointains comme « la semaine prochaine ».

Il se rapproche quand même, à sa façon, des concepts abstraits et commence à penser et à jouer d'une façon de plus en plus détachée des objets réels qu'il tient dans sa main ou qu'il a sous les yeux. Il pense aux objets familiers quand ils ne sont pas là, il se souvient d'eux et fait des projets avec. Hors de sa vue, les choses continuent désormais d'exister. Appelé pour le dîner pendant qu'il joue dehors, il peut quitter la cour, prendre son repas puis reprendre son jeu là où il l'avait laissé. Cet événement n'a l'air de rien mais prouve une avancée remarquable de son mode de pensée. Il a gardé une image de son jeu à l'esprit. Il s'en est souvenu le temps du repas, a projeté d'y revenir ensuite et a exécuté son projet sans l'incitation d'un adulte.

Commencer à inventer au cours de la troisième année

Une fois que votre enfant pense de cette manière, l'imagination va bientôt apparaître dans ses jeux. Les premières idées originales exprimées par le jeu sont des jalons essentiels de son développement. Mais, à moins que vous ne soyez constamment aux aguets, il y a des chances qu'elles vous échappent. Une casserole portée comme un chapeau, par exemple, ne vous paraît pas originale, car vous avez souvent vu des enfants en faire autant. Mais votre enfant n'a *jamais* vu ça. Ce chapeau sort de sa propre imagination.

Les premiers jeux imaginatifs ne sont, à première vue, pas forcément très différents des jeux par imitation qui l'ont passionné pendant des mois, mais, avec un peu d'attention, vous distinguerez une vraie évolution. Lorsqu'il avait environ dix-huit mois, votre enfant adorait avoir un chiffon pour vous aider à laver la voiture. À présent – un an après –, il prend un tee-shirt dans son tiroir, le plonge dans le bol d'eau du chien et nettoie son tricycle avec. Il n'imite pas un adulte présent, il joue le rôle d'un adulte absent. Il invente un chiffon, une bassine d'eau, dit que son jouet est une vraie voiture, et joue à être un grand.

AIDER SON ENFANT À JOUER ET À RÉFLÉCHIR

Si on leur procure de l'espace, des jouets, du temps et de la compagnie, les jeunes enfants s'occupent tout seuls du reste. Ces petits scientifiques et inventeurs n'ont pas besoin d'un apprentissage trop directif qui leur vole leur rôle. Votre travail est seulement d'assurer que l'enfant ait des laboratoires de découverte, des moyens de faire ses recherches et un assistant, si nécessaire. Ce qu'il fait réellement avec ses jouets ne regarde que lui, dans la limite où il est en sécurité et se comporte de façon tolérable. Bien sûr, il n'est pas autorisé à gribouiller sur les murs ni à jeter ses cubes sur son ami, mais vous n'avez pas à lui préciser ce qu'il doit dessiner ou à le pousser à utiliser ses cubes « correctement ». Il a besoin de la véritable indépendance du scientifique pour suivre ses propres pensées et ne les partager que lorsqu'il y est prêt.

Vous devez lui fournir le maximum d'occasions de jouer, mais il n'est pas pour autant nécessaire qu'il ait tout ce qu'il faut à la maison ou que vous soyez son principal compagnon de jeu. S'il est au service de garde toute la journée en semaine, il préfère peut-être passer tout son temps à la maison à partager des activités avec vous, et les week-ends sont peut-être consacrés aux sorties. S'il passe ses journées à la maison avec une gardienne qui a peu d'autres responsabilités, il est possible qu'il apprécie plus, le soir, de jouer dans un coin à lui plutôt que de partager son espace avec vous.

Quels que soient son mode de garde et la personne qui s'occupe de lui, essayez de conserver un certain équilibre à ses possibilités de jeu. S'il passe toute sa journée enfermé au service de garde, par exemple, une pause au parc sur le trajet du retour et des week-ends à

Laissez à votre enfant du temps pour faire par lui-même des découvertes étonnantes.

la campagne sont importants ; s'il passe une grande partie de son temps dans un parc rempli de jeux pour enfants, le soir, il a plutôt besoin d'un peu de lecture et de conversation avec vous. S'il est entouré d'autres enfants toute la journée, il apprécie un moment de calme, sans compétition ; mais s'il est chez lui sans frère ni sœur, la compagnie d'autres enfants sera nécessaire.

Assurez-vous que son espace de jeu est proche de vous ou d'une autre personne qui veille sur lui. Il vaut toujours mieux qu'il soit installé dans un coin du salon que dans une pièce à part, où il est seul la plupart du temps.

Si vous, ou vos autres enfants, partagez cet espace, vous devez veiller à ce qu'il puisse jouer librement, sans être mis en danger ou sans énerver quelqu'un. Les jeux d'une grande sœur de cinq ans sont souvent dangereux et trop fragiles pour lui, comme ce ballon gonflé qu'il peut faire exploser. Et leurs relations se détérioreront nettement s'il s'empare de ses crayons dès qu'elle essaie de dessiner. Si vous avez assez de place pour un parc, il peut servir à protéger le plus grand (installé dedans) du petit vagabond. Vous y seriez à l'abri aussi, avec votre ordinateur portable ou votre machine à coudre. Si vous manquez de place, vous pouvez aussi déplacer un canapé ou une armoire pour vous aménager un coin à l'abri de votre enfant.

Organiser le matériel de jeu   Il est difficile pour votre enfant de jouer si quelqu'un doit aller lui chercher ce qu'il veut et si ses jouets sont toujours incomplets. Ses affaires doivent être aussi bien organisées que votre cuisine ou qu'un véritable laboratoire. Les placards à jouets cachent le désordre à vos invités, mais ils cachent aussi ses jouets à votre enfant et vous encourage à les laisser en vrac. Beaucoup de parents se plaignent que leurs enfants ont des centaines de jouets avec lesquels ils ne jouent jamais. En général, c'est parce qu'il en manque une partie, qu'ils sont cassés ou simplement oubliés.

Faites en sorte qu'ils soient dans la pièce où il passe le plus de temps et que leur organisation soit optimale. Les gros jouets restent au sol afin qu'il puisse les attraper sans se blesser. Les autres paraîtront particulièrement attractifs rangés sur des étagères. Les précieuses collections de petits objets – voitures, pierres, animaux de la ferme – peuvent être rangées, bien assorties, dans des boîtes et entreposées à proximité de vous pour que vous puissiez vérifier ce qui est vidé deux minutes avant le dîner. Si vous collez un objet similaire sur le devant de la boîte, votre enfant saura tout seul ce qu'il peut y trouver.

Ses jouets l'intéresseront longtemps si votre enfant ne les voit pas tous, tout le temps. Il aura l'impression d'en avoir plus si certains restent à l'endroit particulier où il s'en sert. Ses jouets « de cuisine » dans un tiroir spécial de la cuisine, ses jouets de bain dans une corbeille de la salle de bain et ses jeux de plein air dans un coin du balcon ou dans un abri. Il appréciera sans doute plus ses beaux livres, ses casse-tête difficiles et ses cassettes de musique s'ils restent dans le salon et sont utilisés en compagnie d'un adulte. Les jouets qu'il aime avoir dans son lit peuvent rester dans sa chambre.

À cet âge, les enfants commencent juste à avoir leurs propres idées de ce qu'ils peuvent faire avec leurs jouets et de la façon dont ils peuvent les combiner. Vous pouvez l'aider en lui montrant que ses

Avec des jouets bien rangés, il est plus facile de laisser faire son imagination, tout seul ou avec d'autres.

animaux de la ferme entrent dans son camion et que ses cubes font des écuries. Pourquoi ne pas avoir une boîte à « bric-à-brac » où amasser tous les emballages rigolos, les morceaux de tissu inutiles, les tubes et les bouteilles en plastique et autres objets de la vie des adultes, dans laquelle votre enfant trouvera toujours une boîte de céréales pour faire un garage à ses voitures et de nouveaux habits pour sa poupée ?

En plein air   Les enfants qui passent toute la journée chez eux ont besoin de changer de décor, surtout si le temps ou une maladie les tient enfermés. Utilisez la cuisine ou la salle de bain pour les jeux salissants et rompez la monotonie du lieu de jeu principal en passant dans d'autres pièces, peut-être pour écouter de la musique au salon ou faire des galipettes sur votre lit.

   Être en plein air est très important. La vie est d'ailleurs complètement différente si l'enfant a accès à un jardin ou à une cour ou s'il

Dix minutes pour se préparer à passer cinq minutes dehors… mais ça en vaut la peine.

est enfermé dans un appartement. Si vous n'avez pas de cour, profitez de tout espace extérieur : sécuriser votre balcon n'est pas facile, mais vous y parviendrez en général en tendant une toile le long de la balustrade. Si ce système peut soutenir votre poids, il soutiendra sans aucun doute le sien, même s'il essaie d'y grimper pour s'amuser.

Les promenades sont une part essentielle de la vie de votre enfant. Au service de garde, des sorties à l'extérieur sont probablement prévues par l'éducatrice. S'il est avec une gardienne, chez elle ou chez vous, encouragez-la autant que possible à faire des promenades. Même le trajet le plus banal peut être divertissant. À son âge, il apprécie le mélange des rues familières et des petites nouveautés de chaque jour. Accompagner et aller chercher les plus grands à l'école ou faire une course dans le magasin d'à côté ne l'ennuieront pas. Hier, il a vu un autobus, un chien ou M. Dupont. Aujourd'hui, il voit une mobylette, deux chats et Mme Durand. Faites-le participer à ce monde changeant : saluez Mme Durand, apportez le linge chez le nettoyeur et donnez la fin de son gâteau à un pigeon. De cette façon, il s'amusera et apprendra autant pendant cette petite balade ordinaire que pendant une sortie soigneusement organisée au zoo.

Les parcs ou les champs lui offrent des expériences totalement différentes de celles des rues ou de votre appartement. Il a besoin de connaître le vent, la pluie et le soleil, l'herbe, la boue et les brindilles, de sauter dans les flaques, de grimper sur des talus et de se sentir presque effrayé par la liberté qu'offrent les grands espaces. Le climat hivernal existe dans la plupart des régions du monde et il doit aussi le découvrir. Un manteau chaud ou un imperméable, des bottes, un bon chandail et une escorte adulte un peu courageuse transformeront vent, pluie et neige en aventures passionnantes.

Il aimera sans doute les parcs publics réservés aux enfants de moins de cinq ans, mais réfléchissez bien avant de le laisser s'aventurer dans ceux aménagés pour les plus grands. L'équipement est trop grand et trop dangereux, mais surtout, hors des heures de classe, il y a trop de monde et trop de bruit pour lui et ses petites explorations. Il est en train de découvrir comment faire un château de sable et sera vite découragé si tous ses efforts sont piétinés et réduits à néant en quelques secondes.

Grâce aux services locaux et avec un peu d'imagination, on trouve des tas de choses à faire l'hiver, souvent gratuites. Les piscines, par exemple, sont assez calmes les jours d'école. Mais il existe bien d'autres lieux publics plus inattendus, où faire des expériences nouvelles et distrayantes, et qui ennuieront moins sa gardienne qu'une énième promenade sous la pluie. Les balades en autobus ou en métro ont toujours du succès.

Les centres commerciaux ou les grands magasins sont, à ses yeux, féeriques, surtout si personne ne le tire pour faire des courses et s'il peut aller à son rythme. Il y fait chaud, clair, il y a plein de gens et d'objets fascinants, et la sortie peut finir par un tour sur les escaliers roulants ou dans les ascenseurs. Les musées et les galeries d'art sont souvent vides en semaine et gratuits pour les enfants. Il y fait bon et, avec un peu de chance, l'adulte peut même avoir le temps d'apprécier l'exposition. Et d'ailleurs, votre enfant aura peut-être aussi envie de la regarder…

Jouer avec lui

Qui marche dans les pas de qui ?

Votre enfant veut être près de vous quand il joue et est en général content que vous l'aidiez et participiez à son activité, mais il n'a pas envie et n'a pas besoin que vous lui indiquiez quoi faire. Jouer, c'est explorer, découvrir, faire des expériences. Un adulte qui insiste pour montrer à quoi sert tel jouet, quelle est la « bonne » façon de s'en servir et qui ne lui laisse pas le temps de répondre à ses questions va tout gâcher. Veillez à ce que tous les adultes qui passent du temps avec lui aient compris que l'art de jouer avec un enfant est de le laisser être le leader. Si vous acceptez ce rôle de subordonné, votre compagnie peut être un vrai atout :

■ Vous apportez à votre enfant une aide physique. Il est encore très petit. Souvent, il a un plan en tête, mais il est frustré par son incapacité physique à le mener à bien. Prêtez-lui vos muscles, votre taille et votre poids, mais sachez vous arrêter dès que son problème est résolu. Il voulait que vous transportiez la bassine d'eau jusqu'au tas de sable, mais il ne vous avait pas demandé de mouiller le sable.

■ Vous pouvez être son partenaire pour les jeux qui en nécessitent un. Il ne peut pas jouer « au loup » si personne ne court (doucement) après lui. Il ne peut pas recevoir la balle qu'il envoie si personne de plus habile ne joue avec lui. Essayez parfois de vous consacrer à ces jeux sans limite de temps. Souvent, les enfants sont obligés de harceler l'adulte pour qu'il finisse par jouer avec eux à contrecœur et lâche son terrible « ça suffit » dans les dix minutes qui suivent. Vous ne pouvez pas passer vos journées à jouer avec lui, mais essayez vraiment, de temps en temps, d'y paraître disposée, et même enthousiaste, et offrez-lui le luxe de jouer jusqu'à épuisement. C'est par la répétition qu'il apprend. Il peut lui falloir vingt minutes de tentatives pour faire rouler sa balle vers vous.

■ Vous pouvez lui glisser quelques suggestions. Il les écoutera tant qu'elles ne lui semblent pas trop autoritaires et qu'elles sont faites au bon moment. S'il est en train de jouer avec des balles de ping-pong et que vous avez dans les mains un tube en carton, vous pouvez prendre une balle et lui montrer ce qui se passe d'intéressant lorsque vous la placez dans le tube. Il est libre d'accepter ou non votre suggestion. S'il joue avec des crayons et du papier, montrez-lui comment faire des ronds plutôt que des gribouillages. Peut-être aura-t-il envie d'essayer. Mais ne l'embêtez pas avec la balle ou les craies lorsqu'il est en pleine conversation avec son ours en peluche. L'interrompre signifierait que vous considérez que son activité n'a aucune importance.

À cet âge, dessiner consiste à découvrir à quoi servent les crayons et comment y arriver.

N'attendez pas des enfants de cet âge qu'ils soient bons joueurs. Ils ont besoin des adultes pour devenir amis.

■ Aidez-le à se concentrer. Il lui est difficile de passer plus de quelques minutes d'affilée sur un jeu un peu ardu – surtout s'il implique de rester assis. Cela l'empêche de retirer une grande satisfaction d'activités un peu complexes comme ses casse-tête ou ses jeux de construction. Si vous vous asseyez à ses côtés, lui parlez et l'encouragez, il tiendra un peu plus longtemps, peut-être assez pour obtenir la grande satisfaction d'accomplir la tâche qu'il s'était fixée.

■ Aidez votre enfant à gérer ses relations avec les enfants qu'il ne connaît pas. Lorsqu'ils se rencontrent souvent, les enfants de cet âge tissent de vrais liens d'amitié, mais, pour autant, les amis ne sont pas forcément les compagnons de jeux idéaux. Votre enfant tirera beaucoup de plaisir (et de nouvelles idées) à jouer auprès d'autres enfants, mais s'ils ne lui sont pas familiers, préparez-vous à devoir organiser le jeu pour eux. Ils ne sont pas assez grands pour régler leurs problèmes tout seuls ou être bons joueurs, jouer chacun à son tour et être « gentils avec les invités ». Il faut les protéger les uns des autres afin qu'aucun ne soit blessé ou n'ait à regarder son « ami » détruire un précieux château de sable. Donnez-leur les mêmes jouets et laissez chacun faire ce qu'il veut, à l'abri de toute intrusion. Chacun joue, puis fait une pause de temps en temps pour regarder ce que fait l'autre, appréciant sa présence. S'ils finissent par se parler directement, sans passer par vous, ils ne tarderont pas à devenir amis.

Les autres enfants peuvent être une merveilleuse compagnie pour le vôtre et, à condition de ne pas leur demander cela trop souvent, les plus grands peuvent trouver amusant de jouer avec le plus petit. Les séparations strictes selon l'âge, une caractéristique des sociétés occidentales, sont de valeur discutable, surtout de nos jours où les grandes familles, avec des frères, des sœurs et des cousins de tous âges, sont rares.

Faire l'expérience de la position de leader ou de suiveur est enrichissant pour tous les enfants, du plus jeune au plus vieux. Lorsqu'un groupe d'enfants d'âges différents est réuni, loin du regard des copains de classe, encouragez-les à jouer ensemble, mais restez vigilante le temps que chacun trouve sa place. Un enfant de neuf ans qui n'a jamais joué avec un petit de deux ans acceptera d'être « le loup » trois fois, mais la quatrième fois, son envie naturelle de gagner dominera sa conscience d'être face à un enfant encore chancelant, et le jeu finira par des larmes. Vous pouvez les aider en prenant le petit par la main pour l'aider à suivre les plus grands, en lui proposant d'être le spectateur pour que les grands puissent jouer librement et, finalement, en proposant à tout le groupe de trouver un jeu où chacun puisse jouer à son propre niveau. Sur la plage, sauter dans les vagues convient à tout le monde, du tout-petit que vous tenez par la main au plus grand qui se débrouille tout seul. À la maison, jouer « au papa et à la maman », à l'« hôpital » et à tous ces jeux d'imitation permet de trouver un rôle à chacun. Ne croyez pas cependant que le plus petit sera forcément le bébé ou le malade ; il pourrait bien se retrouver à donner le biberon au grand de sept ans qui profite de cette occasion inespérée de redevenir le bébé.

Jouets et jeux

Les enfants jouent avec tout ce que l'on met à leur disposition. Ils ont besoin d'un matériel simple pour leurs découvertes et leurs expériences et ils ne font pas (encore) attention au fait qu'un jouet est tout neuf ou récupéré chez un de vos amis. Il est impossible de généraliser et de dire quels jouets, parmi les centaines existants, votre enfant doit avoir. Cela dépend de ceux, parmi les siens, qu'il préfère. Mais il y a différents types de jeux que tous les enfants apprécient et qui participent, d'une façon ou d'une autre, à leur évolution actuelle.

Matériaux naturels

Se salir avec la glaise fait partie du plaisir.

Le monde est plein de petites créatures cachées.

Pour que votre enfant comprenne le monde dans lequel il vit, il doit savoir distinguer les matières naturelles et connaître leur origine. Si vous habitez dans un appartement en ville sans cour, il ne peut acquérir ses connaissances spontanément. Assurez-vous qu'il a conscience que le béton est artificiel et que l'eau ou le lait ne coulent pas seulement du robinet, des bouteilles ou des cartons. Il est important de lui permettre de découvrir différents matériaux et de tolérer un peu de désordre pour qu'il en sache un peu plus.

L'eau. En jouant avec de l'eau plate, gazeuse, colorée, tiède ou froide, il apprend qu'elle coule, éclabousse, ruisselle, s'infiltre et finit par refroidir même lorsqu'elle est chaude au départ. S'il souffle dessus, elle frémit. Certains objets flottent, d'autres coulent et d'autres se dissolvent. L'eau peut être transportée dans des objets fermés, mais coule à travers une passoire ou les doigts et le long d'un mur. Il jouera avec la quantité d'eau que vous lui donnez. Une petite piscine ou un bain sont merveilleux, mais une bassine d'eau, avec de petits récipients à remplir et à vider et quelques extras, comme un ou deux glaçons ou du colorant alimentaire, est parfaite.

La terre et la glaise. Elles sont si salissantes que l'on préfère souvent donner aux enfants de la pâte à sel. Cependant, c'est *justement* le fait qu'elle soit brune et qu'on s'en mette partout qui fait la valeur de la glaise. Votre enfant doit découvrir la sensation qu'elle procure quand on l'écrase dans la main, qu'on la façonne et lui donne la forme voulue. Il va vite s'apercevoir qu'en y ajoutant plus d'eau on la rend plus collante, et qu'en séchant elle devient solide.

La pâte à sel. Achetée ou faite maison, la pâte à sel est un matériau de jeu parfait, mais il serait dommage qu'elle remplace complètement la glaise.

Le sable. Qu'il soit «blanc» ou «gris» (excluez le sable de construction, qui peut contenir du ciment), il accompagne idéalement l'eau et la glaise ou la pâte à sel. Mouillé, il se comporte un peu comme la glaise, mais avec des différences intéressantes, alors que, sec, il se comporte comme l'eau mais avec aussi des différences curieuses. Il est solide sans l'être vraiment ou coule sans être liquide. La plage ou le bac à sable sont formidables, mais quelques kilos de sable dans une bassine au garage ou dans la cuisine suffisent à illuminer une journée d'hiver à la maison. Si vous n'avez pas de sable, vous pouvez le remplacer par du riz. Fournissez-lui cuillères et récipients et encouragez-le à jouer à cuisiner – c'est une bonne façon de l'intéresser à la vraie cuisine.

Les pierres et les feuilles. Il est trop tôt pour lui apprendre la botanique ou la géologie, mais il aime observer les petites pierres ternir en séchant, les brins d'herbe se courber sans casser, et le monde est rempli de formes, de textures et de créatures fascinantes.

Les bases de la science et de la technique

Avant de se lancer dans la construction, il les assortit.

Les « boîtes aux lettres » prouvent que les formes et les angles comptent.

Difficile de comprendre pourquoi cette construction s'effondre…

L'enfiler ne suffit pas, il doit ressortir de l'autre côté.

Votre enfant apprend comment les choses fonctionnent et comment il peut s'en servir. Il découvre des principes qui nous paraissent évidents et perfectionne des gestes auxquels nous ne pensons même plus.

Remplir et vider. Remplir des récipients d'eau et de sable, des sacs en papier d'oranges, puis tout vider et recommencer est un premier pas vers des jeux manuels plus élaborés. Outre les progrès manuels, votre enfant apprend à évaluer la quantité d'eau qui ira dans cette tasse ou en débordera, le nombre de cubes qui entreront dans cette boîte, et ce qui arrive quand les récipients sont renversés. Offrez-lui plein d'objets intéressants, de récipients et de boîtes, et toute votre patience.

Assortir et grouper. Relever les ressemblances et les différences entre les objets et apprendre à les grouper dans son esprit est l'une des tâches intellectuelles les plus importantes de cette période. Les grouper avec les mains l'aide à le faire avec son cerveau. Observez-le attentivement, vous verrez qu'il commence à distinguer toutes ses voitures de ses autres jouets. Bientôt, il séparera les oranges des pommes. Plus tard, il va connaître des dilemmes universels comme : la pomme va-t-elle avec la balle parce qu'elle est ronde ou avec le biscuit parce qu'elle se mange ? Il assortit et groupe tout ce qu'il a sous la main, mais une grande variété d'objets naturels assez similaires (des pierres et des coquillages, par exemple) l'amusera particulièrement.

Manipuler des objets. Lorsque votre enfant acquiert toutes ces compétences et apprend à manipuler les objets, les jouets jouent enfin leur vrai rôle. Ils doivent être bien faits car, lorsqu'il comprend comment deux jouets s'emboîtent, il vaut mieux qu'ils s'emboîtent vraiment.

Les cubes. Il va jouer avec ses cubes de construction pendant plusieurs années et il lui en faut au moins soixante. Qu'ils soient de différentes couleurs est appréciable, mais c'est surtout la variété des formes qui compte. Il doit y en avoir de toutes les tailles. On peut les renverser et les étaler en vrac. Mis les uns à la suite des autres, ils se transforment en train ou en barrière ; empilés sur le plus petit, ils tombent ; empilés sur le plus grand, ils tiennent.

Les jouets à encastrer et à empiler. Il en existe de nombreuses versions qui l'aident à découvrir – et à se convaincre – que les balles rondes n'entrent pas dans les trous carrés, que les gros objets n'entrent pas dans les petits et que les formes compliquées ne s'emboîtent que sous un angle précis. Vous pouvez aussi bien lui acheter que lui fabriquer ses « boîtes aux lettres ». Vous pouvez commencer par découper des ronds et des carrés dans une simple boîte en carton. Les récipients en plastique qui s'emboîtent et vont aussi dans le bain ne coûtent pas cher et sont aussi efficaces que beaucoup de jouets à empiler plus complexes vendus en magasin.

Les casse-tête. Vous pouvez lui fabriquer ses premiers casse-tête en découpant des formes dans de la pâte à sel et en aidant votre enfant à les replacer dans les bons trous. Les premiers casse-tête dont les pièces sont munies d'un petit bouton facilitent les débuts. Bientôt, il pourra s'attaquer à des casse-tête normaux avec de grosses pièces.

Les jouets à enfiler et à accrocher. On peut accrocher un anneau à un crochet, deux crochets entre eux, mais pas deux anneaux ensemble. Pourquoi ? Votre enfant va accrocher son anneau à votre parapluie, en enfiler plusieurs sur n'importe quel support long et fin – une tringle, par exemple – et découvrir que, mis dans un certain ordre, ils forment une pyramide. Il s'amusera bientôt à passer des anneaux de rideau sur un bout de bois…

Les jeux physiques

Un endroit sur lequel sauter est utile à tout le monde.

Arriver au sommet demande de la concentration.

Il pousse sur ses pieds avant de pousser sur des pédales.

Les jeunes enfants doivent pouvoir courir, sauter, grimper, se balancer, rouler, pousser et tirer. C'est en utilisant leur corps qu'ils apprennent à le maîtriser et à le coordonner. Tous les jours doivent être remplis d'activités physiques, et les équipements prévus à cet effet seront plus sûrs à la fois pour votre enfant et pour votre mobilier!

Sauter. Les enfants tombent beaucoup et se font souvent mal. La plupart adorent être lancés par un adulte qui a le truc pour le faire sans risques. Sauter sur un trampoline ou sur votre lit, si cela est autorisé, ou encore sur un matelas d'exercice est le genre de jeu qui renforce sa confiance en son corps et lui permet de se lancer dans de vraies galipettes.

Grimper. Les petits filets à escalader des parcs d'enfants offrent des possibilités très variées de jeux pendant plusieurs années. Un cube en bois pliable, de 1 mètre carré, peut être utilisé aussi bien à l'intérieur qu'à l'extérieur et faire office de cabane. C'est un jouet idéal. Pour qu'il serve longtemps et puisse rester dans la cour, achetez si possible la plus grande taille (en bois ou en métal), installez-le sur l'herbe et faites durer l'intérêt de votre enfant en le transformant en tente avec un drap ou en y installant des cordes pour grimper.

Se balancer. Se balancer procure aux enfants un sentiment magique de pouvoir et de liberté, fait appel à leur sens inné du rythme et leur fait prendre conscience de leur poids, de leur équilibre et de la gravité. Il faut une petite balançoire avec un siège qui tient bien l'enfant. Plus tard, acheter une balançoire ordinaire n'est pas forcément une bonne idée. Son utilité est limitée, elle nécessite une autre personne pour pousser et peut se révéler dangereuse, si d'autres enfants sont dans la cour et que des pieds volent. La branche d'un arbre pourra servir

de support à d'autres éléments, comme un vieux pneu de voiture accroché à une corde.

Courir pour s'amuser. Un petit citadin (même s'il a facilement accès à un parc) qui peut courir librement, aussi loin qu'il veut, sans être sans cesse prévenu d'un danger imminent, est complètement grisé. Il a plus de courage si un enfant plus grand ou un adulte l'accompagne. Il commence à comprendre comment on joue « au loup ».

Jeter, attraper et lancer. Peu d'enfants de cet âge parviennent à rattraper une balle, mais tous aiment jouer avec une balle légère, la lancer, taper dessus avec le pied et l'arrêter. Un ballon de plage aussi gros que lui est une formidable variation : votre enfant peut se coucher dessus et rouler avec. Des balles lestées, qu'on peut facilement faire soi-même avec du riz ou des lentilles, et qui ne peuvent ni flotter ni rouler, l'intéresseront aussi.

Les jouets à tirer et à pousser. Lui donner une grande variété de jouets à tirer ou à pousser est presque un devoir. La petite voiture à roulettes est toujours aussi utile – dedans, dehors, pour les poupées ou pour le sable. Les landaus ou les tondeuses sont amusants si votre enfant marche assez bien pour les empêcher de chavirer.

Les petits véhicules. Votre enfant aime être poussé sur un animal à roulettes, mais le meilleur achat à faire à cet âge est un petit véhicule stable avec des roues pivotantes – un camion ou un chariot par exemple –, dans lequel il peut s'asseoir et avancer en poussant avec les pieds. C'est une préparation pour le premier tricycle ou la première voiture à pédales que beaucoup d'enfants maîtrisent autour de deux ans et demi et qui mènent directement à la vraie bicyclette.

Imagination

Votre enfant a le pouvoir sur ce monde miniature.

Vrai travail et outil nourrissent l'imaginaire.

Un chapeau et une écharpe, et elle devient quelqu'un d'autre.

En même temps que votre enfant apprend à assortir et à grouper les objets, comprend leur utilité et les manie avec plus de facilité, il devient capable d'en imaginer et de leur inventer une fonction. Bien qu'il soit souvent l'acteur principal des jeux qu'il invente – le docteur, la maman –, un petit monde dans lequel il prend la place de Dieu lui est aussi précieux.

Les mondes miniatures. Si votre enfant a des petites voitures ou des animaux de la ferme ou du zoo, avec des garages et des granges faits de carton, ou de petites figurines et leur maison, il commence par les associer, mais va ensuite créer et inventer des histoires et des catastrophes pour eux.

Les jeux domestiques. Les tâches domestiques vous ennuient, mais ce sont des activités que votre enfant comprend et peut partager ou imiter. Au début, il veut simplement avoir comme vous un chiffon pour essuyer, lui aussi, les objets. Plus tard, il fera semblant d'être un grand avec des responsabilités domestiques comme cuisiner, nettoyer et s'occuper des enfants. Le « coin maison » est souvent le plus utilisé des jeux qu'on trouve dans les services de garde. Bien que votre enfant adore que vous lui prêtiez votre matériel, celui-ci est souvent trop gros pour lui et il a besoin de versions miniatures adaptées à sa taille. Choisissez des copies simples plutôt que des fers à repasser qui jouent de la musique ou des cuisinières en forme de personnages de Disney.

Les poupées et les jouets en peluche. Ne croyez pas que les peluches sont pour les bébés et les poupées pour les enfants plus grands ou uniquement pour les filles. Outre celles qui surveillent son lit la nuit, l'enfant jouera longtemps avec une famille de peluches ou avec des vêtements et du matériel de poupée. Ces jouets prendront le thé, feront des voyages sur des chaises transformées en train et soulageront beaucoup des sentiments désagréables qu'il ressent en recevant les morsures et les pincements qu'il ne doit pas infliger aux vraies personnes. Ne soyez pas surprise que votre enfant les soumette à une discipline sévère et les gronde sur un ton très dur, ou même les tape alors qu'il n'a lui-même jamais reçu de fessée. Les enfants essaient les pires et les meilleurs aspects du rôle de parents et mettent en scène des événements réels aussi bien qu'imaginaires.

Se déguiser. Jouer par l'imagination, c'est surtout jouer à être quelqu'un d'autre. De la même façon qu'il vous imite dans vos tâches domestiques, votre enfant se met dans la peau de toutes les personnes qu'il observe. Dans ce genre de jeux, les habits sont d'une grande importance. Pour le moment, il ne veut pas de déguisements de pompier ou d'infirmière, mais de « vrais » habits qui, à ses yeux en tout cas, identifient son personnage. Les chapeaux jouent souvent un rôle primordial. Vous pouvez lui acheter ou récupérer une collection de casques, casquettes et coiffes, comme on en trouve dans les services de garde ou les maternelles. Il a aussi besoin d'utiliser vos vieux sacs, sacoches, paniers ou sacs de sport, vos cravates, vos lunettes de soleil, vos souliers et toute une collection de vieux habits recyclables. Une veste que vous ne mettriez pas pour jardiner transforme ce petit garçon en homme. Un sac à main fait de cette petite fille une dame, et une vieille chemise de nuit suffit à la transformer en reine ou en mariée.

Observer et écouter Bien que votre enfant paraisse toujours en mouvement, il est important pour son éducation future qu'il découvre aussi les jeux qui demandent plus de réflexion que de force et qu'il apprécie d'observer et d'écouter sans avoir à agir. C'est la participation de l'adulte qui aide l'enfant à comprendre et à se concentrer.

Votre attention l'aide à rester concentré.

Les livres. Ils sont essentiels à l'éducation. En faire un élément familier et savoir les choisir sont donc importants.

Les livres d'images. Il a besoin d'images claires et précises représentant des gens et des objets qu'il puisse pointer du doigt et apprendre à nommer.

Les livres en tissu. Ils sont particulièrement pratiques lorsqu'il lit tout seul et surtout au moment de la sieste ou au petit matin, quand il est dans son lit.

Les livres avec des histoires. Tous les enfants ont besoin d'histoires avec de larges illustrations riches en détails, et des adultes pour les lire. Apprenez à adapter les mots difficiles, à couper les passages ennuyeux et à fournir des explications. Étudiez chaque image en détail avec lui et encouragez-le à reconnaître les personnages et les événements. Il est nécessaire de commencer par «lire» les images avant de lire les textes. Accentuez bien les mots intéressants, exagérez et appuyez les passages drôles : votre enfant n'a pas besoin de comprendre tous les mots pour les trouver extrêmement drôles.

Les livres enrichissent son développement.

Les livres de référence. Dès qu'il commence à poser des questions sur tout ce qui l'entoure, il est bon qu'il sache qu'on peut trouver les réponses dans les livres.

Les livres que vous lisez vous-même. Voir que vous aimez lire lui prouve que la lecture n'est pas juste une occupation pour les enfants.

Aidez-le à suivre le rythme.

Les livres-cassettes. Ces cassettes sont très utiles en voiture, par exemple, et plus tard peuvent être associées à un livre dont il tourne lui-même les pages.

La musique. Le sens du rythme semble inné chez la plupart des enfants, mais le goût pour la musique peut aussi s'apprendre. Écoutez avec votre enfant vos propres disques aussi bien que les chansons pour enfants et les comptines. Encouragez-le à danser et à applaudir. Aidez-le à entendre comment la mélodie monte et redescend et à la sentir physiquement. Quand il commence à chanter les chansons qu'il reconnaît, il est prêt pour de nouveaux instruments. Vous pouvez lui donner deux couvercles de casseroles ou un tambourin, mais il aimera aussi des instruments plus mélodieux. Frapper les touches d'un piano est rigolo, mais un bon xylophone ou un clavier électronique sont plus simples à utiliser.

La télévision et les vidéos. En général, ils sont assez indifférents à la télévision. Tout va trop vite, ils n'ont pas le temps de comprendre ce qui s'y passe et se sentent vite perdus. Lorsqu'ils sont collés à l'écran, ils sont en réalité hypnotisés par le bruit, les couleurs et le mouvement. Mais il existe quelques programmes pour les enfants de trois à cinq ans dont votre enfant peut comprendre l'histoire, les mots ou les chansons, surtout si vous les regardez avec lui. On commence aussi à trouver des vidéos qui remplissent le même rôle que les livres d'histoires, révélant un peu plus de détails à chaque visionnage.

Le théâtre. Si un centre de loisirs ou une bibliothèque propose des spectacles pour petits (de marionnettes ou de magie), votre enfant les appréciera sans doute, surtout s'il y va avec ses aînés ou ses amis. Il découvre la magie d'être dans le public et de participer. Si vous trouvez une vraie pièce conçue pour les enfants de son âge, ne la manquez pas. Les pièces pour les petits sont rares mais elles sont souvent excellentes.

La peinture, le dessin, les collages

Donnez-lui l'occasion d'utiliser son pinceau.

Essayez les bouchons et les pommes de terre.

Peu importe le résultat, c'est la manière qui compte.

Il n'est pas trop tôt la deuxième année pour ces activités, tant que vous n'attendez pas de votre enfant qu'il utilise un pinceau, des crayons et des ciseaux.

La peinture. Le but est de mettre de la peinture sur du papier. Il ne va évidemment pas reproduire quoi que ce soit. Il peint, simplement.

Peindre avec les doigts. À moins que votre enfant n'ait peur de voir sa main couverte de peinture, il se sert d'abord de ses doigts. Cela lui épargne l'effort de tenir et de diriger le pinceau et élimine les barrières entre ces matières colorées et épaisses et lui. Habillez (ou dés-habillez !) votre enfant et protégez l'entourage comme s'il jouait avec de la glaise. Mettez un peu de chaque couleur (ils préfèrent souvent le noir) sur une palette, posez un grand papier devant lui et encouragez-le à mettre les mains dans la peinture, à mélanger les couleurs et à voir comment elles se modifient.

Peindre avec une éponge. Cette méthode est facile et drôle, tout comme faire des marques avec des objets de différentes formes et matières. Les empreintes de mains sont souvent les plus drôles et font de merveilleuses cartes postales à envoyer aux amis et à la famille.

Peindre avec un pinceau. Avec un pinceau, il vaut mieux peindre sur un chevalet que sur une table. Il est hors de question d'attendre de lui qu'il rince ses pinceaux entre les couleurs, il lui faut donc un pinceau par pot. Même ainsi, tout finira dans un brun indescriptible.

Dessiner. Lorsqu'il commence à dessiner, il fait un premier pas vers l'écriture, mais ce premier pas est terriblement difficile et frustrant pour la plupart des enfants de son âge. Éveillez son intérêt en des-sinant pour lui. Faites apparaître un chat ou tout ce qu'il vous demande. Vous n'avez pas besoin d'être particulièrement douée pour le dessin ! Donnez-lui des pastels épais dès qu'il peut les tenir dans sa main et de grandes feuilles de papier. Les grands rouleaux de papier à dessin sont bon marché. Aidez-le à découvrir qu'il pourra vite réussir à faire des gribouillages.

Les feutres. Si votre enfant aime peindre mais a toujours du mal à tenir un pinceau, s'il a envie de dessiner mais est incapable d'appuyer assez fort sur le papier, alors de gros feutres, non toxiques, conçus pour les enfants, sont un bon compromis. Ils sont aussi colorés que la peinture et plus pratiques que des crayons. Malheu-reusement, ils sèchent si on ne remet pas le bouchon et ne sont pas *totalement* lavables.

Les autres surfaces. Pour changer, il peut dessiner sur un tableau noir avec des craies de couleur, ou sur un tableau blanc en plastique avec des marqueurs. Il vaut mieux éviter de placer les tableaux sur les murs ou d'autoriser les dessins à la craie sur le béton extérieur. Comment pourrait-il résister aux autres murs ?

Faire des collages (ou des découpages). Votre enfant n'est pas encore capable de couper avec des ciseaux ou de coller des petits bouts de papier pour faire de vraies images. Mais il n'est pas trop tôt pour qu'il s'amuse à faire ce qu'il *peut* avec du papier, et d'autres matières, et un tube de colle lavable. Si vous lui découpez des bouts de papier de toutes les couleurs et des morceaux de papier d'aluminium, de velours et de ficelle, il sera ravi de les enduire de colle. Montrez-lui comment déchirer de la ouate, il en ajoutera quelques nuages. Et si vous lui dévoilez comment poser des lentilles et des pâtes *sur* la colle, il mêlera vite art et création culinaire.

DEVENIR UN ENFANT

Cet enfant n'est désormais plus un bébé, mais c'est toujours *votre* bébé. Se sentir apte – et autorisé – à se tenir debout mais aussi à se remettre à quatre pattes de temps en temps l'aide à gérer cette ambivalence et à progresser régulièrement. Même si votre enfant est moins indépendant que vous ne le souhaitez, essayez de ne pas trop le pousser. Un enfant de cet âge «indépendant» est une contradiction en soi.

Aujourd'hui, on demande beaucoup aux enfants de deux ou trois ans. Pour la plupart, cela ne pose pas de problème, mais certains ont du mal à supporter cette pression. Le rythme de la vie moderne, associé à une conscience plus aiguë de l'importance de l'éducation dès les premières années, fait que beaucoup de tout-petits de deux ans passent plus de temps au service de garde qu'un enfant de dix ans à l'école. Les programmes pédagogiques et les exigences sociales d'aujourd'hui correspondent à ce qu'on croyait approprié, il y a quelque temps, à une demi-journée d'un enfant de trois ans. Beaucoup passent encore au moins une partie de la journée chez eux, bien sûr, mais le manque d'espace, de frères et sœurs et de voisinage amical oblige souvent les parents à avoir recours à des services extérieurs, qui sont, pour la plupart, «éducatifs». Quel que soit le goût de votre enfant pour les leçons de natation, de musique ou de danse, ne perdez pas de vue le fait qu'il n'y apprend pas seulement des compétences spécifiques mais doit aussi développer un lien social avec son professeur. Peut-être y parvient-il, mais ce n'est pas sûr. C'est demander beaucoup à un enfant de cet âge. Si vous êtes à la maison avec deux enfants de moins de trois ans, et que ce cours hebdomadaire est une de vos rares pauses, il peut être difficile d'accepter que l'enfant qui ne participe pas ou à qui tout le monde demande de se concentrer n'est pas paresseux, mais que simplement on exige trop de lui. Essayez de lui trouver une activité moins contraignante.

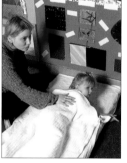

Beaucoup d'enfants de deux ans passent plus de temps au service de garde que les enfants de dix ans à l'école.

Avoir de grandes attentes pour son enfant n'est pas un mal, s'il a envie, et est capable, de les combler. En réalité, l'une des meilleures façons de faciliter son entrée dans l'enfance est de partir du principe qu'il est intelligent et raisonnable, coopératif et gentil, et de réagir avec étonnement et compassion lorsque les événements suggèrent le contraire. Les attentes qui le mettent en compétition avec les autres sont encore un autre problème. «Les enfants qui se développent vite aujourd'hui sont ceux qui iront loin demain» est une idée reçue dont il faut se méfier. Tel «jouet éducatif» est conçu pour les enfants de douze à vingt-quatre mois, mais un enfant de deux ans peut très bien s'en désintéresser sans qu'il lui manque quoi que ce soit. Il est sans doute occupé à autre chose ou peut-être ce jouet est-il mal conçu et ennuyeux. «Nous voulons que tous les enfants de trois ans connaissent les couleurs et les jours de la semaine», dit la directrice de la meilleure prématernelle de la ville. Est-ce vraiment un bon critère pour en faire *la meilleure*? La fierté et la joie de votre enfant à apprendre des comptines ou à aller sur le pot (presque toujours) à temps ne doivent pas être ternies par son incapacité à différencier ce tee-shirt rouge de cet autre jaune.

Le développement de l'enfant est un processus, pas une course. On ne gagne pas de prix en allant plus vite ou en arrivant le premier. Plus vous en serez convaincue, plus l'entrée dans l'enfance sera facile pour tout le monde. Vous avez une grande influence sur lui, mais il n'y a aucune raison de vous empresser à faire de ce bébé dépendant une personne compétente : le processus naturel de développement se fait au rythme qui lui est le plus approprié. Ne dépensez pas toute votre énergie et tout votre temps à agir et à réagir. Sachez aussi être le spectateur affectueux et admiratif des efforts qu'il fait pour se débrouiller tout seul, ainsi que son compagnon de jeu et son soutien de chaque instant.

APPRENDRE DÈS LE PLUS JEUNE ÂGE

Votre enfant apprend de vous, et avec vous, depuis sa naissance, et il en sera longtemps ainsi, que vous en soyez consciente ou non. Mais alors que la crise de personnalité qu'il vient de traverser s'achève et que le langage apparaît, vous permettant de mieux comprendre son mode de pensée plutôt complexe, vous allez envisager son éducation au sens plus formel du terme. Il est certain qu'une «bonne éducation» est importante pour son bonheur futur, mais, en dépit de la mode croissante des divers tests d'évaluation et de performance, essayez de ne pas mettre sur un pied d'égalité éducation et apprentissage scolaire à ce moment de sa vie, et de ne pas évaluer son éducation aux succès qu'il remporte dans ses examens, à n'importe quel âge.

Dès que l'école devient plus un but qu'un outil, on a vite tendance à donner trop d'importance aux enseignements concrets qu'elle offre – lire, écrire et compter, par exemple – et à se persuader qu'il est capital de donner un peu d'avance à son enfant : « Lorsque mon enfant ira à l'école, il apprendra à lire et à écrire. S'il a déjà commencé à apprendre à lire et à écrire à la maternelle, il sera bon à l'école dès le début. S'il doit apprendre à lire et à écrire à la maternelle, il vaut mieux qu'il commence par aller au service de garde afin d'être bien préparé à entrer à la maternelle. Peut-être puis-je persuader le service de garde de le mettre dans le groupe des plus vieux un peu plus tôt pour voir s'il est prêt. Mais sera-t-il prêt ? Il vaudrait mieux trouver une classe d'éveil pour les enfants de son âge afin qu'il s'habitue tout de suite... » Votre enfant sera plus détendu et aura plus confiance en lui si vous laissez chaque étape de son éducation se faire à son rythme. Les services de garde ou les classes de maternelle prennent soin d'adapter leur approche pédagogique aux différents âges des enfants. De la même façon, l'âge légal d'entrée à l'école a été fixé à cinq ans car les pédagogues pensent que cinq ans est l'âge le plus approprié pour commencer une éducation plus formelle et scolaire. Il ne sert donc à rien de vouloir tout faire plus vite et plus tôt.

Apprendre à la maison Si vous vous laissez guider par votre enfant, vous ne pouvez pas débuter trop tôt ou avancer trop vite. Mais si vous le poussez sans cesse, vous risquez de le dégoûter de toute forme d'enseignement. Vous vous demandez combien de temps y consacrer ? Autant que votre enfant vous y invite.

Un enfant de deux ans ne va pas vous inviter à vous asseoir avec des manuels pour lui apprendre à lire, mais il est sans doute déjà fasciné par les trésors que le facteur apporte, il se met peut-être en colère quand tout le monde disparaît derrière son journal et s'étonne de vous voir si absorbée par un livre sans images. Faites-le pénétrer dans le secret de la lecture et laissez-le décider, plutôt qu'accepter, de s'intéresser à cette activité « de grand ». Si, au départ, le jeu consiste à lire les panneaux publicitaires et les panneaux de circulation, jouez avec lui autant que possible. Beaucoup d'enfants peuvent reconnaître « sortie », « stop » et « toilettes » bien avant qu'il ne vous vienne à l'idée de le leur apprendre. Lorsque votre enfant comprendra que ces gribouillis ont un sens, qu'ils constituent un système de communication utile et amusant, il essaiera peut-être de suivre du doigt les mots que vous lisez à haute voix pour lui et voudra voir son nom écrit partout, de sa porte à son tee-shirt. Mais peut-être qu'il n'en fera rien. Peu importe. C'est son intérêt pour le processus de la lecture qui est important, pas ses réels progrès de lecteur.

Si votre enfant vous montre qu'il est prêt pour un enseignement plus formel, essayez de lui faire découvrir des choses intéressantes par lui-même, plutôt que d'exercer sa mémoire – qui progresse lentement – à répéter comme un perroquet. Dire : « Un, deux, trois, quatre, cinq… », ce n'est pas compter, s'il ne sait pas que ces mots permettent de dénombrer les choses et s'il ne peut appréhender les différences entre les groupes qu'ils représentent. Ce n'est encore qu'un chant ennuyeux et superflu. Laissez votre enfant nommer les objets qu'il compte plutôt que les nombres eux-mêmes. S'il peut aller chercher « une cuillère pour toi, une cuillère pour moi et une cuillère pour papa », il trouvera bientôt le mot « trois » dont il a besoin. Puis il découvrira que quatre vient après trois le jour où il devra sortir une cuillère supplémentaire pour sa grand-maman. Et, une fois que votre enfant s'intéresse aux nombres, il ne va pas juste compter, mais ajouter, retirer et diviser (ou partager).

Élargir son horizon Plus votre enfant grandit, plus il a d'énergie pour découvrir le vaste monde. Mais il ne peut pas s'intéresser à ce qu'il n'a jamais vu, ou se lancer dans des activités auxquelles il n'a encore jamais pensé. C'est donc à vous de lui présenter tout ce qui est à sa disposition. Que vous le fassiez vous-même ou par l'intermédiaire de sa gardienne, il faut offrir à votre enfant des occasions de faire de nouvelles expériences, grandes et petites. C'est un moyen essentiel et agréable de lui faciliter l'entrée dans l'enfance. Gardez bien à l'esprit toutefois que votre rôle est d'offrir, d'expliquer et peut-être de faire une démonstration, mais que c'est à lui d'accepter ou de rejeter. Si vous lui achetez un jouet qu'il n'a pas demandé parce qu'il n'en connaissait pas l'existence, vous devrez peut-être lui en expliquer le fonctionnement et les possibilités, mais, ensuite, c'est votre enfant qui décide s'il va l'utiliser de cette façon, ou autrement, ou pas du tout.

Il en va de même lorsque vous l'emmenez pour la première fois à la bibliothèque et lui proposez de prendre autant de nouveaux livres qu'il veut. Vous espérez qu'il aimera les livres et vous essayez toujours de leur donner un rôle divertissant. Mais vous ne devez pas le contraindre à écouter une histoire quand il a visiblement envie de

Les promenades quotidiennes élargissent les ressources de votre enfant sans épuiser les vôtres.

faire autre chose. Il est important de lui proposer des activités variées, mais encore plus important de le laisser s'y intéresser tout seul. Il n'aurait pas pu inventer l'idée d'une immense piscine pleine d'eau dans laquelle se baigner, mais il va très vite adorer et apprendre à nager – ou détester et s'enfuir à toutes jambes dans son maillot tout neuf. Plus vous lui faites découvrir d'idées et d'activités nouvelles, plus il a le choix – si vous le laissez vraiment choisir. L'histoire du père criant à son petit garçon sur la plage : « Je t'ai amené ici pour que tu te baignes, alors maintenant, *baigne-toi* » illustre parfaitement la pression qu'on peut mettre involontairement sur un enfant en exigeant d'être récompensé de nos dépenses (d'argent, d'efforts, de temps) par son plaisir. Selon votre personnalité et votre humeur, vous faites plus ou moins de sacrifices pour lui, mais cela ne peut en aucun cas lui créer d'obligations. Si un après-midi au zoo vous coûte un temps si précieux que vous seriez terriblement déçue de voir qu'il s'intéresse plus aux pigeons et aux gens qu'aux pingouins et aux paons, emmenez-le plutôt au parc de votre quartier.

Jouer avec d'autres enfants À cet âge, les enfants ont de plus en plus besoin d'être en contact avec d'autres enfants, mais il est souvent difficile de trouver la bonne mesure. S'il est toute la journée au service de garde, il passe plus de temps en groupe que vous ne le souhaiteriez. S'il est votre troisième enfant après des jumeaux, il semble toujours tenu à l'écart. Si c'est votre seul enfant et qu'il est gardé chez lui, il ne connaît pas encore les joies de l'amitié et les possibilités de jeu qu'offre un groupe. Dans les familles peu nombreuses, avec des parents qui travaillent et qui doivent faire garder les enfants qui ne vont pas encore à l'école, et dans un environnement qui leur est globalement peu favorable, les enfants n'ont que rarement l'occasion de se retrouver avec leurs égaux. C'est aux adultes de veiller à créer ces occasions. Les calendriers familiaux accrochés dans les cuisines ont d'ailleurs souvent plus d'entrées pour l'enfant de deux ans que pour les parents.

Les activités **Les différents lieux qui accueillent des enfants de cet âge sont conçus
*collectives*** autant pour le bénéfice des enfants que pour celui des adultes. Leur
but est d'offrir aux parents un lieu agréable où se rencontrer et aux
enfants des activités et des jeux divers qui les occupent pleinement
pendant que les adultes se détendent. Dans la plupart des villes, il
existe des lieux de ce type pour les parents et les petits enfants.
Quelques-uns sont plus spécialement conçus pour les enfants qui
nécessitent une attention particulière. Décrire toutes les variétés de
centres de loisirs pourrait laisser croire qu'on en trouve en quantité
suffisante partout. En réalité, une petite région peut en proposer un
large choix et une autre n'en avoir qu'un, et de grandes régions
rurales aucun.

Si vous pouvez trouver une association ou un groupe informel
constitué de familles qui se réunissent une ou deux fois par semaine,
cela suffit à introduire votre enfant à la vie sociale et développe
la vôtre.

Un groupe de parents ou
un service de garde offrent
la compagnie dont votre enfant
commence a avoir besoin.

Avoir un nouveau bébé

Bien que votre enfant ne soit plus un bébé, il est toujours important qu'il puisse se sentir *votre* bébé. Être évincé de cette position par un nouveau petit frère ou par une petite sœur est un événement somme toute banal mais qui se transforme souvent en épreuve sur le chemin qui mène à l'enfance. Cela ne signifie pas pour autant qu'il serait injuste d'avoir un bébé maintenant. Vous avez absolument le droit d'avoir un autre enfant quand vous en avez envie (ou quand cela vous arrive). L'intervalle idéal n'existe pas aux yeux de l'enfant. Qu'il ait un an ou quatre ans lorsque le nouveau bébé arrive, il ne l'aime pas, mais il finira par s'en arranger et vous avez même tout à fait raison de penser qu'un jour il sera content que vous l'ayez eu.

Les parents qui aiment un enfant et en attendent avec impatience un autre trouvent souvent insupportable l'idée que l'aîné puisse être jaloux ou rancunier. Il est naturel que vous souhaitiez que votre enfant partage l'enthousiasme de la famille, mais vous comporter comme s'il était lui aussi impatient et déjà prêt à l'aimer ne va pas le convaincre. Les choses se passeront plus facilement si vous affrontez la réalité : vous demandez à votre enfant d'accepter de se sentir supplanté. Quoi que vous fassiez, cela lui sera difficile.

Juste pour rire, imaginez un mari annonçant à son épouse qu'il va se marier avec une autre femme qui vivra avec elle, dans sa maison. S'il utilise les mots qu'on sert en général aux petits enfants pour leur annoncer la venue d'un bébé, que va ressentir sa femme ? Adouciront-ils vraiment la situation ?

LE PARENT À L'ENFANT	LE MARI À SA FEMME
« Nous allons avoir un nouveau bébé, chéri, parce que nous pensons qu'il est bien pour toi d'avoir un frère ou une sœur avec qui jouer. »	« Je vais avoir une deuxième femme, ma chérie, parce que je pense qu'il est bien pour toi d'avoir un peu de compagnie et d'aide à la maison. »
« Nous t'aimons tellement que nous sommes impatients d'avoir un autre petit bébé aussi merveilleux. »	« Je t'aime tellement que je suis impatient d'avoir une autre femme aussi merveilleuse. »
« Ce sera notre bébé à tous les trois et nous nous en occuperons tous ensemble. »	« Ce sera notre femme à tous deux et nous nous en occuperons ensemble. »
« Je vais vraiment avoir besoin que mon petit garçon/ma petite fille m'aide à veiller sur ce petit bébé. »	« Je vais vraiment avoir besoin de mon ancienne épouse pour m'aider à veiller sur cette nouvelle femme. »
« Je ne vais pas moins t'aimer. Nous nous aimerons tous autant. »	« Je ne vais pas moins t'aimer. Nous nous aimerons tous autant. »

Nous aimerions suffire aux personnes que nous aimons. Lorsqu'elles en désirent une autre, nous nous sentons jaloux et exclu. Vous devez donc accepter que votre enfant ressente la même chose. Plutôt que de vouloir à tout prix qu'il se réjouisse à l'idée d'un événement qu'il ne peut ni comprendre ni espérer, donnez-lui les moyens de gérer cette situation. Assurez-vous que les relations entre tous les membres de la famille sont aussi bonnes que possible avant l'arrivée du bébé. Développez les aspects de sa vie pour lesquels il ne dépend pas trop de vous et faites de votre mieux pour ne pas trop exiger de lui – de l'utilisation du pot à l'acceptation d'une nouvelle gardienne. Il faut que, bien avant que le bébé ne débarque chez lui, il ait l'impression d'être compétent et de pouvoir répondre à toutes vos attentes.

Annoncer la nouvelle à son enfant Si votre enfant a environ dix-huit mois lorsque le bébé naît, il est encore vraiment un bébé lui-même et il n'y a pas grand-chose à faire pour le préparer. Il va inévitablement être surpris, et probablement furieux, lorsque vous allez quitter la maison puis revenir avec quelqu'un d'autre à qui vous donnerez beaucoup de votre attention. D'un autre côté, son jeune âge l'aide à oublier très vite qu'un jour il a été le seul bébé. Et s'il est trop petit pour qu'on lui explique l'arrivée du bébé, il est aussi trop petit pour suggérer qu'on le renvoie chez lui ! S'il devient vraiment très colérique, vous vous demanderez si c'est l'arrivée de ce bébé qui l'a transformé. Mais, comme personne ne saura jamais comment il se serait comporté sans cet événement, il ne sert vraiment à rien de vous inquiéter à ce sujet.

Si l'intervalle entre les deux enfants est de deux ans ou plus, votre aîné comprend au moins le sens général de ce que vous lui dites maintenant, et son langage va encore incroyablement progresser au cours des mois prochains. Parlez-lui du bébé même s'il ne comprend que la moitié de ce que vous lui dites. Cette moitié vaut mieux que rien et beaucoup mieux que de ne pas essayer.

Ne commencez pas trop tôt cependant. Votre enfant ne comprend pas ce que représentent les mois. Et s'il arrivait un problème pendant la grossesse, pourquoi ajouter à votre chagrin la lourde tâche d'expliquer l'inexplicable ? Profitez des premiers mois pour lui parler de la famille, des frères et sœurs de ses camarades, et si vous croisez de tout petits bébés, essayez de les lui montrer, en particulier lorsqu'ils sont allaités. Si vous pouvez lui faire accepter le fait que la plupart des familles ont plus d'un enfant, il vivra peut-être moins l'arrivée d'un second enfant dans la sienne comme une punition (ou une trahison).

Soyez la première à lui annoncer la nouvelle. Lui dire au bout de six mois est probablement l'idéal, si vous pensez qu'aucune allusion n'échappera à vos amis ou qu'aucun commentaire sur vos formes ne sera fait en sa présence. De lui-même, il ne remarquera sans doute rien, tant que votre ventre ne l'empêche pas de s'asseoir sur vos genoux.

Aménager un espace pour le nouveau venu Essayez d'éviter tout ce qui renforce son impression d'être exclu. Arrangez-vous à l'avance pour que le nouveau bébé n'envahisse pas son espace. S'il dort dans votre lit, par exemple, soit vous vous résignez à dormir avec les deux enfants, soit vous persuadez le plus grand de dormir dans son propre lit longtemps à l'avance. S'il dort dans son lit, réfléchissez bien avant de lui offrir son lit de grand pour libérer le lit à barreaux. Faites en sorte que celui-ci reste assez longtemps vide – plusieurs mois – pour que l'enfant l'oublie et ne le perçoive plus comme étant à lui. Mais s'il n'est pas prêt maintenant, il le sera encore moins lorsque le bébé sera né. Si les deux enfants ont moins de deux ans, mieux vaut avoir deux lits à barreaux.

Si vous l'allaitez encore, réduisez la fréquence et arrêtez le plus rapidement possible, même si votre production de lait ne semble pas affectée par votre grossesse et que personne ne vous pousse à le sevrer. Un enfant qui non seulement se souvient de votre sein (ce qui est fort probable) mais le réclame encore sera très fâché de vous voir allaiter le nouveau bébé.

Tous les changements de mode de vie doivent être prévus de longue date, surtout s'ils concernent directement votre enfant. Si vous vous apprêtez à avoir une aide à la maison pour la première fois, ou si vous n'avez plus recours à une gardienne et gardez vos deux enfants chez vous pendant le congé de maternité, mettez en place cette nouvelle organisation plusieurs semaines à l'avance, même si cela vous coûte un peu d'argent. S'habituer à la présence d'un étranger dans la maison en même temps qu'au bébé peut être une véritable source de stress, et vous ne voulez certainement pas qu'il pense que vous restez à la maison pour vous occuper du bébé alors que vous ne l'auriez pas fait juste pour lui.

Faites tout pour que la vie de votre enfant séparé de vous se passe bien. Si vous aviez prévu de le mettre à la prématernelle et que ses trois ans coïncident avec l'arrivée du bébé, il est préférable de commencer un peu plus tôt.

Essayez de constituer un réseau d'amis avec lesquels il aime jouer et de familles chez qui il aime aller. Il faut qu'il ait des activités qui lui permettent de penser à autre chose qu'à vous et au bébé, des endroits où s'échapper et des moyens de se prouver à lui-même à quel point il est différent de ce nouveau venu.

Prévoyez les quelques semaines avant et après la naissance. Autant l'habituer maintenant à ce qu'il devra accepter plus tard. Si vous accouchez à l'hôpital et qu'il doit passer une nuit ou deux avec sa grand-mère, emmenez-le plusieurs fois chez elle et faites de ces visites des moments agréables. Si c'est son père qui va s'occuper de lui alors qu'il est rarement présent habituellement, assurez-vous qu'il sait comment lui préparer son jambon et qu'il connaît le nom de ses peluches. Ces petits détails seront essentiels quand vous lui manquerez.

Où que vous accouchiez, quelqu'un devra s'occuper en grande partie de lui pendant une semaine ou deux. Deux parents pour deux enfants semble la solution idéale, mais si cette situation est nouvelle pour votre conjoint, aidez-le à s'y intégrer. Rien n'est plus démoralisant qu'un enfant qui gémit «Je veux ma maman» dès que le père propose son aide – et cela ne fait pas de bien non plus à votre lactation.

L'arrivée du bébé Dites à l'enfant où est le bébé (pour le moment) et aidez-le à le sentir bouger. Une fois qu'il a accepté (de gré ou de force) le fait qu'un bébé est sur le point d'arriver, l'évidence physique de son existence l'aide à concevoir cette réalité et à s'y intéresser.

Rendez ce bébé encore plus réel en discutant du prénom et en faisant des spéculations sur son sexe, mais ne lui décrivez pas comme

Un bébé qu'on peut entendre devient plus réel et plus intéressant.

«un frère ou une sœur avec qui tu pourras jouer». Ce ne sera pas le cas pendant des mois. C'est *votre* bébé et il faut qu'il le sache. Expliquez bien à quel point il sera dépendant, à quel point il va pleurer et mouiller ses couches. Dites-lui qu'il était exactement comme cela lorsqu'il était petit, montrez-lui des photos de lui bébé et racontez-lui des anecdotes sur cette période, comme le jour où il a fait pipi sur la robe de grand-maman ou celui où il a mordu le médecin. Le but est de lui inculquer une attitude tolérante et amusée d'aîné.

Gardez les solutions prévues pour le moment de l'accouchement pour vous tant que vous n'en êtes pas absolument sûre. Et même alors, faites attention aux promesses intenables. Si vous aviez promis d'avoir votre bébé à la maison, votre départ à l'hôpital sera vécu comme une trahison. Si vous aviez promis d'être absente seulement vingt-quatre heures, les jours supplémentaires dus à une césarienne lui paraîtront des mois. Jouez la sécurité, restez vague.

Si vous prévoyez avoir votre bébé chez vous, pensez à ce que cela implique pour votre aîné. Bien sûr, vous souhaitez qu'il participe à cet événement familial, mais il est sans doute préférable pour vous deux qu'il ne soit pas présent au moment précis de la naissance – ou de la deuxième phase du travail, ou de la délivrance ou même des pénibles contractions… En réalité, à moins d'être extrêmement chanceuse, vous aurez besoin de toute votre concentration (et de celle de votre partenaire) une fois le travail commencé, sans le souci de protéger les sentiments de votre enfant. De toute façon, un accouchement n'est pas un spectacle. Le sang, la sueur et les larmes sont assez difficiles à supporter pour la plupart des adultes ; imaginez l'effet que cette scène peut avoir sur un enfant de trois ans, spécialement lorsqu'il s'agit de *sa maman*. Il faut que, chez vous, une personne ait pour unique priorité de s'occuper de *lui*, avec beaucoup de tact et de bonnes idées de jeux et d'activités qui retiendront toute son attention aux bons moments.

Si vous accouchez à l'hôpital, dites au revoir à votre enfant avant de partir, même si vous devez le réveiller. C'est un peu dur pour la personne qui doit veiller sur lui le reste de la nuit, mais il vaut bien mieux qu'il affronte votre départ à 2 heures du matin plutôt que de se réveiller à 7 heures et de constater votre désertion.

Ne lui promettez pas qu'il pourra venir vous voir à l'hôpital, même si les visites des enfants sont autorisées. Si votre absence dure plus de vingt-quatre heures, venir vous voir peut l'aider, mais seulement si vous ressemblez à ce qu'il connaît de vous. Si vous avez une perfusion, ou tant de points de suture que vous ne pouvez bouger sans souffrir, autant attendre un peu.

Le retour à la maison Lorsque vous rentrez chez vous, n'oubliez pas que c'est vous que votre enfant veut voir, pas le bébé. Il va devoir accepter sa présence et l'attention que vous lui portez, mais laissez-le d'abord se réjouir de votre retour. Entrez dans la maison toute seule pour l'embrasser, en laissant le nouveau venu à quelqu'un d'autre pour quelques minutes.

À moins que votre enfant ne soit déjà habitué à l'allaitement, essayez de lui montrer comment le bébé se nourrit avant votre montée de lait. Si vos seins sont engorgés, la douleur et le fait que votre bébé ait du mal à téter ne vous laisseront pas beaucoup d'attention libre. Si votre enfant a aussi été allaité, rappelez-le-lui. Il voudra sans doute voir des photos de lui en train de téter. Plus tard, lorsqu'il verra vraiment le lait couler, il vous demandera probablement de goûter. Il ne désire sans doute pas téter, mais, si c'est le cas, vous ne devez pas le laisser faire si l'idée vous gêne. Mais vous pouvez, en revanche, lui donner une goutte sur votre doigt pour qu'il puisse réaliser qu'il ne manque pas un délicieux nectar.

Vous allez bien sûr essayer de faire autant de choses qu'avant avec lui, mais, inévitablement, ce ne sera pas toujours possible et, évidemment, ce seront souvent les cris du bébé qui feront obstacle. Dans ces moments-là, la meilleure chose à faire est d'être sincère et de dire à votre enfant que vous comprenez ses sentiments : « Je sais que tu m'attends et je suis désolée que cela te mette en colère, mais je dois d'abord nourrir le bébé. Je sais que cela te semble injuste, mais les petits bébés ne peuvent pas attendre leur repas. Je dois donc y aller tout de suite. Ensuite il dormira et nous pourrons jouer. »

Il est important de faire comprendre à votre enfant que vous êtes responsable du bébé et que vous ne le négligerez jamais – même pour lui. Même s'il semble souvent souhaiter passer en premier, il serait vraiment terrifié si cela arrivait. Après tout, si vous ignorez les pleurs du bébé juste pour jouer, comment peut-il être certain que rien ne pourra jamais vous faire ignorer *sa* détresse ?

Acceptez toutes les fois où il vous propose son aide, mais n'usez pas trop de la réplique : « Tu es grand maintenant. » Il ne se sent peut-être pas grand du tout. En réalité, se sentir grand est l'origine de tous ses soucis. S'il était tout petit, vous n'auriez pas voulu ce vilain bébé ou, au moins, il bénéficierait d'autant d'attention que lui. Devoir vous aider pour vous faire plaisir pourrait bien devenir la petite goutte…

Laissez-le se comporter encore en bébé de temps en temps et faites-lui sentir qu'il n'a pas à « grandir » pour avoir votre approbation et que vous l'aimez de tout votre cœur même s'il décide d'être encore

Quand le nouveau bébé arrive, l'aîné a aussi besoin d'être traité un peu comme un bébé.

plus bébé que le nouveau-né. Vous pouvez lui proposer un bain dans la baignoire en plastique ou une lingette pour son visage. Cajolez-le, caressez-le et chantez-lui des berceuses. Cela peut vous paraître absurde, mais ça ne l'est pas à ses yeux. Vous lui faites ainsi comprendre que, bien que le bébé bénéficie de beaucoup de vos soins, il ne lui retire rien de ce qu'il peut avoir. Simplement, il a grandi et a besoin d'autre chose. Il ne se dit pas : « Ce lait m'est interdit » mais : « Je suis assez grand pour avoir du jus de pomme. »

Minimisez non seulement son sentiment de jalousie mais aussi la culpabilité qu'il engendre en lui. Ne lui demandez pas, par exemple, d'aimer le bébé. Cela lui est impossible. Il pourrait prétendre l'aimer tout en s'inquiétant intérieurement de votre colère si vous découvriez ses véritables sentiments. Il vaut mieux accepter, et même suggérer, que le bébé est une gêne considérable pour lui pour le moment, tout en lui garantissant qu'avoir un frère ou une sœur est assez normal et qu'un jour ou l'autre, ils seront amis. Protégez-le, autant que le bébé, du mal qu'il pourrait lui faire. Il se sentirait affreusement coupable même si vous ne lui faisiez pas de reproches et lui assuriez qu'il s'agissait d'un accident. Soyez vigilante lorsqu'il s'en approche et instaurez des règles précises et inviolables sur la possibilité de porter ou non le bébé. Vous pouvez aussi utiliser un filet anti-chat (qu'il croira destiné au chat) pour empêcher balles et cubes d'atterrir, par accident ou volontairement, dans le berceau.

Présentez-lui les vrais avantages de sa position de « grand » pour équilibrer les inévitables inconvénients. C'est peut-être le moment de lui donner de nouveaux privilèges, correspondant à son âge et à ses envies. Veiller un peu plus tard le soir, par exemple, ou partir en promenade tout seul avec papa le dimanche. Un père qui a envie et qui a la possibilité de jouer un rôle actif auprès des deux enfants peut vraiment avoir une grande influence sur les réactions de l'aîné. Avec deux parents pour deux enfants, le tiraillement entre les besoins respectifs est nettement moins fort et moins pénible : le papa peut s'occuper du bébé quand vous faites quelque chose avec le plus grand et être là pour lui lorsque le bébé demande à téter au mauvais moment. Même les pères qui ont toujours été proches de leur premier enfant affirment que cette période de transition familiale a renforcé leur relation. L'enfant est inquiet, et comme il se sent abandonné par sa mère, il se tourne vers son papa.

Restaurer l'équilibre   Quelle que soit la violence de la réaction de votre enfant à l'arrivée du bébé, il finira par l'accepter et même par retirer quelque chose de cette nouvelle constellation familiale (même si cela vous paraît improbable pour le moment). Pour favoriser ce processus, faites en sorte que votre enfant sente que le bébé *l'aime*. Nous avons tous plus de facilité à aimer quelqu'un qui nous aime aussi, et votre enfant sera plus disposé à avoir de l'affection pour son petit frère si celui-ci fait les premiers pas.

Heureusement, c'est une tâche assez facile à accomplir, car vous savez (mais pas votre enfant) que le bébé sourira à toute personne (surtout un enfant) qui sourit et qui fait du bruit. Il vous suffit ensuite d'en rajouter un peu : « C'est vraiment Marie qu'il préfère », direz-vous aux visiteurs admiratifs. Lorsque votre enfant aura

Est-ce que les enfants uniques sont des enfants solitaires?

Nous avons un garçon de vingt-six mois dont nous sommes fous, mais ni mon compagnon ni moi n'avons envie d'un autre enfant. Nos raisons sont assez égoïstes : nous apprécions notre mode de vie et nous savons que nous ne pourrions offrir la même chose à deux enfants. Mais nous ne voulons pas être égoïstes aux dépens de notre fils. Va-t-il souffrir d'être un enfant unique, comme tous nos amis et parents nous le suggèrent? Les enfants uniques sont-ils forcément solitaires?

Le concept d'«enfant unique» n'est pas très heureux en soi, mais son malheur inévitable est un mythe. Rien ne prouve que les enfants souffrent du manque de fratrie. En réalité, les quelques études faites tendent à montrer que le premier enfant a, de bien des façons, plus de réussite que le suivant. Tous les premiers enfants ont été des enfants uniques pendant quelque temps, et tous les enfants uniques pourraient devenir des aînés.

Les recherches sur les effets de l'ordre de naissance sont gênées par la définition floue de l'enfant unique. Votre enfant ne sera considéré comme enfant unique que s'il n'a *jamais* de frère ou de sœur. Mais si un second bébé arrive alors qu'il a dix ou douze ans, sa longue expérience sans fratrie n'en est pas pour autant annulée. Et sur le plan psychologique (par opposition aux statistiques), cela n'a aucun sens d'assimiler cette aînée adolescente à un aîné n'ayant que deux ou trois ans de différence avec le nouveau-né.

S'il y a une mythologie malheureuse autour de l'enfant unique, une mythologie inverse existe autour de la fratrie heureuse et du bonheur de faire partie d'une grande famille (trois, quatre enfants, voire plus). Cette vision de la famille est très liée aux contes pour enfants qui ont, pour la majorité, été écrits au temps où les grandes familles étaient banales, où les grands étaient censés s'occuper des petits et tout partager avec eux, et où le monde extérieur était considéré comme assez sûr pour être exploré par des enfants seuls, à vélo ou avec leur chien. On a oublié que parfois la fratrie est un fardeau et que cinq enfants se partageant un ordinateur dans un appartement en ville ne s'amusent pas autant que cinq partageant deux poneys dans une ferme pendant l'entre-deux-guerres. Il est très difficile pour les gens habitués à avoir un frère ou une sœur (ou plus) d'imaginer la vie sans fratrie. Ils ont tendance à voir en tout enfant unique l'enfant esseulé et triste qu'ils auraient pu être. En réalité, un enfant unique n'est pas privé d'une fratrie aimante mais seulement de l'opportunité d'en avoir une. Et il en retire des avantages considérables, comme n'avoir jamais à souffrir d'être supplanté par un autre et à partager ses parents.

Décider d'avoir un enfant plutôt que deux ou cinq ne dépend que de vous. Il n'y a rien d'égoïste à le faire pour vos propres raisons : être absolument désiré par ses parents donne le meilleur départ possible aux bébés. Il serait même incohérent de prendre une décision pour le bien de votre enfant, car il est impossible de savoir quel effet cette situation aura sur lui. Plutôt que de vous inquiéter de savoir si votre décision est juste, faites tout pour qu'elle soit bonne : soyez consciente des stéréotypes du genre «enfant unique, enfant gâté» lorsque vous réfléchissez à son éducation et protégez-le du possible sentiment de solitude en lui faisant rencontrer ses cousins et les enfants de vos amis – peut-être uniques eux aussi? Voir d'autres familles, les inviter aux anniversaires ou passer des vacances avec elles peut offrir une autre structure «familiale» à votre garçon tout au long de son enfance. Comme les autres enfants, il va se faire des amis au service de garde, à l'école et dans le voisinage. C'est plus lors de fêtes ou de week-ends en famille que votre enfant est susceptible de se sentir non seulement solitaire, mais aussi étouffé par l'attention des adultes entièrement tournée vers lui.

Des jumeaux sont de durs rivaux, mais même leur frère les aimera s'il sent qu'ils l'aiment.

reconnu cette relation spéciale entre eux – «Avec moi, il arrête de pleurer» –, le pire sera passé.

Avec un peu de chance, deux ou trois mois d'attention particulière et de tact amèneront votre enfant à éprouver une sorte d'amusement condescendant envers le bébé. Il est vraiment important de parvenir à cette situation avant que le bébé ne soit mobile. Tant qu'il reste là où on le met, il ne le gêne que sur le plan émotionnel, mais, dès qu'il peut ramper jusqu'à ses jeux, ses gâteaux et ses cheveux, la gêne devient très concrète. Si votre enfant peut en rire ou s'exclamer : «Il essaie de me copier!», leur relation restera bonne. S'il le déteste, simplement, les problèmes risquent de durer quelques années.

Lorsque la jalousie s'est essoufflée et que votre aîné a presque oublié sa vie d'enfant seul, vous devez continuer à équilibrer leurs besoins. Si l'aîné entre à l'école en même temps que le bébé commence à aller au service de garde, ils auront tous deux besoin de votre soutien affectif et vous devrez puiser dans vos ressources pour donner autant de votre énergie à chacun. Organiser des sorties et des vacances qui conviennent à leurs âges différents, soigner l'un quand il est malade sans négliger l'autre, réagir équitablement à celui qui use de son charme et à celui qui use de crises de colère : autant de sources de problèmes à venir. Tant qu'ils dépendent affectivement de vous, il y aura des jalousies de part et d'autre. Le plus petit peut aussi ressentir une jalousie très douloureuse. N'en faites donc pas trop en surprotégeant le plus grand de ce «monstre aux yeux verts».

Ne présumez pas que vos enfants s'aiment l'un l'autre, même en grandissant. Les parents croient souvent que cet amour va de soi et se plaisent à penser que leurs enfants sont très complices, même lorsque les querelles et les plaintes constantes suggèrent le contraire. Même les jumeaux, qui sont souvent très proches, peuvent l'être autant par nécessité que par choix. Il faut leur donner l'occasion de faire des choses seuls et les soutenir tous les deux.

En grandissant, ils apprennent à se respecter les uns les autres.

Plusieurs enfants dans une famille, y compris recomposée, doivent se tolérer et se respecter. Les adultes doivent insister sur ce point. Mais rien ne les oblige à s'aimer. Étant donné les inévitables jalousies, il est possible qu'ils n'y arrivent pas, et vous ne pouvez pas forcer les choses. Ne les obligez pas à faire semblant, ne leur imposez pas d'être ensemble. Si vous les laissez se débrouiller, vous serez bientôt surprise de leur mutuelle affection et de leur loyauté.

LE
JEUNE ENFANT

De deux ans et demi à cinq ans

Votre petit enfant ne connaît pas de transformation radicale à une date donnée ou à un anniversaire. Il devient un enfant lorsqu'il cesse d'être capricieux, confus, imprévisible et souvent de mauvaise volonté, et se montre plus coopératif et désireux de plaire au moins 60% du temps.

Les enfants changent et grandissent progressivement. Ils ne se métamorphosent pas sous vos yeux, en une nuit, de chenille en papillon. Mais l'entrée dans l'enfance, qu'elle se produise à deux ans et demi ou à quatre ans, a quand même quelque chose de soudain et de magique. Si on s'en tient aux faits, le développement de votre enfant n'est probablement pas plus important au cours de la troisième année que de la deuxième. Mais il vous frappe, car il fait de lui un être beaucoup plus facile à vivre et à aimer. C'est comme si, de sa vie de nourrisson à ses premiers pas, votre enfant s'était, en un sens presque mystique, «accompli».

Mais accompli en quels termes? Cette période est souvent appelée «préscolaire»: l'expression semble bien ordinaire pour un temps aussi magique, mais, surtout, elle est fausse. Entre trois et cinq ans, on ne se prépare pas seulement à aller à l'école, on entre véritablement dans la «petite enfance», et cette phase suit un processus de développement qui n'a rien à voir avec l'école. D'ailleurs, elle n'est pas différente selon les pays et l'âge légal de scolarisation.

Une grande part de la magie est due au langage. Les adultes ont tendance à beaucoup moins agir qu'ils ne parlent. Nous privilégions les mots aux actes et préférons régler nos comptes par des réprimandes verbales plutôt qu'en tirant les cheveux et en tapant. Nous parlons de nos soucis plutôt que de pleurer parce qu'ils nous font souffrir. Nous appelons au téléphone plutôt que de nous déplacer, et nous faisons des listes pour ne pas acheter dix fois le même article. Toutes nos pensées et tous nos sentiments passent par les mots. Les enfants entre un an et deux ans et demi (environ) se comportent de façon exactement inverse. Ils parlent peu et agissent en permanence. Ils s'expriment par l'action et en exigent autant de vous. Avec un enfant de cet âge, vous ne pouvez pas vous contenter d'expliquer, vous devez aussi montrer. Pour le rassurer, il vous faut accompagner vos mots d'un réconfort physique. C'est cette différence fondamentale entre vous qui va s'atténuer. Bien que les enfants restent très physiques dans leurs réactions aux sentiments et aux événements, toujours capables de larmes et de colères, ils se servent aussi du langage et du mode de pensée complexe qu'ils ont acquis. Vous lui parlez, il écoute vos mots, les comprend, les accepte et y répond raisonnablement. Vous pouvez même le faire rire sans grimaces. En plus du lien unique qui vous relie, d'autres modes de communication, qui fondent l'amitié et d'autres formes d'amour, s'ouvrent à lui. C'est cela, plus que tout, qui fait que l'enfant devient aux yeux de tous une «vraie personne».

Ce petit être a emmagasiné une grande quantité d'expériences et d'acquisitions. Dorénavant, il se débrouille mieux tout seul, ce qui lui permet de percevoir les adultes plus comme des compagnons que comme des «béquilles». Il se lave le visage (si vous le lui demandez), met ses bottes (si vous lui montrez la gauche et la droite), remplit son verre (s'il atteint le robinet) et monte et descend des chaises ou des voitures. Sa capacité à se prendre en partie en charge vous permet de consacrer plus de temps et d'énergie à une tâche plus palpitante : lui faire découvrir un monde plus vaste et des notions nouvelles.

En mélangeant les morceaux kaléidoscopiques de ce qu'il a appris, il crée et reproduit différents types de réflexion. Cela lui permet, entre autres, de se souvenir d'un jour sur l'autre. Il applique ce qu'il a appris hier à ce qu'il fait aujourd'hui et attend demain avec impatience. Il est donc capable d'attendre un peu. Il ne s'énerve pas forcément lorsque vous lui annoncez que vous souhaitez finir votre tâche avant de jouer avec lui. Il peut faire des choix simples en se demandant ce qu'il a préféré la dernière fois et en pensant à ce qu'il a envie de faire maintenant. Il commence à comprendre les promesses (même s'il ne les tient pas toujours), à reconnaître la vérité (mais pas à la dire) ainsi que les droits des autres personnes (mais pas forcément à les respecter).

Il a de plus en plus conscience d'être un individu à part entière et vous perçoit, à présent, vous aussi, comme une personne séparée. Vous n'êtes plus une part de lui à demi détachée, ni un esclave dont les velléités de s'intéresser à autre chose sont au mieux incompréhensibles, au pis illégitimes. Il ne comprend peut-être pas pourquoi vous souhaitez discuter avec des adultes, mais il sent que vous aimez cela de la même façon qu'il aime jouer avec ses amis et il admet que votre comportement est raisonnable. C'est donc l'âge des négociations, le début des échanges concrets et émotionnels dont dépendent les subtiles relations entre adultes. « Si je fais ceci, feras-tu cela ? » met en jeu son sens aigu de la justice et permet souvent de contourner un conflit potentiel.

Le fait qu'il vous perçoive – ainsi que ses autres proches – comme une personne réelle et entière rapproche l'amour qu'il a pour vous de sentiments plus adultes. Il peut à présent ressentir une affection authentique et une inquiétude désintéressée ou vous offrir quelque chose parce qu'il pense que cela vous fera plaisir et non parce qu'il en a envie. S'il vous voit pleurer, il ne s'inquiète pas seulement des sentiments que vos larmes lui font éprouver mais aussi de ceux qu'elles révèlent en vous. Il voudra vous aider, trouver un moyen de vous consoler. S'il vient vers vous et vous prend dans ses bras, ce n'est pas forcément pour réclamer votre attention, mais pour tenter de vous apaiser en vous offrant la sienne. Les plus petits, et même les bébés, offrent aussi autant qu'ils prennent, mais il est beaucoup plus facile de comprendre les intentions d'un enfant de trois ans.

Lorsqu'il observe ses proches ou les adultes qui frappent son imagination, le jeune enfant s'efforce de comprendre les rôles de chacun et le sens de leur comportement. Une grande partie de son apprentissage social se fait par identification : il « est », tour à tour, toutes sortes d'individus, de sa gardienne au chauffeur d'autobus. Mais il essaie surtout d'« être » vous, en choisissant et en imitant des traits caractéristiques qui pourraient vous déconcerter. Par exemple, en dépit des efforts que vous faites pour éviter les stéréotypes de genres, les filles comme les garçons adoptent souvent une vision étonnamment sexiste de la vie de famille. Ils sont toujours plus impliqués dans les tâches domestiques lorsqu'ils jouent le rôle de « maman » et dans le bricolage quand ils jouent celui de « papa ». Ce don d'observation peut se révéler gênant, lorsque vous surprenez sur le visage de votre fille regardant son père une de vos propres expressions, affectueuse et intime. En l'écoutant parler à sa poupée, vous reconnaîtrez des expressions dont vous n'êtes pas toujours fière.

C'est par l'identification aux adultes en général et à ses proches en particulier que l'enfant commence à reprendre à son compte et à intégrer les instructions et les exigences d'abord reçues de l'extérieur. À présent, il se réprimande lui-même (ou toute personne située en dessous de lui dans la hiérarchie, comme le bébé ou le chat) pour des bêtises que vous n'aviez même pas remarquées. Il se met lui-même en garde contre des actes que vous n'aviez pas envisagés et tente de tout régenter selon vos souhaits. Comme c'est encore un tout petit enfant, il va parfois trop loin, jusqu'à prendre un ton autoritaire et supérieur. Vous allez même peut-être l'espérer

L'amour inconditionnel est absurde.

Qui a suggéré l'idée absurde qu'il serait mal que les parents aiment plus leurs enfants lorsqu'ils sont gentils et moins lorsqu'ils sont difficiles, ou qu'ils préfèrent les enfants sages aux autres? J'ai un garçon de quatre ans et deux filles de un et trois ans. Le garçon a toujours été difficile (je ne l'ai vraiment réalisé que lorsque j'ai eu la première, puis la deuxième fille, qui sont très faciles). Il a à présent des problèmes à la maternelle. La directrice affirme que son refus de faire autre chose que s'amuser est particulièrement fort pour son âge et a eu le toupet de nous suggérer de lui mettre moins de «pression» en le comparant à ses sœurs, car cela lui fait croire que je l'aimerais plus s'il apprenait quelque chose. Mais, dans un sens, c'est vrai. Tous les parents préfèrent avoir un enfant qui réussit. Je lui mets de la pression parce qu'il n'est pas assez volontaire et je pense que c'est une bonne chose. Comment nos enfants apprendront-ils à travailler et à progresser si tout le monde dit: «Pas de problème, nous t'aimons quoi que tu fasses»?

Il y a une grande et fondamentale différence entre ce que les enfants font et ce qu'ils sont. Et il devrait y avoir une différence identique, et même plus importante, entre approuver une action et aimer quelqu'un. Aucune personne de bon sens n'affirmera que les parents doivent approuver un enfant qui jette ses pâtes au fromage par terre, fait des colères au parc ou hurle à l'heure du coucher. Les enfants ont besoin de savoir que de tels agissements sont inacceptables, au moins autant qu'ils ont besoin de savoir que leurs efforts pour être gentils et obéissants sont appréciés. Désapprouver (comme approuver) ce qu'ils *font*, c'est leur apprendre à se comporter correctement. C'est une part importante du rôle de parent. Mais désapprouver ce qu'ils *sont* ne les aide en rien à devenir les enfants que les parents espèrent.

Le développement – physique, intellectuel, psychologique – de chaque enfant est unique et ne doit en aucun cas être perçu comme une course. Les parents n'ont pas à le pousser d'une étape à la suivante. Il suffit d'offrir à l'enfant les expériences appropriées pour que son développement se déroule naturellement, au rythme qui lui convient. Il est tout à fait inutile d'obliger un enfant à apprendre l'alphabet, à chanter des chansons ou à se servir d'un crayon, car il ne doit pas, ne peut pas et ne devrait pas consacrer son énergie à des activités auxquelles il n'est pas prêt et qui le rendent malheureux.

Les parents très interventionnistes qui veulent tout contrôler rendent vraiment les enfants malheureux. Ils sont même souvent à l'origine de l'«échec» qu'ils souhaitaient tant éviter, en échouant à être ce dont les enfants ont vraiment besoin: des modèles, des compagnons bienveillants et des alliés de chaque instant sur le chemin de l'indépendance. C'est ce genre de soutien général qui définit l'amour inconditionnel et sur lequel se fonde le développement de l'ego de votre enfant. Dès les premiers temps, lorsque les bébés découvrent qui ils sont dans le regard de leurs parents, ils ont besoin de se sentir aimés, respectés et même glorifiés pour ce qu'ils sont et non pour ce qu'ils feront ou deviendront plus tard. C'est la seule façon de leur donner l'estime et le respect d'eux-mêmes indispensables pour s'épanouir, résister à l'adversité et être capables d'estimer et de respecter les autres.

Aimer un enfant sans conditions, c'est l'aimer quoi qu'il fasse (et même si vous désapprouvez le comportement qu'il a eu ce matin) et s'assurer qu'il en est conscient. Plus encore, c'est lui garantir qu'il peut se comparer à sa sœur (et plus tard à ses camarades de classe) en sachant que sa réussite, bien que bonne en elle-même, ne lui apportera pas plus d'amour et que son échec, bien que regrettable, ne lui en retire pas. «Personne n'aime les perdants», dites-vous, mais rien ne mène plus sûrement à l'échec que la crainte de ne plus être aimé.

parfois un peu plus «bébé» et moins vertueux, ou même être tentée de le rabrouer lorsqu'il dit pour la énième fois : «J'ai raison, hein, papa ?» ou «Je suis sage, hein ?»

Ce comportement de petit garçon ou de petite fille modèle est parfois agaçant (surtout pour les frères et sœurs), mais il marque un triomphe du développement de l'enfant – fille ou garçon – et un grand apaisement dans vos relations. Il signifie que votre enfant, qui n'est plus du tout un bébé, désire consciemment l'approbation des adultes, souhaite vous contenter et est prêt à faire quelques efforts pour y parvenir. Vous avez toujours su qu'il avait besoin d'amour et d'approbation, mais, un an auparavant, il ne semblait s'inquiéter ni de les obtenir ni de les mériter. Aujourd'hui, il vous demande de lui apprendre quelle attitude aura votre approbation ou votre désapprobation. Il est donc prêt à enregistrer toutes les subtilités du comportement social que vous lui enseignerez. Son désir évident de faire plaisir devrait vous aider à être patiente et douce. Il sait à présent que votre amour lui est précieux et a appris à le solliciter. Offrez-lui autant d'amour qu'il en demande.

Alimentation
et croissance

Vers trois ou quatre ans, les enfants qui n'ont pas mélangé, dans leur esprit, nourriture, amour et discipline (voir p. 334) abordent en général les repas avec enthousiasme. Ils dépensent beaucoup d'énergie chaque jour et mangent pour la renouveler. Si on lui offre une alimentation adéquate, un enfant y puise toutes les calories nécessaires en mangeant à sa faim. Il y trouve aussi les protéines, vitamines et minéraux qui lui sont indispensables. Il se peut qu'il refuse encore certains aliments, comme la viande ou les légumes verts, mais du moment qu'il trouve dans ce qu'il aime (par exemple, le fromage et les fruits) les nutriments équivalents, ce n'est pas un problème.

Aider son enfant à manger correctement

Si votre enfant aime manger, c'est parce que personne n'est venu perturber la relation naturelle entre le sentiment de faim et le plaisir de se nourrir. Si tel est le cas, il est prêt, maintenant, à se plier à quelques aspects sociaux des repas. Prenez votre temps, cependant, même s'il s'apprête à passer ses journées au service de garde. Vous n'avez pas besoin d'être particulièrement stricte à la maison pour qu'il se tienne bien ailleurs. Les enfants qui mangent facilement à la maison et qui apprécient l'école s'adaptent en général assez vite aux repas en groupe. Tant que votre enfant y trouve des aliments qui lui plaisent et n'est pas contraint de manger ceux qu'il n'aime pas, il va simplement imiter les autres enfants et manger encore plus et encore mieux avec eux qu'avec vous.

Votre enfant appréciera peut-être l'indépendance des repas en groupe…

Dans ces conditions, vous pouvez être un peu plus exigeante à la maison, mais toujours très progressivement. Si vous insistez tout à coup pour qu'il mange des spaghettis à la bolognaise parce qu'il en mange au service de garde, ou lui demandez d'améliorer en un repas sa façon de se tenir à table, vous prenez encore le risque de le dégoûter des repas.

■ Apprenez-lui les bons gestes par l'exemple plutôt que par l'exhortation. Votre enfant finit toujours par se comporter comme le reste de la famille. Si ses coudes sur la table vous ennuient, assurez-vous qu'il n'est pas juste en train de reproduire ce qu'il voit autour de lui.

■ Encouragez-le à manger dans les mêmes conditions que tous. Il s'identifie plus facilement à vous sur une chaise normale que sur une chaise haute et s'il a sa place à table, comme tout le monde. Il ne peut pas apprendre à être précautionneux avec la porcelaine et le verre et à manier une fourchette si on ne lui donne que du plastique et une cuillère.

… et mangera ce que les autres enfants mangeront.

■ Aidez-le à apprécier de nouveaux goûts. Si votre enfant pense, à la suite d'expériences désagréables, qu'il devra finir tout ce qui sera mis dans son assiette, il refusera tout nouvel aliment sans même le goûter, au cas où il ne lui plairait pas. Il sera bien plus aventureux si vous l'autorisez à le goûter avant le repas ou dans une petite cuillère et à décider ensuite lui-même s'il en veut ou non.

Les repas doivent aussi faire partie des bons moments…

■ Habituez-le aux aliments qui vous facilitent la vie et lui permettent de prendre part aux repas familiaux. Un enfant qui mange facilement accepte les nouveaux aliments s'il voit que vous les appréciez aussi. Vous pouvez déjà l'accoutumer à ceux qu'on utilise pour les pique-niques ou à ceux qui sont servis dans les restaurants de votre quartier. Surtout, habituez-le à manger du fromage : du pain avec du fromage et une tomate ou une pomme composent un repas parfaitement équilibré, préparé en trente secondes, facilement transportable, disponible dans n'importe quelle épicerie et approprié à n'importe quel moment de la journée. Si votre enfant apprécie ce menu, vous n'aurez jamais à interrompre les activités de la journée pour réfléchir à ce qu'il va manger.

Les repas en famille De nos jours, à cause des activités individuelles, peu de familles se réunissent à tous les repas. Mais il serait vraiment dommage que les repas se réduisent toujours à une bousculade en cuisine, à quelques cuillerées de purée mangées directement dans la casserole, réchauffée pour l'un puis pour l'autre et passée au micro-ondes par un troisième. Et il serait encore plus regrettable que tout plat cuisiné ait disparu au profit de plats surgelés ou à emporter. Préparer et cuisiner des repas sont essentiels non seulement à la santé de tous, mais aussi aux rapports familiaux et amicaux. Un enfant qui grandit sans repas familiaux et sans plats faits maison est privé d'un aspect traditionnel important de la communication familiale et amicale. Si vous ne lui donnez pas l'occasion d'apprendre que l'alimentation ne se réduit pas à un « combustible » et qu'elle peut être au centre de réunions plus formelles, son comportement lors de son prochain anniversaire risque de vous décevoir.

Même si vous êtes tous très occupés par ailleurs, pourquoi ne pas conserver au moins un repas en famille dans le week-end, assez cérémonieux pour être rigolo ? Votre enfant vous aidera à cuisiner et découvrira au moins que les pommes de terre sont d'abord toutes sales et qu'il faut enlever la peau et les faire bouillir avant d'en faire de la purée. Il peut décorer la table, préparer un bouquet ou plier les serviettes et même mettre de jolis vêtements pour l'occasion. Pendant que les adultes prennent l'apéritif, il a aussi une boisson spéciale. Pendant le repas, la nourriture est présentée dans des plats, et tout le monde, y compris l'enfant, fait le service. C'est bien sûr l'occasion de lui proposer des plats un peu plus raffinés et de le faire participer aux conversations.

Dans cette atmosphère, votre enfant ne se sentira pas harcelé par vos remarques sur la meilleure façon de tenir une fourchette ou de porter des petits pois à la bouche. Au contraire, il sera honoré de participer au monde adulte. Il est d'ailleurs assez logique : pourquoi devrait-il s'interdire de manger avec ses doigts quand il soupe tout seul devant la télévision ? Ce qui compte, c'est qu'il soit capable de bien se tenir quand l'occasion l'exige.

Les appétits Tous les enfants ne se nourrissent pas aussi bien, mais les véritables
difficiles problèmes alimentaires à cet âge sont souvent les séquelles de la période précédente et se traitent de la même façon (voir p. 336).

Cependant, beaucoup d'enfants sont dits « difficiles » ou « petits mangeurs », alors qu'ils ne font qu'exercer leur droit d'avoir des goûts particuliers et un appétit variable, tout comme les adultes. Dans les sociétés occidentales et bien nourries, la plupart des gens préfèrent rester sur leur faim que de manger ce qu'ils détestent vraiment. Les adultes se retrouvent rarement face à un tel choix. Ils achètent ou préparent ce qu'ils aiment. Seuls les enfants se font servir des aliments choisis et cuisinés par quelqu'un d'autre et sont censés «manger ce qui est dans leur assiette». Soyez sensible à ses goûts naissants. Après tout, lorsqu'ils sont similaires aux vôtres, vous les acceptez sans problème. C'est surtout lorsque ses goûts diffèrent de ceux des autres qu'un enfant est dit «difficile».

Chaque famille a ses propres habitudes alimentaires, mais il y a toujours une façon raisonnable d'éviter les repas difficiles et cela pour le bien de tous.

LE POINT DE VUE DE L'ENFANT	VOTRE POINT DE VUE
Il n'est pas raisonnable de lui servir un plat qu'il n'aime pas, puis de vous énerver parce qu'il n'y touche pas. Mieux vaut lui offrir quelque chose qu'il accepte, même si cela vous oblige à préparer un œuf en plus du plat principal de la famille.	Il n'est pas raisonnable de flatter des caprices momentanés. Si le repas est composé de foie et de bacon et que cela lui plaît habituellement, il n'a pas à demander un œuf à la place du foie. S'il n'en veut pas, il se contentera du bacon.
Il n'est pas raisonnable d'essayer de le forcer à manger un aliment. Vous n'y arriverez pas et vous risquez de l'en dégoûter pour longtemps.	Il n'est pas raisonnable de lui donner plus que sa part de ce qu'il aime. Certes, il ne voulait pas de salade verte, mais il ne peut pas avoir les tomates de tout le monde.
Il n'est pas raisonnable d'insister pour qu'il mange tout ce qu'il a dans son assiette. Laissez-le choisir la quantité ou se servir lui-même. Peut-être se resservira-t-il plus tard.	Il n'est pas raisonnable de le laisser gâcher la nourriture. Il peut laisser son muffin pour ne manger que la cerise du dessus, mais pas avoir plus de muffins juste pour la cerise.
Il n'est pas raisonnable d'insister pour qu'il mange s'il dit qu'il n'a pas faim.	Il n'est pas raisonnable de lui refuser à manger quand il dit qu'il a faim.

Les collations   Désormais, les enfants supportent des repas plus importants et plus espacés, mais la plupart ont encore besoin de manger bien plus souvent que les adultes. Quand on utilise autant d'énergie, le temps paraît long entre le déjeuner, le dîner et le souper. Les enfants ont besoin d'un peu de carburant à d'autres moments de la journée. Une collation en milieu de matinée et en milieu d'après-midi est nécessaire, que l'enfant soit à la maison, à l'école ou au service de garde.

Les problèmes surviennent parce que la faim est souvent confondue avec la gourmandise. L'enfant dit qu'il a faim, et on lui donne un gâteau au chocolat. La fois suivante, il ne dit pas qu'il a faim, mais demande un biscuit au chocolat. Faim ou gourmandise?

Ils sont ensuite exacerbés par les débats sans fin sur ce que les enfants doivent ou peuvent manger entre les repas. Le marché des goûters et collations attrayants s'est incroyablement développé ces dix dernières années. Comme les bonbons, ils sont toujours bien présentés et largement soutenus par des campagnes publicitaires incontournables. Plus il y en a, et plus les enfants en réclament, ce à quoi beaucoup de parents réagissent de façon trop radicale.

Ils les réduisent tous à de mauvais produits dans lesquels « il n'y a rien de bon pour la santé ». Mais qu'en est-il exactement ? Une crème glacée achetée chez un bon fabricant, par exemple, est au moins aussi nourrissante, sucrée et bonne pour votre enfant qu'un flan fait maison. Même les simples croustilles ordinaires frites dans de l'huile végétale sont une excellente source de protéines végétales, et seul le sel qu'on y ajoute les rend plus nocives que les frites.

On dit souvent que manger entre les repas fait grossir. Comme tout aliment contient des calories, tout aliment fait grossir s'il est ingurgité en trop grande quantité. Un enfant qui prend des repas équilibrés et de nombreuses collations risque effectivement d'être en surpoids, mais ce n'est pas le cas si les goûters remplacent une partie du repas. Par quelle magie un aliment servi à 16 heures ferait-il plus grossir que le même servi dans son assiette au souper ?

On reproche souvent à ces « goûters » de couper l'appétit des enfants au moment des vrais repas. Mais si cela se produit, c'est parce que nous les rendons plus attractifs que les repas officiels. La plupart du temps, c'est l'enfant qui les choisit et qui les mange quand il veut − et non à une heure imposée −, dans des conditions plus souples que les vrais repas pris à table. Rien d'étonnant à ce qu'il préfère ce paquet de gâteaux au sésame à son dîner, même s'ils lui sont proposés au même moment. La solution est de composer ses goûters comme de vrais repas (ce qu'ils sont réellement) et non

Ce goûter tous les jours à la même heure est un moment d'échange pour votre enfant.

d'en faire des récompenses (ce qui est l'origine du problème). Vous n'offrez pas du chou à votre enfant parce qu'il a été sage, alors pourquoi lui offrir des croustilles? Il ne doit pas être privé de glace parce qu'il a été fatigant, pas plus que vous ne le priveriez de repas. Comme avec les bonbons, si vous évitez de mettre de l'affectif dans ce domaine, les autres problèmes liés aux collations ne devraient pas être difficiles à gérer.

Le truc, c'est d'offrir à votre enfant le genre d'aliments qu'il aime le plus – s'ils vous conviennent – pendant les repas et de garder les aliments plus simples disponibles à volonté, entre les repas, lorsqu'il a vraiment faim. Au lieu d'attendre qu'il vous harcèle pour un biscuit au chocolat alors que vous faites des courses, donnez-lui ce gâteau avec une pomme comme dessert à la fin de son dîner. Au lieu d'avoir une attitude rigide lorsqu'il réclame des croustilles, servez-les de temps en temps à la place de cette banale purée de pommes de terre.

Votre enfant aura toujours besoin de goûters, mais, lorsqu'ils auront cessé d'être la seule occasion de manger ce qu'il aime, il ne les attendra pas avec plus d'impatience que ses repas principaux. La collation du milieu d'après-midi peut être composée d'une boisson et d'une tranche de pain beurrée. S'il a faim, cela lui conviendra. Il ne les prendra pas par gourmandise, et la glace ou les biscuits en forme d'animaux qu'il aurait mangés comme un glouton seront proposés à la fin du souper, et lui seul jugera s'il en a, ou non, envie. Le problème émotionnel est désamorcé.

À quatre ou cinq ans, quand vous pensez que votre enfant est assez grand pour comprendre, vous aurez peut-être envie de lui donner un peu plus la maîtrise de ses goûters en mettant à sa disposition certains aliments que toute la famille peut manger à tout moment. Il peut s'agir d'une boîte toujours pleine de biscuits sucrés ou salés ou d'une corbeille de fruits pleine de bananes et de pommes, mais aussi d'une assiette de fromages ou de légumes crus ou de fruits secs au réfrigérateur. Chaque famille choisit selon ses préférences et son budget, mais, pour toutes, l'idée est la même: avoir toujours de quoi calmer sa faim jusqu'au prochain repas.

Évitez les conflits en préparant une sélection d'aliments dans laquelle votre enfant fait son propre choix.

Les sucreries

Les sucreries sont difficiles à gérer, car nous les laissons symboliser l'affection. Être vigilante avec tous les aliments sucrés est toujours important (voir p. 341), mais la seule façon d'éviter à long terme les ennuis avec les sucreries, c'est de surveiller la part d'affectif que vous y mettez et les messages subtils que votre enfant reçoit à travers elles.

Pratiquement tous les êtres humains aiment les choses sucrées. Des études ont montré que, dès la naissance, les bébés font la distinction entre de l'eau ordinaire et de l'eau sucrée et tètent plus longtemps les biberons sucrés. Malheureusement, au lieu d'admettre posément que les aliments sucrés sont agréables, les sociétés occidentales, avec leurs réserves abondantes de sucre raffiné, ont fait de l'achat et de la consommation de sucreries des rituels de plaisir. Dans de nombreuses familles, les tablettes de chocolat font partie de toutes les sorties et de toutes les fêtes. Les sucreries sont achetées comme des cadeaux, cachées comme des surprises, offertes pour consoler les genoux abîmés ou les grosses déceptions. Elles sont utilisées pour

Si vous ne mélangez pas sucreries et affection, votre enfant aimera autant les fruits que les bonbons.

Quand votre enfant veut dépenser ses propres sous, il y a plein d'autres choses à acheter que des sucreries.

transmettre ou remplacer l'amour, et c'est dans ce sens que les enfants les attendent et les réclament.

Si vous faites des sucreries une récompense, il est logique que votre enfant, en plus d'en aimer le goût, leur confère une valeur émotionnelle. Si un coude éraflé lui vaut un carré de chocolat en plus de votre câlin, il est normal qu'il assimile ce carré au réconfort. Il aura bientôt envie de sucreries dès qu'il sera malheureux ou blessé. Si vous lui achetez des bonbons lorsque vous le trouvez particulièrement sage, il va mettre en eux une part de votre affection et vous demandera bientôt d'en acheter pour lui montrer que vous l'aimez. Si vous compensez par une sucrerie les événements désagréables, comme une piqûre, il va forcément considérer cela comme un droit. Il voudra être récompensé en bonbons chaque fois que vous l'obligerez à faire quelque chose qu'il déteste. Il suffit de sortir les sucreries de l'arène émotionnelle et de les traiter comme tout autre aliment particulièrement bon, tel que les fruits, pour éviter ces complications. Les enfants adorent souvent les fraises et mangent toutes celles que vous leur offrez pendant la bonne saison. Mais combien d'entre eux sont prêts à pleurer, à crier et à se mettre en colère pour elles ou pour celles, importées et offertes toute l'année, qui n'ont aucun goût?

Votre attitude envers les sucreries peut donc éviter qu'elles ne deviennent un problème majeur de la vie quotidienne. Mais, lorsque les enfants grandissent, se fréquentent entre eux et passent du temps dans d'autres familles, ils se mettent parfois à comparer et peuvent se sentir privés. C'est à ce moment que votre attitude est cruciale. Vous voulez convaincre votre enfant que les sucreries ne sont qu'une des merveilleuses choses qui remplissent sa vie, et dont certaines se mangent. Alors pourquoi ne pas l'encourager, de temps en temps, à s'acheter lui-même une autre sorte de goûter délicieux? La plupart des enfants n'ont l'occasion de faire ce genre de courses que dans les magasins de bonbons, mais être autorisé à acheter une belle pomme rouge chez le marchand de fruits et légumes ou un pain au lait chez le boulanger est tout aussi amusant.

Si vous devez quand même établir des règles parce que votre enfant est gardé par différentes personnes et qu'il faut harmoniser leurs pratiques, rappelez-vous que les parents qui choisissent la ligne la plus stricte et la plus rigoureuse sont souvent ceux qui rencontrent le plus de difficultés, car ils focalisent l'attention de l'enfant sur ce qui est interdit.

Le mieux est encore de ne pas avoir de sucreries à la maison. Rien de plus simple que de répondre honnêtement à un enfant qui en réclame que vous n'en avez pas. Vous lui évitez ainsi de se perdre en conjectures du genre : «Qui pourrait bien accepter de me donner les bonbons qui sont sur la table?»

Acheter de bon cœur un paquet de sucreries pas trop nocives à des moments précis et réguliers (en revenant des courses le samedi, par exemple) est aussi une bonne façon de prévenir les conflits. Un enfant qui sait (ou à qui l'on rappelle) qu'il en aura, comme d'habitude, samedi, accepte plus facilement qu'on refuse de lui en acheter tout de suite. Protégez les dents de votre enfant en interdisant les plus néfastes (tels les caramels et les sucettes) et en l'encourageant à manger tout ce qu'il a en une seule fois. Après tout, vous ne le laissez pas trimballer partout son reste de gâteau pour le finir plus tard.

Ne pas avoir de sucreries chez vous et ne pas le laisser en grignoter pendant des heures sont de bonnes choses, mais il faut en outre éviter qu'elles ne soient à ses yeux aussi rares et aussi précieuses que des diamants. Essayez de les rendre ordinaires en les intégrant, de temps en temps, aux repas normaux – en râpant du chocolat sur son dessert, par exemple, ou en décorant son quatre-quarts de bonbons.

L'obésité À partir de deux ans, les enfants deviennent naturellement plus minces. Avoir des rondeurs vers trois ou quatre ans est donc assez rare et se remarque plus. Les enfants de cinq ou six ans vraiment obèses sont souvent la risée de leurs camarades et entrent facilement dans le cercle vicieux qui fait qu'ils sont moins actifs que les autres parce qu'ils sont gros, et plus gros que les autres parce qu'ils sont inactifs. Lorsqu'un enfant est vraiment en surpoids, il vaut mieux réagir avant qu'il ne commence l'école.

Si vous pensez que votre enfant est trop gros, regardez ses bras et ses cuisses : si des bourrelets de graisse tendent les manches et les jambes de ses vêtements, vous avez sans doute raison.

Il ne faut cependant pas trop facilement prendre de mesures d'amincissement pour un petit. Ce n'est pas seulement son bonheur actuel qui est en jeu, mais son comportement futur face à la nourriture et à son propre corps. Avant de décider quoi que ce soit, mieux vaut l'emmener, avec sa courbe de croissance, chez un pédiatre. Il vous indiquera l'importance de son excès de poids par rapport à sa taille et saura déceler si cette obésité actuelle est récente ou plus profondément établie.

Si vous concluez ensemble que votre enfant est trop gros, le but ne va pas être de lui faire perdre du poids, mais de ralentir sa prise de poids afin que, à mesure qu'il grandit, ses rondeurs s'atténuent. Dans les dix-huit prochains mois environ, votre enfant va gagner 13 cm. Si vous pouvez maintenir son gain de poids sur cette période à seulement 1 ou 1,5 kg, il paraîtra déjà beaucoup plus svelte.

Surveillez d'abord sa consommation de graisse. Vous pouvez diminuer ses calories de façon substantielle sans qu'il s'en rende compte et sans éliminer l'indispensable, en réduisant la graisse à table et les plats frits. Une tranche de pain contient environ 70 calories. En la beurrant raisonnablement, vous ajoutez 70 calories, mais aucun autre bénéfice, si ce n'est de la vitamine A qu'il reçoit déjà dans ses doses de multivitamines quotidiennes. Trouvez une façon moins calorique et attrayante d'agrémenter sa tartine – avec du fromage blanc, par exemple.

Presque tous les aliments que vous cuisinez au beurre ou à l'huile peuvent être cuits sans graisse si vous utilisez des poêles antiadhésives. Cette méthode est excellente pour toute la famille. De même, beaucoup d'aliments que votre enfant aime croustillants peuvent être cuits au four. Les pommes de terre rôties sont deux fois plus caloriques que les pommes de terre bouillies, sauf si vous les placez sans graisse dans un four très chaud. Le bacon cuit de cette façon perd pratiquement toute sa graisse.

Donnez-lui du lait demi-écrémé, même s'il consomme sans doute moins de lait à présent. Soyez aussi vigilante en ce qui concerne les autres boissons : les boissons gazeuses sont très caloriques et mauvaises

De miniportions vous permettent de tirer le meilleur parti de ces muffins.

pour ses dents. À table ou lorsqu'il a soif, vous lui servirez de l'eau. Si ce sont les bulles qu'il apprécie dans les boissons gazeuses, mélangez du jus de fruits et de l'eau gazeuse. Il suffit aussi de quelques glaçons pour rendre attractives les boissons les plus simples.

Bien sûr, s'il a déjà un problème de poids, vous ne le laisserez pas manger beaucoup de bonbons ou de collations très caloriques. Remplacez les bonbons par des fruits frais (sauf les bananes), la crème glacée par des sorbets à l'eau, les gâteaux par des biscottes ou du pain, mais faites-le avec tact et délicatesse, car il ne faut pas qu'il se sente puni et malheureux d'être privé de ce qu'il adore. Lui acheter ou lui servir des «modèles réduits» est une bonne astuce. Il a l'impression que dix minuscules bonbons sont plus que trois gros. Trois petites parts de gâteau lui suffisent et sont moins caloriques qu'une part normale. Vous pouvez même faire des gâteaux maison dans de miniramequins en papier ou diviser un quatre-quarts de 100 g en miniportions de 15 g : un sac rempli de ces sucreries lui paraîtra énorme, et il acceptera volontiers de s'en satisfaire.

Tout en réduisant sa consommation de calories, il est important que votre enfant soit actif pour en brûler plus. Cela l'aide à stabiliser son poids et réduit les risques d'obésité future. Jusqu'à deux ou trois ans, il suffit de laisser un enfant libre de ses mouvements pour qu'il se dépense. À présent, il est peut-être devenu trop grand pour s'amuser à courir tout seul et devient accro à la télévision… Si vous vous inquiétez vraiment de son poids, faites attention à son mode de vie et à celui de ses proches. Tous les enfants, mais surtout ceux qui souffrent de surpoids, ont besoin des autres pour courir avec eux et après eux, ont besoin d'adultes qui leur montrent comment frapper une balle et la lancer et peut-être qui leur apprennent quelques activités typiques des cours de récréation, comme sauter à l'élastique ou à la corde. Et, surtout, les adultes qui les entourent et auxquels ils s'identifient doivent être énergiques et imaginatifs et non affalés sur le canapé…

LA CROISSANCE

Mesurer sa croissance est amusant, mais il est difficile d'être précis !

La croissance de l'enfant ralentit tout au long de cette période. Il gagne environ 2,5 kg et 10 cm dans la troisième année, puis 2 kg et 6,5 cm au cours de la cinquième. En passant d'une silhouette plutôt trapue à deux ans à une silhouette plus svelte et moins ronde à cinq ans, votre enfant va vous donner l'impression de maigrir. Ne vous inquiétez pas. Ses rondeurs de bébé seront, au bout de compte, remplacées par des muscles, mais cela prend du temps. En attendant, ses bras et ses jambes vous font l'effet d'être vraiment fragiles.

Il est parfaitement inutile de le peser et de le mesurer fréquemment. Deux vérifications par an suffisent pour s'assurer que son poids et sa taille augmentent normalement et de façon harmonieuse. Si le poids augmente beaucoup plus vite que la taille, votre enfant grossit trop. Si sa taille n'a pas changé au bout de six mois, il faut le mesurer à nouveau trois mois plus tard. Si elle n'a toujours pas augmenté, emmenez-le chez le médecin.

Il existe des cas (assez rares) de carence d'une hormone indispensable à la croissance. Dans ce cas, on en fournit à l'enfant dans une

Aidez votre enfant à avoir confiance en son corps et à s'amuser avec.

clinique spécialisée, et la croissance reprend, mais sans forcément rattraper le retard pris. Il est donc important de demander rapidement un avis médical.

Mesurer précisément la taille d'un enfant est difficile. N'essayez pas d'utiliser directement un ruban gradué. Demandez à votre enfant de se mettre dos contre un mur ou une porte, les pieds bien à plat et la tête droite, comme s'il regardait droit devant. Placez ensuite un objet plat et rigide (un livre, par exemple) sur sa tête. Faites une marque sur le mur, puis utilisez votre règle pour mesurer la hauteur du sol à cette marque. En vous servant toujours du même mur et en notant la date et le prénom à côté de chaque marque, vous gardez la trace de la croissance de tous vos enfants.

LE POINT DE VUE DES PARENTS

Peut-on se tromper en aidant un enfant à rester mince ?

Ma fille de quatre ans me ressemble. Elle est déjà sensible à la mode et nous nous habillons souvent de la même façon. Elle fait un peu de mannequinat et adore ça. Malheureusement, elle me ressemble aussi dans sa tendance à prendre du poids. J'ai lutté contre ce problème toute ma vie et je suis bien déterminée à lui épargner ça. À la maison, il n'y a aucun aliment gras. Elle sait déjà lesquels sont dangereux et, lorsqu'elle demande du chocolat ou de la crème glacée au supermarché, je lui montre qu'il existe des versions « allégées ». Mais, lorsqu'elle est à l'extérieur, les gens sabotent nos efforts. Et pas seulement ceux qui veulent juste être gentils en offrant des sucreries. Son éducatrice insiste pour qu'elle ait un goûter normal. Elle soutient qu'il est mauvais pour un enfant de penser en termes de régime et que je favorise les troubles alimentaires comme l'anorexie. J'essaie simplement de l'aider à rester une jolie petite fille et de lui épargner la douleur d'être grosse. En quoi cela peut-il être mal ?

Plus encore que les adultes, les bébés et les jeunes enfants forment un seul bloc, physique, mental et émotionnel. Aux yeux de votre fille, elle est ce qu'est son corps et, pour avoir une bonne image d'elle-même, elle doit être persuadée que son corps a une apparence convenable. Bien que ce ne soit pas votre but, votre souci constant de ce qu'elle mange et votre contrôle effectif de son régime lui suggèrent qu'elle ne peut pas faire confiance à son corps et que, laissé à lui-même, il pourrait la trahir. De plus, si elle pense que vous n'approuvez pas son corps ou que vous ne l'aimez qu'à condition qu'elle le contrôle ou le transforme, elle va se convaincre que c'est *elle* que vous désapprouvez et que vous ne l'aimerez qu'à condition qu'elle accepte votre programme amincissant. On ne peut jamais prévoir les effets de la petite enfance sur un individu, mais il est certain que votre fille reçoit un message potentiellement préjudiciable sur l'appétit et sur la gourmandise, sur l'obligation de maîtriser ce qu'elle mange plutôt que de laisser faire son appétit et sur l'association gros-moche-mal et mince-joli-bien.

Ce sont sans doute les leçons que vous avez retenues des souffrances que vous ont infligées, enfant, vos problèmes de poids. Le désir d'en protéger votre fille est compréhensible, mais ce n'est pas la bonne façon d'y parvenir. Vous agissez comme si elle était une version miniature de vous-même – votre reflet maintenant, par le jeu vestimentaire, et votre seconde chance dans l'avenir, par le mannequinat et tout le reste. Je suis sûre que vous êtes consciente, lorsque vous y réfléchissez, que le rôle de votre fille n'est pas d'être vous ou de devenir ce que vous auriez pu être, mais d'être elle-même, un individu à part entière et en devenir. Et votre rôle est d'aimer cet individu, quelle que soit son apparence, et de le soutenir quoi qu'il devienne. Apprendre à vous aimer vous-même ne peut que vous y aider.

DENTS
ET POUSSÉE DENTAIRE

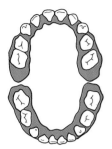

C'est au cours de la troisième année que votre enfant aura ses vingt dents.

Autour de deux ans et demi, votre enfant aura ses dix dents de lait sur chaque mâchoire : deux molaires et une canine de chaque côté et quatre incisives sur le devant.

Il reste à venir les deuxièmes molaires, celles qui se trouvent tout au fond de la mâchoire. Comme les premières un an ou plus auparavant (voir p. 340), leur percée peut être douloureuse et faire enfler la gencive.

Cette dentition rend le brossage encore plus important. Chaque dent est désormais en contact avec une ou deux autres, et les résidus d'aliments peuvent rester coincés entre elles. Une petite brosse à dents utilisée dans le sens vertical, en allant de la gencive au bout de la dent, assure un bon nettoyage, mais il faut un adulte vigilant et un enfant coopératif pour s'assurer que les larges dents du fond sont aussi propres que celles de devant !

Tout ce qui aide votre enfant à être enthousiaste à ce sujet vous facilitera la tâche.

Prendre soin des dents

Dans un monde idéal, nous devrions tous nous brosser les dents après chaque repas. Dans la réalité, nous le faisons au mieux deux fois par jour. Assurez-vous que les dents de votre enfant sont correctement lavées après son souper afin d'éviter qu'il ne passe toute la nuit avec des restes d'aliments entre les dents. Le brossage après le dîner doit aussi devenir une habitude. Essayez de lui faire boire systématiquement un verre d'eau, qui lui rince au moins la bouche, après les repas.

Rappelez-vous que les aliments sucrés qui restent longtemps dans sa bouche sont les pires. Éloignez de lui caramels et sucettes et, lorsqu'il mange des sucreries, encouragez-le à manger tout ce qu'il a rapidement plutôt que de grignoter tout l'après-midi.

Le fluor a un effet fortifiant sur l'émail des dents, même lorsqu'elles ont fini de pousser, et les rend beaucoup plus résistantes aux acides qui les traversent et introduisent des bactéries. Si vous vivez dans une région où l'eau courante est pauvre en fluor et où les suppléments quotidiens ne sont pas approuvés, consultez votre médecin ou un dentiste.

La plupart des professionnels de la santé pensent que l'usage régulier d'une pâte dentifrice fluorée est suffisant. Ces pâtes permettent de réduire les problèmes de caries chez les enfants autant par leur effet direct sur les dents que par l'infime quantité qui est inévitablement avalée pendant le brossage. Cependant, des études ont montré que la quantité de fluor que les enfants ingurgitent ainsi peut progressivement créer une surdose. Il est donc important de leur donner de petites quantités.

Si l'émail des dents de votre enfant semble particulièrement vulnérable, votre dentiste peut appliquer directement dessus différents produits fluorés.

Aller chez le dentiste Déjà familiarisé avec le dentiste au cours de sa deuxième année (voir p. 342), votre enfant doit, dès deux ans et demi, commencer les visites de contrôle régulières tous les six mois.

Les dents de lait sont essentielles. Elles sont censées durer plusieurs années, puisque les dents définitives n'arrivent en général que vers six ans. En outre, elles gardent l'espace adéquat ouvert pour ces dents à venir et aident les mâchoires à prendre leur forme définitive. Évitez donc une attitude trop insouciante par rapport aux soins dentaires. Surtout, n'attendez pas que votre enfant souffre pour prendre rendez-vous. Le fait qu'il ait mal prouve que vous avez raté le moment où seul l'émail était touché et où un traitement simple et indolore aurait suffi. La cavité pulpaire est désormais trop profonde. Essayez de trouver un dentiste qui aime soigner les tout-petits. L'idéal, pour que l'enfant lui fasse confiance et accepte facilement les soins, est qu'il puisse s'habituer à lui avant d'avoir besoin d'un véritable traitement.

Les soins dentaires Les techniques de soins dentaires se sont beaucoup améliorées ces dernières années et sont bien moins traumatisantes. Chez les petits enfants, le nombre de dents abîmées devant être creusées puis plombées a beaucoup diminué grâce au fluor. Mais, si votre enfant a une carie, il faudra bien la soigner et il n'appréciera pas cette expérience, même s'il aime beaucoup son dentiste. N'en faites pas un drame, mais ne prétendez pas non plus que ce n'est rien. Une carie superficielle qui ne touche que l'émail ne lui fera pas mal, même pendant les soins. Ce n'est pas le cas d'une cavité pulpaire plus profonde. Les injections modernes qui engourdissent la gencive sont relativement

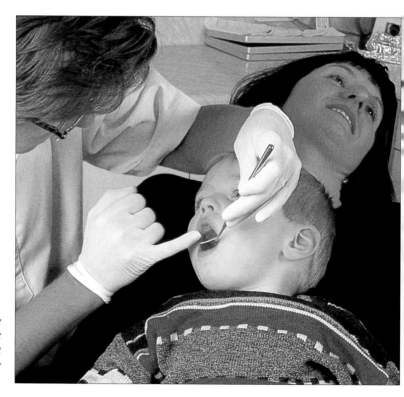

Un bon dentiste fera de cette visite un moment amusant, même s'il faut pour cela vous asseoir dans le fauteuil.

indolores, mais votre enfant n'a aucun élément de comparaison… Et, même sans douleur, l'appareil et le bruit suffisent à impressionner. Expliquez-lui, avec le dentiste, à quoi il sert et montrez-lui sa carie dans un miroir. Pendant que le dentiste la creuse, elle semble énorme ; il sera rassuré de constater qu'en réalité elle est minuscule. Aidez-le à sentir qu'il maîtrise la situation en mettant au point avec le dentiste un signal (lever la main, par exemple) qui lui permet de demander une pause. C'est un point très important. S'il se sent impuissant sous la torture, il paniquera, maintenant ou la prochaine fois qu'il se trouvera sur le fauteuil.

Faits avec tact et délicatesse, les soins dentaires sont tolérés par la plupart des enfants, mais certains – en particulier les malchanceux qui souffrent de plusieurs caries pendant les quatre premières années – ont beaucoup plus de mal que les autres à coopérer. Discutez du problème et des solutions envisageables avec le dentiste. Un parent compatissant, surtout s'il a lui aussi la phobie du dentiste, n'est pas la bonne personne pour le soutenir. Parfois, deux enfants emmenés ensemble – et même littéralement ensemble sur le fauteuil – s'encouragent. Dans certains cas, un dentiste spécialisé dans le soin des tout-petits aidera plus facilement votre enfant à supporter le traitement s'il est en tête à tête avec lui, sans personne qui interfère dans leur relation.

Toutefois, un dentiste ne peut pas soigner votre enfant de force. Si rien ne le calme, vous devrez décider avec lui de l'urgence du soin. Cette carie peut-elle être laissée telle quelle quelques mois, le temps que votre enfant prenne confiance ? Si le traitement ne peut attendre, il est possible d'avoir recours à un calmant doux ou même à une légère anesthésie générale faite par un anesthésiste. Si votre dentiste insiste pour tout faire lui-même, changez de dentiste.

Les accidents Les dents ne sont pas enracinées directement dans la mâchoire de l'enfant, mais dans un ensemble de tissus élastiques qui agit comme un amortisseur. Il faut un coup violent pour faire tomber une dent.

Il arrive qu'un coup direct enfonce une dent de lait dans la gencive dont elle émerge. Vous pouvez encore la voir ou sentir son bord, comme lorsqu'elle perçait. Dans la plupart des cas, la dent ressortira toute seule. Si le nerf a été touché, la dent noircit et meurt. Montrez-la à votre dentiste, mais ne vous inquiétez pas trop. Une dent « morte » peut être conservée sans risques et faire son travail en attendant que la dent définitive sorte.

Le cas d'une dent cassée ou ébréchée est plus ennuyeux. L'enfant risque, avec le bord tranchant, de se couper la langue ou les lèvres à la prochaine chute. Emmenez-le chez le dentiste qui polira la dent ou décidera de la « couvrir ».

Si une dent tombe, ramassez-la et emmenez immédiatement l'enfant chez le dentiste ou dans la clinique dentaire la plus proche. Les dents définitives peuvent souvent être réimplantées et se relient alors d'elles-mêmes à la mâchoire, mais c'est rarement possible avec les dents de lait. Votre dentiste décidera soit de laisser un trou jusqu'à l'arrivée de la deuxième dent, soit de lui en poser une fausse.

Grandir, c'est aussi apprendre à s'occuper de soi.

Tout au long de ces années, les enfants prennent conscience de leur individualité, découvrent la pudeur et acquièrent une certaine intimité avec leur corps. Tous les aspects de son apparence physique paraissent très importants à votre enfant de trois ou quatre ans, mais, s'il s'en soucie, c'est pour lui, non pour vous. Garçons et filles n'apprécient pas d'être peignés et apprêtés comme de petits caniches pour votre propre plaisir.

Bien sûr, l'hygiène et le bien-être général de votre enfant sont encore de la responsabilité des adultes, mais, plus vous lui apprenez à gérer tout seul les détails du quotidien, moins vous aurez l'occasion d'offenser son précieux ego. Concrètement, vous y gagnez aussi. Chaque tâche que votre enfant exécute lui-même est une tâche de moins pour vous. Ces nouveaux acquis le préparent à l'école, où aucun adulte ne sera en charge, pour lui, des soins physiques. Et les habitudes prises aujourd'hui dureront sûrement des années.

DEVENIR INDÉPENDANT

Ne comptez pas sur un apprentissage rapide. La plupart des tâches sont ennuyeuses et répétitives. Mais il va progresser. Si votre enfant se passe la débarbouillette sur le bout du nez à deux ans et se lave le visage avec vous à ses côtés à trois ans, il se lavera quand vous le lui demanderez à quatre, et (parfois) le fera de lui-même à cinq.

Lui faciliter la tâche Si vous voulez que votre enfant se débrouille tout seul, il faut lui en donner les moyens physiques. Dans une maison sombre, il refusera de circuler tout seul ; veillez donc à bien éclairer couloirs et escaliers. Pour qu'il puisse aller seul dans la salle de bain, il faut que la poignée de la porte et l'interrupteur soient à portée de main et que la serrure soit hors d'atteinte. Faites le tour de votre maison en considérant la taille et la sécurité de votre enfant. Peut-il se brûler avec l'eau chaude ? Ses tiroirs sont-ils trop lourds pour qu'il les ouvre ou susceptibles de lui tomber dessus ? Peut-il atteindre sa brosse à dents sans rencontrer un rasoir ? Les enfants sont vite lassés de vous entendre leur demander de «faire attention». C'est donc à vous de leur permettre d'être indépendants. Si aucun portemanteau n'est à sa hauteur, comment pouvez-vous attendre de lui qu'il range son manteau ?

Apprendre à choisir Grandir, c'est savoir prendre des décisions. Votre enfant doit apprendre à réfléchir à ce qu'il doit faire, plutôt que d'exécuter (ou non !) ce que vous lui dites. Vous ne pouvez pas encore laisser trop de choses à son libre arbitre, car, souvent, il prend des décisions plutôt mauvaises pour sa santé (ne se laver les dents qu'une fois par semaine, par exemple) ou tout simplement inacceptables de votre point de vue (comme de mettre un déguisement pour aller à l'école). Il s'agit donc d'organiser sa vie pour qu'il n'ait que des choix limités à faire, mais qu'il puisse les faire librement. Il peut se laver les dents maintenant ou après l'histoire, et choisir entre deux plats que vous lui proposez pour son dîner.

Des vêtements faciles
à mettre, c'est plus
d'indépendance
pour lui et moins
de travail
pour vous.

Choisir ses vêtements

Qui a dit que le bleu, le mauve et le rouge vif ne vont pas ensemble ?

Les parents sont souvent surpris de l'intérêt des enfants de trois ou quatre ans pour les vêtements qu'ils portent. Il ne s'agit pas seulement de confort ou d'un goût nouveau pour la mode, mais d'une facette du développement de leur ego. Les vêtements participent de l'image de soi et de l'image que l'on donne au monde. Qui votre enfant veut-il être ? Et, s'il fait partie d'un groupe d'enfants qui sont importants à ses yeux, comment a-t-il envie de paraître à leurs yeux ?

Il n'est pas assez grand pour choisir les vêtements que vous lui achetez ou même ceux qu'il va porter aujourd'hui, mais il l'est certainement assez pour avoir un point de vue. C'est son corps, après tout. Pourquoi devrait-il soumettre son apparence au goût de quelqu'un d'autre ? Pourquoi ne pas lui proposer une ou deux tenues acceptables pour vous et le laisser choisir librement celle qu'il préfère ? Essayez d'être ouverte et d'admettre son choix, même s'il souhaite mettre un haut rouge écarlate avec son pantalon orange.

Se disputer sur sa tenue est une mauvaise façon de commencer la journée. Votre enfant répondra peut-être plus facilement si vous lui présentez ce choix de vêtements la veille avant de le coucher. Si ce choix limité semble l'offenser, vous pouvez supprimer de sa penderie tout ce qui n'est pas de saison ou qu'il ne porte qu'en certaines occasions et le laisser choisir parmi tout le reste. Parfois, au contraire, il a besoin de *moins* choisir et se contentera d'une sorte d'« uniforme » pour la semaine (alternant entre deux pantalons et deux chandails). Quoi qu'il en soit, assurez-vous que ses vêtements sont très agréables à porter. Préférez les boutons simples à manier tout seul aux fermetures éclair. À moins qu'il ne réclame des pantalons à braguette, privilégiez ceux dont la taille est élastique et achetez-lui des chaussures à fermeture velcro. Vous pouvez coudre les petits vêtements indispensables (comme les mitaines) à son manteau. Pour le reste (gants, bonnets), contentez-vous du minimum.

Lui apprendre à se laver tout seul

La plupart des jeunes enfants détestent qu'on leur lave ou même qu'on leur peigne les cheveux, trouvent ennuyeux qu'on leur coupe les ongles et ne consacrent pas plus de trois secondes à se brosser les dents. Une « grande toilette » hebdomadaire, toujours au même moment – et pas en plein milieu de son dessin animé préféré – et entourée d'une cérémonie amusante est la meilleure solution pour vous deux. Vous pouvez même en profiter pour vous occuper de vous en même temps. Prenez tout le temps nécessaire, car la précipitation le met de mauvaise humeur. Laissez-le tout essayer et sentir que vous êtes calme, détendue et toute à lui.

Il ne peut pas encore se couper les ongles, mais saura se servir d'une lime pour lisser le résultat de votre travail. Les ongles de ses orteils doivent être coupés en ligne droite et non courbés, car cela favorise les risques d'ongles incarnés.

Il faut se bagarrer pour apprendre à un enfant à se brosser les dents de façon efficace, mais les brosser pour lui est souvent pire. Faites-en un jeu qui conclura la grande toilette, sur le mode : « A-t-on bien nettoyé toutes ces dents cette semaine ? » et utilisez un révélateur de plaque dentaire qui tache de rose tous les résidus. Supprimer chaque petite tache est un vrai défi, mais, lorsque vous avez fini, vous savez que ses dents sont vraiment propres.

Ses cheveux doivent être lavés, mais, si cela pose un problème, laissez votre enfant décider de la façon de le faire. Peu importe en réalité la méthode, ce qui compte pour lui, c'est le simple fait d'être autorisé à choisir et donc d'exercer une sorte de pouvoir. Peut-être aimera-t-il se servir de votre shampooing ou de votre baume démêlant. Laissez-le se frotter les cheveux tout seul, sculpter des coiffures avec la mousse et les regarder dans un miroir.

Lorsque la peur du rinçage est passée, apprenez-lui à vérifier qu'il ne reste pas de shampooing. Vous pouvez finir par un démêlant et surtout lui apprendre dès que possible à se brosser les cheveux tout seul pour ne plus avoir à le faire.

Il y a une façon amusante d'accomplir toutes les tâches indispensables.

DEVENIR PROPRE
ET APRÈS

L'âge auquel les enfants sont définitivement propres est très variable. Certains (plus les filles que les garçons) sont capables de se passer complètement de couches à trois ans, mais, à cet âge, la plupart en ont toujours besoin la nuit. Et il y en a encore beaucoup qui doivent aussi garder des couches ou des couches-culottes la journée, car, bien qu'ils maîtrisent totalement leurs selles, ils ne parviennent pas encore à se retenir de faire pipi assez longtemps pour atteindre le pot...

Les problèmes de couches mouillées
Si votre enfant semble ignorer totalement le pot, les toilettes ou même le fait d'uriner, vérifiez qu'il a compris ce que vous attendez de lui :

■ Montrez-lui que vous ne doutez pas un instant qu'il sera bientôt propre et que vous attendez avec impatience qu'il utilise un pot ou les toilettes, tout comme vous (et une liste précise de gens qu'il aime et admire). Cela semble évident, mais il est possible que ce message ait été étouffé par le soin que vous avez mis à ne pas le traumatiser avec l'apprentissage de la propreté.

■ Assurez-vous que votre enfant a l'occasion de voir des adultes ou des camarades utiliser les toilettes. L'imitation peut être d'une grande aide.

■ Aidez-le à réaliser qu'il est mouillé. Aujourd'hui, les couches absorbent si bien l'urine et le gardent si bien au sec qu'elles l'ont peut-être empêché de prendre conscience de tout le processus. Une fois qu'il a commencé à uriner dans un pot ou aux toilettes, laissez-le le plus possible sans couche lorsqu'il est éveillé et à la maison. Vous pouvez protéger votre moquette avec du tissu-éponge ou du plastique.

■ Si vous utilisez des couches-culottes, réservez-les à des occasions très spéciales. Ces couches incroyablement confortables et efficaces permettent à votre enfant de trois ou quatre ans de «passer» pour sec, et risquent de réduire sa motivation à devenir propre.

L'enfant qui continue à ne pas se préoccuper de sa façon d'uriner est peut-être tout simplement en retard dans ce domaine. Si vous vous reportez au chapitre consacré à la propreté entre un et deux ans et demi, vous constaterez qu'il suit l'évolution normale de la maîtrise de la propreté, mais plus tard ou plus lentement, ce qui est assez fréquent.

Souvent, on constate que ce retard du contrôle de la vessie est héréditaire. Vérifiez auprès de vos parents respectifs l'âge auquel vous y êtes parvenus, vous et votre partenaire. Vous serez sans doute rassurés par les réponses. Mais si, des deux côtés, on affirme que vous étiez propres à deux ans (voire à un an!), ne vous démoralisez pas. Nous avons tous tendance à déformer le passé. Il est, par ailleurs, évident que c'est une étape plus difficile pour les garçons que pour les filles et qu'ils ont besoin de plus de temps. Ne comparez pas un garçon qui semble avoir décidé de rester mouillé toute la vie et une fille qui a uriné dans le pot très tôt. Ils ne sont pas comparables. Tous les enfants, mis à part ceux qui ont de graves problèmes mentaux ou physiques ou des troubles neurologiques très spécifiques, finissent par y parvenir et, tout compte fait, assez rapidement. Combien d'enfants avez-vous vu entrer à la maternelle avec des couches ?

Certains problèmes physiques temporaires peuvent toutefois gêner ce développement. Le sphincter de l'urètre d'un enfant fonctionne d'une telle façon qu'il est soit complètement ouvert, soit complètement fermé. Si votre enfant est constamment humide, c'est peut-être parce que son urine s'écoule de façon incontrôlable. Bien plus courantes, les infections urinaires – en général des cystites chez les filles – font uriner souvent, dans l'urgence, et sont douloureuses. Cet état, déjà éprouvant pour les adultes, est totalement ingérable pour les petits. Si le vôtre est l'un des nombreux malchanceux qui ont des infections de ce type à répétition, ne vous inquiétez pas et ne l'ennuyez pas avec la propreté tant qu'il n'est pas totalement soigné.

De plus en plus propre — Quand – et seulement quand – votre enfant est vraiment capable d'être propre la journée sur tous les plans, vous pouvez commencer à l'aider à l'être en toutes circonstances. Être capable de gérer lui-même tout le processus où qu'il soit lui fait gagner une grande confiance en lui et en son statut d'individu à part entière.

Passer du pot aux toilettes — Votre enfant utilise peut-être les toilettes depuis des mois, mais, s'il a toujours préféré le pot, il est temps maintenant d'amorcer la transition. Dès qu'il pourra utiliser les toilettes, il pourra aller n'importe où sans dépendre de vous ou de quiconque pour penser à transporter son pot.

La première étape est de donner à ce pot une place fixe dans la maison, proche des toilettes où l'enfant prendra l'habitude d'aller chaque fois qu'il doit uriner. Lorsqu'il a admis cela et ne s'attend plus à trouver le pot au milieu du salon, achetez un rehausseur qui s'attache sur le siège des toilettes, ainsi qu'un marchepied (ou une boîte solide) qui lui permette de monter et de descendre tout seul et d'y reposer ses pieds quand il est assis. S'il peut déplacer ce marchepied, il s'en servira aussi pour atteindre le lavabo. Encouragez-le à utiliser cette nouvelle formule, mais ne supprimez pas le pot tant qu'il ne l'a pas volontairement abandonné.

Quand il commence à aller aux toilettes sans vous – les premières fois se déroulent souvent en compagnie d'un copain venu jouer avec lui –, il doit toujours trouver son rehausseur en place. Les adultes qui le retirent pour leur propre utilisation doivent penser, ensuite, à le réinstaller.

Une fois qu'il est habitué à se servir des toilettes à la maison, incitez-le à en faire autant partout ailleurs. Montrez-lui où sont les toilettes chez vos amis, dans les magasins ou à la piscine. Il faut aussi l'habituer aux lieux publics moins élégants afin qu'il ne soit ni surpris ni stressé lorsqu'il devra se servir d'installations sales et malodorantes dans les campings ou les stations-service. S'il n'a pas déjà expérimenté le manque d'intimité et d'hygiène, les toilettes de certaines écoles lui paraîtront assez décourageantes.

À trois ou quatre ans, la plupart des enfants préfèrent être accompagnés d'un adulte pour aller dans des toilettes qu'ils ne connaissent pas et devraient toujours l'être dans les toilettes publiques. Garçons ou filles, les tout-petits peuvent toujours aller avec leur mère dans les toilettes pour femmes et les petits garçons accompagnent leur père

Habituez votre enfant à se servir des toilettes disponibles là où il est.

dans celles des hommes. Mais un papa tout seul avec sa petite fille se trouve parfois dans une situation délicate. Certains lieux sont équipés de toilettes mixtes. Les chaînes de restaurants familiaux et les centres commerciaux proposent souvent des installations pour « parents et enfants » plutôt que « mamans et enfants ». Sinon, le papa peut aussi utiliser les toilettes conçues pour les personnes ayant des besoins spéciaux et qui sont la plupart du temps mixtes.

Les positions pour uriner Beaucoup de petits garçons urinent en position assise lorsqu'ils commencent à se servir du pot, mais il est temps à présent de les aider à copier leur papa, leurs grands frères et leurs amis. Les garçons à la maternelle, déjà fiers de leur masculinité, pourraient se moquer d'un petit camarade qui s'assoit encore. Votre enfant sera très content de ne plus avoir à baisser son pantalon. Privilégiez toujours les pantalons à taille élastique, tant qu'il ne réclame pas de braguette comme ses copains ; ils sont à la fois plus sûrs et plus faciles à utiliser. Une fois qu'il urine debout, apprenez-lui à soulever auparavant le siège des toilettes. S'il a des grands à copier, il comprendra rapidement le truc pour bien viser. Sinon, il faudra peut-être attirer son attention sur ce point, en utilisant, par exemple, un morceau de papier hygiénique comme cible pour l'entraîner. Il est préférable d'avoir, autour, un sol facile à nettoyer et de protéger votre moquette toute neuve avec du plastique ou un tissu lavable. Il ne sera pas toujours très précis…

Une petite fille voyant un garçon uriner debout a bien envie d'en faire autant. Une fois l'expérience tentée et les jambes mouillées, elle essaiera peut-être un compromis, à califourchon sur la cuvette. N'en faites pas un drame. Elle va vite réaliser que la position assise normale convient mieux à son corps. En admettant cela, elle admet qu'elle est une fille et que les corps des filles sont différents de ceux des garçons.

Uriner dehors   Même si votre enfant est fiable, il ne peut pas attendre trop longtemps. Il faut donc lui apprendre à uriner dehors pour éviter les catastrophes en cas de pique-nique ou de longs trajets. En général, cela ne pose pas de problème aux garçons. Ils peuvent imiter papa et uriner contre un arbre ou même derrière la voiture dans le fossé si nécessaire. Les filles ont un net désavantage, très bien exprimé par cette petite fille qui, après une promenade avec son cousin, demande : « Pourquoi je ne pourrais pas avoir ce truc pratique au moins pour les pique-niques ? »

Les toutes petites filles préfèrent souvent être « portées » par papa ou maman en position accroupie. Les plus grandes retirent parfois complètement leur culotte, car il leur paraît difficile de la garder sur les chevilles et de la tenir pour ne pas la mouiller. Trouvez-lui un endroit propice : à tous les âges, se retrouver au milieu des chardons et des fourmis est très dissuasif.

Le rythme des selles   Beaucoup d'enfants n'ont pas besoin de déféquer tous les jours, mais le feront de façon très régulière tous les deux, voire trois, jours. D'autres le font tout aussi régulièrement deux ou trois fois par jour. Ce rythme est propre à chacun et vous n'avez pas à vous en occuper.

Si votre enfant va aux toilettes après le déjeuner, c'est assez logique physiologiquement, car l'intestin réagit à l'arrivée d'aliments après le long jeûne de la nuit. Plus tard, cela a aussi une logique sociale, les enfants n'aimant pas utiliser les toilettes de l'école pour autre chose qu'un bref pipi. Mais si ce n'est pas son rythme naturel, ne tentez surtout pas de l'imposer. Ne réservez même pas dix minutes chaque matin pour qu'il « essaie ». Les enfants doivent déféquer quand ils sentent qu'ils en ont besoin.

Tout faire tout seul   À la maison, ils se sentent plus indépendants et plus sûrs d'eux quand ils peuvent se débrouiller tout seuls dans les toilettes. Beaucoup ont encore besoin d'un adulte pour leur essuyer les fesses après une selle. Il est essentiel d'apprendre aux petites filles à s'essuyer de l'avant vers l'arrière et jamais dans l'autre sens. Les résidus de fèces qui entrent en contact avec la zone vaginale et l'urètre peuvent être à l'origine d'infections urinaires. Savoir s'essuyer tout seul le plus

Votre enfant préfère avoir un peu d'intimité aux toilettes, même si vous devez encore rester à proximité.

tôt possible est un avantage réel. Votre enfant est peut-être très content d'avoir une nouvelle gardienne, mais très anxieux à l'idée de devoir accepter que cette inconnue lui rende ce service si intime. Au service de garde, il n'y a parfois personne pour l'aider et, s'il ne sait pas se débrouiller tout seul, il risque de subir de méchantes moqueries. Il ne faut cependant pas trop le hâter. À trois ans, la plupart en sont incapables tout simplement parce que leurs bras ne sont pas encore assez longs par rapport au corps.

Lorsqu'ils pensent pouvoir se charger eux-mêmes de cette besogne, il n'est pas rare que leurs culottes soient tachées. Ils ont en particulier du mal à être méticuleux à l'école où ils souffrent du manque de temps et d'intimité et doivent utiliser du papier hygiénique plus rêche et moins absorbant qu'à la maison.

Une fois qu'ils maîtrisent les selles, les accidents sont assez rares – quoique pas autant que la plupart des gens le croient (voir p. 460). La cause la plus courante est un accès de diarrhée qui rend l'évacuation extrêmement urgente mais surtout perturbe le signal du rectum auquel l'enfant vient à peine de s'habituer. Soyez bienveillante envers un petit qui souffre de diarrhées et gardez-le à la maison même s'il n'est pas malade par ailleurs. Devoir remettre des couches est humiliant, tout autant que le dégoût mal dissimulé de l'éducatrice qui doit les changer.

Les accidents de pipi À trois ou quatre ans, les enfants mouillent encore fréquemment leur culotte. À cinq ou six ans, les accidents sont assez fréquents pour que les vêtements de rechange fassent partie, à l'école, du matériel de base. Une fois que votre enfant a décidé d'être propre, une culotte mouillée est bien plus embarrassante pour lui que pour vous – et très inconfortable. Il ne le fait certainement pas volontairement, alors soyez vraiment compatissante.

Comme les adultes, les enfants urinent plus facilement quand ils sont nerveux ou excités. Il n'y a rien de surprenant alors à ce que les accidents surviennent toujours aux pires moments, tels que les fêtes d'anniversaire ou les week-ends à l'extérieur. De nombreux enfants ignorent le signal d'une vessie pleine lorsqu'ils sont très concentrés sur un jeu. Beaucoup plus rarement, il arrive qu'un enfant en état de stress émotionnel retienne l'urine si longtemps que la vessie devient trop pleine et qu'il ne parvient plus à la vider. Cela peut arriver lorsqu'il part avec des inconnus et décide de ne pas aller aux toilettes sans sa maman.

La solution est l'eau. Le son d'un robinet qui coule libérera le flux. Sinon, mettez votre enfant dans un bain chaud. Il est facile d'y uriner.

ENLEVER LES COUCHES LA NUIT

Beaucoup d'enfants ont besoin de couches la nuit bien après trois ans. Les retirer trop tôt est le meilleur moyen de déclencher les problèmes d'incontinence nocturne. Si votre enfant urine toutes les deux heures la journée et mouille sa couche toutes les nuits, vous pouvez être sûre que, si vous le couchez sans protection, il se réveillera dans un lit mouillé. Il n'est tout simplement pas prêt. Il n'a aucun pouvoir sur ce qui se passe lorsqu'il dort et vous ne pouvez rien y changer. Vous ne pouvez pas contraindre sa vessie à retenir toute cette urine jusqu'au matin ou apprendre à l'enfant à se réveiller lorsqu'elle lui signale qu'elle est pleine. Laissez-le juste devenir naturellement plus mature.

Commencer à rester au sec la nuit

Pour supprimer les couches la nuit, attendez d'avoir trouvé plusieurs matins de suite sa couche propre, qu'il n'urine plus que toutes les trois ou quatre heures la journée ou qu'il se soit levé plusieurs fois aux aurores pour aller aux toilettes. Même avec tous ces signes évidents de maturité réunis, n'insistez pas pour lui retirer ses couches s'il préfère les porter. En le stressant, vous ne ferez que favoriser les problèmes. Lorsque vous êtes tous deux d'accord pour les enlever, protégez son matelas avec une alèse. Les petits draps plastifiés ne sont pas confortables et, souvent, ils ne couvrent pas toute la surface. Montrez l'alèse à votre enfant et expliquez-lui que, grâce à ça, il n'est vraiment pas grave qu'il fasse pipi au lit pendant son sommeil.

Si vous venez de lui acheter de nouveaux pyjamas ou de nouveaux draps, insistez sur le fait qu'ils sont très faciles à laver et évitez les phrases du genre : « De beaux draps tout neufs pour un grand garçon sans couches. » S'il se met en tête que mouiller son lit abîmera ces jolies choses, il sera inquiet avant l'accident et très triste après.

L'aider à ne plus uriner la nuit

Beaucoup d'enfants passent la nuit sans problème et connaissent très peu d'accidents, mais une large minorité n'y parvient pas avant cinq ans et, même alors, il arrive que le lit soit mouillé. Si votre enfant a beaucoup de mal à être propre la nuit, rappelez-vous qu'il y a une grande différence entre essayer de garder son lit sec et l'aider à rester sec lui-même. Le réveiller tard le soir et tôt le matin pour le porter aux toilettes permet parfois de préserver les draps, mais ne lui apprend rien. Au contraire. S'il se réveille pendant que vous le portez, il se rend compte que c'est vous qui êtes responsable, et non lui, du pipi la nuit. S'il urine à moitié endormi, alors que vous le tenez au-dessus des toilettes, vous encouragez l'acte que vous souhaitiez supprimer : uriner en dormant. C'est une méthode qu'il faut vraiment éviter avec un tout jeune enfant. Si votre enfant (fille ou garçon) de cinq ou six ans, qui a vraiment envie de ne plus mouiller son lit, vous demande de l'aider de cette façon, veillez quand même à ce qu'il soit assez réveillé pour être sensible au signal que lui envoie sa vessie et y répondre.

Ne limitez jamais les boissons le soir. Contentez-vous de supprimer les boissons gazeuses, qui atteignent très rapidement la vessie, et celles qui contiennent de la caféine, qui stimulent votre enfant à évacuer l'urine. Tant qu'il boit de l'eau, du lait ou du jus de fruits, il doit boire quand il veut et autant qu'il le souhaite. Bien qu'il paraisse logique qu'un enfant qui boit moins risque moins de mouiller son lit – et que certains professionnels de la santé suggèrent encore de supprimer les liquides quatre heures avant le coucher –, des études ont montré que cela risquait au contraire d'aggraver les choses. La vessie s'adapte à la quantité de liquide qu'elle reçoit et envoie le signal qu'elle est pleine bien avant de l'être réellement. Sur une longue période, cette méthode risque donc de réduire la capacité de la vessie de votre enfant.

Votre enfant doit boire toutes les fois qu'il a soif, même à l'heure du coucher.

Comment empêcher notre enfant de faire ses selles sur lui?

Notre fils a quatre ans, et l'apprentissage de la propreté a été difficile car il ne se servait du pot que pour uriner. Pendant un an, il a déféqué dans ses culottes ou par terre. Puis il a arrêté et nous pensions la bataille gagnée. Il semble à présent avoir une diarrhée chronique. Ses culottes sont toujours légèrement sales et, bien que les enfants au service de garde ne semblent pas s'en apercevoir, nous craignons le pire lorsqu'il ira à l'école. Nous avons essayé des médicaments antidiarrhée et l'avons envoyé aux toilettes toutes les deux heures, mais rien ne marche, et nous trouvons gênant d'aller voir un médecin. Que pouvons-nous faire?

Les problèmes de ce type sont bien plus courants que ne l'imaginent les familles concernées. La conspiration silencieuse qui les entoure et vous fait redouter une consultation médicale n'aide personne, surtout pas les enfants qui souffrent de leur propre odeur.

Les difficultés surviennent parce que les tout-petits éprouvent un sentiment de possession pour leurs selles, alors que les adultes éprouvent de la répulsion. Voir ce qui lui appartient immédiatement détruit dans les toilettes peut choquer votre enfant. S'il cherche un champ de bataille pour disputer votre pouvoir, le pot lui semblera le lieu idéal. Sa résistance inconsciente mais active peut se faire par l'évacuation des selles ou, au contraire, par leur rétention. Et les adultes s'inquiètent.

Un enfant qui défèque partout, sauf dans le pot ou les toilettes, et presque jamais au «bon» moment, comme votre fils, a sans doute subi une trop forte pression. Peut-être avez-vous perdu de vue que vous deviez l'aider à devenir propre dans son intérêt à lui. Si la pression peut être supprimée à cette période (et c'est un grand «si»), l'enfant progresse à nouveau. Sinon, sa résistance, active jusqu'alors, devient passive, comme cela semble être le cas de votre fils.

Pour ne pas évacuer ses selles dans le pot ou les toilettes, l'enfant les retient le plus longtemps possible. Avec le temps, il peut même trouver plaisir à cette sensation et devenir particulièrement doué. Il garde ainsi en lui et sous son contrôle ce précieux élément de pouvoir.

Si c'est ce qui est arrivé à votre fils, ce que vous prenez pour une diarrhée chronique est probablement une constipation chronique. Lorsqu'un enfant ignore son besoin d'aller sur le pot et se retient pendant plusieurs jours, ses selles se rassemblent dans son intestin, durcissent pendant que le corps recycle leur eau, puis gonflent progressivement le rectum au-delà du stade auquel il envoie un signal pour s'ouvrir. Dans une telle situation, l'enfant ne peut plus déféquer. Cependant, comme il continue à manger et à digérer, des selles liquides se forment au-dessus de l'obstruction et finissent par la traverser. C'est l'explication physiologique la plus probable des taches permanentes que vous décrivez.

Il ne se souille pas délibérément. La bataille se joue à un niveau inconscient. Être en colère contre lui serait injuste et inutile (même s'il est inévitable que vous soyez parfois énervée). À ce stade, arrêter l'utilisation de médicaments antidiarrhée et ne plus mettre de pression sur votre enfant pour qu'il aille aux toilettes ne suffisent plus. Demandez *rapidement* conseil à votre médecin ou à votre pédiatre. Pour sortir de cette impasse, votre enfant a peut-être besoin d'un traitement pour ramollir ses selles et surtout qu'on lui explique ce qui lui est arrivé. Il est crucial qu'une figure de l'autorité en dehors de la famille lui assure que tout ça n'est pas de sa faute.

Ces mois de bataille autour de ses intestins ont sûrement laissé l'amour-propre de votre enfant en miettes. Même s'il ne le montrait pas, il était certainement conscient et gêné de son odeur, de sa «différence» par rapport aux autres enfants et de leurs réactions (et surtout de la vôtre). S'il faisait preuve d'une certaine indifférence face à ses culottes sales et aux moqueries, c'est parce qu'il se sentait lui-même sale, malodorant et différent et n'était donc pas surpris que les autres partagent cette triste opinion de lui.

Être réveillé par une envie d'uriner est un signe que le contrôle de la vessie est en bonne voie. Il faut qu'il ait son pot dans sa chambre et assez de lumière pour repousser les monstres qui vivent sous son lit. Toutefois, il a probablement encore besoin d'aide. Les enfants ont souvent peur de sortir du lit tout seuls. Mais, quoi que vous fassiez, il y aura des matins secs et des matins mouillés... Ne faites pas de commentaires. Le féliciter lorsqu'il n'a pas mouillé son lit et se taire dans le cas contraire est presque aussi mauvais que de le gronder quand il a uriné. Si vous lui dites qu'il est « sage » quand il est sec, il en conclut qu'il est « méchant » – ou au moins « pas sage » – lorsqu'il est mouillé. Évitez compliments et blâmes et expliquez-lui que la vessie grandit en même temps que lui et qu'elle finira par être capable de garder l'urine toute la nuit.

Résoudre les problèmes nocturnes Les accidents nocturnes sont très courants autour de cinq ans et ne sont pas rares à sept – surtout chez les garçons. Ne décidez pas trop vite que votre enfant a un problème. Les parents ont tendance à s'inquiéter dès quatre ou cinq ans, mais, si possible, tâchez de rester sereine et de ne pas stresser votre enfant, le temps qu'il mûrisse. Sinon, demandez de l'aide à votre médecin.

Parfois, ce sont les enfants qui sont angoissés – en général, à la suite des remarques désobligeantes de vos hôtes ou de vos invités. Votre enfant a du mal à vous croire lorsque vous lui assurez qu'en grandissant tout rentrera dans l'ordre et aura plus confiance en cet avis s'il lui est donné par un médecin. Si vous expliquez au médecin que c'est votre enfant qui se fait du souci, et non vous, il prendra le temps de le rassurer et lui promettra de l'aider plus tard s'il en a vraiment besoin. Si rien ne vient susciter l'angoisse de votre enfant – ni votre irritation spontanée, ni les remarques de vos amis –, le problème se réglera de lui-même d'ici ses sept ans. Si ce n'est pas le cas, il sera alors temps de demander l'avis d'un médecin dans un service spécialisé dans l'énurésie.

Si, après plusieurs mois passés au sec, votre enfant se met soudainement à mouiller à nouveau son lit, il est possible que ce soit une réaction au stress de la journée. Un nouveau bébé dans la famille peut créer un désir inconscient d'être à nouveau un bébé, même si son désir conscient est d'être assez grand pour ne plus uriner au lit. Une séparation de vous ou de son papa, un séjour à l'hôpital, la perte d'un grand-parent ou tout autre bouleversement majeur peuvent ébranler sa confiance. Et c'est ce manque de confiance soudain qui lui retire temporairement ses acquisitions les plus récentes. D'autres signes de régression viendront sans doute s'ajouter à celui-ci : il a du mal à s'endormir, par exemple, ou vous demande une sucette, voire un biberon. Si la raison de son stress est évidente, il vous suffira peut-être pour le réconforter de lui en parler directement en le cajolant encore un peu plus que d'habitude. Si vous percevez son angoisse, mais ne parvenez pas à en trouver la cause, son éducatrice peut peut-être vous aider à comprendre ce qui le perturbe et comment l'aider. Quoi qu'il en soit, n'attendez pas une disparition soudaine et miraculeuse des draps mouillés. Il lui faut du temps pour reprendre confiance en lui et être à nouveau propre.

Alors que, pour la plupart des enfants de un ou deux ans, aller au lit est compliqué, ceux de quatre ans se répartissent en deux groupes : ceux qui ne font plus du tout d'histoires et ceux qui, au contraire, sont encore plus difficiles qu'avant. Si votre enfant appartient au premier groupe, vous avez de la chance. Ne changez rien à votre façon de faire et espérez que cela continue. S'il appartient au second, il peut être utile de reconsidérer d'un œil honnête tout ce qui tourne autour de son sommeil.

De nombreux enfants de cet âge passent beaucoup de temps dans leur lit sans dormir. Ils y sont envoyés parce que les parents ont envie de calme le soir, que l'enfant ait sommeil ou non. Admettez que son sommeil est important pour son bien-être et non pour votre confort personnel et faites ce que votre sens de la justice et l'intérêt général recommandent : rendez le moment du coucher le plus agréable possible pour l'enfant.

Son lit et sa chambre : des lieux privés Faire en sorte que la chambre et le lit des enfants soient des lieux qu'ils apprécient est bien plus facile à cet âge qu'auparavant. Les tout-petits ont tendance à détester le lit (ou le fait de dormir), car il signifie la séparation d'avec les parents. La mise à l'écart dans la maison cesse ensuite d'être un problème. En réalité, les enfants acquièrent un vrai sens du territoire, commencent à avoir besoin d'intimité et souhaitent disposer d'un lieu qui leur appartienne. Que votre enfant dispose d'une vraie chambre ou juste d'un coin de pièce, demandez-lui son avis sur son agencement, sa décoration et insistez auprès des autres membres de la famille sur le fait que cet endroit lui appartient. Les frères et sœurs plus grands ne doivent pas être autorisés à y pénétrer sans sa permission, et c'est à l'enfant de le faire visiter aux invités si, et seulement si, il en a envie.

L'enfant passe au moins la moitié de son temps dans cette chambre qui lui est chère (même si c'est en grande partie pour y dormir). Elle doit donc être propre et jolie. N'attendez pas de votre enfant qu'il la maintienne lui-même en ordre, même s'il l'adore. Si personne ne la range pour lui, le désordre qui y régnera bientôt lui fera perdre tout son charme.

Le lit est la pièce centrale. C'est sans doute le bon moment pour abandonner les barreaux et lui offrir son «lit de grand», qui n'a évidemment pas besoin d'être particulièrement grand, bien qu'un lit ordinaire simple pour adulte coûte souvent moins cher qu'un lit de transition et dure plus longtemps. Réfléchissez bien avant de lui acheter un lit fantaisie. À trois ans, votre petite fille trouve peut-être amusant de dormir dans un lit en forme de cygne, mais qu'en pensera-t-elle à sept ans, lorsqu'elle aura une passion pour les poneys ? Si deux enfants dorment dans la même chambre, évitez, si possible, les lits superposés : il y en aura toujours un pour penser que l'autre a la meilleure place, et il est difficile de trouver son intimité lorsque quelqu'un dort au-dessus de vous. Par ailleurs, il est quasi impossible de soigner un enfant qui dort en haut, ce qui oblige à le déplacer chaque fois qu'il est malade. Si l'un des deux ne vit avec vous

*Un lit et une chambre
agréables où il va volontiers,
c'est un peu plus de repos
pour tout le monde…*

que la moitié du temps – peut-être parce qu'il est chez son père le week-end –, choisissez de préférence un lit équipé d'un second matelas dessous, que l'on tire et range à volonté. Sinon, la meilleure solution est d'avoir deux lits séparés, même s'ils envahissent un peu la chambre.

Le lit lui-même doit être attrayant. N'attendez pas que votre enfant n'urine plus la nuit pour lui acheter de jolis draps et de beaux pyjamas : ils se lavent aussi facilement que les vieux tout élimés. Pourquoi ne pas en choisir qui soient illustrés de ses personnages de dessins animés favoris ? À présent que votre enfant a passé l'âge où il risque de prendre froid en dormant, vous pouvez remplacer les couvertures par une couette. Les enfants aiment l'aspect « petit nid » qu'elle donne à leur grand lit et adorent se blottir dedans. Elle permet de faire rapidement son lit le matin ou après les siestes, et c'est important, car il n'aura pas plus envie que vous de retourner dans un lit mal fait.

Pour que ce lit soit encore plus sa « petite maison », vous pouvez l'entourer d'objets personnels auxquels il tient. L'objectif est qu'il soit heureux d'y aller tous les soirs et d'y rester un peu le matin quand il est réveillé. Les goûts évoluent, mais il y a quelques petites choses que tous les enfants sont heureux d'avoir dans leur chambre :

■ Une lumière, fermement vissée au mur et hors de portée de l'enfant. Vous pouvez mettre une ampoule de 15 watts si elle reste allumée toute la nuit ou un variateur d'intensité qu'il règle lui-même.

■ Des images sur le mur ou aimantées sur un tableau pour qu'il puisse les changer de place tout seul. Des mobiles au-dessus du lit et suspendus devant la fenêtre pour être agités par l'air.

■ Une table de nuit ou une étagère avec ses propres livres. Des livres d'images pour les plus jeunes et des bandes dessinées pour les plus grands, qui leur permettent de suivre une histoire avant de savoir lire.

■ Des jouets pour le lit, qui sont en général de deux types : des peluches pour les câlins et des casse-tête et autres jeux de concentration qui le séduiront peut-être plus au lit que dans la journée.

■ Un lecteur de cassettes audio. Il est bien possible que cette source de bruit amical soit allumée dès que vous le laissez dans son lit pour la nuit et dès qu'il se réveille le matin.

■ Un moyen de communiquer avec vous : une porte entrouverte ou, dans les maisons plus grandes, un interphone de surveillance.

Du bon usage du lit et de la chambre Une fois que vous avez fait de sa chambre un lieu agréable et qu'il aime y rester, préservez cette atmosphère. Ne gâchez pas tout en en faisant, par exemple, un lieu de punition. Évitez de l'envoyer dans sa chambre comme vous l'envoyez dans le coin. Évitez même de faire indirectement allusion à cette possibilité en disant : « Tu dois être très fatigué pour être aussi pénible. Je pense qu'il vaut mieux que tu te couches tôt. » Sa chambre doit être le lieu des événements agréables. S'il reçoit une lettre pendant qu'il est sorti ou si vous lui achetez un nouveau chandail, déposez-les sur son lit pour qu'il les trouve le soir en rentrant. Gardez des images qu'il aura envie de coller au mur ou écrivez-lui des messages de temps en temps et laissez-les dans sa chambre pour qu'il les découvre en se couchant. S'il demande à jouer avec un de vos objets qui lui est généralement interdit

– comme votre jeu d'échecs ou vos cartes –, dites-lui qu'il peut l'emprunter pour jouer dans son lit.

Lorsque vous mettez autant de soin à rendre son lit plaisant, vous souhaitez évidemment que le moment du coucher soit agréable. Prévenez bien votre enfant que l'heure approche. En général, une certaine routine et quelques rituels le soir sont efficaces, mais, quel que soit le mode de vie de la famille, n'attendez pas d'un enfant qu'il aille directement au lit alors qu'il est en plein milieu d'un jeu ou d'un dessin animé.

Racontez-lui une dernière histoire quand il est vraiment couché. Si vous le faites au salon, c'est une raison de plus de ne pas avoir envie de le quitter. L'idée est qu'il attende avec impatience d'être dans son lit pour avoir son histoire.

Gardez du temps pour les confidences, les blagues ou juste pour discuter. Si son lit est un lieu où il peut vous parler, vous raconter des choses ou vous poser des questions, il ne s'y sent pas exclu de la compagnie des adultes.

Lorsque vous le laissez, promettez-lui de revenir et faites-le effectivement. Vous lui dites, par exemple : «Je vais souper maintenant. Je reviendrai voir si tu dors quand j'aurai fini. » L'enfant sait, s'il ne s'endort pas très vite, que vous serez de retour dans peu de temps. Il y a de fortes chances qu'il s'endorme paisiblement avant la fin de votre repas.

Une fois au lit, il n'est pas autorisé à se relever. L'idée ne doit même pas lui traverser l'esprit. Mais, pour cela, il faut que vous soyez prête à

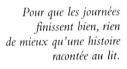

Pour que les journées finissent bien, rien de mieux qu'une histoire racontée au lit.

vous mettre un peu à sa disposition. S'il ne peut pas sortir de son lit pour vous demander quelque chose d'important, comment pourra-t-il avoir un verre d'eau quand il a soif?

Dans le noir, la plupart des enfants de cet âge n'ont aucune envie de sortir de leur lit et d'affronter les monstres qui rôdent autour d'eux. Pour se sentir en sécurité dans leur chambre, il faut donc qu'ils sachent que, s'ils appellent, quelqu'un viendra. Si votre enfant est en pleine acquisition de la propreté, il peut avoir mouillé ses draps ou avoir besoin d'aller aux toilettes. Laissez-lui une petite veilleuse et un pot à côté du lit, donnez-lui la permission de vous appeler, protégez son matelas avec une alèse et adoptez une attitude posée en cas d'«accident».

LES PROBLÈMES DE SOMMEIL

Tout ce que vous pourrez faire pour rendre l'heure du coucher agréable ne suffira pas toujours à éviter quelques problèmes de sommeil. Ils sont si courants à cette période que vous serez exceptionnellement chanceux si votre enfant n'en connaît aucun.

Les pensées effrayantes Il s'agit du genre de cauchemar que beaucoup d'enfants fatigués font à moitié endormis. L'enfant ne sait pas vraiment s'il dort ou non. Après un assez long moment de silence dans sa chambre (qui vous fait penser qu'il s'est endormi), il commence à pleurer ou à vous appeler et dit qu'il ne peut pas dormir.

Pour l'aider, demandez-lui ce qui l'embête. Il parviendra peut-être à vous expliquer quel monstre le tourmente et se sentira mieux de vous l'avoir dit. Vous devez le réconforter de façon très simple et très précise. S'il a peur d'un «méchant monsieur qui vient le voir...», rappelez-lui qu'il est impossible qu'une personne inconnue entre dans la maison: les portes sont fermées et il faut une clé pour les ouvrir et les fenêtres sont trop hautes, même avec une échelle.

Contrairement aux cauchemars (voir plus loin), les «pensées effrayantes» sortent souvent directement des histoires que l'enfant a entendues ou vues à la télévision. C'est comme si elles lui revenaient à l'esprit et que, avec l'arrivée du sommeil, son imagination prenait le pouvoir et les déformait. Choisir avec précaution ce qu'il regarde et les histoires que vous lui racontez le soir, pour qu'il s'endorme la tête remplie de choses plaisantes et ordinaires, et non mystérieuses et tristes, peut l'aider. Certains enfants particulièrement enclins à ce genre de pensées vous demandent eux-mêmes d'éviter certaines histoires, qu'ils apprécient pourtant à d'autres moments, et refusent de regarder certaines illustrations.

Des fragments de la vie réelle, à moitié entendus et à moitié compris, sont parfois à l'origine de ces pensées. Une conversation à propos de l'opération de sa tante, une querelle entre ses parents ou les pleurs de sa maman perçus à travers la cloison peuvent toucher un enfant au point qu'au moment de se coucher, l'angoisse l'envahisse. Il faut lui parler et expliquer les choses sans mentir. S'il a entendu une dispute ou des pleurs, reconnaissez calmement ce qui est arrivé et trouvez une version des faits qu'il puisse assimiler. Pour qu'il comprenne qu'il n'y a pas de raison d'avoir peur des disputes et des chagrins et qu'ils ne signifient pas que les personnes ne s'aiment plus, rappelez-lui qu'il se dispute lui-même avec ses amis ou avec son frère et que les grands, aussi, peuvent pleurer.

Les cauchemars Nous connaissons tous en alternance des cycles de sommeil léger dit «paradoxal» et de sommeil profond. Les phases de sommeil paradoxal sont toujours remplies de rêves, mais nous nous souvenons plus de ceux qui nous effraient et nous perturbent, que nous appelons les cauchemars. Les rêves font partie de la vie intérieure. S'ils semblent reliés à des événements extérieurs – entre autres, les histoires racontées le soir –, c'est seulement parce que l'imagination se sert des faits réels comme d'un langage. Vous n'empêcherez pas les cauchemars en interdisant les émissions qui font peur. Les cauchemars, en effet, trouvent leur origine dans l'individu, et la seule façon d'agir est de réduire le niveau d'anxiété générale de votre enfant.

Presque tous les enfants font des cauchemars et connaissent des périodes où aucune nuit n'est paisible. Tant que votre enfant ne manifeste pas de signes de stress dans la journée, ne vous inquiétez pas. Allez juste le réconforter dès qu'il commence à pleurer. Vous voir, vous entendre ou sentir votre caresse le replongent instantanément dans le sommeil. Si vous lui laissez le temps de se réveiller complètement et d'être envahi par la peur ou si la personne qui vient le consoler est un inconnu (une nouvelle gardienne), ce cauchemar devient un événement mémorable dont le souvenir peut compliquer l'heure du coucher.

Les terreurs nocturnes Les terreurs nocturnes sont différentes des cauchemars et, heureusement, sont bien plus rares. Elles surviennent au cours du sommeil profond et ne sont pas le fruit de l'imagination mais un accès d'émotion primitive : la peur ou la panique. La plupart des enfants n'en connaîtront jamais, et il est très rare qu'un enfant en vive plusieurs. Elles sont parfois provoquées par un événement traumatique tel qu'une opération chirurgicale, une séparation forcée ou un accident de la route.

Lorsque vous vous précipitez, le cœur battant, pour répondre aux cris qui annoncent une terreur nocturne, vous trouvez en général votre enfant assis, les yeux ouverts et fixés sur une chose invisible. Il ne semble pas simplement apeuré, mais terrifié. Si de la colère se mêle à sa peur, c'est une colère très forte. S'il a un chagrin, c'est un chagrin désespéré. Bien qu'il paraisse éveillé, l'enfant n'est pas vraiment conscient. Au lieu d'être instantanément réconforté par votre arrivée (comme lors d'un cauchemar), il ne vous remarque même pas, ignore vos tentatives de le consoler ou même vous implique dans sa terreur. Il vous prend pour un ennemi et vous lance d'horribles «Va-t'en ! Va-t'en ! », ou bien pour une autre victime et vous dit en pleurant : «Regarde, oh ! regarde. » Parfois, c'est vous qu'il supplie de venir : «Maman, maman, je veux ma maman », alors que vous le prenez dans vos bras et essayez de lui faire sentir votre présence.

Ce genre de terreur extrême est contagieuse, et il y a quelque chose de paniquant à voir un enfant qui semble éveillé mais qui a perdu le contact avec la réalité. Vous vous sentirez sans doute mal à l'aise. Allumez les lumières. Cela vous détendra et transformera peut-être assez la chambre pour commencer à chasser les images terrifiantes. Même si la lumière n'a pas d'effet immédiat, elle rassurera l'enfant s'il se réveille avant que l'incident ne soit terminé.

Ne discutez pas avec l'enfant. Il n'est pas réveillé et n'est donc pas sensible aux déclarations raisonnables à propos de monstres devenus gentils ou de l'impossibilité qu'il y ait un loup dans sa chambre. Contentez-vous de lui murmurer que «tout va bien». Il ne perçoit que le ton de votre voix. Ne prenez pas mal les choses dures qu'il peut prononcer. Il n'est ni conscient ni responsable de ce qu'il dit. S'il crie qu'il vous déteste ou qu'il va vous tuer, ignorez ses paroles. Il ne parle pas de vous, mais de ce que vous êtes dans les images qui le terrorisent.

N'essayez pas de le réveiller s'il reste dans son lit. Sa terreur va certainement s'éloigner, le laissant retourner à un sommeil normal, et il ne se souviendra même pas de ce qui s'est passé. Il peut falloir du temps pour qu'il se calme, mais il ne lui en restera rien. S'il réagit physiquement à sa terreur, sort de son lit, marche ou commence à se débattre et à tout faire tomber, vous devez intervenir. Essayez de le porter sans qu'il panique. S'il vous laisse faire, bercez-le ; il est préférable que ce soit la chaleur de vos bras qui le réveille, plutôt qu'un choc contre le chambranle de la porte. S'il se débat, ne le capturez pas de force. Il vaut mieux le suivre, allumer les lumières autour de lui et le prendre dans vos bras dès qu'il commence à se calmer ou à se réveiller.

Si cette expérience le réveille, il est probablement très surpris, surtout s'il se retrouve dans une autre pièce. Ne lui laissez pas croire par votre soulagement qu'il s'est passé quelque chose de dramatique. Dites-lui juste qu'il a fait un mauvais rêve, demandez-lui s'il souhaite un verre d'eau ou s'il veut aller aux toilettes. Il est à présent si bien réveillé qu'il faut le mettre au lit de la même façon que s'il commençait sa nuit. S'il se souvient de son étrange réveil le lendemain, écartez le sujet d'un simple : « Tu as fait un mauvais rêve. »

Personne ne sait exactement pourquoi certains enfants ont des terreurs nocturnes et d'autres non, ni même où finit le cauchemar et où commence la terreur. Les enfants qui ont tendance à délirer en cas de fièvre semblent y être particulièrement sensibles, ainsi que ceux à qui l'on donne un sédatif pour des raisons médicales ou ceux qui ont subi un choc physique ou émotionnel, comme un accident de voiture. Lors de ces manifestations, les adultes doivent garder leur calme, même s'ils sont impressionnés ou mal à l'aise. Ne laissez pas un enfant avec une jeune gardienne ou un inconnu si une expérience précédente ou les circonstances actuelles vous font craindre un tel épisode.

Il parle dans son sommeil

Beaucoup d'enfants murmurent dans leur sommeil. Quelques-uns parlent assez clairement pour qu'on distingue des mots, d'autres rient franchement ou semblent raconter quelque chose de drôle. C'est un peu étrange mais sans importance tant que l'enfant n'est pas visiblement en train de faire un cauchemar ou de commencer une terreur nocturne.

Lorsqu'il est calme, il n'y a aucune raison de le réveiller ni de l'écouter. Évitez même de lui raconter le lendemain les choses rigolotes qu'il a dites, car la plupart des enfants sont plutôt effrayés à l'idée de parler sans s'en rendre compte. Un enfant qui parle dans son sommeil peut réveiller – et effrayer – un frère ou une sœur qui partage sa chambre. Dans ce cas, vous devrez peut-être organiser les chambres différemment, car un enfant qui commence à parler dans son sommeil le fait en général – par périodes – toute son enfance.

Se réveiller la nuit sans raison

Il arrive qu'un enfant se réveille, après plusieurs heures de sommeil, sans que ni vous ni lui ne sachiez pourquoi. Il n'a pas rêvé – ou ne s'en souvient pas –, n'a pas peur et n'a besoin de rien. Il est juste réveillé et si étonné d'être la seule personne éveillée dans la maison silencieuse qu'il éprouve le besoin de vous appeler pour s'assurer que le monde n'a pas disparu autour de lui.

Si votre enfant se réveille la nuit, il a probablement besoin que vous le rassuriez pour se rendormir.

Rassurez-le et donnez-lui la permission de lire en attendant de se rendormir. Si cela lui arrive souvent, il faut lui expliquer que la majorité des gens dorment toute la nuit et qu'il est dommage qu'il vous réveille tant qu'il n'a pas vraiment besoin de quelque chose. Vous pouvez arranger sa chambre comme celle des lève-tôt (voir plus loin) et l'encourager à se débrouiller tout seul.

Mais à trois, quatre ou cinq ans, les enfants ne supportent pas toujours la solitude et ont besoin de voir qu'il y a du monde autour d'eux. Dans ce cas, pourquoi ne pas le faire dormir avec un frère ou une sœur (même un bébé) ? Vous lui demanderez de ne pas le réveiller et donc de rester calme, mais il le voit dormir et respirer et sait qu'il n'est pas seul.

S'il n'a ni frère ni sœur, d'autres genres de « compagnie » peuvent remplir le même rôle. Certains ont eu recours, avec succès, aux compagnies suivantes : des poissons rouges, une tortue en hibernation, une horloge avec un visage amical qui bouge à chaque seconde, une lampe spéciale (de faible puissance) qui envoie des images ou des étoiles sur les murs à intervalles réguliers et une photo de toute la famille.

Les lève-tôt

Si votre enfant aime être dans sa chambre, les réveils aux aurores ne sont désormais plus forcément un problème. Il ne peut pas rester endormi juste pour vous faire plaisir – il est donc inutile de se fâcher –, mais il peut jouer calmement, sans vous déranger. Peu après ses trois ans, il est capable de comprendre qu'il ne doit pas vous réveiller, sauf pour une raison spéciale, tant qu'il n'entend pas l'alarme de votre réveil ou vos premiers mouvements.

Bien sûr, il peut le faire involontairement, en parlant à sa sœur, à sa poupée ou à ses peluches. Mais c'est différent. Vous ne pouvez pas exiger qu'il reste totalement silencieux. Mettez la tête sous l'oreiller et profitez de votre dernière demi-heure. S'il vous appelle quand même, il a peut-être faim, soif ou terriblement envie d'aller aux toilettes.

Il peut aussi vous appeler parce qu'il est mouillé. Il serait injuste de l'ignorer ou de le réprimander. C'est vous qui lui avez appris à préférer être au sec, et dès qu'il va se lever pour jouer, il aura froid dans son pyjama humide. Vous devez aller le voir, mais pas nécessairement pour changer tous ses draps tout de suite. Donnez-lui un pyjama sec et contentez-vous pour le moment de recouvrir la partie mouillée de son lit d'une serviette de toilette.

S'il a faim ou soif, laissez-lui de l'eau dans un gobelet et quelques biscuits ou des biscottes près de son lit. Il trouvera amusant de se servir tout seul.

L'AIDER À SURMONTER SES PEINES

Entrer dans la petite enfance, c'est laisser derrière soi certaines sources d'inquiétude et d'angoisse propres au bébé. Votre enfant ne change pas de personnalité, bien sûr. S'il a toujours été très sensible, il ne va pas cesser de l'être. S'il était particulièrement grognon à deux ans, en avoir trois ne va pas faire de lui l'enfant le plus facile. Mais sa capacité générale à supporter la tension de tous les jours progresse. Vous le constatez particulièrement à sa réaction à la séparation. Quelques mois plus tôt, il était si passionnément dépendant de vous que la moindre séparation le remplissait d'angoisse. À présent, la passion est plus forte que jamais, mais il supporte sereinement les petites séparations.

Les mots l'aident beaucoup. Lorsque vous quittez la pièce en disant : « Je sors étendre le linge », il vous comprend et peut vous imaginer en train d'étendre le linge. Il commence aussi à avoir une petite notion du temps. Si son éducatrice lui rappelle que vous venez le chercher après le dîner, il ne peut pas compter les heures qui passent, mais il sait qu'elles passent. Il est aussi rassuré par l'expérience qu'il a acquise avec d'autres adultes. Il sait que, dans un monde dont vous êtes temporairement absente, il y a des personnes sur lesquelles il peut compter. Une éducatrice peut lire des livres et régler des disputes, un grand-parent peut soigner un genou éraflé ou réparer un jouet cassé, une gardienne peut lui prendre la main pour l'emmener jusqu'à la balançoire.

Il est aussi rassuré par toutes ses nouvelles compétences. Il sait qu'il peut faire beaucoup de choses par lui-même et qu'il ne dépend pas des adultes pour tout ce dont il a besoin au cours d'une journée. S'il a d'autres enfants autour de lui, il a même parfois envie de se passer des adultes. Lorsqu'il s'amuse avec ses camarades, il accepte que vous n'occupiez que le second plan.

Mais peut-être est-ce simplement le temps et la répétition des expériences qui lui ont le plus appris. Encore et encore, vous l'avez laissé (pour une minute, une heure ou un jour), encore et encore, vous êtes revenue à lui. Il a vécu assez longtemps à vos côtés pour que votre loyauté ait porté ses fruits. Tant qu'il est aussi sûr de vos retours que de vos départs et qu'il considère votre affection acquise, que vous soyez là ou non, il peut se permettre de détourner une part de son attention de vous pour la concentrer sur le monde extérieur.

DE NOUVEAUX DÉFIS SOCIAUX

Il est important que votre enfant commence à ne plus craindre de s'aventurer loin de la maison et qu'il soit enthousiaste à l'idée de petites escapades hors de votre protection. Dans deux ou trois ans, il va entrer dans un système scolaire plus strict. Quel que soit le mode de garde qu'il a connu jusqu'alors, et même s'il a été habitué à un CPE et à différentes éducatrices, une vraie école et une enseignante dont le but premier est de lui enseigner des choses, et non de prendre soin de lui, vont demander un nouveau degré de confiance et d'autonomie.

Les relations avec les autres enfants de son âge prennent de plus en plus d'importance à ses yeux, à partir de maintenant et jusqu'à l'adolescence. Bébé, il était fasciné par les autres bébés et, vers un ou deux ans, il aimait jouer aux côtés des enfants de son âge et pouvait même développer de vraies amitiés. Mais cette troisième année marque le début des vraies relations individuelles et intimes entre les enfants. C'est le moment des jeux véritablement collectifs, structurés par le partage des idées et rendus possibles par le groupement des compétences. S'il est déjà habitué à être avec d'autres enfants – chez sa gardienne, par exemple –, votre enfant va passer du statut d'observateur à celui d'acteur, sans même que les adultes s'en aperçoivent. Il étendra ensuite ses nouvelles aptitudes sociales à la cour de récréation, aux fêtes d'anniversaire, aux vacances à la plage et finalement à la grande école.

S'il n'a pas eu souvent l'occasion de fréquenter d'autres enfants, il va d'abord rencontrer quelques difficultés, car il aura envie de se joindre aux autres, mais ne saura comment s'y prendre. Que ce soit à la maternelle, dans des centres de loisirs ou en jouant avec des voisins, il est temps pour lui d'apprendre quelques leçons fondamentales et difficiles telles que partager, perdre et accepter que ce ne soit pas son tour de jouer. Il ne le fera volontiers que s'il découvre simultanément que beaucoup de jeux sont plus drôles en groupe et qu'à deux on réussit à faire des choses impossibles tout seul.

Observer des enfants plus grands l'aide à découvrir comment se joindre aux autres.

Quelques problèmes entre camarades   Les leçons à apprendre sont vraiment difficiles. Être gentil et coopératif demande des efforts énormes à la plupart des jeunes enfants, et ceux qui y parviennent ont tendance à être durs avec celui qui n'y arrive pas encore. Un groupe qui vient juste de découvrir comment faire un village de sable sans piétiner les contributions de chacun aura vite fait de s'énerver contre le nouveau venu qui ne connaît pas les règles. N'attendez pas des autres jeunes enfants qu'ils soient « gentils » avec le vôtre (même s'il est plus jeune). Et, en cas de disputes, ne perdez pas votre énergie à en vouloir à ceux qui le « harcèlent ».

Certains enfants déchargent sur les autres toute la pression qu'ils ressentent à la maison. Si votre enfant de trois ou quatre ans mord, tape, attaque les plus jeunes et s'empare des jouets des autres si bien qu'il est impossible de le laisser avec eux, réfléchissez aux autres aspects de sa vie. Est-ce qu'il frappe les autres enfants parce qu'il a envie de frapper votre nouveau bébé et qu'il n'ose pas ? Ou parce que, maintenant que ce bébé est dans la maison, être au service de garde lui donne l'impression d'être exclu ? Est-ce qu'il vole les jouets des autres parce qu'il pense que ces jouets prouvent que les autres sont aimés, alors qu'il n'est pas sûr de l'être ? Est-ce qu'il interrompt les jeux des autres ou les tyrannise parce qu'il veut se venger de votre trop grande autorité ?

Certains subissent la tension que les autres enfants déchargent sur eux. La tyrannie existe même à l'âge le plus tendre, et les enfants agressifs ont tendance à s'en prendre aux enfants discrets qui manquent déjà d'assurance et de confiance en eux. Parfois, ces brimades prennent une forme discriminatoire en se fixant sur des enfants perçus comme « différents », à cause de leur apparence ou de leur comportement, ou sur des enfants appartenant à une minorité que la communauté majoritaire rejette. Il est fondamental que les attitudes discriminatoires – telles que les moqueries, les surnoms ou le rejet d'un aspect de l'identité de l'autre – soient prises au sérieux autant que les agressions physiques. Si votre enfant rencontre ou manifeste ce genre de méchanceté, ne laissez pas passer ça sous prétexte qu'« il est trop petit pour savoir ce qu'il fait ». Il est trop petit pour comprendre, mais pas pour *apprendre* à comprendre. La capacité d'un groupe à s'adapter à la différence est essentielle à la vie en société. Elle permet aussi d'éviter que les préjugés ne s'installent durablement dans les croyances des enfants.

En dehors de ces cas, les enfants ont besoin d'apprendre à avoir de l'assurance, à exprimer leurs propres besoins et sentiments et à défendre leurs droits, tout en respectant ceux des autres. L'enfant qui s'en va en criant quand un autre s'empare de ses jouets récompense ce comportement agressif, sans rien faire qui lui permette de se sentir en sécurité. Être secouru par un adulte (« Rends ce jouet, Mathieu ») clôt l'incident mais ne l'arme pas pour la prochaine fois. Les deux enfants ont besoin que la victime cesse d'être une victime en répondant : « Je n'ai pas fini de m'en servir », ou simplement : « Rends-moi ça ! » – avec l'aide d'un adulte au cas où Mathieu ne le rende pas. Il arrive que les parents, au nom de la paix, se trompent. On dit à Mathieu de « demander gentiment » et s'il murmure « S'il te plaît », on attend du premier propriétaire du jouet qu'il le laisse s'en servir à son tour. Mais s'il jouait encore avec, le fait que l'autre enfant lui demande poliment ne l'oblige pas à donner l'objet mais juste à lui répondre poliment.

Les enfants doivent savoir qu'ils ont le droit de dire « Non » ou « Quand j'aurai fini ».

Si votre enfant rencontre, avec les autres, des difficultés plus que passagères et qui le rendent malheureux, parlez-en avec son éducatrice, calmement et sans être sur la défensive. S'il vient juste d'intégrer un groupe, ses problèmes sont probablement dus au fait qu'il est le petit nouveau au milieu d'enfants qui se connaissent déjà. S'il a, en outre, toujours été gardé et protégé à la maison, l'agitation du groupe le plus calme le surprendra. Si vous avez toujours arrangé les choses pour que votre enfant de trois ans gagne à « chat perché », ait les fraises les plus grosses et se croie plus fort que son père, il est bien possible qu'il lui soit difficile de jouer avec des enfants avides de justice et de réalité. « Mais je *veux* faire ça en premier », proclame une nouvelle venue, sincèrement choquée qu'une autre personne réclame ce privilège. Un peu plus tard, elle commande à un autre enfant : « Tombe par terre. Allez, fais ce que je te dis. » Voyant l'autre rester droit sur ses jambes, elle décide de le pousser. Elle est stupéfaite de le voir s'écarter et dire : « On ne doit pas pousser ! » et d'entendre l'éducatrice, venue voir ce qui se passe, le soutenir.

Apprendre la vie sociale

Tous les enfants doivent faire l'apprentissage des relations sociales, bien que cela soit plus facile à certains qu'à d'autres. Il n'est pas question de laisser votre enfant dans une situation où il est victime, mais, en général, ses problèmes de relation avec les autres sont simplement la conséquence de sa maladresse.

En l'observant se comporter en groupe, vous verrez probablement ce qu'il fait ou ce qu'il ne fait pas, et vous pourrez lui montrer comment s'y prendre. Il peut apprendre à se conduire convenablement en groupe aussi facilement qu'il apprend de nouveaux mots ou les bonnes manières à table.

Avec l'aide des adultes, les enfants comprennent ce que signifie « chacun son tour ».

Le principe de base suivant: «Sois comme tu aimerais qu'on soit avec toi» est un bon début, facile à enseigner et intéressant à apprendre, car il part de l'enfant et de ses sentiments pour se diriger vers les autres. Si vous l'aidez à comprendre que chaque enfant voudrait aller en premier sur la glissoire mais qu'un seul le fera, que chacun voudrait avoir la plus grosse part de gâteau mais qu'un seul l'aura et que, comme lui, personne n'aime être «écarté» d'un jeu, il comprendra au moins *comment* «jouer gentiment», même s'il n'y arrive pas à chaque fois. Il vous semble évident qu'il est mal de donner des coups de pied aux autres, mais, à son âge, ça ne l'est pas.

Les enfants que l'on encourage toujours à être les meilleurs ont encore plus de mal à «jouer gentiment» et à réfréner leur agressivité (littéralement et métaphoriquement). Après tout, chaque gagnant laisse forcément un ou plusieurs perdants. Et plus on leur donne envie de gagner, plus ils seront désespérés de perdre. Même si vous êtes favorable aux activités compétitives, comme le sport, pour les plus grands, votre enfant a d'abord besoin de prendre conscience que les sentiments des autres sont en général similaires aux siens et qu'ils méritent toujours un respect égal. Par exemple, s'il se plaint d'un petit garçon qui reste toujours avec les adultes, dites-lui qu'il est peut-être un peu timide et impressionné par les autres enfants. Rappelez-lui le temps (peut-être avant-hier) où lui aussi se sentait intimidé et préférait rester sur vos genoux. S'il abîme une image appartenant à un autre enfant et se fait taper dessus, embrassez la bosse, mais expliquez-lui que chacun préfère garder ses propres images et en faire ce qu'il veut.

L'aider à se faire des amis

Les enfants de cet âge ne doivent pas jouer ensemble sans surveillance. Ils ne maîtrisent pas encore assez les relations sociales. Ils sont toujours d'humeur instable, et la modération récemment acquise peut être oubliée dans un moment d'excitation. Si un enfant venait à ouvrir le crâne d'un autre avec une raquette, l'un saignerait, mais les deux souffriraient. Il est du devoir des adultes de préserver chaque enfant des agressions des autres.

La sécurité n'est pas tout cependant, et le jeu se déroulera toujours mieux si la surveillance de l'adulte est discrète et s'il saisit la nuance entre aider et interférer. Votre enfant adorera peut-être aller chez un de ses copains, mais cela n'est possible qu'en présence des parents, et non simplement d'une jeune gardienne. Lorsque votre enfant quitte votre maison et les règles qui la régissent pour partager celles d'une autre famille, vous (et lui) êtes autorisée à connaître celles-ci. Il n'y a rien d'inconvenant à poser des questions et rien de choquant si l'on vous pose les mêmes.

La meilleure façon de surveiller est de vous trouver une occupation à proximité des enfants. Vous pouvez ainsi intervenir avant que les choses ne dégénèrent. Avec cinq enfants entre dix-huit mois et quatre ans, armés d'épée en plastique et qui commencent à s'exciter, il est inutile d'exhorter quiconque à «faire attention». Quatre enfants avec des armes, c'est au moins trois de trop. Supprimez les épées et suggérez un autre jeu.

Parfois la sécurité recommande une surveillance plus autoritaire. S'ils jouent sur quelque chose de potentiellement dangereux, comme une glissoire, vous ne pouvez pas simplement compter sur eux pour attendre sagement leur tour et ne pas se pousser. Il suffit d'un enfant et d'une seconde pour que l'accident survienne. À vous, donc, d'imposer les règles : « Vous ne pouvez jouer à ça que si vous le faites correctement : un seul à la fois en haut et un seul à la fois en bas. »

Que votre enfant s'amuse avec tout un groupe ou un seul camarade, il y aura forcément des disputes. Même les « meilleurs amis » ne sont pas des compagnons de jeu fiables. Quand il y a un problème, efforcez-vous de rétablir le calme. Peu importe qui est à l'origine du conflit, le plaisir de tout le monde est gâché. Après la surveillance discrète, votre rôle devient de les distraire avec une autre activité ou un goûter.

Même s'il passe toute sa journée au service de garde ou a plusieurs frères et sœurs ou un jumeau, lui trouver un ami dans le voisinage est important. Ils pourront se voir le week-end et, si vous restez longtemps dans la même maison, ils seront peut-être amis tout au long de leur enfance.

Dans les environnements urbains modernes, il n'est pas toujours facile de se rencontrer, même quand on est voisins. Peu d'endroits sont assez sûrs pour les tout-petits, même là où la circulation est interdite. En fait, il s'agit d'un vrai problème pour beaucoup de familles avec des enfants en bas âge, qui se retrouvent dans l'obligation de les assigner à résidence lorsque personne n'est assez disponible pour sortir avec eux. S'il y a d'autres enfants dans votre immeuble ou dans votre quartier que votre fils ou votre fille ne connaît pas parce qu'ils ne font que se croiser, les inviter à une fête pour son anniversaire ou proposer un café à leur maman facilitera les présentations. Vous lui trouvez un ami et, avec un peu de chance, vous vous trouvez quelqu'un avec qui partager les trajets en voiture et les activités des enfants.

FAIRE FACE À SES PEURS

Chaque enfant (et chaque adulte) a des peurs spécifiques et des inquiétudes qui lui sont propres. Cependant, celles que nous indiquons ci-dessous sont si courantes à cet âge qu'il est fort probable que votre enfant les connaisse.

La peur des catastrophes Votre enfant est porté par son imagination dans tout ce qu'il fait. Il est donc très sensible au jeu des « Supposons que... ». À deux ans, il n'avait pas peur de se perdre tant qu'il n'était pas perdu, mais, à présent, il se voit tout petit au milieu de ce grand parc et se demande ce qui arriverait s'il se perdait. Il peut aussi se faire du souci pour des situations bien plus improbables : « Et si ma maison prenait feu ? Et si mes deux parents mouraient ? Et si mon chien devenait méchant ? » Vous ne pouvez pas lui affirmer que tout ça est impossible, bien sûr, mais vous pouvez lui prouver que ces événements ont peu de risque de se réaliser, en évoquant les détecteurs de fumée et l'excellente santé de toute la famille. S'il insiste, essayez de lui donner une réponse simple et rassurante sur ce qui *lui* arriverait alors : « Grand-maman (ou toute personne qui lui est chère) prendrait soin de toi. »

La peur des blessures

Lorsqu'il prend conscience d'être une personne totalement séparée de vous, à l'intérieur d'un corps qui lui appartient, il est possible que votre enfant s'inquiète à l'idée de se blesser. La différence de sexe joue un rôle dans cette peur temporairement exagérée du moindre bobo. Les garçons et les filles n'ignorent plus leur genre et la présence ou non d'un pénis. Celui-ci est très précieux aux yeux d'un petit garçon. Il a souvent peur de le perdre, ce qui a dû arriver aux filles – en dépit des explications qu'on lui a données. Une petite fille pense que ce pénis lui manque, et son vagin invisible ne lui semble pas une autre option. Malgré vos explications, elle craint qu'on n'ait abîmé son corps en lui retirant son pénis. Pour les deux sexes, la blessure est d'abord cette image d'un corps écorché, abîmé pour toujours, privé d'une part essentielle d'eux-mêmes.

Un enfant qui vient de se faire une bosse ou une égratignure a autant besoin de soins que de réconfort.

Leur peur se focalise souvent sur le sang. Les enfants de trois à cinq ans sont couverts de pansements, non parce qu'ils se blessent plus que les autres, mais parce que leur vie s'arrête tant qu'on n'a pas correctement caché cette redoutable goutte rouge. La douleur compte aussi beaucoup. Il craint, déteste et se souvient avec horreur d'une simple piqûre qui n'aurait provoqué qu'un bref cri un an plus tôt. Il faudra toute votre patience et toute votre délicatesse pour lui retirer une écharde.

La peur des objets cassés

La peur des blessures s'étend, chez beaucoup, à la crainte de voir n'importe quel objet se casser. Il est totalement bouleversé d'avoir brisé une tasse et autant paniqué à la vue d'une poupée sans tête que vous à la vue d'un rat mort. Certains enfants ne prennent même aucun plaisir aux casse-tête tant ils détestent voir des images incomplètes et « cassées ».

La peur des mots des adultes

Alors que l'acquisition du langage l'aide à dire ses peurs, sa compréhension des mots peut aussi en créer. Il entend par hasard des fragments de conversation entre adultes et comprend les mots en dehors de leur contexte et sans tenir compte des raccourcis et des exagérations. S'il vous entend répondre à la traditionnelle question « Comment vas-tu ? » par « Plus morte que vive », il peut prendre cette expression au premier degré et paniquer. Il en est de même des films ou des émissions de télévision qu'il ne comprend qu'à moitié. Voir des enfants souffrir dans un film d'horreur ou dramatique confirme sa perception angoissée du monde.

La peur des lieux inconnus

Votre enfant se sent en sécurité avec vous en partie grâce à son environnement familier. Il a plus confiance en votre disponibilité lorsque vous êtes dans des lieux habituels, avec des activités ordinaires. Être physiquement et émotionnellement à ses côtés ne suffit pas à le rassurer lorsque tout autour de lui est nouveau. Se soyez pas surprise s'il pleure et réclame sa maison pendant des vacances qu'il a pourtant tant souhaitées. Votre petit garçon tout bronzé va peut-être vous annoncer qu'il n'aime pas être ici « parce que maman ne cuisine pas ». Ne vous faites pas trop de souci si votre déménagement est encore pire que ce que vous imaginiez. Les avantages de votre nouveau mode de vie ont beau être évidents, cela ne l'empêche pas, au début, de se sentir perdu.

Il se sentira moins désorienté si vous l'entourez de ses objets préférés. N'emballez pas ses jouets, ses vêtements ni ses livres à l'avance,

Lors d'un déménagement, laissez votre enfant s'occuper des objets qui lui sont particulièrement chers.

même si vous passez par une entreprise de déménagement. Laissez-le vous aider à faire ses boîtes la veille (il sait ainsi où se trouve chaque chose et peut garder un œil dessus) et transportez-en une maximum, avec lui, dans votre voiture. Le jour de l'emménagement, appliquez-vous à recréer son petit nid – avec un coin de jeu – et essayez de garder un peu de temps et d'énergie pour reproduire son environnement en cuisinant un souper normal et en lui demandant de se laver les dents. En vacances à l'hôtel, respectez autant que possible sa routine – sans oublier que vous aussi, vous faites un pause. Dans une nouvelle maison, rappelez-vous que vous devez reconstruire votre environnement pour lui et que vous y parviendrez plus rapidement si vous l'encouragez à vous suivre partout pendant que vous prenez vos marques. Attendez-vous qu'il vous appelle la nuit pour vérifier que, dans cette maison aussi, vous venez quand il a besoin de vous. Il n'a pas encore enregistré la disposition de chaque pièce et, lorsqu'il ne vous voit pas, il ne sait pas où vous êtes. Ne le forcez pas à dormir seul la première nuit s'il est perturbé. Cette nouvelle chambre pourrait rester à jamais marquée par l'angoisse. S'il a toujours dormi avec vous, vous serez tous deux plus détendus si vous l'invitez, «juste une fois, le temps de tous s'habituer à la maison», à partager votre lit.

Aider son enfant à gérer ses peurs

Vous pouvez l'aider en lui laissant le plus possible d'indépendance, ou bien, au contraire, en gardant un contrôle autoritaire sur lui et sur sa vie et en lui montrant clairement que vous ne lui demandez pas d'être responsable de sa propre sécurité et que vous considérez que c'est votre rôle. S'il demande la permission de faire quelque chose – comme dormir chez un copain – et que vous voyez que cela ne lui plaît pas vraiment, répondez-lui par un «non» assez ferme. Il sera très soulagé que vous pensiez qu'il n'est pas prêt pour cette nouvelle expérience.

Lorsqu'il a peur, rassurez-le sans retenue. Ne le taquinez jamais et n'autorisez personne à se moquer de ses craintes. Il risquerait d'apprendre à les cacher ou à utiliser un masque d'impertinence alors qu'elles continueraient à le perturber.

Les aspects terrifiants de la petite enfance vont diminuer avec le temps et avec l'expérience. Progressivement, il découvre que la peau éraflée guérit toujours, que tomber de son tricycle ne le réduit pas en miettes, que jamais vous ne le perdez ni ne l'oubliez et que vous le prévenez toujours de vos départs, que les méchants n'entrent pas dans la maison la nuit et qu'il peut avoir confiance en lui quoi qu'on lui demande. Les situations qui lui paraissent dangereuses, où il sent qu'il perd la maîtrise de lui et n'est pas non plus sous votre contrôle, retardent le moment où il sera apaisé et confiant en lui. C'est tout ce qu'on peut dire aux parents qui souhaitent «aguerrir» leurs enfants.

L'indépendance n'est pas une course. Il n'y a pas particulièrement de mérite (mais parfois des risques) à avoir un enfant de deux ans capable d'aller partout et de faire n'importe quoi avec n'importe qui. Un enfant de trois ou quatre ans timide ne fait pas de vous un parent surprotecteur, et les enfants qui s'adaptent lentement aux personnes et aux situations nouvelles le font, au bout du compte, aussi bien et même mieux que beaucoup d'autres.

Il n'y a rien de déshonorant à avoir un enfant timide. En fait, un enfant de quatre ans «indépendant» est un non-sens.

AFFRONTER DES DIFFICULTÉS FAMILIALES

Si votre famille vit une situation très difficile – un décès, un divorce –, ne vous efforcez pas de cacher à tout prix votre tristesse et votre colère à votre enfant. Lorsque vous subissez un stress tel que vous ne vous sentez pas vraiment vous-même, voire à moitié folle, vous ne pouvez pas répondre à l'attente de votre enfant et vous ne l'aiderez pas en prétendant le contraire. S'il est assez grand pour comprendre vos mots, expliquez-lui au moins la raison de votre tristesse. Il fera aussi plus facilement face à votre changement et à votre distance momentanés s'il est chez lui, dans un environnement familier. Si vous ne pouvez supporter de rester seule dans la maison, il est préférable d'avoir des amis qui s'installent chez vous plutôt que de fuir chez eux avec les enfants.

Après un deuil ou une séparation, il est possible que vous ne souhaitiez pas – et ne puissiez pas – continuer à vivre là où l'enfant a toujours vécu. Mais laissez-lui le temps de s'accoutumer à la perte d'un membre de la famille avant de lui enlever ce repère. Si tout change en même temps, il risque d'être totalement désorienté.

Devenir une famille monoparentale

Perdre un père est un choc qui n'a d'équivalent que la perte d'une mère ou des deux parents. Bien que le deuil et la séparation n'aient rien en commun à vos yeux, il y a un parallèle pour le jeune enfant. Il réagit à l'absence immédiate du parent et à la fragmentation de la famille plutôt qu'à l'absence d'existence, qui est inconcevable pour lui. Il y a donc beaucoup à apprendre sur les enfants de couples divorcés ou séparés qui sont en échec scolaire.

Une promenade en famille n'est pas un plaisir pour l'enfant si l'enfant est votre seule raison de rester ensemble.

Les enfants, qui sont potentiellement une source de conflit autant que d'union, ne peuvent pas recoller un mariage brisé. Rester

ensemble pour le «bien des enfants» est rarement possible et positif, à moins que ce ne soit une façon de se donner le temps de se réconcilier. Cela dit, une fois que vous avez choisi de vous séparer, n'attendez pas des enfants, quel que soit leur âge, qu'ils approuvent ou même comprennent votre décision. Une séparation rend toujours les enfants extrêmement malheureux, même si la relation avec le parent qui part – encore souvent, mais pas inévitablement, le père – a toujours été très distante.

L'aider à admettre cette décision N'attendez pas de votre enfant qu'il croie en votre séparation. Lorsque vous avez trouvé le courage de lui annoncer et que vous l'avez vu pleurer en réaction à votre propre tension, vous pensiez que «c'était fait». Mais, le lendemain, il n'est plus du tout perturbé, au point de paraître insensible, et, la semaine suivante, lorsqu'il vous demande soudainement: «Où est papa?», vous êtes prête à vous fâcher. Il ne peut pas croire que son père soit vraiment parti parce qu'il ne veut pas qu'il en soit ainsi. À trois ou même cinq ans, il pense encore un peu que ses souhaits ont une influence magique sur le monde. Il vous faudra lui répéter encore et encore la mauvaise nouvelle.

Son sentiment de culpabilité Vous ne pourrez pas épargner à votre enfant le sentiment de culpabilité. Une fois qu'il a admis que son père est parti, il se persuade que c'est à cause de lui. Les jeunes enfants sont le centre de leur propre vie, et il leur faut des années pour comprendre qu'ils ne sont pas totalement le centre de celles de leurs parents. La plupart des enfants de trois ans ne réalisent même pas que leur maman vit, soupe, regarde la télévision et prend des bains une fois qu'ils sont couchés. Donc, inévitablement, l'enfant pense qu'il est à l'origine de la division de la famille. Il fixe souvent sa culpabilité sur un thème de dispute de ses parents: le bruit qu'il fait, ses colères, son «insolence». Mais la culpabilité peut aussi avoir une origine plus inconsciente. Les jeunes enfants sont des êtres sexués qui, au cours de leur développement, rêvent de remplacer le parent du même sexe. Le petit garçon qui a espéré que son père disparaisse pour avoir sa maman tout à lui croit, lorsque le père s'en va, que c'est son souhait qui s'est réalisé. La petite fille qui voulait que son père ne s'intéresse qu'à elle est absolument sûre que l'objet de son amour est parti parce qu'il ne pouvait supporter une petite fille assez méchante pour vouloir supplanter sa mère.

Bien que la plupart des gens aient du mal à envisager les émotions sexuelles des tout-petits, il est important de ne pas ignorer ces considérations prétendument «tirées par les cheveux». Cette culpabilité alimente l'angoisse dont souffrent les enfants des familles récemment séparées. Si leur méchanceté a fait partir un parent, comment être sûr que l'autre ne va pas en faire autant? Si le parent qui reste découvrait ses souhaits passés, l'aimerait-il toujours? Et, de toute façon, un enfant aussi méchant mérite-t-il vraiment qu'on l'aime et qu'on s'occupe de lui? Attendez-vous que votre enfant soit particulièrement collant et garde un œil très vigilant sur vous et ne soyez pas surprise s'il anticipait l'abandon inévitable et se comportait comme si, tous les deux, vous ne vous aimiez plus. Il va falloir des mois pour qu'il se rassure et cesse de vous observer. Ce n'est que lorsqu'il passera un jour entier sans vous et sans angoisse qu'il commencera à ne plus craindre votre abandon.

L'aider à rester proche de ses deux parents

Ne l'encouragez pas à «oublier» l'autre. Les pères, comme les mères, sont psychologiquement essentiels, même quand ils ne peuvent pas être présents physiquement. Un enfant de parents séparés a besoin de parler à celui qui n'est pas là. N'esquivez pas sa peine.

Beaucoup d'enfants de parents divorcés perdent contact avec leur père en quelques mois. En général, ce n'est pas par négligence du père, mais parce que l'un des deux parents décide que ces visites sont trop perturbantes émotionnellement. Il est souvent difficile d'organiser au mieux le temps de visite ou de garde – surtout avec les tout-petits –, mais c'est indispensable au bonheur de votre enfant pour le reste de sa vie. Les enfants ont besoin qu'on leur prouve que la fin de l'amour de papa-maman ne signifie pas la fin de l'amour maman-enfant ou papa-enfant et que la séparation ne brise pas les liens. Cela exige d'énormes efforts de la part des parents, mais, pour l'enfant angoissé par un comportement adulte incompréhensible, c'est une priorité.

Une visite mensuelle au zoo ne suffit pas à un jeune enfant pour maintenir un lien réel. Il a besoin de voir son père (ou sa mère selon la garde) au moins une fois par semaine et dans des conditions qui leur permettent de parler, de jouer et de se faire des câlins – et non en marchant sous la pluie en se gavant de bonbons. Un enfant de deux ou trois ans préférera même ne pas quitter la maison pour voir son père, surtout tant qu'il a besoin d'être sûr que sa mère ne l'abandonnera pas. Si cette solution est totalement inenvisageable, peut-être que la maison d'un de ses camarades sera un bon refuge. Dès que le père a son «propre» foyer – avec ou sans une nouvelle personne –, l'enfant doit y être familiarisé pour ne plus se faire de souci pour lui. Être exclu de la maison familiale est, à ses yeux, un exil terrible. Vous aurez peut-être du mal à entendre des questions telles que : «Mais qui va faire à manger à papa ?», mais votre enfant s'inquiète vraiment. Il ne pourra être à nouveau complètement heureux que lorsqu'il verra, et donc croira, que tout le monde va bien et reste disponible.

Les parents et les enfants qui ne vivent plus dans la même maison ont toujours besoin d'être souvent ensemble.

LE CORPS, L'ESPRIT
ET LES SENTIMENTS

Entre un et deux ans, votre enfant passait son temps à apprendre à maîtriser son corps. À présent, sa vie est dominée par l'usage qu'il peut en faire. À cette étape de leur vie, les enfants sont un corps, pour le meilleur et pour le pire. Les genoux écorchés, les jambes cassées, les lèvres qui sifflent pour la première fois n'appartiennent pas à l'enfant, ils *sont* l'enfant.

Comme ils ne font qu'un avec leur corps, ils ne séparent pas le physique de la pensée et des sentiments. Agir les aide à réfléchir, et réfléchir leur permet d'agir. Agir les aide à comprendre ce qu'ils ressentent et à supporter la force de leurs sentiments. Donc, les sentiments permettent aussi d'agir.

Tenter de modifier le comportement physique d'un enfant (par exemple en le forçant à utiliser sa main droite alors que la gauche domine naturellement) aboutit souvent à une réelle confusion et à des troubles émotionnels. Au contraire, sans pression extérieure, les très jeunes enfants invalides, très malades ou gravement blessés sont en général plus calmes et plus courageux face aux traitements et aux exercices de rééducation que les adultes. Ils ont une énergie innée vouée au progrès physique, sans idée préconçue sur la difficulté ou la facilité de leur tâche.

Les possibilités physiques et les limites — Étant donné que les enfants pensent que leur corps est «eux-mêmes», la force physique et le bon fonctionnement général sont très importants, autant pour les filles que pour les garçons. Ils se fixent eux-mêmes des défis qu'ils s'efforcent de réaliser et testent en permanence leurs limites. Votre enfant sait qu'il peut marcher, mais il a besoin de savoir jusqu'où. Il sait qu'il peut courir, mais veut savoir s'il court aussi vite que sa grande sœur ou plus vite que ses camarades. Il sait qu'il peut escalader, mais se demande si cet arbre-là est trop haut pour lui. En relevant ses propres défis, il apprend des leçons fondamentales sur son corps. Il découvre comment utiliser sa force. Il s'aperçoit, par exemple, qu'un lit qu'il ne peut déplacer en poussant avec ses mains bouge un peu quand il pousse avec l'épaule. Et que, s'il le pousse avec ses pieds en pliant les jambes, il n'arrive à rien, mais qu'avec les jambes tendues et la puissance des hanches, il le déplace sans problème.

Il comprend comment utiliser son corps pour en tirer le meilleur parti. S'il porte un objet lourd d'une seule main, ses muscles se fatiguent. S'il change de main, ça va mieux. S'il change à nouveau, les muscles de la première main se sont reposés et peuvent recommencer. Il découvre aussi ses points faibles. Il apprend à protéger sa tête avec ses bras en cas de chute et à encaisser le choc avec les genoux plutôt qu'à plat ventre. Il réalise douloureusement (surtout les garçons) que certaines parties intimes doivent être épargnées lorsqu'il se met à cheval sur des meubles ou glisse sur la rampe d'escalier.

Progressivement, il prend conscience de ce qu'il peut ou ne peut pas faire avec ce corps. Il peut arrêter une balle s'il joint ses deux jambes, mais, s'il les éloigne l'une de l'autre, la balle passe à travers.

Il est important pour votre enfant de défier sa propre force et de découvrir ce qu'il est capable de faire.

Ses mains forment un récipient efficace pour transporter du sable mouillé, mais pas du sable sec, et encore moins de l'eau. La gravité lui joue souvent des tours, le tirant en arrière quand il veut monter. Il fait sans cesse l'expérience de l'équilibre ou – plus précisément, de son point de vue – de « comment ne pas tomber ». Il peut marcher le long d'un banc avec les deux bras tendus, mais, s'il veut mettre son pouce dans la bouche, il oscille. Il peut se pencher jusqu'à un certain point au-dessus d'un grillage, mais, s'il se penche plus, il perd l'équilibre et ne parvient plus à se redresser. Vers trois ans, il tient sur une seule jambe en se concentrant bien, mais faire quoi que ce soit d'autre en même temps est impossible.

Le corps et les sentiments de votre enfant

Les jeunes enfants ont besoin à la fois de leur corps et de leur esprit pour comprendre le monde et ce qu'ils vivent. Lorsqu'il regarde la télévision, l'enfant de quatre ans hue les bandits, acclame le héros et galope à cheval autour de la pièce. Il n'est jamais calme, et c'est bien ainsi. S'il n'engage pas autant son corps que son esprit, il éteint son cerveau. Ses propres émotions l'affectent de la même façon. Il doit décharger sa colère en hurlant et en trépignant, évacuer sa tristesse en pleurant et en se jetant dramatiquement au sol mais aussi sauter et crier pour exprimer sa joie et ne pas exploser.

Malheureusement, des manifestations d'émotions choquent et embarrassent beaucoup d'adultes. Pendant de longues années, ils ont appris à se maîtriser, à utiliser la parole plutôt que les gestes et à cacher leurs sentiments. À présent, en tant que parents, ils tentent d'imposer la même frontière entre corps et sentiments à des enfants qui sont à un âge où l'un ne peut pas fonctionner correctement sans les autres. On ne peut pas exiger une telle retenue physique d'un enfant de trois ou quatre ans, et vos tentatives suffiraient à tout gâcher. S'il ne peut pas rire à gorge déployée et taper des pieds lorsque les clowns entrent en piste, il ne les trouve plus drôles. Cela lui rend aussi les sentiments plus difficiles à supporter. Quand une déception soudaine provoque un gros chagrin et que vous lui dites : « Allez, ne pleure pas », il pense que ce sont ses larmes qui vous affligent plutôt que sa propre déception. Vous l'aiderez plus à comprendre ses sentiments et à les gérer si, au lieu de rabrouer leurs manifestations physiques, vous l'acceptez et même l'encouragez. Plutôt que de demander à cet enfant déçu d'arrêter de pleurer, vous pourriez lui dire : « Cela t'a fait de la peine, non ? Assieds-toi à mes côtés jusqu'à ce que tu n'aies plus envie de pleurer. Quand ça ira mieux, nous trouverons autre chose à faire… » Vous lui montrez que vous comprenez que la déception est douloureuse, que les larmes sont une réponse parfaitement acceptable, que vous le soutenez et que vous êtes persuadée qu'une fois les larmes passées, il se sentira mieux. À d'autres moments, vous pouvez même jouer avec lui à simuler des sentiments. L'enfant est naturellement comédien et il adorera jouer à « être une vieille dame très fatiguée » ou « un monsieur très en colère » ou « un enfant qui a perdu son petit chien ». Il fait des grimaces, tord son corps pour correspondre à l'image créée par vos mots. Il appréhende les sentiments par le corps et se familiarise avec eux.

Ce lien absolu entre le corps et les émotions rend les tout-petits particulièrement vulnérables aux abus des adultes. Tous les parents sont horrifiés à l'idée d'un abus sexuel – incestueux ou non –, mais il existe des formes d'abus moins évidentes qui peuvent avoir des conséquences profondes. Lorsqu'un enfant est puni physiquement, contraint ou emprisonné, par exemple, sa confiance en lui récemment acquise est touchée en plein cœur. Il ne peut pas dire : « Fais ce que tu veux de mon corps, tu ne peux rien faire à mon âme. » Tout ce qui touche son corps touche aussi son âme. Tous les parents sont obligés de contraindre, brièvement, leurs enfants pour les empêcher de se blesser ou de blesser les autres. Mais il y a une différence qui n'échappera à aucun d'entre eux entre des gestes dont le but est d'empêcher un événement et des gestes dont le but est de le punir de ce qu'il a fait.

Tout comme les punitions physiques blessent les sentiments de l'enfant, les mauvais traitements psychologiques le touchent tout entier. Être forcé à des démonstrations physiques d'affection peut faire autant de mal qu'être puni ou ignoré. L'enfant contraint d'embrasser tante Marie qu'il déteste est obligé de demander à son propre corps de le renier, en l'utilisant pour exprimer une émotion qu'il ne ressent pas. Même un parent que l'enfant aime peut demander trop de baisers et de câlins. La petite fille qui aime être assise sur les genoux de papa le fait quand et parce qu'elle en a envie. S'il l'attrape et lui dérobe des baisers alors qu'elle vaque à ses occupations, à ses yeux il utilise son corps pour son propre plaisir, au lieu de répondre à son amour quand elle le lui offre. N'imposez pas l'affection physique. Si vous vous languissez d'un câlin, demandez-le et acceptez de bonne grâce qu'il vous soit refusé. Pour certains enfants de deux ou trois ans, le pouvoir de retenir ses étreintes est une part importante de l'autonomie et un jeu très rigolo.

C'est votre enfant qui décide de donner ou de refuser ses baisers et ses câlins.

Le corps de votre enfant et les sensations qu'il lui procure n'appartiennent qu'à lui. Il a le droit de se masturber et le fera très certainement, que vous en soyez consciente ou non. Vous pouvez le convaincre gentiment que les bonnes manières exigent de réserver ce plaisir à des moments privés. Si vous le grondez ou l'humiliez pour le geste en lui-même, vous interférez entre son corps et lui. Les raisons qui font que les enfants ont le droit de se masturber leur donnent aussi le droit de ne pas être stimulés sexuellement par des adultes ou de ne pas être l'objet de leur stimulation. Un enfant qui est éduqué, dès sa plus petite enfance, avec ce double sens de la valeur de son corps et de son intimité acquiert, pour les années à venir, une protection psychologique fondamentale contre les avances déplacées.

Votre corps et vos sentiments

Les jeunes enfants sont tellement focalisés sur les corps et sur les comportements physiques qu'ils ont un talent incroyable pour lire le langage corporel des adultes. Bébé, votre enfant avait besoin d'observer votre visage pour savoir si vous étiez heureuse ou triste ; à présent, il devine votre migraine à votre dos voûté.

Il se trompe rarement sur votre état, mais fait souvent erreur sur ce que vous voulez qu'il sache de vos sentiments. Malgré le mal que vous vous donnez pour cacher une querelle, une maladie…, il sait que vous n'êtes pas bien. Votre sourire forcé ne le trompe pas mais sème toutefois la confusion : il sait que vous êtes triste et cependant vous faites mine d'être heureuse. Vous le faites douter de l'évidence de ses propres sentiments. Il sera plus rassuré par une version simplifiée de la réalité que par des tentatives de dissimulation totale. Savoir que «maman est triste parce que papa est malade» est bien moins inquiétant que de se dire : «Quelque chose ne va pas chez maman…» ou «Maman est triste. J'ai dû faire quelque chose de mal.» L'enfant qui détecte la tristesse dans votre corps se sert du sien pour vous consoler. Le meilleur réconfort qu'il connaisse est celui qu'il apprécie lui-même : un gros câlin. Accaparée par vos soucis, vous ne serez peut-être pas toujours disposée à le recevoir. Si vous rejetez trop ses efforts, il n'en fera plus. Acceptez ce qu'il offre de bon cœur. Le laisser déposer un «baiser magique» sur votre orteil tout juste cogné fait partie de votre métier de parent.

LA SÉCURITÉ PHYSIQUE

Le développement physique de cette période nécessite un maximum d'aventures, ce qui multiplie les risques d'accident. Quand on s'occupe d'un enfant, c'est l'un des aspects les plus pénibles et les plus contradictoires : savoir veiller sur sa sécurité sans le restreindre en permanence. Si vous êtes toujours après lui, à lui dire : «Descends de là» ou «Fais attention», vous êtes un obstacle entre lui et son corps. Vous l'empêchez de découvrir ce qu'il peut et ne peut pas faire et, en l'empêchant d'apprendre par lui-même, vous risquez de provoquer exactement le genre d'accident que vous tentez d'éviter.

Parfois, il est utile de se rappeler qu'il n'y a aucun moyen d'écarter toutes les possibilités d'accident. Même si vous suiviez votre enfant et restiez cramponnée à lui, vous pourriez toujours tomber ensemble dans les chardons ou sous une voiture.

Essayez d'accepter le fait que quelques bosses et écorchures font partie de la journée de travail des petits. Veillez à prévenir les probabilités les plus graves, mais ne vous rendez pas folle à penser aux mille et une éventualités insignifiantes, ou au risque sur un million d'accident tragique :

■ Faites confiance à votre enfant lorsqu'il joue seul. Il respecte ses propres limites. Il ne grimpera pas quatre barreaux du panneau d'escalade tant qu'il ne maîtrise pas les trois premiers. Laissez-le trouver sa propre allure. Rappelez-vous que les muscles augmentent leur capacité lorsqu'ils commencent à être fatigués, que l'équilibre s'améliore avec la pratique et que le courage s'enrichit des expériences réussies.

■ Soyez attentive lorsque d'autres enfants le taquinent. Se faire traiter de «bébé» pousse l'enfant le plus raisonnable aux exploits les plus stupides. C'est à vous de rappeler la frontière entre bravoure et inconscience.

■ Ne le laissez pas sous la responsabilité d'enfants plus âgés. Le désir sera trop grand d'imiter leurs exploits, et ils trouveront plus commode de l'emmener au bord du lac que de trouver une occupation sûre dans le jardin.

■ Méfiez-vous des divers appareils qui l'entourent. Tant qu'il n'est pas totalement conscient du fonctionnement de son corps, vous ne pouvez pas lui demander de comprendre celui d'engins tous différents les uns des autres. Il ne s'attend pas qu'il soit plus difficile

S'il pense qu'il peut le faire, c'est sans doute vrai.

Veiller à la sécurité des enfants dans des rues animées demande une vigilance de chaque instant.

d'arrêter une voiture à pédale quand elle a pris de la vitesse. Il oublie de retirer ses doigts des rayons du tricycle ou ses orteils de la roue de la brouette. Les outils comme les tondeuses à gazon sont particulièrement dangereux pour un enfant seul, car il ne fait pas le lien entre appuyer sur un bouton et des lames qui se mettent à tourner.

■ Et, plus que tout, méfiez-vous de la circulation. Même s'il sait ce qu'est un passage pour piétons, il est encore loin d'être capable de s'en servir. Il ne sait pas évaluer la vitesse ou les intentions d'une voiture et, si obéissant soit-il à vos instructions, elles peuvent lui sortir de la tête à la moindre distraction, telle la vue d'un copain de l'autre côté de la rue.

Parler à des inconnus Quand vous commencez à réfléchir à la meilleure façon de lui apprendre à se méfier des inconnus, ne considérez pas seulement les cas extrêmes et atroces d'enlèvement, de viol et de meurtre. Ces tragédies arrivent, mais restent très rares, bien plus rares que d'autres formes d'abus sexuels, et vous ne pouvez pas faire grand-chose pour en protéger votre enfant.

Le conseil traditionnel est de «ne pas parler aux inconnus», mais, du point de vue de l'enfant, ce message est difficilement applicable et assez inefficace. Qu'est-ce qu'un inconnu? Vous demandez à votre enfant d'être poli avec l'infirmière ou le commerçant qu'il n'a jamais vus et qu'il sache demander une correspondance au chauffeur d'autobus ou de l'aide à un policier; la règle ne peut donc pas s'appliquer à tous les inconnus. De plus, ce n'est pas juste le fait de parler qui est risqué. Ce qui compte, c'est ce qui suit les paroles – comme donner la main ou monter dans une voiture. Enfin, quand un enfant est mis en danger, c'est assez rarement par un parfait inconnu. C'est un constat très pénible, mais important, à affronter : les abus sexuels ont plus souvent lieu au sein du foyer – et sont le fait d'un parent, d'un grand frère ou d'un autre membre de la famille, ou bien d'« amis » – qu'à l'extérieur. Et quand un enfant en est victime en dehors de la maison, le coupable est le plus souvent une connaissance de la famille ou un voisin.

Il existe un autre type de conseils qui ne fait pas appel au concept d'« inconnus », qui évite de mélanger les notions de dialogue et de risque et qui évite aussi d'introduire de la peur et de la suspicion dans un petit esprit confiant et sociable. Il s'agit simplement d'enseigner à votre enfant de trois ou quatre ans de ne jamais suivre personne (même quelqu'un qu'il connaît bien, même un membre de la famille) sans d'abord venir le dire à l'adulte qui s'occupe de lui.

Le message est particulièrement simple à comprendre parce qu'il correspond au stade de développement de l'enfant. À cet âge, les enfants souhaitent toujours savoir où sont leurs parents – même s'ils ont quitté la pièce juste pour aller aux toilettes. Il leur paraît donc très raisonnable que vous ressentiez le même besoin envers eux.

La leçon est aussi facile à retenir, car l'enfant la pratique chaque jour et non en quelques occasions rares et dramatiques. Si vous êtes assise sur un banc pendant qu'il joue sur la balançoire, il doit venir vous voir avant d'aller jusqu'au bac à sable. S'il est chez vos voisins mitoyens, il doit venir vous dire que le papa de l'appartement du dessus emmène tout le monde manger une crème glacée. S'il vous attend à l'intérieur du service de garde, il doit courir dire aux éducatrices que vous êtes arrivée et qu'il rentre chez lui.

Si votre enfant ne s'écarte jamais de son activité ou de la voie prévue sans le dire à quelqu'un, personne ne pourra le convaincre de monter dans une voiture en lui proposant de venir voir un chiot ou manger des bonbons. Il n'a pas à juger de ce qu'il doit faire, car les jugements sont l'affaire d'adultes qualifiés, ceux qui s'occupent de lui et qui répondent oui ou non lorsqu'il vient dire ce qu'on lui propose. Il n'a pas à se demander en qui il peut avoir confiance, ni qui est un « inconnu » (« Je croyais que tout irait bien parce que c'était un ami de papa... »), parce qu'il doit venir vous prévenir en toute circonstance.

Plus tard, bien avant qu'il soit question de laisser votre enfant seul, même une demi-heure, sans la surveillance d'un adulte, vous aurez envie d'introduire l'idée que tous les adultes ne sont pas dignes de confiance et que certaines précautions sont indispensables lorsque votre enfant est dans les environs avec d'autres enfants.

Mais, pour les deux ou trois années à venir, il lui suffit de savoir que la « règle » établie entre vous est absolue, que les autres membres de la famille et les amis pensent tous qu'il est bien que les enfants « préviennent avant de partir » et que, par conséquent, il lui faut ignorer et éviter toute personne qui tente de le persuader d'agir autrement.

Souvent, les incidents surviennent quand les enfants sont en vacances ou en voyage, ou au cours des premières semaines passées dans une nouvelle maison. Un nouvel environnement présente des risques nouveaux. L'enfant qui ne les a jamais rencontrés ne peut pas les anticiper ou les reconnaître. C'est aux adultes de le faire pour lui. S'il a toujours habité dans une maison de plain-pied, des escaliers que beaucoup d'enfants de son âge monteraient sans problème représentent une difficulté. En bord de mer, les enfants de la région connaissent les marées, mais votre enfant les découvre. Il ne sait pas ce que signifie le fait que la plage diminue et que le courant est plus fort autour de ses jambes.

En vacances, vous avez envie de le laisser courir en liberté. Pour qu'il puisse se passer de surveillance, vous devez bien réfléchir à votre destination. Cette petite maison à la campagne a peut-être un taureau comme voisin, une plante toxique dans sa haie ou un puits dans le jardin.

Lors d'un emménagement dans une nouvelle maison, les adultes sont si occupés qu'ils baissent la garde juste au moment où l'enfant aurait besoin de leur vigilance. Au milieu des innombrables petits travaux qui méritent votre attention, celle que vous portez à votre enfant est prioritaire.

Que l'emménagement soit temporaire ou définitif, mettez-vous d'abord dans sa peau. Pensez à ce nouvel environnement et à toutes ces choses qu'il n'a encore jamais vues. Imaginez celles qui vont l'attirer. Faites un tour d'inspection dès votre arrivée. Visualisez votre enfant en train de courir et repérez les pièges qui l'attendent. Le temps de s'habituer aux lieux, il a besoin d'une escorte enthousiaste, prête à l'accompagner sur les rochers, au bord de la piscine, sur la plage, à faire le tour de la ferme, celui des magasins ou bien du parc. Si vous êtes tous en vacances, c'est probablement votre rôle. Si vous vous installez dans une nouvelle maison et dans un nouveau travail en même temps, ce sera plutôt celui de sa gardienne.

Tous les enfants (et tous les adultes) sont plus enclins à avoir des accidents lorsqu'ils sont fatigués. Pendant cette période de la vie de votre enfant, le quotidien est rempli d'efforts physiques et intellectuels. Plus la fatigue le gagne, plus ses efforts lui deviennent difficiles, et plus il rencontre d'échecs et de frustration. S'il a essayé son vélo à deux roues pendant tout l'après-midi, il y arrive sans doute moins bien à l'approche du souper, et cela le rend furieux. «Je vais y arriver», râle-t-il en remontant dessus. Laissé à ses échecs renouvelés, il est de plus en plus en colère et de plus en plus imprudent. Lorsque le chagrin arrive, essayez de le persuader, avec délicatesse, de faire une pause le temps de reprendre des forces.

Certains enfants semblent tout le temps prédisposés aux accidents. Le personnel des services des urgences de l'hôpital les appelle par leur prénom après de nombreux points de suture, plâtres ou mises en observation la nuit après une chute sur la tête.

Une petite partie d'entre eux sont distraits par des soucis précis ou rendus insouciants de leur propre sécurité et maladroits dans leur corps par un mal-être plus profond. Si vous craignez que la disposition de votre enfant pour les accidents ne vienne du fait qu'il est triste et tendu, offrez-lui plus de protection en vous comportant comme s'il était un peu plus petit, le temps de découvrir l'origine du problème.

Les enfants n'ont pas tous le même degré de coordination de gestes, surtout pendant la petite enfance, quand certains marchent depuis deux fois plus longtemps que d'autres. Si votre enfant maîtrise moins bien son corps que d'autres, les jeux collectifs sont souvent l'occasion de chagrins. Essayez de lui offrir une aide pratique pour les choses raisonnables qu'il entreprend, plutôt que de lui interdire de les faire. Montrez-lui la meilleure façon de monter sur une échelle, par exemple, et peut-être tombera-t-il moins lorsqu'il escaladera la glissoire. Apprenez-lui à trouver son équilibre avant de marcher le long d'un muret ou à s'asseoir lorsqu'il sent qu'il vacille.

Si votre enfant est encore maladroit à quatre ou cinq ans, et surtout s'il souffre des moqueries des autres, un apprentissage plus formel de la maîtrise physique l'aidera sans doute. Pourquoi ne pas l'inscrire dans des cours de danse, de musique, de gymnastique ou même de judo?

D'autres ne sont ni malheureux ni maladroits, mais simplement déraisonnablement courageux, voire téméraires. Votre enfant ne se contente pas de grimper beaucoup trop haut dans les arbres, mais en saute et se casse la jambe. La vitesse ne lui fait pas peur, mais lui coûte de nombreuses écorchures. Il est prêt à essayer tous les sports, de l'équitation au surf, mais n'a aucune envie qu'on lui apprenne comment faire.

Ce genre d'enfant apprendra par lui-même la leçon avec le temps, mais vous souhaiteriez limiter la casse… Ne le félicitez jamais d'un exploit trop audacieux, même si votre soulagement de le voir sain et sauf se transforme en admiration. Plutôt que d'applaudir ses sauts de Tarzan, soulignez que son succès n'est dû qu'à la chance et que sa tentative était idiote. S'il comprend que vous vous inquiétez vraiment pour sa sécurité, il finira peut-être par s'en soucier aussi.

La colère et l'agressivité physique   Les enfants ont le droit d'utiliser leur corps pour exprimer des sentiments, mais pas pour blesser qui que ce soit. La majorité des parents, même les plus tolérants, n'admettent pas qu'un enfant en colère frappe ou donne des coups de pied.

Beaucoup d'adultes pensent qu'un enfant qui blesse intentionnellement doit être blessé en retour (voir p. 375), afin de lui faire comprendre qu'être frappé fait mal. La sensation provoquée par une bonne fessée devrait le convaincre. Et si cela ne suffit pas, et qu'il continue à taper en sachant qu'il fait mal, il mérite alors une punition douloureuse dissuasive.

Comme l'a déclaré Martin Luther King, la loi «œil pour œil» laisse tout le monde aveugle. La formule «un prêté pour un rendu» est si simple qu'elle paraît raisonnable, mais elle est totalement illogique du point de vue de l'enfant. Si votre enfant vous tape et que vous lui donnez une fessée, la punition ne lui montre pas que sa propre action était mauvaise. Au contraire, puisque vous, un adulte qui ne peut rien faire de mal, avez agi de la même façon, il y a des chances qu'il conclue que son geste est raisonnable. Comment vous prendre au sérieux lorsque vous accompagnez la fessée d'un: «Il ne faut pas frapper les gens»?

Pour apprendre à utiliser les mots plutôt que les coups, ils ont besoin d'adultes qui les écoutent vraiment.

La pertinence du message est bien plus forte si personne dans la maison ne frappe ou ne blesse jamais quelqu'un volontairement. Quand votre enfant s'apprête à s'en prendre à vous, retenez sa main et dites : « On ne frappe pas. Je sais que tu es en colère, mais on ne frappe pas les gens. Ça fait mal et c'est très méchant. » Vous êtes plus grande et plus forte que lui, vous n'avez ni à tolérer qu'il vous attaque ni à utiliser la force pour l'arrêter ; il vous suffit de le contenir jusqu'à ce qu'il se calme.

Quand il est agressif, il est important qu'il comprenne que ce n'est pas sa colère que vous désapprouvez, mais sa façon violente de l'exprimer. Vous n'exigez pas qu'il ne soit plus en colère, vous lui demandez simplement de faire quelque chose de constructif avec ce sentiment : d'être positif plutôt qu'agressif (voir p. 473).

Les différences physiques entre garçons et filles

Un enfant unique considère l'apparence de son propre corps comme allant de soi et tend à croire que tous les autres enfants sont faits sur le même modèle. Pendant un temps, papa et maman sont aussi juste ce qu'ils doivent être. L'enfant ne voit aucun rapport entre leurs grands corps poilus et le sien et, par conséquent, ne se sent pas physiquement plus proche de l'un que de l'autre.

Les premières questions arrivent lorsqu'il a l'occasion de voir un enfant du sexe opposé nu. « Qu'est-ce que c'est ? » demande-t-il. Tout ce qu'il veut, c'est un mot – pénis – et, si c'est une fille, le nom qui correspond à ce qu'elle a, elle – le vagin. Si vous abordez les choses calmement et vous contentez de lui donner les informations précises qui répondent aux questions spécifiques qui vous sont posées, il n'y a aucune raison d'être embarrassée par le sujet. Vous n'avez pas à tout lui dévoiler d'un coup. Laissez-le plutôt réaliser quels éléments il ne comprend pas et revenir vers vous, quand il en aura envie, pour combler ces lacunes. Ce n'est souvent que vers six ou sept ans qu'il pose la question critique : «Comment le papa met la graine dans le truc que la maman a ici?» D'ici là, vous aurez acquis l'art de donner des réponses brèves et n'aurez aucun mal à dire : «En mettant son pénis dedans.» Ne vous laissez pas envahir par une sorte de gravité pesante à chaque question de cet ordre. Vous risqueriez de vous mettre dans des situations assez cocasses comme cette maman qui voit son enfant arriver en courant dans la cuisine lui demander : «Maman, vite, dis-moi d'où je viens.» Elle prend une profonde respiration et entame une longe conférence, pour être interrompue par son enfant abasourdi : «Maman, je voulais juste savoir où je suis né. À Montréal, comme Sarah?»

Certains parents s'appliquent à laisser leurs enfants les voir nus pour leur permettre de discerner la différence entre les femmes et les hommes adultes. D'autres, au contraire, se l'interdisent. Le mieux est sans doute de ne pas s'imposer de règle. Que votre enfant vous voie nue ou non, cela n'a aucune importance, tant que l'attitude générale par rapport à la nudité est détendue et naturelle et jamais de l'ordre de la séduction. Ne vous forcez donc pas à être volontairement «vieille école» ou faussement «moderne».

Les attitudes délibérées qui visent à montrer aux enfants qu'ils sont faits comme leurs parents du même sexe aboutissent souvent à des échecs complets. Aux yeux d'un enfant, il n'y a aucune similarité entre une petite fille à la peau lisse et une femme mûre ou entre un petit garçon avec un pénis minuscule et un scrotum presque invisible et un homme tout à fait mature. Lorsqu'il observe le parent du même sexe, l'enfant voit surtout des différences inquiétantes qui lui suggèrent qu'il n'est pas dans la norme. Lorsqu'il observe un parent du sexe opposé, il est très inquiet à l'idée de faire un bébé avec ça... Votre fille de trois ou quatre ans envoie peut-être des signes de son anxiété. Elle se met, par exemple, à évoquer sur un ton à la fois inquiet et excité le fait qu'un jour «elle se mariera avec papa». Il y a deux façons de la rassurer. D'abord, bien qu'elle pense se marier avec son papa et s'invente des jeux où elle prend votre place, ces inventions l'effraient parce que, en réalité, vous êtes sa maman et non sa rivale et qu'elle a besoin de vous. Rappelez-lui que papa est déjà marié avec vous et qu'un jour elle aura son propre mari, du même âge qu'elle. Ensuite, réconfortez-la en lui expliquant qu'elle est faite d'une seule pièce et que toutes les parties de son corps grandissent au même rythme. Elle a juste la taille et la forme qu'elle doit avoir maintenant et, au fur et à mesure de sa croissance, il en sera toujours ainsi.

Essayez cependant de ne pas donner d'informations d'ordre sexuel que votre enfant ne vous a pas demandées. Il ne peut pas les comprendre tant qu'il n'en a pas besoin. En particulier, évitez d'encourager votre enfant à penser au fait que lui aussi fera l'amour. Lui expliquer les différences entre garçons et filles et comment on fait des bébés est important et approprié, mais les rapports sexuels sont une des nombreuses découvertes réservées à l'âge adulte. Autant donc bannir les taquineries sur les «petits copains» et «petites copines».

Parfois, un petit copain ne parle pas alors qu'on s'adresse à lui.

Au cours des deux années qui précèdent l'entrée à l'école, les enfants sont très occupés à découvrir comment les choses fonctionnent, ce qu'ils sont, eux, capables de faire, et adorent se mettre, grâce à l'imagination, dans la peau des autres. Le langage enrichit leur réflexion, et la réflexion exige le langage. Langage et pensée sont si inextricablement liés que les jeunes enfants qui parlent bien sont ceux qui tirent le meilleur profit de leur potentiel intellectuel.

L'utilisation du langage à cette période a un rôle et une portée encore bien plus larges qu'à deux ans. Votre enfant a commencé par apprendre des mots pour nommer et pour commenter les personnes et les objets intéressants qu'il pouvait voir (comme l'autobus) ou qu'il voyait régulièrement et avait envie de revoir bientôt (comme son papa après le travail). Il va continuer à emmagasiner des centaines et des centaines de noms de choses, bien sûr, mais il va aussi se servir du langage pour évoquer des choses ni concrètes ni visibles. Vous allez l'entendre parler de celles qui ne sont pas autour de lui – mais dont il se souvient ou qu'il imagine – et d'idées abstraites et d'émotions qui ne seront pas «là», mais qui peuvent être véhiculées avec des mots-images. Et vous l'entendrez se servir du langage par pur plaisir, tout seul ou avec ses camarades, pour faire des blagues, chanter des comptines ou raconter des histoires.

ENRICHIR LE LANGAGE DE SON ENFANT

Une majorité de parents sont conscients qu'il est important de beaucoup parler à leur enfant, mais sous-estiment l'importance de la *qualité* de la parole. La conversation d'un adulte n'est vraiment utile à un jeune enfant que si les mots de l'adulte soutiennent ceux de l'enfant et lui renvoient un discours positif sur lui-même. Des conversations sans fin ne feront rien pour le développement du langage si elles se bornent à des réprimandes et à des critiques.

Une conversation utile est un vrai dialogue et non un simple bavardage. S'il vous marmonne quelque chose pendant que vous avez la tête ailleurs et que vous ne l'encouragez que par des «Ah oui?», vous ne communiquez pas. Conscient que vous ne l'écoutez pas, il finira par se taire et se sentira frustré. Votre ennui visible peut même le convaincre qu'il est inintéressant. Les monologues des adultes ne sont pas plus profitables. Si vous ne lui laissez pas le temps de prendre la parole ou si personne ne prête attention ou ne réagit à ce qu'il dit, vos conversations se réduiront à un bruit de fond, comme la radio allumée que personne n'écoute. L'enfant comprend vite que vous ne vous souciez pas de savoir s'il vous entend, vous écoute et vous comprend.

Un vrai dialogue avec un adulte attentif donne à l'enfant l'occasion de découvrir de nouveaux mots et de nouvelles façons de décrire les choses et les idées au moment où il en a besoin. C'est la meilleure aide que vous pouvez offrir à son langage car, qu'il ait déjà un large répertoire ou n'ait qu'un un vocabulaire limité, il lui en faut toujours plus.

Supposons qu'il soit en train de s'efforcer de déplacer un sac de sable jusqu'à son bac. Il a visiblement besoin d'un soutien physique, mais c'est aussi une occasion de développer son langage. Si vous lui dites juste : «Je vais t'aider», il n'apprend rien. Si vous dites : «Je vais t'aider à porter ce sac de sable, il est trop lourd pour toi», vous lui fournissez plusieurs nouvelles idées. Il n'avait peut-être pas pensé que ce sable dans un sac était un «sac de sable». Désormais, il peut adapter cette formule à d'autres mots comme «un verre de jus de fruits» ou «une tasse de thé».

En outre, il ne s'était peut-être pas rendu compte qu'il était incapable de déplacer le sac tout seul parce que le sac était «trop lourd». Vous venez de lui apprendre à nommer une idée (le poids) qu'il sentait mais ne pouvait exprimer.

Vous pouvez lui faire découvrir ainsi bien d'autres concepts. Vous attrapez quelque chose pour lui parce que vous êtes «plus grande», vous retirez un peu de sauce tomate de son assiette parce qu'il en a «trop» pris, vous lâchez le plat parce qu'il est «très chaud» et vous enlevez un de ses tee-shirts parce qu'il est «trop petit».

C'est aussi une bonne façon de lui faire découvrir les couleurs, les formes et les nombres. Si un camarade lui tend un paquet de bonbons et qu'il choisit le rose, lui dire : «C'est celui que tu choisis ?» est sympathique, mais il n'en retire rien. Si vous dites : «Tu as choisi de manger le bonbon rose ?», vous lui fournissez le mot qui désigne la couleur qui lui plaît mais dont il ne savait pas qu'elle était rose. Deux bonbons sont l'occasion d'une phrase plus complexe : «Deux bonbons ! Un bonbon pour cette main et un bonbon pour l'autre main. Deux bonbons pour deux mains.»

Les jeux qu'il invente vous ouvrent d'autres possibilités. Équipé de lunettes et d'un grand parapluie, il annonce : «Papa.» Il s'est mis dans la peau de papa-qui-sort, mais connaît-il les noms des lieux où va son père ? En lui demandant : «Est-ce que papa va au bureau ou bien va-t-il se promener au parc ?», vous lui donnez deux mots pour désigner les lieux où papa peut aller. Vous l'aidez à enrichir sa pensée et à élargir ses possibilités de jeu.

Vous pouvez pratiquer ce mode d'enrichissement presque chaque fois que votre enfant vous parle et, bien que cela semble forcé sur le papier, c'est en réalité facile et naturel. Il vous suffit d'écouter vraiment ce que votre enfant vous dit, ce qu'il tente de vous communiquer.

C'est tout à fait l'opposé d'un «Ah oui ?» distrait. Il s'écrie : «Ho ! Gros chien !» C'est clairement une exclamation. Il a remarqué quelque chose de particulier concernant ce chien. Vous essayez de comprendre ce que c'est pour lui permettre de développer à la fois sa pensée et le langage dont il a besoin pour l'exprimer : «Oui, c'est un gros chien. Et regarde comme il court vite…»

Aider son enfant à parler à différentes personnes

En général, les enfants de deux ans trouvent si difficile de communiquer avec des inconnus que les parents sont obligés de traduire dans les deux sens. À présent, votre enfant commence à comprendre ce que des gens nouveaux lui disent directement. Il est souvent capable de se faire comprendre des personnes qui font un petit effort, s'il ne blottit pas son visage timide dans votre épaule. Aidez-le à saisir le

Si vous rencontrez une personne intéressante pendant votre promenade, restez un peu en retrait et laissez votre enfant parler.

maximum des conversations qu'il entend. S'il a confiance en sa capacité de comprendre et d'être compris, il sera à l'aise avec ses semblables, avec les adultes et à l'école.

Imaginons que vous alliez chez le médecin parce que votre enfant a mal à l'oreille. Si vous souhaitez lui apprendre à mener lui-même une conversation, essayez de ne pas parler à sa place mais de simplement l'aider. Le médecin s'adressera (certainement) à l'enfant directement, mais s'attend plutôt à obtenir une réponse de votre part. N'entrez pas dans cette conspiration d'adultes en discutant de son problème par-dessus sa tête.

Encouragez-le à écouter (si nécessaire, reprenez les paroles du médecin : « Docteur Jean te demande si tu as toujours mal à l'oreille... »), à comprendre et à répondre. Si le médecin ne décrypte pas ce qu'il dit, encouragez-le à répéter. Le message que vous lui transmettez est : « Ce que tu dis suffit. » S'il vous croit, il adorera parler encore et encore, avec votre soutien. Lorsque son papa rentre le soir et lui demande : « Qu'as-tu fait de beau aujourd'hui ? », c'est une expression toute faite qui est bien trop générale pour susciter chez votre enfant une réponse précise. Mais vous pouvez l'aider en disant : « Tu veux raconter à papa l'écureuil que nous avons vu au parc ? » Une fois lancé, il peut se répéter, oublier des mots, mais vous êtes là pour l'aider, avec délicatesse, à ne pas perdre le fil de son histoire :

« Le écureuil vient. A peur... Moi dit "Oooh" ! »

« – Oui, tu as dit "Oooh". Et après, que s'est-il passé ? L'écureuil a couru dans… ?

– L'arbre ! » complète l'enfant, excité.

Il arrive que les gens (et même vous) ne le comprennent pas, malgré plusieurs répétitions. Ne vous contentez pas d'une supposition qui risquerait de le déconcerter (« Pourquoi maman me donne-t-elle un biscuit quand je lui dis que quelqu'un a sonné à la porte ? »). Soyez honnête. Admettez que vous n'avez pas compris ce qu'il a dit et que vous en êtes désolée. Vous n'avez pas à vous excuser, mais vous voulez qu'il sache que vous regrettez sincèrement de ne pas avoir compris. Cette fois-ci, le message est : « Ce que tu dis est intéressant. »

Apprendre les pronoms Grâce à ce genre de conversations, l'enfant ajoute très rapidement aux noms des choses des adjectifs pour les décrire et des verbes pour raconter ce que font les choses. Mais l'usage du « moi », du « toi » et du « lui », dont le sens dépend du locuteur, reste très compliqué, et vos discours élaborés ne sont d'aucun secours. J'écris ce livre pour que vous le lisiez. Mais si vous en racontez un extrait à quelqu'un, vous direz : « Je lis ce livre qu'elle a écrit. » Je suis toujours moi et vous êtes toujours vous. Mais je suis devenue « elle » et vous êtes devenue « je » !

Les enfants se contentent donc souvent du nom pour désigner les choses, les personnes et se désigner eux-mêmes : « Benoît va chercher l'ours » plutôt que « Je vais le chercher ». Essayer de le corriger ne peut aboutir qu'à une terrible confusion. Vous dites : « Dis "Je vais chercher l'ours", chéri. » L'enfant vous regarde, étonné, et répète : « Benoît va chercher l'ours. » Il veut dire par là que ce n'est pas vous qui allez chercher l'ours, mais lui. Et vous lui répétez « Je »…

Il est préférable de ne pas essayer de lui imposer l'emploi des pronoms et d'attendre qu'il le fasse spontanément. Il n'y en pas pour longtemps. Si les adultes qui s'occupent de lui veillent eux-mêmes à les utiliser correctement (et disent « Puis-je t'aider ? », plutôt que « Est-ce que maman peut aider Félix ? »), il s'en sortira très bien tout seul.

« C'est quoi, ça ? » Vers trois ans environ, votre enfant sait qu'il a besoin de plus de mots et vous pose continuellement cette question : « C'est quoi, ça ? » Il vous demande simplement de lui dire ou de lui rappeler le nom. Il est inutile de le perdre dans des réponses compliquées. S'il montre du doigt la laveuse, contentez-vous de lui répondre : « C'est la laveuse », plutôt que de développer : « C'est une machine spéciale qui sert à laver les vêtements. »

N'ayez cependant pas peur des mots longs ou difficiles. La plupart des enfants les adorent. Si vous pouvez prononcer « diplodocus », pourquoi pas lui ? Comme pour « ptérodactyle » : c'est l'orthographe qui est compliquée, pas le son.

Et bientôt l'incontournable « Pourquoi ? » Ses centaines de « Pourquoi ? » par jour, auxquels s'ajoutent un certain nombre de « Pourquoi je ne peux pas le faire ? », beaucoup de « Pourquoi papa est sorti ? » et d'autres questions auxquelles il est impossible de répondre du genre : « Pourquoi c'est dimanche… le matin… etc. ? », vont vous lasser, vous épuiser ou vous enthousiasmer (ou tout ça à la

Votre enfant sera surpris de découvrir que les réponses à certaines de ses questions sont dans un livre.

fois). Rappelez-vous que l'enfant pose ces questions parce qu'il a besoin de savoir. Il enrichit sa réserve de connaissances et le fait de la façon la plus efficace qui soit : avec des mots. Les « Pourquoi ? » sont un signe manifeste de sa maturité. Quelques mois plus tôt, il aurait essayé de comprendre par les gestes, en manipulant les objets.

Parfois, il vous est impossible de répondre à ses « Pourquoi ? », parce qu'ils touchent les limites de la connaissance humaine ou, plus simplement, les vôtres !

« Pourquoi est-ce qu'il y a de la pluie/de l'orage/du vent ? »

« Pourquoi papa est grand/châtain/un homme ? »

« Pourquoi cette dame est dans ma télé ? »

« Pourquoi les lumières s'éteignent ? »

« Pourquoi le soleil ne s'éteint pas ? »

Essayez de ne pas vous retrancher derrière un « Parce que c'est ainsi ». Lorsque la question est raisonnable, répondez brièvement. Ne lui exposez pas tout votre savoir sur la télévision. Sa question est fortuite, suscitée simplement par une image aperçue à un instant précis. « Parce que c'est la personne dont parle le journaliste » le satisfait probablement. Si la réponse à sa question existe, mais que vous ne la connaissez pas, n'ayez pas peur de le lui avouer. « C'est une question intéressante, mais je ne sais pas y répondre. Demandons à papa ou cherchons dans un livre… » est une très bonne réponse. Trois ans, ce n'est pas trop tôt pour une première encyclopédie, pas pour qu'il la lise mais pour être sûre de trouver une information illustrée pour chacune de ses requêtes. « Encore », dit-il à propos des lézards. Sans l'aide d'un livre, vous n'avez sans doute rien de plus à dire sur les lézards…

Cependant, certains « Pourquoi ? » vous donnent l'impression de pénétrer dans le pays des merveilles d'Alice :

« Pourquoi je suis Xavier ?

– Parce que, quand tu étais tout bébé, nous avons décidé que nous aimions ce prénom et nous te l'avons donné.

– Pourquoi ?

– Parce que c'est un beau nom pour un super petit garçon.

– Pourquoi ? »

Ces « Pourquoi ? » sont-ils juste un moyen de garder votre attention et de poursuivre la conversation, ou signifient-ils à présent « Dis-m'en plus » ? Vous les ferez cesser en lui disant : « Est-ce que tu veux que je t'en raconte un peu plus sur toi quand tu étais un tout petit bébé ? »

Souvent, « Pourquoi ? » n'est pas la bonne question. Il fait un usage incorrect du mot et lui retire son sens. S'il vous demande : « Pourquoi les taureaux ? », réfléchissez à ce qu'il a voulu dire avant d'écarter sa question : « Qu'est-ce qu'un taureau ? », « À quoi servent les taureaux ? » ou « Est-ce que les taureaux sont dangereux ? » Une réponse générale permet d'entamer la conversation qu'il attendait : « Je ne suis pas sûre de comprendre ta question, mais parlons un peu des taureaux. Sais-tu ce qu'est un taureau ? C'est le mari de la vache. »

Les mots comme éléments de la maîtrise de soi

Après des années pendant lesquelles les adultes ont supervisé leurs comportements, les enfants commencent à prendre la relève (voir p. 498). Vous vous en apercevez d'abord à travers ce que votre enfant se raconte en jouant. Il adresse à ses poupées ou à ses compagnons imaginaires les phrases directives qu'il entend chez lui ou à la maternelle :

Pourquoi ma fille parle-t-elle autant toute seule ?

Ma fille de quatre ans a toujours été bavarde. J'avais l'habitude de l'écouter le matin « parler » toute seule dans son berceau. Plus tard, elle s'est mise à se « lire » des histoires et à parler à ses jouets. Ces derniers mois toutefois, j'ai remarqué qu'elle s'adressait à elle-même sur un ton différent, comme si elle se donnait des ordres. J'ai été touchée de l'entendre se dire, en mettant ses chaussures : « Trouve la chaussure du pied gauche, Émilie », en m'imitant. Mais cela arrive désormais si souvent que je m'inquiète, d'autant plus qu'elle s'apprête à entrer dans une classe de maternelle qui s'attache à pousser les élèves à se concentrer en silence. Pourquoi Émilie se parle-t-elle toujours autant ? Est-ce le signe d'un développement lent ou d'un manque de concentration, ou même d'une hyperactivité ? Ou est-ce totalement anodin ?

Le fait que les enfants parlent tout seuls n'est pas seulement anodin mais tout à fait utile.

Une génération plus tôt, sous l'influence de Piaget, les monologues des enfants étaient dits « égocentriques » et considérés comme un signe d'immaturité. On pensait que les enfants se parlaient à eux-mêmes parce qu'il leur était impossible d'imaginer qu'une autre personne se joigne à eux pour mener une vraie conversation. Ils devaient donc cesser de parler tout seuls en devenant capables d'échange social.

À la fin des années 1970, sous l'influence des travaux plus anciens du psychologue russe Vygotski, des études ont montré que tous les enfants utilisent cette forme de conversation (plus ou moins fréquemment et plus ou moins longtemps), que cela n'a rien à voir avec l'importance de l'échange social et que c'est essentiel pour les aider à apprendre par eux-mêmes.

Vygotski a souligné le fait que chaque enfant a une gamme de compétences déjà acquises, une gamme de compétences encore hors de sa portée et une gamme (dite « zone proximale de développement ») de compétences qu'il peut atteindre avec l'aide d'un adulte. Quand un parent ou un enseignant aide un enfant à s'atteler à une tâche difficile, il lui offre d'abord des informations orales, puis lui suggère une méthode pour y parvenir. L'enfant intègre ces dialogues dans ses discours solitaires et, lorsqu'il tente d'accomplir cette même tâche tout seul, il est en mesure de se donner des instructions et de se remémorer des conseils. Quand un enfant essaie, par exemple, de mettre ses chaussures lui-même pour la première fois, il est possible que les parents l'entendent répéter des scènes familières comme : « Tu ne peux pas sortir sans tes chaussures, Émilie. Allons les chercher… » Lorsque l'enfant devient plus confiant et se débrouille mieux, il se contente de quelques mots pour les détails les plus compliqués. Comme beaucoup d'enfants, la plus grande difficulté d'Émilie concernant les chaussures est de trouver le bon pied. C'est pour cela que ce sont les mots « gauche » ou « droit » qu'elle continue à se dire à elle-même. Puis les enfants deviennent capables de penser les mots sans les dire à haute voix. S'ils savent déjà bien lire, ils vont commencer à le faire en silence. Les discours à soi-même se transforment en murmure indiscernable, puis ne sont plus du tout prononcés. Ils continuent cependant d'être utiles. Les enfants plus grands, et même les adultes, devant des activités ardues ou des textes qui paraissent incompréhensibles, s'efforcent de comprendre ou se remémorent comment faire par des discours internes.

Ce que fait Émilie est très positif, et la seule éventuelle raison de s'inquiéter serait l'école que vous envisagez. Quelques instituteurs « vieille école » considèrent encore les discours que les enfants se font à eux-mêmes comme socialement inacceptables ou comme des signes de troubles du comportement. Vérifiez ce que signifie « travail silencieux ». Interdire aux enfants de cinq ans de parler entre eux est déjà discutable, leur interdire de se parler à eux-mêmes lorsqu'ils comptent sur leurs doigts ou se concentrent sur un dessin serait une atteinte à leur développement.

« Fais attention, maintenant ! », « Viens ici », « Ne touche pas ça… » C'est un vrai tyran qui parle sur un ton bien plus virulent que celui que vous imaginez avoir ou que vous attendez des autres personnes qui veillent sur lui.

Plus tard, c'est à lui-même qu'il parle ainsi. Au début, ses avertissements surviennent après l'événement. Il envoie sa balle sur le pot de fleurs, puis s'autoréprimande : « Pas dans les fleurs, Charles. » Bientôt, il se prévient. Prêt à taper dans la balle, il dit : « Charles, pas dans les fleurs » et, comme si quelqu'un d'autre avait parlé, il se tourne et tape dans une autre direction.

C'est le signe qu'il intègre les instructions et les règles qui viennent de l'extérieur et les fait siennes. Mais si vous l'entendez souvent se donner des ordres fermes puis y désobéir immédiatement, déclarant, par exemple : « Ne fais pas mal au chien, Jérémie » en lui donnant un coup, soyez attentive. Vous (ou quelqu'un qui s'occupe de lui) lui délivrez peut-être un flot d'instructions sans lui en expliquer clairement les raisons ou sans attendre qu'il ait obéi à l'une pour passer à la suivante. Prenez le temps de réfléchir et de discuter posément de la meilleure façon de l'aider à apprendre à bien se comporter (voir p. 523).

Les mots comme moyen d'exercer son autorité

Les jeunes enfants reçoivent une telle profusion de paroles directives qu'il est presque inévitable qu'ils aient envie d'utiliser eux-mêmes le langage de cette façon. C'est en particulier vers quatre ans que les enfants semblent souvent très autoritaires. « Ça suffit maintenant ! » hurle-t-il au bébé, surpris. « Viens ici tout de suite ! » commande-t-il au chien, indifférent. Il cherche quelqu'un qui soit en dessous de lui dans la hiérarchie afin de pouvoir être à son tour le chef. Il cherche aussi à savoir si ses mots ont autant de pouvoir sur les agissements des autres que les vôtres sur lui. Essayez d'être tolérante au cours de cette phase parfois fatigante. Son objectif n'est pas d'être désagréable. Si son autoritarisme vous est vraiment pénible, apprenez-lui à adoucir ses ordres et ses exhortations en ajoutant « s'il te plaît » ou « merci » et faites attention à la façon dont les adultes s'adressent à lui. Il peut exagérer le ton strict qu'il reproduit, mais il ne l'invente pas.

Les mots et la confiance en soi

La vantardise est un trait caractéristique des enfants de quatre ans et ne doit pas être prise trop au sérieux. Deux enfants ensemble s'adonnent souvent à des séances de vantardise qui ne sont qu'un jeu, tels des matchs de tennis verbaux :

« Ma maison est plus grande que la tienne.
– Ma maison est la plus grande.
– Ma maison est plus grande qu'un château.
– Ma maison est plus grande qu'un parc.
– Ma maison est plus grande que, que, que… tout ! »

Bien que les adultes qui les écoutent puissent être sensibles à la réalité et au fait que l'un ait effectivement une maison, un père, des moyens plus grands que l'autre, aux yeux des enfants, il n'y a là rien de sérieux. Un véritable échange d'insultes qui blesse les sentiments d'un enfant est un autre problème qui ne doit pas être toléré. Expliquez-leur et arrêtez-les.

Si votre enfant se vante beaucoup et finit par agacer ses camarades, vous vous demandez sans doute la raison d'un tel besoin de se rendre très grand, très fort et très riche. Est-ce parce qu'il se sent, au contraire, petit, faible et pauvre ? Beaucoup de signes tangibles d'affection (des oui, des câlins et des baisers), plus de félicitations et moins de réprobations sont peut-être la solution.

À quatre ans, les enfants sont à la fois sages comme des images et autoritaires. « Victor est sage », dit-il d'un ton satisfait. Ne le rabrouez pas en disant : « Ah bon ? Je ne le savais pas. » Il serait vexé et désorienté. C'est plutôt encourageant pour le futur qu'il ait envie que vous le trouviez sage. Et le fait qu'il se sert des mots pour exprimer des idées est aussi le signe d'un bon développement du langage.

Parfois, ce genre de phrases suggère que votre enfant a besoin d'être sûr que vous l'aimez, même lorsque vous n'aimez pas ce qu'il fait. Il comprend les mots de façon très littérale, et ces distinctions sont fondamentales à ses yeux. Si lui et sa sœur font beaucoup de bruit autour de vous, jusqu'à vous rendre folle, essayez d'éviter de dire : « Sortez tous les deux dans la cour, vous me rendez folle ! » Ne les associez pas eux (que vous aimez) au bruit qu'ils font (que vous n'aimez pas) et dites plutôt : « Sortez dans la cour si vous voulez continuer à jouer à ça. Le bruit me tape sur les nerfs. »

PARLER D'IDÉES ABSTRAITES

Plus votre enfant a conscience que les mots lui sont utiles, qu'il peut exprimer tout ce qu'il pense et comprendre les pensées exprimées par les autres, plus il va rapidement s'en servir pour échanger des idées. Il est rare qu'un enfant vous parle de Dieu à quatre ou cinq ans ou essaie de vous expliquer l'émotion que tel morceau de musique lui procure. Vous devrez sans doute attendre des années avant d'avoir ce genre de conversation, et ce n'est pas un problème. Ce qui en serait un, ce serait que votre enfant essaie de discuter ainsi et qu'il reçoive en retour des rires et des moqueries ou que votre gêne évidente le bloque. Ces réactions risqueraient fort de lui enlever l'envie de parler. Et même si vous préféreriez parfois qu'il se taise une minute, parler, écouter, réfléchir puis parler à nouveau est une part essentielle de son éducation au sens le plus large.

Partager des idées et des sentiments avec un être dont l'expérience et la compréhension sont limitées n'est pas toujours aisé, surtout si vous n'êtes pas du genre à évoquer facilement vos sentiments. Il est facile de blesser un tout jeune enfant sans le vouloir, comme cette maman a failli le faire : « Elle avait quatre ans. Je l'ai trouvée fixant la fenêtre, des larmes sur les joues. Je lui ai demandé pourquoi elle pleurait, persuadée qu'elle ne voulait pas aller se coucher. Mais elle m'a répondu : "Maman, je ne sais pas quoi penser de la lune." C'était si inattendu que j'étais à la limite de rire et de m'exclamer : "Ne sois pas bête !" Mais, heureusement, je ne l'ai pas fait. C'était loin d'être bête. Nous avons parlé des choses qui paraissent trop grandes, trop éloignées pour qu'on les comprenne et de celles dont la beauté nous rend tristes, comme la lumière de la lune. Je ne sais pas quoi penser de la lune non plus. Mais elle voulait juste partager ça. »

En dehors des conversations classiques sur les « choses de la vie » (voir p. 491), les sujets difficiles à aborder se groupent en trois catégories, avec chacune des techniques différentes pour répondre à l'enfant.

La marche du monde	Lorsque votre enfant vous pose des questions compliquées, vous n'avez pas à faire semblant de tout connaître. Un de vos avantages de grande personne est que vous savez comment et où trouver les réponses. Et ce qui fait votre valeur unique aux yeux de votre enfant est votre envie de satisfaire sa curiosité. S'il observe des vols d'oiseaux en début d'hiver et que savoir qu'ils se dirigent vers des pays plus chauds ne lui suffit pas, cherchez ensemble plus d'informations auprès d'un ami ou dans un livre. Souvent, vous connaissez la réponse à sa question mais ne savez pas comment la lui présenter (c'est d'ailleurs ce que l'on apprend aux instituteurs). « Pourquoi les avions dans le ciel ne tombent-ils pas ? », « Pourquoi les plantes deviennent-elles jaunes lorsqu'on les laisse sur la table ? » et « Pourquoi cette dent bouge-t-elle ? » sont des questions qui vous laissent un peu hésitante. Vous avez besoin de livres de référence conçus pour les enfants. Aller à la bibliothèque – et pourquoi pas demander l'aide de la bibliothécaire – peut être amusant et c'est un bon entraînement pour plus tard, lorsque votre enfant aura ce genre de travaux à faire pour l'école.

Les croyances	Les questions sur les croyances sont encore plus délicates, car ce sont vos propres positions que vous devez expliquer. D'un autre côté, ce genre de questions vous donnent l'occasion de transmettre à votre enfant un peu de vous, et c'est une part précieuse de votre rôle de parent. Même si vous ne pratiquez aucune religion, votre enfant aura forcément l'occasion de constater que d'autres familles ont des habitudes qu'il ne connaît pas. Certains de ses camarades vont peut-être à l'église, à la mosquée, au temple… à différents moments de la semaine. Son meilleur ami n'a peut-être pas le droit de dormir chez vous le vendredi. Un autre peut lui dire un jour : « Nous n'avons pas Dieu, idiot, nous avons Allah. »

Si vous pratiquez vraiment une religion, partagez-la avec lui, mais essayez de lui faire comprendre qu'il s'agit d'une croyance et non d'un ensemble de faits avérés. Cela vous permet de reconnaître et de respecter les autres religions et vous protège aussi de débats religieux avec un être dont la pensée est encore trop concrète et trop fondée sur ce qu'il peut voir, expérimenter et prouver pour concevoir la notion de foi. Si vous n'y prenez garde, votre enfant pourrait croire réelles des images terrifiantes du feu de l'enfer et des images idylliques de paradis présidé par un bon grand-père en robe bleue assis sur un nuage.

Si vous n'adhérez à aucune croyance, partagez votre point de vue avec votre enfant par tous les moyens, mais apprenez-lui à ne pas offenser sa grand-mère au dîner dominical en interrompant sa prière par : « Dieu, c'est idiot. C'est papa qui l'a dit. »

La mort	Les questions sur les sujets tabous sont les plus difficiles. Quelques générations plus tôt, le tabou le plus fort était ces fameuses « choses de la vie ». Aujourd'hui, c'est la mort. La culture occidentale est particulièrement inapte à reconnaître le simple fait que la mort est l'inévitable et universelle fin de la vie. De nombreuses personnes vivent dans la terreur muette et à demi consciente d'événements dont elles savent pourtant qu'ils vont avoir lieu : leur propre mort et celle des êtres aimés. La peur nous empêche de parler et transmet le tabou de génération en génération tant qu'aucun parent ne brise ce cycle.

N'ayez pas peur de parler de la mort.

Ce n'est pas un sujet sur lequel vous pouvez mentir à votre enfant. Vous ne pouvez pas non plus l'empêcher d'y penser. Il découvre la mort au moins à travers les plantes, les insectes, les oiseaux tombés du nid, les animaux écrasés sur la route et il se pose des questions. Il est toujours possible de vous en préserver en lui faisant sentir dès la première question qu'on ne peut pas parler de la mort. Mais vous le laissez alors seul avec ses interrogations et ses angoisses, et vous le privez des repères intellectuels qui l'aideraient à affronter la mort d'un proche, que ce soit un animal ou une personne.

C'est le début qui est le plus dur. Une fois que vous avez admis que tout être vivant meurt, votre enfant vous demandera certainement, s'il sent qu'il y est autorisé : « Est-ce que je vais mourir ? » ou « Vas-tu mourir ? » Si vous vous en sentez capable, vous lui permettrez de poser d'autres questions, à son propre rythme, qui lui donneront des informations utiles. Rappelez-vous, lorsqu'il aborde le sujet pour la première fois, qu'un petit enfant ne peut pas anticiper la peine ou avoir de la compassion. Il ne sait pas ce que « mourir » signifie – c'est le sujet qu'il explore – et ne sent pas la douleur qui est liée pour vous à ce mot. Faites des réponses précises enrichies de données qui instaurent une certaine distance émotionnelle. Il sera fasciné d'apprendre les différences de durée de vie de chaque créature – des quelques heures d'un papillon aux longues années des éléphants et des humains. Dans ce contexte concret, dites-lui honnêtement que les parents vivent en général non seulement pendant toutes les années d'enfance qu'il a devant lui mais qu'ils seront encore vivants lorsqu'il deviendra, à son tour, parent.

La mort naturelle est liée au vieillissement. Un enfant même très jeune observe les objets, les animaux et les gens changer et entend dans la bouche des adultes des phrases telles que : « Il vieillit bien », que ce soit à propos d'un chien ou d'un voisin. S'il vous demande : « Est-ce que grand-papa va bientôt mourir ? », cachez votre surprise qui rendrait absurde tout ce qu'il a pu vous entendre dire. Rassurez-le honnêtement : « La plupart des gens vivent jusqu'à soixante-dix ans, d'autres atteignent cent ans, donc il n'y a pas à nous inquiéter... »

Les inquiétudes enfantines (et pas si puériles) autour de la mort se focalisent habituellement sur la façon dont on meurt et sur ce qui se passe après. Souvent, la télévision en donne une image violente. Un enfant a besoin de savoir que la mort naturelle est en général une paisible dérive vers l'oubli, un abandon de la vie plutôt qu'un meurtre. Il peut observer un papillon posé pour toujours sur une fleur, un poisson rouge qui flotte à la surface de l'eau ou trouver son cochon d'Inde en apparence endormi dans son abri. Ce sera une expérience terriblement triste pour lui, mais vous lui ferez comprendre que l'animal, lui, n'a pas souffert.

Quoi que vous souhaitiez lui enseigner sur un possible au-delà, il est essentiel qu'il réalise que la mort physique, des animaux ou des hommes, est toujours définitive, que les morts ne redeviennent jamais vivants ou conscients. Les histoires de fantômes ne sont que des histoires et les cérémonies funéraires sont faites pour les vivants, pas pour les morts.

S'il est important d'aider les enfants à accepter que la mort naturelle est la fin de la vie, il est encore plus important qu'ils ne considèrent pas comme «normale» la séquence de tuerie du film qui passe à la télévision ou les scènes de guerre montrées au journal. Si vous parlez librement de la mort, vous lui expliquerez, en termes simples, qu'il faut respecter la vie et protéger les autres personnes et les autres créatures. Vous prenez le risque de faire face à des questions épineuses, comme : «Pourquoi a-t-on le droit d'écraser les guêpes ?», mais chercher les réponses vous aidera peut-être à clarifier votre propre point de vue !

LES TROUBLES (MINEURS ET MAJEURS) DU LANGAGE

La cause la plus courante du retard de langage est, bien sûr, la surdité. Un jeune enfant peut souffrir non seulement d'une perte d'audition récente mais aussi des suites d'infections de l'oreille – de type otites – à répétition. Les oreilles des bébés sont régulièrement auscultées, mais celles d'un enfant de deux ans qui ne parle pas doivent être à nouveau examinées comme élément fondamental de son développement général. Vous serez peut-être dirigée vers une consultation spécialisée dans le langage. Si rien d'anormal n'est détecté, il vous sera conseillé d'attendre encore six mois et de ramener l'enfant s'il ne parle toujours pas. À deux ans et demi, il est raisonnable d'envisager qu'il puisse y avoir un problème et de demander conseil, mais beaucoup d'enfants qui commencent à parler tard connaissent une sorte d'explosion du langage vers trois ans.

Un développement plus lent que la moyenne

Si votre enfant dit quelques mots et en comprend visiblement beaucoup plus, vous n'avez sans doute pas de soucis à vous faire. Les progrès de langage à cet âge sont aussi variables que la découverte des mots entre un et deux ans. Si votre enfant de trois ans est plus lent que la plupart de ses camarades, ce peut être pour l'une des raisons citées ci-dessous (si ce n'est pas simplement sa propre «horloge» de développement) :

■ Il met toute sa concentration et toute son énergie à l'acquisition d'une autre compétence. Il ne peut pas tout faire en même temps. Il parlera peut-être plus lorsqu'il marchera parfaitement.

■ Il a un jumeau ou un aîné très proche en âge. Le problème n'est pas son propre langage, mais le manque d'attention des adultes.

■ C'est un garçon. Le développement des garçons est programmé de façon sensiblement différente que celui des filles. La comparaison avec son aîné est encore plus vaine si les enfants ne sont pas du même sexe.

■ Il a plusieurs frères et sœurs plus âgés qui le comprennent si bien et si vite qu'il n'a pas le temps ni le besoin de s'exprimer clairement. Et leurs conversations sont peut-être si incessantes qu'il n'a aucune occasion de parler seul à seul avec vous.

■ Il est dans un groupe d'enfants (au service de garde par exemple) trop important par rapport au nombre d'adultes disponibles et souffre de ne pas parler avec une éducatrice qui lui est familière.

■ Il est peut-être gardé par une gardienne qui ne parle pas bien sa langue et avec qui il communique plus par gestes. Il a besoin d'un adulte qui parle facilement.

■ Il est dans une famille bilingue. Apprendre deux langues à la fois prend plus de temps qu'en apprendre une seule.

Le retard spécifique de langage

Certains enfants – environ un sur mille – rencontrent de vrais problèmes de langage qu'il faut savoir déceler tôt afin de leur offrir les meilleurs soins.

Le retard spécifique de langage, aussi appelé dysphasie, est un développement lent ou anormal du langage en dehors de tout problème d'autisme, d'audition, d'intelligence ou neurologique. En d'autres termes, c'est lorsqu'un enfant normal ne franchit pas normalement les étapes d'apprentissage du langage. Le retard spécifique de langage peut se présenter sous de nombreuses formes. Certains enfants sont extrêmement lents à comprendre et à prononcer des mots, d'autres acquièrent rapidement le vocabulaire mais ont d'énormes difficultés de grammaire, d'autres encore ont de grosses difficultés à se souvenir du nom des choses ou à apprendre les principes de la conversation.

Le bégaiement

Les enfants veulent exprimer des idées qui dépassent leur vocabulaire. Il leur est pénible d'extérioriser calmement leurs pensées, surtout lorsque le fait de devoir chercher le bon mot interrompt leur discours. Lorsqu'ils sont excités ou tristes, ils voudraient déverser leurs sentiments, mais les mots sortent en hoquet. Tous les très jeunes enfants (et les adultes aussi) connaissent ces moments où la parole est irrégulière et saccadée, mais il est rare que cela s'installe plus de quelques semaines et devienne un véritable bégaiement.

En général, les enfants qui sont mal à l'aise au tout début ont dépassé leurs difficultés au moment d'entrer à l'école, surtout si rien n'est venu entre-temps les rendre timides envers le langage. De nombreux pédiatres conseillent aux parents de jeunes enfants qui bégaient d'attendre au moins qu'ils aient cinq ou six ans avant de demander un soutien professionnel, qui provoque forcément une montée de timidité. De leur côté, les spécialistes du bégaiement recommandent de consulter un orthophoniste dès que le bégaiement dure depuis plusieurs semaines.

Si vous vous demandez si le récent bégaiement de votre enfant de trois ou quatre ans est un vrai problème, réfléchissez aux points suivants, avant de recourir à l'orthophonie : essaie-t-il volontairement de maîtriser les muscles de son visage, ses lèvres et sa langue, provoquant des grimaces chaque fois qu'il hésite ? Si c'est le cas, il réalise déjà qu'il a des difficultés. Parle-t-il plus facilement lorsqu'il est seul et s'adresse à lui-même ? En ce cas, il bégaie parce qu'il est angoissé par une pression trop forte.

Réduire le degré de stress de sa vie quotidienne et privilégier les moments agréables, amusants et câlins pendant quelque temps peuvent lui permettre de retrouver une parole fluide. Sinon, consultez un orthophoniste avant que la perte de confiance dans ce domaine s'étende à d'autres compétences. Que vous décidiez ou non de l'emmener rapidement chez un spécialiste, votre propre réaction à son bégaiement est très importante. Restez posée (même si vous êtes particulièrement sensible à ce problème, car vous ou votre partenaire en souffrez aussi), acceptez la façon dont votre enfant parle et intéressez-vous à ce qu'il dit. Il ne faut surtout pas qu'il doute que vous prenez plaisir à l'écouter. S'il se persuade qu'il ne parle pas assez bien pour vous, il va se laisser gagner par la timidité.

Concentrez-vous sur ce qu'il raconte plutôt que sur la façon dont il parle. Ne le pressez pas et ne montrez pas de signes d'impatience lorsqu'il bégaie. Ne finissez pas ses phrases pour lui et ne lui conseillez pas de parler plus lentement. Toutes ces réactions (bien naturelles) au bégaiement ne vont pas seulement le gêner et le stresser, mais surtout accentuer le phénomène. La parole est un acte conscient, mais pas le processus de production des sons. Si vous le faites réfléchir à sa manière de prononcer les mots, vous le faites hésiter et trébucher sur chaque phrase, tout comme vous vous essoufflez dès que vous essayez de compter vos expirations et inspirations et de contrôler les mouvements de votre poitrine. Et essayez vraiment de faciliter la communication en lui évitant de devoir crier ou répéter six fois la même chose pour obtenir votre attention.

Le « parler bébé » Il arrive que des enfants parlent longtemps le langage « bébé », comme s'ils refusaient les expressions adultes dans certains domaines et tenaient à utiliser leurs premiers « mots ». « Biki », demande un enfant de quatre ans parfaitement capable de prononcer « biscuit ».

En général, ces enfants se sont aperçus que les adultes trouvent leur façon de parler « adorable ». Peut-être que, lorsque votre enfant utilise ces mots, votre visage s'adoucit. Peut-être les utilisez-vous vous-même. Vous a-t-il entendue par hasard soutenir avec fierté que vous compreniez « tout ce qu'il dit » devant des amis incrédules ? Soudain, vous réalisez que la plupart des gens ne le comprennent pas et que cela lui posera un problème à la maternelle ou à l'école. Ou bien vous l'observez dans son jean et son tee-shirt, et vous vous dites que son langage ne correspond pas à son âge. Vous le blesseriez beaucoup en refusant brusquement un vocabulaire que vous aviez jusqu'à présent encouragé. Ne faites rien de trop radical. Appliquez-vous à ne plus imiter son parler bébé, traduisez tout ce qu'il dit en langage correct et félicitez-le lorsqu'il utilise des mots et une syntaxe de « grand » – plus ils sont recherchés, mieux c'est. En quelques mois, le parler bébé aura disparu.

Cependant, ce langage peut aussi se révéler utile. Souvent, un enfant qui ne connaît pas le mot qui lui permettrait de montrer quelque chose en invente un extrêmement évocateur. Ces céréales vendues comme étant « croustillantes et craquantes » ont été baptisées « crousty » par un jeune enfant bien avant que le fabricant ait la même idée. Les mots de ce genre prouvent que l'enfant a réfléchi et qu'il sait se servir de la parole. Ils sont souvent adoptés par toute la famille, et pourquoi pas ? Ils forment un pont entre le langage de l'enfant et celui des adultes, et le fait que vous vous en serviez lui montre qu'il peut inventer des mots intéressants et utiles. Il est facile de lui fournir le mot « juste » et d'autoriser tout le monde à préférer le sien.

Le moulin à paroles La plupart des enfants de trois et quatre ans parlent en permanence. Avec environ cinq cents mots à son vocabulaire, un enfant de cet âge prononce vingt mille mots par jour, ce qui signifie un nombre incroyable de répétitions. Certains adultes se lassent vite !

Votre enfant doit pourtant pouvoir parler pour s'entraîner à produire de vrais sons. Il essaie différentes intonations et différentes combinaisons de mots.

Il va s'exercer en associant tous les mots qui peuvent aller ensemble. Il dit «Papa parti» lorsque son père part travailler. Puis il parcourt la maison à la recherche de mots qu'il peut associer à «parti»: «Déjeuner parti», «Eau partie», «Chien parti»... Lorsqu'il a épuisé les possibilités avec tout ce qu'il voit, il recommence avec tout ce qu'il imagine : «Arbre parti, lit parti, maison partie, moi parti...» Cela n'a, bien sûr, aucun sens en soi, mais lui donne la possibilité d'utiliser ce mot.

Joignez-vous à lui et faites-en un jeu. Il ne pense pas vraiment que l'arbre est parti, après tout, il le regarde au moment même où il le dit. Il est juste en train de jouer avec les mots, alors jouez aussi. Regardez-le et dites : «Pantalon parti?» ou cachez-vous derrière le rideau et dites : «Maman partie?» Cela le fera sûrement beaucoup rire, et il enchaînera de plus belle.

Dire des bêtises et des gros mots

Les mots ont un pouvoir. Être capable de s'en servir donne à l'enfant le sentiment d'avoir une plus grande maîtrise du monde. S'il s'aperçoit que certains mots ont un effet particulièrement fort sur les autres, il va les utiliser encore et encore. «Pipi!» crie-t-il. S'il obtient une réaction forte et qui lui plaît, il recommence et ajoute : «Caca» pour accentuer l'effet.

Le problème est que, souvent, plus les expressions sont grossières et explicites, plus il y a de chances que l'un hurle de rire pendant que l'autre hurle au scandale.

Si vous l'ignorez, cela n'ira pas bien loin. Si vous le réprimandez, vous plongez en eaux troubles. Que réprimandez-vous? Un mot? Est-ce qu'un mot peut être polisson? Non, évidemment pas. En lui expliquant que ce mot en particulier est polisson s'il n'est pas utilisé dans le «bon» contexte, vous embrouillez tout. Si vous n'appréciez pas qu'il dise cela, la meilleure solution est de substituer vos propres «vilains» mots à celui de l'enfant. «Je vais t'envoyer des tomates écrasées» est le genre de réponse qui réussit à tous les coups.

Tous les enfants aiment les comptines et les mots qui n'ont pas de sens. «Caboche, cabiche, cabuche, caca», chantent-ils en rythme, amusés par les sons et s'entraînant à prononcer les plus difficiles sur tous les tons. Si cette chanson vous fait sortir de vos gonds, pourquoi ne pas lui en proposer une autre ? «Cheval, chevaux, choux, chat», par exemple. Un enfant qui adore les comptines absurdes peut commencer à découvrir la poésie, ses sons et ses rythmes, même s'il ne comprend pas tous les mots. Cela le pousse à les apprécier, à écouter et à réfléchir.

Les insultes et les disputes

Nous essayons d'apprendre à nos enfants à remplacer les coups par des mots. Le problème, c'est que, une fois cette leçon apprise, les parents n'apprécient pas plus les invectives. L'enfant s'attire des ennuis s'il vous fonce dessus comme s'il voulait vous tuer, mais il s'attire aussi des ennuis s'il vous crie : «Je te déteste...» Un enfant qui dit ce genre de choses est en général effrayé. La puissance de sa colère lui fait peur, et il n'évalue pas encore bien l'étendue de son pouvoir. Il ne sait pas qu'il lui est pratiquement impossible de vous blesser. Il compte sur vous pour maîtriser la situation lorsqu'elle lui échappe. Si vous vous mettez aussi en colère et lui criez dessus, vous accentuez sa peur. Il n'y a pas de vraie raison de vous fâcher. Il fait déjà preuve d'une grande maîtrise en remplaçant les coups par les cris. Gardez votre calme et soyez l'adulte dont il a besoin. Assurez-lui que vous savez qu'il ne vous déteste pas vraiment et n'êtes pas réellement triste, que vous réalisez qu'il est très en colère à cet instant et que vous êtes désolée pour lui.

Pour les insultes plus « douces », rappelez-vous que c'est un tout petit enfant qui vous appelle « vieille vache stupide » et transformez cela en plaisanterie. Ne réagissez surtout pas comme avec un adulte. « Si je suis une vieille vache stupide, toi tu es un petit veau en colère » conclura en général l'épisode par un bon fou rire partagé.

Il vaut mieux ne pas décider d'une ligne de conduite très stricte face à ces situations, car il est important de ne pas laisser croire à votre enfant que les mots sont mauvais en eux-mêmes. Vous voulez qu'il se serve des mots, qu'il aime les siens et ceux des autres, et non qu'il en ait peur ou qu'il les considère comme des armes. Essayez de lui enseigner que « les pierres et les coups peuvent briser les os, mais que les mots ne blessent jamais » et conseillez aux personnes qui le gardent et qu'il pourrait offenser de s'en souvenir. Ce n'est pas tout à fait vrai mais bien utile avec des enfants de cet âge.

Une colère exprimée verbalement demande à l'enfant une grande maîtrise de soi.

*Élargir son horizon
est un de vos devoirs
de parent, et peut
aussi être un plaisir.*

JOUER
ET RÉFLÉCHIR

Les étapes de jeu et de réflexion que votre enfant va franchir à présent sont plus difficiles à déceler. En tant qu'explorateur et scientifique partant à la découverte des propriétés et du fonctionnement de son petit univers, il a appris beaucoup de choses et commencé à développer sa capacité à réfléchir à ses découvertes. À présent, c'est cette capacité toujours plus grande à la réflexion, à l'imagination, à la création et à l'invention qui domine ses activités. C'est un peu comme s'il avait d'abord consacré du temps à assembler les minuscules morceaux d'un kaléidoscope afin de le recomposer et qu'il s'amusait désormais à le faire briller selon sa volonté, faisant apparaître sans cesse de nouveaux motifs.

Ce n'est pas seulement sa façon de penser qui est plus mature. Son corps, et en particulier sa dextérité manuelle, se développe aussi. Il a de plus en plus de réussite dans ce qu'il entreprend. Lorsqu'il se demande comment faire danser sa marionnette, le plus souvent, il trouve la solution tout seul. S'il pense à une couleur, il sait quel crayon prendre pour qu'elle apparaisse sur le papier. Il ne se contente pas de jouer au facteur ou à la maîtresse, il a à présent des idées qui lui permettent de faire progresser le jeu.

ÉLARGIR LE MONDE DE SON ENFANT

Les jeux dont votre enfant a besoin n'ont pas vraiment changé. Comme les années précédentes, il lui faut toujours de l'espace, une compagnie accommodante, des camarades bien disposés et des jeux variés. Mais ce qui avait été idéal alors ne suffit plus aujourd'hui. Son environnement immédiat devient ennuyeux, il a besoin de nouveaux horizons. Avec sa maison, les êtres et les choses qui lui sont chers comme base solide, refuge et rampe de lancement, il a soif de nouvelles expériences, de nouvelles personnes, de nouveaux objets pour alimenter son imagination.

Votre rôle dans ce domaine dépend des personnes qui peuvent s'occuper de lui et de votre lieu de vie. Si vous habitez dans un village ou dans un quartier plein d'enfants de son âge, son monde s'élargira progressivement à mesure qu'ils grandiront tous ensemble, sans efforts particuliers de votre part. Mais s'il vit dans une campagne isolée (même idyllique), il aura besoin de découvrir l'agitation de la ville. Et si, comme la plupart des enfants, il vit en milieu urbain et qu'il lui est impossible d'explorer le monde extérieur tout seul, vous devrez varier son mode de vie, ses expériences, et lui offrir des défis autres que ceux qui lui sont proposés chez lui ou au service de garde.

Ce qui est indispensable à la maison est très différent si votre enfant y passe toutes ses journées ou s'il n'y est que le soir après des activités collectives. Ce qui doit venir de vous dépend de ce qu'il ne reçoit pas ailleurs. Après une journée passée avec d'autres enfants, il préfère, le soir, un peu de calme et de solitude. Sa journée est-elle riche en activités physiques et en aventures diverses ? De retour chez lui, il apprécie de discuter simplement avec vous et de regarder ses livres. Doit-il la plupart du temps se tenir sagement assis ? La maison sera alors un endroit où il peut courir et sauter à perdre haleine.

Élargir progressivement son horizon exige une communication d'un autre niveau entre vous. En l'écoutant et en réfléchissant aux questions qu'il vous pose (voir p. 493), vous suivez les progrès de sa réflexion. Vos conversations lui fournissent sans cesse de nouvelles informations et de nouvelles idées, et vous l'impliquez dans ce que vous faites et ce que vous voyez ensemble. En étant attentive à l'évolution de sa pensée et à ses moindres commentaires, vous pouvez rendre fascinante la rencontre la plus anodine. Une ambulance passe. « Pourquoi fait-elle ce bruit ? » demande-t-il. Expliquez-lui qu'elle amène rapidement des gens malades à l'hôpital et profitez-en pour dédramatiser le sujet. Dites-lui qu'elle a priorité sur toutes les autres voitures et montrez-lui (dans la rue « en vrai » ou chez vous avec des jouets) ce que cela signifie. S'il semble toujours intéressé par le sujet, pourquoi ne pas l'emmener un jour visiter l'hôpital le plus proche et voir les ambulances, les infirmières et le reste du personnel ?

Vous pouvez aussi l'impliquer dans sa propre routine. Le supermarché est depuis longtemps un de ses lieux favoris, mais maintenant il peut aller chercher des produits pour vous qui sont à sa portée, pousser le chariot plutôt que de s'asseoir dedans et même choisir les jus de fruits.

Où que vous alliez, utilisez son nouveau don pour les mots pour l'encourager à réfléchir aux gens qu'il voit. Le facteur, pour un enfant de un ou deux ans, est une personne qui a un beau fourgon, une casquette et beaucoup de lettres. Pour votre enfant de quatre ans, c'est aussi quelqu'un qui doit se lever très tôt le matin, porter des sacs très lourds, déchiffrer les gribouillis des autres et affronter les chiens. Il est capable de voir sous un nouveau jour les adultes qui font partie de son environnement. Aidez-le à vous percevoir en tant qu'individu. Parmi toutes vos activités quotidiennes, sait-il celles que vous aimez ? Et que faites-vous dans ce mystérieux endroit appelé « travail » ? Vous allez réaliser que ses jeux se nourrissent de toutes ces nouvelles informations à voir, à sentir et à comprendre. En l'observant discrètement, vous découvrirez qu'il élargit les domaines de son imaginaire.

Jouer des rôles   L'enfant de trois, quatre ou cinq ans est habitué à jouer à être quelqu'un d'autre et à reproduire toutes les activités du monde des adultes. Il ne se contente pas de copier leurs gestes : il se met vraiment à leur place, il *est* eux. Lorsqu'il est maçon, il ne pense pas seulement aux sacs de sable et aux briques, mais à la sueur et au vocabulaire. Il aime peut-être se déguiser mais n'a pas besoin de costumes recherchés. Quelques accessoires suffisent à camper les différents personnages : un détective a besoin d'une loupe, un commerçant d'une caisse et un chevalier d'une épée.

Parfois, il revit par le jeu les incidents qui l'ont touché émotionnellement. Une nuit à l'hôpital, par exemple, donnera sûrement lieu à une série de jeux où un faux matériel de médecin et d'infirmière

La naissance d'une petite sœur est sans cesse rejouée grâce à la poupée arrivée en même temps.

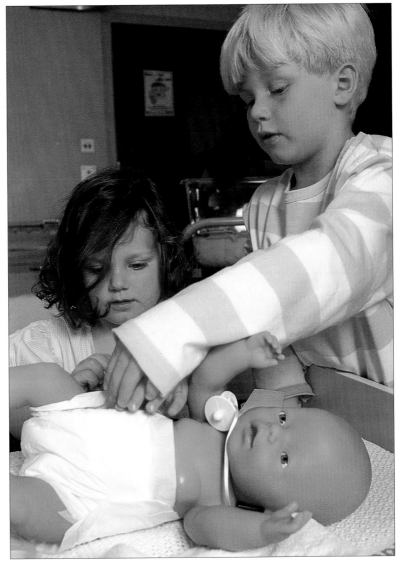

sera le bienvenu. Vous l'entendrez rassurer son ours en peluche : « C'est juste mon appareil pour t'écouter. Ne bouge pas, ça ne fait pas beaucoup mal. »

N'insistez pas pour participer à ce genre de jeux. Il n'y a de place que pour un seul acteur, et c'est lui. S'il joue à l'hôpital, il ne veut pas avoir le rôle du malade et vous, celui du docteur. Dans son scénario, c'est lui, le docteur. Son malade sera un enfant plus jeune et docile, une poupée ou une peluche, voire un être imaginaire. Si jamais vous avez un rôle, ce sera celui d'habilleuse ou d'assistante. Sinon, tenez-vous discrètement à distance. C'est son monde à lui, qu'il ne crée que pour lui, en dehors du monde réel que vous lui faites découvrir.

Arts et travaux manuels Faire et créer des choses avec ses mains est d'une importance vitale pour votre enfant. Entre un et deux ans, il voulait découvrir comment les objets comme les ciseaux et les feutres fonctionnent. Maintenant, il découvre ce qu'il peut, lui, en faire. Les premières fois qu'il découpe délibérément des morceaux de papier, ne lui demandez pas à quoi cela correspond. La réponse évidente est : une feuille de papier avec des morceaux découpés… En demandant une explication, vous lui suggérez que vous ne comprenez pas son idée et qu'il «devrait» faire autre chose. Après quelques jours ou semaines de pratique du ciseau, il regarde la dernière feuille découpée et décide que c'est de la «dentelle». Il aura franchi une nouvelle étape de création lorsqu'il décidera à l'avance de découper sa feuille pour en faire de la dentelle. Ses travaux de collage, de dessin ou de peinture commencent aussi par une exploration des matériaux. Il désire «faire du collage» ou peindre pour faire un tableau, non pour peindre une maison. «Le médium est le message», donc méfiez-vous des centres de loisirs qui maintiennent assis des enfants de trois ans pour leur faire peindre des œufs de Pâques…

Les couleurs sont essentielles. Il aime les étudier, apprendre leur nom, leurs relations, découvrir que le rose est proche du rouge… Il peindra cinquante-sept arcs-en-ciel en une semaine. Fournissez-lui le matériel et restez en retrait. S'il demande des commentaires, contentez-vous de décrire ce que vous voyez. «J'aime beaucoup ces couleurs» n'est pas risqué (il ne les aurait pas utilisées s'il ne les appréciait pas), mais «Est-ce papa?» est périlleux. Il pensera soit que vous êtes bizarre (pourquoi serait-ce papa alors qu'il n'a pas encore imaginé que la peinture pouvait représenter quelque chose?), soit qu'il n'a rien compris à la peinture.

Les dessins des jeunes enfants progressent, par étape, sans qu'on leur apprenne rien. À trois ans, ils sont beaucoup plus à l'aise avec les lignes verticales et avec les cercles qu'avec les lignes horizontales. Leurs dessins en sont donc remplis. Un jour, votre enfant s'aperçoit que quelque chose, dans ces cercles, lui rappelle une forme humaine. Il ajoutera des lignes verticales pour les jambes et peut-être des points pour les yeux, puis annoncera son premier dessin figuratif: «Un bonhomme».

Lorsque les enfants dessinent de vrais personnages, ils maîtrisent assez la tenue du crayon pour commencer à écrire.

Vers quatre ans, il ne se contente pas de donner un nom à son gribouillage, il fait le projet de dessiner une personne. Son bonhomme a une grosse tête ronde, avec des yeux et peut-être un nez et une bouche. Directement sous la tête se trouvent les jambes. Il n'a pas encore de tronc et sans doute pas de bras non plus. À cinq ans, l'enfant dessine sa maman avec un corps et une tête, des jambes avec des pieds, des bras avec des mains, et même des vêtements indiqués par des boutons ou une ceinture.

S'en mettre partout!

Il joue et s'en met partout, mais fait aussi une vraie expérience scientifique.

L'eau, l'argile, la boue, la pâte à sel ou le sable sont souvent associés à la mise en scène de la vie quotidienne ou à la création. Votre enfant élargit ses activités en utilisant sa propre imagination. Il passe l'après-midi dans son bac à sable, plus seulement pour faire des expériences avec cette matière, mais pour fabriquer du «ciment» et réparer les fissures dans les briques. Il peut avoir besoin de l'aide d'un adulte lorsqu'il tente d'appliquer les leçons qu'il a apprises sur les matériaux et d'en apprendre de nouvelles. Il n'a pas besoin de beaucoup réfléchir à ce qu'il sait du volume de l'eau lorsqu'il la verse dans un récipient : les débordements font partie du jeu. Ce qu'il doit découvrir, c'est que le lait déborde de la même façon de son bol s'il ne redresse pas la bouteille à temps.

C'est pour ce genre d'apprentissage qu'il a besoin de vous. Prenez son gobelet de jus de fruits, un autre gobelet identique mais vide et un verre long et fin. Versez le jus d'un gobelet à l'autre : votre enfant ne doute pas qu'il a la même quantité de jus. Il peut même confirmer que c'est le même jus. Son jus. Versez à présent, devant ses yeux, ce même jus de fruits dans le verre plus grand et plus fin. Il ne fera aucun doute pour lui qu'il a dorénavant plus de jus de fruits. Cela se voit, non ? Transvaser à nouveau le jus dans son premier gobelet de ses propres mains ne changera rien à cette évidence. Le «principe de conservation» qui différencie sa réalité de la vôtre demande encore de nombreuses années d'expérimentations par le jeu avec toutes sortes de matériaux. Aidez-le à utiliser ses acquis pour inventer des jeux aussi utiles qu'amusants. Une fois qu'il s'est bien amusé avec la pâte et s'en est mis partout, il est temps d'en faire de vraies petites boules en forme de pain. Il a mélangé de la farine et de l'eau, maintenant il peut en faire de petits gâteaux et vous interroger sans fin sur la forme qu'ils prennent en cuisant.

Construire et compter

Ces activités sont celles que les adultes considèrent comme vraiment «éducatives» et pour lesquelles ils achètent beaucoup de jouets. Mais, souvent, une fois qu'ils ont fait le tour de leurs jeux de construction, vers deux ans, les enfants ne s'y intéressent plus. Regardez votre armoire à jouets, les moins usés ne sont-ils pas ses Lego, ses casse-tête et ses «boîtes aux lettres» à remplir avec des formes diverses ?

Votre enfant n'a pas besoin de ces jouets «éducatifs». Il se livrera lui-même à toutes les activités intellectuelles qu'ils sont censés encourager avec des objets qui laissent plus de place à l'imagination et dont l'usage est plus varié. Il en possède sans doute déjà beaucoup, comme ses cubes tout simples.

Il découvre tout seul toutes les possibilités qui s'offrent à lui et se lance dans des projets de construction de plus en plus ambitieux. Votre rôle est de l'aider à utiliser ses connaissances dans des contextes intéressants et gratifiants plutôt que de lui en montrer de nouvelles. Compter sur un boulier est un jeu. Mais compter les cuillères pour le dîner ou les boîtes de croquettes pour le chat est plus utile. Faire des piles avec les taies d'oreiller dans l'armoire à linge ou un château avec des boîtes en carton l'amuse bien plus que n'importe quel jeu de construction. Trouver la forme à insérer dans une boîte est encore difficile, et il ne s'en donne probablement pas la peine avec un jouet conçu à cet effet. En revanche, il est prêt à faire beaucoup d'efforts pour placer les ustensiles dans le bon compartiment ou pour apprendre à ouvrir la porte avec la clé.

Il préfère que vous lui montriez comment se servir des instruments des adultes et des vrais outils. Le fait de partager vos affaires est vécu comme un privilège et augmente le plaisir du jeu. Il fait de son mieux pour en prendre soin, ce qui est très bon pour sa capacité de concentration et son habileté manuelle.

En outre, apprendre à se servir correctement d'objets qui pourraient être dangereux est le meilleur moyen d'éviter les accidents. Même à trois ans, votre enfant peut utiliser un fouet manuel pour battre les œufs de son omelette, apprendre à manier un couteau de cuisine et des ciseaux à bouts ronds et à faire quelques petits travaux de jardinage.

Les jeux de société

Respecter des règles et jouer chacun à son tour est une toute nouvelle façon de s'amuser. Lancer un dé et bouger des pièces sur un carton sans tout faire tomber par terre demandent une vraie dextérité manuelle. Même pour le jeu le plus simple, il faut savoir un peu compter et être de bonne volonté pour se conformer aux règles. Dans les familles – en particulier les familles nombreuses –, les enfants les plus jeunes sont souvent vite doués pour ce genre de jeux : avoir des aînés leur permet de s'entraîner régulièrement, mais surtout les habitue à la dure réalité d'être le perdant. Le premier enfant de la famille joue principalement avec des adultes, qui n'hésitent pas à changer les règles pour le favoriser et lui éviter d'être déçu, mais qui l'empêchent en même temps de progresser. Jouer avec un enfant sans respecter les règles n'est pas très utile, et c'est même tout à fait vain s'il n'est pas encore prêt à les apprendre et à comprendre le but du jeu.

Chaque jeu a ses propres règles, mais tous les jeux apprennent des règles sociales telles que respecter l'ordre et garder son calme.

Commencez par des jeux tout simples comme «la pierre et le puits». S'il accepte que la pierre a perdu parce qu'elle tombe dans le puits et parce que c'est la règle, il est prêt pour les jeux de société. Mais s'il refuse que la pierre tombe dans le puits en disant simplement : «Mais j'ai pas envie qu'elle tombe», attendez encore un peu.

Les jeux physiques

Quoi que les jeunes enfants fassent (ou ressentent ou inventent), leur corps est toujours partie prenante et presque toujours en action. L'un des objectifs des jeux physiques est de s'amuser avec son corps en toute sécurité. Votre enfant est toujours en train de repousser ses limites, alors autant qu'il le fasse sur un trampoline ou sur un panneau d'escalade plutôt que sur la rampe d'escalier ou sur votre canapé.

Les enfants qui doivent passer des heures d'affilée sans activité physique (comme s'ils passaient une journée entière en classe) ou qui doivent rester immobiles pendant au moins une demi-heure (par

Ce qu'il apprend aujourd'hui, il ne l'oubliera sans doute jamais…

… alors autant qu'il puisse essayer toutes les activités qui se présentent et qui le tentent.

exemple pour un spectacle ou à l'église) ressentent une vraie délivrance quand ils peuvent enfin mettre leurs muscles en mouvement. Si vous redoutez la tempête que ses copains et lui vont provoquer dans votre maison, emmenez-les plutôt dans un parc.

Il y a de nombreuses façons de diversifier et d'élargir les activités d'un enfant en pleine possession de ses moyens physiques. Montrez-lui que les exploits qui sont si importants à ses yeux et à ceux de ses copains ont aussi un intérêt dans le monde des adultes. S'il sait escalader une échelle, il peut monter sur cet escabeau pour attraper ce dont vous avez besoin sur l'étagère. S'il sait courir vite, il peut se charger de répondre au téléphone avant qu'il ne s'arrête de sonner. S'il sait sauter, il peut traverser la rivière en sautant sur les rochers. Et il peut ajouter sa petite force à la vôtre pour porter cette grosse valise.

Les compétences physiques acquises par un enfant avant sept ans se perdent rarement, et apprendre à canaliser comme à maîtriser son énergie physique en certaines occasions peut être passionnant. À trois ou quatre ans, votre enfant peut, par exemple, apprendre à nager – le plus tôt sera le mieux – ou à faire du vélo. Il peut découvrir aussi des jeux de cours de récréation, comme la marelle, la corde à sauter ou les jeux de ballon, qui l'aideront à se sentir plus vite à l'aise à la «grande école». Vous pouvez aussi l'initier à des activités qu'il est susceptible de pratiquer plus tard, comme le ski, la planche à roulettes ou l'équitation.

Il n'y a pas d'urgence pour les jeux collectifs. En général, ils font partie de la vie scolaire de l'enfant. Votre enfant est sans doute capable de saisir les rudiments de quelques sports collectifs dès qu'il a cinq ans, mais les notions de «sportivité» et d'endurance, entre autres, sont encore trop difficiles pour lui. Il préférera sans doute s'entraîner librement avec ses parents, ses frères et sœurs ou ses camarades, à la maison, sans risque de pénalités et sans stimulation trop forte. Il ne pourra vraiment comprendre et tirer le meilleur parti de l'esprit de compétition que dans plusieurs années. Pour le moment, la seule compétition valable est celle qu'il entretient avec lui-même et ses propres performances, pas celle qui l'oppose aux autres.

La musique

Tous les êtres humains ont le sens du rythme. Après tout, la vie entière est fondée sur le rythme, des saisons aux battements du cœur. Mais, si chaque enfant est capable de percevoir tous les sons qui composent la musique, on a découvert récemment que l'enseignement de la musique est fondamental pour leur apprendre à reproduire avec leur voix ce qu'ils entendent. Les musiques des cultures les plus éloignées de la nôtre nous paraissent difficiles parce que nous n'avons pas appris à les écouter. Plus l'enfant entend de la musique, plus elle a un sens pour lui. Un enfant plus grand qui ne chante pas juste n'est pas né avec ce défaut, mais n'a simplement pas été éveillé à la musique.

Qu'il ait l'«oreille parfaite» ou un don musical particulier ne dépend pas de vous, mais vous pouvez faire beaucoup pour lui apprendre à aimer la musique. Écouter et chanter toutes sortes de musiques avec vous, des comptines aux airs d'opéra, en passant par le reggae, est une part de cet apprentissage, mais une part seulement. Il peut aussi avoir des expériences musicales plus structurées. Un xylophone (acheté dans un magasin de musique plutôt que dans un magasin de jouets) est un bon outil, tout comme un piano ou un clavier électronique dont les touches sont plus faciles à frapper pour des petits doigts hésitants. Avec de tels instruments et parfois, mais pas toujours, avec votre aide, l'enfant produit des sons, graves, aigus, forts, doux, répétés ou variés, et les écoute. Il découvre que deux notes à une octave de différence sont à la fois similaires et différentes, alors que deux notes à six tons d'écart sont simplement différentes. S'il peut faire ce genre d'expériences dès trois ou quatre ans, votre enfant s'intéressera autant aux sons qu'aux couleurs et aux formes.

Les livres

Il est bon qu'il sache que les livres sont aussi pour les adultes.

Entre un et deux ans, presque tous les enfants aiment regarder des livres d'images et écouter des histoires (courtes et simples) lues à haute voix. Mais votre enfant est maintenant dans la période idéale pour développer son goût et son intérêt pour les livres de toutes sortes. C'est dans ce domaine que votre aide lui est le plus indispensable, car le plaisir qu'il peut retirer d'un livre en particulier n'est pas évident, même s'il voit d'autres enfants le lire, et les livres ne bénéficient pas de la publicité télévisuelle, comme les jouets. Il ne sait pas à l'avance ce que les livres racontent. Il ne peut pas imaginer la joie qu'ils peuvent lui procurer ni les «inventer» dans sa tête.

Les jeunes enfants ont besoin d'au moins trois différents types de livres pour leur plaisir et comme base pédagogique. L'ordre a son importance. À cet âge, la valeur pédagogique dépend entièrement du plaisir.

Les livres d'images sont toujours primordiaux. En «lisant» les images, il se prépare à lire des mots. Finalement, dans un cas comme dans l'autre, il s'agit de symboles, les mots étant simplement plus abstraits que les images. Regardez-les avec lui. Encouragez-le à observer chaque détail. Combien d'oiseaux y a-t-il dans l'arbre? Que fait le petit garçon au second plan? Essayez de lui trouver des livres avec de grandes illustrations, plutôt que le traditionnel abécédaire illustré – «A pour Arbre».

Les livres d'histoire illustrés ont à présent toute leur place. Si vous les choisissez bien, votre enfant pourra suivre l'histoire que vous lisez en regardant les images et vous arrêter au milieu d'une phrase pour étudier les grands moments de l'intrigue. Vous venez de lire les préparatifs d'une fête. À présent, sur la page suivante, il peut observer la fête, découvrir comment les enfants sont habillés et ce qu'ils mangent…

Les livres des adultes comptent aussi. Il doit être conscient que les livres sont aussi précieux dans le monde des grands. De toute façon, si vous lisez pour votre plaisir, cela viendra automatiquement. Sinon, essayez de trouver dans un livre la réponse à l'une de ses questions ou une image qui l'intéresse. Montrez-lui que les livres sont une source d'information (pour vous et donc pour lui) et de plaisir.

La télévision, les films et les jeux sur ordinateur

Votre enfant, comme ses aînés, passe de plus en plus de temps concentré sur un écran. La télévision peut être un problème (voir p. 520) mais aussi un bienfait. L'enfant qui ne s'intéresse pas encore aux livres d'histoire naturelle emmagasine, grâce à une émission sur la vie des animaux, des images introuvables ailleurs. Celui qui aime qu'on lui

Quels jouets offrir
entre quatre et cinq ans?

Notre fille de quatre ans a accumulé un grand nombre de jouets en quelques années, dont beaucoup sont en bon état. Elle ne semble pas prête pour des jouets plus complexes, comme une maison de poupée, mais à quoi bon lui offrir toujours les mêmes? Existe-t-il une catégorie de jouets qui nous aurait échappé et qui serait particulièrement adaptée à son âge?

Trouver des jouets complexes mais adaptés à des enfants de quatre ou cinq ans est souvent compliqué. C'est un âge où leurs idées dépassent souvent leur habileté manuelle, si bien que les choses qu'ils souhaitent faire sont trop difficiles et celles qu'ils peuvent faire sont trop ennuyeuses. Une maison de poupée est un bon exemple : les premiers modèles – qu'on trouve dans les services de garde – ne laissent pas assez de place à leur imagination, mais une vraie maison de poupée sera en effet plus amusante dans un an ou deux. Pour le moment, le petit mobilier lui échappera des mains, et tout risquera de s'effondrer.

Lui offrir des jouets qui ressemblent à ceux qu'elle a déjà n'est pas forcément monotone. Même si un enfant a des tas de petites voitures, il est possible que rien ne lui fasse plus plaisir que d'en recevoir de nouvelles.

Si elle a déjà des collections d'objets, cela vous permet de lui faire d'excellents cadeaux adaptés à ses propres goûts, à ses intérêts et à ses jeux du moment. Le choix est considérablement plus délicat que pour un simple achat, mais souvent moins pénible pour le porte-monnaie.

Vous pouvez lui inventer un véritable bureau de poste en utilisant de vrais petits articles de bureau. Des étiquettes de prix à la place des timbres et des formulaires bancaires à la place des formulaires de courrier recommandé, un tampon encreur, une tirelire et du papier adhésif feront le bonheur de la plupart des enfants.

Il suffit d'un rien pour transformer ce bureau de poste en magasin alimentaire. Vous pouvez utiliser les produits miniatures que l'on trouve dans les magasins de jouets, mais des petits pots de confiture maison et de vrais paquets de riz, de sucre, de farine et de ketchup sont plus amusants. Un peu de pâte à sel, et votre enfant crée tous les fruits et les légumes qu'elle désire. Ajoutez une balance, une caisse et quelques pièces jaunes et disposez le tout sur une boîte solide qui servira de comptoir.

Si votre enfant a très envie de s'en servir, mais ne sait pas encore comment s'y prendre, donnez-lui un matériel plus simple et plus proche de ses intérêts du moment. Du mobilier pour ses poupées, par exemple, découpé dans du carton ou du balsa et présenté avec du papier adhésif, de la colle, du papier de verre et des petits morceaux de tissu pour faire des coussins. Pour les vêtements de ses poupées, il suffit de quelques robes et pantalons, avec des élastiques et des velcro, des petits boutons, des rubans et de la dentelle. L'enfant s'occupera des finitions selon son goût ou les utilisera tels quels. Avec à peu près le même matériel, votre enfant peut faire beaucoup d'autres choses, comme des masques, des couronnes, des chapeaux et autres accessoires de déguisement.

Enfin, si votre fille aime le dessin, offrez-lui tout le matériel possible pour dessiner, peindre, découper et coller afin qu'elle puisse tout faire en même temps. Si vous trouvez un ou deux articles qu'elle n'a pas encore – comme des crayons argentés ou dorés, des étoiles de couleur à coller ou du papier-calque –, achetez les nouveaux feutres qu'elle attendait et disposez le tout dans une boîte ou dans un porte-crayons. Ce pourrait bien être le cadeau qu'elle utilisera le plus et dont elle se souviendra longtemps.

raconte des histoires mais ne sait pas encore se concentrer sur une cassette audio est peut-être attentif à un bon film pour enfants. Le petit citadin découvre d'où vient le lait et le petit campagnard découvre la foule et les monuments des villes. Tous réalisent qu'il existe des modes de vie différents dans un monde bien plus vaste et bien plus complexe qu'ils ne l'auraient imaginé.

Le principal problème de ce média est que tout va trop vite sans jamais être répété. Les films sur cassettes ou DVD sont une bonne solution. Votre enfant regarde si souvent son film préféré qu'il le connaît par cœur. Contrairement à vous, le magnétoscope ne dit jamais : « Oh non, pas encore celui-là ! Je ne pourrais pas t'en lire un autre ? »

Les avantages potentiels de la télévision, des jeux vidéo et des nouvelles technologies pour le jeune enfant font encore l'objet de controverses. En théorie, un CD de jeux peut être une mine d'informations et de réponses à ses questions. Il respecte son rythme, répète autant de fois que nécessaire et lui offre des images plus intéressantes que toutes celles que vous trouverez dans une encyclopédie pour enfants traditionnelle. Il peut entendre les cris des animaux, par exemple, ou le nom de leurs bébés en appuyant sur l'icône correspondante, et s'en servira encore longtemps en apprenant petit à petit sur quel bouton appuyer pour obtenir d'autres informations.

Mais la plupart des jeux vidéo sont trop rapides et trop compliqués pour des enfants de trois, quatre ou cinq ans, même si les performances d'un cadet pour qui ces jeux sont la seule occasion d'être en compagnie des grands sont parfois renversantes. Il existe de plus en plus de logiciels « pédagogiques », et certains sont excellents. Quoi qu'il en soit, pourquoi ne pas lui permettre de se familiariser très tôt avec un clavier et une souris, même si son éducation n'en dépend pas ?

Tous les enfants ont besoin de se familiariser avec l'ordinateur, car il fait désormais partie de la vie quotidienne.

LES PROBLÈMES DES JEUX

L'univers secret de votre enfant réside dans le jeu. Ce qu'il fait en jouant ne concerne que lui, tant qu'il ne se met pas en danger, ne blesse personne et ne casse rien. Mais ses jeux sont forcément influencés par l'extérieur et par son environnement, ce qui peut avoir des conséquences gênantes.

Les armes, la guerre et la violence

La guerre et la violence ont toujours fait partie des jeux des enfants – garçons et filles –, dans toutes les cultures et dans tous les pays. Quelle que soit l'énergie que vous mettez à encourager la non-violence, vous n'empêcherez pas un petit garçon de transformer un bout de bois en pistolet ou un inoffensif jeu d'onglets en troisième guerre mondiale. Toutes les cultures, avec leurs contes et leurs héros légendaires, sont faites de batailles sanglantes. Même si votre enfant ne connaît que la Bible, son esprit est rempli d'histoires guerrières auxquelles il voudra jouer.

Les «vrais» pistolets (c'est-à-dire les copies exactes) sont cependant bien différents. Les études à ce sujet ne font que confirmer ce que le bon sens suggère : les reproductions d'armes stimulent un jeu plus agressif que les bouts de bois et les produits de l'imagination. La simple présence de pistolets dans une salle de jeux augmente le taux et la puissance des comportements violents. L'explication la plus probable est que, là où un bout de bois peut être mille autres choses qu'une arme, les pistolets n'ont qu'un objectif, et chaque fois qu'un enfant en voit un, il joue à tuer.

Si vous envisagez de bannir toutes les armes de la malle à jouets de votre enfant, passez aussi en revue les autres sources de jeu agressif, genre «super-héros». Des enfants qui passent leur après-midi à mettre en scène des personnages de combat jouent de façon plus agressive que des enfants qui passent autant de temps avec des petites voitures et des reproductions d'animaux de la ferme. De plus, une fois seuls, les enfants qui ont joué avec les personnages de combat restent nettement plus agressifs.

Écouter des histoires dont les thèmes sont violents – y compris les légendes populaires dont les héros se comportent de façon extrêmement machiste – a le même effet, surtout si les enfants sont encouragés à mimer les scènes. On fait le même constat chez les enfants plus grands qui passent du temps sur des jeux vidéo dans lesquels, pour gagner, il faut tuer le plus de monde possible, de la façon la plus atroce possible.

Les jeux agressifs et les thèmes violents sont universels, certes, mais il est clair que de tels jeux intensifient et amplifient le phénomène. Si vous souhaitez préserver l'aspect pacifique du jeu, mieux vaut accepter ce qui sort de son imagination – et être consciente qu'à cet âge, «Bang, t'es mort» ne signifie rien de plus que «C'est toi le loup» – et ne rien faire qui facilite et favorise les jeux guerriers. Rappelez-vous que la meilleure façon d'éviter que votre enfant ne manifeste des penchants agressifs, ce n'est pas de lui interdire de jouer à la guerre mais de vous interdire à vous tout comportement violent. Toute forme de violence amène la violence, mais la vraie violence familiale, que votre enfant la subisse ou l'observe, en crée bien plus que le jeu (voir p. 375).

Filles et garçons

Aidez votre enfant à explorer un monde qui ne se réduise pas à la moitié «fille» ou à la moitié «garçon».

Les enfants sont humains avant tout, et fille ou garçon ensuite. En considérant le genre simplement comme une caractéristique de plus de l'être humain, vous évitez d'en faire un facteur limitatif dans la vie de votre enfant. Essayez de ne pas distinguer jouets de garçon et jouets de fille, mais d'offrir à l'enfant ce qui lui fait plaisir à tel moment. Ce n'est pas aussi facile qu'on le croit. Presque tous les parents s'amusent de voir leur fille déguisée en roi, mais sont gênés à l'idée d'un garçon déguisé en reine… Certains papas, qui sont très heureux de promener leur bébé en poussette, supportent mal que leur garçon pousse la poussette d'une poupée. Parfois, les adultes justifient leurs scrupules en affirmant protéger leur enfant des rires des autres adultes et des moqueries des enfants. Mais, au bout du compte, l'orientation sexuelle ne sera pas influencée par un simple déguisement à cet âge, et c'est important de le reconnaître. En forçant votre enfant à «coller» à son genre, quand bien même vos raisons vous semblent bonnes, vous l'empêchez d'explorer l'autre moitié du monde. Et si vous êtes content de voir une petite fille s'amuser avec un balai, mais pas un garçon, vous contribuez à perpétuer les inégalités de sexe qui nous tourmentent encore.

Ces inégalités envahissent tant notre quotidien, surtout dans les médias et dans la publicité, que vous ne pouvez, de toute façon, pas espérer en préserver votre enfant. Entre deux et cinq ans, l'enfant cherche à comprendre ce que signifie être un garçon ou une fille et s'identifie passionnément à certains modèles de son sexe. Les modèles des garçons sont des héros dont les pouvoirs viennent d'une force et d'une agressivité extraordinaires – et leurs jouets reflètent cette préoccupation. Les modèles des filles sont de belles victimes, secourues par ces mâles superpuissants. Si elles ont des pouvoirs, ce sont des pouvoirs magiques, toujours enveloppés de beauté. Les petites filles jouent à être belles.

Refuser volontairement tout sexisme est important, mais ne croyez pas que cela suffise à produire des jeux indifférents aux genres ou à désintéresser votre enfant de la question. Vous pouvez encourager garçons et filles à partager leur espace de jeu, mais vous ne pouvez pas les obliger à jouer ensemble alors que, spontanément, ils joueraient séparément. De même, vous ne pouvez et ne devez pas forcer une petite fille à abandonner ses poupées pour des petites voitures en interdisant les unes et en offrant les autres. Contentez-vous de lui donner la possibilité de jouer autant avec des voitures qu'avec des animaux et autant avec des garçons qu'avec des filles. Elle (ou son frère) inventera peut-être une famille de poupées qui a autant de voitures que de chevaux… Ce qui compte, c'est qu'elle sache toujours que cela est possible.

Votre influence ne se limite pas aux jouets et aux jeux. Tout comme l'inclination d'un enfant à la violence, son comportement face aux différences de genre dépend de la réalité qu'il observe et de son expérience familiale. Si vous souhaitez que vos enfants grandissent dans l'idée que la seule expérience humaine qui dépend du genre est liée aux fonctions reproductrices, assurez-vous que cela est vrai des modèles qui les entourent et, le cas échéant, discutez-en avec eux.

La télévision et les films

Il est courant d'être moralement contre la télévision dans la vie des enfants. Cette combinaison d'images et de sons, de mouvements et de couleurs, est un média facile qui exige moins de concentration que la lecture ou même la radio, et ne demande aucune participation physique. Plus les enfants aiment regarder la télévision, plus les parents la considèrent comme une perte de temps séduisante, gâchant des heures qui pourraient être employées à lire, à écouter de la musique, à jouer dehors ou, plus tard, à faire ses devoirs. Cependant, la question que les parents oublient en général de se poser est : « Que ferait notre enfant s'il n'était pas en train de regarder la télévision ? » Si la réponse honnête est : « Se disputer avec sa sœur » ou « Traînasser en attendant que je rentre du travail », peut-on vraiment affirmer qu'il perd son temps ou s'interdire de voir que la télévision est aussi d'un grand secours ? La plupart des parents ne résistent pas à la paix qu'offre un film ou un dessin animé. Et si vous avez un peu honte d'utiliser la télévision comme une gardienne, dites-vous que c'est toujours mieux que de laisser le stress et l'énervement s'emparer de vous et de passer vos journées à crier sur votre enfant.

La télévision peut certes prendre une place trop envahissante et négative dans le quotidien des enfants. Mais elle peut aussi jouer un rôle positif. Les caractéristiques qui la rendent si séduisante en font aussi un superbe outil pédagogique au sens le plus large du terme. Ce qui compte, c'est d'équilibrer les activités ainsi que la nature et la qualité de ce que l'enfant regarde. Il est évident que les émissions ayant une certaine éthique civique et dont les personnages sont doux, gentils et « bons citoyens » influencent autant le comportement de l'enfant que celles qui mettent en scène la violence. Malheureusement, des émissions de ce genre sont trop rares pour contrebalancer la présence de la violence à la télévision et ses nombreux effets négatifs. Bien sûr, les enfants ne sont pas tous influencés de la même façon ni au même degré. Garçons, filles, groupe ethnique majoritaire ou minoritaire : tous ne trouvent pas les mêmes modèles à la télévision. Il n'est pas normal que les Noirs y soient encore si peu représentés et que, la plupart du temps, ils soient cantonnés à des rôles d'agresseurs ou de victimes de ségrégation. La situation est encore pire pour les enfants handicapés qui ne peuvent s'identifier à aucun modèle. Pour eux, regarder la télévision, c'est comme regarder dans un miroir et ne voir personne. La plupart des effets néfastes peuvent être réduits par la présence d'un adulte qui aide l'enfant à prendre conscience de l'absurdité des stéréotypes et à différencier la réalité de la fiction et de l'imaginaire (y compris dans les dessins animés). Dans tous les cas, la meilleure façon d'éviter toutes les conséquences négatives de la télévision − agressivité accrue, indifférence à la violence réelle, peur d'être victime et appétit toujours plus grand pour des émissions de plus en plus violentes − est de surveiller ce que votre enfant regarde.

C'est en général vers trois ans que les enfants ont leurs émissions préférées, commencent à regarder des vidéos et prennent des habitudes de téléspectateurs. Si vous ne proposez à votre enfant que les émissions qui vous semblent adéquates et qu'il a souvent un adulte à ses côtés pour les regarder, il acceptera sans doute votre sélection. S'il n'a jamais eu l'occasion de réaliser que la télévision est une source constante de distractions faciles, il ne vous harcèlera pas pour la regarder toujours plus, au moins tant qu'il ne sait pas lire les téléhoraires et tant qu'il ne commente pas les feuilletons avec ses camarades dans la cour de récréation. D'ici là, sa vie sera trop remplie d'activités et d'amis pour que la télévision y prenne une place démesurée.

Malheureusement, il est de plus en plus difficile de sélectionner les émissions et de les partager avec les enfants. Le nombre de chaînes offertes ne fait qu'augmenter, y compris les prétendues chaînes pour enfants qui diffusent des dessins animés en continu, et les adultes ont de moins en moins de temps. Si vous allumez la télévision pour lui afin de vous reposer une demi-heure de sa conversation, ou si vous autorisez sa gardienne à en faire autant, ou bien si la télévision est un fond sonore constant chez vous, un remplacement systématique à une autre source de compagnie, votre enfant verra forcément trop de violence. Beaucoup d'enfants allument la télévision dès qu'ils ont fini une activité, sans prendre le temps d'en imaginer une autre. D'autres sont régulièrement détournés de leurs jeux par les sons ou les mouvements de la télévision. Hypnotisé par des images qu'il ne comprend qu'à moitié et des refrains attirants, votre enfant laisse son esprit dériver en suçant son pouce. Il lui devient de plus en plus difficile de fixer son attention sur autre chose, d'écouter ce que vous dites et de se détacher de l'écran pour reprendre le cours normal de sa vie.

Si vous savez que, dans votre maison, il vous est impossible de maîtriser ce qu'il voit à la télévision, il vaut peut-être mieux sélectionner pour lui des vidéos – qu'il regardera sans doute plusieurs fois. Cela ne suffit pas forcément à équilibrer le temps passé devant l'écran et le temps passé à d'autres activités, mais, au moins, ce qu'il voit n'a pas d'effet négatif. Pensez aussi à réviser votre propre comportement télévisuel, ainsi que celui de ses frères et sœurs plus grands et de sa gardienne. Il suffit d'une séance de zappage par jour ou d'un feuilleton quotidien pour intoxiquer un enfant.

La strangulation

Lorsqu'un enfant a une chaîne autour du cou pouvant résister au poids de son corps, l'accident n'est pas loin. Si votre enfant est en train de s'habiller à proximité de votre boîte à bijoux, surveillez-le attentivement. Si vous l'autorisez ou l'encouragez à porter un collier (un pendentif religieux sur une chaîne en or ou un collier de perles qu'il a confectionné), assurez-vous qu'il est bien ajusté : il ne doit pas pouvoir se coincer dans la vitre de la voiture si votre enfant l'enclenche involontairement, ou dans les roues de son tricycle s'il en tombe. Pour une meilleure sécurité, cette chaîne ou ce collier doivent être les plus fins possible.

Les cordes des rideaux et des stores vénitiens sont terriblement dangereuses. Leur niveau permet à l'enfant de se balancer dessus, leur boucle est parfaite pour y passer la tête et très résistante. Si vous ne pouvez pas les supprimer, placez-les hors de portée. Et enseignez-lui avec fermeté à ne jamais se mettre autour du cou une ficelle, une cravate, le collier du chien ou une ceinture, comme à ne jamais mettre la tête dans un sac de plastique.

Vous ne pouvez cependant pas lui demander d'être prudent avec ses propres jouets. C'est votre rôle. Pourrait-il passer sa tête dans cette échelle en corde ? S'il se retrouvait emmêlé dans son mini-hamac, celui-ci casserait-il facilement ?

Et les rênes en cuir de son cheval à bascule, êtes-vous sûre qu'elles se détacheraient aisément si votre enfant tombait de selle en avant et se retrouvait pris entre les rênes et le corps du cheval ?

APRENDRE À BIEN SE COMPORTER

La vie avec des enfants n'est pas toujours facile. Si tout le monde s'intéresse à l'éducation dès la prime enfance, ce n'est pas parce que les enfants sont mauvais, mais parce que les adultes les trouvent très fatigants ! Ils sont bruyants, désordonnés, distraits, insouciants, prenants, exigeants et toujours là... Contrairement aux invités les plus collants, ils ne finissent pas par s'en aller. Vous ne pouvez pas les mettre de côté quelques semaines lorsque vous êtes particulièrement surmenée. Vous ne pouvez même pas les ignorer, comme votre chien, le temps d'une grasse matinée, car ils ont l'art de vous culpabiliser. Et ce sentiment de culpabilité envers un enfant est pire que les bols de céréales renversés, les petits camarades mordus ou les murs barbouillés de rouge à lèvres. L'amour des enfants magnifie autant les efforts qu'ils vous imposent que le plaisir qu'ils vous donnent.

Il est cependant important que vous soyez consciente de ces efforts et capable d'avouer votre sentiment de ras-le-bol, au moins à vous-même ou à un proche. Nous connaissons tous ces jours où nous nous entendons les harceler de nos « Non ! » et autres « Arrête ça tout de suite ! », quand notre propre voix nous agace et que nous percevons leurs silences renfrognés entre deux colères. Nous traversons tous des moments où nous les traitons un peu trop fermement, comme des objets, où nous reproduisons ce dont nous avons souffert dans notre propre enfance et que nous avions juré d'éviter, et où nous leur en voulons de nous rendre si odieux. Savoir que tous les parents ressentent la même chose est rassurant. Rappelez-vous que ce ne sont pas leurs petites fautes en elles-mêmes qui vous énervent, mais leur immaturité – et si les enfants ne sont pas immatures et puérils à deux ou quatre ans, quand pourront-ils l'être ? Il est inutile, donc, de vous convaincre que vos enfants sont particulièrement désobéissants, indisciplinés et gâtés, et de vous reprocher d'être de mauvais parents. Cette culpabilité-là est la pire de toutes. Et chaque personne de leur entourage doit aussi savoir qu'il ne faut pas coller d'étiquettes aux enfants, car elles prennent vite la forme de prophéties. Dites à un enfant que vous le trouvez méchant et pénible, et il fera tout pour être conforme à votre point de vue, en sera bientôt convaincu lui-même et voudra en convaincre son éducatrice. Contentez-vous de la stricte vérité – c'est un tout jeune enfant et la vie de famille est difficile ; vous n'êtes pas parfaite et ne devez pas chercher à l'être – et tout ira pour le mieux.

Chaque chose en son temps La socialisation – qui préoccupe tant les adultes et les tout-petits et qui transforme les bébés en (très) jeunes enfants – dépend de la maîtrise des impulsions et du corps, de la gestion de soi-même au sein de la famille ou de la vie collective et est liée aux relations avec les membres de la famille et les gens qui s'occupent de l'enfant pendant la journée. Lorsque les bébés accomplissent cette part importante de l'évolution vers l'autonomie, ils entrent dans la petite enfance et sont prêts à repousser les limites de leur petit cercle. Désormais, votre enfant a envie de partir toujours plus loin à la découverte de ce monde dans lequel se trouve son foyer. Il doit, pour cela, commencer à avoir une attitude acceptable aux yeux de tous. Chaque société possède un nombre incalculable d'exigences qui régissent le comportement des individus, selon les circonstances, et personne n'attend d'un enfant de trois ans qu'il les respecte toutes à chaque instant. Néanmoins, c'est la période idéale pour lui faire comprendre et accepter les règles qu'il devra respecter plus tard et pour lui apprendre celles dont il a besoin dès aujourd'hui.

Les jeunes enfants enregistreront presque tout ce que les adultes tentent de leur enseigner, car ils souhaitent tout savoir. Ils ont particulièrement envie d'apprendre à bien se comporter afin de vous ressembler et de vous faire plaisir. Ne laissez pas la notion écrasante de « discipline » – lestée des spectres de la « désobéissance » et de la « déloyauté » – gâcher un processus censé rester intéressant, voire agréable, pour vous deux.

Si vous aimez votre enfant et qu'il vous aime et que vous avez l'impression d'avoir toujours fait de votre mieux en tant que parent, vous allez sans doute traverser avec lui cette période sans même penser à la discipline. C'est la meilleure solution. L'absence de règles et de réprimandes ne signifie pas que vous êtes laxiste. Votre enfant a ses humeurs et fait des erreurs, tout comme vous, et fait parfois ce qu'il veut plutôt que ce qu'il devrait faire, comme tout le monde. Si vous vivez simplement en bonne entente, en vous respectant l'un l'autre comme des êtres humains, les choses se feront naturellement. Dans ce cas, vous n'avez même pas besoin de lire ce chapitre. Il s'adresse aux millions de parents qui ont peur que leurs enfants ne leur « échappent des mains » et qui ont besoin d'être rassurés et à ceux qui pensent avoir déjà des problèmes avec la discipline.

Discipline « Discipliner » au sens strict signifie « enseigner des règles de conduite
et autodiscipline par la répétition et la pratique », et une personne disciplinée est une personne qui obéit sans conditions. Ce n'est pas la façon dont la plupart des parents modernes envisagent la discipline. Vous pourriez exiger de votre enfant une obéissance immédiate et de bonnes manières, vous assurer qu'il se conduit selon vos souhaits et craint votre mécontentement. Mais cela l'aidera-t-il à être honnête, bon et prudent quand vous n'êtes pas là pour lui donner des directives ? Être de bons parents, c'est faire en sorte, progressivement, de ne plus être indispensables.

Nous rêvons tous parfois que nos enfants partent du principe qu'ils doivent « obéir instantanément » et que : « Assieds-toi et ne bouge plus » suffise à les calmer. Mais la seule discipline valable est l'autodiscipline qui permet un jour à l'enfant d'agir et de se comporter correctement quand personne n'est là pour lui rappeler les règles à respecter et pour souligner ses erreurs.

C'est vers ce but que vous devez tendre lorsque vous dites à votre enfant ce qu'il doit et ne doit pas faire (sauf lorsque sa sécurité immédiate dépend de vous). Vos exhortations et vos instructions sont des matières premières qui n'ont de valeur ajoutée que lorsque l'enfant les a intégrées et faites siennes, comme une part de sa conscience.

La petite enfance est trop courte pour que l'enfant puisse apprendre les rudiments de l'autodiscipline. Arrivés à l'adolescence, certains enfants n'ont pas encore acquis le minimum qui les aiderait à traverser cette période de crise. Une maîtrise de soi trop fragile amène même des adultes à douter de leur capacité de jugement et de contrôle de leurs impulsions. Quand votre enfant était bébé, vous deviez *être* lui, en agissant et en pensant à sa place. Plus tard, vous avez dû être *avec* lui pour le seconder et garder le contrôle final de sa sécurité et de sa conduite sociale, mais il commençait à saisir les règles et à se débrouiller tout seul. À présent qu'il est un jeune enfant, il peut acquérir une certaine maîtrise de lui-même, qui fera de lui un individu apte à la vie sociale. Vous allez lui montrer comment se comporter dans des centaines de situations et de circonstances différentes et l'aider à comprendre que toutes ces règles, parfois insignifiantes en apparence, sont reliées par des principes fondamentaux et vitaux, comme l'honnêteté et la bonté. À mesure qu'il comprendra, vous aurez de moins en moins besoin de surveiller ses faits et gestes. Vous pourrez lui faire confiance pour appliquer ces principes, non par désir de vous satisfaire, mais pour être en accord avec lui-même.

Montrer à son enfant comment bien se comporter

«Montrer» est un mot clé: votre enfant va en effet calquer son comportement sur le vôtre, et ce rôle de modèle compte plus que tous les discours. S'il y a un désaccord entre ce que vous dites et ce que vous faites, ce sont vos attitudes que l'enfant suivra, non vos paroles. Méfiez-vous donc des vieilles méthodes qui consistent à mordre un enfant qui mord. «Bien» est aussi un terme important: un enfant comprend et retient beaucoup mieux les instructions positives que les recommandations négatives, ce qu'il doit faire et non ce qu'il ne devrait pas faire, et préfère l'action à l'inaction. Essayez de dire «comme ça» plutôt que «pas comme ça», et de dire «oui» et «continue» aussi souvent que «non» et «arrête».

Montrer à votre enfant comment se comporter avec un bébé l'aide à être prudent et prévenant.

Bien que chaque parent ait sa propre idée de la façon dont les enfants doivent se comporter, il existe quelques règles d'or indispensables, quels que soient les systèmes de valeur :

■ « Comporte-toi comme tu souhaites que les autres se comportent à ton égard » : votre enfant ne sera pas plus poli et coopératif envers vous que vous ne l'êtes envers lui, et il y a de fortes chances qu'il copie votre langage et beaucoup de vos attitudes. Si vous êtes toujours trop occupée pour l'aider à faire son casse-tête et si vous lui criez après dès qu'il vous marche involontairement sur le pied, ne vous attendez pas qu'il trouve naturel de vous aider à mettre la table, ni qu'il vous pardonne rapidement de lui avoir tiré les cheveux avec le peigne.

■ Récompensez toujours les attitudes positives, jamais les mauvaises. Ce n'est pas aussi évident que ça en a l'air. Quand vous lui offrez des bonbons à la caisse du supermarché, est-ce pour le calmer lorsque ses cris vous gênent ou pour le récompenser d'avoir été sage et coopératif ?

■ Rappelez-vous que l'attention d'un adulte a la valeur d'une récompense et que les jeunes enfants préfèrent votre colère à votre indifférence. Si vous l'ignorez quand il joue calmement et n'êtes attentive à lui que lorsqu'il vous y oblige, vous le récompensez d'être sot et le punissez d'être sage.

■ Veillez à être aussi précise que positive. Des instructions vagues n'ont pas un grand effet. « Comporte-toi bien » semble positif, mais n'a pas beaucoup de sens pour un enfant de cet âge. En réalité, vous lui demandez de ne pas faire ce que vous ne souhaitez pas qu'il fasse, ce qui est impossible, puisqu'il ne connaît pas vos souhaits !

■ À part en cas d'urgence, lorsque les raisons doivent attendre, expliquez toujours à votre enfant pourquoi il doit (ou ne doit pas) se conduire de telle ou telle façon. Vous n'avez pas à vous lancer dans une argumentation compliquée à chaque recommandation, mais s'il doit se contenter de : « Parce que je le dis », comment pourra-t-il établir le lien entre cette instruction spécifique et le modèle général de comportement qu'il est en train de bâtir ? « Remets cette pelle à sa place » lui dites-vous en colère. Pourquoi ? Parce qu'elle est dangereuse ? Sale ? Parce que vous voulez être sûre de la retrouver la prochaine fois ? Si vous lui expliquez qu'elle appartient aux maçons et qu'ils n'apprécient pas que l'on dérange leurs affaires, il pourra appliquer cette réflexion à d'autres situations. Un simple « Parce que je te le dis » ne lui apprend rien.

■ Essayez de réserver « Tu ne dois pas » à des règles précises. Cette formule ne fonctionne que pour interdire une fois pour toutes des actes spécifiques. Si l'interdiction ne concerne qu'une partie de son geste ou des circonstances précises, il est préférable de tourner votre phrase autrement afin de rendre votre demande positive. Réfléchissez au familier : « Ne m'interromps pas quand je parle. » Son inefficacité fréquente n'est pas étonnante : dans de nombreuses occasions, les parents souhaitent au contraire être interrompus – quand le lait déborde, quand le bébé pleure ou quand l'enfant a envie d'aller aux toilettes. Vous obtiendrez sûrement une meilleure réaction avec : « S'il te plaît, attends une minute que je finisse ma phrase. » Des « non » très ciblés peuvent constituer des règles. Tant que vous n'en abusez pas, votre enfant les acceptera facilement, surtout si vous lui expliquez les raisons. Dites-lui : « Ne monte jamais

Mieux vaut lui montrer comment faire les choses difficiles que de les lui interdire.

dans cet arbre. Il est dangereux. » Si votre partenaire vous soutient et ne le laisse pas prendre le risque «juste une fois», il admettra le danger de cet arbre. « Ne traverse jamais une route sans un adulte » est une autre règle utile qu'un enfant de trois ou quatre ans accepte, tant que vous ne l'envoyez pas chercher votre journal de l'autre côté de la rue sous prétexte qu'elle est étroite.

Les règles aident vraiment à préserver la sécurité de l'enfant (bien que votre soutien reste indispensable en cas de réel danger, lorsque sa maîtrise de lui est mise à mal), mais elles ne jouent pas un grand rôle pour lui apprendre à bien se conduire. Elles sont trop rigides pour être très utiles dans sa vie quotidienne. Réservez-les à des situations bien définies et évitez d'en faire des principes qui marqueront toute sa vie.

Vous ne pouvez évidemment pas servir d'exemple à votre enfant si vous doutez vous-même de la façon dont les gens doivent se comporter. Il est important d'être cohérente dans vos principes. Cependant, cette cohérence n'est pas indispensable dans tous les domaines. Votre enfant n'est pas un animal de cirque à qui l'on apprend à répondre à tel signal par tel tour. C'est un être humain, et les êtres humains ne sont pas constants. Vous lui enseignez à répondre au mieux à un grand nombre de signaux, et il faut pour cela qu'il comprenne l'importance du contexte. Encourager un enfant de deux ans à dessiner sur un tableau blanc accroché au mur de sa chambre *peut* l'inciter à dessiner sur les murs de la salle à manger à quatre ans, mais, si vous prenez le temps de lui expliquer la différence, il comprendra où il est acceptable ou non de dessiner. Ce n'est pas parce qu'on lui donne des chocolats à volonté à Noël qu'il va en réclamer autant une fois les fêtes terminées, et la permission de sauter sur le lit de grand-maman ne lui fait pas oublier l'interdiction de sauter sur le vôtre.

Faire confiance et être digne de confiance

Croyez toujours aux bonnes intentions de votre enfant. S'il sent la présence rassurante d'un adulte, prêt à le corriger et à l'instruire, il acceptera probablement volontiers de s'interroger sur ce qu'il peut et ne peut pas faire. Laissez-le autant que possible être responsable de ses actes et faites-lui sentir que vous avez confiance en lui.

S'il sent que vous lui faites confiance, s'amuser à faire le ménage devient une vraie tâche dont il retire une certaine satisfaction.

S'il est prévu qu'il passe une soirée chez un camarade, ne l'accablez pas d'instructions inquiètes du genre : «Souviens-toi de remercier pour l'accueil» et «N'oublie pas de t'essuyer les pieds. » Puisque vous avez accepté qu'il passe la nuit ailleurs, vous devez le laisser se prendre en charge. Vos instructions ne l'aideront pas à être poli, elles vont simplement lui rendre cette sortie angoissante.

Lorsque vous vous trompez — et surtout si vous réalisez que vous avez été injuste —, admettez-le. Aucune fausse dignité ne doit vous empêcher de lui montrer la bonne façon de faire. Puisqu'il prend exemple sur vous, il est essentiel de vous excuser auprès de lui. Vous lui en demanderiez autant. Imaginons que vous l'ayez accusé d'avoir cassé un verre et refusé d'écouter sa version des faits. Vous découvrez plus tard qu'il était innocent. Selon les critères que vous essayez de lui enseigner, vous lui devez de sincères excuses. Si vous lui demandez de vous pardonner, il vous respectera plus, et non moins.

Les problèmes de comportement

Si, pour vous, «éduquer», c'est avant tout montrer l'exemple, vous allez constater que la plupart des «problèmes de comportement» sont plus des questions de maturité que de moralité et qu'il est souvent facile de les résoudre. Un enfant qui fait tout pour attirer l'attention sur lui, par exemple, réagit simplement à l'attention limitée que des adultes trop occupés lui offrent. Consacrez-lui un peu plus de temps et il n'aura plus besoin de se faire remarquer et de provoquer vos réprimandes.

La «désobéissance»   Exiger une obéissance aveugle et instantanée était sans doute un bon moyen de préserver le calme dans les grandes familles du siècle précédent, mais cela ne produit pas des enfants capables de penser par eux-mêmes et en qui avoir confiance pour se débrouiller tout seuls. Le cas des trois petites filles kidnappées à la sortie de l'école en est une illustration frappante. Une quatrième enfant courut chez elle donner l'alarme. La voiture fut rapidement retrouvée et arrêtée, et les petites filles ramenées chez elles, saines et sauves. Le père de l'une d'elles, affolé, lui demande : «Pourquoi as-tu suivi cet homme dans sa voiture ? Nous t'avons toujours dit de ne pas suivre des inconnus !» Le regard étonné et plein de reproches, sa fille lui répond : «Mais il a dit : "Votre papa veut que vous veniez avec moi. C'est lui qui m'envoie vous chercher." Et tu dis toujours : "Tu dois faire ce que je te dis !"» La police interroge l'enfant qui a donné l'alarme : «Pourquoi es-tu rentrée chez toi au lieu de suivre tes amies dans la voiture ? — Mes parents m'ont toujours dit : "Réfléchis !" J'ai réfléchi et j'ai pensé que, normalement, mon papa serait venu lui-même et que cet homme n'avait parlé que d'un papa alors que nous avons chacune un papa, ce qui en faisait quatre. Et je me suis dit que je préférais demander à maman. Alors, j'ai couru.»

Débarrassez-vous des notions d'«obéissance» et de «désobéissance» et cherchez plutôt à obtenir la coopération de votre enfant. Parfois, il ne fait pas ce que vous lui demandez parce qu'il a envie de faire autre chose. Il refuse, par exemple, d'aller au lit parce qu'il préfère finir son jeu. Il ne s'agit pas de désobéissance mais d'un conflit d'intérêts. Trouver un compromis comme : «Encore cinq minutes» est bien plus efficace que de crier : «Tu obéis immédiatement !» Parfois, il n'a tout simplement pas compris vos consignes. Vous lui avez demandé d'attendre la fin du repas pour quitter la table et il descend de sa chaise dès qu'il a fini son assiette. Il n'a pas compris qu'il devait attendre que tout le monde ait fini. D'autres fois, il est de mauvaise humeur et résolu à vous embêter. Vous lui dites de ne pas toucher à votre nouveau livre, et il se rue dessus. Contrairement aux cas précédents, il s'agit là de désobéissance pure, d'un acte délibéré ayant pour but de vous provoquer. La réussite de son entreprise dépend en général des dégâts accomplis. S'il a déchiré la couverture, vous allez vous mettre en colère. C'est normal. Il serait lui-même en colère si vous aviez abîmé un objet lui appartenant. Il a provoqué une réaction humaine universelle. Mais ce sont les dégâts qui méritent votre colère, pas la «désobéissance». Si son geste n'a aucune conséquence grave, vous désamorcerez la situation en refusant de mordre à son hameçon : «Tu as fait juste ce qu'il ne fallait pas faire par caprice. C'est idiot.» Où est la colère qu'il cherchait ?

Le mensonge Les jeunes enfants vivent dans un monde qui leur semble compliqué et dans lequel on les accuse souvent d'avoir fait telle ou telle bêtise. Le type de mensonge dont ils usent le plus est celui qui consiste à nier ces bêtises, et c'est aussi celui qui leur attire le plus d'ennuis… Votre enfant a involontairement cassé la poupée de sa sœur et nie sa culpabilité. C'est ce mensonge qui vous énerve, bien plus que la poupée cassée.

Si vous tenez à ce que votre enfant avoue ses bêtises, facilitez-lui la tâche. « Cette poupée est cassée. Je me demande comment c'est arrivé… » l'engage plus à vous répondre : « C'est moi qui l'ai cassée et je suis désolé » que si vous lui dites : « C'est toi le méchant garçon qui a cassé cette poupée ! » Si votre enfant reconnaît quelque chose, de son plein gré ou après avoir été un peu forcé, évitez de vous mettre en colère ou de le punir. Ce serait contradictoire. Vous ne pouvez pas à la fois lui demander de vous prévenir quand il a fait quelque chose de mal et être furieuse contre lui. Si c'est pour se faire autant disputer, à quoi bon vous prévenir la prochaine fois ?

Il arrive aussi que les histoires des grands sèment le trouble dans l'esprit des petits. À cet âge, beaucoup mélangent encore le réel et l'imaginaire et confondent désirs et réalité. Après tout, ils croient bien au père Noël…

Si vous lisez des histoires à votre enfant et l'encouragez à apprécier la mythologie ou les légendes, il serait incohérent de le gronder lorsqu'il rentre d'une promenade avec une histoire inventée de toutes pièces. Bien sûr, il n'a pas vraiment rencontré un extraterrestre. Il ne le pense même pas. Mais quel dommage de mettre au placard ses propres légendes ! C'est aussi triste que de voir des enfants plus grands détruire le mythe du père Noël aux yeux d'un bambin de quatre ans (« Nous n'avons même pas de cheminée, idiot ! »). Prenez plaisir à son histoire. Même si elle n'est pas vraie, ce n'est pas pour autant un mensonge au sens moral du terme.

Parfois, les parents s'inquiètent parce que leur enfant semble ne pas du tout prendre en compte la réalité. Ils l'entendent par hasard parler de la nouvelle robe de maman, alors qu'elle n'en a pas, ou annoncer qu'il a été malade la veille ou qu'il est allé dans un salon de thé, alors qu'il n'en est rien. Il y a de multiples raisons à ces discours mensongers, mais la cause principale est ce que votre enfant entend de la bouche des adultes. Nous racontons tous des mensonges par tact, par gentillesse ou pour gagner du temps. Les enfants les entendent. Le vôtre vous entend approuver Mme Bernard lorsqu'elle dit qu'il fait beaucoup trop chaud, alors que vous venez de lui dire combien vous aimiez la chaleur. Il vous entend abréger une conversation téléphonique en prétextant des invités invisibles. Si vous ne prenez pas la peine de lui expliquer ces « faux » mensonges, comment comprendra-t-il qu'il ne faut ni exagérer ni inventer, alors que vous le faites vous-même ?

Avec un enfant qui invente énormément d'histoires et brode sans cesse autour de la réalité, il devient parfois impossible de distinguer le vrai du faux. Il est temps alors de lui expliquer le sens et l'utilité de la vérité. Ne le qualifiez pas de « vilain » à cause d'un mensonge. Racontez-lui plutôt l'histoire de « l'enfant qui criait au loup ». C'est une bonne histoire qu'il appréciera sûrement et dont vous pourrez discuter ensemble. Faites-lui comprendre que vous, ainsi que toutes les personnes qui veillent sur lui, avez vraiment besoin de pouvoir différencier le vrai du faux, au cas où il lui arrive quelque chose d'important ou de grave. Votre enfant prendra conscience que vous tenez à ce qu'il dise la vérité pour être sûre de vous occuper correctement de lui et que le but est de bien se comprendre et non d'être « sage ».

Le vol Beaucoup de jeunes enfants – surtout s'ils n'ont pas de grands frères ou de grandes sœurs pour leur crier sans cesse : « C'est à moi ! » – ont une notion aussi vague de la propriété que de la vérité. Au sein de votre famille, il y a des tas d'objets qui appartiennent à tout le monde, ou qui appartiennent à l'un de vous mais peuvent être empruntés librement. Et il y en a quelques-uns qui sont des possessions privées, réservées à l'usage exclusif de leur propriétaire. À l'extérieur, la situation est aussi compliquée. On peut garder une petite balle trouvée dans un buisson du parc, mais pas un porte-monnaie. On peut rapporter ses dessins de l'école à la maison, mais pas de la pâte à modeler. Les gens ont le droit de prendre des prospectus dans les magasins (pas tout le tas) mais pas un paquet de soupe (ni même un sachet). Inutile de parler « morale » à un enfant qui s'empare de ce qui lui plaît tant qu'il n'est pas capable de comprendre toutes ces nuances. Cependant, il y aura toujours des gens pour accuser de vol un enfant de trois ou quatre ans et pour en faire un drame.

Les règles de propriété sont compliquées. Apprenez exactement à votre enfant ce qu'il peut et ne peut pas garder.

Comment prévenir le problème ? Expliquez-lui d'abord la question de principe, puis indiquez-lui quelques règles de conduite qui le guideront dans la vie quotidienne : ne jamais prendre un objet trouvé chez quelqu'un sans demander la permission ; toujours demander à un adulte l'autorisation de garder un objet trouvé ; ne jamais rien prendre dans un magasin sans l'accord d'un adulte. Ne soyez pas trop moralisatrice par rapport à l'argent. Si vous voyez votre enfant en prendre dans votre porte-monnaie, demandez-vous quelle aurait été votre réaction s'il s'était agi d'un tube de rouge à lèvres. Aux yeux des enfants de cet âge, il n'y a pas de différence. Les deux sont des « trésors ». Ils savent que l'argent est précieux, bien sûr, parce qu'ils vous voient l'échanger contre des choses intéressantes, mais, comme les jetons des machines à sous, les pièces n'ont pas pour eux de valeur réelle.

L'enfant qui se comporte comme une pie et conserve dans un coin l'argent et les divers objets qu'il vole, sans jamais vraiment s'y intéresser, souffre peut-être de trouble émotionnel. Il est possible qu'il tente symboliquement de s'emparer de quelque chose dont il a l'impression d'être privé – probablement de l'affection ou de l'approbation. Plutôt que de vous mettre en colère et de lui infliger un sentiment de honte, essayez de lui offrir ce dont il a besoin. Si c'est impossible et si les vols perdurent, il est plus prudent de demander une aide professionnelle avant que l'enfant ne soit en âge d'aller à l'école. Il aura vite une étiquette de « voleur » dont il lui sera difficile de se défaire.

L'enfant qui répond Tous les enfants tergiversent lorsqu'on leur demande de faire quelque chose qui leur déplaît. Parfois, vous êtes exaspérée de parler à un enfant qui fait le sourd ou qui répond « D'accord » mais ne bouge pas pour autant. C'est encore plus agaçant quand il discute chacune de vos demandes, requêtes ou suggestions. La vie est trop courte pour passer cinq minutes à persuader un enfant de quatre ans de mettre des chaussures pour sortir et encore cinq pour lui faire atteindre la porte d'entrée. Mais pensez comme il doit être agaçant pour lui d'être si bas dans la hiérarchie familiale que n'importe quel adulte a le droit de l'interrompre, quoi qu'il fasse, et de lui donner des ordres. Ne vous comportez pas d'une façon que vous jugeriez inacceptable pour vous-même. Quelques concessions vous aideront plus que de lui crier dessus. La plupart des enfants ont du mal à passer d'une activité à une autre. Ils ont besoin d'être avertis longtemps à l'avance que l'heure du repas, de la promenade ou du coucher approche.

Certains enfants, et surtout les plus intelligents, comprennent vite que, lorsque vous leur demandez quelque chose qu'ils ne veulent pas faire, ils ont le pouvoir de négocier. Plutôt que d'aller sagement dans sa chambre mettre un tee-shirt propre, votre fils vous répond : « Si je me change, est-ce que tu sortiras mon vélo ? » Malheureusement, la plupart des parents pensent que ce comportement est insolent. Ils ont le droit de donner des ordres à leurs enfants, mais ils n'accepteront certainement pas l'inverse. « Fais ce que ta mère te dit et ne discute pas ! » crie le père. Nous en revenons au problème évoqué plus haut de l'obéissance instantanée.

La négociation est une forme d'échange très répandue, utilisée depuis toujours par les sociétés adultes. Mais vous vous en lasserez vite si votre enfant tente d'obtenir une compensation à la moindre de vos demandes. Lorsque vous ne faites que lui rappeler une de ses obligations, il n'y a aucune raison de le payer en retour. Réservez la négociation aux exigences exceptionnelles ou particulièrement ennuyeuses pour lui et proposez-la vous-même parfois, sans attendre qu'il le fasse.

LES PROBLÈMES D'ÉDUCATION

Le comportement des jeunes enfants a un aspect paradoxal : plus vous vous en inquiétez et tentez de le changer, moins vous y parvenez.

L'explication est simple : les enfants sont beaucoup plus faciles à vivre lorsque les adultes ont une approche positive de l'éducation et ont confiance en eux, lorsqu'ils soulignent ce qu'ils font bien, prennent soin de leur expliquer ce qu'on attend d'eux selon le contexte et de récompenser une bonne conduite. Les parents qui décident – ou se laissent convaincre – que leurs enfants se conduisent particulièrement mal adoptent souvent une attitude exactement inverse. La discipline négative se focalise sur la mauvaise conduite ; elle l'attend, la guette et la punit afin de provoquer un changement. En réalité, c'est le meilleur moyen d'aggraver la situation.

La punition La punition formelle correspond plus à l'idée de discipline qu'à celle d'apprentissage par l'exemple. Plus tard, lorsqu'on connaît les règles de conduite mais qu'on n'a pas toujours envie de les respecter, c'est le prix de la transgression qui nous arrête – des heures de retenue pour avoir parlé en classe ou une amende pour stationnement interdit. Mais ces considérations – qui ne suffisent pas toujours pour un adulte – n'ont aucun effet sur de jeunes enfants encore incapables de contenir leurs impulsions par crainte des punitions à venir. La seule sanction efficace sur des enfants de moins de quatre ou cinq ans est votre désapprobation. C'est votre colère qui le punit et non la punition dont vous le menacez. Si l'insolence de votre enfant vous fait douter de ce point de vue, imaginez comment il réagirait à une punition selon la façon dont vous l'annoncez. Si vous lui dites : « Pas de crème glacée pour le dessert » sur un ton neutre ou aimable, il y a de fortes chances qu'il l'accepte sans broncher. (A-t-il en général de la crème glacée au dessert ? Est-ce qu'il a vraiment envie de crème glacée pour le dessert ? Que va-t-il manger avant ?) Mais si vous dites sur un ton furieux : « Puisque c'est comme ça, tu n'auras pas de crème glacée pour le dessert ! », il va probablement se mettre en colère ou pleurer. Peut-être n'avait-il même pas envie de crème glacée, mais ce qu'il n'apprécie pas du tout, c'est que vous soyez en colère contre lui.

Vous avez pris la décision de le priver de dessert dans un moment d'énervement (justifié) pour qu'il comprenne bien ce que vous ressentiez. Mais vous auriez pu aussi lui dire : « Tu es vraiment trop pénible, cette promenade ne m'amuse pas du tout. Nous rentrons à la maison. » Le problème en le « privant de dessert », c'est que,

Vous le punissez parce que vous êtes en colère, mais c'est votre colère qui le punit vraiment.

lorsque l'heure du repas arrive, la dispute est finie et oubliée depuis longtemps. Pour ne pas déroger à votre propre décision, vous devez tout remettre sur le tapis, ce qui, en réalité, punit votre enfant une deuxième fois. Quelle injustice s'il a été charmant et serviable depuis le conflit !

Votre désapprobation, ou votre colère, est la meilleure sanction. Si elle entraîne une punition immédiate et spontanée, votre enfant fait parfaitement le lien avec son comportement, et la punition vient renforcer votre position. Vous n'allez pas continuer à faire la queue chez le marchand de glaces puisqu'il se conduit si mal, donc il n'aura pas de glace pour le moment. Il s'en prive lui-même. Vous ne pouvez pas le laisser sortir tous les produits des rayons du supermarché, donc vous l'installez dans le siège du chariot. En abusant de sa liberté, il l'a sacrifiée. Est-ce qu'il s'agit là de «punitions»? Il faudrait pour cela que vos décisions soient froides et calculées – et, dans ce cas, elles ne fonctionneraient certainement pas. Mais vous n'avez fait que réagir spontanément aux mauvaises actions de votre enfant. C'est le seul et unique mode de punition dont on peut espérer des résultats positifs.

Mais, bien souvent, les punitions spontanées les plus courantes – fessées, claques et haussements de voix – ne sont pas la conséquence directe des méfaits de l'enfant. Et si elles paraissent efficaces sur le moment, en réalité, il n'en est rien. Lorsque votre enfant agit de façon particulièrement insupportable (en embêtant le bébé ou le chien) bien que vous lui ayez demandé plusieurs fois d'arrêter et malgré vos tentatives pour l'intéresser à autre chose, crier ou donner une fessée met fin à l'épisode (et vous calme peut-être) et semble plus efficace que toutes les autres méthodes. Cependant, en lui faisant mal ou en le faisant pleurer, vous le faites certes cesser sur l'instant, mais ne lui apprenez pas à ne pas embêter le chien ou le bébé, et rien n'empêche qu'il ne recommence.

Pourtant, on pourrait facilement croire que donner une fessée à un enfant chaque fois qu'il fait une bêtise l'éduque à ne pas en faire. Mais que comprend-il? «Faire des bêtises» est une notion compliquée à cet âge. C'est faire quelque chose de dangereux pour soi (comme traverser la rue en courant) ou pour quelqu'un d'autre (comme renverser la poussette du bébé), ou faire tout un tas de choses qui énervent, embarrassent ou déçoivent les adultes. En lui donnant une fessée, vous lui montrez qu'il a mal agi, mais ne lui expliquez pas ce qu'il aurait dû faire et le motivez encore moins à vous satisfaire. Une fessée n'explique pas comment bien se comporter. D'ailleurs, un enfant que l'on commence à punir de cette façon reçoit en général des fessées tout au long de son enfance. Les méthodes physiques de punition sont si inefficaces qu'elles ont une tendance à l'escalade… La plupart des méfaits de votre enfant sont dus à ses impulsions ou à des oublis. Vous avez passé l'après-midi à lui demander de ne pas courir sur vos fleurs. Vous lui criez d'arrêter, mais il est si excité par sa course qu'il rigole. Finalement, vous le fessez, il pleure et rentre à l'intérieur. Le lendemain, gai et à nouveau dehors, il recommence. Au nom de la cohérence, vous lui donnez une nouvelle fessée, plus forte. Une fois ce cercle vicieux formé, il y a de fortes chances que vos fessées se transforment bientôt en gifles.

Des études ont montré que les enfants qui reçoivent des punitions physiques se souviennent bien plus de la punition que de sa cause. Ils sont bien trop en colère pour écouter vos explications ou pleurent trop fort pour les entendre. Si on demande à des enfants de quatre ou cinq ans pourquoi ils ont reçu une fessée, ils répondent : « Parce que maman était fâchée. » Vous n'obtiendrez donc pas la coopération dont vous avez besoin en ayant simplement recours à votre supériorité physique.

Soyez aussi très prudente lorsque vous usez de votre supériorité émotionnelle. Les punitions qui laissent croire à l'enfant qu'il est stupide ou indigne de vous sont aussi inefficaces et dangereuses que les punitions physiques. Si vous lui retirez ses chaussures parce qu'il ne cesse de courir en tous sens, ou si vous le forcez à mettre un bavoir de bébé parce qu'il tache ses vêtements en mangeant, vous l'humiliez et lui donnez l'impression qu'il est incapable d'apprendre à se comporter comme un grand. Si sa façon de manger pose un vrai problème de lessive, mieux vaut faciliter ses repas. A-t-il besoin d'un rehausseur maintenant qu'il utilise les chaises normales ? Est-il autorisé à manger avec les doigts ou avec une cuillère plutôt qu'avec une fourchette ?

Pour montrer à votre enfant comment il doit se conduire (plutôt que de lui faire payer ses bêtises), il n'y a aucune raison d'avoir recours aux punitions. Elles ne lui donnent absolument pas envie d'écouter ce que vous lui dites ni de vous faire plaisir. La solution n'est pas de punir un enfant qui agit mal afin de lui montrer qu'il est méchant, mais de féliciter un enfant qui agit bien afin qu'il se sente bon. Votre enfant retient quelque chose des disputes qui se produisent lorsque vous êtes énervés l'un contre l'autre. Il apprend encore plus de votre mécontentement lorsqu'il agit mal. Mais ce sont surtout vos louanges et vos éloges lorsqu'il se conduit comme vous le souhaitez qui le font progresser.

Les bonnes et les mauvaises récompenses L'élément fondamental de toute récompense est votre approbation. Lorsque vous félicitez l'enfant, vous lui dites que vous l'aimez, l'approuvez et aimez être avec lui. Des récompenses concrètes, comme des bonbons ou des sorties, peuvent transmettre ce message, mais un sourire, une louange ou un câlin suffisent. Les récompenses, comme les punitions, sont souvent le résultat direct du comportement qui a provoqué vos bonnes dispositions : « Comme tu m'as bien aidée à remplir les sacs, nous avons vite fini les courses. Maintenant, nous avons assez de temps pour faire un tour au parc. »

Parfois, cependant, les récompenses matérielles sont très utiles. Les jeunes enfants ont un sens inné et simple de la justice et une vision très réaliste de la bienveillance des autres. Le fait de leur proposer une récompense pour les motiver à faire quelque chose qu'ils n'aiment pas a un double effet : ils coopèrent plus facilement et réalisent que vous êtes de leur côté. Supposons, par exemple, un après-midi d'été. Il fait chaud et votre enfant s'amuse dans sa piscine, mais vous devez faire une course indispensable et ne pouvez pas le laisser jouer car il n'y a personne d'autre pour veiller sur lui. Qu'y a-t-il de mal à lui proposer honnêtement une récompense ? « Je sais que tu préférerais rester à la maison, mais nous devons faire cette course. Pourquoi ne pas en profiter pour passer par la librairie pour voir si ton nouveau livre est arrivé ? Est-ce que cela te va ? » C'est une récompense, mais c'est aussi un marché tout à fait acceptable.

Un vrai cadeau fait toute la différence aux yeux d'un enfant qui doit supporter une expérience réellement pénible, comme la pose de points de suture. Peu importe la nature du cadeau (tant que ça n'est pas un objet qu'il s'attendait à avoir), l'important est qu'il ait quelque chose d'agréable qui l'attende à la fin des minutes désagréables. Toutefois, ce genre de cadeau ne doit pas venir récompenser une bonne conduite. La promesse d'un cadeau «si tu ne fais pas d'histoires» peut mettre votre enfant dans une situation terrible. Parfois, il a de vraies raisons de «faire des histoires» et doit sentir alors que vous le soutiendrez quelle que soit son attitude.

L'enfant gâté Nous savons tous que les enfants gâtés ennuient tout le monde et souffrent eux-mêmes, et nous admettons tous qu'ils donnent une mauvaise image de leurs parents. Mais peu de personnes savent ce qui les pousse à considérer tel enfant comme gâté ou ce que les parents ont pu faire de travers. Le spectre de l'enfant gâté hante les parents et les fait vivre dans la crainte d'entendre ce mot définir leur enfant et leur mode d'éducation. Certains utilisent ce terme dès que les parents sont aimants et un peu indulgents. D'autres refusent les bonbons et les cadeaux à des enfants dont le comportement n'a rien de capricieux ni de désagréable simplement parce qu'ils ne veulent pas en faire des enfants gâtés…

Cette erreur est regrettable. Gâter n'a rien à voir avec l'indulgence ou le plaisir, mais est lié à la tyrannie et au chantage. Votre enfant ne devient pas capricieux parce que vous parlez, jouez et riez trop avec lui, ni parce que vous lui offrez trop de cadeaux, si vous le faites par plaisir. Votre enfant n'est pas «trop gâté» parce que vous lui achetez des bonbons au supermarché ou quinze cadeaux pour son anniversaire, mais parce qu'il s'aperçoit qu'il peut faire du chantage et annuler vos décisions par une crise de colère publique, ou qu'il obtient tout de vous en réclamant encore, encore et encore… L'enfant le plus insupportable que vous connaissiez ne reçoit pas plus de cadeaux que d'autres, mais obtient ce qu'il veut de ses parents par la tyrannie. Le véritable problème est un déséquilibre de pouvoir au sein de la famille.

Les limites,
et les adultes qui
s'y tiennent Les enfants ont besoin d'adultes qui aient le courage de leurs convictions et la force d'instaurer des frontières, à l'intérieur desquelles leur comportement est acceptable et où ils se sentent en sécurité. Nous avons tous des limites à respecter – au sens littéral et au sens figuré. Mais nous devons en fixer davantage aux enfants afin de les protéger pendant qu'ils apprennent à se débrouiller tout seuls, afin de les aider le temps qu'ils acquièrent leur propre maîtrise de soi, et afin de veiller à ce qu'ils restent à la place qui leur convient pendant qu'ils apprennent les leçons de la vie en société – telles que: «Ne fais pas ce que tu ne voudrais pas qu'on te fasse.»

Seules les limites infranchissables sont valables. Elles seules offrent à l'enfant une véritable liberté d'action. Les parents qui considèrent que leurs enfants dépassent les limites confondent en général l'obéissance – qui repose sur la coopération avec l'enfant – et les limites – qui ne dépendent que des parents. Si vous établissez une limite, votre enfant *ne doit pas* la franchir. Si la clôture de la cour est la limite de sa zone de jeu, par exemple, n'attendez pas qu'il en ait ouvert la porte pour le réprimander et le punir. Installez tout de suite une serrure.

Si vous ne vous sentez pas capable d'agir en conséquence, autant ne pas prendre la peine de fixer telle limite. Il faut parfois beaucoup de volonté et d'efforts de la part des parents, et tous n'y parviennent pas toujours. Ils décident de limiter les heures de télévision des enfants à telle émission, mais cèdent lorsque les enfants hurlent pour qu'ils laissent la télévision allumée. Si vous n'êtes pas absolument convaincue que vous ne les laisserez pas franchir la frontière, oubliez-la – même si votre belle-mère insiste. Pour votre enfant comme pour vos nerfs, il vaut bien mieux qu'il soit autorisé à regarder la télévision pendant deux heures plutôt que de n'autoriser qu'une heure, puis de le laisser profiter d'une heure supplémentaire «défendue».

Il arrive que les enfants traversent des phases où ils semblent n'avoir qu'un seul but: dépasser les bornes. Dans ces moments, votre capacité à garder le cap et à rester calme est sérieusement mise à mal. Lorsque toute votre fermeté est exigée, mieux vaut vous limiter à ce qui vous paraît véritablement important et à ce qui vous motive à faire tous les efforts possibles. Concentrez-vous sur ces quelques règles et *ignorez le reste.*

Un pouvoir bien équilibré Lorsque les enfants commencent à se percevoir comme des individus parmi d'autres, ils se mettent à envisager le pouvoir dont ils disposent sur les autres autant que sur eux-mêmes. C'est un âge où les luttes de pouvoir sont courantes. Votre enfant teste les limites de son influence et tente de les repousser, de la même façon qu'il teste et exerce ses capacités physiques.

Il est bon que votre enfant découvre qu'il a un peu d'influence et qu'il s'entraîne à l'exercer. Pour grandir, il ne doit pas être maintenu dans l'impuissance et dans la dépendance. Cependant, ne le laissez pas passer outre votre autorité par le chantage ou en vous harcelant de ses continuelles jérémiades. Apprenez-lui qu'il y a des façons acceptables d'affirmer son propre pouvoir.

Tâchez de toujours mieux réagir à la raison et au charme qu'aux colères et aux larmes. Bien que sa maîtrise de soi reste très limitée, vous voulez lui faire comprendre qu'il a beaucoup plus de chances de vous persuader que de vous faire céder à ses désirs par la terreur.

Encouragez votre enfant à prendre part aux décisions qui le concernent. Il est très important qu'il puisse donner son avis, même s'il ne peut pas choisir tout seul. En grandissant, il découvrira ce qui est permis aux autres enfants de son âge, il entendra parler d'émissions de télévision qu'il n'a jamais vues et demandera de nouveaux privilèges. Vous n'aurez pas de réponse toute prête à ces situations nouvelles, mais ne vous sentez pas contrainte de répondre immédiatement. Prenez le temps d'en parler avec votre partenaire et avec votre enfant, ou avec d'autres membres de la famille si nécessaire. Que la conclusion soit en sa faveur ou non, votre enfant verra que les adultes sont d'accord entre eux et qu'on lui donne aussi la parole.

Montrez à votre enfant que vous essayez d'équilibrer ses droits et les vôtres, tout comme vous équilibrez ses droits et ceux de sa sœur ou les vôtres et ceux de votre partenaire. Vous habitez tous ensemble, et le revers de cette compagnie affectueuse est qu'il faut partager

Votre enfant doit apprendre que « demander poliment » est souvent efficace.

l'espace et parfois céder un peu de sa part pour l'offrir à l'autre. Votre enfant ne fera pas toujours ce que vous souhaitez. Vous n'avez pas à toujours faire ce qu'il veut. Les conflits doivent être réglés entre vous. Si vous désirez lire et qu'il a envie de se promener, il y a un problème. Discutez-en honnêtement. Si l'idée d'une promenade ne vous dit vraiment rien, dites-le. Mieux vaut refuser que d'y aller à contrecœur, en donnant l'impression de vous sacrifier et en lui gâchant son plaisir. Si vous tenez chacun autant à votre idée, accordez-vous sur un compromis et veillez à ce qu'il respecte la part de ce marché conclu entre vous.

Aidez-le à comprendre les sentiments des autres. C'est en s'y intéressant maintenant qu'il va réaliser qu'ils sont souvent semblables aux siens et qu'il va commencer à y être sensible. Un enfant qui comprend les sentiments d'autrui devient un enfant généreux, le contraire d'un enfant gâté. Saisissez toutes les occasions d'aborder ce sujet : expliquez-lui ce que sa petite voisine a ressenti lorsque les grands lui ont volé son vélo. S'il répond tranquillement qu'elle n'a qu'à s'en acheter un autre, expliquez-lui que les parents ont souvent envie de faire des cadeaux à leurs enfants, mais qu'ils n'en ont pas toujours les moyens. Au moment de préparer les vacances, laissez-le participer aux discussions qui tentent d'organiser les choses pour que tout le monde soit content. Pourquoi ne pas lui expliquer également qu'il serait injuste de lui servir du chou – qu'il déteste – tous les soirs, mais tout aussi injuste d'en priver son père dont c'est le légume préféré...

Votre enfant a très envie d'avoir des conversations avec les adultes et d'obtenir toutes sortes d'informations. Gardez-vous de transformer ce genre d'apprentissage en leçons de choses suivies de travaux pratiques obligatoires. En lui faisant l'honneur de discuter avec lui autant des sentiments que des choses concrètes, vous l'aidez à accomplir une tâche propre à son âge : apprendre à se mettre à la place des autres. Vous lui ouvrez la porte d'un nouveau domaine d'expérimentation qu'il n'aurait peut-être pas découvert lui-même. Encouragez-le autant que possible dans cette voie, et il comprendra, rapidement et sûrement, qu'il est un individu singulier, très important et très aimé, dans un monde rempli d'autres individus tout aussi singuliers et tout aussi importants.

LES PREMIÈRES ANNÉES D'ÉDUCATION

Votre enfant fréquente peut-être un service de garde depuis quelque temps déjà. Cependant, étant donné que beaucoup d'enfants commencent à joindre un groupe organisé vers environ deux ans, c'est dans cette section que sont présentés les divers aspects de cette importante transition. Ce chapitre n'est pas intitulé l'éducation *préscolaire* car, entre trois et cinq ans, l'enfant fait bien plus qu'attendre l'école ou se préparer à y entrer. Il est souvent fait référence aux «moins de cinq ans» comme s'ils composaient un groupe identifiable, très différent des enfants de cinq ou de six ans. Mais cela n'a aucun sens sur le plan de leur développement. Lorsqu'ils cessent d'être des bébés, les enfants entrent dans une période appelée «petite enfance», qui dure environ jusqu'à sept ans. Cet âge, qu'on appelle l'«âge de raison», est une frontière bien plus significative que cinq ans et, autour de huit ans, on est *vraiment* différent des autres petits écoliers.

Le processus de développement qui caractérise la petite enfance n'a pas grand-chose à voir avec celui qui marque la période scolaire.

Les premières années d'éducation sont pleines de surprises…

D'ailleurs, les enfants ne se développent pas différemment d'une société à l'autre, et l'âge d'entrée à l'école n'a pas d'influence. Cette première phase d'éducation est aussi importante que les suivantes ; elle est en outre plus spécifique. Elle touche autant les sentiments, les émotions, leur expression et leur gestion que le développement cognitif, et concerne plus les acquisitions sociales que les acquisitions pratiques. Apprendre à un enfant à lire et à écrire particulièrement tôt le place devant tous ses camarades lorsqu'il entre dans le système scolaire, mais ces acquis ne lui permettent pas, à eux seuls, de continuer à progresser. Toutes les études ont montré que la valeur à long terme de l'éducation « préscolaire » n'est pas d'offrir à l'enfant un bon départ à l'école, mais un bon départ dans la vie.

À l'époque où le terme « préscolaire » est apparu, l'intervalle entre les premiers pas et l'entrée dans le système scolaire était plus grand, dans la plupart des pays, qu'aujourd'hui. On commençait juste à reconnaître cette période comme une phase de développement en elle-même, pendant laquelle il fallait multiplier les occasions de jeu collectif. C'est à ce moment qu'on a étendu le système des services de garde – en particulier en milieu urbain – et que le jeu est devenu une affaire sérieuse dans les divers milieux de garde et à la maternelle, avant l'école primaire et l'âge de raison.

... tel ce dinosaure qui disparaît mystérieusement.

Mais cette «première» éducation est différente pour les nouvelles générations. Dans tous les pays, les parents sont conscients d'élever leurs enfants dans un monde de plus en plus compétitif et savent que leur futur dépend de leur instruction. Ils souhaitent offrir plus d'instruction à leurs enfants qu'ils n'en ont reçu eux-mêmes, et le plus tôt possible. Toujours plus, toujours plus tôt est la tendance générale, même si beaucoup de choses ont déjà été faites dans ce sens. La plupart des pays d'Europe occidentale considèrent les trois années d'éducation précédant le début de l'école, vers six ou sept ans, comme un droit de l'enfant et intègrent celui-ci au mode de garde. On en trouve l'un des meilleurs exemples dans le nord de l'Italie, où il existe des centres qui sont à la fois des lieux de garde et d'éveil et qui proposent d'autres activités «extrascolaires» aux tout-petits comme on en propose aux plus grands. Au Québec, les enfants commencent à fréquenter la maternelle à cinq ans. À trois ou quatre ans, si les parents le désirent et déboursent les frais, les enfants peuvent aller à la prématernelle; sinon, ils conservent leur mode de garde habituel.

Mais cette tendance, plutôt positive, à avancer l'âge auquel il est important de fournir à l'enfant des jeux «éducatifs» – de quatre ans à deux ans et jusqu'aux plus jeunes bébés – s'accompagne d'une tendance, moins réjouissante, à avancer l'âge de l'enseignement scolaire comme tel. L'âge légal de scolarisation de l'enfant n'a pas changé – cinq ans au Québec –, mais, dans certains pays, de plus en plus d'enfants se retrouvent inscrits à l'école – et non à la maternelle – dès quatre ans pour y suivre des programmes qui ont souvent été conçus pour des enfants de deux ans de plus (ce qui représente la moitié de leur vie!).

Le monde moderne angoisse les parents et les pousse à vouloir non seulement toujours plus d'éducation, de plus en plus tôt, mais aussi à être particulièrement exigeants par rapport aux méthodes. L'affection, l'éveil et l'éducation de l'enfant devraient toujours aller de pair, que l'enfant ait six ans, cinq ans ou moins. En réalité, on ne peut pas bien s'occuper d'un enfant sans accompagner les soins d'un peu de pédagogie, et la pédagogie ne sert à rien sans un minimum d'affectif. Les parents attendent donc des centres de la petite enfance (CPE), par exemple, qu'ils proposent des activités éducatives aux enfants, et ils attendent des écoles maternelles qu'elles prennent soin des enfants. Mais de quoi s'agit-il exactement? Qu'est-ce que ces établissements peuvent intégrer à leurs méthodes pour satisfaire les parents? Les programmes de certains établissements rivalisent par l'aspect «éducatif» offert même aux très jeunes. Donner des leçons de biologie ou de physique à des enfants de un an est absurde, mais comment les parents peuvent-ils être sûrs qu'il ne s'agit de rien de plus que de planter des graines dans un jardin et de jouer avec une roue hydraulique? Plus les établissements se vantent d'offrir ce genre d'activités, plus les parents sont susceptibles de croire qu'un enfant qui n'en bénéficie pas est désavantagé.

Mais l'instruction n'est évidemment pas uniquement du ressort des CPE et des maternelles. Votre enfant reçoit peut-être la sienne à la maison, avec vous ou avec la personne qui s'occupe de lui la journée ou avec un proche, ou d'une combinaison de tout cela. Si votre enfant de trois ans est curieux, énergique et toujours actif, que ses journées sont remplies d'expériences variées et intéressantes et que vous veillez à lui donner le goût des livres, des jeux et des amis de tous âges, vous ne voyez sans doute aucune raison de changer quoi que ce soit, pour l'instant, à son mode de vie.

Mais à votre estimation des besoins de votre enfant et à l'image que vous vous faites de l'éducation s'ajoutent des paramètres qui n'ont rien à voir avec son développement intellectuel ou personnel, mais avec la société dans laquelle il vit. Un enfant peut très bien être éduqué chez lui si l'on veille à le stimuler et s'il a des amis. Mais si, dans son quartier ou sa ville, tous les enfants de son âge sont au CPE ou à la maternelle toute la journée, ou au moins la demi-journée, les parcs sont vides toute la semaine, les centres de loisirs pour les moins de huit ans sont peut-être rares et même la bibliothèque n'ouvre qu'à 15 heures... Il risque alors de se sentir seul et de juger, bientôt, son mode de vie étrange.

C'est une méthode qui est toutefois encore pratiquée dans certaines communautés où beaucoup de jeunes enfants sont à la maison. En général, ils ne manquent pas d'activités extérieures : cours de natation, jeux aquatiques, salles de jeux avec des trampolines et autres équipements pour se dépenser avec d'autres enfants... Ces équipements offrent à l'enfant, et à l'adulte qui l'accompagne, des occasions de se faire des amis et occupent idéalement ses journées d'hiver.

Mais, même si votre enfant ne manque pas d'amis autour de lui et qu'aucune nécessité ne vous oblige à le confier à un service de garde, ou si vous pensez qu'il n'est pas encore prêt pour la vie collective, n'oubliez pas que son mode de vie présent ne durera pas indéfiniment. Un jour, il devra entrer à l'école, qu'il le veuille ou non, et il devra y passer des journées entières chaque semaine et se débrouiller sans vous pratiquement dès le début. Tout ce qu'il fait avec vous ou avec sa gardienne ne suffit pas à le préparer à être un élève régulier d'une classe remplie d'autres enfants et à se contenter d'une petite part de l'attention d'un adulte.

Lorsque vous-même avez commencé l'école, le premier jour d'école a aussi été le premier jour loin de la maison, le premier jour loin de votre mère et le premier jour au sein d'un groupe d'enfants. Mais, aujourd'hui, cette situation est rare. Et comme elle est rare, les autres enfants ne sont pas aussi perdus, et les enseignants n'y sont pas préparés. C'est beaucoup trop de «premières fois» pour un seul petit être... Même si votre mode de vie actuel vous semble idyllique, votre enfant tirera le plus grand bénéfice d'un peu de vie en collectivité et d'une éducation plus formelle que la vôtre.

Les premières années d'éducation de votre enfant

On a vite tendance à confondre ce qu'on attend de ces premières années d'éducation avec ce qu'on attendra plus tard de l'école. Si vous souhaitez pour votre enfant un établissement qui lui fasse faire autre chose que «jouer toute la journée», ne vous laissez pas séduire pour autant par l'autre extrême, avec son apprentissage structuré. Les jeunes enfants apprennent en jouant. Il faut les encourager à choisir à quoi ils veulent jouer, quand et combien de temps, à manipuler et à expérimenter, à observer et à écouter, à bouger et à impliquer aussi bien le corps que les sentiments et l'intelligence, et, toujours, à parler. Vouloir instruire des enfants de trois ou quatre ans en les obligeant à s'asseoir et à rester calmes pendant qu'on leur montre et qu'on leur explique des choses, ou leur faire mémoriser ce que l'action ne leur

Votre enfant a besoin de jouer à apprendre avant d'apprendre à jouer.

a pas encore appris, est une erreur – même si cela permet parfois de savoir, très tôt, réciter l'alphabet. Essayer de leur enseigner quelque chose dans la contrainte est vain. Pour que votre enfant apprenne tout ce qu'il est capable d'apprendre, il faut qu'il en ait envie. À cet âge, les petits ne font pas la différence entre jouer et apprendre, mais distinguent vite le jeu et les leçons… Il serait triste qu'ils décident déjà que les leçons sont ennuyeuses et le jeu plus amusant.

Inculquer à un petit enfant quelque chose qu'il ne souhaite pas spécialement savoir, ou qui paraît utile aux adultes mais selon des critères qui n'ont aucun sens pour l'enfant, est au mieux une perte de temps pour tout le monde, au pis un antidote au plaisir d'apprendre.

Lorsque votre enfant de trois ans tape sur les touches du piano avec plaisir et concentration, il joue probablement plus dans sa tête que sur le clavier. Il joue à être quelqu'un – son papa ou le chanteur vu la veille à la télévision –, et le son qu'il produit est sans rapport avec son jeu.

Néanmoins, il sera sûrement content que son papa lui montre comment jouer un petit air connu. Le papa sera ravi de voir l'enfant prendre plaisir à reproduire l'air. Mais si ce papa décide de lui donner des leçons et lui explique qu'il doit faire dix minutes de piano par jour pour «jouer de mieux en mieux», que va-t-il se passer? L'intérêt de l'enfant pour le piano en tant que jeu va disparaître et, si on lui impose des leçons et de la pratique, il s'y opposera. Son projet n'est pas de «jouer mieux» du piano. Il souhaite juste jouer de la façon qui lui convient pour le moment, et non travailler pour apprendre à jouer mieux dans un futur inconcevable.

Le jeu ne signifie cependant pas forcément liberté totale. Un bon «professeur» est une personne capable de suivre l'évolution de l'enfant à travers ses jeux et d'utiliser ses propres connaissances et ses propres expériences pour l'aider à progresser d'un point de vue pédagogique. Beaucoup d'adultes – parents, gardiennes, proches – peuvent faciliter le jeu de l'enfant, comme nous l'avons vu dans les chapitres précédents, mais les compétences d'un professionnel sont encore différentes. Avant tout, l'éducatrice sait reconnaître le stade d'évolution de l'enfant dans chaque domaine et sait ce qu'il est déjà capable de faire et ce qu'il peut tenter. Elle lui procure au bon moment, à la bonne mesure et avec tact, l'aide dont il a besoin et qui lui permettra de mener à bien ses tentatives.

Trouver l'établissement qui convient Les établissements qui proposent de s'occuper de votre enfant varient largement selon le lieu où vous habitez. Si vous avez un grand choix à votre disposition, autant demander des conseils autour de vous.

Vous ne serez peut-être pas en position de choisir uniquement selon des critères pédagogiques. Il vous faut aussi prendre en compte des paramètres plus pratiques, comme les horaires et l'éloignement. Cette logistique dépend de vous et de votre disponibilité. Si vous avez besoin d'un mode de garde à temps complet, ce sera votre premier critère de choix, en dépit des différences de programmes pédagogiques entre les divers services de garde.

Veillez à ce que vos choix ne vous compliquent pas trop la vie. Si votre enfant a l'habitude d'être chez sa gardienne l'après-midi et d'aller chez sa grand-mère quelques heures par semaine, ajouter cinq matinées dans un CPE est excessif. Changer de mode de garde deux ou trois fois par jour, de façon différente selon les jours de la semaine, peut être une source de stress pour votre enfant, et vous aurez sans doute du mal à suivre son évolution au sein de chacun.

Lorsque vous choisissez un établissement pour votre enfant, ne vous laissez pas seulement guider par un critère spécifique, tel le nombre de sorties à l'extérieur. Un CPE qui répond à cette exigence particulière ne correspond pas forcément à vos désirs dans les autres domaines. Ne vous laissez pas non plus trop influencer par les orientations philosophiques déclarées. Par exemple, une école «Montessori», aujourd'hui, peut correspondre à un programme éducatif dans lequel les activités de l'enfant sont supervisées de façon rigide et dominées par le matériel qui lui est proposé. Mais cela peut aussi signifier un programme beaucoup plus souple où les outils propres à la méthode Montessori ne sont pas les seuls utilisés, ou simplement désigner un personnel extrêmement bien formé.

La formation des éducatrices est fondamentale. N'hésitez pas à vérifier leurs qualifications. Souvenez-vous qu'une éducatrice qui travaille en milieu familial n'a pas nécessairement la même formation qu'une éducatrice de CPE. Et celle-ci ne doit pas travailler seule ; elle doit être aidée par ses collègues et soutenue par la coordonnatrice. La qualité du service dépend évidemment de la qualité de la personne qui le donne.

La participation des parents et leur coopération sont aussi importantes pour faire le lien entre le service de garde et la maison. Les parents doivent être les bienvenus en tout temps.

Choisir pour son enfant Quelle que soit la bonne réputation d'un service de garde, ne vous sentez pas obligée d'y inscrire votre enfant. Même si cette réputation est tout à fait méritée, ça ne suffit pas pour en faire le meilleur choix. Prenez rendez-vous pour visiter les lieux pendant les heures d'ouverture (d'abord sans votre enfant). Rencontrez les responsables et veillez à rencontrer la personne qui sera directement responsable du groupe de votre enfant. L'appréciez-vous ? Est-ce qu'elle paraît aimer les tout-petits ? Leur parle-t-elle gentiment ? Est-elle un peu trop disposée à rire avec vous à leurs dépens ou à les déprécier par des phrases comme : «À cet âge, ce sont tous les mêmes» ? Vous pose-t-elle des questions sur votre enfant afin d'essayer de se faire une idée de sa personnalité ?

Demandez l'autorisation d'observer un groupe en pleine activité. Les enfants ont-ils l'air heureux et actifs ? Parlent-ils librement entre eux et aux adultes ? Est-ce que les garçons et les filles sont encouragés à partager leurs activités ou, au moins, à se respecter ? Les activités sont-elles assez diversifiées pour permettre à un enfant qui n'a pas envie de se joindre à une chanson de jouer plutôt que de rester assis dans son coin ? Les séances de jeu sont-elles supervisées ou laissées au chaos des coups et des larmes ? Pouvez-vous discerner, à travers le comportement des enfants, les règles imposées à tous et la position des adultes face aux problèmes de relations entre les enfants, comme les morsures ou les coups ?

Prenez aussi en compte l'environnement. Un bâtiment morne ne suffit pas à rejeter un CPE qui, à part ça, vous convient. Les personnes et le programme pédagogique sont bien plus importants. Mais si cette morosité n'est pas allégée par des rideaux et des peintures claires, ou par des dessins d'enfants, vous pouvez douter de la bonne volonté du personnel et de son enthousiasme à tirer le meilleur parti du matériel qui lui est imposé. Vous vous demanderez aussi si les parents s'intéressent au CPE de leurs enfants. D'autres critères matériels sont fondamentaux. Des installations sanitaires propres et accueillantes, par exemple. Une cour sans danger et bien aménagée. Et des espaces de repos confortables où un enfant peut se réfugier quelques minutes.

Préparer son enfant à la préscolarité

La facilité avec laquelle votre enfant va intégrer la vie préscolaire dépend autant du point d'où il part que de celui où il va. C'est une expérience qui a un impact particulièrement fort sur un enfant qui a toujours eu une gardienne à la maison et n'a jamais connu la vie collective. Mais cette plongée dans l'univers de groupe n'est pas non plus forcément évidente pour un enfant qui a beaucoup fréquenté les centres de loisirs pour tout-petits. Il a déjà beaucoup appris sur la vie en groupe et est habitué à être loin de sa maison et de sa famille, mais le changement de lieu et de rythme est stressant pour lui comme pour les autres. Il est en outre séparé de ses amis et des animatrices auxquelles il s'était habitué et attaché.

Si vous êtes enceinte, essayez de lui faire intégrer le CPE avant la naissance du bébé ou seulement plusieurs mois après. Il ne peut pas mener deux défis de front.

C'est encore plus important s'il n'a jamais fait l'expérience de la vie de groupe ou si vous l'avez toujours gardé à la maison. S'il se retrouve perdu dans un groupe pour la première fois au moment où un bébé s'installe chez lui, il va penser que vous le rejetez. De votre côté, vous n'aurez pas assez de temps et d'énergie pour le soutenir de façon adéquate durant les premières semaines.

Seule une éducatrice compétente saura organiser des activités en groupe qui impliquent et réjouissent tout le monde.

Si vous vous apprêtez à changer son temps complet au CPE par un peu d'école prématernelle et un peu de temps avec vous pendant votre congé de maternité, commencez cette nouvelle organisation quelques semaines avant la naissance. Le temps qu'il passe avec vous le rassure par rapport à l'arrivée du bébé, et les autres solutions – aller au CPE toute la journée alors que vous êtes à la maison avec le bébé ou rester à la maison alors qu'il est habitué à être en compagnie d'enfants de son âge – ne sont pas convaincantes.

Rester et partir La plupart des enfants se sentent prêts à affronter toutes les situations tant que les parents – ou la gardienne – sont à leurs côtés. Si le personnel du CPE encourage les adultes à rester auprès des enfants jusqu'à ce qu'ils soient prêts, les premiers jours se dérouleront sans problème.

Expliquez honnêtement à votre enfant ce qui se passe et vérifiez que toute personne susceptible de l'emmener au CPE les premiers jours en fasse autant. Si vous avez l'intention de rester toute la matinée, chaque jour, jusqu'à ce qu'il se sente bien, dites-le-lui et faites-le vraiment. Ne décidez pas soudain de vous en aller en plein milieu de la matinée parce qu'il semble content. Plus tard, si vous avez l'intention de rester une demi-heure, dites-lui « Au revoir » en partant. Il ne pourra pas se concentrer sur ses activités s'il vérifie sans cesse que vous n'avez pas disparu.

Il est important d'emmener votre enfant au CPE et de pouvoir y rester, mais il est aussi important de le faire dans un certain esprit. Veillez à demeurer en retrait et à conserver un rôle d'observateur dans les groupes de jeux ou les activités dirigées. Vous n'êtes avec lui que temporairement, pour le soutenir le temps qu'il fasse connaissance avec les autres membres permanents du groupe – adultes et enfants. Si vous jouez avec lui ou l'emmenez aux toilettes, vous devenez une barrière entre lui et les autres adultes, mais aussi entre lui et les autres enfants. Il aura peut-être besoin que vous restiez entre lui et eux les premiers jours, mais, ensuite, votre rôle est de l'aider à se comporter comme si vous n'étiez pas là et de le préparer au jour où vous ne serez effectivement plus dans le local. Essayez, les premiers jours, d'être de plus en plus invisible. S'il vient régulièrement vous montrer des choses, dites : « C'est très joli, pourquoi ne le montres-tu pas à Adèle ? » S'il vous dit qu'il a besoin d'aller aux toilettes, répondez : « Je suis sûre qu'Adèle va pouvoir t'y emmener, comme elle le fait avec les autres. » Et surtout, n'intervenez pas entre lui et les autres enfants. Les éducatrices sont là pour le protéger s'il en a besoin ou pour le calmer si elles pensent qu'il est trop agressif.

Quand vous décidez, avec l'éducatrice, qu'il est prêt à être laissé pour la première fois, dites-le-lui, sur un ton confiant et élogieux. Rappelez-lui toutes les personnes qu'il connaît déjà, en citant leur prénom, et toutes les choses qu'il aime faire. Insistez sur le fait que seuls les nouveaux enfants ont un adulte avec eux et qu'il n'est plus nouveau.

Accompagnez votre enfant vous-même jusqu'au local, laissez-le aux mains de l'adulte qu'il connaît le mieux et dites-lui que vous serez là, au même endroit, à l'« heure des mamans » pour le ramener à la maison. Il a besoin de se sentir en sécurité au moment de la transition entre vous et l'éducatrice. Rien ne l'angoisse plus que l'idée d'être abandonné quelque part entre vous deux.

Revenez assez tôt les premiers jours. Bien qu'il ne connaisse évidemment pas l'heure exacte, arriver avant la fin de la dernière activité et, par conséquent, avant qu'il n'ait le temps de vous chercher, est une excellente idée.

Être à l'heure pour le récupérer doit vraiment être votre priorité pendant au moins quelques semaines. Un enfant qu'on laisse attendre alors que tous les autres rentrent chez eux se sent abandonné. Il devine l'inévitable énervement de l'adulte qui doit veiller sur lui (et qui n'est pas forcément son éducatrice) et se sent rejeté. Ce retard et cette attente pourraient bien persuader votre enfant qu'il n'est pas du tout bon pour lui d'être laissé ici le matin…

Partir en laissant un enfant malheureux est une façon affreuse de commencer la journée, pour vous et pour lui. C'est affreux au CPE et c'est affreux à l'école. Qu'il ait deux ou cinq ans, cependant, si les larmes sont le seul signe vous montrant que votre enfant n'est pas content, essayez de ne pas les prendre trop au tragique. De nombreux enfants qui apprécient vraiment la vie au CPE ont du mal au moment de la séparation. Et beaucoup de parents ont aussi du mal à les quitter.

Les problèmes Une bonne éducatrice vous dira honnêtement si votre enfant sourit et se joint au groupe dès que vous êtes partie. Si, malgré cela, vous ne vous sentez toujours pas rassurée, trouvez le moyen de le regarder discrètement – par la vitre au-dessus de la porte ou par-dessus la clôture de la cour. L'éducatrice saura sûrement vous indiquer le point de vue idéal déjà utilisé par des centaines de parents avant vous. S'il regarde désespérément la porte en suçant son pouce, revenez jeter un coup d'œil plus tard ou le lendemain pour vérifier que vous n'êtes pas simplement mal tombée. Si vous le trouvez dans le même état, parlez-en à son éducatrice, donnez-lui un jour ou deux pour l'observer et en discuter avec le reste du personnel, puis demandez à faire le point pour voir ce qui ne va pas et comment l'aider.

Si votre enfant est nouveau dans le groupe, le coin aménagé comme une maison est souvent le meilleur endroit pour commencer.

Arrivez à l'heure pour récupérer votre enfant. Le retard est angoissant.

Il y a beaucoup de choses qu'une éducatrice peut faire pour aider un petit nouveau qui s'efforce bravement de ne pas pleurer.

Mais il est bien plus probable que votre premier coup d'œil vous montre un enfant heureux jouant avec les autres. Peut-être est-ce juste le moment des adieux qui l'attriste. Expliquez-lui que vous êtes désolée que cela le rende triste, mais ne le laissez pas croire que ses larmes vous touchent, car il risquerait d'en conclure que votre départ le met vraiment en danger. Dites-lui que les départs sont souvent difficiles et encouragez-le à réfléchir à ce qui pourrait faciliter celui-ci. Il peut apporter au CPE un objet qui le rassure et qui jouerait le même rôle qu'un doudou pour un bébé lorsque sa maman le couche et quitte sa chambre. Si son éducatrice préfère que les enfants n'amènent pas leurs propres jouets de peur qu'ils ne les perdent ou ne se disputent pour eux, il peut prendre le mouchoir que vous avez dans votre sac à main et le garder dans sa poche, ou même choisir une pomme dans votre corbeille à fruits pour la manger à l'heure du goûter.

À condition qu'il aime son éducatrice (et vous n'envisagez probablement pas de lui faire passer l'année avec quelqu'un qu'il n'aime pas), demandez à votre enfant la permission d'expliquer son problème avec la séparation et de demander son aide. Un grand sourire, une main à tenir et une attention particulière pendant une minute faciliteront la transition. L'éducatrice peut aussi lui confier une tâche régulière, comme sortir les crayons et la peinture. Une activité immédiate et importante résoudra probablement cette difficulté passagère.

Si rien ne marche, vous pouvez peut-être trouver un autre enfant de son groupe avec qui faire le trajet jusqu'au CPE. Votre enfant peut aussi trouver la séparation moins difficile si c'est son père qui l'amène et que vous restez là où vous devez être (de son point de vue !) : à la maison. Mais il peut aussi souffrir de devoir supporter beaucoup de transitions d'un adulte à l'autre dans une journée. Il sera peut-être plus à l'aise s'il sait que la même personne (sa gardienne) vient le prendre le matin pour l'emmener au CPE, et le récupère à la fin de la journée.

Devons-nous donner un traitement à notre enfant de cinq ans diagnostiqué comme hyperactif ?

Notre enfant de cinq ans a été diagnostiqué comme hyperactif il y a environ un an, après avoir connu plusieurs difficultés au CPE. Il a finalement été admis à l'école à condition qu'il prenne du Ritalin, et tout s'est bien passé. À présent, nous vivons en France et, à ma stupéfaction, le médecin a refusé de nous prescrire ce médicament, et l'école ne fait rien pour nous aider à le convaincre. On nous dit qu'il a quelques problèmes de comportement mais rien d'insurmontable. Est-ce que ces professionnels ont le droit de faire cela ? Ne réalisent-ils pas qu'ils condamnent Alexis à avoir sans cesse des ennuis et condamnent le reste de la famille à vivre avec un enfant ingérable ?

Le trouble de l'hyperactivité avec déficit de l'attention (THADA) est bien plus souvent diagnostiqué et traité avec des médicaments du type Ritalin aux États-Unis qu'en Europe. Mais si 5 % d'enfants diagnostiqués comme hyperactifs aux États-Unis est un chiffre qui paraît énorme par rapport aux moyennes européennes, il existe des variations importantes au sein de chaque pays. Lorsque les professionnels ne sont pas d'accord, les parents ne savent plus qui croire. Mais la réponse à votre question : « Est-ce que des professionnels ont le droit de faire ça ? » est qu'ils peuvent (et même doivent) faire ce qui, de leur point de vue de professionnels, leur semble le mieux.

Certains psychologues et médecins hésitent à nommer « trouble » une combinaison de caractéristiques – hyperactivité, distraction et impulsivité – que tous les enfants montrent à un certain degré dans certaines circonstances. Ils sont tout à fait conscients qu'un enfant peut perturber sa classe parce que le travail l'ennuie, parce qu'il est séparé de ses parents, parce que sa façon d'apprendre est à mille lieues des méthodes de son enseignant, parce qu'il est déprimé, allergique aux additifs de sa boisson favorite ou parce qu'il est maltraité.

Cela ne signifie pas qu'ils ne « croient pas » au THADA et ne comprennent pas la réelle souffrance des parents d'enfants hyperactifs. Mais ils tiennent à explorer les raisons sociales, émotionnelles et environnementales du comportement de l'enfant et ses difficultés, avant d'affirmer que le système cérébral est en cause et de faire une ordonnance en conséquence.

Peu de médecins ou de psychologues sont totalement opposés à la médication pour traiter le THADA – le Ritalin a connu de nombreux succès –, mais beaucoup s'interrogent sur le plan éthique sur l'utilisation de médicaments pour maîtriser le comportement. Ils craignent plus particulièrement qu'en instaurant ce genre de traitement on n'oublie de proposer aux parents les autres types d'aide et de soutien, sociaux, psychologiques et pédagogiques. Ils préfèrent envisager les médicaments comme la dernière solution et ne pas en faire une option facile. Malgré les problèmes que cela leur pose, les enseignants partagent souvent cette vision des choses et mettent un point d'honneur à capter et à garder l'attention et l'énergie de presque tous les enfants – surtout de moins de sept ans – afin de leur transmettre un enseignement. Exclure de tels enfants de l'école ou du service de garde est une attitude vraiment regrettable.

Votre inquiétude à l'idée de ne pouvoir obtenir du Ritalin est tout à fait compréhensible. Mais il est possible que votre installation dans un nouveau pays et vos nouvelles dispositions professionnelles suffisent à prouver son inutilité. Après tout, Alexis n'est pas *toujours* un problème dans cette école. Peut-être que l'école lui convient mieux que le CPE ? Peut-être qu'elle favorise un changement de comportement ? Il n'est pas encore ingérable à la maison, et il ne le sera peut-être jamais. Le priver de Ritalin va peut-être vous permettre de réaliser qu'il peut à présent très bien se débrouiller sans. Si l'école est de cet avis, ça vaut la peine d'essayer.

L'ENTRÉE À L'ÉCOLE

L'entrée à l'école, c'est le début d'une nouvelle vie pour votre enfant, qu'il soit passé par le CPE ou qu'il y arrive directement. L'école va dominer tout ce qu'il fera pendant au moins les douze prochaines années, et ses horaires, ses vacances et autres impératifs scolaires domineront probablement votre vie pendant tout ce temps. Un bon début aura un effet à très long terme sur son attitude envers l'école (et donc sur vos dimanches soir et vos lundis matin), et vous disposez de nombreux moyens d'y contribuer. Il est indispensable de vous y prendre tôt. Vous pouvez lui donner des habits neufs et un joli sac à dos la veille de la rentrée, mais la confiance et la compétence requièrent du temps et une étroite collaboration avec les personnes qui s'occupent de lui quand vous n'êtes pas ensemble, que ce soit la gardienne ou les éducatrices du service de garde.

Certaines de vos démarches seront à faire avec l'école. Si votre enfant a des besoins particuliers et qu'il suit la voie scolaire normale, il doit être conscient des défis spécifiques qu'il s'apprête à affronter et des aménagements prévus pour lui. Si vous avez des jumeaux et qu'il faut décider s'ils seront dans la même classe ou séparés l'un de l'autre, ils devront avoir leur mot à dire dans toute discussion à ce sujet (voir p. 550).

Aidez votre enfant à acquérir le niveau d'indépendance dont il aura besoin. Se sentir capable d'accomplir tout ce qu'on attend de lui est une part essentielle de la confiance en soi. Votre jeune enfant ne peut pas savoir ce qu'on va lui demander à l'école. C'est à vous d'y penser pour lui et de faire en sorte qu'une fois sur place rien ne lui paraisse au-dessus de ses capacités. Vous savez, par exemple, qu'il n'aura personne pour l'aider avec ses vêtements quand il ira aux toilettes. Bien sûr, il trouvera toujours de l'aide, mais, contrairement au CPE, il n'a pas toujours un adulte à sa disposition. S'il doit demander de l'aide, votre enfant se sentira inférieur à ses nouveaux petits camarades de classe. Autant lui faciliter les choses avec des pantalons à taille élastique plutôt qu'à fermeture éclair.

Avoir besoin d'aide lui donne le sentiment d'être incompétent, mais se débattre pour se débrouiller tout seul ne lui donne pas non plus confiance. Il se sent lent, perdu et paniqué. Choisissez des chaussures à fermetures velcro plutôt qu'à lacets, veillez à ce qu'il sache s'habiller et se déshabiller tout seul et vérifiez que le nouveau matériel dont il est si fier – son sac à dos par exemple – s'ouvre facilement. Donnez-lui l'occasion de s'entraîner à l'avance à certains gestes qui seront nouveaux pour lui, comme boire de l'eau à la fontaine ou trouver le crochet qui porte son nom pour ranger son manteau. Un enfant qui résout lui-même tous ces petits problèmes quotidiens fait gagner du temps à l'enseignant mais surtout s'épargne à lui-même quelque chose de bien plus important : l'angoisse.

À l'école, il va rencontrer beaucoup d'adultes. Un enfant qui parle bien se fait facilement comprendre. Au cours des mois qui précèdent la rentrée des classes, aidez-le à être à l'aise avec les mots quand il s'adresse aux adultes. Insistez pour qu'il vienne dire bonjour aux invités et pour qu'il leur montre sa chambre ou son cochon d'Inde. Il y a beaucoup d'occasions de s'entraîner : dans les magasins, chez le

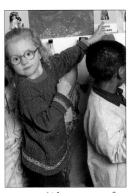

Aidez votre enfant à avoir confiance en ses compétences et à être fier de son nouveau rôle.

médecin, dans l'autobus ou à la bibliothèque. Il ne s'agit pas seulement de vaincre sa timidité et d'affronter les grands, mais aussi d'acquérir quelques détails pratiques. Aidez-le à prendre conscience qu'il doit parler assez fort pour qu'on l'entende. Assurez-vous qu'il connaît les mots usuels qui remplacent le langage « bébé » qu'il utilise encore parfois pour décrire les parties ou les fonctions du corps. Apprenez-lui

---

QUESTION DE PARENTS

Les jumeaux doivent-ils être ensemble ou séparés ?

Nos jumeaux vont bientôt commencer l'école. Ils ont toujours été très proches – en réalité, ils sont rarement l'un sans l'autre. Nous avons été très surpris lorsque la directrice de l'école a évoqué, lors de notre première visite, la possibilité qu'ils soient dans des classes différentes. Je déteste l'idée qu'ils puissent perdre leur complicité et ne souhaitais même pas en discuter, jusqu'à ce qu'elle pose directement la question aux garçons et que l'un réponde que ce serait amusant d'être séparés. Quand je lui ai demandé, plus tard, pourquoi il avait dit ça, il m'a répondu : « Je voudrais être un peu juste moi. » Mais son frère dit qu'il n'ira pas à l'école s'il ne peut pas être assis à côté de lui. J'aurais préféré que la directrice nous en parle d'abord sans les enfants car je ne pense pas qu'ils soient assez grands pour prendre eux-mêmes cette décision. Quoi qu'il en soit, est-il bien ou mal de séparer des jumeaux ?

Les parents de jumeaux ont plus à craindre un manque d'indépendance qu'un manque de complicité. Il est dommage que vos deux enfants ne soient pas du même avis sur la façon d'envisager leur première rentrée des classes, mais c'est une bonne chose qu'au moins l'un des deux se sente prêt pour plus d'indépendance dans cette relation. Ce serait vraiment une erreur de lui refuser cette occasion d'être « juste moi » parce que son frère est toujours dépendant du « nous ».

Bien que cela vous ait surprise, la directrice a bien fait de soulever le problème en présence des personnes les plus concernées – les enfants. Leur réaction vous a aidé à comprendre une dynamique de la relation de jumeaux dont vous n'étiez pas encore consciente. Maintenant, vous savez que leur complicité n'est pas systématique et que ce

qui rassure l'un peut inquiéter l'autre, et vous pouvez vous concentrer sur la satisfaction des divers besoins des deux enfants qui, finalement, sont différents. Le jumeau qui ne se sent jamais « juste moi » a besoin de se sentir lui-même aussi bien à la maison qu'à l'école, qu'il soit avec ou sans son frère. Si vous les avez toujours habillés de la même façon, si vous avez toujours pensé qu'ils aimaient les mêmes plats, si vous avez toujours été persuadée qu'ils allaient partager les amis, les bains et les histoires, c'est le moment d'arrêter. Essayez de moins mettre en avant le fait qu'ils sont jumeaux (personne ne va l'oublier, et surtout pas eux) et insistez sur le fait qu'ils sont deux frères qui peuvent ne pas être d'accord sur tout sans remettre en cause, pour autant, l'amour qu'ils se portent.

Si vous y parvenez avec succès, ce sera aussi pour le plus grand bien de votre autre fils, qui se sent en sécurité lorsqu'il est la moitié d'une paire, mais dont le futur dépend de sa capacité à être un individu à part entière. S'il peut apprendre à ne pas se sentir mal à l'aise quand son frère porte une tenue différente, il sera bientôt capable de choisir lui-même la sienne, sans se reporter à l'autre. S'il peut accepter que l'amitié de celui-ci avec d'autres enfants ne menace en rien ce qu'ils partagent, il se fera bientôt ses propres amis. S'il peut accomplir ce parcours avant de commencer l'école, il sera sans doute content de ne pas être dans la même classe que son frère. Au cas où il aurait quand même du mal à trouver sa place à l'école, évitez de rendre la séparation coupable. L'école est stressante, au début, pour un grand nombre d'enfants qui n'ont pas de jumeau. Aidez votre enfant à s'y habituer comme n'importe quel autre. Lorsqu'il s'y sentira bien, ce sera en tant que membre de sa classe… pas en tant que membre d'une paire.

Pour beaucoup d'enfants, la foule et le bruit sont les aspects les plus pénibles de l'école.

à répéter ce qu'il vient de dire s'il n'a pas été compris, plutôt que de cacher sa tête dans la jupe la plus proche. Rappelez-lui qu'il faut écouter la réponse de l'adulte et la «décoder» lorsque la voix et l'accent ne lui sont pas familiers.

Même après trois ou quatre années passées au CPE, beaucoup de jeunes enfants détestent toujours la foule, surtout lorsqu'elle est bruyante. Une classe de vingt-cinq enfants inconnus ressemble forcément à une foule bruyante quand vous êtes habitué à être entouré de dix amis. Mais c'est souvent l'heure du dîner ou la cour de récréation qui ont raison du tout nouvel écolier qui lutte contre la panique. Trouvez des occasions amusantes de le mêler à une telle foule, même si les termes «foule» et «amusant» vous paraissent contradictoires. Si votre enfant va sans problème à la piscine le samedi et participe aux cris de joie au spectacle de marionnettes ou au cirque, il sera moins enclin à la panique la première fois qu'il prendra place pour manger à l'école.

L'enfant scolarisé dans la famille

Entre cinq et sept ans, l'enfant vit une période décisive pour son évolution cognitive et culturelle reconnue par toutes les cultures depuis Aristote. Il est de plus en plus conscient de l'immensité de la communauté qui englobe sa famille et devient à la fois capable et désireux d'apprendre son histoire. Les enfants étant des animaux suprêmement sociaux, ils découvrent aussi les valeurs des gens qui les entourent, enfants comme adultes, et apprennent à les partager. Il n'y a aucun risque qu'ils n'apprennent pas les notions de bien et de mal ; il est juste possible qu'ils les apprennent des mauvaises personnes. À cet âge, votre enfant continue à avoir envie de vous faire plaisir et d'être comme vous et les autres adultes qu'il aime. Vous ne perdez pas votre immense influence. Mais son nouveau désir, très fort, d'être populaire auprès des autres enfants et de se conformer à leurs goûts et à leurs comportements entre un peu en compétition avec vous. Si vous voulez influencer l'enfant que vous avez fait, pour qu'il devienne la personne que vous souhaitez, vous n'aurez pas de meilleures occasions de le faire que durant ces premières années d'école.

Certains parents ne profitent pas de ces moments. Ils ne semblent pas réaliser l'importance fondamentale de cette période. Ils sont comme les spectateurs d'une transition qu'ils perçoivent comme une «phase facile», une pause entre deux tâches difficiles : s'occuper d'un bébé et protéger un adolescent en plein bouleversement. Comme si, une fois les enfants bien en sécurité à l'école, les parents pouvaient se reposer parce que l'école prend la relève et devient le centre de la vie des enfants.

L'école est un outil d'éducation, et un outil très utile, le meilleur même dont nous disposons pour aider les enfants, à partir de cinq ans, à progresser. L'apprentissage scolaire implique l'acquisition d'une large gamme de connaissances et de compétences que les enfants pourraient découvrir par eux-mêmes grâce à l'observation, au jeu et à l'expérience. En outre, une grande partie de ces acquisitions doivent être développées et perfectionnées par beaucoup de répétitions et de pratique, bien au-delà de ce que les enfants apprécient vraiment. Même les meilleurs enseignants ne peuvent affirmer que chaque élève aime toutes les leçons qu'il doit apprendre à l'école ni qu'il choisirait de passer autant de temps au travail s'il était chez lui. Mais le savoir-faire des enseignants, acquis parmi les enfants et soutenu par les structures institutionnelles, aide autant que possible les enfants à consacrer du temps et des efforts à l'apprentissage de savoirs comme l'écriture ou les tables de multiplication, qui n'ont rien d'un jeu sur le moment mais qui sont cruciaux pour leur bonheur futur.

Mais si l'école est une source essentielle d'acquisitions intellectuelles et pratiques et permet de structurer le développement de l'enfant, elle n'est pas, ne peut pas et ne doit pas être le point central de tous les aspects de sa vie. L'école est une institution. En tant que telle, elle ne peut pas remplacer la famille ou la communauté dans laquelle l'enfant vit. L'école et le foyer familial, les enseignants et les parents partagent la culture dans laquelle baigne l'enfant. S'il y a de la violence dans les rues, emmener les enfants à l'école ne les protégera pas de cette violence, car elle les aura déjà traversés. Si, à la maison, ils n'entendent parler que de mode, de sport et voient des magazines pornographiques mais aucun livre, le meilleur professeur de français aura du mal à leur faire découvrir le plaisir de la lecture. Aucun enseignant n'aura jamais assez de temps à consacrer à la conversation avec les enfants pour contrebalancer l'effet d'une télévision en permanence allumée à la maison ou l'absence de parents trop occupés ailleurs. L'école ne peut pas réussir là où la famille échoue. Il est même plus probable que ce soit la famille qui réussisse là où l'école échoue. Mais si école et parents travaillent ensemble, les professeurs se sentent soutenus dans leur rôle par l'influence des parents et personne n'échoue, l'enfant moins que tout autre.

Votre enfant ne va pas vous échapper à partir du moment où le monde scolaire pénètre son monde à lui. Vous auriez tort de croire que, parce que vous n'avez pas la maîtrise de chaque détail de sa journée, vous l'avez perdu. En réalité, vous l'avez propulsé dans la prochaine étape de son voyage vers le monde adulte que vous partagerez un jour.

Mais le chemin est encore long avant qu'il ne se sente chez lui dans cet univers nouveau où vous n'êtes pas. Il a encore besoin de sentir que vous l'accompagnez à l'école et que vous laissez votre place au professeur en toute confiance. Au tout début, c'est peut-être ce que vous ferez au sens littéral : vous l'emmènerez dans sa classe et mettrez sa main dans celle de l'enseignant. Puis vous le ferez de façon symbolique : vous l'accompagnerez jusqu'à son portemanteau où il laissera le vêtement qui l'a conduit de la maison à ici, puis vous lui ferez signe du bout du couloir qui vous sépare l'un de l'autre. Et encore plus tard, vous aurez toujours besoin d'accomplir ce parcours mentalement et par la parole, afin que la maison et l'école constituent un tout pour lui et qu'il soit toujours convaincu qu'il peut vous quitter puisqu'il ne vous perdra jamais.

*Il a besoin de vous quitter
mais en sachant qu'il ne
vous perdra jamais.*

Index

A

abstraction
découvrir les idées
abstraites 403
parler d'idées abstraites
500-503
abus 485, 487-488
accident et prévention
chez le nourrisson 195,
214-215
de six mois à un an 278-
279, 282, 285-288, 291-
292, 304-305
de un an à deux ans et
demi 383, 388, 405
chez le jeune enfant 450,
486-490, 528
bébé secoué 312
étouffement 171
noyade 254
strangulation 522
Voir aussi sécurité
accidents (l'enfant
prédisposé aux) 489-
490
activités collectives 416, 417,
420
agressivité
de un an à deux ans et
demi 375
le jeune enfant 473-475,
490-491
jeux agressifs 519
Voir aussi discipline, colère
(crises de)
alimentation
acides aminés 332
additifs 167, 243, 328
allergies alimentaires 164-
166
boissons 157-158, 166,
235-236, 251, 328, 444,
459-461
calcium 240-241, 333
calories 161, 240, 329, 331
de la mère qui allaite 153
fer et autres minéraux
161, 233-234, 240, 333
fibres 332
graisses 332, 443
hydrates de carbone 331-
332
lait 166, 233-234, 240,
330-333
mixte 330-331
protéines 240, 332-333
sucre 166, 331, 338, 341-
342
variée du bébé 164-168,
240-243
variée de un an à deux
ans et demi 329-334

végétarienne et
végétalienne 332, 333
vitamines 157-158, 240-
242, 332,334
Voir aussi collations,
nourrir/se nourrir,
obésité, régime, sevrage,
sucreries
alimentation au biberon
pour le nouveau-né 61-
65
pour le nourrisson 157-
161
de six mois à un an 233-
234
avec le lait maternel 58-59
avantages 58-61
choix du lait 75-76
en complément 58-61,
156-157
et poids 84-85, 87
et hygiène 76-79, 234,
243
la nuit 109, 159-161
offre et demande 80-82
points de vue 78
préparation 76-80
réflexe de succion 62-64
rythme alimentaire 81-82
selles 104-105, 77
sevrage 234-236, 238-
240
soif 80, 157
sous-alimentation 158
suralimentation 157-158
Voir aussi alimentation
mixte
alimentation mixte 161-172
aliments
additifs 167, 243, 232
déshydratés 168, 328
en conserve 328
frais 246
hygiène 167-168, 243
pesticides dans les 167,
246
qualité 328
sucrés 341-342, 441-443
surgelés 32
Voir aussi alimentation,
aliments infantiles,
collations, aliments solides
aliments infantiles
pour le nourrisson
de six mois à un an
de un an à deux ans et
demi
Voir aussi régime
aliments solides
introduire les 157, 161-
172
entre six mois et un an
233, 240-244

allaitement maternel
du nouveau-né 55-56,
61-62, 64-75
du nourrisson 148-157
de six mois à un an 233-
234
augmenter la lactation
58-61, 73, 156-157
avantages 55-58, 188
biberons de complément
58-61, 156-157
compresses d'allaitement
70, 71
conseillers 72, 75
contraception 75, 154
du bébé en soins spéciaux
42
du deuxième enfant 425-
426
et grossesse 424
et poids 61, 84-85
et selles 104
et sommeil 109, 159-161,
267
fréquence 73, 149-150
lactation 72-75, 149-
156
lait rationné 149-150
mise au sein 66, 69, 73,
149
offre et demande 72-75,
151-156
points de vue 78
positions 68, 69, 72
réflexe d'évacuation du
lait 69-70, 75, 137, 153-
154
réflexe de fouissement
63-64
reflux 148-149
restrictions 57
sevrage 234-238, 248
soif 73
sous-alimentation 151-
152
tire-lait 42, 58-59
tirer son lait 42, 58-59,
69, 154
Voir aussi alimentation
mixte
allergies
à la poussière 309
et allaitement maternel
56, 164-166, 233
amis
le nourrisson 141
de six mois à un an 293
de un an à deux ans et
demi 372-373, 409, 419-
420, 428
le jeune enfant 472-476,
520, 540-541, 551
Voir aussi jouer

amour
le nouveau-né 26-28, 34,
36-37, 52
le nourrisson 142-146,
216, 219-223
de six mois à un an 225-
231, 310
de un an à deux ans et
demi 321, 327
le jeune enfant 433-435,
485
entre le jeune enfant et le
nouveau-né 427
partager l' 316
entre frères et sœurs 429
sucreries, comme
symbole d' 441-443
inconditionnel 434
Voir aussi attachement
anticorps
du colostrum 55
et vaccination 348
appareil génital 45, 49-50,
477, 491-492
apprendre
à la maison 418
à travers le jeu 408-409,
541-542
Voir aussi éducation (les
premières années), parler
approbation
de l'adulte 534-535
dont l'enfant a besoin 500
arts et travaux manuels 415,
511-513, 517
asseoir (s') 192-194, 277-
279
assurance (apprendre à avoir
de l') 473-474
attachement affectif
le nouveau-né 26-28, 34,
36-37, 52, 144-145
le nourrisson 141-146,
196
de six mois à un an 225-
231, 275
de un an à deux ans et
demi 321-327, 427
avec le jeune enfant 431-
435
Voir aussi angoisse
attention (besoin d') 10-11,
219, 228, 528

B

« baby blues » 52
bain
du nouveau-né 10, 93,
96-97, 100, 102-103, 115
du nourrisson 176
de six mois à un an 253-
254